DIGBY MANUSCRIPTS

BODLEIAN LIBRARY QUARTO CATALOGUES

IX

DIGBY MANUSCRIPTS

1

A reproduction of the 1883 catalogue by W. D. Macray

2

Notes on Macray's Descriptions of the Manuscripts

by

†R. W. Hunt & A. G. Watson

Appendix

An Edition of Thomas Allen's
Catalogue of his Manuscripts

by

A. G. Watson

Oxford
Bodleian Library
1999

Designed by Graham Wilkins

Printed in Great Britain
at Selwood Printing Ltd, Burgess Hill

ISBN 1 85124 056 X

BODLEIAN LIBRARY

QUARTO CATALOGUES

IX

DIGBY MANUSCRIPTS

1

A reproduction of the 1883 catalogue by W. D. Macray

CATALOGI

CODICUM MANUSCRIPTORUM

BIBLIOTHECAE BODLEIANAE

PARS NONA,

CODICES A VIRO CLARISSIMO

KENELM DIGBY, EQ. AUR.,

ANNO 1634 DONATOS, COMPLECTENS:

ADIECTO INDICE NOMINUM ET RERUM.

———————

CONFECIT

GULIELMUS D. MACRAY, A.M.

———————

OXONII:

E TYPOGRAPHEO CLARENDONIANO,

1883.

London

HENRY FROWDE

OXFORD UNIVERSITY PRESS WAREHOUSE

AMEN CORNER

CATALOGUS

CODICUM MSS.

KENELMI DIGBY.

1.

Codex membranaceus. In 16mo. ff. 126. Saec. xiv. Utrinque mutilus; deest etiam folium unum inter ff. 15–16, alterumque inter ff. 60–61. Olim in bibliotheca Thomae Allen, cod. 15 ex libris in 16mo.

1. Gulielmi de Conchis [*alias* Shelley] Dragmaticon, sive Manipulus Philosophiae; dialogus cum Henrico II, Normanniae duce. **f. 1.**

    Inc. in verbis, '—tres vidit et unum adoravit,' quae occurrunt in fol. 3^b, linea ultima, codicis 107 *infra*. Expl. '—desinit homo vivere,' fol. 49 *ibid.*
    Impressus exstat tractatus (teste Fabricio), Argent. 1566, 8vo. edente Gul. Gratarolo.

2. Fragmentum Kalendarii, continens menses Nov. et Dec. **ff. 95, 96.**

3. De divisione temporis. **f. 98.**

    Inc. 'Tempus est mora motus rerum mutabilium.'

4. Recepta medicinalia; *Gallice.* **ff. 101, 102.**

    Vacant ff. 103–5.

5. Pars libri primi tractatus [Honorii Augustodunensis, sive cujuscunque sit] De imagine Mundi. **f. 106.**

    Desin. in cap. lxxiv, ut in *Bibliotheca Patrum*, fol. Col. Agr. 1618, vol. xii. p. 941.

2.

Membranaceus. In 16mo. ff. 152. Saec. xiii. exeuntis. Olim cod. Tho. Allen, in 16mo. 13.

1. Prognosticatio eclipsium ab anno 1281 usque ad an. 1300. **f. 1.**

2. Hymni ad Virginem Beatam et ad Jesum Crucifixum, cum notis musicis. **ff. 4^b–5^b.**

    Inc. i. 'In te concipitur, O Virgo regia,
               Rex a quo regitur celestis curia.'
       ii. 'Lator justitie latronum medius,
               Matris in facie, torquetur anxius.'

3. Dialogus inter Mariam Magdalenam, quaerentem Dominum in horto, et Jesum Ipsum. **f. 5^b.**

4. English poem upon the Passion; 24 lines. **f. 6.**

    Beg. 'Hi sike al wan hi singe for sorue yat hi se,
         Wan hic wit wepinge biholde apon ye tre.'

5. Prayer and hymn to the B. Virgin. **f. 6^b.**

    Beg. 'Hayl Mari, hic am sory, haf pite of me and merci.'

6. Kalendarium. **ff. 7–13.**

    In die 4 Oct. 'Natale beati Francisci, ordinis Fratrum Minorum fundatoris.' 14 Nov. 'S. Laurencii archiepiscopi Dublin.' 16 Nov. 'S. Eadmundi Cantuar. Archiepiscopi et conf.'

7. Tabula per quam sciri possint indubitanter dies Septuagesimae, Quadragesimae, Paschæ, et bisextus. **f. 14.**

    'Anno gratie M.CC.LXXXII . . . . inchoata est ista tabula.'

8. Pious resolutions; in verse; 12 lines. **f. 16.**

    Beg.   'No more willi wiked be,
                Forsake ich wille yis world is fe.'

9. French address and verses to the B. Virgin. **f. 15^b.**

    Beg. 'De ma Dame du cel chanteray uni chant. Ki seynt Gabriel vynt et salvont.'

10. Tractatus de Kalendariis componendis. **f. 16.**

    Inc. 'Per veterum sagacitatem compositus fuerat Kalendarius.' Insunt multi versus memoriales.

11. Tractatus de Logica; *imperf. ad finem.* **f. 26.**

    Inc. 'Cum sit nostra presens intencio ad artem dyalecticam, primo oportet scire quid sit materia artis dyalectice.'

12. Fragmentum tractatus cujusdam de Kalendario; expositio versuum. **f. 95.**

13. Tractatus de divisione temporis. **f. 96.**

    Inc. 'Compotista autem partes temporis, quandoque die majores, quandoque die minores, determinat.'

14. 'Contra fluxum sanguinis;' quatuor formulae superstitiosae (*Anglice*, 'charms'), *Lat. Angl.* et *Gall.* **f. 111.**

    Inc. 'Tres boni fratres per unam viam ambulabant.'

15. De compositione quadrantis. **f. 112.**

    Inc. 'Post chilindri compositionem, nunc cujusdam instrumenti horologici, viz. quadrantis, compositionem, investigemus.' Cf. cod. 98 *infra*, art. 26.

16. Tractatus de universalibus, *imperf. ad fin.;* praemissa tabula in qua *homo* deducitur a genere generalissimo, *substantia.* **ff. 121, 122.**

    Inc. '*Nulla est affirmacio in qua universale universaliter sumptum predicatur;* ut dicit Aristoteles, et hoc potest esse tripliciter.'

17. 'Philosophia Aristotelis per magistrum Rogerum Bourth, per dominum Robertum Russel de Merstone philosophice relata.' **f. 141.**

Inc. 'De philosophia inquirenda, quedam continet necessaria et quedam utilia.'

Expl. (f. 147) 'hanc tamen neque sciens provide reprobavi. Explicit Philosophia Aristotelis reportata per dominum Robertum Russel de Merstone.'

18. Formulae pro epistolis incipiendis et responsis rescribendis. **f. 149.**

19. Tractatus brevis grammaticus de litteris, syllabis, diphthongis, et variis dictionum terminationibus. **f. 150.**

Inc. 'Quid est litera? Litera est minima pars vocis.'

3.

Membranaceus. In 12mo. ff. 130. Saecc. xiii et xii. Olim signo 'A. 183' notatus in bibl. Tho. Allen, in 16mo. 12.

1. Breviarium Anglicanum; ab Adventu usque ad Commemorationem plurimorum martyrum; *mutil. ad fin.* **ff. 1–59, 91–130.**

Deest fol. unum inter ff. 58, 59. Congruit, ut videtur, textus potius cum Brev. Ebor. quam cum Brev. Sarisb.; forsan autem tertia quaedam forma hic exhibetur.

2. Petri Alfunni liber de Proverbiis [sive Narrationes Morales]. **ff. 60–90.**

Inc. prol. 'Dixit Petrus Alfunnus servus Christi Jesu, compositor hujus libri, Gratias ago Deo,' etc. 'Deus igitur in hoc opusculo mihi sit in auxilium qui me librum hunc componere et in Latinum transferre compulit.'

Inc. narratio prima, 'Enoch philosophus, qui lingua Arabica cognominatur Erlrich, dixit filio suo, Timor Dei sit negociatio tua.'

Inc. ultima, 'Heremita quidam quesivit a magistro, Quid faciam in hoc seculo quod me precedat in alio ?'

Quaedam ex narrationibus exstant, versione alia, ad calc. Fabb. Aesopi, ed. per Rimicium, fol. s. l. et a.

4.

Membranaceus. In 12mo. ff. 112. Saecc. xiii et xii. Variis manibus exaratus. Olim 'A 127' in bibl. Tho. Allen, in 16mo.

1. (*Saec.* xiii.) Commentarius in canonem Missae; in folio rejectaneo, manibus secunda et tertia, intitulatus, 'Tractatus super canonem Misse Thome de Stureya.' **f. 1.**

Inc. '*Vere dignum et justum est*, [etc.] Gratias agamus ut a nobis sacrificium accipias.'

Expl. 'Et quod debeamus in pace manere signamus.' Sequitur directio de forma litterarum observanda, etc., in textu canonis transcribendo.

2. (*Saec.* xiii.) Poema de ruina Romae, a quibusdam Gualtero Mapes ascriptum. **f. 31.**

Inc. 'Propter Syon non tacebo,
Sed ruinam Rome flebo.'

Apud Flacii Illyrici *Varia de Ecclesiae statu poemata*, 8°. Basil. 1557, p. 408; *The Latin Poems of W. Mapes, ed. by T. Wright*, 4°. Lond. 1841, p. 217. Desinit autem exemplar nostrum ad versum, 'et carina deperit,' p. 413 editionis primae, p. 221 secundae jam citatae.

3. 'Alia;' poema contra ambitiosos et avaros. **f. 32.**

Inc. 'Multi cum currentibus currunt ad coronam,
Juvenalis autumat sumere personam,
Sed cum bene noverim Pallada Latonam
Semper ego aud. t. n. ne. reponam.'

Cf. versionem aliam apud Wright, *ibid.* p. 152.

4. 'Alia;' poema de eisdem. **f. 33^b.**

Inc. 'Multiformis hominum fraus et [in]justicia,
Letalis ambicio, furtum, lenocinia.'

Cf. *ibid.* p. 153.

5. 'Alia;' de vi pro lege posita, sive de lege baculi. **f. 35.**

Inc. 'Baculare sacramentum
Nec recenter est inventum,
Nec sine misterio,
Ab antiquo manus rata
Scripto legis figurata,
Baculi religio.'

6. 'Alia;' querela ad Papam. **f. 36^b.**

Inc. 'Nostri moris esse solet
Quando festum turbas olet
Loqui lingua clerici,
Ne si forte quid dicamus
Unde risum moveamus,
Cachinnantur laici.'

Versio alter exstat apud Flacium, *ut supra*, p. 9; Wright, p. 57; et alibi.

7. 'Alia;' de judicio sacerdotum avarorum. **f. 37^b.**

Inc. '*A la feste sui venuz ;* et ostendam quare
Singulorum singulos mores explicare.'

Expl. 'Jam satura faciat finem sue litis.'
Insunt hic illic quaedam verba Gallica.

8. Sententiae ex Seneca. **f. 38^b.**

9. De duabus nativitatibus Christi. **f. 40^b.**

10. (*Saec.* xiii.) Notae variae theologicae; de morte Ishbosheth mystica expositio; percussionum genera; insignia tribuum Israel; mansionum septem januae; de septenplici Bethlehem; etc. **ff. 41–47.**

Sequuntur tria folia vacua.

11. (*Saec.* xii.) Macer de Virtutibus herbarum; carmine. **f. 48.**

Folium ultimum manu saec. xiii. suppletum est.
Sequuntur undecim folia vacua.

12. (*Saec.* xiii.) Poema pium et morale semi-Saxonicum, strophas CXCI, singulas ex quatuor versibus constantes, continens. **f. 97.**

Incip. 'Ic am elder þanne ic þes,
A þintre ꝺ ec a lore,
Ic ealdi more þanne ic dede,
Mi þit oȝhte to bi more.'

Strophae xxxvii impressae exstant apud Hickes, *Lingg. Vet. Septent. Thes.*, 1705, Grammat. Anglo-Saxon., pp. 222–4, ubi autem formae litterarum saepe antiquiores exhibentur quam quae in codice inveniuntur. Edidit collatis sex aliis codicibus, Herm. Lewin, 8°. Halle, 1881.

13. (*Manu secunda.*) Versus sexdecim de Christo et matre Ejus. **f. 110^b.**

Inc. 'Virgo parens loquitur et mistica res aperitur,
Se notat et Natum, verbis signisque notatum.'

14. (*Manu tertia.*) Versus de quadam statua sculpenda. f. 111^b.

Strophae decem, singulae quatuor versus continentes.

Inc. 'Si de leto stigmate metra queam fari,
De pusillo temate destino scrutari,
Promptus emtimemate me cepit ortari
Rithmico poememate (*sic*) parum spaciari.'

In Catalogo MSS. anno 1697 in lucem emisso, sed multo antea a Ger. Langbaine compilato aut saltem transcripto (cujus autographum exstat in cod. Langbain. xix. p. 455), ad finem brevissimae descriptionis hujus codicis inserta sunt haec : 'Alfredi Regis Parabolae, Saxonice.' Sed in autographo jam citato (p. 471) adduntur verba, 'non comparent ;' nullam etiam de his mentionem facit idem Langbaine in indice contentorum codicum Digbeianorum ab ipso circa an. 1650 confecto, Langb. MS. iv.

5. [B. N. 1.]

Membranaceus. In 12mo. ff. 85. Saecc. xii et xiv. Olim cod. Tho. Allen, in 16°. 9. Hodie *Auct. B. N. Digb.* 1. notatus.

1. L. Annaei Senecae Declamationes, sive Epitome ex libris controversiarum. f. 1.

Tit. 'Liber Annei Senece qui declamationum liber dicitur, Novato, Senece, Mele filiis datus.' Duabus manibus exaratus. *ff. 68–72 vacant.*

2. Kalendarium Johannis Somer, de ordine Fratrum Minorum, ad meridiem universitatis Oxoniae anno Domini 1380 compilatum. f. 73.

Praemittuntur tabulae duae ostendentes aureum numerum et litteram dominicalem pro omni tempore ; sequuntur tabulae lunares, etc., et tabula exhibens figuras eclipseon solis et lunae ab anno 1387 ad 1462.

6.

Chartaceus. In 16mo. ff. 396. Saec. xvi. ineuntis. Mutilus in principio.

1. Sententiae et apophthegmata Graeca ex variis antiquis auctoribus, tum ecclesiasticis, tum ethnicis, collectae ; ἀκεφ. f. 1.

2. Sententiae proverbiales, ordine alphabetico ; *Gr.* f. 152^b.

3. Excerpta ex Patribus, sive Florilegium ; *Gr.* f. 161. E Chrysostomo (ff. 161, 245, 384), Basilio Magno (f. 278), Isaaco Syro (f. 309), Marco Eremita (de lege spirituali, f. 342), 'ἐκ τῆς κλίμακος' (*scil.* Scala Paradisi Joannis Climaci, f. 379^b).

4. Beatitudines quaedam undecim ; *Gr.* f. 382.

Vacant sex folia inter 383, 384.

5. Catechesis quintodecima S. Cyrilli Alexandrini, de secundo Christi adventu ; *Gr.* f. 389.

6. Narratio de miraculis quibusdam archangelorum Michaelis atque Gabrielis (*init. solum*) ; *Gr.* f. 392^b.

Inc. 'Βασιλεύοντος τοῦ Νικηφόρου τοῦ ἐπικεκλημένου βοτηνιάτου.'

7.

Chartaceus. In 12mo. Saec. xvi. exeuntis. ff. 193.

1. Orationes duae, *Graece* ; 1. Ad Dominum Jesum Christum, 'περὶ ἐξομολογήσεως :' 2. Ad B. Virg. ff. 1, 2^b.

2. Calendarium Graecum. f. 7.

3. Oratio Dominica et Symbolum Nicaenum : *Graece.* f. 20.

4. Horae B. Virginis, *Latine* sed Graecis characteribus expressae. f. 23.

In foliis 187–191 ad calcem rejectaneis sunt versus quidam e libro primo Regum, *Hebraice*, moderna manu exscripti ; et in fol. 193 nomen, '...... Saltford, Brancasters, Norff.'

8.

Chartaceus in 12mo. Saec. xvi. ineuntis. ff. 229, veteri enumeratione, praeter duo ad initium libri.

1. Theologica varia, sive loci communes cujusdam praedicatoris in Anglia et Scotia itinerantis, annis 1493, 1500–1, et 1503–1515.

Praeter sermones varios aliaque ejusdem generis, insunt diaria ecclesias recensentia in quibus, et textus e SS. Bibliis super quibus, sermones habiti sunt, praesertim apud et juxta Londinum, apud Richmond et Grenovicum, Southamptonam alibique in comit. Hanton.; in comitatu Cantiae ; apud Novocastrum-super-Tynam aliaque loca in partibus borealibus ; et in Scotia apud Edinburgum, Stirling, villam de S. Johanne, Elgin, variaque loca in comitatu Aberdonensi.

2. (*Manu secunda*). Exorcismi atque conjurationes (*Anglice*, 'charms').' ff. 104–139.

3. (*Manu tertia*). Tabulae analyticae de virtutibus et vitiis aliisque theologicis ; cum indice, manu cujusdam possessoris libri addito. ff. 153–194.

In folio primo est prognosticatio astronomica pro anno 1524.

9. [B. N. 2.]

Membranaceus. In 8vo. Saec. xiv. ineuntis. ff. 530, binis columnis. Hodie signatus, *Auct. B. N. Digb.* 2.

Biblia Latina, versione Vulgata, cum prologis Hieronymi.

10.

Membranaceus. In 8vo. Saec. xv. ff. 21. In fol. primo, insignia Regis Franciae, *sc.* tria lilia aurea in scuto caeruleo, sub aurea corona. In fol. ad finem rejectaneo, 'Robert Kynnard, surgean, youre poore servaunt.' Inter MSS. Tho. Allen, 8 in 16mo.

'Le Liure de la pierre de vye des philosophes, le quel maistre Arnault de Villeneufue, souuerain medecin des medecins, a fait et compose.'

Beg. 'I entens composer et declarer la chose merveilleuse dypocras, G., Haly et Avicenne.'
End. 'Et pour tant soit geite ou purs de penitence qui revelle ce secrett aux impuissans et aux foulx.
Cy finist lepistre contenante les vertuz de la pierre de la vie humaine, faicte par maistre Arnault de Villeneufue.'

11.

Membranaceus. In 8vo. Saec. xiv, xiii, variis manibus exaratus. ff. 203. Desunt folium unum in initio, quatuor inter ff. 63, 64, et etiam alia alibi. In fol. ult., 'Wyllyam Bradwey.' Olim inter codd. T. Allen.

1. [*Saec.* xiv.] Summa quaedam de natura rerum, libris undecim comprehensa; *imperf.* f. 1.

Incip. ad cap. 3. lib. I. de Angelis. 'Describuntur et pennati et alati quia a contagione terrena penitus alieni.' Sequuntur libri de anima, de corpore hominis, de naturalibus mundi phenomenis. et de lapidibus. Desin. 'Zingintes, lapis vitreus, gestatus videlicet contra victilopam, sanguinem stringit, [*etc.*] Et hec de gemmis pro nunc sufficiant. Explicit liber xi.'

2. 'Liber Suda;' excerpta, biographica praesertim atque historica, ex Suida; capitulis lxxi; *imperf.* f. 33.

Incip. in cap. 31, de Serapione:—'dixit suaderi ipsum sociari alteri viro.' Cap. ult. est de passionibus. Desin. '*Menis* autem est ira quaedam inveterata, invida et insidiativa; *Tymos* autem ira principa^{va} *Explicit liber Suda.*'

Sequitur nota (f. 43^b) de monumento apud Romam invento habente in tribus circulis tres inscriptiones, 'Exspendi, donavi, servavi, negavi,' etc.

3. 'Incipit Itinerarium fratris Odorici de ordine Minorum, approbatum sub manu notorii publici, de mirabilibus Indie.' f. 44.

Incip. prol. 'Noverint universi quorum interest quod quidam frater ordinis Minorum, Odoricus nomine.' Incip. liber, 'Licet multa et varia de condicionibus hujus seculi enarrantur a multis.' Expl. lib. '—in quibus vivere et mori me dispono, si placuerit Deo non altissimo.' Expl. append. '—Sed non de omnibus, quia sunt innumerabilia, et mihi difficilia ad scribendum.'

Inest narratio de martyrio quatuor fratrum Minorum. Exstat abbreviatio apud *Acta Sanctorum*, Jan. vol. i. pp. 986-992.

4. 'Incipit Vita Tartarorum,' sive liber de moribus eorundem, auctore Joanne de Plano Carpini. f. 59^b.

Inc. 'Omnibus Christi fidelibus.'

Expl. (in litteris Papae missis) 'Postea autem quid futurum sit nescimus: solus Deus veritatem novit. Explicit Vita Tartarorum. Amen.'

Desunt quatuor folia, barbara manu exscissa, inter ff. 63, 64, et etiam quaedam inter ff. 64, 65. Desinit textus mutilus in sect. iii. cap. vi. ad verba 'et homines ficcionis ut superius dictum est;' p. 32, vol. ii. operis cui tit. 'Hakluyt's Voyages,' et p. 694 editionis cura—M. A. D'Avezac in vol. iv. collectionis per Soc. Galliae Geographicam vulgatae, intit. 'Recueil de Voyages et de Mémoires,' 4° Par. 1839. Sequuntur litterae Regis Tartarorum ad Papam, impr. p. 594 editionis proxime citatae.

5. De mirabilibus Romae. f. 65^b.

Incip. 'Circa situm et diversitates sanctissime civitatis Rome.' Des. '—et in eodem loco depingitur ymago Salvatoris. Explicit.'

6. De civitatibus Marcilia, Janua, Pisa, Florentia, Aretia, Assisio, et aliis Italicis. f. 68.

7. 'Incipit exposicio epistole Valerii ad Ruffinum de uxore non ducenda;' commentarius, scilicet, in partem distinctionis quartae libri Gualteri Mapes *De Nugis Curialium.* f. 69.

Inc. in expositione verborum 'Loqui prohibeor et tacere non possum,' etc., et desin. ad verba, 'In fornace positus es; si ergo aurum es, exibis purior;' pp. 142-150 editionis operis Gualt. Mapes per Soc. Camden. sub cura Tho. Wright anno 1850 vulgatae. Desinit autem expositio imperfecta, sex foliis vacuis ad finem additis in quibus reliqua inserere scriba sibi proposuisset.

Ex septem artt. jam descriptis, manu una ac eadem exaratis, constabat olim codex in bibl. Tho. Allen, '7. 16mo.,' postea numero 'A. 163,' signatus.

8. (*Saec.* xiii. *usque ad art.* 27) Tractatus de physiognomia. f. 92.

Praefixus est titulus, litteris rubris, hodie vix legendus: 'Incipit phisiognomia. Liber pre . . . . . . mourt. (?)

Incip. 'Ex tribus auctoribus quorum libros pre manibus habui.' Desin. 'Oculi stantes, parvi, humidi, maliciosum et viciosum hominem significant.'

Exemplar aliud exstat in cod. Trin. Coll. 17.

9. Formulae et phrases pro litteris incipiendis et conscribendis (ut videtur) aptae, cum excerptis quibusdam ex epistolis res monasticas tangentibus. f. 94.^b

10. Dialogus Adelardi [archidiaconi Bathoniensis], et nepotis ejus [super quaestionibus naturalibus], cum prologo et tabula capitulorum. f. 97.

Desinit incompletus in cap. 22, ad verba 'ipsam formarum concepcionem quam visum vocamus.' Prologus, cap. primum et tabula, variis codd. MSS., collati, transcripti exstant in cod. Langbain. xii. fol. 1. Prologus impressus est in *Thes. Anecd.* per Martene et Durand, fol. Par. 1717, vol. i. col. 291.

11. Sententiae quaedam ex verbis aequivocis compositae. f. 103.^b

Ex. gr. 'Prelati, re lati, pre cunctis elati, Christi isti jus hereditatis dant ere ditatis, Heliseo dispares : dis par es hiis si semper pares.'

Artt. 8-11. olim cod. 5 Tho. Allen in 16°.

12. Fragmentum ex sermonibus quibusdam, partim de misericordia, partim in Adventu habitis. ff. 104-110.

13. Tabula indulgentiarum singulis diebus a Septuagesima usque ad Dominicam in Oct. Paschae in ecclesiis apud Romam. f. 110^b.

14. 'Signa de adventu Domini ad judicium.' f. 112.

15. Collectio sententiarum, sive Florilegium, ex Sacra Scriptura de variis vitiis et virtutibus. f. 113.

16. Recepta varia pro coloribus faciendis. f. 124^b.

17. Nota de quatuor personis in Scripturis per quas peccatores maxime spem concipiunt. f. 128.

18. Nota de milite in torneamentis propter missas auditas vincente. f. 128^b.

19. 'Nomina abathiarum ordinis Cistercii in Anglia.' f. 128^b.

20. Nota de mensuris distantiarum, secundum magistrum Hugonem. f. 129^b.

21. Versus grammaticales. f. 130.

Incip. '*Doctrinale.* Dant in *vs* hec facta tibi declinante secunda,
Hec paradisus habet, nardus, domus atque iacinctus.'

22. Narratio de Secundo philosopho. f. 133.

Inc. 'Secundus philosophus fuit. Hic philosophatus est omni tempore in silencio.' Des. manca,—'incogitabilis inquisicio.'

23. Narrationes variae de monachis, sacerdotibus, aliisque; inter quas, de Judaeo in Paradiso per subtilitatem commorante, ex 'libro Petri Anfulsi [*lege* Alfunsi] contra Judeos;' de Johanne, qui

et Gerebertus dictus est, anno 1011 papa facto, in artibus magicis perito [Silvestro II ?]; de miraculo anno 1013 in Saxonia in Othbertum quendam operato, 'tempore Ethelredi regis regnante (*sic*) in Anglia.' ff. 135–142.

24. Notae breves ex Gregorio, Bernardo, et Augustino, aliaque theologica. ff. 142ᵇ–3ᵇ, 144ᵇ–5.

25. De rebus variis triplicibus: *scil.* de triplici Verbi Domini usu bono; de triplici invidia Judaeorum contra Dominum; de tribus causis quare Ille passus est; de triplici adventu Ejus. ff. 143ᵇ–145.

26. Narratio de heremita quodam Anglico, Godmannus nomine, et de vita ordinaria Oswaldi Regis cum Regina ejus. f. 146.

Inc. 'Erat quidam solitarius in partibus aquilonalibus Anglie, Godmannus, *i.* homo Dei, nomineque opere.'

27. Chronicon breve Angliae a Bruto usque ad an. 1270. f. 149.

A quodam monacho de Stanleye, in com. Wilt., ut videtur, compilatum; insunt enim notae de successione abbatum et de domorum edificatione, ecclesiae dedicatione, etc. Praemissus est titulus, 'Incipit particula quedam de libro qui vocatur Brutus.'

28. (*Saec.* xiv.) Sermo in Esaiae cap. xxx. vers. 21. ff. 187ᵇ, 201ᵇ.

29. Story, in English, of a man who died unshriven of one particular sin; *unfinished.* f. 190.

30. Expositio Orationis Dominicae et Salutationis B. V. Mariae. ff. 191, 194.

31. Sermo in S. Luc. XIV. 10, in die Assumptionis B. V. Mariae. f. 199ᵇ.

Ex artt. 12–30 constabat codex T. Allen, numero 'A 186' signatus: ff. 104–147 olim etiam, ut ex veteri (sed, ex parte, erronea) numeratione apparet, in quodam alio volumine majore pro ff. 551–592 locum habuerunt.

12.

Codex membranaceus. In 8ᵛᵒ. Saec. xiv. ff. 413. Binis columnis exaratus. 'Ex bibliotheca Jani Rutgersii.'

Bartholomaeus Glanville, Anglicus, ordinis Fratrum Minorum, de Proprietatibus Rerum; libris xix, cum prooemio et tabula contentorum, et, in fine, catalogo auctorum ex quorum scriptis tractatus compilatus est.

13.

Membranaceus. In 8ᵛᵒ. Saec. xii. ff. 95. Olim cod. Allenianus, 'A. 145.' Variis manibus exaratus.

1. [Marbodei] Liber de naturis gemmarum. f. 1*.

Inc. 'Evax Rex Arabum legitur scripsisse Neroni.'
Saepe impressus.

2. Tractatus brevis de lapidibus pretiosis, manu saec. xii; cui subsequuntur alia brevia ejusdem generis, manu altera, ejusdem saec. exeuntis. ff. 17, 20.

Inc. 'Orites alius niger, alius viridis.'

3. Of pearls; *in French.* f. 21.

4. Poema in mortem cujusdam Willelmi prioris. f. 22.

Inc. 'Non decet hunc igitur vacuum defflere querelis
Quem letum summi nunc tenet aula poli.'
Expl. 'Anima Willelmi prioris requiescat in pace.'

5. Tractatus de gemmis. f. 23.

Inc. 'Omnium gemmarum virentium smaragdus principatum habet.'

6. Leges Canuti Regis. f. 41.

Inc. '*Incipiunt quedam instituta de legibus secundum Cnud regem Anglorum.* Hec est institutio quam Cnud rex cum consilio principum suorum sapientum.' Expl. '—valere juramentum vi villanorum, quia pretium ejus est, id est pereƺeld.' Desin. in cap. 127. Textus in pluribus concordat cum eo quem e collatione Harl. MS. 746, J. L. A. Kolderup-Rosenvinge anno 1826 publici juris fecit.

7. Macer (*ut fertur*) de viribus herbarum. f. 58ᵇ.

Titulum habet, 'De viribus herbarum. Liber Omad'.' Qui autem hoc nomine designatus sit, nisi *Odo* quidam cui a quibusdam poema ascriptum est, ignoratur.

Praemissa est, in ff. 54–58, tabula analytica herbarum viriumque suarum; notae etiam quaedam marginales adjectae sunt, inter quas sunt Anglica synonyma. Ordo sectionum non concordat cum ea in editione anno 1832 per L. Choulant vulgata. Desinit poema ad finem sect. xlvi, de asaro,

'Juxta quod vires, etas et tempora poscunt. Explicit.' (f. 82). Deinde, foliis duobus intervenientibus, sequuntur (ff. 85–89ᵇ) sectiones xlvii–lxxvii, quarum ultima est (ut in impressis) de aloe; adduntur etiam sectiones novem (Titimallis, Rafanum, Pentaphilon, Diptannum, Pimpinella, Ros marinus, Consolda, Luvestica, Millefolium) quae non, ut videtur, impressae exstant.

8. 'Exceptiones de libro Henrici,' de herbis variis. f. 91.

Ex libro Herbarum compilato, ut Lelandus aliique scribunt, per Henricum de Huntingdon.

Folium primum in volumine, supervacaneum et mutilum, ornamenta quaedam coloribus depicta habet, una cum verbis 'De Hilarii Libro de trinitate cum ceteris . . . .'

Ad calc. sunt folia duo (ff. 93, 94) ex computis maneriorum quorundam in com. Cantiae; 1. 'Exitus bladi de Sibertesweld tempore Willelmi anno quo obiit, anno Domini, M.CC.XXXIX;' 2. 'Recepta et expensae Thomae de Bureford apud Colrede,' etc.

14.

Membranaceus. In 8ᵛᵒ. Saec. xv. ineuntis. ff. 160.

The Prick of Conscience; a poem by Robert Grosseteste, Bishop of Lincoln.

Tit. '*Hic incipit quidam tractatus magistri Roberti Grosthed, episcopi quondam Lincolniensis, doctorisque egregii in theologia, et vocatur Stimulus Consciencie.*'

Prol. beg. 'The myzt of the fader almyzty.'
Poem ends, 'That for oure hele in rode gan honge. Amen.'

On a flyleaf at the beginning :—

Oratio S. Augustini, quam 'si quis dixerit vel super se portaverit, nullus inimicus ei nocere poterit,' etc.

At the end :—

1. Sententiae morales, ex Isidoro. f. 159.

2. Nomina regum Angliae, ad Hen. VI; etc. f. 160.

15.

Membranaceus. In 8vo. Saec. xv. ff. 135.

Tractatus varii arithmetici atque astronomici.

1. Computus manualis, in sex partes divisus, intermixtis versibus multis ad memoriam juvandam aptis. **f. 1.**

> Ad calc. 'Explicit computus manualis secundum usum Cantebrig. quod Bernys scripsit.'

2. [Alexandri de Villa Dei] Carmen de algorismo. **f. 11^b.**

> Inc. 'Hec algorismus ars presens dicitur, in qua.'
> Expl. 'Multiplicandorum de normis sufficiunt hec.
> Explicit tractus algorismi, etc.
> *Asty.*'
> Impress. per J. O. Halliwell apud *Rara Mathematica*, 8°. Lond. 1838 et 1842.

3. [Johannis de Sacro Bosco] Tractatus de sphaera. **f. 19^b.**

> Inc. 'Tractatum de spera in quatuor partes dividimus.'
> Expl. '—aut Deus nature patitur aut mundana machina dissolvetur. Ex quibus exiliter dictis evidet intuenti formam mundialis machine, una cum singulorum particulis superius principaliter intentorum,' etc.
> Exstat saepius impressus.

4. Walteri Brit Theorica planetarum. **f. 58^b.**

> Inc. 'Circulus ecentricus egresse cuspidis, et circulus egredientis centri sunt idem.'
> Expl. '—et ideo luna non retrograditur et istius caⁱ [canoni ?] subditur, etc. Explicit Theorica domini Walteri Brit, quondam socii collegii de Merton,' etc.
> In quinque foliis sequuntur figurae quae motus planetarum illustrant.

5. Kalendarium, cum tabulis et figuris eclipsium, aliisque astronomicis. **ff. 98–112.**

> Ad diem Junii 21 notatur, 'Dedicacio ecclesie beate Marie de Eton.'

6. Tractatus de luce et visu. **f. 113.**

> Inc. 'Prima conclusio experimentalis est Avycenne quod lux habet aliquam operacionem in visum.' Expl. '—pars autem una istuc, pars autem ultra illuc, vertitur.'

7. De numeris absolutis. **f. 122.**

> Inc. 'Primo quere an sint certe regule sub certis ordinibus posite ex quibus numeri absoluti procreantur.'
> Expl. '—non faciunt numeros contra se positos, quod tamen sequitur ex regula Boicii ibidem.'

8. Notae de officio oratoris, divisione orationum, speciebus argumentorum, etc. **f. 129.**

> Inc. 'Oratoris officium est de hiis rebus posse dicere.'

9. Varia de motu corporis ponderosi. **f. 133^b.**

16.

Membranaceus. In 8vo. Saec. xiv. ff. 223. Olim inter codd. Tho. Allen, 65, et 'A. 164.'

1. 'Liber de Ymagine Mundi, editus a reverendo patre ac domino Petro [de Casa], patriarcha Iherosolimitano;' libri tres; cum prologo et tabula capitulorum, numero cxxxiv. **f. 1.**

> Capp. 1–100, quae libros i. ii. conficiunt, eadem, de verbo in verbum, sunt ac totidem quae in *Historia Hierosolymitana* Jacobi de Vitriaco inveniuntur. Dein sequitur (f. 120) 'Liber

tercius de corrupcione habitancium in Terra Sancta,' in quo habentur quaedam de corrupto statu civitatis Parisiensis, ac descriptiones ordinum variorum religiosorum. Insunt multa valde lectu digna.

2. 'Exempla magistri Jacobi de Vitriaco;' sive documenta moralia et theologica ex rebus variis et ex vitis sanctorum aliorumque illustrata. **f. 165.**

> Inc. 'Navis per se descendit fluvium, sed per se non ascendit. Similiter homo.' Insunt narrationes multae, breviter descriptae. Deest pars folii 176.

3. 'Hystoria Nichodemi de gestis Salvatoris que inventa est in pretorio Poncii Pilati.' **f. 208.**

> Inc. 'Factum est in anno decimo nono imperii Caesaris.'
> Expl. 'Que gesta sunt de Jhesu in pretorio meo.
> Explicit hystoria Nichodemi quam invenit Theodosius magnus imperator in Jerusalem in pretorio Pontii Pilati in codicibus publicis.'

17.

Partim membranaceus, saec. xiii, xiv; partim chartaceus, manu extera, saec. xv. exeuntis. ff. 178. In 8vo. Olim 'liber Joh. Parker;' postea, inter codd. T. Allen, 54, et 'A. 146.' In fol. ult. est nomen Roberti Frelove, litteris Hebraicis ut et Latinis.

1. (*Membr.*) Quaestiones et responsa de significatione variorum rituum atque caerimoniarum in Ecclesia ab Septuagesima usque ad Adventum usitatorum. **f. 1.**

> Forsan initium deest. Inc. 'Quare lxx^a. celebratur [*etc.*] * * * * Quare lx^a. celebratur.' Expl. 'Quare ab incipiente Adventu Domini usque ad noctem Nativitatis Domini, Gloria, Gloria in excelsis Deo non cantatur [*etc.*] * * * * * quam tempore Veteris Testamenti.'

2. (*Chartac.*) Nota 'de circulo altitudinis, quid est, ex Epistola Bacun.' **f. 12.**

3. 'De algorismo in fractionibus phisicis tractatus, duo habens capitula.' **f. 12^b.**

> Inc. 'Iste tractatus est multum utilis volentibus aliquid scire in commutacionibus astrologie.'

4. Tabula radicum mediorum motuum solis et lunae et capitis draconis in annis Christi 1340–1600 collectis super meridiem Oxon. **f. 15^b.**

5. 'De ciclo lunari Arabum qui constat annis 30.' **f. 16^b.**

6. Tractatus de ratione totius anni et mensium Hebraeorum, secundum Chaldaicam supputationem; capitulis duobus. **f. 20.**

> Super tit. sunt haec: 'Jhesus, Maria, Franciscus.'

7. De annis, mensibus et diebus Hebraeorum. **f. 32.**

8. 'Canones tocius anni et Paschalis festivitatis, et mensium ordo et festorum omnium anni.' **f. 36^b.**

9. 'Compotus domini Roberti Lincolniensis episcopi;' accedit tabula. **ff. 41, 69^b–70.**

10. Ars faciendi chronica paschalia. **f. 68.**

11. Excerptum ex sexto libro Etymologiarum Isidori de cyclo paschali. **f. 70^b.**

12. De Pascha. **f. 71ᵇ.**

13. Libri x. et xi. cujusdam tractatus de calculationibus astronomicis. **f. 73.**

Tit. lib. x. 'Liber decimus mensem paschalem
ab equinoctio vernali dependentem per astrologicam
supputationem indagat.'

Tit. lib. xi. (f. 83ᵇ) 'Liber ii. docet invenire
conjunctiones et oppositiones luminarium per ex-
actissimam et brevissimam supputationem,' etc.

Ad fol. 80 est tabula ostendens dies Martii in quibus
contingit equinoctium ab anno 1500 usque ad 2740 et exinde
dies Februarii usque ad annum 4000.

14. Quatuor libri elementorum Musices [per Joannem de Tewkesbury]. **f. 91.**

Incip. (*post argumenta librorum*) 'Diffiniciones. Intervallum est soni gravis acutique spaciorum habitudo.' Nomen
auctoris inseritur in ora superiori manu E. de Coussemaker,
qui inter *Scriptores de Musica* edere voluit.

15. 'Celestium imaginum omnium septentrionalium,
videlicet meridionalium, et in orbe signorum
suarum stellacionum sive siderum sive stellarum
fixarum, tempore Alfonsi annis Christi scilicet
completis 1251 et mensibus 5, verificatarum,
longitudines ac latitudines et magnitudines sequuntur;' tabulae stellarum. **f. 110.**

16. 'Stelle fixe prime et secunde magnitudinis
que sunt in 48 imaginibus celi, verificate ad
eram Helizabeth Regine Hyspanie.' **f. 128ᵇ.**

17. 'Tabula stellarum fixarum insigniorum.' **f.
129.**

18. 'Mundi in quatuor partes divisio secundum
Pomponium Melam.' **f. 131.**

19. 'De divisione terre secundum climata, cum
tabula ad hoc pertinente, secundum Alfraganum
et autorem de spera.' **ff. 133ᵇ, 142.**

20. 'Summaria descripcio tabule nostri orbis.'
f. 137ᵇ.

21. Tabulae 'parallellorum quoad quantitatem diei
longiorum' [*etc.*], elevationum signorum, aspectus
lunae, eclipsium, etc.; signa zodiaci; ac observationes variae astronomicae. **ff. 139ᵇ–155.**

22. 'De diversitate annorum, ex Roberto Cestrensi
super Tabulas Toletanas.' **f. 156.**

23. Figurae variae, tabulam zodiaci et orbem mundi
illustrantes. **ff. 157ᵇ–162.**

In verso fol. 162, 'Memento mei tibi carissimi in Christo
Jesu,' subscriptis litteris quibusdam (BR, MVE aliisque) nomen
scriptoris in forma monogrammatis exhibentibus.

24. (*Membr.*) Figurae duae, praecedentibus similes.
f. 164.

25. Commentarius in tractatum [Aristotelis de
plantis]. **f. 166.**

26. Commentarius in tract. quendam 'de differentia
spiritus et anime.' **f. 171.**

Incip. textus. 'Spiritus est quoddam corpus subtile quod
in humano oritur.'

27. Commentarius in tract. [Aristotelis] de longitudine et brevitate vitae, sive de morte et vita.'
f. 172ᵇ.

28. Commentarius in librum primum [Aristotelis]
'de celo et mundo.' **f. 174.**

Desinit imperfecte.

18.

Membranaceus.   In 8ᵛᵒ. Saec. xv. ff. 93.

1. Kalendar. **f. 1.**

2. Exhortation of a sinner to amendment of life;
by Richard Rolle of Hampole; in twelve chapters.
f. 7.

Beg. 'Tarie þou not to turne to God.'
At the end: 'Expliciunt duodecim capitula Ricardi Hampole,
heremite.'

3. The Seven Penitential Psalms, in English verse.
f. 38.

'By Richard Hampole, heremyte.'   In Rawlinson MS. 389 the author is said in the Prologue
(in some lines which are omitted in this copy) to
be Richard Maydeston, a Carmelite.

Beg.   'To Goddis worschipe þᵗ dere us bouzte'
End.   'In heuenen kyngdom me to ceesen,
          Graunte us Oo God and Persones þre.   Amen.'

4. Litania. **f. 64ᵇ.**

5. Rich. Rolle's Form of Living, (Forma Vivendi).
f. 68ᵇ.

Beg. '*In alle þi doyngis þenke on þe ende.*   In ech a synful
man or womman.'
End, 'I have schortly seid a fourme of lyuynge, and how
men may come to perfectioun and love God þat han take hem
þerto.   If it do þee good þanke God, and praie for Richard
heremite þat . . . . . . (*caetera desunt*).

19.

Membranaceus.   In 8ᵛᵒ. Saec. xii. ff. 75. Bene exaratus.   In fol. primo, 'Liber est Willielmi Reed,
episcopi Cicestrensis, quem emit a domino Thoma
Trillek, episcopo Roffensi.   Oretis igitur pro utroque.' [Obiit Trilleck in anno 1372; Reed in anno
1385.]   Denique, liber Tho. Allen.

Ailredi Rievallensis Liber de Genealogia
Regum Anglorum.

Incip. prol. sine tit. 'Illustrissimo duci Normannorum,'
etc., ut in impresso. Incip. lib. (f. 4ᵇ), 'Religiosus et pius rex
David.'
Desin. (f. 71), '—quod ministerio litterarum de te ad pos-
teros transmittamus.'

Sequuntur haec :—

1. (*Manu saec.* xv.) Catalogus regum Anglorum
ab Will. I. ad Edw. I. **f. 71ᵇ.**

2. (*Manu saec.* xiv.) Hymni quatuor ad B. Virginem, quorum disticha singula verbis *Salve*,
Gaude, *Ave*, et *Salve*, respective incipiunt. **ff.
72-75.**

Incip.   i.   'Ave per quam fit sodalis immortalis et mortalis,
                     possessor possessio,
                 Nomen Dei sustantivum item capit adjectivum,
                     felix hec adjectio.'
          ii. 'Gaude que cun[c]ta transisti cum celestis ostendisti
                     nobis vite speculum,
                 Tu latoris es phicella, noveque legis cistella, currus
                     et vehiculum.'
         iii. 'Ave, Virgo speciosa, cujus laudi neque prosa neque
                     metrum sufficit,
                 Virgo mitis, mali meta, vena vite, per quam tela
                     dire mortis explicit.'
          iv. 'Salve, de qua Deo gratum nummisma fit fabricatum
                     quo mundus redimitur,
                 Preter morem usitatum, non per follem sed per
                     flatum hec moneta funditur.'

3. Narratio brevis de Constantino imperatore et
   Eusebio nomina et festa sanctorum inquirenti-
   bus. f. 73^b.

4. (*Ad oram inferiorem fol. supervacanei, manu saec.*
   xiv.) Versus sex morales, 'secundum Johannem
   Theutonicum.'

20.

Membranaceus. In 8vo. Saec. xiii et xii. ff. 227.
Manibus octo aut novem exaratus. Inter codd. T.
Allen, in tria volumina distinctus, 'A. 171,' 'A. 178,'
'A. 173.'

1. Tractatus de circulis mundi. f. 1.

    Inc. 'Nos juxta rectam ymaginacionem astrologiam in-
    choantes.'

2. Tabula differentiarum annorum secundum aeras
   varias. f. 3^b.

3. 'Incipiunt canones in motibus planetarum,
   scilicet celestium corporum,' cum figuris paucis.
   f. 4.

    Inc. 'Quoniam cujusque actionis quantitatem temporis
    metitur spacium celestium motuum.' Expl. (fol. 22) '—per
    quas horas invenies signum oriens et ejus gradum sicut ostensum
    est in precedentibus. Expliciunt canones in celestibus motibus.'

4. Varia alia astronomica, speciatim de eclipsibus
   et de latitudine Veneris et Mercurii. ff. 22–34^b.

    In fol. 28^b, post cap. 'de ascendente ad horam conjunc-
    tionis' sequuntur verba, 'Expliciunt canones in celestis (*sic*)
    motibus.'
    Insunt quaedam metrica :—
        i. De ascensionibus signorum. f. 25.
    Inc. 'Vigesimo primo, Saturne, gradu caput altas.'
        ii. 'Exaltationes planetarum et depressiones eorum in
            oppositis signis.' f. 27^b.
    Inc. 'Summe pater, libra majestatem tibi libra.'
    Ad fin. post cap. de latitudine Mercurii, sequitur cap. 'de
    fractionibus philosophicis quibus plus indigemus.'

5. Tractatus, sive notae miscellaneae, de annis, mensibus, et differentiis annorum secundum cyclos
   varios ; item, de aequationibus, conjunctionibus
   planetarum, eclipsibus, etc.; cum figuris. ff. 35–
   61.

    Inc. 'In nomine Domini nostri Jesu Christi. Scito quod
    annus lunaris sit ex CCCLIIII diebus.'
    Expl. in cap. de significatione lunae in domibus variis,
    'luna vero non sufficiens nisi modicum in hac significatione,'
    scil. in domo decima.
    Desunt quaedam inter ff. 60, 61, et, ut videtur, ad calcem.
    Artt. 3–5 habent interspersas notas multas, marginales et
    interlineares.

6. Fragmentum Florilegii cujusdam ex Verbis
   Domini et Apostolorum et ex dictis Patrum
   collecti ; capp. xvii, xxix–lxiv. f. 62.

    Cap. xvii. 'De sapiencia. Dominus dicit in evangelio,
    Estote prudentes.'
    Cap. lxiv. 'De defunctis. Dominus dicit in evangelio,
    Stulte.'
    Desunt quaedam inter ff. 62, 63, et duo folia inter ff. 72, 73.

7. Fragmentum tractatus cujusdam moralis, in quo
   capitula, 'De verbo ocioso,' 'De brevitate hujus
   vite,' et 'De lectionibus.' ff. 73, 74.

    Ad calc.: 'Explicit liber Cassiodori senatoris.' Non autem
    inveniuntur haec inter opera ejus impressa.

8. 'De septem mortalibus peccatis.' f. 74^b.

9. 'Exortacio sancti Cesarii episcopi ad Monachos ;' viz. Epistola sua secunda ad abbatissam
   et sanctimoniales, verbis paucis hic illic mutatis.
   f. 77.

10. 'Liber beati Leonis pape [IX] de conflictu
    viciorum atque virtutum.' f. 82.

    Saepe impressus inter opera Leonis Magni ; et col. 559, vol.
    cxliii. *Patrologiae Latinae* per J. P. Migne, 8°. Par. 1853.

11. Nota de septem sacramentis ecclesiae. f. 92.

12. Excerpta quaedam de officio boni pastoris. f.
    92^b.

13. [Alanus de Insulis] de sex alis cherubim. f. 95.

    Inc. 'Prima ala est confessio, non laudis.'
    Saepe impr.

14. De quatuor quae separant animam a Deo, de
    poenitentia et de octo generibus confessionis. f.
    98^b.

    Inc. 'David rex et propheta concepto mundi hujus honore
    et gloria.'
    Expl. '—tamen quedam opera plerumque habent similia.'

15. De quatuor quae confessionem impediunt. f.
    103.

16. Pars tractatus cujusdam de confessione et
    poenitentia religiosorum. f. 103^b.

    Inc. 'Petisti, amice, ut tibi scribendo aliquod traderem
    doctrine compendium quo scire posses quomodo viri religiosi
    ammonendi sunt ad confitendum.' Duo folia tantum restant ;
    quae sequi deberent, desunt.

17. Epistolae variae de electione, anno 1235,
    Johannis de Hertford in abbatem S. Albani,
    scil. ad Regem Angliae et ad Papam et Roma-
    nam curiam, una cum litteris confirmationis per
    Episcopum Eliensem. f. 105.

    Deest dimidium folii penultimi ; folium ultimum etiam paene
    ex toto deficit.

18. Collectio Epistolarum R. prioris de Sancto
    N[eoto] et monachorum quorundam ejusdem
    domus, circa finem regni Hen. III.; inter quas
    etiam epistolae quaedam abbatias de Sancto
    Albano et de Newminster, prioratus de Tyne-
    mouth et de Brinkebourne, atque domum Hos-
    pitalarem de Standon, tangentes. ff. 110–142.

    Nomina virorum non nisi litteris initialibus designata
    sunt.

19. Speculum ecclesiae, per Edm. Rich, *alias* de Pounteney, archiep. Cantuar., praemissa tabula contentorum; *Gallice*. **f. 143.**

> Tit. 'Ceste some fist Seint Edmunde de Pontenye e lapela merure de Saincte Eglise.'
> Incip. '*Videte vocationem vestram.* Ces moz de lapostele partenent a nus gent de religion.'

20. De confessione; explanatio vitiorum et peccatorum quae inquirenda sunt in confessione; de obitu, scil. quae dicenda sunt in extremis a poenitente. **ff. 158–161.**

> Inc. 'Hec sunt de quibus inquisicio facienda est in confessione.'

21. Sententiae quaedam piae ex Patribus. **f. 161.**

22. 'De vii morteus pecchez; 'De dis Comande-mens;' 'De duze articles de la fey;' 'De vii Sacremens;' [per Edm. de Pounteney?]. **ff. 162–6.**

> Incip. 'Set morteus pechez sunt, orgoil [*etc.*] che kune de ceus ad montz de branches.'

23. Notae variae: 1. ad vocem clarificandam; 2. de casei natura; 3. quid sit utile itinerantibus; 4. incantationes ad omnes febres. **f. 166ᵇ.**

---

24. Pars libri tertii tractatus Guitmundi de corporis et sanguinis Domini veritate, contra Berengarium. **f. 169.**

> Incipit in verbis, 'Ut autem vis totius disputationis,' ad col. 1478, vol. cxlix, *Patrologiae Latinae* per Migne, 8º. Par. 1853.

25. Hymnus ad B. V. Mariam, cum notis musicis. **f. 192ᵇ.**

> Inc. 'Ave mundi spes Maria,
> Ave mitis, ave pia.'

26. Bedae Vita S. Cuthberti. **f. 194.**

> Bene scripta, manu saec. xii. ineuntis. Littera prima initialis figuram depictam exhibet.
> Tit., 'Incipit prephatio venerabilis Bede presbiteri in vitam beati patris Cvthberti Lindisfarnensis episcopi.' Post prefationem deest folium unum.
> Dein sequuntur capp. xxxi, xxxii (quae hic ut cap. xxx. recensentur) libri iv. *Hist. Eccl.*, de miraculis S. Cuthberti (f. 223). Et denique, quaedam alia miracula, scil. :—

i. 'Quomodo in peregrini habitu a ministro Aeluredi panem divisum accepit, qui postea integer inventus est, et quomodo idem Aeluredus ipso adjuvante rex effectus est;' pars, scil., cap. i. Historiae Translationis S. Cuthberti, sicut apud *Acta Sanctorum* (20 Mar.) et alibi, habetur. **f. 224.**

> Imperf., desinens in verbis, 'viam qua ille venisset vel.'

> *Desunt quaedam.*

ii. Pars cap. ii. Historiae Translationis supradictae, de transitu in Hiberniam impedito, verbis hic illic mutatis. **f. 225.**

iii. 'Quomodo paganus quidam, vocabulo Onalafbal, dum contra Dei confessorem injurias dixisset, in egressu ecclesie confixus interierit.' **f. 225ᵇ.**

> Pleniori forma narratur miraculum quam in cap. iii. supradictae Historiae.

iv. 'Quomodo Scotti qui terram Sancti Cuthberti et Lindisfarnense monasterium pervaserant subito terre hiatu obsorti sint' apud Mundingedune. **f. 326ᵇ.**

> Non nisi parca mentio hujus miraculi in saepedicta Historia (cap. iii.) invenitur, ubi autem haec adduntur, 'Qualiter autem gestum sit, alibi constat esse scriptum.' Sed nostra narratio exstat, ex alio exemplari ejusdem Historiae, apud Mabillon, *Acta SS. Bened.*, saec. iv. parte 2, p. 282, sub cap. vi.

v. 'Quomodo miles comitis Tostii, nomine Barcuuith, dum januas monasterii ejus infringere cupit, subito percussus interiit;' pars cap. v. Historiae Translationis. **f. 227ᵇ.**

> Imperf.; deficientibus foliis quibusdam in calce codicis.

21.

Membranaceus. In 8ᵛᵒ. Saec. xv. ff. 186.

1. 'Liber gloriosus Sancte Matildis virginis devotissime, quem Dominus noster Jesus Christus nominavit Librum Spiritualis Graciae;' scil., revelationes atque visiones; quinque libris, praemissis prologis duobus. **f. 1.**

> Inc. 'Benignitas et humanitas Salvatoris nostri.'
> Expl. '—super nos et preces nostros meliores erunt. Deo gracias. Explicit Liber spiritualis gracie Matildis. Amen.'

2. Alphabetum divini amoris, Joanni Gerson ascriptum. **f. 148.**

> Ad calc. 'Explicit Alphabetum divini amoris de elevacione mentis in Deum venerabilis magistri Johannis Gerson, cancellarii Parisien.'
> Inter *Opera* ejus, fol. Par. 1606, col. 1126

22.

Membranaceus. In 4º. minori. Saec. xiv. exeuntis, xv. ineuntis. ff. 63. Ad fol. 11 est nomen, 'Thomas De.'

1. [Alexandri de Villa Dei] Carmen de Algorismo. **f. 1.**

> Inc. 'Hec Algorismus ars presens dicitur, in qua.'
> Inter *Rara Mathematica*, a Halliwell, 1841, p. 73.
> Ad calc. 'Laus tibi sit, Christe, quoniam liber explicit artes (*sic*).
> Christus laudetur, quia finis libri habetur.'

2. Versus septem de septem artibus. **f. 7ᵇ.**

3. Carmen de arte multiplicandi. **f. 8.**

> Inc. 'Si digitus digitum multiplicat inspice per quot.'

4. Tabulae exhibentes i. latam viam quae ducit ad mortem et arctam viam ad vitam; ii. zodiacum moralem; iii. legem Dei. **ff. 9ᵇ–12.**

5. Commentarius in Orationem Dominicam. **f. 12ᵇ.**

> Inc. 'Inter omnia que fragilitas humana facere potest.'

6. De confessione, et de modo audiendi confessiones. **f. 14ᵇ.**

> Inc. 'Confessio debet esse praevisa, amara, verecunda, discreta.'

7. Notae kalendares pro annis 1470–73 ; *Gallice*. f. 16.

8. Quaestiones de variis theologicis et de rebus symbolicis in officiis divinis, cum responsis. ff. 17, 18.

> Qu. 1. 'Quod Deus non sit nomen.' 2. 'Quaero quare officium Tenebrarum non celebratur nisi per tres dies, et nec magis nec minus.'

9. Summa Poenitentiae ; carmen, scilicet, quod incipit, 'Poeniteas cito,' cum commentario. f. 18[b].

> Expl. 'Ignis purificans, mors, egritudo ruborque,
>   Et cure gravitas et consuetudo ruine.
>   Explicit summa penitencie.'

10. 'Compotus magistri Alexandri de Villa Dei,' opus metricum ; cum praefatione prosaica et notis in margine. ff. 25–41.

> Inc. prol. 'Licet modo in fine temporum.'
> Inc. textus, 'Aureus in Jano numerus clavesque notantur.'
> Expl. 'Qua mediante potest quid queris semper haberi ;' ut in cod. Ashm. 361. Sequuntur autem in hoc exemplari versus alii xix. sub rubrica, 'Per istos versus possunt haberi trini quinque festivitatum mobilium in quolibet anno.'

11. Tabula festorum per annum [observandorum ?] 'ab omnibus,' sive 'infra villam,' sive 'quoad mulieres' (?). f. 41[b].

12. Kalendarium, cum tabulis variis. ff. 42–51.

13. Kalendarium alterum, *Gallice* ; cum regulis ad varia invenienda, et signis bonis aut malis pro phlebotomia facienda. ff. 52–61.

> Ad oram inferiorem fol. 60[b] est nomen scriptoris ; 'Guillelmus Bonnet, 1419.'
> Sequuntur in foliis adjectitiis haec, inter pauca similia, vix hodie legenda :—

1. Prophetia. f. 62.

> Inc. 'Lilium rex regnans in nobili parte.'

2. 'Rota,' sive tabula, ad Pascha inveniendum. f. 62[b].

23.

Membranaceus. In 8[vo]. Saec. xii. ff. 55 et 72. Quoad art. 1., 'Liber ecclesie sancte Marie de Oseneya, ex legato magistri Henrici de Langeleya ;' numeris 114 et 168 insignitus ; postea inter codd. T. Allen, 83.

1. Platonis Timaeus, ex versione Chalcidii, cum notis marginalibus atque interlinearibus.

> Incip. praef. 'Isocrates in exortacionibus suis.'
> Sequuntur schemata terrae, siderum, aliorumque, textum illustrantia.
> Bene exaratus, versus finem saec. xii. In folio primo sunt, Rationes cur assumptio corporis B. V. Mariae crederetur ; et in fol. 55[b] haec, a quodam librorum illuminatore saec. xiv. inscripta : 'Mitte per Johannem fratrem tuum dimidium centum de partie gold, videlicet quinquaginta folia. Item dimidiam libram de vermelon. Item dimidiam unciam de bona azura.'

2. La Chanson de Roland ; *Gallice*.

> Saec. xii. exeunte, sive xiii. ineunte, exaratus. Ex hoc notissimo codice, qui antiquior exstat inter exemplaria perpauca, primo textum edidit Fr. Michel, anno 1837 ; eum secuti sunt F.

Génin anno 1850, L. Gautier anno 1872, T. Müller anno 1878, et in eodem anno E. Stengel, qui etiam arte photographica totum codicem exactissime exhibuit.

24.

Membranaceus. In 16mo. et 4[o]. minori. Saec. xiii. et xiv. ff. 105.

1. Commentarius 'Super Predicamenta' Aristotelis ; scil. de equivocis, de substantia, de quantitate, de relativis, de qualitate, et de quatuor residuis. f. 1.

> Libellus sexdecim foliis, formae minoris, constans.

2. Tractatus de Logica. f. 17.

> Inc. 'Cum sit nostra presens intencio ad artem dialecticam, primo oportet scire.'
> Ad calc. (f. 45[b]), 'Expliciunt sumule, cum omnibus fallaciis.
>   Qui scripsit carmen
>   Sit benedictus. Amen.'
> Olim inter codd. T. Allen 170. Cf. supra, 2, art. 11.

3. De sophismatibus, sive Regulae consequentiarum Gualteri Burley. f. 47.

> Inc. 'Quia in sophismatibus probando vel reprobando consequencia utimur.'
> Ad calc. (f. 55), 'Expliciunt regule date a domino Waltero de Bureley circa consequencias.
>   Explicit hoc totum, pro Christo da mihi potum.'

4. Quaestiones aliae de sophismatibus. ff. 55[b]–60.

5. De universalibus ; commentarius in Praedicamenta. f. 61.

> Inc. '*Nulla est affirmacio in qua universale universaliter sumptum predicatur*, ut dicit Aristoteles ; et hoc potest esse duplo.
> Ad calc. (f. 90), 'Expliciunt ista qua tu, Ricarde, sophista Fecisti, morum flos et doctor logicorum ;
>   Dirige scribentis, Spiritus alme, manum.
>   Expliciunt Abstracciones.'
> Qu., annon sit auctor Ricardus Fitz-Ralph, archiepiscopus Armachanus ?

6. Tractatus imperfectus de fallaciis. f. 91.

> Inc. 'Ad evidenciam fallacie accidentis.'

7. Pars commentarii in tractatum quendam de Logica, in quo item de fallaciis. f. 93.

> Manibus duobus, characteribus minutis, exaratus.

8. Fragmentum tractatus cujusdam grammaticalis. f. 104.

25.

Membranaceus. In 8[vo]. Saec. xii. ff. 56 ; desunt quaedam ad finem. Inter codd. T. Allen, 184.

1. Tonarius, sive exempla octo tonorum in arte musica ; cum differentiis in introitibus et responsoriis. f. 1.

> Ad fol. 13[b], 'Finit autem deuterus. Plage deuteri incipiunt.'
> Brevior est quam Tonarius Reginonis Prumiensis, qui exstat apud Coussemaker, *Scriptt. de Musica*, vol. ii. 4[to]. Par. 1867.

2. 'De compositivis et specialibus partibus dia-

tessaron,' et diapason, et de partibus deuteri, triti, et tetrardi ; metrice. **f. 32.**

> Incip. 'Quattuor eptongis constat diatessaron omnis,
>   Iccirco tali voluit se nomine dici.'
> Expl. 'At tamen huic melius dabitur cui sepe datus.'

3. Carmina sacra, per Balium Severinum Deusdedit, cardinalem ; adhuc inedita atque ignota. **f. 35^b.**

> Titulus sequens praefigitur :—
>   'Iste liber trinum, lector, tibi cantat et unum,
>   Et canit eximias genitricis virginis odas ;
>   Cantat apostolicos sudores atque triumphos.
>   Oratoria prophano constans metro elegiaco monocolo.
> Item oratio de amico et tribus panibus metro eodem et dimetro adonico, catalectico dicolos tetrastrophos.
> *De trinitate et unitate dei vario metro libellus theo poeseos balii severini deusdedit tytuli apostolorum in eudoxia cardinalis.* Cap. i. Ex libro genesis. ii. Ex libro esaie prophete. iii. Ex psalmo xxxiii. iiii. Ex psalmo lxvi. v. Quaedam comparatio trinitatis et solis, sumpta ex sermone augustini cujus initium est, Legimus sanctum moysen. *De proprietate patris ex evangelica auctoritate. De proprietate filii ex diversis auctoribus patrum.'*
> Ad fol. 50^b, '*Explicit liber primus de deitate.*
> Inc. ii. *de gestis et laudibus sanctorum.'*
> Praemittitur huic libro secundo acrostichis in qua litterae tum primae tum extremae nomen auctoris *Deusdedit* exprimunt.
> Desinit codex in cap. iii. odae 'aliorum apostolorum,' ad versus,
>   'Namque cum nos crimine
>   Expiaret, fixus in cruce,
>   Inquit ille, sit tuus.'
> Cf. notitiam codicis apud Adversaria MSS. Ger. Langbaine in nostra bibl., vol. iv. pp. 669-670.

26. [B. N. 3.]

Membranaceus. In 4°. minori. Saec. xiv. ff. 138. Variis manibus exaratus. Olim inter codd. T. Allen, 206 ; postea numero 62 insignitus. Hodie signo "Digb. B. N. 3" notatus. In fol. ad init., 'Yste liber constat m[ag.] T. Jolyffe, quem M. T. emit ab exsequtoribus m. T. Chapleyne (*v. fol.* 140^b), cujus anime propicietur Deus: Amen.'

1. Quaestiones grammaticales atque responsa ; fragmentum. **f. 7,** (*rectius,* 5.)

> Inc. 'Quot sunt conjugationes verborum ? iiij^{or}.'
> A quodam auctore Hispanico, ut ex his, et aliis similibus, conjicere licet ; '—ut, ubi studuisti, Santerene, Tolleti ?'

2. Elementa grammaticae ; sive Donatus Minor abbreviatus, cui accedunt exempla verborum alia. **f. 8.**

> Inc. 'Partes orationis quot sunt ? Octo.'

3. 'Facetus ;' poema anonymum de moribus, in quo etiam de arte amandi. **f. 20.**

> Inc. 'Moribus et vita quisquis vult esse facetus
>   Me legat, et discat quid mea musa docet.'
> Expl. 'Qui velud est dictum propriam ducere vitam
>   Namigena doctus vate, facetus erit.
>   Explicit Facetus. Deo gratias.'
> In toto differt a poemate sub eodem nomine saepe una cum Catone inter *Auctores octo morales* impresso.

4. [Matthaei Vindocinensis] Thobias, sive metaphrasis metrica libri Tobiae. **f. 29.**

> Inc. 'Ex agro veteri virtutum semina, morum.
> Expl. 'Thobiam merito religione sequi.

Finito libro sit laus et gloria Christo.
    Deo gracias.'
Impr. exstat inter *Auctores octo morales,* 8°. Lugd. 1538, et alibi.

5. 'Regimen vocum ;' tractatus grammaticalis de usu casuum. **f. 65.**

> Auctore Hispanico quodam ; v. fol. 67^b, '—ut, rex est Castelle ;' fol. 69, 'ut, rex est Salamantice, regina est Tolleti, episcopus est Zamore ;' &c.

6. Regulae grammaticales, *Hispanice.* **f. 76.**

> Tit. 'Reglas para enformarmos os menyos en Latin.'
> Inc. 'Quem faz ó quem diz ó nominativo. Cuia a cousa ó genitivo.'
> Tit. cap. ult. 'Regla para sabhas declinar.'
> Nota in lingua Hispanica, ad rem grammaticam pertinens, occurrit etiam ad fol. 28^b.

7. Catonis Disticha moralia, cum praefatione. **f. 83.**

> Inc. 'Cum animadverterem quamplurimos homines.'
> Inter *Auctores octo morales,* ut supra, et saepe alibi.

8. Carmen de contemptu mundi. **f. 89^b.**

> Inc. 'Kartula nostra tibi portat, ^{vel, dilecte} Reginalde, salutes.'
> Expl. 'Hoc tibi det munus qui regnat trinus et unus.'
> Exstat, multis additis, inter *Auctores octo morales,* ut supra, pp. 35-65 ; exemplar nostrum desinit ad p. 48.

9. [Marbodi, episcopi Redonensis] de lupo fabula, sive parabola ; carmine. **f. 96^b.**

> Inc. 'Sepe lupus quidam per pascua lata vagantes.'
> Ad calc. 'Explicit Ovidius de lupo.'
> Inter Opp. Marbodi ad calc. Opp. Hildeberti Cenomanensis, fol. Par. 1708, col. 1628. Exstat etiam, sine nomine auctoris, multis additis, in Leyseri *Historia poetarum medii aevi,* 8°. Hal. Magd. 1723, pp. 2093-2099 ; nostrum autem exemplar in p. 2098 desinit, versusque 71-106 omittuntur.

10. Fabulae Aesopicae ; carmine heroico. **f. 98.**

> Inc. praef. 'Ut juvet et prosit conatur pagina praesens ;' sicut apud *Auctores octo morales,* ut supra.
> Expl. 'Fabula declarat, datque quod intus habet.
>   Laus tibi sit, Christe, quoniam liber explicit iste.
>   Explicit liber fabularum qui dicitur Esopus.'

11. [Hildeberti, episc. Cenomanensis et postea archiep. Turonensis,] Historia metrica Zosimae monachi et S. Mariae Aegyptiacae. **f. 119.**

> Inc. 'Sicut hiemps laurum nec urit nec rogus aurum,
>   Sic Zozimam puerum nec opes nec gloria rerum.'
> Expl. 'Sic ubi complevit viginti lustra quievit.
>   Spes premii solacium fit laboris.'
> Impress. apud *Acta Sanctorum,* Apr., vol. i. pp. 83-90.
> In foliis adjectitiis 3-6, 63-64, 137-140 sunt varia vix digna notatu, variis inscripta ; e. g. notae, *Anglice,* de declinationibus, expensae circa lectum, versus de nominibus librorum S. Scripturae, et, in fol. 140^b, notae de pecuniis T. Jolyffe anno 1400.
> Cf. notitiam codicis apud Langbainii Adversaria MSS. vol. xix. pp. 97-100.

27.

Membranaceus. In 4°. minori. Saec. xv. ff. 67. Olim inter codd. T. Allen, 94 ; postea, '52.'

Nigelli Wireker Brunellus, sive Speculum Stultorum ; poema, praemissa praefatione prosaica.

> Exstat saepius impressum. Prologus etiam metricus impressus est in Leyseri *Historia poematum medii aevi,* pp. 754-757.

Sequuntur in foliis adjectitiis :—

1. Excerpta brevia ex Isidoro aliisque. **f. 62.**

2. Versus imperfecti de virtutibus herbae 'Isatis a Grecis, vulgo Waido,' vocatae. **ff. 66, 65,**

Inc. 'Hoc succo lanam madidam si naribus addas
Compesces morbum qui polipus est vocitatus.'

28.

Membranaceus. In 4°. minori. Saec. xiv. ineuntis. ff. 215. In medio et ad finem mutilus. Inter cod. T. Allen, 128; postea, '66.'

1. (*Saec.* xiii. *ineuntis*) [Alexandri de Villa Dei] 'Massa Compoti,' cum praefatione praevia; *imperf. ad fin.* **f. 1.**

Cf. supra, cod. 22.

2. 'Ars quidam (*sic*) Kalendarii per juncturas digitorum,' capitulis iv. **f. 9.**

Inc. 'Intencio nostra in hoc opere est artem ostendere.'

3. 'De ciclo lunari;' capp. iii. **f. 10**[b].

4. 'De compoto manuali, quomodo inveniri possunt concurrentes et data cujuslibet anni preteriti sive futuri per manum.' **f. 14.**

Inc. 'Scribo tibi, lector, mirandum calculandi compendium.'
Expl. 'Easdem regulas habeto de annis preteritis quas de futuris, retrograde computando.'

5. [Petri Peregrini de Maricourt] 'Tractatus de Magnete.' **f. 18**[b].

Inc. 'Iste tractatus de magnete duas partes continet.'
Expl. (cap. 3. partis ii), '—ut apte capiat calculum in parte sui casus, ut demonstrat descripcio.'
Impress. 4°. Augsb. 1558.

6. Carmen [Gualteri Mapes] de contemptu mundi, sive de mundi vanitate. **f. 24.**

Inc. 'Cur mundus militat sub vana gloria.'
Saepe impressum, tum sub nomine Bernardi Clarevallensis, tum Jacobi de Benedictis, rectius autem, ut videtur, Gualt. Mapes.

7. Philomena; carmen, aliis Bonaventurae (inter cujus opera impressum exstat), aliis Joh. Hoveden, aliis Joh. Peccham, archiep. Cantuar., ascriptum. **f. 24.**

Inc. 'Philomena previa temporis ameni.'

8. [Praedicatio Goliae, sive de fide Trinitatis et Incarnationis Domini carmen, auct. Gualtero Mapes]. **f. 25**[b].

Inc. 'Multis a confratribus pridie rogatus.'
Inter *Latin Poems attributed to W. Mapes*, 4°. Lond. 1841, pp. 31–36. Tetrasticha autem duo penultima ibi impressa in nostro exemplari desunt.

9. Dialogus inter corpus et animam [saepe Gualt. Mapes ascriptus]. **f. 27.**

Inc. 'Noctis sub silentio tempore brumali.'
Impress. *ibid.* pp. 95–106, et alibi.

10. Aristotelis, ut dicitur, liber de Secretis Secretorum, sive de regimine principum; praemissis prologis Philippi Johannisque filii Patricii, et tabula capitulorum. **f. 32.**

Folium 43 mutilum est, ac proxime subsequens in toto exscissum.

11. 'Tractatus quidam de alcumia' (*sic*), sive [Rogeri Bacon] Speculum secretorum; *mutilus.* **f. 61.**

Inc. 'In nomine Domini Jesu Christi ad instruccionem multorum circa hanc studencium quibus deficit copia librorum hic libellus edatur titulusque Speculum secretorum.'
Ad calcem octo circiter folia exscissa sunt.

12. 'Incipit quidam liber teologicus:' tractatus de Deo. **f. 74.**

Inc. 'Omnis autem cognicio aut fit inicialis aut preexistente alia.'
Expl. '—eternam dampnacionem reprobis et eternam remuneracionem fidelibus.'

13. 'Incipit quidam liber astrologicus;' Hippocratis Prognostica, sive de observandis signis planetarum in morborum curatione. **f. 81**[b].

Inc. 'Dixit Ypo[crates], non est medicus qui astronomiam non novit . . . . aspexi libros Ypo. et inveni hunc librum parvum sed optimum.'
Expl. '—si meliorabitur vivet, sin autem morietur usque ad dies 4, si autem peregrina dolebit.'

14. Versus pauculi de amore aliisque. **f. 85**[b].

Inc. 'Omnis amans cecus, non est amor arbiter equus.'

15. Compotus [Roberti Grosteste] episcopi Lincolniensis. **f. 86.**

Mancus; desinens in cap. undecimo. Figurae et tabulae omissae sunt.

Desunt folia circiter viginti quatuor.

16. Pars tractatus astronomici de arte coelos mensurandi, in duas vel tres partes distincti, quarum secunda *Planimetria* intitulatur. **ff. 108–128.**

Incipit ad cap. vii. partis primae, 'De scientia ascensionis signorum in quocunque volueris ex orizontibus in equalibus.' Tit. partis 2 (f. 116[b]), 'Hic incipit secunda pars hujus doctrine mensurande, que Planimetria dicitur.' Sequitur in f. 120, 'Sciencia ad situandum stellas fixas,' de qua annon sit pars ejusdem tractatus non clare constat. Inc. 'Et quia deveniendum in hoc instrumento ad figendum loca stellarum fixarum.' Sect. ii. 'Si igitur quadrantem istum componere intendas accipe tabulam eream planam.' ff. 118–9 mutila sunt.

17. 'Tractatus [Johannis] Campani [Novariensis] ad invenienda loca planetarum.' **f. 128**[b].

Inc. 'Quoniam investigare loca vera planetarum per tabulas difficile est et valde laboriosum.'

18. 'Algorismus minuciarum.' **f. 133**[b].

Inc. 'Cum multos de numeris tractatus vidisses.'
Expl. '—ne quid solum necessarium desit operi tam brevissimo.'

19. 'Liber de tempestatibus et presagiis.' **f. 136.**

Inc. 'De tempestatum presagiis tractaturi a sole capiemus exordia.'

20. 'Liber Clementis pape de articulis fidei;' rectius (ut notatur in margine, manu saec. xvi.), Liber Nicolai cujusdam Arabici papae Clementi [IV?] inscriptus, in quinque partes, seu libros, distinctus. **f. 138**[b].

Inc. ded. 'Clemens papa, cujus rem nominis et vite subjecti senciant, et tu a Domino.'
Inc. opus. 'Communes animi concepciones sequuntur [etc.] . . . . . . Causa est per quam aliquid habet a (*sic*) esse, quod dicitur causatum.' Ex hoc codice apographum, nomine Nicolai

Arabici praefixo, saec. xvii. exaratum, inveniendum est in cod.
'Selden. supra, 79.' Exstat etiam exemplar alterum anonymum,
manu saec. xiii. ineuntis descriptum, in cod. Digb. 154, *infra*,
ubi autem praefatio deest.

21. Tabula annorum secundum cyclos et epochas diversos. **f. 149ᵇ.**

Tit. 'Ciclus Ebreorum.' Epocha ultima est, 'A Christo usque ad passionem Thome, 1170.' Transcripsit G. Langbaine in vol. xix. Adversariorum ejus MSS., pp. 598-9.

22. 'Phisionomia Pallemonis [i. e. Polemonis] medici.' **f. 150.**

Inc. 'Ex qualitate corporis anime proprietates licet prospicere.'
Expl. '—nunc repetenda sunt animo que proprie Loxus seu Aristolis (*sic*) posuerunt.'

23. Prophetiae Merlini [sicut apud Galfredum Monumetensem habentur]. **f. 162.**

24. Tres aliae prophetiae Merlini Silvestris. **f. 168.**

Inc. i. 'Arbor fertilis a proprio trunco decisa.'
    ii. 'Sicut rubeum draconem albus expellet.'
    iii. 'Mortuo leone justicie surget albus rex.'

25. 'Liber de lapidibus;' *sc.* poema Marbodei de natura gemmarum. **f. 169.**

Cf. cod. 13, *supra*.

26. 'Perspectiva Peccham;' *sc.* tractatus Joh. Peccham, archiep. Cantuar. de perspectiva. **f. 180.**

Saepe impressus.

27. 'Tractatus astrolabii.' **f. 212ᵇ.**

Mutilus. Inc. 'Scito quod *astrolabium* sit verbum grecum.' Desin. in f. 215ᵇ, ad verba, '—cuspidem erectis lineis, et ita erit diametra.'
Codicis contenta recensentur a Ger. Langbaine in vol. xix. Adversariorum ejus, pp. 593-602.

29.

Membranaceus. In 4º. minori. Saec. xv. ff. 305.

1. Medicinae contra 'ryngworme,' etc.; atque incantamenta (*Anglice* 'charms'), 'ad delendum morbum caducum.' **f. 1ᵇ.**

2. Tabula contentorum, manu antiqua. **f. 2.**

3. Medicinae variae, inter quas quaedam pro equis. **ff. 2ᵇ-8ᵇ.**

4. Compotus manualis, sive ars cognoscendi dies festos per digitos; versus, cum commento. **f. 9.** *v. etiam* 37ᵇ.

Inc. 'Cisio Janus Epi sibi seq oc. Fe Mau Mar Sulp.'

Ad calc. 'Explicit compotus manualis, scriptus per R. Stapulton:' [nomen, scil., scribae, non auctoris].

5. De metris tractatus, auctore Joh. Marche. **f. 13.**

Inc. 'Licet in presenti opusculo omnium sillabarum naturam declarare proponimus.'
Expl. '—et regit hoc ympnos sequentes, Martiris ecce dies.'
Explicit bona compilacio de metris, quam compilavit dominus Johannes Marche, capellanus, ad instanciam domini W. de Passurtone.'

6. Recepta varia medicinalia; partim *Latine*, partim *Anglice*. **ff. 30ᵇ-32ᵇ, 34ᵇ-37, 46ᵇ-50ᵇ, 58-60, 66-69ᵇ, 73, 116-120ᵇ, 143ᵃ, 143ᵇ, 274, 276ᵇ-277, 293-305.**

Inter alia (f. 32ᵇ), 'Vera composicio domine de Beuchamp' (*v. etiam* 58ᵇ, 60); 'Comitis Herdfordie, prenobilis in arte sururgico' (*sic*; *v. etiam* 58); 'Roberti Fermorarii de Kylyngwer'; (f. 33ᵇ), 'Buryson;' (f. 35ᵇ), 'Gilbertus;' (f. 120ᵇ), 'Sal quo usi sunt sacerdotes Egipti in diebus Elesay, et semper erant apparentes juvenes, et istud sal valet pro pluribus infirmitatibus in corpore humano;' (f. 293ᵇ), 'Collerium magistri Mauricii pro oculis;' (f. 300ᵇ), 'Pulvis preservativus, qui dicitur imperialis, quia imperatores Gentilium utuntur illo pulvere contra epidemiam et contra intoxicaciones et omne venenum, contra morsum serpentum et aliorum animalium venenosorum, et dicitur in lingua Arabica *Bechazaar*, id est, a morte liberans.'

7. Formae verborum in quatuor conjugationibus, sive, ut in tabula contentorum, 'Quatuor conjugationes Donati sub compendio.' **f. 33.**

8. De mensuris medicis versus. **ff. 37, 129.**

9. 'Nomina synonoma herbarum,' *Latine, Gallice, Anglice.* **f. 38.**

10. 'Virtus vel curacio herbe betonice que habet medicamina quadraginta quatuor.' **f. 44ᵇ.**

11. 'Virtus vel curacio arnoglosse que habet medicamina viginti quatuor.' **f. 45ᵇ.**

12. Nomina et virtutes herbarum multarum. **ff. 50ᵇ-58, 64-65.**

13. Formulae pro unguentis et electuariis variis componendis; *Latine, Gallice, Anglice.* **ff. 60-63ᵇ, 112-114, 160ᵇ-161, 293.**

14. 'For to knowe yueles that cometh of postoumes, hou it his clepet and of what compleccioun it haren.' **f. 70.**

15. 'Viginti varii colores urinarum;' atque 'Judicia urinarum;' partim *Anglice*. **ff. 73, 114ᵇ.**

16. 'Signa que Ypocras fecit ad cognoscendum si infirmus sanari posset per medicinam vel non;' partim *Anglice*. **f. 74ᵇ.**

17. 'Nature urinarum, sub compendio.' **f. 75ᵇ.**

18. Ægidius Corboliensis de urinis, carmine; cum commentario pleno. **f. 76ᵇ.**

19. Descriptio instrumenti (sive dialli) 'per quod sciuntur horae diei per umbram super superficiem planam,' et 'de modo situandi predictum instrumentum;' cum figura. **ff. 118ᵇ-119ᵇ.**

20. 'Anathomia de homine,' capitulis quinque. **f. 121.**

21. Varia de urinis, *Anglice* et *Latine*; i. 'To knaw þestate of man and woman be thare water,' cum figuris; ii. 'Judicia urinarum, secundum Egidium.' **ff. 125, 130ᵇ.**

22. De quatuor humoribus in corpore humano. **f. 141ᵇ.**

23. Schola Salernitana, sive Regimen Salernitanum. **f. 145ᵇ.**

Inc. 'Francorum regi scribit scola tota Salerni.'
Saepe impressa.

24. De regimine sanitatis tractatus; octo capitulis. **f. 153.**

> Inc. 'Oportet ipsum qui vult esse longevum.'
> Expl. '—si non desistant quod percussionem non evadent.
> Explicit compendiosus tractatus de regimine sanitatis.'
> In cod. 31 *infra* exemplar alterum fert nomen auctoris, Bartholomaei.

25. Gerardi Hispani, Carmonensis, Flores Astronomiae. **f. 162.**

> Inc. 'Cum animadverterem plures medicorum, in exhibicione medicinarum, terminos et motus corporum supercelestium ignorantes, graviter errare.'
> Expl. 'Hoc autem est intelligendum secundum medium motum.'
> Expliciunt flores astronomie Gerardi de Hispania, valentes in opere medicine.

26. Tractatus de observandis signis planetarum in morborum curatione, sive Hippocratis Prognostica. **f. 167.**

> Inc. 'Dixit sapientissimus Ypocras, omnium medicorum peritissimus, Incius (*sic*) medicus est qui astronomiam ignorat . . . . . . Legens ergo libros Ypocratis, medicorum optimi, hunc librum parvum sed magis utilitatis reperi.'
> Alia versio quam quae in codice praecedenti reperitur, art. 23.

27. 'Tabule de modo graduandi seu calculandi medicinas secundum magistrum Arnaldum de Villa Nova.' **f. 172**[b].

> Inc. 'Notandum quod in omni medicamine vel cura, sive fiat per alterationem sive per evacuationem.'

28. Tractatus quidam medico-astrologicus, quinque capitulis. **f. 174**[b].

> Inc. 'Per primum numerum parem demonstratur quot sunt principaliter consideranda in egritudine acuta seu cronica.'
> Iterum occurrit idem tractatus ad fol. 181[b], textu autem in capite quinto variante.

29. De virtutibus duodecim signorum et septem planetarum quoad medicinam, cum tabula et regula ad sciendum in quo signo et gradu luna sit omni die. **ff. 179–181.**

30. 'De infirmis si morientur vel vivent, de flebotomia, de temporibus dandi medicinas, per astronomiam;' capitulis 14. **f. 184**[b].

> Cap. i. De signatore infirmi. ii. De infirmitate, si est in spiritu vel corpore.

31. Sphaera Pythagorae. **f. 193, 193**[b].

> Inc. 'Collige per numerum quicquid cupis esse probandum.'

32. 'Tractatus brevis, sed perutilis de constellacionibus. **f. 194**[b].

> Inc. 'Sciendum quod si quis nascitur in aliqua hora diei.'

33. Figura domificationis pro signis zodiaci et planetis; figura docens quis planeta est masculus, quis foemineus, etc.; de nominibus dierum septimanae; et alia brevia astrologica. **ff. 196–200.**

34. Tabula longitudinis et latitudinis stellarum fixarum; distantia omnium planetarum et octavae sphaerae a centro terrae; quantitas corporum mundi et eorum diametri. **ff. 200–201.**

35. Tractatus brevis de medicina. **f. 201**[b].

> Inc. 'Medicina in duo dividitur, scil. in theoricam et practicam.'

36. Explicatio verborum Arabicorum in medicina usitatorum. **f. 205.**

37. Macri Carmen de virtutibus herbarum. **f. 206.**

38. 'Nicholaus de compositis medicinis,' sive Nicholai de Hostresham [*hodie* Horsham] Angli, Antidotarium. **f. 244.**

> Inc. 'Ego Nicholaus rogatus a quibusdam in practica studere volentibus.'
> Impr. cum Mesue Opp., fol. Ven. 1502, et postea.

39. 'Tractatus astrolabii;' de principio cujusque domus inveniendo per astrolabium. **f. 274**[b].

40. Ars notoria, sive Ars scribendi per characteres brevius ac facilius quam per literas. **f. 275.**

> Inc. 'Cum in arte notoria quamplura reseruntur.'

41. 'Trotula mulierum' etc., sive de morbis mulierum Trotulae, alias Erotis, liber. **f. 278.**

> Inc. 'Cum auctor universitatis Deus in prima mundi origine.'   Ad calc. (f. 291[b]),
>   'Explicit hec Trota multum mulieribus apta;'
> cum versibus aliis quatuor.
> Exstat impressus.

42. Quomodo inveniendus sit locus lunae in zodiaco. **f. 292.**

43. 'Tabula ad sciendum quando flebotomia est bona vel mala vel mediocris.' **f. 292**[b].

44. 'Fidelis medici ad amicum bonum et sanum regiminis consilium, si audiatur, contra pestilenciam.' **f. 294**[b].

45. 'Virtutes quedam de rosa marina, collecte per quendam clericum de Salernia comitisse de Holand, quas ipsa misit filie sue Philippe desponsate Regi Anglie.' **f. 295**[b].

46. De virtutibus herbarum quarundam. **ff. 299–300.**

> Descriptio contentorum codicis exstat in vol. iv. Adversariorum Gerardi Langbaine, pp. 699–714.

30.

Membranaceus. In 4°. minori. Saec. xv. ff. 85. Olim 'A. 224.'

1. 'Secreta Cipriani, quondam magi pagani, postea Christiani sancti, martiris magnifici;' de daemonibus, et formis sub quibus apparent, etc. **f. 1.**

> Ad calc. 'Explicit Secretum Sigillum sancti Cipriani episcopi et martiris.'

2. 'Confessio sancti Cipriani martiris,' de visionibus daemonum. **f. 29.**

3. Tractatus 'de faciebus mundi et predicatoribus,' sc. de iis quae maxime predicatoribus conveniunt; libris duobus. **f. 46.**

> Inc. prologus: 'Veritas evangelica predicatoribus in quibusdam est commissa.'
> Ad calc. 'Explicit liber de faciebus mundi.'

31.

Membranaceus. In 4º. minori. Saec. xv. ff. 86, praeter duo ad calcem rejectanea. Olim 'liber domini Thome Jakcom . . . . ;' olim etiam numero 57 insignitus. Ad finem est nomen, 'Willielmus Manwode.'

1. 'Liber quem composuit frater Jacobus de Cessolis, ordinis fratrum Predicatorum, qui intitulatur de moribus hominum et officiis nobilium, super ludo scachorum,' in quatuor tractatus divisus; praemissis prologo et tabula capitulorum. **f. 1.**

> Exstat impressus.

2. 'Tractatus de regimine sanitatis, secundum Bartholomaeum in suo Breviario.' **f. 73.**

> Inc. 'Ut autem dicit Galienus, mirabilis est scientia regiminis sanitatis.'
> Expl. 'Vere etenim de talibus potest dici, Si non desistant quod percussionem non evadent.'
> In fol. ultimo sunt haec :—'Anno Domini Mº.CCCCº.LXXXIXº. hec infra scripta in studiis scolarium Wintonie Oxon. reperta sunt. Missale. Hugucio. Textus logicalis, bene ligatus cum bocys [bossis]. Logica Burlei, et doctoris subtilis, simul ligate, etiam impresse. Predicabilia Alyngton; Sex principia Mylverley; Diffiniciones anime, secundum diversos philosophos; Damascenus de potenciis anime; in uno quaterno. Questiones super Sex principia, incomplete; Questiones doctoris subtilis super libros Elencorum, incomplete; Questiones Cornubiensis in libros Posteriorum, incomplete; in quaterno. Quodlibetum domini s[ubtilis], in quaterno pargamenali. Dominus super primum Sententiarum.'

32.

Membranaceus. In 4º. minori. Saec. xiv. ff. 81. In fol. ult., 'Liber iste est fratris Joh. Blakwel si revenit ordini vel aliter ad conventum sit, quod frater N. Vynche.' In fol. primo, manibus antiquis, 'C. W.,' 'Thome Man.' Cod. T. Allen 63.

Liber Pentacronon, id est, quinque temporum futurorum, compilatus ex prophetiis beatae Hildegardis Virginis per Gebenonem, priorem Eberbacensem; in tres partes distinctus; praemissis Gebenonis praefatione prologisque duobus.

> Inc. praef. 'Honorabilibus viris semper in Christo diligendis magistro Reynero Scolastico et magistro Reymundo, canonicis Sancti Stephani de Maguncia.'
> Inc. textus, 'Et ecce quadragesimo tercio temporalis cursus mei anno.'

33.

Membranaceus. In 4º. minori. Saecc. xv, xiii, et xii. ff. 127. In fol. ad initium rejectaneo, 'Iste liber constat Rogero Walton;' postea, 'Liber ecclesie cathedralis beate Marie Coventr., ex dono fratris Ric. Luffe, monachi ejusdem ecclesie;' denique, inter codd. T. Allen 60, et 'A. 129.' In folio ad finem vacuo, 'Hic scripsit dominus Joh. Brandesby.'

1. Bonaventura de triplici ierarchia. **f. 1.**

2. 'Sermo scholasticus theologice facultatis in studio Parisiensi,' super Prov. ix. 1. **f. 16.**

> Inc. 'Sicut dicit beatus Augustinus lib. 1. super Gen. ad lit. cap. i. In omnibus sanctis libris intueri oportet.'
> Expl. '—nam illi de ecclesiastica ierarchia solum indigent morali instructione.'

3. 'Epistola aurea de religionis origine, utilitate et ingrediencium religionem debita intencione, scripta a magistro Waltero de Hilton, postea canonico de Thurgartone, domino Ade de Horsley, monacho de Revale ordinis Cartus. tunc futuro.' **f. 31ᵇ.**

> Inc. 'Dilecto in Christo [etc.] Quia vero ex tenore cujusdam litere.'

4. (*Saec.* xiii.) S. Bernardi Claraevallensis Tractatus de gratia et libero arbitrio. **f. 49.**

5. Ejusdem Liber de praecepto et dispensatione. **f. 64.**

6. (*Saec.* xiii.) 'Epistola Macharii monachi ad filios.' **f. 84.**

> Inc. 'In primis quidem si ceperit homo semetipsum agnoscere.'

7. (*Saec.* xiii.) Homilia in Galat. vi. 2. '*Invicem onera vestra portate;*' incompleta. **f. 85ᵇ.**

> Inc. 'Quia veteris testamenti custodia timorem habebat.'

8. (*Saec.* xiii.) De vitiis vitandis. **f. 87ᵇ.**

> Inc. 'Triplici racione ostendi potest vicia summa diligencia esse vitanda.'

9. (*Saec.* xv.) 'Liber de gradibus et speciebus et motibus dispositivis ad contemplacionem;' [sicut titulus habetur in tabula contentorum codici praefixa]. **f. 88.**

> Inc. 'Mens humana per se moveri habet, sed secundum se moveri non debet.' Ad calcem est, 'Recapitulacio istius libri.'

10. Meditationes quaedam S. Bernardi. **f. 104.**

> Inc. '*Fac me delectari in dulcedine tua*, Domine Deus, ut des mihi peticiones cordis mei.'
> Inc. medit. ult., 'Huc usque fidei tue testimoniis delectata est anima mea.'
> Ad calc. 'Expliciunt meditaciones beati Bernardi Claravallensis.'

11. (*Saec.* xii.) Pars pii et devoti soliloquii (utrinque manci) ad Deum, de attributis divinis. **ff. 122-7.**

> Inc. '—meis. Volebam ridere a gaudio mentis mee, et cogor rugire a gemitu cordis mei.'
> Desin. 'Adjuva me tu propter bonitatem tuam, Domine. Quesivi—'
> Contenta codicis descripta sunt in vol. xix. Adversariorum Ger. Langbaine, pp. 451-454, 579-581.

34.

Partim membranaceus, saec. xiii. ineuntis, partim chartaceus, saec. xv. In 4º. minori. ff. 172. Tres codices in unum compacti; olim inter codd. T. Allen, 50, 46, 39, et, quoad duos posteriores, 'A. 187,' 'A. 137.' Codex secundus continet folia 111-156, ex quodam volumine grossiori, secundum veterem enumerationem.

1. Vita S. Modwennae, de Hibernia; *carmine Gallico*. **f. 1.**

> Binis columnis bene scripta.
>> Inc. 'Oyez seignurs pur Deu vus pri
>> cum̄t li munz eit peri.'
>> Expl. 'En lun ad chancuns
>> loenges e suns
>> de duze melodie.
>> En lautre ad grant plurs,
>> grant crus, grant dolurs
>> del fev que crucifie.
>> En lun ad cherite
>> veirs sanz fausete.'

2. [Henrici Saltereyensis] Narratio de S. Patricii purgatorio. **f. 81.**

> Inc. 'Dicitur magnus Sanctus Patricius qui a primo est secundus.'
> Impr. in Colgani *Triade Thaumaturga*, fol. Lovan. 1647, p. 274. Hic autem inseritur in principio narratio brevis de confessione cujusdam viri Hibernici, (' ut eorum bestialitatem ostenderem,') quae in impresso omittitur; et in fine adjiciuntur narrationes tres de heremita quodam, de rustico qui eleemosynam dare recusavit, et de sacerdote a daemonibus tentato, quarum prima sic incipit, ' Est et aliud haut longe ab eodem loco quiddam valde memorabile, quod etiam tibi libenter narrabo.'

3. Visio Caroli III. imperatoris, *Crassus* dicti, de purgatorio; [sicut in lib. ii. Historiae Gulielmi Malmesburiensis de gestis regum Angliae reperitur.] **f. 96.**

4. 'Qualiter vivo apparuit mortuus tempore Willielmi comitis Normanniae ac postea regis Anglie.' **f. 98.**

> Narratio, scil., de duobus clericis in urbe Nannetis, quae in libro iii. Gul. Malmsb., § 237, reperitur.

5. 'Venerabilis Beda;' narratio de viro, nomine Drictelmus, a mortuis resuscitato, e cap. duodecimo, libri v. Bedae Hist. Eccl., multum abbreviata. **f. 99.**

6. Visio Eadmundi monachi de Amesham [*rectius* Eynesham] quam vidit anno M.C.XC.VI., praemissa praefatione domini Adam, prioris ejusdem monasterii. **f. 100.**

> Imperf. ad finem. Exemplar alterum (in quo autem nomen prioris qui visionem edidit non occurrit) exstat in cod. 'Selden. supra, 66,' ubi in fol. 24 textus noster desinit.
> Inc. praef. 'Usu notissimum habetur.'
> Inc. opus. 'In quodam ergo cenobio juvenis quidam.'
> Versio abbreviata exstat, ut visio monachi cujusdam Eveshamensis, in chronicis Rogeri de Wendover et Matth. Paris.

7. 'A charme for the tethe.' **f. 127.**

> Inc. 'Sanctus Petrus jacuit super litus maris.'

8. Sermo super verba Ps. lxxx. 14, 'Visita vineam istam,' in quadam visitatione monastica habitus. **f. 127ᵇ.**

9. Tractatus de oratione, dictus 'Donatus orationis,' in octo partes distinctus. **f. 130.**

> Praemissus est prologus, in quo titulus ita explicatur: ' Et quia intencionis est compilatoris hujus tractatus secundum ordinem Donati grammaticalis prosequi, in quantum potest, ideo orationis pure octo sunt partes,' etc.

35.

Membranaceus. In 4º. minori. Saec. xv. ff. 74 praeter quinque utrinque rejectanea. Olim peculium Ric. Gill (f. 77); postea (fol. 3) Briani Twyne; denique Tho. Allen, 58 et A. 103.

Constitutiones synodales Petri Quivil, Exoniensis episcopi, anno 1287.

> In fol. 79 est nota ultimi testamenti Ricardi H. de parochia de Oly, 10 Apr. 1474; et etiam proclamationis per Ric. Harlewyn, rectorem ecclesiae de Cotlegh, bannorum matrimonialium inter W. N. et Johannam N., 4 Aug. 1491.

36.

Membranaceus. In 4º. minori. Saec. xv. ff. 116, quorum tria priora sunt chartacea, in quibus tabula contentorum.

Vita et miracula S. Gilberti de Sempringham, per quendam ex fratribus ordinis per eum fundati; una cum processu canonizationis ejus, etc.

1. Vita et miracula in vita sua facta, cum prologo, Huberto, archiepiscopo Cantuariensi, dicato. **ff. 4, 38.**

> Impress. ex cod. Cotton. Cleop. B. 1. in vol. vi. *Monastici Anglic.* per Dugdale, ubi autem septendecim ex miraculis omissa sunt (inter quae, diversio incendii in quodam suburbio Londoniarum), et capitula duo, i. ' de pace cum laicis fratribus facta,' et ii. ' Litera Sancti G. directa omnibus suis per Ordinem canonicis.'

2. 'Canonizacio beati patris Gilleberti.' **f. 52ᵇ.**

> Impress. *ibid.*

3. 'Revelaciones de Sancto Gilleberto.' **f. 56ᵇ.**

> i. Translatio ejus : ' Visio successorum.' ii. ' De provisione nunciorum ad curiam Romanam et quadam visione.' iii. ' Visio apparuit nunciis profecturis.' iv. ' Visio apparuit Johanni Hodoline consobrino domini pape.' v. ' Visio domini Roberti, prioris de Wattona.'

4. 'Qualiter translacio . . . . fuerat sollemniter celebrata.' **f. 59ᵇ.**

> Impress., ut supra. Accedit autem nota de indulgentiis, omnibus ecclesiam de Sempringham in honorem S. Gilberti visitantibus concessis.

5. Miracula post mortem ejus facta, numero viginti novem, de quibus depositiones coram archiepiscopo Cantuar. juratae sunt anno 1201. **f. 63ᵇ.**

6. 'Epistole ad dominum papam pro canonizatione et translacione Sancti G. facienda ;' scil., archiepiscopi Cantuar., abbatum variorum, episcc. Lond., Norw., Bangor., et Elien., decani et capit. Lincoln., et Regis Johannis, una cum rescriptis Papae. **f. 77ᵇ.**

7. 'Litere contra laicos fratres ad papam ;' scil., episc. Norwic., archiep. Ebor., Regis Henrici II, aliorumque, cum rescriptis Alex. III. Papae, de controversia quadam inter Gilbertum ipsum et fratres sui ordinis laicos. **f. 97ᵇ.**

8. 'Servicium in sollemnitatibus Sancti Gilleberti confessoris.' **f. 110ᵇ.**

37.

Membranaceus partim, partim chartaceus. In 4°. minori. Saecc. xii–xv. ff. 141. Olim Allenianus, '45. A. 205,' 'A. 154,' 'A. 151.' Mancus in initio; desunt etiam multa ante fol. 72, et decem folia inter 96–7.

1. (*Saec.* xiv.) Pars capitis ultimi, scil. 109, libri Aphorismorum Ursonis. **f. 1.**

   Incipit circa medium fol. 98 in cod. Digb. 153.

2. 'Secretum philosophorum,' sive tractatus in quo Secreta septem artium liberalium. **f. 4.**

3. 'Liber ymaginum Tholomei, omnibus modis prior et veracior, per quem omnes orientales operantur et non curant de aliis.' **f. 43.**

   Inc. 'Cum volueris ligare latronem.'

4. Secreta, Alberti Magni dicta, de virtutibus herbarum, lapidum et animalium; libris tribus. **f. 46.**

   Inc. 'Quia sicut vult philosophus in pluribus locis.' Expl. '—voluntatem habuissent et effectum. Expliciunt Secreta fratris Alberti de Colonia, ordinis fratrum predicatorum, super naturis quarundam herbarum, lapidum et animalium.'

5. (*Chartac., circa* 1450 *exaratus, manu extera.*) Liber primus tractatus Tho. à Kempis, sive cujuscunque sit, 'De Imitacione Christi et contemptu vanitatum mundi.' **f. 56.**

   Ad calc. 'Explicit libellus de Imitacione Christi et contemptu vanitatum mundi.' Deinde sequuntur, fol. 71ᵇ. i. meditatio de dignitate sacerdotii (incip., 'O veneranda sacerdotum dignitas, inter quorum manus'); ii. initium meditationis de vita humana (incip., 'O homo, quid in hac vita splendes.')

6. (*Saec.* xiv.) Pars operis Joh. Duns Scoti *Metereologica* dicti. **f. 72.**

   Incip. in art. 2. quaest. iv. libri secundi, p. 69 in vol. iii. operum Scoti, fol. Lugd. 1639; desinit ad calc. libri tertii (omisso quarto libro), ubi subscribuntur haec: 'Expliciunt questiones super tres libros metheorologicorum secundum doctorem subtilem.' Constabat, secundum veterem numerationem, foliis 73–108 ex alio volumine; caret autem hodie ff. 98–107, in quibus pars quaest. v. cum quaestt. vi–ix, libri tertii.

7. (*Saec.* xii. *versus finem.*) [M. T. Ciceronis, ut ferunt, Rhetoricorum ad Herennium libri quatuor; *incompl.*]. **f. 98.**

   Prae se titulum ferunt, literis rubeis, 'Secunda Rethorica.' Desinit exemplar abrupte ad finem cap. 10. libri iv; deinde sequuntur capp. xi, xii. et pars cap. xiii. manu altera. In verso fol. 120 sunt undecim versus de poenitentia, qui incipiunt: 'Sit tibi potus aqua, cibus arridus, aspera vestis.'

8. (*Saec.* xiii. *ineuntis.*) Alexandri Neckam Liber de utensilibus. **f. 121.**

   Inc. 'Qui bene vult disponere familie sue et rebus suis.' Expl. '—ad flosculos pro . . . . . . endum vel depingendum. Explicit' (addit manus altera 'liber parvi Allisandris.') In margine ad init. est haec nota, a compaginatore voluminis mutilata.' 'Intencio autoris est nomina utensi . . . . . . summam colligere. Causa suscepci . . . . . . est puerorum instruccio. Utilitas . . . . . . nominum utensilium agnicio. Titulus talis est, Hic incipiunt partes magistri Alexandri Nequam, Qui bene vult, etc.' Gallica versio interlinearis per magnam partem

manu altera addita est. Impress. apud *A volume of Vocabularies* per Tho. Wright, 8ᵛᵒ. Liverpool, 1857, pp. 96–118.

9. (*Saec.* xiii. *exeuntis.*) Instructiones ad parochos de sacramentis et eorum administratione, de ecclesiis, de diebus festis, de jejunio, et de personis ecclesiasticis. **f. 134.**

   Incip. 'Baptismus cum reverencia et magno honore celebretur.' Expl. 'Nunc de personis secundum ordinem; presbyteri edilium vicem gerunt, diaconi quaternionum, subdiaconi triumvirorum; officium exorcistarum questionarios imitatur, hostiarii janitores aule, lectoris carminum relatores, acoliti scriptores carminum.' Manu saec. xv. additur ad calcem, 'per M. Eliam de Trikyngham;' nulla autem mentio hujus operis invenitur apud eos qui de eo aliquid notaverunt.

38.

Membranaceus. In 4°. minori. Saec. xiv. ff. 123. Desunt quaedam inter ff. 76–77.

Astronomica varia.

1. Regulae quaedam astronomicae. **f. 1.**
   Inc. 'Quando vis scire verum locum Mercurii.'

2. Tabulae proportionales ad 8 et 4, ad 10 et 5, et ad 6 et 3. **f. 1ᵇ.**

3. Tabulae variae; scil.
   i. 'Almanach Saturni,' Jovis, Martis, et Mercurii. **ff. 5–17.**
   ii. Quatuor tabulae solis. **ff. 17ᵇ–21.**
   iii. Tabulae lunae pro annis 1300–1323. **ff. 21ᵇ–64.**
   iv. Tabulae equationis 'diei domorum ad signa, super latitudinem civitatis Oxoniae.' **f. 65.**
   v. Tabulae horarum 12ᵐᵃᵉ longitudinis inter solem et lunam etc. **f. 67.**
   vi. Tabulae domorum. **f. 69ᵇ.**

4. De usu et operationibus astrolabii. **f. 76.**
   Inc. 'Epilogus in usum et operaciones astrolabii. Nomina instrumentorum in astrolabio hec sunt.' Desin. imperfecte ad verba (f. 76ᵇ), '—Si autem aspectus duorum.'

5. Tabula quaedam pro anno 1324. **f. 77.**

6. De signis zodiaci tractatus. **f. 78.**
   Inc. 'Signorum alia sunt masculini generis, alia feminini.'

7. De planetis et signis. **f. 82ᵇ.**
   Inc. 'Planetarum alii boni, alii mali, alii mediocres mali.'

8. Tractatus alius de signis zodiaci et domibus planetarum. **f. 84.**
   Inc. 'In nomine Domini Creatoris. Cinctura firmamenti in 12 distribuitur equales partes.' Anno 1102 compositus fuit, ut liquet ex his verbis, 'Est in ipso de sideribus unum primi honoris, est hodierno tempore, 1102 anno, 3 gradus et 32 minuta.'

9. Kalendarium. **f. 87.**
   Notantur dies SS. Ceaddae, Guthlaci, Edw. R. et Mart., Botulfi abbatis, Francisci conf., et Æthelburgae virg.

10. Antiphonae et preces in commemoratione S. Ethelburgae [Abbatissae de Barking], usitatae. **f. 91ᵇ.**
    Incip. 'O lucerna virginum, fragrans in amore,
    Expectasti Dominum vigilantis more.'

11. Tabulae elevationum signorum. **f. 92.**

12. 'Canones super tabulas altitudinum horarum per quas faciliter potest inveniri gradus ascendens super orizontem in omni hora diei et noctis.' **f. 93**[b].

Inc. 'Primo oportet praemittere quedam utilia.'

Expl. '—habebis omnes 12 domos equatas ad eandem horam noctis, si Deus voluerit.'

13. 'Liber de adepcione, cogitacione et eleccione;' tractatus astrologicus. **f. 96**[b].

Inc. 'Distinccio prima. De adepcione divisio trina. Quoniam circa tria sit omnis consideracio astrologica.'

Expl. '—si alter, altera pars, si neuter, nichil fiet.'

14. Tabulae altitudinis horarum, quantitatis horarum, quantitatis horarum inequalium, et quantitatum minutorum et secundorum horarum inequalium. **ff. 100–123.**

39.

Membranaceus. In 8[vo]. ff. 111. Saec. xi, xii. Olim 'liber beate Marie Abbendon;' et in bibl. T. Allen signo '37,' postea 'A 203,' notatus.

1. (*Saec.* xii.) 'Passio sancte Tecle, virginis et martiris, qua colitur viiii. Kal. Oct.' **f. 1**[b].

Impress. ex hoc codice per Grabium in *Spicileg. Patr.*, vol. i. pp. 120–7.

2. 'Passio Sancti Blasii episcopi et martiris.' **f. 12.**

Incip. 'Sanctus Dei martir Blasius toto vitae suae tempore mitis degebat.'

3. (*Saec.* xi. *exeuntis.*) Miracula S. 'Eadmundi regis et martyris orientalium Anglorum,' cum prologo. **f. 24.**

Incip. prol. 'Ad memorandum Christi Domini testamentum in seculum confiteamur Domino.'

Incip. textus: 'Universae carnis viam ingresso Eadmundo glorioso.'

Cf. T. D. Hardy, *Catal. of Materials relating to Hist. of G. Brit.*, vol. i. p. 534, Art. 1111.

4. (*Saec.* xii.) 'Sermo episcopi Fulberti de nativitate sanctae Mariae.' **f. 40.**

Impress. apud Opera sua, sermo iv.

5. 'Translatio beati Jacobi Apostoli quae celebratur iii° Kal. Junii.' **f. 44.**

Inc. 'Post Salvatoris nostri passionem ejusque gloriosissimum resurrectionis tropheum.'

Expl. '—miseris deposcentibus invicto suffragio patrocinaturus, auxiliante Domino et Salvatore nostro Jesu Christo, cui,' *etc.*

f. 49 *vacat.*

6. (*Saec.* xi. *versus finem.*) Vita S. Birini, episc. et conf.; *deest titulus.* **f. 57.**

Inc. '*Ubi ortus et nutritus.* Beatissimus igitur Birinus, magnificus pater, pastor egregius.'

Expl. 'Multaeque fiunt virtutes per Filium suum Dominum nostrum,' etc.

Praemittuntur haec :—

i. 'Excerptio de Historia Anglorum de Sancto Birino Episcopo, Occidentalium Saxonum Apostolo;' scil. cap. vii. lib. iii. Bedae *Hist. Eccl.* **f. 50.**

ii. 'Omelia in ejus sancta festivitate sollempniter recitanda.' f. 52.

iii. Officia pro diebus translationis ejus (ii. non. Sept.) et depositionis (iii. non. Dec.). f. 56.

Tunc sequitur haec rubrica, sed carmen ipsum hodie deest, et, ut apparet ex vetere paginatione, a plusquam quadringentis annis abhinc. 'Carmen jubilationis per alphabeti litteras de sancto Birino metrice compositum, et in ejus laudem ubicumque volueris, pro gaudio depositionis sue, que est die iii. nonarum Decembrium.'

7. [Osberni, monachi Cantuariensis.] 'Vita sancti martiris archiepiscopi Ealfegi,' cum prologo. **f. 74**[b].

Impress. apud Whartoni *Angliam Sacram*, vol. ii.; et alibi.

Desinit imperfecte ad verba '—desperatio facit invincibiles' (*Angl. Sacra*, ii. 131.)

ff. 90–92 *vacant.*

8. (*Saec.* xii.) 'Miracula [quinque] Dei genitricis Mariae.' **f. 93.**

Inc. 'Quidam vitrarius Apella Judeus.'

9. Epistola Elmeri Cantuariensis ad quendam fratrem Willelmum, ad desiderium vitae supernae augendum. **f. 99.**

Inc. 'Beatae patriae ferventissimo desideratori domino ac fratri dulcissimo Willelmo frater Elmerus temporalem vitam eternitatis amore despicere.'

Des. (*imperfecte*) '—venerationem frequentantibus compatiatur.'

Non exstat inter Epistolas Elmeri quarum fragmenta edita sunt a Rob. Anstruther ad calc. Epp. Herb. de Losinga, 1846.

10. (*Saec.* xii.) Liber Baruch, cum prologo Hieronymi. **f. 101.**

Pauculae lectiones variantes in margine notantur. Ad f. 107 'Explicit liber Baruch.'

11. 'Exemplum epistole quam misit Ieremias ad abductos captivos in Babiloniam,' *etc.*; [sive cap. vi. libri Baruch.] **f. 107**[b].

Ad calc. 'Explicit exemplum epistole Hieremie prophete.'

12. Symposii aenigmatum fragmentum. **f. 111.**

Inc. 'Hec quoque Symphosius de carmine lusit inepto.'

Non nisi sex priora aenigmata; caetera desunt.

40.

Membranaceus. In 4°. minori. ff. 145. Saecc. xiii. ineuntis et xii. exeuntis. Manibus variis exaratus. Olim in quadam bibliotheca saec. xv, 'Liber 360[us];' postea (1590–3) peculium Anthonii Ollyffe, civis London.; denique, Tho. Allen, '41,' 'A. 212.'

1. Ptolomaei liber de compositione universalis astrolabii, cum prologo; figuris illustratus. **f. 1.**

Ad calc.: 'Explicit liber Ptolomei de compositione astrolabii universalis, quem scilicet in civitate Londonie ex Arabico in Latinum transtulit et a millesima centesima lxxxv.'

2. Philonis liber de ingeniis specialibus; multis figuris illustratus. **f. 9.**

Inc. 'Quia tuum, amice mi Arzothoni, jam novi desiderium ad sciendum ingenia subtilia.'

Expl. '—neque eciam aliquid visibilium simul cum videtur, et illud est quod demonstrare volumus.'

Nomen auctoris praefigitur, una cum tit. qui incipit, 'In nomine Dei pii et misericordis,' manu saec. xiv. In cod. Ashmol.

qui continet partem tractatus incompletam, saec. xv. exaratam, male 'Liber *Philonii*' inscribitur, et verba initialia, scribae incuria vel ignorantia, ita exhibentur : 'Dixitque tuum zimice marzacon jam novi.'

3. **Tractatus de somno et visionibus. f. 15[b].**

Inc. 'Tu, cui Deus occultorum veritates patefaciat, et quem in domo vite et in domo moras (*sic, l.* mortis) beatificet, quesivisti ut describam tibi quid sit sompnus et quid visio.'

Expl. '—et quantitas hujus sermonis cum sit intentio tua sermo enunciaturus sufficit' (*sic*).

4. **Tractatus Rogeri Infantis, *sive* Young, de compoto [sive de kalendariis componendis,] libris quinque. f. 25.**

Inc. 'Prefatio magistri Rogeri Infantis in compotum. Cum non sit humane benivolencie rem pluribus.' Sequitur tabula capitulorum. Inc. textus: 'Generalis materia artis, quid compotus [*etc.*]. Artis extrinsece noticiam interioris cognicionem precedere nequaquam ambigitur.'

Expl. '—congrue vero sive ab aliis sumpta, sive a novis apposita, gratie divine attribuantur.'

Liber quartus continet Kalendarium. In capite penultimo libri quinti, cui tit. 'Quantum nostra naturalis primacio post tempus Gerlandi a veritate discesserit,' *etc.*, sunt haec:—'Tempore autem Gerlandi facta est eclipsis solis anno Domini secundum ipsum M.LXXXVI, licet tabulam superiorem prius inceperit, secundum Dionisium M.XC.III, nono Kal. Oct. . . . . . . Unde jam *in nostre editionis tempore*, ut dictum est, secundum Caldeorum computacionem anno Domini M.C.LXXVII, v° die Decemb. (*correctio interlin.*, Septemb.) luna fuit accensa post xxi horas et xiiii momenta.'

5. **Abrahae ben Ezrae, *sive forsan* Abrahae ben Chija, de astronomia liber. f. 52.**

Inc. 'Dixit Abraham Judeus, Cognitum est corpus solare magnitudine omnia corpora vincere.'

Expl. '—et per hunc gradum medii celi possumus mutationem secundum latitudinem terrae.'

Cf. tabulam contentorum Bernardi *Synopseos Vett. Mathematicorum*, ad calc. vitae ejus a Tho. Smith, 1704, p. 20, et Wolffii *Bibl. Hebr.* vol. i. pp. 83-4.

6. **[Alfragani Rudimenta Astronomica]. f. 89.**

Praemissa est tabula differentiarum, sive capitulorum libri, triginta. Inc. textus: 'Numerus mensium Arabum et Latinorum est duodenus.'

Impressa exstat haec versio [scil. Joannis Hispalensis], 4°. Norimb. 1537. Excerptum ex hoc codice in Langb. MS. xii. pp. 13-15.

7. **De eclipsibus. f. 113[b].**

Inc. 'Cum terra sit rotunda, dividitur in iiii^or partes per duo maria.'

Expl. '—que simul juncta excedunt minimi mensis quantitatem. Nos jam propositum peregimus. Deo gracias. Deo gracias.'

Exscissa sunt tria folia.

8. **'Liber Albategni, qui dicebatur Machometus, de sciencia astrorum.' f. 116.**

Male mancus, plusquam dimidio carens.

Incip. 'Inter universa liberalium arcium studia.' Desin. ad verba in cap. xxx, 'qui ex signorum circulo centro videtur, quod est a puncto g, est,' quae sunt in p. 35 edit. una cum Alfragano, *ut supra*, impressae.

Ad fol. 20[b]. descripta est linea, quatuor pollicum et semissis in longitudine, his subscriptis, 'Hec linea, sexdecies ducta, longitudinem Dominici corporis ostentat, sumpta Constantinopoli ex aurea cruce ad longitudinem corporis Domini facta.'

In ff. 8, 9, sunt nomina, 'Ellen Benson,' 'Edward Kente.'

Ad fol. 59[b]. in margine est nota obligationis ex parte Rogeri Ashton, de Heawode, com. Oxon., scholaris, Anthonio Olliffe, vinetario de London., datae, pro summa £17 anno 1593 solvendarum.

Multa de hoc codice invenienda sunt in vol. xix. Adversariorum Langbainii, pp. 51-62, 147-153.

41.

Membranaceus. In 4°. minori. ff. 104; Saecc. xii–xv. Olim in tres codices divisus; '67;' '43. A. 175;' et 'A. 235.'

1. **Praecepta medicinalia pro duodecim mensibus anni. f. 1[b].**

2. **The reply of Daw Topias [John Walsingham] to the Complaint of Jack Upland, in English verse; with a rejoinder written by another hand in the margins. f. 2.**

At the end: 'Explicit dictamen fratris Daw Topias, quem in fine appellat Johannem Walsingham, contra questiones Johannis Vplond.'

Printed from this unique copy in vol. ii. of Thos. Wright's *Political Poems and Songs*, 8°. Lond. 1861, pp. 39-114, where the poem is assigned to the year 1401. In the first line for 'Ho' read 'Who,' and in the first line of the reply on p. 40 for 'ares[oneth] Jak Uplonde,' read 'aȝens me Jak Uplonde.'

3. **[*Saec.* xii. *exeuntis.*] [Alani de Insulis Anti-Claudianus sive de officio boni viri]: poema morale et allegoricum, [libb. i–vi.] *Mancum ad fin.* f. 17.**

Inc. 'Auctoris mendico stilum phalerasque poete, Ne mea segnitie Clio dejecta senescat.'

Expl. [in cap. vii. lib. vi]: 'Jam defloratus in florem surgeret immo. Ad meritum pensans vellem persolvere penas.'

Saepe impressus.

---

4. **(*Saec.* xiv. *exeunt.*) Kalendarium astronomicum, cum tabulis ab anno 1385 et 1387 incipientibus; bene scriptum. f. 57.**

Desunt menses Jan.—Mar., et pars Aprilis. Inter majora festa, primi aut secundi ordinis, ponuntur dies SS. Botulphi, Albani, Dominici, Bernardi, Francisci, Ethelburgae, Edwardi, Edmundi Conf., et Edmundi Regis; inter minora, SS. Joh. Beverlaci, Etheldredae, Oswaldi Regis, Lodowici Regis, Wilfridi, et Fredeswydae.

Sequuntur (f. 83[b].) Canones super Kalendarium. Incip. 'Pro declaracione punctorum in principio hujus Kalendarii positorum est notandum, primo, pro gradu solis inveniendo.'

Expl. '—quia aliter et aliter est materia disposita hic et ibi. Expliciunt canones super Kalendarium.'

5. **Preces pro itinerantibus; *imperf.* f. 90[b].**

---

6. **Nota de translatione corporis S. Cuthberti in ecclesia Dunelmensi anno 1104. f. 91[b].**

7. **Nota de electione Clem. VII. et Bened. XIII, antipaparum, annis 1378 et 1394. *ibid.***

8. **Verba quaedam ex Deut. vi. 3, Exod. xxiii. 22, etc. 'Audi, Israel, praecepta,' etc., cum notis musicis; *manu saec.* xii. f. 92.**

9. **Catalogus reliquiarum in ecclesia Dunelmensi conservatarum; *manu saec.* xii. f. 92[b].**

10. **[*Saec.* xiii. *ineuntis.*] Poema philosophicum, forma dialogi, de quatuor elementis, angelis, planetis, aliisque rebus. f. 93.**

Inc. 'Scribo, sed ut merear per te scribenda doceri, In studium mea me mens violenta trahit.'

Sequuntur in prologo haec de nomine *Philomena* :—

'R. Hoc Philomena sonat quod filia lucis amena Dicitur, et lucis filia sacra fides. Ut tua mens ergo possit Philomena vocari Sit tibi munda manus et sine fraude fides,

Pone supercilium, ne fleveris esto quietus;
Est mihi scribendi talia causa decens.

S[criptor.] In laudem mihi convertis nomen Philomene,
Quod mihi credideram dedecus esse prius,' etc.

Expl. 'Fulmina quomodo fuerint reddi rogo jam racione,
Et de diluviis postea quando voles.
Palleat et trepidet, et ad omnia fulgura queri
Se credat, qui se noverit esse reum.'

11. Nota ex vita S. Edmundi Abendoniensis, Cantuar. archiep., de suo sigillo secreto in quo fuit figuratum martyrium S. Thomae Cant., cum circa imaginem ejus hoc epigrammate, 'Edmundum doceat mors mea ne timeat.' **f. 101.**

12. [*Saec.* xv.] Fragmentum tractatus cujusdam de exemplis ex mythologia Graeca deductis, in quo de Actaeone, Berecynthia, Marte et Venere, Orpheo, etc. **f. 102.**

42.

Membranaceus. In 4°. minori. Saec. xv. ff. 105. olim '27' et 'A. 98.'

1. Crispus Salustius de bello Catilinario. **f. 2.**

2. Idem de bello Jugurthino. **f. 30^b.**

Ad calc. 'Explicit liber Crispi Salustii in Jugurtino bello. Amen.
Non me, set copiam, reprehendat lingua legentis.'

3. Francisci de Mayronis Tractatus de indulgentiis. **f. 88.**

Inc. '*Quodcunque ligaveris super terram*, etc. Duos fines ultimos.'
Ad calc., 'Explicit tractatus de indulgentiis secundum Franciscum de Maronis.'
In fol. i. est nota 'ex cronicis Croylandie' de origine univ. Cantabrigiensis, a Cantabro Hispaniae Rege nomen sumentis, quae transcripta est a G. Langbaine inter Adversaria ejus, vol. xviii. p. 53.

43.

Membranaceus. In 4°. minori. ff. 185. Saec. xiv. exeuntis. Olim Allenianus '38,' et 'A. 104.' In fol. rejectaneo ad calc., 'Haydock est liber iste Willielmi.'

1. Joannis de Parma Libellus de medicinis digestivis. **f. 1.**

Inc. 'Quoniam quidam de melioribus amicis meis quos habere videor.'
Ad calc., 'Explicit peractica (*sic*) magistri Johannis de Perma.'

2. Praescriptiones variae medicae, inter quas (f. 9^b.) 'Pessarium Arnoldi de Villa Nova.' **f. 7.**

3. 'Liber Septiplanti Papiensis de bestiis et avibus medicinalis.' **f. 15.**

Praemissa est epistola brevis a Rege Egyptiorum Octaviano Augusto. Ad calc., 'Explicit liber Septiplanti Papiensis ad Octovianum Augustum.'

4. 'Libellus de [con]feccione vini secundum Arnoldum de Villa Nova.' **f. 18.**

Inc. 'Laudamus itaque vinum de bona vite.'

5. Descriptio venarum humani corporis. **f. 31.**

Ad calc., 'Expliciunt quedam utilia per Haydock.'

6. Quaedam alia per eundem Haydock inscripta, viz. unguentum, quod est remedium universale

'ad memoriam inenarrabilem' contra pestilentiam et omnia venena; et versus de sanguine et signis ejus medicis. **f. 32^b.**

7. 'Antidotarium Nicolai' Falcuccii, Florentini; ordine alphabetico. **f. 33.**

Inc. 'Ego Nicolaus rogatus a quibusdam.'

8. 'Glose super Antidotarium Nycolai;' *manu altera.* **f. 71.**

9. 'Liber de famulatu philosophie Ewangelio Domini nostri Jesu Christi et pauperibus ewangelicis viris: primus liber de consideracione quintessencie omnium rerum transmutabilium;' auct. Johanne de Rupe Scissa. **f. 101.**

Inc. 'Dixit Salomon, Sap. cap. viii., Deus dedit mihi.'
Liber secundus 'de generalibus remediis appellatus.' f. 115.
Exstant hi libri saepe impressi, sed forma pleniori.

10. 'Regimentum sanitatis ad 7 climata;' capitulis octodecim. **f. 121.**

Inc. 'Prima pars vel consideracio sanitatem conservando pertinet aeris eleccioni.'
Expl. '—pannus lineus immersus ano suaviter quantum poterit intromittatur. Deo gracias.'

44.

Membranaceus. In 4°. minori. Saec. xv. ff. 188. Olim 'liber collegii Animarum Omnium fidelium defunctorum in Oxon. ex dono magistri Johannis Saundyre, nuper socii ejusdem collegii, cujus anime propicietur Deus, Amen;' qui etiam ipse codicem exaravit.

Quaestiones in varia Aristotelis physica.

1. Quaestiones super librum de somno et vigilia. **f. 1.**

Inc. 'Circa librum de sompno et vigilia queritur primo utrum sompnus sit privacio vigilie.'
Ad calc., 'Expliciunt questiones super libros de sompno et vigilia per manus domini Johannis Saundyr.'

2. —super librum de sensu et sensato. **f. 34^b.**

Inc. 'Queritur primo utrum de operacionibus et passionibus inanimatorum sit sciencia distincta a sciencia libri de anima et aliorum librorum naturalium.'
Ad calc., 'Expliciunt questiones super libros de sensu et sensato secundum magistrum Johannem Parisiensem, dictum Spengen, scripte a domino Johanne Saundre.'

3. —super librum de memoria et reminiscentia. **f. 87.**

Inc. 'Queritur utrum memoria sit solum preteritorum.'

4. —super librum de longitudine et brevitate vitae. **f. 104^b.**

Inc. 'Queritur primo utrum calidum et humidum sunt cause longe vite.'
Desinunt imperfectae in quaest. quarta.
Sequuntur duo folia vacua.

5. —medicinales intermixtae novem. **f. 115.**

Inc. 'Queritur primo utrum prius debeant exhiberi grossa cibaria vel subtilia.'

6. Expositio libri de motu animalium. **f. 122.**

Inc. '*De motu an. eo.* Dividitur autem iste liber in duas partes. In prima dat intencionem suam, dicens quod intendit facere mencionem sive consideracionem de motu processivo animalium in universali.'

Ad calc., 'Explicit liber de motu animalium, quod d. J. Saundre.'

7. Johannis Duns Scoti Quaestiones xxiii. in libros de anima. f. 134^b.

Inc. 'Queritur circa secundum librum de anima utrum sensus tactus sit unus vel plures. Videtur quod sit unus.'

Ad calc., 'Expliciunt questiones doctoris subtilis super secundum et tercium libros de anima, scripte a domino Johanne Saundre.'

Sequitur tabula quaestionum in volumine tractatarum, exceptis iis in artt. v, vi.

45.

Membranaceus. In 4º. minori. ff. 206. Saec. xiii. Olim 'A. 119.'

1. Homiliae variae; inter quas, de passione Domini (ff. 22–39), et de humilitate (ff. 39^b–42). f. 2.
Desunt quaedam in initio.

2. Homiliae in Psalmos, usque ad Ps. cxxxii; praemissa tabula materiarum. f. 51.

3. Sermo in 1 Sam. vii. 15–17, in visitatione cujusdam domus monastici. f. 190^b.

4. Pars sermonis in Jer. xv. 3, de quatuor symbolis evangelistarum, in visitatione quadam habiti. f. 200.

46.

Membranaceus. In 4º. minori. ff. 110. Saec. xiv. Olim Allenianus '22.' Bene exaratus, et figuris illustratus.

1. Experimentarius [sive, ut manu saec. xvii, Liber Fortunae], Bernardi, sive Bernardini Silvestris; opus fatidicum.

In fol. 8 sunt haec: 'Titulus vero talis est; Experimentarius Bernardini Silvestris, non quia inventor fuit, sed fidelis ab Arabico in Latinum interpres.'

Contenta ferme per totum concordant cum iis quae inveniuntur in exemplari altero in cod. Ashmol. 304 servato, et in Catalogo per Gul. H. Black plenissime et accuratissime descripto; descriptionem igitur nostri ibi quaerat lector, si velit. Quae autem in codice isto, hic illic mutilo, deficiunt, in nostro supplentur; et paucula haec alia inseruntur:—

i. Figura Bernardi, his versibus suprascriptis:—
'An sors instabilis melius ferat, ars docet ejus,
In septem stabis, minus una petens numerabis,
Post septem sursum numerando perfice cursum.
Translator Bernardus Silvester.
Hic infallibilis liber incipit, an tibi pejus.' f. 1^b.

ii. Prooemium. f. 2.
Inc. 'Qui celum et terram creavit.'

iii. Quaestiones xxviii. super fata secundum xxviii. mansiones in quibus sol in toto anno moratur; opus quidam medicus Regis Amalrici ad laudem ejus gestorum postquam Egyptios vicerat, composuit. f. 2^b.

Inc. 'Nostri autem antiquissimi longo tempore viventes.'

Ad calc. haec, 'Nugas, set subtiles, hec arbitror, quas habere et scire non estimo penitus inutile, ut eis alludatur, non fides adhibeatur; immo pocius derideantur humani hostis muscipule et deprehense devitentur. Quia
Que magis apparent retia vitat avis.
Si prenoscantur ventura, minus dubitantur;
Si sit previsus minus hostis obest prope visus.
Que subito veniunt plusquam precognita ledunt.'
Sequitur tabula combinationum (ff. 6, 7) ut in cod. Ashmol. art. 1, cum tabula altera, et explicatione quae sic incipit,

'Argumenti finis hujus doctrine talis est. Si vis scire de duobus pugillibus quis eorum vincere debeat,' etc.

Subsequuntur in ff. 7^b–89^b artt. 2–8 codicis Ashmol., cum figuris, additis hic illic his—

i. 'Casualiter jaciantur puncta;' regulae ad tabulas quatuor art 2. f. 25.

ii. Iterum figura Bernardi, cum versibus sicut supra, linea autem ultima in primum locum translata. f. 25^b.

iii. Figura Anaxagorae, prognosticis Pythagoreis praecedens. f. 67^b.

iv. Figura Ciceronis; 'Divinatio Ciceronalis,' cum figuris avium et signorum Zodiaci; art. 8. cod. Ashm. praecedens. ff. 77–79^b.

Ad calcem subjunguntur versus varii sub his titulis:—
'Consideracio pronosticorum secundum Almaricum regem, in qua septenarius est basis.' f. 90.
'Consideracio illius sortis que per planetas,' etc.; cum figuris cocodrilli, etc. f. 90^b.
'Consideracio prenosticorum que dicitur specialis, que decennalis est.' f. 91^b.

2. Ars geomantiae. f. 93.

Incip. 'Desiderantibus verum et certum dare judicium secundum generosam et venerabilem scientiam geomancie.'

Ad calcem sunt versus quidam, ita desinentes:—
'Cui res quinque dies horas vigin (sic) simul unam
Punctos quingentos octuaginta novem.
Explicit Ars Geomancia.'

3. Sphaera Pythagorica; tabulis quinque. f. 106^b.

Inc. 'Racio spere Pictagorice quam Apulius descripsit.'

4. De geomantia quaedam. f. 109^b.

Inc. 'Ars geomancie non habet efficaciam in domibus formandis dum luna fuerit in hiis signis.'

In tegmine libri infixae sunt duae rotae ligneae, (Volvellae dictae), sese invicem moventes, super quas sunt figurae et tabula quaedam astrologica.

47.

Membranaceus. In 8vo. Saec. xiv. ff. 188. In fol. ult., verso, 'Iste liber est Johannis Fontana, physici Veneti.' Olim liber 'Tho. Allen;' '30' et 'A. 108.' Praemissa est, manu saec. xv, tabula contentorum.

Tractatus quindecim de re astronomica et astrologica, manu una bene exarati.

1. 'Liber omnium sperarum celi et compositionis tabularum, translatus a magistro G[erardo] Cremonense de Arabico in Latinum,' 'in Toleto' (add. ad fin.). f. 2.

Inc. 'Est quedam celestis machina spera.'

Cf. Della vita di G. Cremonese notizie de B. Boncompagni, 4º. Rom. 1851, p. 60.

2. 'Tractatus de circulis et epiciclis planetarum,' [Gerardi Cremonensis, sive Walteri Brytte], cum figuris. f. 11.

Inc. 'Circulus ecentricus dicitur vel egresse cuspidis vel egredientis centri qui non habet centrum cum mundo.'

Expl. '—et habuit magnum astrolabium tricubitum videlicet aut majoris quantitatis.'

3. 'Liber Archaselis introductorius ad librum judiciorum Arabum;' libris duobus. f. 19.

Inc. 'Omnibus planetis eraticis que feruntur in signis.'

4. 'Liber Alchabic[ii] ad magisterium judiciorum Arabum (sic), translatus a magistro G. Cremonense de Arabico in Latinum;' cum prooemio. f. 29^b.

Inc. pr. 'Postulata a Domino prolixitate vite.'
Cf. Boncompagni, *ubi supra*, p. 59.
Haec versio impressa fuit Venetiis per Erh. Ratdolt anno 1485 sub nomine Joannis Hispalensis, interpretis ; sub cujus nomine exstat etiam in codice proxime subsequente.

5. 'Liber quidam introductorius metrice compilatus' (*sic in tab. contentt.*) f. 57.

Inc. '*De signis directis et tortuosis.*
Signorum numerum sapientia dat duodenum.'

6. 'Liber coequacionis planetarum, translatus a magistro G. Cremonense de Arabico in Latinum.' f. 61.

Inc. 'Quicunque coequare planetas desiderat.'

7. 'Liber de concordia electionum Alkindi;' capitulis 14. f. 68.

Inc. 'Omnes concordati sunt philosophi.'
Expl. '—sitque ipse et luna munda a malis.' Additur in marg., 'Hic deficiunt folia tria de in[tegro] opere.' [Cf. cod. 194 *infra*, art. 13.]
Pro nomine *Alkindi* in titulo ut etiam ad finem, manus alter nomen Zaelis substituit, sub cujus nomine impressus exstat liber cum Ptolomaei *Opere Quadrip.*, fol. Ven. 1493, et alibi.

8. 'Liber de creticis diebus Alkindi.' f. 78.

Inc. 'Lucis creatorem obsecro ut veritatis lucem.'

9. 'Liber Messahala de 14 proprietatibus stellarum, que, videlicet, generacioni et corrupcioni omnium rerum deserviunt.' f. 84.

Inc. 'Primo igitur ante cetera omnia hoc attendendum ex[is]timo.'

10. Zaelis liber introductorius 'ad librum judiciorum astronomie quod ipse idem compilavit;' cum prooemio. f. 100.

Inc. 'Hactenus de circuli porcionibus stellisque.'

11. 'Liber judiciorum astronomie Zaelis;' cum prooemio. f. 104.

Inc. 'Deinceps ab hoc introitu.' Multa excerpta sunt ex Alkindi, Adomar, Dositheo et Aristotele.

12. 'Liber judiciorum astrologie qui Sententie septem judicum intitulatur.' f. 128.

Inc. 'Prima quidem domus oveas (*sic*) solis vitam significat.'

13. 'Liber nativitatum Abluali Alchait astrologi.' f. 154.

Inc. 'Dixit fidelis Abluali sutor et astrologus, Firmavi hunc librum.'
Ad calc. (f. 182b), 'Finit liber nativitatum Abluali Alchait, translatus de Arabico in Latinum a Platone Tiburtino in civitate Barchinona. Qui factus anno Arabum ccccxxv. Est autem translacio perfecta annis Arabum dxxx.'

14. Paucula quaedam de nativitatibus. f. 183.

Inc. 'Cum luna fuerit in domo Saturni erit natus ociosus.'

15. 'Libellus interpretationum quem puto esse Messahala. Inveni eum extractum de libro suo in interrogacionibus.' f. 184b.

Inc. 'Scito quod [astrologus] aspiciens poterit errare quatuor modis.'
Expl. '—et hoc occultabant antiqui sapientes astrologorum a ceteris qui in hac arte minus docti erant.'

48.

Membranaceus. In 4o. minori. ff. 302. Saec. xv. Olim 'Tho. Allen, 23;' 'A. 95.'

1. Calendarium, ad latit. Oxon., cum tabulis variis, sc. ad literam dominicalem sciendam, etc. pro annis 144 ab anno 1438; planetarum; de venaesectione secundum signa zodiaca; et eclipsium solis et lunae, 1433–1462; *mutil. ad fin.* f. 1.

Inter festa sanctorum occurrunt Translationes Edmundi archiepiscopi, Edwardi Regis (*bis*), Swythini episc., et Cuthberti episc., cum multis aliis ex festis Anglicis. Dies 'Friswyde Virg.' rubris literis notatur.

ff. 19, 20 vacant.

2. Opus metricum de Compoto manuali, cum commentario. f. 21.

Inc. textus. 'Filius esto Dei celum bonus accipe grates.'
— comm. 'Compotus iste dividitur in 6 partes.'

ff. 29, 30 vacant.

3. [Alex. de Villa Dei] carmen de Algorismo; cum commentario. f. 31.

Inc. textus, 'Hec algorismus ars presens dicitur in qua.'
— comm. 'Iste liber quem pre manibus habemus dividitur in duas partes.'

ff. 47 vacat.

4. Roberti Anglici Commentarius in tractatum Johannis de Sacro Bosco de Sphaera. f. 48.

Inc. 'Una scientia est alia nobilior vel melior duabus de causis.'
Ad calc., 'Finita est ista compilacio super materia de spera celesti, ad majorem introduccionem in monte Pesulano studencium, quam compilavit magister Robertus Anglicus, et finivit anno Domini 1272, sole exeunte in primo gradu tauri, scorpione ascendente in alio,' etc.

5. Magnitudines planetarum, 'extracte a Theoria Campani Novariensis, quam composuit domino Urbano quarto.' f. 89.

6. Notae 'secundum Alfraganum et Avoroys' de mensuris et ponderibus. f. 90b.

7. De constructione et usu instrumenti cujusdam ad dirigendum signatores. ff. 91b–4.

Inc. 'Accipe tabulam planam mundam.'

f. 95 vacat.

8. Simonis Bredon Theorica planetarum, cum figuris. f. 96.

Inc. 'Circulus ecentricus, circulus egresse cuspidis, et circulus egredientis centri idem sunt.'
Ad calc. sunt versus sequentes manu altera :—
'Qui cupis astrorum septem bene scire sophiam
Hunc lege tractatum qui continet astronomiam.
Namque domus Merton hanc fecerat arte potitus
Astronomus Bredon consocius atque peritus.
O Deus astripotens anime Bredon miserere,
Cum sanctis statuas qui dicunt Kyria chere.'
In cod. 15 *supra*, et alibi, sub nomine Gualteri Britte invenitur tractatus.

9. De astrologia excerptum quoddam; *imperf.* f. 114.

Inc. 'Astrologia est de magnitudine contracta ad motum celestem.'

10. 'Liber Abraham Judei [*i. e.* Aben Esrae] de nativitatibus.' f. 116.

Inc. 'Dixit quoque Abraham Judeus, optimum instrumentorum ad inveniendum gradum orientem.'

11. 'Magistralis composicio astrolabii Hanrici Bate.' f. 143b.

Inc. 'Universorum encium radix et origo Deus.'

Ad calc., 'Expletum est hoc opusculum ab Hanrico Bate in villa Machliniensi, Luna conjuncta Jovi in domo septima, ascendente Leone, anno Domini M.CC.LXXIIII., quinto idus Octobris, ad peticionem fratris Vuilhelmi de Morbeca, ordinis Predicatorum, domini pape penitenciarii et capellani,' etc.

12. Descriptio instrumenti pro equatione planetarum. f. 152[b].

Inc. 'Volentes quidem vera loca planetarum coequare.'

Artt. 9–11 transcripta sunt ex libro Venetiis per Erhardum Ratdolt anno 1485 impresso, cujus colophon (quem vocant) in fol. 155 exhibetur. Exemplar textus impressi exstat apud libros Ashmoleanos, 465.

13. 'Latitudines civitatum Anglie,' aliarumque civitatum in Italia, etc. f. 156.

14. Tabulae mediorum motuum et aequationum planetarum. f. 157[b].

15. [Gul. Reade, episc. Cicestrensis,] Canones ad tabulas ejus compendiosas, super annos Christi et super radices et motus planetarum Alfonsi regis Castelli fundatas, et ad meridiem civitatis Oxon. reductas. f. 177.

Inc. 'In nomine D. n. J. C. Volentibus futuros effectus planetarum pronosticare.'

Expl. '—sed istud pro communibus indiciis facere non oportet. Amen.'

16. Canon pro vero motu lunae inveniendo. f. 181.

17. Roberti Grosseteste, episc. Lincolniensis, Tractatus de prognosticatione temporum. f. 182.

Inc. 'Ad pronosticandum diversam aeris disposicionem futuram.'

18. Versus memoriales de planetis earumque facultatibus astrologicis. f. 188[b].

Inc. 'Vita, lucrum, fratres, patres, fil., servus et uxor.'

19. Canon pro vero motu quinque planetarum inveniendo. f. 189.

20. Tabulae ascensionum; accedunt regulae. f. 190.

21. 'Flores Albumazar de eleccionibus etc.' f. 193.

Inc. 'In nomine Dei incipiunt elecciones quas Albumazar compilavit de confusis tractatibus antiquorum, scil. qualibet die quid sit agendum, quid pretermittendum, secundum aspectum planetarum.'

Sequuntur volvellae solis et lunae, et tabulae planetarum, ff. 203–206.

f. 207 vacat.

22. Alcabitii Isagoge, sive Liber introductorius ad magisterium judiciorum astrorum. f. 208.

Incip. 'Postulata a Domino prolixitate vite Ceysandadula, i. gaudii regni.'

Ad calc., 'Perfectus est introductorius Abdilaziz, i. servi gloriosi Dei, qui dicitur Alcabuz, ad magisterium judiciorum astrorum, cum laude Dei et ejus adjutorio, s. Dei, interpretatus a Johanne Hispalensi, Amen.'

23. Explicatio verborum *conjunctio, applicatio, translatio, prohibitio*, planetarum, aliorumque in arte astrologica in usu habitorum. f. 237.

24. [Commentarius Johannis Danck, de Saxonia, super Isagogen Alchabitii]. f. 243.

Inc. prol. 'Vir sapiens dominabitur astris.'
Inc. comm. 'In principio hujus libri septem possunt queri.'
Expl. '—donec exiverit casum suum.
    Expliciunt scripta supra Alkibicium.'
Impress. cum libro Alchabitii annis 1485, 1502, etc.

In fol. ultimo, verso, est 'figura conjunctionis solis et lune, anno Domini 1331, Parisius,' et figura solis introeuntis in arietem.

49.

Membranaceus. In 4°. minori. ff. 116. Saec. xv. Olim liber Th. Allen (f. 116[b]) '21' et 'A. 142.'

Quaestiones [Johannis Sharpe, *al.* Scharpe] in libros octo Physicorum Aristotelis.

Deest unum, ut videtur, folium in principio, et alterum inter ff. 21, 22.

Incipit codex ad verba, 'ad aliam formam tamen illa non est reducibilis ad actum eo quod non reperitur contrarietas in celestibus.' Desin. 'Et tanta ad presens de hac questione dixerim, in qua sufficit mihi ad presens aliquas difficultatum probabiliter evasisse, eo quod hec sit causa in qua discere pocius cupio quam docere. Et in hoc finiuntur quaestiones alique in libros Phisicorum superficialiter collecte cão [*sic, lege* modo] quo in scolis phisicis Oxon. disputari consueverunt.'

In MS. Langbainii xix. p. 476 dicit ille vir cl. de hoc codice, 'Authore (ut videtur) Johanne Wiclif.' Error ejus haustus est e nota marginali in fol. 80, 'Wyclif concordat cum opinione po[te] [ponente ?] tempus esse subjective in mundo;' qui autem talia scripsit refert ad verba haec in textu operis, 'Videtur multum probabile quod tempus sit in mundo subjective, quod concludo dicendo *cum quodam moderno*, quem apparet mihi in hac materia de tempore clarius locutum fuisse, quia tempus est successiva mundi duracio in esse transmutabili.'

50.

Membranaceus. In 4°. minori. Saec. xiii. aut forsan xii. exeuntis. ff. 88. Acquisitus a Kenelmo Digby Florentiae in mense Novembris, 1620.

Tractatus de arte geomantiae.

Tit. 'Incip.' Geomancie secundum magistrum R . . . . e (*nomine eraso*).
Incip. 'Rerum opifex Deus qui sine exemplo nova condidit universa.'
Expl. (f. 72[b].) 'Earum itaque numerus cccc.lxxxiiii. formularum fore non dubitatur, quod Deus melius novit. Explicit ars geumancia.'

Sequuntur alia ejusdem generis, inter quae,

1. De punctis. f. 74.

2 'Liber primus [de] casis.' f. 78.

Inc. 'Deinceps dicendum est de casis 12 quas apellavimus (*sic*) superius matres et filias.'

In folio rejectaneo ad initium et in duobus (87, 88) ad calcem sunt schemata quaedam pro calculationibus faciendis, annis 1489–92 descripta.

51.

Membranaceus. In 4°. minori, binis columnis exaratus. Saec. xiii. ff. 138. Olim liber Tho. Allen; '29' et 'A. 90.'

1. Pars libri, auctore Albategni, de scientia astrorum; cum figuris. f. 1.

Inc. in cap. xliv, ad verba 'conjunctionis ab ascendente lx fuerit, hore vere conjunctionis erunt hore medie eclipsis.'
Ad calc. (f. 17[b].) 'Finit liber Machometi filii Gebir filii Cineni, qui vocatur Albateni. Deo gracias.'

2. Hermanni Contracti Liber de compositione astrolabii, sive instrumenti a Ptolomaeo inventi et *Walzachora* dicti. f. 18.

Inc. 'Hermannus Christi pauperum peripsima.'
Impr. apud Pez, *Thes. Anecd.* iii. parte ii. col. 95.

3. Ejusdem Liber de utilitatibus astrolabii. f. 21.

Inc. 'Quicumque astronomice discipline.'
Expl. '—poteris fabricare horologia.' *Ibid.* col. 109.

4. Rodulfi Brugensis Liber de compositione astrolabii. f. 26.

Incip. prol. 'Cum celestium sperarum diversam positionem, stellarum diversos ortus diversosque occasus (*etc.*) . . . . . . pro posse suo hujus instrumenti formulam dilectissimo domino suo Johanni David Rodulfus Brugensis, Hermanni secundi discipulus, describit.' Cap. 1. De postica.

5. Tractatus Albucasis de usu astrolabii, ex Arabico in Latinum versus a Platone Tiburtino. f. 28.

Incip. prol. 'Translacio Platonis Tiburtini de opere astrolabii. Suo serenissimo amico Johanni David, in quatuor mateseos disciplinis peritissimo, Plato Tiburtinus post carnis miserniam (*sic*) carnis gloriam [*etc.*] . . . . . . diversis Arabum voluminibus revolutis, in nullo unquam ita perfectum ita venustum atque celeberrimum tractatum . . . . . invenire potui ut in libro studiosissimi Albucasin filii Alafar, tam in geometria quam in astromia (*sic*) valde peritissimi.'
Expl. opus: 'Et hec est figura sicut in dorso astrolapsus juxta centrum ponitur. Finit liber operis astrolapsum ab Abucazin filio Asafar editus, et a Platone Tiburtino translatus in civitate Barchinona.'

6. Methodus inveniendi meridianum in planitie quacunque per virgulam perpendiculariter erectam. f. 35^b.

7. De divisione ponderum. f. 36.

8. De compositione horologii sciaterici in usum viatorum. f. 36^b.

9. De modo inveniendi ambitum terrae. f. 37^b.

Inc. 'Quamvis Ambrosii (Theodosii, *interlin.*) autoritate orbis ambitus notabilis abeatur' (*sic*). Postea sic incipit capitulum alterum, 'Erastatones philosophus geometriaque sagacissimus.'

10. Tractatus quidam anepigraphus de proportione; scil. de proportione numerorum et figurarum geometricarum. f. 38^b.

Inc. 'Sic ait divina Scriptura, omnia in mensura et numero et pondere disposuit Deus.'
In fine truncus.

11. 'Sentencie astrologorum in judiciis observande.' f. 43.

Inc. 'Quando igitur aliquis venit ad te, ut verum ei judicium possis dare.'

12. Liber florum Albumazar; tractatus astrologicus. f. 47.

Inc. 'In nomine Dei pii et misericordis hic est liber quem collegit Abumaxar de floribus eorum quae significant res superiores in rebus inferioribus, et quod fit in revolutione annorum et mensium et dierum, et erat hunc librum deferens secum in peregrinacionibus quia posuit in eo flores rerum et cetera de his que elegit et placuerunt sibi. Dixit Abumaxar, oportet te scire primum dominum anni.'
Ad calc. 'Finit liber florum Albumasar, sub laude Dei et ejus adjutorio. Quem succedit liber experimentorum ejusdem Albumasar eciam.' (*Manu alt.*), 'Liber sequens est de revolucionibus annorum Albumazar;' (*manu tertia*), 'et est unus liber experimentorum, et ipsius, secundum aliquos.'

13. [Jacobi Alkindi, sive Alchindi, Liber de judiciis; translatus per Robertum Anglicum.] f. 55.

Inc. 'Quanquam post Euclidem Theodosii cosmometrie.'
Nomen auctoris, ut etiam interpretis, subjicitur manu Tho. Allen: manu saec. xiv titulus praefigitur, 'Incipit liber Experimentorum Albumasar.' Exemplar autem vetus inter codd. Ashmol., 309, fert nomen Alkindi; et exemplaria recentiora, saecc. xv, xvi., in eadem collectione, ut etiam infra, Digb. 91, nomen interpretis addunt.

14. 'Liber iiii. tractatuum Batolomei Alfalisobi in sciencia judiciorum astrorum;' i.e. Ptolomaei Opus quadripartitum, a Platone Tiburtino Latine versum. f. 79.

Incip. cap. 1. 'Dixit Batolomeus: Rerum iescuri in quibus est pronosticabilis sciencie stellarum perfeccio.'
Ad calc. (f. 114^b.) 'Explicit liber quatuor (*sic*) Batolomei in judicandi discrecione per stellas de futuris in hoc mundo constitucionis et destructionis contingentibus. Deo gracias. Et perfectus est ejus translatio de Arabico in Latinum a Tiburtino Platone, cui Deus parcat, die Veneris, hora tercia, xx^a. die mensis Octobris, anno Domini M.C.XX.VIII. (*sic*) xv die mensis Saphar, anno Arabum D.XXX.III. (*sic*) in civitate Barchinona. Et Deus nos custodiat et actus nostros dirigat. Tu autem, Domine, miserere nostri.'

15. 'Liber Abuali Alchajat in nativitatibus, translatus de Arabico in Latinum a Platone Tiburtino.' f. 114^b.

Incip. 'In nomine Domini. Dixit fidelis Abuali sutor et astrologus, Firmavi hunc librum.'
Ad calc. (f. 130.) 'Finit liber nativitatum Abuali Alchaiat, translatus de Arabico in Latinum a Platone Tiburtino, in civitate Barchinona, cum laude Dei et ejus adjutorio; qui factus est anno Arabum CCCC.XXV. Perfecta est autem ejus translacio anno Arabum D.XXX. (*sic*) quartadecima die mensis Scrul, anno vero Alexandrino M.CCCC.XLVII. (*sic*) quintadecima die mensis Julii, hora x, ascendente sagittarii xii^o gradu,' etc.

16. Alia quaedam pauca de nativitatibus. f. 130.

Inc. 'Cum luna fuerit in domo Saturni.'

17. 'Capitula stellarum, oblata regi magno Sarracenorum a Mansor astrologo filio Abrae Judei, a Tiburtino Platone translata.' f. 131.

Inc. 'Capitulum. Signorum disposicio est ut dicam.'
Ad calc. (f. 133^b.) 'Perfectus est liber capitulorum Mansor cum Dei auxilio, translatus de Arabico in Latinum a Platone Tiburtino, quam Deus exaltet, in civitate Barchinona, anno Arabum DXXX, octavodecima die mensis Dulhichida,' etc.

18. 'Tractatus de cogitacione vel de intencione; et refertur ad Messeallah.' f. 133^b.

Inc. 'Precepit Messehalla ut constituas ascendens per gradum suum.'
Expl. '—qualiter misceas significaciones planetarum significacionibus signorum.'

19. 'Libellus interpretationum quem puto esse Messeallah; inveni enim eum extractum de libro suo in interrogacionibus.' f. 134.

Inc. 'Scito quod aspiciens, i. astrologus, poterit errare iiii. modis.'
Expl. '—et ubicumque fuerit dominus hore ibi erit res intellige.'

20. 'Tractatus Dorothi in occultis.' f. 135.

Inc. 'Dixit Dorothius, Cum interrogatus fueris de thesauro.'
Expl. '—et occultabant antiqui sapientes astrologorum a ceteris qui in hac arte minus docti erant.'

21. 'Epistola Messehallah in rebus eclipsis lune, et in conjunctionibus planetarum ac revolucionibus annorum, breviter elucidata;' capitulis duodecim. f. 136.

Inc. cap. 1. 'Dixit Messeallah, Quia Dominus altissimus fecit terram.'

Ad calc. (f. 137^b), 'Perfectus est liber cum laude Dei et ejus auxilio. Tu autem, Domine, miserere Platoni.'

22. Figurae tres pro nativitatibus calculandis, cum explicationibus. ff. 137^b–8.

Ad calc. descriptionis primae sunt haec : 'Hec interrogatio facta est secunda hora diei Mercurii et XXVI die Dulhigen, XVIII Novembris, erantque anni erant perfecti MCLXVIII.'

Descriptio contentorum codicis exstat in MS. Langb. xix, pp. 154–7 et 94–6.

52.

Membranaceus. In 4°. minori. ff. 80. Saec. xii. Olim '51' et 'A. 202.'

[Gualteri de Castellione Alexandreis, sive] poema de gestis Alexandri Magni; cum notis marginalibus.

Ad calc. 'Explicit Alexander.'
Saepe impressus.

In fol. 79^b sunt versus duo 'de cane qui portavit os in ore super pontem et videns umbram ossis in aqua majorem osse dimisit os et saliit in aquam.' Et in fol. 80, rejectaneo, notae theologicae de throno Dei, de casu angelorum et hominum, de nomine Domini, etc.

53.

Membranaceus. In 4°. minori. ff. 69. Saec. xii. exeuntis [cf. ff. 13^b, 48^b, 50^b.] Bene, sed haud una manu, exaratus: partim binis columnis. Olim liber prioratus de Bridlington; postea Tho. Allen, '32' et 'A. 84.'

1. 'Versus magistri Serlonis de differentiis;' cum notis. ff. 3–5^b.

Incip. prol. 'Dactile, quid latitas? Exi; quid publica vitas?'
Incip. differentiae : 'Unam semper amo cujus non solvor ab hamo.'
Expl. 'Terminus hujus mete venit; explicit, ergo valete.'
Multa, ad glossam pertinentia, inter lineas inserta sunt.

2. 'Versus magistri Serlonis in conversione sua quando factus est monachus Cisterciensis.' f. 3, *in marg. sive in col. secunda.*

Inc. 'Mundus abit : res nota; quare res usque notanda.'
Impr. apud *Wright's Anglo-Latin Satirical Poets and Epigrammatists of the Twelfth Century*, 1872, vol. ii. p. 232.

3. 'Versus ejusdem quando scolis renunciavit;' *ibid., et* f. 32.

Inc. 'Linquo coax ranis, cras corvis, vanaque vanis.'
In margine est versus retrogradus, 'Sator Arepo tenet opera rotas.'

4. 'Alie differentie de nominibus et verbis;' cum notis. f. 5^b.

Inc. 'Dic quid hyrundo, quid sit hirudo, qualis arundo.'
In marg. fol. 6^b, 'Hoc anno seno M°. bisque triceno Anglorum gentes perierunt ense cadentes.'

5. 'Proverbia magistri Serlonis;' *Gall.* et *Lat.* f. 8.

Inc. 'Pur suffreite de prud hume met lum fol en banc, Occupat indignus sedem cum non prope dignus.'
Expl. 'Busuinne fait veille trotter ;
Currere plus ke le pas vetulas compellit egestas ;
Ut cito se portet vetule pes cogit oportet ;
Fert inde fesse vetule carendo necesse.'

Haec impressa sunt apud notitiam codicis per P. Meyer infra notata.

In marginibus sunt multi versus grammaticales atque morales, sive epigrammata, inter quos (ut etiam in fol. 44) distichon [Hildeberti] de nativitate Domini, 'Preco, puella,' etc. [*Opp.* col. 1232.]

6. 'Versus de concepcione hominis.' f. 10.

Inc. 'Unde superbit homo cujus concepcio culpa.'

7. 'De homine.' *ibid., in marg.*

Inc. 'Heres peccati, natura filius ire.'
In ora inferiori fol. 9^b, 'Selden gifis men dumb man land, Raro datur muto tellus aū [aut?] regia surdo.'
In ora inferiori fol. 10, 'Þar þe clild (*sic*) is kings and þe cuerl is Alderman and þe pale biscop, pa þene lede. Unde versus :'
'Ve populo cujus puer est rex, censor agrestis, exterus antistes, hii mala multa movent,'
In marg. fol. 10, 'Transit ab R. Gilebertus in R. freppe vigens R.'

8. 'Versus domni primatis :' [Thomae Baiocensis, archiep. Eboracensis ? Serlo enim ecclesiae Ebor. forsan canonicus erat.] f. 10^b.

Inc. 'In cratere meo Tetis est conjuncta Lyeo, Est dea juncta deo sed dea major eo.'

9. 'De femina.' *ibid.*

Inc. 'Nonne vides quam parva fides manet in muliere.'
In ora inferiori, 'Plenus honorificabilitudinitatibus esto.'

10. 'De canonicis quod M. Serlo.' f. 11.

Inc. 'Canonici, quem canonicum vos canonicastis.'
Item alii versus in marg. 'Nostri canonici debent a canone dici.'

11. 'Epitafium Brunonis [Astensis] episcopi.' *ibid.*

12. Versus varii epigrammatici atque grammaticales. ff. 11, 12.

13. 'De Ermaphrodito ;' [auct. Hildeberto Cenomanensi.] f. 12.

Inc. 'Dum mea me mater gravida gestaret in alvo.'
Inter Hildeberti *Opera*, fol. Par. 1708, col. 1370.

14. De arte versificandi ; [scil. prologus et sectio prima libelli Marbodi, episc. Redonensis, de ornamentis verborum.] *ibid.*

Inc. 'Versificaturo quedam tibi tradere curo.'
Impr. ad calc. Operum Hildeberti Cenomanensis, fol. Par. 1708, col. 1587.

15. 'De differenciis diversorum nominum,' versus varii. ff. 12^b, 15, 18, 18^b, 22.

Inc. primi, 'Singula mente nota fasces dicuntur honores.'

16. Epitaphia et epigrammata varia. ff. 13–15, 21^b–2^b.

Inter haec, versus (f. 12^b) sub nomine 'Bartholomeus archip.;' (f. 13^{a, b}) versus in mortem S. Thomae, archiep. Cant., et epitaphium Petri Comestoris qui obiit anno 1178, (quod exstat impressum in Oudini *Comment. de Scriptt. Eccl.*, vol. ii. col. 1529 et alibi). Disticho cuidam in fol. 14^b oppositum est nomen (rubris literis) 'Hermannus, Christi pauperum peripsima' (Herm. Contractus). In fol. 15 haec :—

'*Versus primatis.* Primas Serloni, nebulo nebulas nebuloni. Serlo e contra. Nulla tui doni sit gratia pro nebuloni.'
Item, versus de Judaeo in latrinam lapso; et 'Alexandro papae.'

17. 'Diversa proverbia ;' *Gall.* et *Lat.* **f. 15.**

Inc. 'Que oil ne veit quor ne desiret.
　　Cor non affectat oculi quod non nota spectat.'
Impressa per P. Meyer, *ut infra*.

18. Versus de moribus gentium diversarum. **ff. 16 et 17,** *in marg.*

Inc. 'Romani qui non sacra sunt sed qui sacra vendunt.
　　Instabiles Galli mihi sunt,' etc.

19. 'De ludo skakkorum.' **f. 16ᵇ.**

Inc. 'Qui cupit egregium scacorum noscere ludum.'

20. [Hildeberti Cenomanensis] Quid significet utraque pars altaris; versus quinque. **f. 17.**

Inc. 'Est ratio quod pars altaris dextera misse.'
Inter *Opera* Hildeberti, fol. Par. 1708, col. 1149.

21. Quae voci et oculis prosunt et nocent. **f. 17ᵇ.**

Inc. 'Qui vocem claram supervult semper habere.'

22. Versus miscellanei multi ; de diebus evitandis in phlebotomia ; de Roma ; etc. **ff. 18, 22ᵇ, 23ᵇ, 24, 27, 31ᵇ–33.**

23. Virgilii versus, 'Sic vos non vobis,' etc. **f. 18.**

24. 'Diccio (?) Malachie episcopi:' distichon. *ibid.*

'Spernere mundum, spernere nullum, spernere sese,
Spernere se sperni, quatuor hec bona sunt.'
Impress. apud Leyserum, *Hist. Poett.* 1721, sub nomine
Malachiae, p. 417; et inter carmina Hildeberti, *ut supra*, col. 1359.

25. 'Domnus Lago ;' hexastichon, nomine auctoris ita praefixo. *ibid., in marg.*

Inc. 'Spernere mundana, vir, non sit res tibi vana.'

26. De tribus Mariis et de filiabus et viris Annae, partim prosaice, partim metrice. **ff. 19, 23.**

27. 'De tribus donis Magorum.' **f. 19ᵇ.**

Inc. 'Dona magi Domino dant mistica tres tria Trino.'

28. Hildebertus 'de x plagis Egypti.' **f. 20.**

Inter *Opp.*, col. 1360.

29. Versus 'de officiis Misse.' **ff. 20–22.**

Inc. 'Illud sublicium quod presbiter induit ante.'

30. 'Hildebertus episcopus magistro Adam ut ei scriberet aliquid causa edificacionis ; et ille :—' **f. 20,** *in marg.*

Inc. 'Arbore sub quadam dictavit clericus Adam.'

31. 'Incipiunt versus de omnibus divinis historie libris.' *ibid., in marg.*

Inc. 'In hoc quinque libri retinentur codice Moysi.'

32. 'Versus de miraculo quondam per Petrum archiepiscopum Tarentinum patrato, de usurario quodam.' **f. 20ᵇ,** *in marg.*

Inc. 'Quo sale conditur nummus, quo sumitur haustu.'

33. Comparatio gloriae caelestis atque terrestris ; versus decem. **f. 22.**

Inc. 'Gloria celestis quod habet largitur honestis.'

34. 'De terminis Pasche.' **f. 22ᵇ.**

Inc. 'Aprilis nonas, octavum deinde Kalendas.'

35. Commendatio virtutum per comparationem. *ibid., in marg.*

Inc. 'Virginitas flos est et virginis aurea dos est.'
Inter *Opp.* Marbodi, ad calc. *Opp.* Hildeberti, *ut supra*, col. 1561.

36. 'De vii. diebus' Creationis. **f. 23.**

Inc. 'Primus in orbe dies lucis primordia sumpsit.'

37. 'De sancto Thoma ' Cantuariensi. **f. 23.**

Inc. 'Rex, miles, presul, edictis, ense, cruore.'

38. 'Epithaphia Virgilii que scripta sunt a duodecim sapientibus.' **f. 23ᵇ.**

39. 'Epitafium magistri Hugonis [scil. H. de S. Victore] ; epitaphium anonymum ; ' de Serlone ;' de latronibus cum Christo crucifixis ; etc. **f. 24.**

Inc. i. 'Qui tibi magnus eras, quam sis nichil, ecce, doceris.'
　　ii. 'Nullius vicii glacies hiemabat in illo.'
　　iii. 'Dici Serlo miser merui, non Serlo magister.'
　　iv. 'Dismas et Gestas latrones nomen habuere.'

40. 'De ruina Rome ;' poema Gualtero Mapes ascriptum. **f. 24.**

Inc. 'Propter Syon non tacebo.'
Nomen 'Gualt. Mahap' praefixum est manu saec. xvi.;
sequuntur autem haec, manu paulo recentiori, 'Magister Walterus de Castilione est verus author horum versuum, apud Romam in presentia domini pape.'
Impress. apud Flacium Illyricum, p. 408; inter Poemata G. Mapes, et alibi.
　　Binis columnis exaratum est poema ; inter columnas et in marginibus sunt notae grammaticales, theologicae, atque miscellaneae, cum versibus.

41. [Goliae Querela ad papam]. **f. 25.**

Inc. 'Tanto viro loquuturi.'
Expl. 'Studeam de proprio.'
Imp. apud F. Illyricum, p. 9; Leyserum, p. 779; et nter
Poemata G. Mapes.

42. Epigramma 'de papa Alexandro' III. (qui obiit anno 1181) ; epitaphium super Simonem quendam ; etc. **f. 27.**

43. 'Magister Golyas de quodam abbate.' **f. 27ᵇ.**

Impress. (non autem sine corrigendis) ad calc. praef. in
Poemata G. Mapes, 4ᵒ. Lond. 1841, pp. xl–xliv.

44. 'De destructione Troie.' **f. 30–31ᵇ.**

Inc. 'Pergama flere volo fato Danais data solo.'
Expl. 'Femina fatalis, femina feta malis.'

45. Varii ex versibus Hildeberti Cenom. super morali applicatione locorum S. Scriptura, praesertim ex Novo Testamento. **ff. 30–33, 44ᵇ, 46.**

Inter *Opp.* Hildeberti, *ut supra*, coll. 1211–1219, 1224–1230.

46. 'Walterus Mapa Hamelino clerico Regis ;' heptastichon. **f. 33.**

Inc. 'Gaudeo quod sanus es incolumisque degis.'

47. 'De monacho quodam ;' narratio scurrilosa de monacho adultero, Rogerus nomine. **f. 33ᵇ.**

48. 'Incipit liber de Babione sacerdote, et Petula uxore ejus, et de Fodio famulo Babionis et Petule, et de Viola filia Petule, et de Croceo milite ;' carmine, cum argumento praemisso. **f. 35.**

Inc. arg. 'Ut manifestius intelligatur quid isti versus volunt dicere.'
—poema. 'Me dolor infestat foris, intus, jugiter omnis.'
Expl. 'Qui scripsit valeat: Babio tristis eat.
　　　　Explicit comedia de domino Babione.'
Exstat impr. apud *Early Mysteries*, ed. per T. Wright, 8ᵒ.
Lond. 1838, p. 65.

49. Versus multi breves et miscellanei. **ff. 43-49.**

Inter alia haec notanda sunt :—

'Gregorias edes quibus, archidiacone, sedes
Rex dedit Henricus noster dominus et amicus.' ⎫
'Fama volans hodie per mille foramina vocum ⎬ **f. 44.**
Regem perfidie nunciat esse cocum.' ⎪
'Versus demonis Johanni heremite quibus occupatus ⎭
solvendis cessaret ab oratione.'

'Epitaphium H[enrici] R[egis], ⎫
Sufficit iste lapis cui non suffecerat orbis ; ⎪
Res brevis est ampla cui fuit ampla brevis.' ⎪
'Epitaphium G. prioris [*Gregorii prioris de Brid-* ⎪
lington?] ⎪
Occidit ecclesie lampas clavisque sophie, ⎬ **f. 48ᵇ.**
Gregorius, morum medicus primasque priorum, ⎪
In libris vixit studiosus et optima scripsit, ⎪
Multaque construxit quibus inclitus orbe re- ⎪
luxit.' ⎪
'Epi. H. Hic jacet Herodes Herode crudelior, hujus ⎪
Inquinat infernum spiritus, ossa solum.' ⎭

50. Hymni tres, cantandi ad processionem a tempore Paschali ad Ascens., in Ascensione, et in Pentecoste. **f. 45.**

Inc. i. 'Salve, festa dies felix octava dierum, *vel* t[oto]
v[enerabilis] evo.
Quam fecit Dominus nomine reque suam.'
ii. 'Salve, festa dies, qua Christus ad astra regressus,
vel t. v. e.,
Nostrum de terra corpus ad ipsa levat.'
iii. 'Salve, festa dies, quam sanctificavit ab alto
Cordibus infusus Spiritus uberior.'

51. Versus grammaticales. **f. 46ᵇ.**

Inc. 'Est soloescismus verborum copula prava,
Barbarismus ubi verbum corumpitur unum.
Est barbarismus cum dico domino dominus,
Est soloescismus vir mea, sponsa meus.'

52. 'Versus interpositi hic de *Semper unam amo*;' scil. Versus locum rectius, ut videtur, habentes in art. 1. supra, inter *Versus Serlonis de differentiis.* **f. 49.**

53. 'Quid sit socrus, quid nurus, patruus, avunculus,' etc. ; versus. **f. 49ᵇ.**

54. 'Figure per versus dictate ;' scil. figurae in oratione usitatae. **f. 49.**

Inc. 'Prima figurarum que dicitur allotheta
In medio residet tanquam mater bene feta.'
Expl. 'Ledeamque Helenam Trojanas vexit ad aures.
Hic finiunt figure per versus dictate.'

55. De Roma. **f. 50ᵇ.**

Inc. 'Roma capud rerum, que tanto turbine clerum.'

56. 'De tribus viris Anne et tribus filiabus suis.' *ibid.*

Inc. 'Nupta fuit Joachym mater prius Anna Marie.
'*Alio modo :* Tres tribus Anna viris fertur peperisse Marias.'

57. 'De cardinalibus' quibusdam disticha ; scil. 'de Albino, Panulpho, Prenestino, Sal'nino, Octoviano, Cynthio.' *ibid.*

58. 'Colores in rethorica ;' de artificiis in rhetorica usitatis ; tractatus prosaicus, illustratus versibus super verba equivoca, etc. **ff. 51-66.**

Incip. 'Ars semper eadem, quod autem ex arte est non semper idem.'
Expl. 'Hiis ita completis, portum sortita quietis
Musa tenet metam cogitque silere poetam.'

59. 'Versus Sydonii' super Caesares Romanos. **f. 51,** *in marg.*

Incip. prol. 'Cesareos proceres in quorum regna secundis.'

Rubricae tres : '*Julius Cesar primus :*' '*de longitudine regni eorum :*' '*de morte eorum.*'
Expl. imperfecte, 'Expediam series quos tenet imperii—'
Non exstant inter opera Sidonii impressa.

60. Versus : 'De Johanne B[apt.] ;' 'Poeta ;' 'Septem declarant nostram resurrectionem ;' 'Quot et quibus modis peccata relaxantur.' **f. 66ᵇ.**

61. 'De duodecim Apostolis versus.' **f. 67.**

Inc. 'Agnoscens credit Tibi Petrus, Simon obedit.'
Expl. 'Martis bis ternas sacravit morte Kalendas.'

62. 'Qualis debet ad altare accedere ;' [versus Hildeberti.] **f. 67.**

Inc. 'Astans altari, pia mens, gaude lacrimari.'
Expl. 'Hec manet, illa perit, mens hanc, illam caro querit.'
Inter *Opera* Hildeberti, *ut supra*, col. 1351, ubi autem nonnisi octo versus ex sedecim inveniuntur.

63. 'Quod in quo mense fieri debeat ;' consilia medica. **f. 67ᵇ.**

Inc. 'De phisica tractat Ypocras, docet, instruit, aptat.'

64. 'Quando dominus Papa celebrat missam in Lateranensi ecclesia.' **f. 68.**

Inc. 'Episcopus Hostiensis qui debet benedicere et consecrare Apostolicum est pre omnibus aliis.'

65. 'De tytulis cardinalium.' *ibid.*

In fol. 66ᵇ sunt haec, manu recentiori :—
'Versus sancti Hugonis [episc. Lincoln.] quando recessit a Carthusia.
Cella, vale ! tu scala Jacob, tu campus agonis,
Dans ventis paleas in celo grana reponis.'
Item, manibus recentioribus, ad initum finemque codicis sunt haec :—
f. 1. 'Hic jacet dominus Robertus Danby, prior hujus loci,' [*scil.* Bridlington] 'qui obiit quinto die Novembris, anno Domini M.CCCC. septimo.'
ff. 1ᵇ, 2. 'Versus de divite epulone et Lazaro mendico,' et Sententiae ex Patribus.
f. 68ᵇ. 'Condicio tua stet longo non ⎫ Isti sunt versus retro-
tempore, parvo ⎬ gradientes, facti per
Vivere te faciat hinc Deus ⎪ unum guliardum.'
omnipotens. ⎭
'Henrici quarti quinto Dominique sub annis
i.d.1.　　　　d. c.　　　l. c.i.　　c.　　i.　　i.
Bridelyngton decorat translacio sancta Johannis.
In istis duobus versibus patet quod Sanctus Johannes fuit translatus anno Domini millesimo CCCCᵒ. iiiiᵗᵒ et anno Henrici quarti quinto.
Folium ult. est fragmentum ex veteri legendario (saec. x. sive xi.) in quo de SS. Vincentio et Nicolao, cum notis musicis.
Codex descriptus est a viro erudito Paulo Meyer in *Archives des Missions scientifiques*, deux. sér., tom. v. 1868, pp. 143-150 et 172-186, ubi lector multa excerpta inveniat.

54.

Chartaceus. In 4ᵒ. minori. Saec. xv. ff. 158.

1. Libri i–iii Quaestionum metereologicarum Johannis Duns Scoti. **f. 1.**

Ad calc. (f. 122ᵇ), 'Expliciunt questiones tercii libri Methezororum secundum Scotum.'
Impr. pp. 1-100 App. ad vol. iii. *Opp.* Scoti, fol. Lugd. 1639.

2. Quaestio 'utrum pluralitas formalitatum possit stare cum simplicitate divine essencie.' **f. 123.**

Inc. 'Videtur quod non, quia secundum Aug. de Trinitate, de simplicitate divine essencie est quod ipsa sit communis.'
Expl. 'Sed hoc sibi repugnat eo quod ultimate perfecta.' Desin., ut videtur, imperfecte.
Non inter opera impressa Scoti invenitur hic tractatus ; quaestio autem de qua tractat agitur in Comment. ejus super Sentent. lib. i. dist. ii. qu. iv.

55.

Membranaceus. In 4º. minori. Saec. xiii, versus finem. Binis columnis exaratus. ff. 252. Ad calcem est tabula contentorum, manu saec. xv.

1. Commentarius in libros quatuor Aristotelis de coelo et mundo, auctore Galfredo de Haspall, sive Aspald. f. 1.

Deest folium primum.

Expl. '—tunc decedat in ipso, et si non, tunc nata super ipsum.'

Explicit liber quartus C. et M., secundum ma[gistrum] Gal. Haspalle.'

Tractatus super libros Physicorum per Galf. de Haspyl exstat inter codd. coll. Merton. CCLXXII. fol. 88. Mentionem de eodem Galfredo facit Lelandus, et ex eo T. Tanner in *Bibl. Brit.* atque alii, sub nomine *Aspaldus.* In veteri autem catalogo horum codicum appellatur auctor *Gulielmus Hispalensis.*

2. Commentarius in librum Aristotelis de sensu et sensato. f. 22.

Inc. '*Quoniam autem,* etc. Dictum est in libro de anima quid sit anima in communi.'

Expl. '—sequitur necessario idem esse sensibile et sensale.'

3. — in librum de longitudine et brevitate vitae. f. 25^b.

Inc. '*De eo autem,* etc. Principium vite in omni vivente est anima.'

Expl. '—in longitudine et brevitate vite in aliquo vivente.'

4. — in libros duos de generatione et corruptione. f. 27^b.

Inc. '*De generacione* et corrupcione et natura generatorum et corruptorum naturaliter et causas vel raciones eorum determinandum est.'

Expl. '—quod non accidit in generatis per decisionem.' (?)

5. Analysis libb. i–xi. Metaphysicorum, et speciatim libb. vii–xi. f. 38.

Incip. 'Intencio primi libri. Quod omnes homines naturaliter scire desiderant.'

Expl. 'Hec verba sunt, quoniam valde notabilia pro parte, sapienter tamen intelligenda, quia difficultatem habent in parte et errorem. Explicit.'

6. Analysis alia, et brevior, ejusdem operis. f. 47.

Inc. 'Quia secundum Gundissalvum philosophia habetur ex cognicione veritatis.'

Expl. 'Et sic completur distinccio parcium undecim, et per consequens generalitas tocius methaphisice. Explicit.'

7. 'De modo essendi anime sensitive in corpore.' f. 49^b.

8. Commentarius in libb. i–vii. tract. Aristotelis de physico auditu. f. 50.

Inc. '*Quoniam autem intelligere et scire,* etc. Subjectum tocius naturalis philosophie est corpus mobile.'

Expl. '—nichil alterabitur autem augmentabit, sicut dictum est in motu gravis, si autem aliter. Explicit liber septimus.'

9. — libros tres de anima. f. 72.

Inc. '*Bonorum et honorabilium,* etc. Una sciencia dicitur melior et nobilior alia.'

Expl. '—linguam vero quatinus aliquid alteri significet.'

10. — librum de somno et vigilia. f. 82^b.

Inc. 'Primo, utrum sint propria anime vel corporis vel communia.'

11. Commentarius in librum de somniis. f. 84.

Inc. 'Sompnium est passio virtutis apprehensive.'

12. —librum de divinatione per somnium. f. 85^b.

Inc. 'Divinacio est in sompniis, cum quia omnes vel plures ponunt sompnia habere aliquam significacionem.'

13. 'Aueroys super librum de sensu et sensato.' f. 86.

Impress. in vol. vi. Opp. Arist. cum commentariis Averrois, fol. Ven. 1550, f. 191^b.

14. Idem super librum de memoria et reminiscentia. f. 89.

Impress. *ibid.* f. 195^b.

15. Idem super librum de somno et vigilia, de somniis, etc. f. 91.

Impress. *ibid.* f. 201.

16. Idem super librum de morte et vita, sive de longitudine et brevitate vitae. f. 94^b.

Impress. *ibid.* f. 256.

17. Idem de substantia orbis. f. 96.

Impress. *ibid.* vol. ix. f. 3.

18. Quaestiones, sive dubia, in libros de physico auditu. f. 102.

Inc. 'Tunc opinamur cognoscere unumquodque.'

19. Commentarius alius super libros eosdem. f. 103.

Inc. 'Sunt quedam res que secundum accidentiam existendi et etiam secundum suam essentiam.'

20. 'Seneca' [rectius, Martinus Dumiensis, sive Bracarensis] 'de moribus.' f. 110.

Inc. 'Omne peccatum actio est.'

21. 'Seneca de paupertate.' f. 111.

22. 'Liber Senece' [rectius, supradicti Martini] 'de quatuor virtutibus cardinalibus,' sive Formula honestae vitae. f. 111^b.

23. 'Seneca de remediis fortuitorum.' (*Mutil.*) f. 113.

Hic, ut patet ex tabula contentorum (f. 252), desunt— 'Epistola Senece ad beatum Paulum; Liber S. Augustini de disciplina Christianorum; Sermo B. Bernardi de passione Domini: Excerpta de libro Senece de clementia, ad Neronem,' et quaedam alia pauca.

24. (*Tit. manu recentiori*) 'Questiones super libros de anima,' speciatim, ut videtur, super lib. iii. f. 114.

Inc. 'Queritur de intellectu, et quod necesse est has differencias esse in intellectu.' Sequuntur quaedam de quibus dubium sit an inter has quaestiones comprehendantur : scil. capitula ita incipientia—1. 'Minima creatura corporalis ostendit manifestissime sui Conditoris trinitatem' (f. 117^b). 2. 'Ad aliquo modo intelligendum quomodo nunc manet unum in tempore' (f. 118^b). 3. 'Questio est de augmento' (f. 119^b). 4. 'Questio est utrum lumen in medio sit forma substancialis' (f. 121^b).

25. (*Tit. manu eadem*) 'Bona materia de grammatica, cum questionibus subsequentibus.' f. 126.

Ad calc. (f. 151^b) est tabula quaestionum, numero 63, quae sic incipit:

'Primo, quot requiruntur ad scienciam.
Utrum grammatica sit sciencia.
Utrum grammatica sit sciencia una.
Utrum grammatica sit sciencia communis.'
Quaestio ultima est, 'Utrum construccio relativa cum suo antecedente sit transitiva vel intransitiva.'

26. Tractatus de anima; decem capitulis. **f. 152.**

Inc. 'Cum anima sit aliorum congnoscitiva, turpe est ut se ipsam ingnoret.'
Expl. '—vivere sine literis sit mors et vilis hominum sepultura. Explicit. Amen.'

27. Tractatus grammaticus de octo partibus orationis; accedunt capitula de constructione et de figuris. **f. 158.**

Inc. 'Sciencia est ordinacio depicta in anima.'
Expl. '—patet igitur quot et que figure et quare non plures erunt in libro figurarum. Explicit.'
In folio primo sunt haec, manu saec. xvi :—'Author istius grammaticae reprehenditur a R. Bacono in grammatica sua Graeca. Quidam arbitrantur hanc grammaticam fuisse Aristotelis, sed falso, teste R. Bacono; alii cujusdam Graeci tractatum arbitrantur, sed Baconus aliquem Latinum fuisse authorem istius colligit.' Vide praef. J. S. Brewer in *Opera inedita R. Bacon*, 1859, p. lxv.

28. 'Proposiciones magis notabiles Rethorice Aristotelis extracte.' **f. 178.**

29. Propositiones ex libris Ethicorum. **f. 179ᵇ.**

Hic deest, ut apparet ex tabula contentorum (f. 252), 'Exposicio super proposiciones Platonis.'

30. Tractatus [Alberti Magni] de intellectu et intelligibili; libris duobus. **f. 181.**

Inc. 'Sicut a principio istius operis diximus, sciencia de anima non satis complete habetur.'
Expl. 'Altissimum enim est hujus negocium et prime philosophie egens inquisicione. Explicit liber de intellectu et intelligibili.'
Libri primi exemplar alterum anonymum exstat in cod. 67, *infra*, fol. 107.
Inter *Opp.* Alberti, fol. Lugd. 1657, vol. v. pp. 239–262.

31. 'Liber' [Alberti Magni] 'de nutrimento et nutrito.' **f. 193.**

Inc. 'De anima secundum se ipsam in precedenti libro dictum est.'
Expl. 'Hec igitur de nutrimento et nutrito secundum suum diversum esse, secundum Peripateticos dicta sint a nobis.'
Inter *Opp.* Alberti, *ut supra*, pp. 175–184; tractt. i. ii. de nutrimento.

32. [Thomae Aquinatis] Liber de ente et essentia. **f. 198ᵇ.**

Impress. in vol. iv. var. editt. operum Tho. Aquin.

33. Oratio panegyrica quum baccalaureus quidam, qui tum Oxoniis tum Parisiis maxima laude studuerat, pro gradu magistri artium praesentaretur. **f. 203.**

34. (*Tit. ad calc.*) 'Sincategreumata magistri Willielmi de Sirewode:' **f. 205.**

Inc. 'Quia ad cognicionem alicujus oportet cognoscere.'

35. Quaestio de logica. **f. 225.**

Inc. 'Queritur utrum logica cognicionem entis de quo est inquirat practice vel speculative.'

ff. 226, 227 *vacant.*

36. [Rogeri Bacon] Tractatus de signis logicalibus. **f. 228.**

Inc. 'Signum est in predicamento relationis, et dicitur essentialiter.'
Expl. 'Dicendum est quod dupliciter intelligitur aliquid in alio.'
Vide praef. J. S. Brewer, *ubi supra*, p. lxv.

37. Quaestio de constructione grammaticali. **f. 244.**

Inc. 'Queritur utrum congrua construccio possit esse inter adjectivum et sustentivum sine conformitate in genere et casu.'

38. [Thomae Aquinatis] Tractatus de fallaciis. **f. 245.**

Inc. 'Quia logica est formalis sciencia.'
Deest fol. unum ad finem; desinit enim textus in medio capituli ultimi.
Opusc. xxxix. in editt. operum Aquinatis.
Hic, secundum veterem tabulam contentorum, 'Quedam de astronomia' olim locum habebant quae hodie desunt.

56. [B. N. 4.]

Membranaceus. In 4º. minori. Variis manibus, variis temporibus a saec. xii ad saec. xiv, exaratus. ff. 219. Olim in bibl. T. Allen, in duos codices divisus, 'quorum secundus notas habet, '31. A. 177.' Hodie, 'B. N. Digb. 4.'

1. [*Saec.* xiv.] 'Liber de regimine sanitatis' [sive, de phlebotomia] 'editus a magistro Bernardo do Gordonio, preclaro studio Montis Pessulani;' capitulis viginti. **f. 1.**

2. 'Liber de conservatione vite humane, traditus ab eodem magistro Bernardo de Gordonio in studio supradicto;' capitulis xxvii. **f. 21.**

Hi duo tractatus exstant impressi ad calc. Bern. Gordonii *Lilii Medicinae*, 8º. Lugd. 1574.

3. 'Tractatus de marasmode secundum intencionem Galieni et aliorum, et fuit ordinatus per magistrum Bernardum de Gordonio;' capitulis octo. **f. 52.**

4. 'Tractatus de tyriaca, secundum intencionem Averroys et aliorum, juxta ordinacionem magistri Bernardi de Gordonio;' capitulis sex. **f. 55ᵇ.**

5. 'Tractatus brevis et utilis de anathomia.' **f. 59ᵇ.**

Inc. 'Sicut attestatur G[alenus] integri volentes accedere.'
Ad calc., versus novem de formatione foetus in utero.

6. 'Tractatus brevis et utilis supra materiam de crisi et diebus criticis, compilatus in preclaro studio Montis Pessulani a magistro Bernardo de Gordonio.' **f. 64ᵇ.**

Impress. sub tit. *Tract. de prognosticis* ad calc. *Lilii Medicinae*, ut supra; hic autem adduntur in paginis novem quaedam de virtutibus planetarum.
Fol. 100 *vacat.*

7. [*Saec.* xiii. *ineuntis*] 'Expositiones Bibliothece;' sive contenta librorum Veteris Testamenti et quatuor Evangeliorum, carmine exposita. **f. 101.**

Inc. 'Excipit a. bissus, et ab hoc generatur abissus.'
Expl. 'Fluxus adest, exta languentibus exscoriantur. Expliciunt Expositiones bibliothece.'

8. Tractatus de scholarium disciplina. **f. 130**[b].

Boethio interdum male ascriptus, et inter opera ejus impressus.

In cod. Bodleiano nostro 'Auct. F. v. 28' exstat exemplar alterum, circa medium saec. xiii. exaratum, ubi suprascribit manus saec. xiv. 'per m. Helyam de Trikyngham.' *Annales* vero quos scripsit idem Elias de Trickingham desinunt ad an. 1270.

9. Horatii Ars poetica. **f. 146.**

In primo folio sunt notae quaedam marginales.
Ad calc.: 'Explicit liber Oracii de Poetica Arte.'
Sequuntur in foliis duobus rejectaneis hae notae :—
i. Obitus Athelwoldi, episc. Winton., anno 984. f. 154.
ii. De Constitutionibus de Clarendon, anno 1164; de reversione Thomae Cant. in Angliam, obitu ejus et translatione. *ibid.*
iii. Confirmatio Ordinis Praedicatorum anno 1216, et obitus B. Dominici anno 1221. f. 154[b].
iv. De eclipsi in passione Domini a Dionysio Areopagita visa; atque alia astronomica. ff. 154[b], 155.
v. Circuitus terrae. f. 155.
vi. Tria compoti calendaris genera, Romanorum, Judaeorum, Arabum. f. 155[b].

---

10. (*Saec.* xii.) Calendarium. **f. 156.**

Inter festa sunt dies Cadoci conf., Milburgae virg., Brendani, Kenelmi mart., et aliorum sanctorum eccl. Angl.
Accedunt tabulae variae, inter quas Compotus manualis, cum tit. 'Hic est sapientia, totius martirologii summa, et dicitur Manus Bede, sed qui nescit discat bene' (f. 165[b]), et, 'Compotus vulgaris, qui dicitur Effemerida Abbonis' (f. 169[b]).

11. 'Compotus magistri Gerlandi Bedam imitantis;' libris duobus, cum tabulis et figuris. **f. 170.**

Inc. 'Sepe volumina domini Bede de scientia computandi replicans.'
Insunt excerpta (ff. 189-90) ex libro secundo Bedae super Compotum sive de ratione temporum, et (f. 192[b]) Epistola ejus ad Victrhedum de Paschae celebratione.

12. Commentarius 'super primum librum Compoti Gerlandi.' **f. 196.**

Inc. 'In compoto Gerlandi unde agatur et qualiter.'

13. 'Summa de compoto . . . . .' (*caetera exscissa sunt*); de annis solaribus et lunaribus, de epactis, aureo nummo, indictionibus, etc. **f. 212.**

Inc. 'Annorum duo sunt genera.'

14. 'Summa de compoto ecclesiastico.' **f. 217.**

Inc. 'Antequam de re dicatur presciendum est qui sunt auctores hujus discipline.'
Desinit mutila.

57.

Membranaceus. In 4º. minori. Saecc. xiv exeuntis et xv. ff. 179. Olim 'liber M . . Jolyffe;' postea 'hunc librum emit m. J. Selde (?) a magistro Philips, rectore collegii Exon, anno Christi 1468, una cum volvella solis et lune hujus forme ◎ ◎, et est deaurata;' denique peculium T. Allen, '28', 'A. 102.' Praefixa est, manu saec. xv, contentorum tabula.

1. 'Raciones equacionum planetarum.' **f. 1.**

Inc. 'Super regulam equacionis solis haec est racio.'

2. 'Kalendarium de mediis motibus planetarum ad omnes dies tocius anni cum radicibus veris eorum,' super meridiem Oxon. calculatis. **f. 9.**

3. Tabula chronologica, sive 'Cronica notabilis, per quam habentur annus incarnacionis Christi, ciclus solaris, ciclus lunaris, et alia;' perducta ab anno 1001 ad 1532, cum notis paucis rerum memorabilium in Anglia ad an. 1388, et in annis 1415, 1417 manu altera. **f. 24.**

Anno 1361, 'Tonitru horribile quod fregit turrim Fred. et Sancte Crucis Oxonie :' anno 1386, 'obitus Katerine domine de Wottone.'

4. Tabulae astronomicae [Gul. Rede, episc. Cicestr.], cum canonibus. **f. 32.**

Prima tabula est 'radicum mediorum motuum omnium planetarum ad annos Christi collectos, super meridiem civitatis Oxonie,' ab an. 1340 ad 1600.
Desunt folia quaedam inter ff. 39, 40, in quibus continebatur initium canonum.
Ad calc. (f. 43[b]), 'Explete sunt tabule cum canonibus, ordinate super meridiem civitatis Oxonie.'

5. Tabulae aliae [ejusdem ?] ad meridiem Oxon.; scil. proportionum, motuum solis et lunae, et longitudinis atque latitudinis (cum canonibus) et mediorum motuum planetarum, etc. **ff. 44–108.**

Inter alias, tabula augmenti veri motus solis ab anno 1345 ad 1581, et tabulae solis quatuor pro annis 1341-4.

6. 'Tabula latitudinum diversarum parcium terre habitabilium citra equinoccialem circulum.' **f. 109.**

7. De signis planetarum. **f. 109**[b].

8. Tabulae compositionum et oppositionum solis et lunae super meridiem Oxon. pro annis 1375–1390. **ff. 111–118.**

9. Tabulae eclipsium solis (1376–87) et lunae (1377–89), super meridiem Oxon.; tabulae variae planetarum; calculatio verorum locorum omnium planetarum pro 5° Maii, 1361, 'tam per tabulas quam per instrumentum vocatum Albion' (f. 125[b]), et eclipseos solaris eodem die, etc. **ff. 119**[b]**–126.**

Ad fol. 120[b] est prognosticatio malorum ex conjunctione Saturni et Jovis anno 1365 orientium, quae in cod. 176 *infra* sub nomine Joh. Eschenden, e coll. Merton.. invenitur. Cf. etiam *Annales* Ant. Wood, sub anno.

10. Excerpta de diametro lunae, et de equatione dierum, ex Ptolomaeo. **f. 127.**

11. Canones de usu instrumentorum astronomicorum, anno 1350 (ut videtur) compositi, in quibus quaedam de instrumento Joh. Campani, equatorio magistri Johannis de Lyvers, equatorio Profacii vocato *semisse*, et instrumento per quendam abbatem de S. Albano composito vocato Albion. **f. 130.**

Inc. 'Quia nobilissima sciencia astronomie non potest bene sciri sine instrumentis.'

12. Canones super tabulas de ascensionibus signorum in circulis directis et in circulis declivibus. **f. 133.**

Inc. 'Consequens est scire tabulas de ascencionibus signorum.'

13. Tractatus brevis astrologicus de qualitatibus

planetarum et signorum et de modis quibus homines afficiunt. **f. 137**[b].

Inc. 'Quae in gloriosissimis libris antiquorum philosophorum.'

14. De Ptolomaeo, et de contentis dictionum i–vi libri Almagesti. **f. 142.**

15. Extracta e tractatu Rob. Grosseteste de dispositione aeris. **f. 144** (v. etiam breve excerptum ad fol. **8**).

Inc. 'Ad prenoscendam diversam aeris disposicionem.'
Ad calc. 'Explicit extracta a tractatu Roberti Grosteste episcopi Lyncoln.'

16. Extracta e tractatu Rogeri Herefordensis de judiciis astrorum. **f. 145**[b].

Inc. 'Sed pro questionibus et aliis rebus oportet predictam materiam prolongare.'
Ad calc. 'Hec extracta sunt a tractatu Rogeri Herefordensis de judicibus (*sic*) utilibus.'

17. Extracta e tract. Albohali de judiciis nativitatum. **f. 151**[b].

Inc. '*Capitulum locorum expertorum in verbis sapientum de nativitatibus.* Saturnus cum fuerit in suamet domo.'
Ad calc. 'Hec sunt extracta a libro nativitatum Albohali, translato a Platone Tyburtino.'
Impress. ex alia versione, 4°. Norib. 1546.

18. Extracta ex [eodem] de potestate lunae in morbos. **f. 161.**

Tit. 'De cadentibus in quaque infirmitate luna exeunte in quoque signo.'

19. Excerpta astrologica ex anonymo quodam commentario: [*qu.* in Ptolomaei Quadripartitum?]. **f. 165.**

Inc. 'Cap. 10 *De spacio vite.* Sensus hujus littere est quod vita continuatur et durat per loca plegiorum et per planetas eadem loca disponentes.'

20. Introductio quaedam ad cognitionem artis astrologicae. **f. 171.**

Inc. 'Ad honorem Dei et ad habendum cognicionem judiciorum astro[logi]e, oportet primo narrare naturam zodiaci qui dicitur circulus.'

21. 'Incipiunt y[magines] Tholomei.' **f. 176**[b].

Inc. 'Opus y. secundum consilium Tholomei est omnibus modis veracior.'
Expl. 'Dixit T., edidi hunc librum de y. super facies signorum. Qui ergo voluit operari provideat sibi quod luna sit in ascendente faciei illius signi, et aspiciat eam fortune. Mali vero sint cadentes ab eadem (?). *Explicit.*'

22. Notae de loco lunae in nativitate, de tonitruis, et de mensibus. **f. 178, 178**[b].

Ad calc. 'Hec Limpoldus.'
Hic multa folia exscissa sunt.

23. Fragmentum ex fine tractatus de medicinis dandis secundum planetas. **f. 179.**

In foliis rejectaneis ad initium sunt haec:—
i. Dies et horae natales J. Grevile, anno 1428, J. Vampage, anno 1427, et Thomae Grevile, anno 1453. f. 2*.
ii. — quinque ex filiis Richardi, ducis Ebor., (scil. Edw. IV. Regis, Annae, Eliz., Marg., et Georgii ducis Clarentiae), et Annae fil. prim. Henrici ducis Exoniae. *ibid.* Cf. genealogiam haud dissimilem apud *Librum Nigrum Scaccarii,* ed. T. Hearne, vol. ii. p. 525; quae autem ibi habentur de Anna, filia primogenita Ricardi ducis Ebor., multum discrepant.
iii. Qualitates magicae variarum gemmarum. f. 3*.

Ad calcem haec:—
Quaestiones astrologicae propositae a 'm. Ja. Benet,' 'Leicestre,' 'Fizjames,' et W. Brown de Sircester (Cirencester), anno 1474. ff. 184[b], 185[b].
Contenta codicis describuntur in vol. iv. Adversariorum Ger. Langbaine, pp. 628–634, 636, 428.

58.

Membranaceus. In 4°., forma minori. Saec. xiv. Variis manibus exaratus. ff. 118. Olim inter codd. T. Allen, 16.

1. 'Spera philosophorum;' figura astrologica pro judiciis fiendis, cum explicatione. **f. 1**[b].

2. Calendarium astrologicum, incompletum; pro mensibus octo. **f. 2.**

Desunt quaedam.

3. Fragmentum tractatus cujusdam de usu et laudibus artis astrologicae, in quo de B. V. Maria. **f. 9.**

4. 'Tractatus de spera et de circulis celorum, sub brevi materia compendiose colecta, et de naturis xii. signorum et septem planetarum, et de dignitatibus earum in quolibet signo, et de judiciis 12. domorum celi, et questionibus, ex multis autoribus et dictis diversorum magistrorum colectis, ex codicibus.' **ff. 10, 30, 33.**

Inc. 'Spera celi est quedam species in rotundum formata.'

5. 'Excerpta ex libro Novem Judicum quibus modis effectus rerum, et quibus modis prohibeantur fieri,' etc. **f. 35**[b].

6. [Bonaventurae] Stimulus amoris; tribus partibus. **f. 38.**

Ad calc. 'Explicit tractatus qui vocatur Stimulus amoris. Expliciunt meditaciones cujusdam simplicis cordati et pauperculi discalciati et contemptibilis denudati, sapientissimorum rudissimi, electorum infimi, et Minorum minimi. Deo gracias.'

7. Excerptum breve ex Constitutionibus Ottoboni contra pensiones simoniacas. **f. 85**[b].

8. Sermo in S. Matt. xxvi. 2, 'Filius hominis tradetur ad crucifigendum.' **f. 86.**

9. — pro die Innocentium, in II Macch. vii. 9, de matre et septem ejus filiis. **f. 88**[b].

10. — de angelis, in S. Matt. xviii. 10. **f. 91**[b].

11. 'Augustinus: Utrum caritas semel habita amittatur.' **f. 93.**

Inc. 'Quidam de caritate tam multa dicere volunt ut caritatem laudare incipiant contra veritatem.'

12. Oratio ad Sacrosanctam Trinitatem. **f. 95**[b].

13. Constitutiones Johannis Peccham, archiep. Cantuar., anno 1281 editae. **f. 97.**

14. Pars statutorum Concilii de Reading ('Redinges'), anno 1279 habiti. **f. 111**[b].

Desunt septem folia, a quodam barbara manu exscissa.

15. Tractatus de confessione et poenitentia. **f. 113.**

Inc. 'Sciendum est autem sacerdoribus quod sigillum

confessionis valde secretum esse debet.' Insunt in capitulis varii versus memoriales.   Desunt quaedam ad finem.

Contenta codicis describuntur in vol. iv. Adversariorum Ger. Langbaine, pp. 643–6.

59.

Membranaceus. In 8vo. ff. 153. Saec. xii, versus finem. Bene exaratus. Olim inter codd. T. Allen, 35.

1. Vita S. Cuthberti, Lindisfarnensis episcopi, cum praefatione ; auctore ven. Beda. **f. 1.**

2. Liber de translatione et miraculis ejusdem, auctore anonymo. **f. 49.**

Praemissa sunt (in ff. 45^b, 47^b) capp. 31, 32 e libro quarto Bedae Hist. Eccl., et capitulum [sextum in textu apud Mabillon, infra cit.] cui tit. 'Quomodo Scotti hiatu terre,' apud Mundingedene, 'absorti sunt qui terram Sancti Cuthberti pervaserant.' (Cf. cod. 20, *supra*.)

Exstat liber apud Mabillon, *Acta SS. ord. Bened.* saec. iv. parte 2, p. 291 ; apud *Acta Sanctorum*, 20 Mar.; et alibi. Capitula autem in nostro exemplari alio ordine collocantur ; et iis miraculis quae in capp. viii–xvi et seqq. in opere Mabillonii inveniuntur praefixa est haec rubrica: 'Incipiunt quedam de Sancto Cuthberto miracula inter priora superius notata habenda et legenda.'

3. 'Vita venerabilis Bede presbiteri.' **f. 86.**

Inc. 'Venerabilis Domini famulus Beda, presbiter et monachus.'

Expl. '—brevitatem sermonis ineruditio lingue facit.'

Impr. in praef. ad edit. *Hist. Eccl.* per A. Wheloc.

4. Ailredi, Rievallensis abbatis, Vita S. Eadwardi regis et confessoris ; cum prologo. **f. 92.**

Impress. apud Twysden, *Decem Scriptt.*, et saepe alibi.

5. 'Visiones quatuor a venerabili Beda presbitero descripte.' **f. 144.**

1. Visio Fursei, scil. cap. xix. lib. iii. *Hist. Eccl.*
2. — Drichthelmi ; cap. xii. lib. v.
3. — a Pathelmo narrata ; cap. xiii. lib. v.
4. — fabri cujusdam ; cap. xiv. lib. v.

In folio ad calcem rejectaneo sunt haec :—

'Anno Domini M.CCCCXXIII, Dominus Johannes Gar . . . . .' (*hic verba quaedam exscissa sunt*) 'emebat quinque magnas campanas ad domum eandem, prec. LXXXIX li. preter campanas veteres, Henrici sexti prima anno. Septugesime in die Veneris.'

'*Goddes ryke*, on othe old Inglysch, idem quod *per regnum Dei*.' Eadem manu, f. 65, 'Sic dicimus vulgariter *nother kyn nor wyn*, id est, neque cognatum neque amicum ;' et in f. 107, 'Gyllmychel, id est, filius Michaelis, Hibernice.'

60.

Chartaceus In 4°. minori. ff. 133. Saec. xvi. ineuntis. Manu Italica.

Tractatus de proportionibus arithmeticis ; capitula xxiv.

Inc. 'Cap. i. Definitiones, divisiones. et axiomata quedam.'

Expl. 'Nam quorsum progressio si compendium non affert ? Et hec de proportionibus dicta sufficiunt.'

61. [B. N. 6.]

Membranaceus. In 4°. minori. ff. 94. Saec. xiii ; quoad partem tertiam, saec. xv. Olim inter codd. T. Allen, 53, 54, 81. Hodie notatus, 'B. N. Digb. 6.'

1. 'Magistri Gernandi' [Gerardi Cremonensis,

Algorismus in integris et minutiis] ; libris duobus. **f. 1.**

Inc. 'Digitus est omnis numerus minor decem.'

Sectio ultima est, 'Integra quotcunque in date denominationis minutias reducere.'

2. Epistolae Sidonii Apollinaris. **f. 21.**

Imperf., incipientes in epist. duodecima libri tertii. Binis columnis exaratae.

3. Ejusdem carmina quaedam. **f. 72.**

i. Praefatio panegyrici dicti Anthemio. f. 72.
ii. Panegyricus. f. 72^b.
iii. 'Commonitio mortalitatis nostre.' f. 80^b.
Inc. 'Mortalis homo, mortis reminiscere casus.'
iv. 'De mentis nostre mutabilitate.' *ibid.*
Inc. 'Nescia mens nostri fixum servare tenorem.'
Artt. iii, iv, non inter carmina impressa inveniuntur.

4. Epistola a N. [Nivelone II, sive Nicolao ?] praeposito, H. decano, et R. cantore, ecclesiae Suessionensis, ad Regem Franciae L. [Ludovicum IX ?] de archidiaconatu quodam vacante, in quem P., episcopi consanguineum, substituendum petunt ; *imperf.* **f. 80^b** (*in margine inferiori*).

5. 'Fabii Planciadis Fulgencii, h. c., metologiarum, id est fabularum, liber.' **f. 83.**

Imperf.; desinit in cap. secundo libri tertii.

62.

Membranaceus. In 4°. minori. ff. 93. Saec. xv. Olim cod. T. Allen, 75, 'A. 157.' In foliis duobus ad calcem est nomen 'Andreas Davidsonus.'

Alani de Insulis Anti-Claudianus ; poema, cum commento.

63.

Membranaceus. In 4°. minori. ff. 87. Saec. ix. exeuntis. Literis Anglo-Saxonicis minusculis exaratus.

1. Tabulae Paschales [Dionysii Exigui] ab anno Domini 229, ad an. 892 continuatae ; viginti enneadecaeteridibus. **f. 1.**

Sex priores enneadecaeterides ad an. 626 editae sunt a I. G. Jani in *Historia cycli Dionysiani*.

2. Regulae et tabulae kalendares variae ; de mensibus ; ad inveniendum quibus horis luceat luna ; ad epactam inveniendam, etc. **ff. 9–26.**

3. 'De numero annorum ab origine mundi.' **f. 26.**

Ad fol. 27 sunt haec : 'Ab incarnatione Domini nostri Jesu Christi usque ad obitum Caroli et imperium Lodouuici anni sunt DCCCXIIII, et fuit ipso anno indictio vi.'

4. De horis, minutis, mensibus, et quatuor temporibus anni. **ff. 27, 37^b.**

5. 'De compotu vel loquela digitorum ;' [scil. cap. i. libri venerabilis Bedae de ratione temporum]. **f. 30^b.**

6. De abortiva luna, tonitruis, arcu, signis tempestatum. **ff. 33^b–34^b.**

7. Ad feriam et lunam inveniendam; [sectiones duae libelli De argumentis lunae quae apud opera spuria Bedae exstat]. **f. 35.**

8. Versus de signis duodecim et de mensibus. **f. 35^b.**

> Inc. i. 'Principium Jani sancit tropicus Capricornus.'
> ii. 'Diri patet Jani Romanis janua belli.'

9. 'Dies Egipciachi.' **f. 36.**

10. Indictiones annorum ab Incarnatione 844–899. **f. 36^b.**

11. 'Versus cicli anni versalis.' **f. 37.**

> Inc. 'Linea, Christe, tuos prima est quae continet annos.'

12. De solstitio. **f. 37^b.**

13. Tabula cui tit. 'Transitus lune per signa.' **f. 38^b.**

14. Calendarium. **f. 40.**

> Inter dies notandos sunt :—
> 29 Jan. 'Sc̃i Gilde.'
> 15 Feb. 'Obit' Bærninus sacerdos.'
> 20 Mar. Sc̃i Cuðbærhti conf.'
> 24 Apr. 'Sc̃i pilfridi conf.'
> 7 Maii. 'Sc̃e (sic) Johs̃ on beuerlic.'
> 13 Maii. 'Dedicacio basilice S. Marie.'
> 7 Mar. (non, ut in Actis SS., 8 Jun.) 'Translacio Audomari,' (anno 843).
> 4 Jul. 'Translacio sc̃i Martini ep̃i.' (anno 887).
> 5 Aug. 'Sc̃i Ospaldi regis.'
> 4 Sept. 'Sc̃i Cuðberhti.'
> 5 Sept. 'Deposicio sc̃i Bærhtini abb.' (in Belgio, circa 709).
> 3 Nov. 'S. Germani ep̃i.'
> 6 Nov. 'S. UUinnoci conf.'
> 3 Dec. 'S. Birini ep̃i.'
> Manu secunda, saeculi decimi, addita sunt haec :—
> 12 Mar. 'Depositio sc̃i Ælfeagi' (episc. Wintoniensis, anno 951).
> 2 Jul. 'Depositio sc̃i Suuithuni episcopi' (anno 862).
> 15 Jul. 'Translatio sc̃i Suuithuni antistitis' (anno 971).

15. Cicli lunares. **f. 46.**

16. 'Oratio Theofili Cesariensis Palestine epis. in civitate et ceterorum epis. qi (sic) congregati fuerunt ad consilium de racione festi Pascalis, ex jussione pape urbis Rome antestiste (sic) et ceterorum virorum qui direxerunt auctoritatem Theofilo sancto episcopo.' **f. 49.**

> Exstat impr. ad calc. libelli Bedae de Paschae celebratione sive de equinoctio vernali. Desin. in verbis, 'Pasca nobis jusum (sic) est celebrare.'

17. 'Epistola Pascassini episcopi Alexandrini ad beatissimum papa (sic) Leonem de ratione Pascali.' **f. 51^b.**

> Impr. ut epist. 3 inter Epistolas Leonis papae.

18. 'Epistola Proterii sancti Alexandrini epis. ad beatissimum papam Leonem Romanę urbis epis. de racione Pasca' (sic). **f. 53^b.**

> Epist. 133 inter Epistt. Leonis. Collatio exemplaris nostri data est a J. G. Jano in Hist. Cycli Dion. 4°. Vitemb. 1718, et inter Opuscula, 1769.

19. 'Exemplum sugestionis boni scriptio (sic; lege Bonifacii) primiceri notariorum ad Johannem papam de racione pascali.' **f. 59.**

> Inc. 'Quia dignata est beatitudo vestra precipere ut quodta luna sit.'
> Citatur ibid. 1769, p. 116.

20. 'Vita Lini pape urbis Rome;' excerptum breve de tempore Paschae celebrandae. **f. 59^b.**

> Inc. 'Numqam enim celebrare sanctum Pascę.'

21. 'Epistola Cirilli episcopi' Alexandrini, ad episcopos in synodo Carthaginensi congregatos exemplar decretorum concilii Nicaeni transmittentis, in qua etiam de tempore Paschae observandae. **f. 60.**

> Inter Opp. Cyrilli, cura J. Auberti, fol. Lut. Par. 1638, vol. v. par. ii. Epistt. p. 212. Ibi autem 'xvii. kalend. Maias nos [Pascha] peracturos' legimus; hic vero 'nona kal. Mai,' et iterum in fine,' Qod optamus, fratres carissimi, ut simul Pasca celebremus viiii. kal. Ma. futura indictione.' Sequuntur etiam plura alia quae in impressis non apparent de tempore Paschae, inter quae recitatur quod 'Pauconius, monachus insignis, factis apostolicae graciae egregius, fundatorque Egipti cenubiorum (sic) edidit ad monasterium, qod lingua Egiptia vocatur Banum.'

22. De luna Paschali. **f. 62,**

> Inc. 'Quęrenda est nobis nativitas lunę.'

23. Nota brevis 'de primi mensis initio.' **f. 62^b.**

> Inc. 'Veris autem tempore Deus condidit mundum.'

24. Epistola Dionysii Exigui de ratione Paschae. **f. 63.**

25. 'Unde Dionisius sumpsisset exordium sui Compoti.' **f. 67.**

> Inc. 'Olimpiade centissima xciiii. mediante.'

26. 'Epistola Dionisi Exigui ad Bonifatium,' scil. Epist. secunda de ratione Paschae. **f. 67^b.**

> Collata per J. G. Janum in editione Epistolae in Hist. Cycli Dionys.

27. 'Successor Dionisi;' nota de continuatione Cyclorum Dionysii, (in codice quodam Remigiano Rhemensi, 'Prologus Felicis, abbatis Gillitani' dicta). **f. 70^b.**

> Impressa in Jani Historia, u. s.
> Ad calc. haec: 'Finit praestante. Finit liber de conputacio. Raegenboldus sacerdos' ... (hic pro verbis quibusdam erasis substituta sunt, 'de ꝑentonia') 'scripsit istum libellum, et qicunqʒ legit semper pro illum orat' (sic). Deinde sequuntur sex sive septem verba paene erasa, quorum prima sic legi possint, 'item pro Baernini . . . . . .'

> *Sequuntur paginae duae vacuae.*

28. 'Argumenta de titulis Pascalis (sic) Egiptiorum investigata solercia, ut praesentes indicent.' **f. 72^b.**

> Impress. apud Janum, u. s.

29. 'Disputatio Morini episcopi Alexandrini de racione Pascali, eo quod senserunt ali diverse de eo quod scriptum est, Pasca fiat.' **f. 79.**

> Inc. 'Post biduum Pasca fiat. Id congruum.'
> Expl. '—circulos post alios describere.'
> Citatur apud Janum, u. s. Opuscc., 1769, p. 94.

30. Tractatus de Creatione et de annis ab origine mundi; item, de celebratione Paschae; ad quendam Vitalem inscriptus. **f. 81.**

> Inc. 'Cum magna nime (sic) inpulsarer et cogitaciones accederent, animo meo inquirere annos et tempora creature.'
> Expl. 'Sed potius ut die xi. id. Apr. celebretur Pascha ubi legis reprehensio est. Finit liber.'

64.

Chartaceus, exceptis foliis quibusdam rejectaneis. Saec. xv. ff. 126. Olim liber Th. Allen, ‘A. 114.’ In fol. 125^b sunt nomina, ‘Th. De,’ ‘Th. Hickes.’ Vetus tabula contentorum in fol. 1^b exhibetur.

1. Gualteri Anglici, *i. e.* Galf. de Vinosalvo, ‘Poetria, de artificio eloqucionis;’ multis notis interlinearibus atque marginalibus. **f. 25^b.**

> Desunt folia duo exscissa, ut videtur, inter ff. 44, 45, et quaedam in fine.
> Inc. ‘Papa stupor mundi, si dixero papa nocenti.’
> Desin. ad versum 1855.
> Impr. apud Leyserum, *Hist. poett.* pp. 862–978.
> Praemissa est (in foll. 5–25) analysis operis prosaice scripta, cui item praecedunt (ff. 2, 3, 4) index verborum in analysi notatu dignorum notaeque aliae.
> Inc. anal. ‘Liber iste dividitur in decem partes, quarum prima est de commendacione pape.’
> Ad calc. ‘Explicit hoc opus in prosa.’
> Post fol. 45 deest, secundum veterem tabulam, ‘Notabilis declaracio super prohemium tractatus predicti.’

2. Regulae et formulae pro epistolis scribendis, cum notis artem rhetoricam spectantibus; *imperf. ad princ.* **ff. 46–9.**

3. Poema super sensu allegorico mythologiae Graecorum; *imperf. ad fin.* **f. 49^b.**

> Inc. ‘Jupiter et Juno, Neptunus, Pluto, creanti
> Bis duo conjuncta sunt elementa deo.’

4. ‘Liber Architrenii;’ poema, [auctore Joh. de Hautville, Altavilla, sive Hantwill]; cum glossis marginalibus. **f. 52.**

> Subjuncta est tabula capitulorum.
> Impr. apud *Anglo-Latin Satirical Poets,* ed. T. Wright, vol. i. pp. 240–392, 8°. Lond. 1872.

5. Tractatus metricus de epistolarum compositione, cum commentario. **f. 99^b.**

> Inc. ‘Si dictare velis, et jungere scema loquelis,
> Sint duo sic tacta quare sit epistola facta.’
> *Deest fol. unum barbare exscissum inter ff.* 103–4.

6. Excerptum ‘ex tractatu de memoria G. Burgensis episcopi.’ **f. 105^b.**

7. Commentarius in *Architrenium* libb. ii–v; imperf. in initio, et desinens abrupte ad initium libri v. **f. 108.**

> *Desunt folia duo ante f.* 108, *a quodam barbaro exscissa.*
> *Vacant folia* 121–125.

8. Nota de contentis *Architrenii.* **f. 126.**

65.

Membranaceus. In 4°. minori. Saec. xiii. ff. 165. Olim T. Allen, ‘24,’ ‘A. 213.’ Binis columnis exaratus.

1. Godefridi, Prioris ecclesiae S. Suithuni, Wintoniensis, Epigrammata. **f. 1.**

> Impress. apud *Anglo-Latin Satirical Poets,* ed. T. Wright, vol. ii. pp. 103–147, 8°. Lond. 1872.
> Hic autem sequuntur varia quae ibi non exstant; scil.
> i. ‘De regina Matilda.’ f. 6^b.
> Inc. ‘Vivis dum moreris moriens regina Matildis.’
> ii. ‘Epithaphium Ade episcopi.’ *ibid.*
> Inc. ‘Mortis lege gravi mortalis quisque gravatur.’
> iii. ‘Epithaphium Petri Abailardi.’ f. 7.
> Inc. ‘Occubuit Petrus, succumbit eo moriente.’
> Cf. Tanneri *Bibl. Brit.* p. 329.

iv. ‘De quodam qui sororem suam et filiam quae ex ea genuit corrupit.’ *ibid.*
v. ‘Versus cujusdam servi ad dominum ingratum.’ *ibid.*
vi. ‘De quadam muliere incesta.’ *ibid.*
vii. ‘Versus de prodigalitate cujusdam.’ f. 7^b.
viii. Versus de Ruffo quodam et Albino, de Jove et Amphytrione, de Palemone et Baucide, de forma mundi, etc. *ibid.*
ix. ‘De milite egeno qui gloriabatur se esse divitem.’ *ibid.*
x. ‘Invectio in pontifices avaros.’ f. 8.
xi. ‘Invectio in militem qui causa paupertatis seculum relinquens in monacatu divicias adeptus est.’ *ibid.*
xii. ‘De quodam ebrio.’ *ibid.*
xiii. ‘De tributis qui redduntur regibus Anglorum.’ *ibid.*
xiv. ‘Versus cujusdam ad librum suum.’ f. 8^b.
xv. ‘Contra invidum.’ *ibid.*
xvi. ‘Versus cujusdam de contemptu mundi.’ *ibid.*

2. ‘Serlo Parisiacensis de filiis presbiterorum.’ **f. 8^b.**

> Impress. apud Wright, *ut supra,* pp. 208–212.

3. ‘De nominibus et officiis ix. Musarum:’ versus. **f. 9^b.**

4. ‘De baptismate: Hildebertus.’ *ibid.*

> Non inter opera impressa Hildeberti Cenomanensis.

5. ‘Idem de conjugio.’ *ibid.*

> Inter Opera ejusdem, fol. Par. 1708, col. 1349.

6. Querimonia cleri; versus anonymi. **f. 10.**

> Inc. ‘Res monet et tempus fratrum describere questus.’
> Impress. apud Wright, *ut supra,* pp. 213–8.

7. ‘Invectio Gualonis Britonis in monachos.’ **f. 10^b.**

> Apud Matt. Flacium Illyricum, 8°. Bas. 1556, p. 489, et apud Wright, *ut supra,* pp. 201–2.

8. ‘Versus Hugonis Sotovagine cantoris et archidiaconi Eboracensis.’ **f. 11.**

> Impress. apud Wright, *ut supra,* pp. 219–229.

9. Versus varii. **ff. 12^b–16.**

> i. ‘Versus [duae] de quadam nobili desponsata ignobili.’ f. 12^b.
> ii. ‘Marbodus et Hugo tribus amicis suis salutem.’ *ib.*
> Inter Carmina Marbodi, ad calc. *Opp.* Hildeberti, col. 1619.
> iii. ‘Quomodo Aristoteles fecit Alexandrum recedere ab Athenis.’ *ib.*
> iv. ‘De morte amici.’ *ib.*
> v. ‘Item de eodem.’ f. 13.
> vi. ‘Epithaphium Ricardi Eliensis abbatis.’ [*ob.* 1107.] *ib*
> vii. ‘Epitaphium Helie abbatis.’ f. 13^b.
> viii. ‘Epithaphium cujusdam.’ *ib.*
> ix. ‘Epitaphium Ricardi Lundoniensis episcopi.’ [*ob.* 1127?] *ib.*
> x. ‘Epitaphium Willelmi Wintoniensis episcopi.’ [*ob.* 1129.] *ib.*
> xi. ‘Versus cujusdam ad amicum nomine Petrum. *ib.*
> xii. ‘Versus cujusdam ad monachum quendam.’ f. 14.
> xiii. ‘Idem ad Damianum.’ *ib.*
> xiv. Contra Curiam. *ib.*
> Inc. ‘Cur vitare velim? cur non sit curia cordi?
> Cur non accedam, Quintiliane comes?’
> xv. ‘Quidam ad Petrum.
> Sol, sidera, aliud sidus, aliud stella.’ f. 14^b.
> xvi. ‘Ad quendam appetentem episcopatum.’ f. 15.
> xvii. ‘Ad monachum vatem.’ *ib.*
> xviii. ‘Loquela ad Musam.’ *ib.*
> xix. ‘De morte Willelmi comitis Flandrie.’ [*ob.* 1128.] f. 15^b.
> xx. ‘Rex Scottorum Malcolmus [IV] prima nocte post humationem ejus [1165] apparuit cuidam clerico fideli suo nomine Ricardo in vestibus albis cum silencio. Clericus vero sic eum adorsus est.’ *ib.*

10. 'Passio sancte Agnetis;' Hildeberto Cenomanensi ascripta. **f. 16.**

Inter *Opp.* Hildeberti, 1708, col. 1249; inter *Opp.* Philippi, Bonae-Spei abbatis, 1623; et alibi.

11. 'Versus Hildeberti,' de excidio Trojae. **f. 17ᵇ.**

Inc. 'Pergama flere volo fato Danais data solo.'
Non ii qui apud Leyserum, *Hist. Poett.* p. 398, sub nomine Hildeberti vulgati sunt.

12. [Alexandri Nequam, sive Anselmi archiep. Cantuar., poema de vita monachorum.] **f. 18.**

Inc. 'Quid deceat monachum et qualis debeat esse ?'
Impr. apud *Opp.* Anselmi; et sub nomine Alex. Nequam in *Anglo-Latin Satirical Poets* per Tho. Wright, 1872, vol. ii. pp. 175-200.

13. De pravis monachis poema. **f. 22.**

Inc. 'Quidam ferventes monachorum claustra petentes.'

14. Versus varii [Hildeberti Cenomanensis] de morali applicatione xxiv. locorum ex historiis Vet. Test. **ff. 22ᵇ–23ᵇ.**

Impr. (exceptis quatuor locis) apud *Opp.* Hildeberti, coll. 1211-1220.

15. De confessione Dei in factis nostris. **f. 23ᵇ.**

Inc. 'Omnibus in factis bene ceptis aut peractis.'

16. Hymni tres ad Tres Personas in Sacrosancta Trinitate. *ibid.*

Inc. 'O Pater eterne, Qui cuncta regendo superne.'
'Lux Deus Eterna, lucens de luce paterna.'
'Spiritus alme Dei, par lux virtusque diei.'

17. [Hildeberti Liber de sacra Eucharistia metricus, sine praefationibus.] **f. 24.**

Apud *Opp.* Hildeberti, coll. 1155-1168.

18. 'Versus Henrici archid. [Huntingdoniensis] de morte regis Stephani et adventu in Angliam Henrici regis secundi.' **f. 27ᵇ.**

Inc. 'Rex obiit, nec rege carens caret Anglia pace.'
Impr. ad calc. *Historiae* ejus.

19. De foeminis; et, 'de artificiosa malicia mulieris.' *ibid.*

Inc. 'Multa premunt animos et degenerant generosos.'
'Femina vile decus, fedus decor, humidus ardor.'

20. [Invocatio ad Musam.] **f. 28.**

Inc. 'Musa favens voto propera, mandata repleto.'

21. [Hildeberti versus de nativitate Domini.] *ibid.*

Inter *Opp.* Hildeberti, col. 1359.

22. De contagione simoniaca Romam et Galliam corrumpente. **f. 28.**

Inc. 'Signa musa Petri varii narramine Petri (*sic*)
Quam sit feralis contagio simonialis.'

23. Hymnus ad B. Mariam Virginem. **f. 28ᵇ.**

Inc. 'Stella maris, que sola paris sine conjuge prolem.'
Cf. Hymnum apud *Opp.* Marbodi, col. 1559, in quo habentur decem ex versibus lxiv. qui nostrum componunt.

24. [Hildebertus de Roma lapsa.] *ibid.*

Inc. 'Roma nocens, manifesta docens exempla nocendi.'
Inter *Opp.*, col. 1365.

25. De tempore mortis; et, de vanitate curarum mundanarum. **f. 29.**

Inc. 'Rebus in incertis nihil est incertius hora.'
'Hec tria verba fidem non dent tibi postmodo pridem.'

26. (*Manu altera*) 'Versus magistri Willelmi de Chereburg de beato Thoma Cantuariensi.' *ibid.*

Inc. 'Ve tibi, terra ferox, Anglorum lividus orbis.'

27. [Godefridi Wintoniensis] carmen de nummo. **f. 29ᵇ.**

Inc. 'Nummum descripsi, nummo quoque congrua dixi.'
Post prologum, singuli versus cum verbo *Nummus*, secundum casus in numero singulari, ordine justo, incipiunt.

[28. (*Manu saec.* xv.) Medicinae duae, quarum prima 'per magistrum Joh. Lavendeyn;' et, 'Modus scribendi per phisicos de ponderibus.' **f. 34.**

29. Notae de decimis. **f. 34ᵇ.**]

30. Comparatio mundi praesentis et futuri, et de salute animae. **f. 35.**

Inc. 'Cartula mea tibi portat, dilecte, salutes,
Multa videbis ibi si non hec dona refutes.'

31. 'Hic Egiptiace scribuntur gesta Marie. Versus Hildeberti Cenomannensis episcopi.' **f. 36ᵇ.**

Inter *Opp.*, col. 1261.

32. 'De recordatione mortis et diei (*sic*) amara.' **f. 41.**

Inc. 'Dum vigili cura penso de morte futura.'

33. 'Liber Bernardi Morlanensis de contemptu mundi.' **f. 42.**

Saepe impressus.

34. Versus multi morales, historici, atque theologici. **ff. 56ᵇ–64, 67ᵇ–70, 73–4, 77.**

Pauculos notare liceat; *e. g.*
i. 'De Simeone abbate Eboracense.' f. 56ᵇ.
ii. 'De comite Winotho.' *ibid.*
iii. 'De Joseph vendito.' f. 57ᵇ.
Inter *Opp.* Hildeberti, col. 1360.
iv. 'Versus Serlonis, cognomento Paridisi, de monachis.' f. 58.
Inc. 'Que monachi querunt patrio mea jure fuerunt.'
v. 'De hermaphrodito.' f. 59ᵇ.
Inter *Opp.* Hildeberti, col. 1369.
vi. 'De episcopis,' 'De Thamar,' 'De statione ante altare,' 'De tribus missis in die Natalis Domini,' 'Similitudo virginei partus,' De tribus hominum mansionibus. ff. 60, 60ᵇ, 64.
Ibid. coll. 1355, 1229, 1350, 1332, 1353. Et 'Similitudo,' in verbis concordans cum nostro exemplari, inter *Opp.* Philippi, abb. Bonae-Spei, fol. Duaci, 1621, p. 802.
vii. 'Descriptio verne pulcritudinis;' 'De laude virginitatis;' 'Commendatio virtutum per comparationem;' 'De lapsu primi hominis.' ff. 60ᵇ, 61, 70.
Inter *Opp.* Marbodi, ad calc. *ibid.*, coll. 1615, 1561, 1575.
viii. 'Versus Trajani imperatoris,' 'Versus Julii Cesaris.' f. 61ᵇ.
ix. 'Versus de mundo.' f. 63.
Inc. 'Vita mori mundo, sed mors est vivere mundo.'
x. Versus duodecim in laudem Angliae. f. 69ᵇ.
Aliis additis, inter *Opp.* Hildeberti, col. 1366.
xi. 'De morte Vulgrini,' cantoris cujusdam clari. f. 73ᵇ.
'Gallia quem gaudet genitum, Normannia notum,
Anglicus auditum, totus dolet orbis ademptum.'
xii. Versus de monachis. f. 74.
xiii. De Roma et Rothomago tetrastichon. f. 77.

35. [Excerpta ex vita S. Malchi per Reginaldum Cantuariensem metrice scripta.] **ff. 64–67ᵇ, 70–73.**

Incip. cum versibus, 'De philosophia picta.' Excerpta desumpta sunt ex libris iv, ii, i, vi, iii, et iterum iv, sicut in cod. Laud. 40 inveniuntur.

36. 'Inveccio in anguillis Aluredi medici Mulitei.'
f. 68[b].

Inc. 'Hos Gileberto doctrine fonte referto.'

37. Excerpta varia ex variis poetis classicis Latinis,
sc. Horatio, Persio, Ausonio, Virgilio, Ovidio,
etc.; et inter alia, 'Prophetia de Christo,' i. e.
Virgilii Ecloga quarta. ff. 74–77.

Fol. 78 vacat.

38. Poema de vita Domini Jesu Christi et de
actibus Apostolorum, in quo historia Evangelica
et Apostolica personis et rebus in veteri Testamento typicis comparata est. f. 79.

Inc. '*Colloquium Gabrielis et Virginis de Incarnatione
Verbi.*
Dicit Deus serpenti de muliere, Ipsa conteret capud tuum.
Fit caput exangue planta mulieris in angue.'
Expl. in versibus de die judicii et latrone accepto:—
'De cruce de sede donans, Rex Christe, ministros
Dispare mercede dextros hinc, inde sinistros.'

39. 'Epithalamicum beate Virginis Marie;' poema
in libros decem distinctum, praemissis prologis.
f. 102.

Praemissa est in fol. 101[b] notitia de contentis operis,
quae incip. 'Materia hujus libri est laus Sponsi et Sponse,' et
in qua dicitur, 'auctor nomen suum tacuit, dicens
Nomen celo meum, quia non a nomine labor,
Si Sponso placeat Virginis iste labor.'
Deest fol. unum inter ff. 101, 102. Primus prologus est
prosaice scriptus, 'De recitatione libri.' Sequuntur, metrice,
'Summa primi libri' (incip. 'Aulam sacre Virginis cano trium-
phalem') et 'Prologus super Epitalamicum' (incip. 'Aula
triumphalis virtutum florida Virgo.')

40. 'Expositio arboris virtutum gratuitarum pol-
liticarum.' f. 163[b].

Incip. 'Virtutes gratuite pluunt donativa.'
Sequuntur in ff. 164[b] et 165 (fol. ad calc. rejectaneo)
hymni tres, cum notis musicis :—
1. 'Aula vernat virginalis.'
2. 'Area rosea vinea.'
3. 'Rex celestis curie.'

66.

Chartaceus. In quarto. Saec. xv. ff. 62. Olim
'Tho. Allen, A. 88.'

1. Notae breves: 'De quinquepartita consulta-
cione honesti et utilis;' 'septiformis particio
benignitatis;' 'novem officia bellica.' ff. 2, 3.

2. Acta varia in concilio Basileensi.

i. 'Protestacio' de Concilio 'facta in villa
Calisie cujus[dam] doctoris et domini de Hungreford.' f. 4.

ii. Quid sit natio. *ibid.*

iii. 'Provocatio facta ex parte serenissimi
principis domini Henrici dei gracia Regis Anglie'
per Will. Lindewode, procuratorem ejusdem. f. 4[b].

iv. — ex parte archiep. Cantuar. et omnium
episcoporum provinciae ejusdem per Petrum Partriche, eccl. Lincoln. cancellarium. f. 5[b].

'Lecta fuit sceaula Basilee in domo T. Browne, coram
omnibus ambassiatoribus testibus et ad hoc vocatis, etc. 1433.
5°. Maii.'

v. Provocatio facta per Thomam episc. Wigorn.
f. 6.

vi. 'Quod in Concilio procedendum sit per
naciones et non per deputaciones suadetur sic.'
f. 7.

vii. 'Proposicio sacri consilii Basiliensis coram
Rege et Parliamento in Anglia.' f. 9[b].

viii. 'Articuli de modo procedendi,' 'Articuli
super reformacione suppositorum Concilii,' 'Jura-
menta que prestiterunt presidentes,' 'Decretum
admissionis ad presidentiam,' 'Tenor mandati
Imperatoris Grecorum Demetrii,' 'Errores Grecorum.' ff. 12[b]–17.

ix. 'Oracio B[artholomaei] episcopi Novariensis, edita et presentata per eundem, apud
serenissimum et Christianissimum regem Franciae
sacri Basiliensis consilii tunc oratoris et legati,
anno Christi 1432.' f. 17[b].

x. Capitula oblata Carolo Francorum Regi
per B. episc. Novariensem et abbatem S. Ambrosii Mediolani, oratores Concilii. f. 20[b].

Martene et Durand, *Vet. Scriptt. Collectio,* fol. Par. 1733,
vol. viii. col. 168.

xi. 'Collacio vel presentacio Bohemorum facta
coram consilii presidente per magistrum Johannem de Recusano aput sanctum Leonardum.' f. 22.

Ibid. col. 252.

xii. 'Collacio ejusdem Johannis, ambassiatoris
civitatis Pragensis die sabbati, x°. Jan. 1432.'
f. 22[b].

Ibid. col. 254.

xiii. Propositio Procopii facta pro secundis ambassiatoribus Bohemorum, cum praefatiuncula
ejusdem. ff. 25, 25[b].

xiv. 'Proposicio facta per dominum abbatem
Cisterciensem coram Bohemis in congregacione
generali, die Sabbati, ultimo Jan. 1433.' f. 27[b].

xv. 'Proposicio alterius ambassiatorum domini
nostri Eugenii pape, prolata in consistorio publico,
1433.' f. 31.

xvi. 'Collacio facta per reverendissimum dominum Julianum cardinalem Sancti Angeli in sus-
cepcionem Bohemorum.' f. 34[b].

xvii. 'Proposicio ambaciatorum Sacri Imperii
Electorum.' f. 41[b].

xviii. Extracta e bulla quadam Eugenii papae
de haeresibus et erroribus in Concilio interpretatis
super potestate papali. f. 43[b].

xix. 'Epistola directa Boemis quod ad sacrum
consilium veniant.' f. 59[b].

Non ea quae exstat apud Martene, *ut supra,* col. 78.

3. 'Regula de arte predicandi. Hugo Sunfeld,
doctor.' f. 44.

4. Nota de Marcellino papa tempore Diocletiani
incensum idolis ponente, quem autem synodus in
Campania babita non ausus est deponere. f. 44[b].

5. Narrationes triginta de variis miraculis et visionibus ; accedunt etiam duae fabulae Aesopicae. **f. 45.**

Incipiunt tituli narrationum sic: 'De rege nunquam ridente. De duobus fratribus, sapiente et fatuo. De quodam peregrinante. De quodam heremita injuste cogitante quod Deus sanctis tribulaciones, malis prospera, tribueret; nobilis narracio.' Narrationes sex e S. Gregorio, una e Beda, desumptae sunt. Fabulae Aesopicae sunt de corvo in ore caseum tenente, et de pavone non contento.

Desunt septem folia.

6. Excerpta ex Commentario Henrici de Hassia super Genesim. **f. 53.**

Ad calc. 'Hec sparsim collecta excerpsi contra astrologos a libris H. super Genesym, 1463, mense Augusti, γρωστωρρέs' (?).

7. Narratio de Arthuro Britonum rege ; in qua, verba Cador, ducis Cornubiae, Hoeli regis Armoricanorum, Augeli regis Albaniae, et sancti Dubricii. **f. 60**^b.

67.

Codex minori parte chartaceus, maxima parte membranaceus. Saecc. xv, xii, xiv, xiii. Inter codd. T. Allen, 'A. 149. 48,' '85 A. 82,' etc. Art. 18 (saec. xiv), 'Liber domus scolarium de Merton in Oxon., ex legato M. Joh. Reynham, sacre pagine professoris et quondam socii ejusdem domus.'

1. [*Chartac.*] Fragmentum tractatus cujusdam astrologici. **f. 1.**

Inc. 'In nomine trino
   Hoc opus incipio, etc.
   Aries domus Martis est signum.'

2. An astrological treatise in English on Elections of Times, in two books. **f. 2.**

Beg. '*Liber primus de naturis planetarum et signorum.* For as moche as eche science or craft is compertid for his vtilite.' 9 chapters.
Tit. book ii. '*Liber secundus de electionibus temporum.* In the firste partie of this treetis.' 17 chapters.
Another copy is in Ashm. MS. 337, art. 1.

3. An introduction to the art of astrological calculations [by Richard Wallingford, abbot of St. Alban's], entitled, 'Exafrenon pronosticationum temporis,' transl. into English ; in six chapters. **ff. 6–12**^b.

Beg. 'Tho the perfecte knawlege of the domes of the crafte of astronomye.'
With regard to the tables of calculations the translator says in chap. i, 'The tables are of myne awne makyng. For the tables of the Abbot of Sancte Albones [are] made full of erroures, and þat I trewe bee throwgh the vices of writers and nott of the worshipfull clerke and prelate þat þe treites made.'

4. 'Haly [Aben-Ragel] de subradiis planetarum.' **f. 12**^b.

Inc. 'Saturnus in Ariete subradiis facit pluvias.'

5. Octo Conclusiones, de potestate solis, temperie coeli, pestilentia, etc., e tabula eisdem praemissa. **ff. 15**^b, **16.**

Inc. 'Ex istis tabulis manifestum est unumquodque signum.'

6. 'Fortitudines planetarum.' 'Debilitates planetarum et impedimenta.' **f. 22**^b.

7. 'A tretes of the dyetyng of mannys body.' **f. 23.**

Beg. 'Here begynnythe a dyetarye, that whatte manne reulythe hymme therafter he shall neuer haue seknesse tylle the ende of hys lyffe be comene.'

8. Breviloquium compendiosum, confectum per quendam Ferrarium 'de libro comprehensionis multorum quem composuit Albukecy Nazi, filius Zacharie, philosophus Damascenus, quem nuper transtuli in Coleno a lingua Arabica in Latinam ;' amico suo Anselmo dicatum. **f. 32.**

Continet experimenta varia, numero 33. Notitia codicis, una cum excerptis de compositione ignis Graecae, etc. inveniatur in praefatione ad librum cui tit. *The Merchant and the Friar, by Sir F. Palgrave*, 12°. Lond. 1837, pp. xxvi–xxx.

9. 'Liber ignium, a Marco Greco descriptus, cujus virtus et efficacia ad comburendos hostes tam in mari quam in terra plurimum efficax invenitur.' **f. 33**^b.

Experimenta 25.

10. Experimenta multa et varia ad miranda operanda, de coloribus, etc. **ff. 37–44.**

11. [*Saec.* xii.] Pars tractatus cujusdam de kalendariis conficiendis ; scil. de epactis, solari et lunari anno, terminis, Pascha, et cyclis annorum. **f. 45.**

Incip. mutilus ad verba, 'ciclus lunaris xix. annos non transcendit.'
Expl. 'Porro datas in quibusdam locis ideo geminavimus quia vere lunaciones ibi secundum compotum naturalem incipiunt.'

12. Tractatus alter ab eodem auctore de supputatione annorum ab exordio mundi et de inveniendis annis Domini. **f. 50.**

Inc. 'Quoniam per annos a principio mundi concurrentes epactas claves terminorum inveniendas diximus, quomodo ex auctoritate Sacre Scripture ipsi anni inveniri possint aperire studeamus.'
Ad calc. (f. 53^b) sunt versus de aureo numero qui sic incip.
   'Aureus hac arte numerus formetur aperte.'

13. Quaedam brevia, incompleta, de arte arithmetica. **f. 55**^b.

Incip. 'Due principales institutiones matheseos secundum duplicem multitudinis consideracionem distinguntur.'
Algorismus hic dicitur, '*Arborismus*, scil. ab Arborio ejus inventore dicta.'

14. [*Saec.* xiii. *ineuntis.*] Pars Historiae Britonum a Galfredo Monumetensi ; scil. a cap. 14 ad cap. 22. lib. i, et a cap. 6. lib. vii. ad cap. 2. lib. viii. **f. 57.**

Deest etiam pars capp. 17, 18. lib. i. inter ff. 60–61. Binis columnis exarata.

15. [*Saec.* xii. *exeuntis.*] 'Hermes Mercurius Triplex de vi. rerum principiis,' multisque aliis naturalibus ; partibus quinque ; cum prologo de tribus Mercuriis. **f. 69.**

Tit. cap. 1. part i. 'De tribus universalibus et eorum singulis.' Inc. 'Tria sunt que intellectum hominis.'
  "   "   ii. 'Quid sit tempus et de motu ejus.'
  "   "   iii. 'De triplici potestate celestium corporum.'
  "   "   iv. 'De efficacia medicinarum secundum potestativum planetarum et signorum effectum.'

Tit. cap. 1. part v. 'Practica astronomie facta astrolabii in-
        spectione. De loco et gradu solis in-
        veniendo,' etc.
Expl. '—mutabilitatem temporis et temporalium.'

16. Notae breves de horis, de transitu Saturni,
transitu Veneris, coitu solis et lunae, una cum
alphabetis Latino, Graeco et Hebraeo. **f. 78.**

17. Ludus arithmeticus, Pyoscaxym sive Pugna
numerorum, alias Rithmachia, dictus. **f. 79.**

Incip. prol. 'Animi adolescentum ad exercenda ludicra.'
Desin. prol. 'Hujus ergo ludi modum jocosis et precipue juve-
nibus ego coevus et magis appetens ludicra quam seria non
diffugiam enucleare.'

18. 'Epistola Valerii ad Rufum de dissuasione uxo-
randi:' [pars, scil., distinctionis quartae tractatus Gualteri Mapes de Nugis curialium]. **f. 80.**

Inc. 'Loqui prohibeor, sed tacere non possum.'
Expl. 'Sed ne horescere scripsisse videar, vale.'
Impress. per Soc. Camden. 4°. Lond. 1850, pp. 142-152.

19. 'Dialogus Gratiani et Alexandri de insolentia
Hirceni fratris sui;' prosa et versu, metris
variis. **f. 82.**

Inc. 'Quam sit inhumanum quem ditat copia rerum.'
Desinit in prosa, post exempla 'de stulticia Alexandri
Macedonis' et 'de Ludovico Rege Francorum,' his verbis—
'oratione metrica presentis gaudeat operis consummacio.'
Expl. metrice, 'Sic tibi gloria, vita, salus,
            Magnificentia, spes, honor. Amen.'

20. [*Saec.* xiv.] Liber [Hermetis Trismegisti?] de
causis rerum, cum commentario. **f. 85.**

Incip. textus, 'Omnis causa primaria est influens super
causas.' Inc. comm. 'Quod est causa? quia causa universalis
prima.'
Expl. textus, '—est ens et generacio simul.' Expl. comm.
'—faciens acquirere non acquisitum sicut ostendimus.'
Ad calc. 'Explicit liber de causis rerum. Tremegistrus.
Tremegistrus.'

21. Dicta viginti quatuor philosophorum de Deo,
cum commentario. **f. 89.**

Inc. 'Congregatis 24 philosophis solum eis in questione
remansit quid est Deus.'

22. 'Liber de viribus anime, editus a fratre Alberto ordinis fratrum Predicatorum.' **f. 92ᵇ.**

Inc. 'Sicut dicit Dam[ascenus] impossibile est substantiam.'
Expl. 'Est enim facultas voluntatis et racionis.'
Pars quinta *Philosophiae pauperum,* apud Opp. Alberti, fol.
Lugd. 1651, vol. xxi. p. 36, incipiens cum cap. ii, sed abbreviata,
et juxta finem diversa. Vid. Quetif, *Scriptt. Ord. Praed.* vol. i.
p. 182.

23. 'Quedam questiones naturales edite sive facte
ab Aristotele,' cum commentario. **f. 96ᵇ.**

Incip. prol. 'Cum essem in Grecia pervenit ad meas manus
liber Aristotilicus quidam cujus inscripcio erat, de diversis
uniuscujusque metodi problematibus.' Inc. textus, 'Quemadmodum per calorem resolvuntur vapores a terra et aqua.'

24. Propositiones quaedam de intelligentia, et de
eternitate, cum commentario. **f. 97ᵇ.**

Incip. textus, 'Deus semper intelligit se intelligere.'
Inc. comm. 'In hac proposicione notatur differencia substancie intelligentis proprie.'

25. 'Memoriale rerum difficilium, quod alio nomine
liber de intelligenciis nuncupatur; propositiones
quaedam cum commentario. **f. 103.**

Titulus et tractatui proxime praecedenti affixus est et huic
etiam praefixus.
Inc. praef. 'Summa in hoc capitulo nostre intencionis est
rerum naturalium difficiliora breviter colligere ut ea memorie
facilius possumus commendare.'
Inc. text. 'Si est causam et causatum ponere.'

26. 'Liber [Alberti Magni] de intellectu et de
intelligencia;' tractatus tres. **f. 107.**

Inter *Opp.* Alberti, fol. Lugd. 1651, vol. v. p. 239.

27. 'Liber [ejusdem] de etate, sive de juventute et
senectute;' tractatus duo. **f. 112ᵇ.**

Ibid. p. 131.

28. 'Fallacie fratris Thome de Aquino, ordinis
Predicatorum.' **f. 115ᵇ.**

Inc. 'Quia logici (*sic*) est ratio vel sciencia et ad racio-
cinandum inventa.' Desin. imperfecte.

29. [*Saec.* xiii.] 'Summa Magistri Rogeri Bacon
de sophismatibus et distinccionibus.' **f. 117.**

Inc. 'Potest queri de difficultatibus accidentibus.' Desin.
imperfecta in sectione quae incip., 'Determinato de hoc singno
orationis [oīs] prout ponitur in rᵉtiⁿᵉ [rectitudine?], determinandum est de eo prout ponitur in obᵗᵉ [objiciente?].'

68.

Membranaceus. In 8ᵛᵒ. Saec. xiv. ff. 135. Binis columnis.
Inter codd. T. Allen, '20,' 'A. 86.'

1. 'Canones Toletane super tabulas ejusdem.' **f. 1.**

Deest fol. primum. Incip. in verbis, '—nunc in 3°. anno
diem restituunt integrum.'

2. Tabulae Toletanae astronomicae. **f. 25.**

Inter quas quaedam etiam 'secundum Arzachelem' (ff. 63ᵇ,
75) et 'secundum Cordubenses.' (f. 76.)

3. Tractatus de calculatione eclipsium. **f. 78ᵇ.**

Inc. 'Notandum quod unum est opus commune.'

4. Tabula proportionis; et, tabula minutorum proportionalium. **ff. 83-86.**

5. [Tabulae Toletanae Alphonsinae.] **f. 86ᵇ.**

6. Tabula longitudinis et latitudinis diversarum
civitatum in Anglia et in partibus exteris. **f.
108ᵇ.**

7. Tabulae ascensionum signorum et aequationis
domorum ad latitudinem London. **f. 109.**

8. 'Ysagoga minor Japharis mathematici in astronomiam, per Adhelardum Bathoniencem ex
Arabico sumpta;' sermonibus septem. **f. 116.**

Inc. 'Quicunque philosophie scienciam altiorem studio
constanti inquireris.'

9. 'Liber Alkindii de impressionibus terre et aeris
accidentibus.' **f. 124.**

Inc. 'Rogatus fui quod manifestem consilia philosophorum.'
Notitias contentorum codicis videsis in codd. Langb. iv. pp.
413-4, et xii. p. 10.

69.

Membranaceus. In 4°. minori. Saec. xiii. exeuntis, sive
xiv. ineuntis. ff. 220. Olim liber 'Guil. Martialis,'
et inter codd. T. Allen, 'A. 93.'

Medica varia.

1. Remedia varia et multa. ff. 1–3, 7–11, 15–23, 26, 62–65, 90–92, 94ᵇ–115ᵇ, 125ᵇ–6, 182–3, 195–6, 208ᵇ–13.

Ad ff. 13, 65ᵇ, sunt tabulae capitulorum, 'de curis sequentibus,' et 'de curis precedentibus.'

2. De virtutibus herbarum. ff. 3ᵇ–6ᵇ, 31–61, 116–124, 214–220ᵇ.

3. 'Liber de naturis animalium,' 'ex eis quod (sic) filius Messye dixit in libro de animalibus.' f. 23ᵇ.

4. 'Epistola Ypocratis Mecenati suo.' f. 27.

5. 'Epistola Anthonii Muse ad Agrippipam (sic) de virtutibus herbe betonice.' f. 28ᵇ.

6. 'Epistola Platonis ad cives suos de herba plantagine.' f. 30.

7. Macri poema de virtutibus herbarum; cum notis marginalibus. f. 66.

(Ex hoc poemate, titulus *Mater Herbarum*, in folio conjectaneo inscriptus, codici universo in Catalogo vetere assignatus est.) Praemissa est, in fol. 12, tabula herbarum, numero lxxviii.

8. De medicina, sanitate, morbis, medicaminibus, medico, secretis humani corporis, etc.

ff. 72–80, *in margg.*

9. 'Pulmentum Johannis medici.' f. 80ᵇ, *in marg.*

10. De urinis, capillis, dentibus, cibis et potibus pro infirmis et convalescentibus, etc. ff. 81ᵇ–89.

11. Synonyma herbarum Latina. ff. 92–94.

12. 'Epistola Ypocratis ad Filominum de conversacione medicis' (sic). f. 124.

13. Epistola ejusdem ad eundem de visitatione infirmi. *ibid.*

14. 'Potio Aristolabii regis.' f. 125.

15. Remedia multa, cum tabula praemissa. ff. 126–175ᵇ.

Inter haec sunt:—

i. 'Epistola Regis Egyptiorum Octoviano Augusto' de virtutibus taxonis. f. 151.

ii. Epistola quaedam de adjurationibus et incantationibus. f. 151ᵇ.

iii. 'Summa Quid pro quo. Cum ea que sunt utilia in curacione inveniri non possunt, tunc sumere oportet quid pro quo.' f. 172ᵇ.

16. Varia remedia et carmina, *Gallice.* ff. 175–181, 210–11ᵇ.

17. (*Manu altera et antiquiori*) Precepta pro componendis antidotis, electuariis, purgatoriis unguentis, emplastris, aliisque medicamentis. ff. 184–191.

Inter haec, 'Epistola Ypocratis de catarticis.' f. 186.'

18. Poema de variis herbis, gemmis, etc. ff. 192–5.

Incip. '*De Plantagine.* Antidotumque salubre diarnaglossa fit inde.'

19. 'De la terre de Inde;' descriptio Gallica. ff. 190–201.

20. Experimenta quaedam, in quibus occurrunt multa verba scripta in forma occulta, omissis vocalibus. f. 201. (*cf. etiam similia ad* f. 195ᵇ.)

21. Tractatus de derivatione nominun partium humani corporis. ff. 202–8.

Inc. 'Natura dicta eo quod nasci aliquid faciat.'

22. Remedia ad fistulas curandas; acc. 'carmen ad fistulam,' *Gallice.* ff. 208ᵇ–10.

23. 'De apostematibus et eorum generibus.' f. 212.

24. 'Secreta pronosticorum Ypocratis.' f. 213ᵇ.

70.

Membranaceus. In 8ᵛᵒ. ff. 71. Saec. xiv. Olim possedit 'Willielmus Suttonus, 1566;' postea T. Allen, '72,' 'A. 169.'

Rogeri Bacon Communia Naturalium, sive liber tertius Compendii Philosophiae.

Inc. 'Postquam tradidi grammaticam per linguas diversas.' Desin. in init. cap. vii. illius partis libri primi in qua tractatur de speciebus motus. Cap. vii. ita incipit : '*De generacione*. Habito ergo de principiis naturalibus generacionis et de modo generacionis rerum naturalium, quantum est aperte ipsius decursus qui est in generacione, tercio est consideracio principalis (?) de eo quod generatur.'

Deest folium unum ad calcem. Folium ult. a compaginatore insertum continet recepta 'ad curandam quartanam,' etc.

In ora foliorum inferiori est signatio schedarum continua, ab 'H. 1' usque ad 'O. 2.'

Cf. praef. viri eruditi J. S. Brewer ad *R. Bacon Opera hactenus inedita*, vol. i. pp. l, li, 8ᵒ. Lond. 1859.

71.

Membranaceus. In quarto. ff. 97. Saecc. xiv, xv, xvi.

1. Ad fabricandum speculum ustorium. f. 1.

2. Pars commentarii [Johannis Danck, de Saxonia] in Isagogen Alcabitii de judiciis astrorum. f. 3.

Inc. 'Vir sapiens dominatur astris Ptholomeus.' Expl. '*Et siquidem planete*. Prius ostendit auctor qualiter signa respiciunt membra corporis humani ; in ista parte ostendit qualiter—' [p. 49. edit. comment. 4ᵒ. Par. 1521]. Caetera desunt, tribus foliis olim sequentibus hodie exscissis.

3. 'Urso de effectibus qualitatum primarum ;' transcriptus manu 'J[ohannis] D[ee], 1557, 30 Maii ;' *ad calc.* '4 Junii.' f. 27.

Impress. per Jo. Williams una cum libello R. Bacon de retardandis senectutis accedentibus, 8ᵒ. Oxon. 1590.

4. Liber Vaccae; precepta et experimenta alchemica et magica, praemisso prologo, (ut videtur,) longo. ff. 36, 40ᵇ.

Incip. prol. (?) 'Conferat tibi Deus mores nobilis' (sic). Incip. liber, 'Galienus cum propter amatum voluit abbreviares (sic) librum Platonis [Plōis] philosophi qui nominatus est liber anequems.' Ad calc. (f. 56), 'Completur liber aneguems Platonis [Plōis], id est, liber vacce.'

5. 'Dona Alberti ;' alchemica quaedam. f. 56.

6. Tractatus de essentiis, libris duobus, (1) de essentiis realibus, (2) de essentiis intentionalibus; compositus per quendam fratrem T.[homam] de ordine Praedicatorum et capellanum Roberti primogeniti Caroli Regis Hierusalem et Siciliae, cui etiam opus inscriptum est. f. 60.

Cf. notitiam operis in catalogo operum S. Thomae Aquinatis apud Quetif, *Scriptt. ord. Praedd.* vol. i. pp. 344-5.

7. Modus conficiendi perfectissimam aquam vitae, oleum benedictum, aliaque ejusdem generis. ff. 81^b–84.

8. 'Secretum Philosophorum;' liber, scil. in quo continentur 'quaedam secreta omnium artium' septem liberalium. f. 85.

Manibus binis exaratus. Imperf., desinens in Secretis artis arithmeticae.

72.

Membranaceus partim, partim chartaceus. In 4º. ff. 109. Saecc. xiv, xv. Olim inter codd. T. Allen, 32.

1. Tabulae bipartiales ad latitudinem planetarum; regulae pro luna, 'ad faciendum unum Almenak per tabulas Rede episcopi Cisestrensis' (f. 6); et, 'ad domificandum;' tabulae radicum mediorum motuum, etc.; tabulae equationum. ff. 1–31.

Ad calc. 'Expliciunt tabule equacionis septem planetarum cum tabulis Reed; scripte per manus domini Ricardi Car.' (f. 31^b.)

2. De zodiaco, et de quadrante. ff. 32, 35.

3. Astrologica varia; scil., regulae ad inveniendum partem fortunae et partem rei celatae; tabula graduum masculinorum et feminorum, tabulaeque aliae; significatio domorum; 'canones dignitatum' (f. 45); 28 mansiones lunae, cum stellis suis; naturae septem planetarum. ff. 37–49.

4. 'Processus fratris Rogeri Bacon, de ordine Minorum, de invencione cogitacionis;' fragmentum astrologicum. ff. 49^b, 50.

Inc. 'Notandum quod in omni judicio quatuor sunt inquirenda, sc., natura planetae qui fuerit significator.'

5. Zahelis Ismaelitae Liber introductorius de principiis judiciorum. f. 51.

Inc. 'Dixit Kembris Israelita, Scito quod signa sunt 12.' Impress. cum Ptolemaeo aliisque, fol. Ven. 1493, f. 122^b.

6. 'Secundus liber Zaelis de 50 preceptis,' sive ejusdem judicia praecipua. f. 58.

Inc. '*Primum capitulum.* Scito quod signatrix, id est luna.'
Impress. *ibid.* f. 126.
Ad calcem (f. 60^b) sunt literae nominis scribae initiales, 'W. H.'

7. Notae variae astrologicae, inter quas, 'Verificacio, anno Domini 1440.' ff. 61^b–62^b.

8. Additiones, sive supplementum, per Albumasar ad librum ejus de electionibus lunae; intit. ad finem, 'Electiones planetarum cum luna in signis et in omnibus aspectibus eorum.' f. 62.

Incip. 'Dixit Albumasar, Placuit mihi inter cetera volumina que de judiciis signorum et planetarum composui, de eleccionibus lune aliquid explicare.'

9. Tabula exhibens stellarum lapides, herbas, characteres et horas. f. 78.

10. [Geoffrey Chaucer's] Conclusions of the astrolabe, 'after the latitude of Oxynford,' written to his son 'lytulle Lewis.' f. 79.

On paper, except the last three leaves. Ends with the chapter 'Another maner of equacionis of howsis after the astrolabye;' p. 449 of Urry's edition of Chaucer's *Works*. The text of sections 44, 45 is printed from this MS. in Rev. W. W. Skeat's edition of Chaucer's treatise, 8º. Lond. (for the Early Engl. Text Soc.), 1872, pp. 54–56.

73.

Chartaceus. In 8vo. Saec. xv. ff. 95. Annis 1549–1557 possidebat Ricardus Ledes, mercator, de London.

1. Descriptio et virtutes herbarum aliorumque medicinalium, praecipue ex tract. ii. lib. ii. Canonis Avicennae, hic illic autem ex Serapione, Bartholomaeo Glanville, etc. ff. 1–56.

Incip. cum herba *Apium.*

2. 'Unguenta Avicenne que posuit in suo Antidotario.' f. 15^b.

3. 'Unguenta ex Antidotario Serapionis.' f. 16^b.

4. 'Descriptio ponderum et mensurarum ex Breviario filii Serapionis.' f. 51^b.

5. Notae de variis 'secundum Mesue.' ff. 56^b–60, 64^b, 69.

6. Varia de morbis et de medicinalibus, ex Lanfranco [Mediolanensi], Bartholomaeo, Serapione, Constantino, Rhaze, et Gilberto [Anglico]. ff. 61–95.

74.

Chartaceus. In 8vo. sive 4º. minori. Saecc. xvi, xv. ff. 124. Inter codd. T. Allen, 'A. 152,' '63, 68.'

1. Gerardi Cremonensis, sive Carmonensis, Tractatus in artem Geomantiae. f. 1.

2. [Pars libri Alberti Magni de causis et processu universitatis, abbreviati.] f. 53.

i. A cap. ix. tract. i. usque ad cap. viii. tract. iv. lib. i. ff. 53–76.
ii. A cap. xviii. tract. ii. usque ad cap. iv. tract. iv. lib. ii. ff. 77–124.

75.

Chartaceus partim, partim membranaceus. In 4º. Saec. xv. ff. 243. Inter codd. T. Allen, '59. A. 215,' '36. A. 167.'

1. 'De virtutibus herbarum,' ordine alphabetico. f. 1.

Ad calc. 'Explicit sinonomum de viribus herbarum. 1458, 10 Marcii.'

2. Recepta medica; *Anglice.* ff. 40^b–51, 121, 240^b–3.

3. [Erotis, alias dicti Trotulae] Liber de aegritudinibus mulierum. f. 52.

Inc. 'Cum auctor universitatis Deus.'
Exstat impressus.

4. De magnete; de compositione instrumenti quo 'diriges gressus tuos ad civitates et ad insulas et loca mundi quaecunque, ubicunque fueris sive in terra, sive in mari;' 'de compositione cujusdam

rote semper moventis' per virtutem magnetis; cum figuris; [scil., capitula i–iii. secundae partis libelli Petri Peregrini de Magnete]. **ff. 65, 66.**

5. Regulae de physiognomia. **f. 67.**

> Inc. 'Oculus magnus et rotundus et albus significat valde superbum.'
> Expl. '—omnibus comparat cogitacionem, quod Lakynheth.'

6. 'Tractatus de medicinis omnium membrorum distemperatorum.' **f. 68.**

7. Medicinae digestivae et evacuativae, simplices et compositae, quibus medici utuntur in practica sua, breviter in tabulas redactae. **f. 70.**

8. Centiloquium Ptolomaei, cum commentario. **f. 73.**

> Inc. 'Dixit Ptholomeus, Jam scripsi tibi, Ihūre, libros de hoc seculo.'
> Ad calc. 'Expliciunt Centilogia secundum Tholomeum, anno Domini 1458.'

9. Pars Quadripartiti Ptolomaei, scil. lib. i. et lib. ii. cap. i–iii. (*incompl.*) **f. 92.**

10. De urinis; *Anglice.* **ff. 108–112.**

11. Excerpta ex quodam tractatu astronomico de eclipsibus et de aequationibus planetarum. **ff. 113–117.**

> Inter haec: 'Cap. 29. De eclypsi solis.'

12. Virtutes herbarum et recepta medica. **ff. 117–8.**

13. 'Tabula nominum herbarum,' alphabetice; *A–E.* **ff. 118ᵇ–120.**

14. (*Membr.*) Orationes piae. **f. 121ᵃ, ᵇ.**

15. 'Tractatus magistri Thome de Wylton de validis mendicantibus, nunquid sint in statu perfectionis.' **f. 122.**

> Ad calc. 'Explicit questio notabilis bene disputata pro et contra. per magistrum Thomam Wylton, nuper cancellarium Sancti Pauli et magistrum in theologia.'

16. Tractatus brevis 'de disposicione hominis secundum constellaciones.' **f. 125.**

17. De qualitate septem planetarum. **f. 126.**

18. 'Termini naturales;' de natura duplici, de sex differentiis positionis, de gradu, proportione, etc. **ff. 126–131.**

19. Figurae quaedam mathematicae. **f. 131ᵃ, ᵇ.**

20. 'Cautele algorismi,' sive quaestiones arithmeticae. **f. 132.**

> Inc. 'Tres histriones cum tribus uxoribus.'
> Similes sunt hae quaestiones propositionibus 'ad acuendos juvenes' inter Opera Bedae impressis.

21. Prognosticatio temporum e die in quo Natalis Domini evenerit. **f. 137.**

22. 'Signa tonitrui;' praesagia pro mensibus. **f. 138.**

23. [Gualteri Mapes, sive Philiberti heremitae, sive cujuscunque sit,] 'Disputacio corporis et animae.' **f. 138ᵇ.**

> Inter Opera G. Mapes, 1841, p. 95; et alibi.

24. Summula *Summae* Raymundi a Pennaforti, versibus hexametris composita. **f. 142.**

> Inc. 'Summula de Summa Reimundi prodiit ista.'
> Impr. sub nomine Adami, de ord. Praed., 4°. Par. 1494; etc. Textus autem noster hic contractior, illic extensior, ubicunque etiam alio ordine, quam in impressis exhibetur; inest etiam poema incipiens 'Poeniteas cito peccator,' (f. 157) quod saepe per se et sine nomine in MSS. invenitur, non autem in opere impresso jam citato.

25. [Johannis Myrci, prioris Lilleshullensis] Manuale sacerdotis. **f. 162.**

> Deest fol. primum; quintae etiam, (et ultimae) partis capp. x–xx. desiderantur.

26. Fragmentum e conclusione poematis cujusdam Anglici super coelo, mundo, et tribus animis in homine. **f. 207.**

> Inc. 'And les yf it be a knaffe chylde, for it has mare hete.'
> Expl. 'That sancte Mychaelle may it resawe and to blysse it lede. Amen.'
> Poema exstat impressum, sub tit. 'Fragment on popular science' (e cod. Harl. 2277), apud *Popular Treatises on Science written during the Middle Ages, edited by T. Wright,* 8°. Lond. 1841, pp. 132–140, ubi in p. 139 incipit fragmentum nostrum.

27. 'Sacerdotum speculum;' visio S. Edwardi Confessoris. **f. 208.**

28. 'Liber ex arte kalendarii;' regulae ad inveniendum litteram dominicalem, aureum numerum, et multa alia, per versus memoriales. **f. 223.**

29. Notae ex Bernardo et Hieronymo. **ff. 240ᵇ–2.**

76.

Membranaceus. In 4°. Saec. xiii. ff. 120. 'Joannes Dee, 1556, Maii 18, Londini, emi ex bibliotheca Lelandi.'

1. Rogeri Bacon Compendium philosophiae. **f. 1.**

> Inc. 'Prima igitur veritas circa corpora mundi est quod non est unum corpus continuum et unius nature.'
> Cf. praef. J. S. Brewer in *R. Bacon Opera inedita,* 1859, vol. i. p. l.
> Ad calc., manu Jo. Dee, 'Finis tertiae partis de coelo et mundo Rogerii Bachonis.'

2. (*Manu secunda.*) Idem de corporibus coelestibus; scil. de zodiaco, sole, etc. **f. 36.**

> Inc. 'Habito de corporibus mundi prout mundum absolute constituunt.' Ad fol. 42 est nota anni in quo auctor haec scripsit :—'et est nunc temporis, scil. anno Domini 1266.'
> Manu saec. xvi: 'Hec videntur debere adjici ad finem magni voluminis Bachonis de Comunibus Naturalibus.'

3. Idem de Mathematica. **ff. 48, 65.**

> Incip. [pars i, manu tertia, binis columnis], 'Mathematica utitur tantum parte aliquota que aliquotiens sumpta reddit suum totum.'
> Incip. [pars ii, manibus tribus], 'Expeditis his que exiguntur ad proporciones et proporcionalitates quibus mathematica communiter utitur, nunc volo subjungere ea que ad medietates requiri debent secundum formam.'

4. Fragmentum, ut videtur, commentarii per eundem super Euclidem. **ff. 77–78*.**

> Inc. 'Titulus autem istius libri secundum auctores est, Incipit liber elementorum seu radicum mathematice Euclidis, ab Euclide Picthagorico compositus, continens 464 proposiciones et proposita que theoreumata vocantur et 12 porismata preter anxsiomata et peticiones et concepciones que singulis libris premittuntur.'
> *Desunt folia quaedam.*

5. Fragmentum de corporibus. **f. 79.**

Inc. '—ex probacione naturali et ex probacione geometrica.'
Expl. '—sicut declarat subjecta figura. Explicit.'

6. (*Tit. ad calc.*) 'Liber Gundisalvi de divisione philosophie; alii putant quod sit Alpharabii' [de scientiis]. **f. 79^b.**

Inc. 'Felix prior etas que tot sapientes protulit quibus velut stellis mondi tenebras irradiavit.'
Expl. 'Sed adaptare ea singulis libris arcium cum necesse fuerit prudencie lectoris relinquimus.'
Non concordat opus cum opere impresso Alpharabii supra nominato.

7. Pars tractatus cujusdam de scientia. **f. 107.**

Inc. 'Inter omnes prisce auctoritatis viros qui Pictagora duce.'

Desunt folia quaedam.

8. Tractatus Thomae 'Bladvardini,' alias, 'Brivardini,' rectius autem Bradwardini, archiep. Cantuar., de proportionibus motuum; cum prologo de auctore et opere ejus. **f. 110.**

Inc. textus: 'Omnem motum subcecivum proportionari alteri in vellocitate contingit.'
Scriptus manu quadam extera characteribus minutis et non sine difficultate legendis. Desinit in initio capituli quarti, duobus foliis sequentibus, pro continuatione destinatis, quae (*palimpsesta,* ut vocant) quaedam in jure civili de legatis olim continebant, manu Italica exarata.
Impr. cum *Quaestione de Modalibus* Bassani Politi, aliisque, ff. 10–15^b, fol. Ven. 1505.

77.

Membranaceus. In 4°. ff. 197. Saecc. xiv. et, quoad artt. 6–13, xv. Inter codd. T. Allen, 'A. 127,' '34,' '73. A. 143,' '6. A. 148,' et (anno Dom. 1563) '53. A. 150.'

1. [Rogeri Bacon] 'Tractatus perspective, habens tres partes;' cum figuris. **f. 1.**

Incip. 'Cupiens te et alios sapiencia dignos excitare.'
Ad calc. (fol. 56^b), 'Explicit, expliceat ludere.
      Nomen scriptoris, Johannes Plenus-Amoris.'
Impr. 4°. Francof. 1614.

2. Summa Problematum Aristotelis 'secundum Petrum Paduanensem' sive Aponensem, sive de Abano, in particulas 38 distincta; praemisso prologo. **f. 57.**

Inc. 'Felix qui poterit causas cognoscere rerum. Felicitas Aristotelis sive beatitudo est summum bonum.' [Summa alphabetica Gualt. Burlaei eisdem verbis incipit.]
Ad calc. 'Completa eciam summa causarum problematum Aristotelis, assistente potentie celice subsidio, ex qua in qua et [per] quam omnia, cui laus honor et gloria quamdiu causa fuerit vel causatum. Amen. Expliciunt Problemata utilia.'

3. Tractatus de essentiis per quendam fratrem [Thomam] de ordine Praedicatorum. **ff. 83^b–107.** [ff. 205–228 e quodam alio codice.]

Nomen *Thomas* inseritur manu saec. xvi. in spatio vacuo post verbum *frater.*
Cf. cod. lxxi. art. 6, supra.
In fol. 83, recto, est fragmentum de ultimo judicio et de eterna poena damnatorum.

4. 'Collacio commendans theologiam.' **f. 107^b.**

5. [Roberti Grosseteste, episc. Linc.], Libellus de oculo morali. **f. 109.**

Inc. 'Si diligenter volumus in lege Dei meditari.'
In margine folii penultimi (f. 147^b) est haec nota:—'Wilflete vult quod iste liber tradatur abathie de Mews in Holdernes, quia emit eum ab uno monacho ejusdem domus pro viii^s. et dubitat utrum monachus habuit potestatem vendendi. Volo etiam quod habeant Thomam de virtutibus theologie quem emit (*sic*) ab eodem pro iii^s. iiii^d.'
Sequuntur in foliis adjectitiis:—
i. 'Sententia excommunicationis communis in ecclesia recitanda:' *Anglice.* f. 148.
ii. Numerale; sive ordo computandi, et verba in numeratione usitata. f. 149^b.

Desunt folia quaedam.

6. Pars quaestionis cujusdam de anima. **f. 150.**

Expl. (f. 153), '—in seipsa extra animatam quia a tali non oportet hujusmodi abstractionem procedere, etc. Explicit questio de anima, quod Wyke.'

7. 'Compendium de accione elementorum, abstractum de quarta parte [Johannis] Dumbleton secundum magistrum J[oh.] Chylmerk.' **f. 153^b.**

Inc. 'Cum materia de alteracione, que est una species, motus sit quampluribus incognita [*etc.*] Ponatur ergo primo quod A aqua agat in B ignem.'

8. Francisci de Mayronis Tractatus de formalitatibus. **f. 166.**

Inc. 'In 8va. divisione ubi magister tractat de simplicitate divine essencie.'
Expl. '—quod una formalitas est alia ydemp[nita]te quacunque ultimate abstincta, et sic patet veritas questionis.
Explicit tractatus formalitatum fratris Francisci de Maronis, doctoris ordinis Fratrum Minorum, quod Wyke.'

9. Pars tractatus cujusdam, mutili ad finem, super Praedicamenta. **f. 191^b.**

Inc. 'Tractaturus de decem generibus, tria genera predicacionis premittam.'

Desunt folia duo.

10. Brevis 'tractatus de duobus primis principiis.' **f. 194.**

Inc. 'Notandum quod sunt duo principia prima substancie secundum rem, sc. materia et forma.'

11. [Gualteri Burlaei] brevis 'tractatus de tribus in toto universo per se agentibus.' **f. 195.**

Inc. 'Intelligendum est quod in universo tria sunt agencia per se, scil., Deus, natura et ars.'

12. [Ejusdem] brevis 'tractatus de potencia activa et passiva.' **f. 196^b.**

Inc. 'Sciendum quod duplex est potencia.'

13. Ejusdem brevis tractatus de abstractis. **f. 197.**

Inc. 'Set dubium est quid hujusmodi abstracta humanitas.'
Ad calc. 'Explicit tractatus Burley de abstractis.'

78.

Chartaceus. In 4°. ff. 64. Saec. xv.

'Johannis Bochacii de Certaldo de mulieribus claris, ad Andream de Acciarolis de Florentia, Alteville comittisse (*sic*), liber.'

Ad calc. 'Scriptus per me fratrem Bartholomeum de Gardinis, de Bon[onia].'
Deest fol. unum inter ff. 1, 2.

79.

Membranaceus. In 4°. ff. 212. Saec. xiii. Folia quatuor in initio madore sunt corrupta. Inter codd. T. Allen, 'A. 81.'

De morbis et medicamentis multa et varia anonyma. Inter alia notanda sunt haec :—

1. Tractatus de urinis. **f. 18.**

Inc. ' De urinarum sciencia tractaturi, earum noticiam sub compendio concludamus.'

2. Tractatus alter de eisdem. **f. 26**[b].

Inc. ' Cum de urinis agere debemus, videndum est quid sit urina.'

3. Tractatus de pulsibus. **f. 34.**

Inc. ' Corporis humani machina licet ex variis componatur membris.'

4. De syrupis alterativis, constrictoriis et laxativis. **f. 40.**

Inc. ' Cum multipharia siruporum habeatur divisio.'

5. De medicinis conficiendis. **f. 58**[b].

Inc. ' Cum volueris conficere medicinam, prius considera species.'

6. (*Manu Italica*.) Practica de medicinis laxativis. **f. 82.**

Inc. ' Introducendis ad practicam, de medicinis laxativis quarum usus frequentior et magis necessarius occurrit, primum instituenda est doctrina.'

7. De morbis mulierum. **f. 106.**

Inc. ' Ut de cura mulierum nobis compendiosa fiat traditio, videndum est que calide, que frigide, fuerint mulieres.'

8. ' Introductoria quedam ad practicam sub quibusdam preceptis catholicis : ' (*ita in prologo*). **f. 119**[b].

Inc. prol. ' Cogitanti mihi votum vestrum votum bonum.'
— sect. i. ' Cum ergo, O medice, ad egrotum vocaberis, adjutorium tuum sit in nomine Domini.'
— sect. ii. ' Cum ergo ad ejus domum accesseris, antequam ipsum adeas quere si conscienciam suam sacerdoti manifestaverit.'

9. Practica in quibusdam, experimento ab auctore probata. **f. 130.**

Inc. ' Cum opus quodlibet suo artifici habeat attestari, artifex ex opere gloriam consequitur vel incurrit infamiam . . . . . unde ego archimatheus vestre utililati insudans,' etc.

10. De ornatu mulierum. **f. 142.**

Inc. ' Stupha mulierum. Ut mulier planissima et suavissima videatur.'
Expl. (f. 144[b]), '—et sic bene ornata ad virum accedat. Et hec de ornatu mulierum dicta sufficiant.'

11. De febribus acutis. **f. 146.**

Inc. ' Circa acutas (*sic*) acutissimas attencior sollicitudo videtur necessaria.'

12. Oratio pia pro remediorum bono successu. **f. 175.**

Inc. ' Deus qui mirabiliter creasti hominem et mirabilius reformasti.'

13. De duabus medicinae partibus, speculativa scil. et practica. **f. 176.**

Inc. ' Sicut irrevibrata utriusque luminis acie solem aquila intuetur, sic medicus utriusque partis medicine.'

14. ' In nomine Domini nostri Jesu Christi. Hic est liber preciosus, magnus atque secretus sigillorum Eethel, quem fecerunt filii Israel in deserto post exitum ab Egipto secundum motus et cursus siderum, et quia multi ad similitudinem hujus falso facti sunt, in hoc libello subnotavimus.' **f. 178**[b].

Inc. ' Incipit de sigillo facto sub Marcio. Si inveneris sigillum in lapide sculptum, scilicet virum sedentem super aratrum.'

15. ' Alexandrina experimenta, de libro' [Alexandri Tralliani ?] ' percompendiose extractata (*sic*) meliora.' **ff. 180–192**[b].

16. Tractatus de chirurgia. **f. 194.**

Inc. ' Quamquam de jure ac proprietate hujus vocabuli cyrurgia, tota practica sic posset merito nuncupari, tamen specialiter per incisionem et ignem.'
In fol. ult. est receptum *Anglice* scriptum pro medicamento ' Oile of Excetere ' vocato.

80. [Hodie ' B. N. 5.']

Membranaceus partim, partim chartaceus. In 8[vo]. ff. 59. Saec. xv. Manu Italica exaratus.

1. Cicero de Senectute. **f. 1.**

2. Idem de Amicitia. **f. 22**[b].

3. Ejusdem Paradoxa. **f. 46.**

In primo folio depicta sunt (inter alia ornamenta) tria scuta, insignia gentilitia exhibentia. Et in tegmine libri sunt haec : ' Contuli hunc cod. cum ed. Gronovii in 4°. Tho. Hearne. Maii 9, 1709.'

81.

Chartaceus partim, partim membranaceus. In 4°. ff. 140. Variis manibus variis temporibus, a saec. xi. ad saec. xv., exaratus. Inter codd T. Allen, ' A. 97. 83 ;' ' A 158. 7 ;' ' 82 ' et ' 49.' Quoad artt. 1–6, olim ' liber W. Dussyng.'

1. (*Chart. et membr.*) [Johannis de Sacro Bosco] Tractatus de sphaera. **f. 1.**

Saepe impressus.

2. Compotus manualis. **f. 8.**

[' Authore forte Thoma de Novomercato,' dicit Langbaine in Adversariis ejus, vol. xix. p. 105.]
Inc. ' Compotus iste dividitur in quinque partes.'
Ad calc. ' Explicit compotus manualis secundum usum Cantabregie, quod Joh. de Marisco.'

3. Thomae de Novo Mercato Commentum in carmen [Alexandri de Villa Dei] de algorismo. **f. 11.**

Inc. ' Cum omnium arcium inventores necnon earum inquisitores.'
Ad calc. ' Explicit commentum super tractatu Algorismi secundum M. Thomam de Novo Markato bonum et utile, quod Johannes de Marisco.'

4. Ejusdem Commentum super librum Dionysii Exigui (ut dicitur in prologo) metrice scriptum de compoto ecclesiastico. **f. 35.**

Inc. prol. ' Omnium philosophorum discretissimi intimique perpetue veritatis amici.'

Inc. carmen Dionysio ascriptum : 'Aureus in Jano numerus clavesque novantur.'

Ad calc. 'Explicit Comentum magistri Thome de Novo Mercato super compotum metricum sive ecclesiasticum, quod Johannes de Marisco.'

5. Arbor numeralis, sive de compoto carmen breve. f. 63.

Inc. 'Phalerata gravibus musa magistrorum,
　　Vacat immo levibus mens discipulorum.'
Postea haec : 'Quomodo cognoscitur arbor numeralis
　　Hec figura nomine multis volans alis.'
Expl. 'Finis huic operi sic ludendo detur,
　　Quod dum vacat pueris breviter legetur.'

6. Versus memoriales, forma abbreviata, super festa anni. f. 65[b].

Idem versus in Compoto manuali, *supra*, fol. 8, inveniuntur.

7. (*Membr.*) Tabula chronologica ab anno Dom. 1 usque ad 1256, additis pauculis historicis praesertim ad historiam Anglicam spectantibus, cum successione abbatum quorundam de Tavistock, episcoporum Exoniensium, etc. f. 66.

Excerptae sunt notitiae de abbatibus de Tavistock in notis Thomae Hearne ad Hist. Gul. Neubrig. vol. iii. pp. 709, 10, ubi autem sub annis 1114, 1133 pro *Oxon.* lege *Exon.*

Ad ff. 73[b]-76[b] inserta sunt capitula e libro Bedae de Temporibus, 'de sex etatibus mundi.'

8. 'Constituciones domini Johannis de Stratford, Cantuar. archiepiscopi, edite in ecclesia Sancti Pauli London., anno Domini M.CCC.XLVII.' f. 89.

Fragmentum ex codice quodam alio.

9. 'Sompniale Danielis prophete, quod fecit in diebus Nabegodeneser regis cum rogabatur a principibus civitatis et ab omnibus populis ut ei (*sic*) sompnia narraret.' f. 99[b].

Inc. 'Aves in sompnis capere, lucrum signat.
　　Angues vel edos habere, consolacionem signat.
　　Arma in sompnis portare honorem signat.'
Cf. cod. 86 *infra*, art. 11, ubi alia versio exstat forma multo pleniori.

10. (*Chartac.*) Alberti Magni Speculum astronomiae, sive de scientiis et libris licitis et illicitis. f. 102.

Ad calc. 'Explicit iste tractatus quem composuit Albertus frater predicator.'

Impress. inter *Opera* Alberti, Lugd. 1621, vol. v. p. 656.

Notat quidam, manu saec. xvii, 'Albertus non fuit author hujus libri, sed Philippus, cancellarius Parisiensis, ut ex vetustissimo exemplari manuscripto manifestum est.' Vid. cod. 228, *infra*.

Extractum est hoc exemplar ex quodam codice haec alia (ut ex tabula contentorum patet) olim continente :—
'Cosmographia Rogeri Bacon 21. Scaccarium morale 87. Mathematices vis et usus 67.'

11. (*Membr.*) Kalendarium, *Gallice*, cum figuris ad unumquemque mensem aptis, eleganter depictis, et regulis 'pour scavoir la Septuagesime, les brandons, la Pasque,' etc., 'pour scavoir laquelle planette de la journee regne,' 'pour scavoir et entendre la table des douzes sygnes' et 'le nombre dor.' f. 118.

12. (*Membr.*, saec. x. *aut potius* xi.) Tabulae et regulae variae paschales. f. 133.

Insunt etiam haec :—

i. 'Hymnus Bede presbiteri de circulo magno.' f. 134.
Impr. inter opera sua ut *Hymnus I, de ratione temporum.*
ii. 'Horologium metro editum per xii. mensium punctos.' f. 138.
Inc. 'Quos cursu solis jungant sua tempora menses.'
iii. Carmen de longitudine umbrae singulis mensibus, rubrica ita descriptum :—
'Horarum jam nunc texemus in ordine metas
　Umani gnaris monstrat quas corporis umbra.' f. 139.
Inc. 'Linea que jam prima est pariterque Decembris.'
In f. 140. 'Christopher Watson, Dunelmensis, 1573, etat. 27.'
Notitia contentorum exstat inter Langbainii Adversaria, vol. xix. pp. 101-2, 247-250.

82.

Chartaceus. In 4⁰. ff. 71. Saec. xv. Inter codd. T. Allen, '5. A. 113.'

Miscellanea historica.

1. (*In fol. membr. adjectitio.*) Versus quidam vaticinales. f. 1.

Inc. i. 'Grex borealis dum nemoris densatus ad instar.'
　　ii. 'Bene canis latrabit leo cum volitabit.'

2. 'Thes ben the names of the lordeshipis with the bages [*badges*] that perteynyth to the Duke of Yorke.' f. 1[b].

3. 'Tractatus iste compendiose extractus de diversorum historiagraphorum libris, annis Domini millesimo quadringentesimo sexagesimo secundo, regnique regis Edwardi quarti secundo, describit Angliam, occeani insularum famosissimam, quondam Britanniam majorem dictam . . . ubi primo dicitur de varia insule nuncupacione; . . . . . . quintodecimo, de incolarum linguis et legibus;' capitulis xv. f. 2.

Tractatus est abbreviatio capp. xl-lx. libri primi *Polychronici* Ranulphi Higden, unde tituli sectionum quindecim hausti sunt, additis, hic illic, versibus ex Alex. Nequam et Joh. de Alta Villa citatis, et in fol. 20 nota quod, ut quidam volunt, urbs Alcluid sit Burgham in com. Westmorland. Sequuntur in ff. 40[b]-41 quaedam de Britonibus fame et peste vastatis, et sub rege eorum Calwaladro (*sic*) Armoricam petentibus, et cum ululatu magno haec cantantibus, 'Dedisti nos Deus tanquam oves escarum, et in gentibus dispersisti nos [*etc.*] . . . . propriam nacionem et terram deserimus catervatim. Redite ergo Romani, redite Scoti et Picti, redite Saxones ! Ecce patet vobis : Britania ira Dei deserta,' *etc.*

Insunt haec metrica :—
i. Carmen (a quibusdam Gualteri Mapes dictum, et inter *Poemata* sua impressum) 'de Cambriae preconiis,' abbreviatum ; e cap. xxxviii. lib. i. Polychron. ff. 10-12.
Inc. 'Tractare verum videar,
　　Statum terre exo[r]diar.'
ii. Versus de Cestria, e cap. xlviii. ejusdem libri. f. 22[b].

4. Descensus R. Edw. IV. a Woden ; (*mutil.*) f. 41[b].

5. Descensus Cerdici primi regis West-Saxonum a Noe ; (*mutil.*) f. 42.

6. Narratio de depositione Ric. II. et coronatione Hen. IV. etc., ad an. 1402 ; (*mutil.*) ff. 42[b]-46.

Incip. 'Rex Henricus postquam exivit de castro de Cowey.'

Malo infortunio ff. 38-47, in quibus de tribus Anglorum linguis, de Britonibus, et de rege Ric. II., in inferiori parte mutila sunt.

7. Versus de regibus Angliae :—'Sic metrice tractatur de regulis ab Aluredo, primo fundatore universitatis Oxon. circiter anno (*sic*) Domini DCCCLXXIIII° usque Edwardum quartum.' f. 46ᵇ.

> Inc.   'Aluredus rex Anglorum primusque monarcha,
> Belliger invictus, in scripturis bene doctus.'
>
> Expl.   'Edwardus quartus nobis regnans veneratur
> Quem rogat hic textus quod prospera grata sequatur,
> Hoc tum in fine verborum queso meorum
> Prospere quod statuat regna futura Deus.   Amen.'

8. Nota de imperatrice Matilda, cum epitaphio in regem Hen. II. f. 48. (*fol.* 49 *consutum.*)

> Inc. epit.   'Omnis honoris honos decor et decus urbis et orbis.'

9. 'Sex cause quare universalis pax non habetur.' f. 49ᵇ.

10. Mirabilia Orientis. f. 50.

11. Monita de eligendis maritis et uxoribus. f. 52ᵇ.

12. Mirabilia Angliae. f. 53.

13. Successio regum Angliae ad Edw. IV. et notae de fundatione civitatum diversarum. ff. 55ᵇ–7.

14. Mirabilia Hiberniae. f. 57ᵇ.

15. Notae chronologicae de rebus Anglicis ab adventu Bruti usque ad an. 1381. ff. 58ᵇ–62.

16. 'Sanctorum loca.' f. 62ᵇ.

17. 'Descriptio corporis Christi.' f. 63ᵇ.

18. 'Pertinentia beate Marie;' scil., descriptio, miracula, indulgentiae quaedam. ff. 64–5.

19. 'Originalia doctorum;' notae ex Patribus de superbia; accedunt versus varii de luxuria. ff. 65ᵇ–6ᵇ.

> *ff.* 66, 67 *sunt membranacea.*

20. Tituli capitulorum libb. i–iii. Institutionum Justiniani, et collationum vi. vii. Novellarum. ff. 67–9.

21. Versus 'contra illos qui ludunt taxillis.' f. 69ᵇ.

22. Versus de testibus in lite, et de illis quae matrimonium dissolvunt aut impediunt. ff. 70ᵇ– 71.

23. 'Questio inter philosophum et rusticum.' f. 71ᵇ.

83.

Membranaceus.   In 4°.   ff. 76.   Saec. xii. ineuntis. Bene exaratus.   Possedit quidam Robertus Colshill; postea inter codd. T. Allen, '15. A. 200.'

Tractatus de coelo et mundo, de planetis et signis zodiaci, in libros quatuor distinctus, et multis figuris eleganter illustratus.

> Tit. lib. i. 'Incipit opusculum de ratione spere, ex summorum disciplinis philosophorum cum labore et diligentia excerptum.
> Quicumque mundane spere rationem et astrorum legem,' etc.

Lib. ii. (f. 11.) Inc. prol. 'Superiore in citato ipsius aplanes.'
Inc. lib. 'Constat terram nonam et ultimam speram esse.'

iii. (f. 21.) Inc. prol. 'Quoniam superiori volumine paulo altius.'
Inc. lib. 'Inter philosophos ipsius archani conscios'

iv. (f. 42ᵇ.) Inc. prol. 'Rem utilissimam et liquido sensui corporeo.'
Inc. lib. 'De involutione spere.   Duo igitur sunt extremi vertices mundi.'

Ad fol. 24 est 'Epistola Ethelwodi' [episc. Wintoniensis] 'ad Girbertum' [postea] 'papam,' de circuli quadratura.

Quaere, annon sit hoc opus idem ac 'Liber de planetis et mundi climatibus' quem composuisse Ethelwoldus dicitur?

Notitiam codicis habet Langbaine inter Adversaria ejus, vol. iv. pp. 671–2.

84.

Membranaceus.   In 4°.   ff. 165.   Saec. xv.   Inter codd. T. Allen, '71. A. 82.'

[Alberti Magni Liber de causis et processu universitatis.]

> Inc. 'Difficultates que sunt circa tocius entis principia.'
> Apud *Opera* Alberti, vol. v. p. 528.

85.

Chartaceus.   In 4°.   ff. 193.   Saec. xv. ineuntis.

1. Raymundi [Lullii] Ars generalis; in quatuor partes distincta. f. 5.

> Inc. 'Racio que est ponitur ista tabula esse generalis, consistit in hoc quod de generalibus principiis, regulis et questionibus consistit.'
> Non consentit textus noster cum tractatu, sive minori sive majori, inter *Opera* Lullii (8°. Argent. 1598) impresso.

2. 'Lectura ad declarandum Artem generalem;' sive commentarius. f. 42.

> Inc. 'Lectura [etc.] —cujus subjectum est artificium generale ad solvendum questionem.   Et dividitur ista lectura in tredecim partes.   Prima pars est de subjecto artis.'
> Ad calc. 'Expliciunt questiones generales in arte predicta ed soluciones earundem.'

3. 'Liber Raymundi de medicina et astronomia.' f. 131.

> In Antonii *Bibl. Hisp. Vet.* vol. ii. p. 129 titulus habetur, 'Liber de regionibus infirmitatis et sanitatis.'
> Inc. 'Quoniam scientia medicine est multum difficilis.'
> Ad calc. 'Explicit Medicina Raymundi in Monte Pessulano anno Christi 1403' (*sic; rectius* 1303).

4. 'Questio de medicina;' *imperf. ad fin.* f. 148.

> Inc. 'Quid est medicina?'

5. 'Arbor principiorum medicine.' f. 151ᵇ (*in membr.*).

6. 'Speculum medicine;' in decem distinctiones divisum. f. 152.

> Tit. in Antonii *Bibl.*, ut supra; 'Ars de principiis et gradibus medicinae.'
> Inc. 'Quoniam omnis ars habet sua principia.'

7. Tractatus de elementis quatuor, cum figura; *imperf. ad fin.* f. 187.

> Inc. 'Elementalis enim figura quatuor in partes sejungitur.'

8. Cantilena. **f. 189.**

Inc. 'Amor nos facit hoc rimari.'
Expl. '—sicut nos volumus breviter liberare philosoficaliter. Explicit Cantilene Raymondi.'
Sequitur in fol. 189ᵇ init. commentarii in Cantilenam.
Folia 1–4. 190–193, membranacea saec. xiii. continent partem tract. Raymundi de Pennaforti de poenitentia et matrimonio (sc. lib. iv. *Summae* ejus), usque ad cap. 'de impedimento legationis.' Hoc ordine stare debent folia : 190–1, 1–4, 193–4.

86.

Membranaceus. In 4⁰. Saec. xiii. exeuntis. ff. 207. Partim binis columnis. Inter codd. T. Allen, 'A. 100.'

Anglo-Normannica et Anglica varia, prosaica atque poetica.

1. 'Distinctio peccatorum;' de septem peccatis mortalibus; *Gall.* **f. 1.**

2. 'Les x. comaundemens;' *Gall.* **f. 5.**

3. De septem sacramentis; *Gall.* **f. 6ᵇ.**

4. 'Ici comence le livre Ypocras ke il envead a Cesar lemperour;' precepta medica. **f. 8ᵇ.**

Inc. 'Chescun houme verayment et beste et oisel.'
Fol. 16 continet recepta *Angl.* et *Gall.*, manu saec. xv.

5. 'Ci comence la lettre ke prestre Johan envea a la pape de Roume.' **f. 21.**

Inc. 'Prestre Johans par la grace deu disum roys entre les rois crestiens maunde, saluz et amiste et fraternite al empereur de Roume.'
Expl. 'Et cil vous gard et sauve ke meint en haut. Ici finist le petit liveret qui est apele Prestre Johans.'
Cf. cod. 158 *infra*, art. 1.

6. Oratio S. Francisci. **f. 26ᵇ.**

'Qui chescun jour les dirra, jammes desconfes ne murra, ne in mortel pecche,' etc.

7. 'Quinque gaudia Marie;' *Gall.* **f. 27.**

8. Orationes ad Deum et ad S. Mariam; *Gall.* et *Lat.* **ff. 27ᵇ, 28, 48ᵇ.**

9. Invocationes sive carmina; (*Anglice*, 'charms'); 'pur saunc estauncher :' 'pur enpledement; si un houme seit apleide in la court le rey,' etc.; septem contra febres; 'pur houme ki avera wen;' pro 'femina que parere non potest;' contra dolorem dentium; contra phantasmata; contra morbum caducum; 'ad abendum requisissionem rectam' [i. e. ad obtinendum quid prece petitum sit]; ut apes abundarent; contra malos spiritus, etc.; partim *Lat.* **ff. 28–34, 48, 64.**

10. Prognosticatio ex vento in nocte Natalis Domini. *Lat.* **f. 32.**

11. Danielis prophetae regulae ad somnia interpretanda, ad rogatum principum civitatis Babiloniae scriptis traditae; *Lat.* **f. 34ᵇ.**

Inc. 'Arma in somnis portare securitatem significat.'
In oris superioribus ff. 39ᵇ–40 sunt haec : 'In nomine Dei Amen. Ego Robertus filius Roberti de Penedok condo testamentum meum in hunc modum. Primitus lego animam meam Deo, corpus meum ad sepeliendum in simterio de Ridmarleye' [in com. Wigorn.] 'Item lego pullum meum Willelmo de Midhulle.'

12. 'Les singnes del jour de Nouel;' scil. prognosticationes e diebus in quos Natalis Domini acciderit; *Gall.* **f. 40.**

13. 'Le soungnarie Daniel le prophete, si est apele Lunarie;' prognosticationes e luna in quolibet die mensis ; *Gall.* **f. 41.**

14. 'Experimenta bona et optima;' 'ut appareat aliquibus quod flumen sit in domibus;' 'gluten mirabile ad deaurandum;' 'ut aqua videatur vinum bibentibus;' aliaque ejusdem generis ; *Lat.* **ff. 34, 46–48.**

15. 'Quindecim singna quindecim dierum ante diem judicii;' *Lat.* **f. 48.**

16. 'Le medicinal des oiseus.' **f. 49.**

17. 'Les xv. Saumes;' *Lat.* **f. 62ᵇ.**

18. 'Les vii. Saumes;' *Lat.* **f. 65.**

19. Hymnus 'Veni Creator;' *Gallice.* **f. 67ᵇ.**

20. 'Les dolerous jours del an.' **ff. 68, 168ᵇ.**

Tria scuta heraldica, divisa in quatuor partes albas et rubras, in margine depicta sunt.

21. Kalendarium. **f. 68ᵇ.**

Inter alia festa, dies SS. Wolstani, Oswaldi archiep., Dunstani, Botulfi, Transl. S. Benedicti, Oswaldi reg., S. Mich. in Monte Tumba, Eadmundi archiep., Eadmundi reg., et Egwini episc., rubris literis notantur. In mense Julii sunt haec manibus secunda et tertia: 11. 'Obitus Amiscie uxoris Symonis Gudhull;' 18. 'Obitus Alexandri de Grimehulle;' 23. 'Obitus Symonis Gudhulle.' In die 23 Dec., 'Terremotus secundus generalis per Angliam anno gracie Mᵒ.CCᵒ.XLᵒ.VIIIᵒ.'

22. 'Ci comence le romaunz peres Aunfour coment il aprist e chaustia sun cher fiz Belement.' **f. 74ᵇ.**

Inc. 'Le pere sun fiz chastioyt
Sens e sauoir lui apernoyt.'
Exstat impr. Laus. 1760, et apud *Fabliaux et Contes*, a Méon, Par. 1808, vol. ii. p. 39. Cf. *Descriptio cod. MS. Digby* 86 per E. Stengel, 8ᵒ. Halis, 1871, p. 11, ubi initium et finem nostri poematis exhibet auctor eruditus.
Ad ff. 79, 80 in marginibus depicta sunt capita viri et feminae; et hic illic alia ejusmodi frivola aut ludicra occurrunt.

23. 'Ci comence le romaunz de enfer, le sounge Rauf de Hodenge de la voie denfer.' **f. 97ᵇ.**

Inc. 'En sounge deit fables auoir
Si sounge poet deuenir uoir.'
Impr. apud *Mystères inédits* a Jubinal, Par. 1837, vol. ii. p. 384. Excerpta quaedam apud Stengel, *u. s.*, pp. 18–22.

24. 'De vn vallet qui soutint dames e dammaiseles.' **f. 102ᵇ.**

Inc. 'A dames e as dammaiseles,
Veuues, espouses e puceles.'
Impr. a Stengel, *ubi supra*, pp. 22–26.

25. 'De Roume e de Gerusalem :' 'poema satiricum contra papam ejusque legatum Pelagium de oppido Damiettae Christianis erepto, A.D. 1221.' (Stengel, p. 27). **f. 103ᵇ.**

Inc. 'Roume e Jerusalem se pleint
De coueitise ki vous veint.'
Impr. *ibid.* pp. 106–118.

26. 'Le lai du corn.' **f. 105.**

Inc. 'De vue auenture qui auint
A la court al bon rei qui tint.'
Edidit ex hoc codice Fr. Michel in append. libri, *Über die Lais, etc., von F. Wolf*, Heidelb. 1841, p. 327. Cf. Stengel, p. 28.

27. 'Le fablel del gelous.' **f. 109ᵇ.**

Inc. 'Deu ne fist ounkes gelous nestre
Ne deu ne set ren de sun estre.'
Impr. a Stengel, *u. s.* pp. 28–30.

28. 'De vn pecheur ki se repenti.' **f. 110.**

> Inc. 'Jeo ay vn quer mout let
>> Qui souent mesfet.'
>
> Impr. *ibid.* pp. 30–35.

29. 'Ci comence la beitournee,' [per quendam Ricardum]; *imperf.* **f. 111.**

> Inc. 'Estraungement
>> Par est mun quer dolent.'
>
> Impr. *ibid.* pp. 118–125. Cf. *The Romance of Octavian,* per J. J. Conybeare, Oxf. 1809, p. 60.
>
> *Deest fol. unicum inter ff.* 112, 113.

30. [Les quatre souhes St. Martin, *sive,* Le dit des femmes]; *init. manc.* **f. 113.**

> Impr. a Méon, *Fabliaux,* Par. 1808, vol. iv. p. 386; a Jubinal, *Contes,* 1870, vol. ii. p. 334; et e nostro codice a Stengel, *u. s.* pp. 36–40.

31. 'La vie de vn vallet amerous.' **f. 114.**

> Inc. 'Jolifte
>> Me fest aler ad pe.'
>
> Impr. a Stengel, pp. 40–49. Cf. Conybeare, *ut supra,* p. 60.

32. 'Des iiii. files Deu :' [excerptum e poemate Rob. Grosseteste, *Chateau d'amour*]. **f. 116ᵇ.**

> Inc. 'Vn rois estoit de grant pouer,
>> De bon valour, de grant sauer.'
>
> Impr. a F. Michel, *Liber Psalmorum,* Oxon. 1860, p. xxii; et in editione operis Grosseteste per Societatem Caxtonianam anno 1852 vulgata. Cf. Stengel, pp. 49–52.

33. Hymnus ad B. Mariam Virg. **f. 118ᵇ.**

> Inc. 'Maria stella maris,
>> Medicina salutaris.'

34. 'How Ihū Crist herowede helle Of hardegates ich wille telle ;' poema Anglicum. **f. 119.**

> Impr. a J. P. Collier, anno 1836, et a J. O. Halliwell, anno 1840, et, una cum *Owain Miles,* etc., Edinb. 1837. Prologus exstat apud opus cui tit. *Reliquiae Antiquae,* 1841, vol. i. p. 253.

35. 'Les xv. singnes de domesdai ;' *Anglice; imperf.* **f. 120ᵇ.**

> Inc. 'Fiftene toknen ich tellen may
>> Of xv dayes er domesdai.'
>
> Impr. a Stengel, pp. 53–57. Fol. 120 mutilum est.

36. 'Ci comence la vie seint Eustace qui out noun Placidas ;' *Anglice.* **f. 122ᵇ.**

> Inc. 'Alle þat louieþ Godes lore
>> Olde and ȝonge, lasse and more.'
>
> Init. et finis impr. *ibid.* pp. 57–59.

37. 'Les diz de seint Bernard comencent ici tresbeaus ;' *Anglice.* **f. 125ᵇ.**

> Inc. 'Þe blessinge of heuene king
>> And of his moder þat swete þing.'

38. 'Ubi sount qui ante nos fuerount ;' *Anglice.* **f. 126ᵇ.**

> Inc. 'Uuere beþ þey biforen vs weren
>> Houndes ladden and hauekes beren.'

39. 'Chauncoun de noustre dame ;' *Anglice.* **f. 127.**

> Inc. 'Stond wel moder ounder rode,
>> Bihold þi child wiþ glade mode.'

40. 'Her beginneþ þe sawe of seint Bede prest.' **f. 127ᵇ.**

> Inc. 'Holi gost þi miȝtte
>> Ous wisse and rede and diȝte.'

41. 'Coment le sauter noustre dame fu primes cuntroue ;' *Anglice; imperf.* **f. 130.**

> Inc. 'Leuedi swete and milde
>> For loue of þine childe.'

42. 'Les ounsse peines de enfer ;' *Anglice,* praemisso prologo brevi *Gall.*; [per Hugonem quendam]. **f. 132.**

> Inc. 'Oiez seynours vne demaunde
>> Qui le deble fist estraunge.'
>
> Impr. in notis ad *The Romance of Octavian,* by J. J. Conybeare, Oxf. 1809, pp. 55–8; et initium et finis impr. a Stengel, *ut supra,* pp. 61–63.

43. 'Le regret de Maximian ;' *Anglice.* **f. 134ᵇ.**

> Inc. 'Herkneþ to mi ron
>> As hit on telleth con.'
>
> Initium et finis apud Stengel, *u. s.,* pp. 63–4. Alia versio, e MS. Harl. 2253, impr. in libro, *Reliquiae Antiquae,* 1841, vol. i. pp. 119–125.

44. 'Ci comence le cuntent par entre le mauuis e la russinole ;' *Anglice.* **f. 136ᵇ.**

> Inc. 'Somer is comen wiþ loue to toune,
>> Wiþ blostme and wiþ brides roune.'
>
> *Reliquiae Antiquae,* vol. i. pp. 241–5. Cf. Stengel, *u. s.,* p. 64.

45. 'Of þe vox and of þe wolf.' **f. 138.**

> Inc. 'A vox gon out of þe wode go
>> Afingret so þat him wes wo.'
>
> *Reliquiae Antiquae,* vol. ii. pp. 272–278; et alibi. Cf. Stengel, p. 64.

46. 'Hending þe hende ;' [sive Proverbia Hendingi, filii Marcolphi]. **f. 140ᵇ.**

> Inc. 'Jhū Crist al þis worldes red
>> Þat for oure sunnes wolde be ded.'
>
> E cod. Harl. 2253 in lib. *Reliquiae Antiquae,* vol. i. pp. 109–116 (v. etiam initium codicis nostri, *ibid.* p. 256); et alibi. Cf. Stengel, p. 65.

47. 'Les proverbes del Vilain.' **f. 143.**

> Inc. 'Ici ad del vilain
>> Meint proverbe certein.'
>
> Impr. a F. Michel in append. ii. libri *Proverbes Franç. par Le Roux de Lincy,* Par. 1859, vol. ii. p. 459. Cf. Stengel, p. 65.

48. 'Les miracles de seint Nicholas,' per Rob. Wace, et ex Latino in linguam Anglo-Norm. per Osbertum filium Thioldi transl.; ('De Latin in romaunz estreit, A Osberd le fiz Thiout'). **f. 150.**

> Inc. 'A ceus kinount lettres aprises
>> Ne lor ententes niount mises.'
>
> Edidit e nostro cod. N. Delius, Bonn. 1850. Cf. Stengel, pp. 66–7.

49. 'Oracio ad sanctam Mariam.' **f. 161.**

> Inc. 'Salve virgo virginum
>> Que genuisti filium.'

50. 'Quinque gaudia saunte Marie.' **f. 161.**

> Inc. 'Gaude mundi gaudium
>> Maria laus virginum.' f. 161ᵇ.

51. 'Oracio ad sauntam Mariam.' **f. 162.**

> Inc. 'Regina clementie Maria vocata
>> Diversis antiquitus modis nominata.'

52. 'Ragemon le bon.' *ibid.*

> Inc. 'Deu vous dorra grant honour
>> E grant ioie et grant uigour.'
>
> Edidit Th. Wright e cod. nostro, *Anecdota Literaria,* Lond. 1844, p. 76. Cf. Stengel, p. 67.

53. 'Chauncun del secle;' *Anglice*. **f. 163**[b].

Inc. 'Uuorldes blisse ne last non prowe,
Hit wint and went awei anon.'
Impr. e cod. nostro, cum notis, in opere cui tit. *The Classical Museum*, Lond. 1849, vol. vi. pp. 466–470; et apud *Anecdota Literaria*, per T. Wright, p. 90.

54. 'Hic demonstrat veritatem seculi isti' (*sic*). **f. 164**[b].

Inc. 'Fides hodie sopitur,
Vigilatque pravitas.'
Wright, *ibid.* p. 92.

55. 'Ci comence le fablel e la cointise de dame Siriz;' *Anglice*. **f. 165**.

Inc. 'As I com bi an waie
Hof on ich herde saie.'
Ibid. p. 2; et alibi. Cf. Stengel, p. 68.

56. 'Les nouns de vn leure en Engleis.' **f. 168**.

Inc. 'þe mon þat þe hare I met
Ne shal him neuere be þe bet.'
Ex hoc cod., *Reliquiae Antiquae*, vol. i. pp. 133–4.

57. 'Ci comence la vie nostre dame;' per sacerdotem quendam nomine Hermannum. **f. 169**.

Inc. 'Seingnours ore escontez ke Deus vous beneie,
Sur sa mort dolerouse ki nous dona la uie.'
Cf. Stengel, p. 69.

58. 'Ci comence le doctrinal de enseingnemens de curteisie.' **f. 177**.

Inc. 'Si il estoit vns frauncs houme ki me vousit entendre,
Cheualers, clers, e lais, ben I purreit aprendre.'
Edidit A. Jubinal, *Nouveau Recueil des Contes*, vol. ii. p. 150. Initium et finem nostri codicis dat Stengel, pp. 69–72.

59. 'Ci comence le romaunz de temtatioun de secle;' [per Guichard de Beaulieu]. **f. 182**[b].

Inc. 'Entendez ca vers moi les petiz e les graunz
Vn deduit vous dirai beus ert e auenaunz.'
Pars est carminis quod integrum edidit A. Jubinal, Par. 1834. Textum nostrum exhibet Stengel, pp. 72–80.

60. 'Ci comencent les aues noustre dame.' **f. 186**[b].

Inc. 'Aue seinte Marie mere al creatour
Reine des aungles, pleine de doucour.'
Initium et finis apud Stengel, pp. 80–1.

61. [Les cinq joies de nôtre dame.] **f. 188**[b].

Inc. 'Dame pur Icele ioie merci vous requer,
Ke Gabriel li aungle vous vint nouncier.'
Init. et finis, *ibid.* p. 81.

62. [Oratio ad 'Gloriosam Reginam' Mariam, in qua etiam Litania Sanctorum; *Gall.*] **f. 188**[b].

Inc. 'Gloriousse reine heiez de moi merci
Pur la amour toen cher fiz doucement te pri.'
Init. et finis, *ibid.* pp. 81–2.

63. 'De ii. cheualers torz ke plederent a Roume.' **f. 190**.

Inc. 'Il auint ia ke en Flaundres out vn cheualer tort
Qui ama vne dame de ceo nout il pas tort.'
Impr. a Méon, *Contes*, etc. vol. iii. p. 476; et e codice nostro a Stengel, pp. 82–3.

64. 'Bone preere a nostre seingnour Jhū Crist.' **f. 191**.

Inc. 'Douce sire Jhū Crist ke vostre seint pleisir
De femme deingnastes neitre e houme deuenir.'
Initium et finis, Stengel, pp. 83–4.

65. 'Ci comence lestrif de ii. dames;' [scil. Aubreiae de Basincbourne et Idae de Beauchamp.] **f. 192**[b].

Inc. 'Iuer le periceus ki touz iours frit e tremble
E ke lez le fu despent quant ke autre tens assemble.'
Edidit A. Jubinal, *Nouveau Recueil des Contes*, vol. ii. pp. 73–82: iterum ex hoc codice Stengel, pp. 84–93.

66. 'Hic incipit carmen inter corpus et animam;' *Anglice*. **f. 195**[b].

Inc. 'Hon an þester stude I stod an luitel strif to here
Hof an bodi þat was oungod þer hit lai on þe bere.'
Impr. a Th. Wright inter *Poems attributed to Walter Mapes*, 1841, pp. 346–9 (v. etiam p. 323, *not.*); et e nostro codice a Stengel, pp. 93–101.

67. 'Ci comence la manere quele amour est pur assaier;' *Anglice*. **f. 200**.

Inc. 'Loue is sofft, loue is swet, loue is goed sware,
Loue is muche tene, loue is muchel kare.'
In notis per J. J. Conybeare super *The Romance of Octavian*, Oxf. 1809, pp. 58–9; et apud *Anecdota Literaria* per Th. Wright, p. 96. Cf. Stengel, p. 102.

68. 'Chauncoun de noustre Seingnour.' **f. 200**[b].

Inc. 'Counard est ki amer ne ose vilein ki ne veut amer.'
Impr. a Stengel, pp. 128–9.

69. 'Oracio ad Deum' [Edmundi Riche, archiep. Cantuar.]; *Gall.* **f. 200**[b].

Inc. 'Beaus Sire Jhū Crist eiez merci de mai,
Qui de cel en tere veneites pur mai.'

70. Versus octo de iv. temperamentis hominis. **f. 201**.

71. Versus :—
'*Welcome ki ke bringe; ki ne bringe, farewel.*
Intus : Quis tu ? quis ego sum. Quid queris ? ut intrem.
Fers aliquid? non: Esto foras. Fero quid: satis, intra.'
Cf. Stengel, p. 102.

72. 'Hic sunt distincta mala feminarum.' *ibid.*

Inc. 'Femina res ficta, res subdola, res maledicta.'
Impr. a Stengel, pp. 102–3.

73. Novem versus morales, intitulati 'Widete istos versus et intendite quia vera sunt.' *ibid.*

Inc. 'Vita quid est hominis nisi res vallata ruinis.'

74. 'Hic sunt versus [novem] quos diabolus fecit pro puero.' **f. 201**[b].

Inc. 'Nexus ovem binam per spinam duxit equinam.'
Expl. 'Cum fueris Rome Romano vivite more,
Cum fueris alibi vivite more loci.'

75. 'Hic sunt virtutes scabiose distincte;' versus sex. *ibid.*

Inc. 'Fert scabiosa pilos verbena non habet illos.'
Sequitur preceptum medicinale ad praeparandum potum pro infirmitate pectoris ex herba scabiosa sive *matefeloun*.
Deest folium unum.

76. Orationes devotae: 1. Confessiones duae ad Deum; 2. Oratio ad Spiritum Sanctum; 3. In laudem B. Virginis, *imperf.*; 4. Ad SS. Trinitatem; 5. Ad Deum Patrem; 6. Ad Dominum Jesum Christum. **ff. 202–205**.

77. 'Hic sunt nomina regum Anglie,' a rege Hyne ad Edw. I. **f. 205**[b].

78. Commendatio animae in manus Domini; *Anglice*. **f. 206**.

'In þine honden Louerd mine
Ich biteche soule mine.
Soþfast goed bidde I þe
þat mine sunen forzef þou me.'

79. 'Oreisun de nostre dame.' **ff. 206-7.**

> Inc. 'Presciouse dame seinte Marie
> Deu espouse e amie.'
> Initium et finis, Stengel, p. 104.
> Dimidium folii 207, olim assutum, hodie deficit.

80. 'Vide bonam oracionem dicendam ad levacionem sacramenti :' versus sex. **f. 207.**

> Inc. 'Aue caro Christi cara
> Inmolata crucis ara.'
> Impr. a Stengel, p. 104.
> In ora inferiori, 'Merita visionis corporis Christi.'

81. (*In fol. ult.*) Initium tractatuli cujusdam de amicitia ; *Gall.* **f. 207ᵇ.**

> Propter sordes difficile lectu. Impr. a Stengel. pp. 104-5.
> In ora inferiori fol. 206ᵇ sunt haec, literis rubris scripta, cum figuris capitis et manus humani, 'Scripsi librum in anno et iii. mensibus.'

87.

Membranaceus. In 4º. Saec. xiv. exeuntis. ff. 134. In fol. 134ᵇ, 'Iste liber pertinet W. Worthyngton, anno Domini millesimo cccc.lxxxviii, vᵒ die mensis Februarii. Joh. Ho. mutuat'.' In fol. 134ᵃ, 'Liber iste attinet Oswoldo Rydlye.'

[Richard Rolle of Hampole's Prick of Conscience, or] Key of knowing.

> Beg.   'The myth of þe fader almythti,
> þe wisdam of þe sone alwitti.'
> At the end : 'Here endit þe tretis þat is þe kye of knowyng.'

88.

Membranaceus. In 4º. Saec. xv. [vid. f. 80]. ff. 98. Inter codd. T. Allen, ' 9. A. 89.'

1. Notae theologicae multae ac variae ; *e. g.* de vii. sacramentis ; de creatione Adae ; de celebratione missae ; de peccatis mortalibus, articulis fidei, et confessione. **ff. 1-3, 7-12, 24ᵇ.**

2. 'Carmen' pro muliere in partu laborante. **ff. 3ᵇ, 79ᵇ.**

3. Adriani cujusdam problemata quaedam. **f. 4.**

> Inc. 'Adrianus itaque legit. et ait, Quedam problemata, ecce, propono, quorum primum, Quid sit mundus ? Iste sanctus autem scripsit, mundus est continentia celi et terre et omnium que in eis sunt.'

4. 'Dyuers tokyns of weþer,' partly from 'Edras the profute.' **ff. 12ᵇ, 25.**

5. Quid in unoquoque mense bibendum et comedendum sit. **f. 14.**

6. Sphaera Apuleii Platonici de vita et de morte. **f. 15.**

7. What is a natural day. **f. 15ᵇ.**

8. Of the seven planets ; their complexions, significations, dignities, terms, aspects. **ff. 16-23, 26ᵇ.**

9. Tabula qua cognoscatur an vir aut mulier primo moriatur. **f. 24.**

10. Octo causae quare Maria fuit viro desponsata. **f. 27.**

11. Symbolical lessons of the sacramental bread. **f. 27ᵇ.**

12. Of the differences in the manner of administration of the Sacrament in the Greek Church 'fro our faythe of Engeland ;' of mountains in Greece, and places in the Holy Land. **f. 28.**

13. Verses on the four temperaments of the human body. **f. 29.**

> Beg. 'Sanguineus. In gyftys large and in love hathe grete delyte.'

14. 'The dominacions of the xii. signes.' **f. 29ᵇ.**

15. Regulae pro venaesectione, cum figura. **f. 30.**

16. De complexionibus signorum. **ff. 32, 41ᵇ.**

17. Of the eleven heavens, the twelve signs, and the four elements. **f. 34.**

18. De tonitruis. **f. 37ᵇ.**

19. De die Dominica et injunctione Innocentii papae super observatione ejus. **f. 39ᵇ.**

20. Prognosticatio ex visione solis in die Natalis Domini et in decem diebus subsequentibus. **f. 40.**

21. Signa pro itinere ex aspectu lunae. **f. 40ᵇ.**

22. 'For metyng of tymbre ;' a table of measure ; with tables of weight, and the measurement of a mile. **ff. 42ᵇ, 43.**

23. Quomodo mulierum temperamenta e facie cognoscenda sunt. **ff. 43ᵇ, 46.**

> Super figuram capitis foeminei sunt verba, 'Ma dame Procula uxor Pilati.'

24. Palmestria ; scil., figurae quinque manuum, cum lineis et signis fortunae ; partim *Angl.*, partim *Lat.* **ff. 44, 45, 46ᵇ.**

25. Dies critici in morbis. **f. 47.**

26. De nativitatibus sub unoquoque signo. **ff. 48-61.**

27. Rules for land-measuring. **f. 61ᵇ.**

28. Verses on the days of the moon. **f. 62.**

> Beg. 'God made Adam the fyrst day of þe moone,
> And the secunde day Eve, good dedis to doone.'

29. 'An extracte of freer John Somerys kalender, of ille days in the yere.' **f. 62ᵇ.**

30. 'Sanguinem minuere ;' tabula dierum mensis cum signis symbolicis ; cui subsequitur, in folio verso, tabula curiose depicta de nativitatibus in unoquoque die. **f. 63.**

31. Prognostications for nativities and for all business on each day of the month ; a poem. **f. 64.**

> Beg. prol. 'God that all thys worlde hath wroughte
> And all mankynde wiþ hys blod boughte.'
> — text, 'The fyrste day of the moone Adam
> Oure forme fader to this world came.'
> End. 'That day also ys tyme gude
> Yff you wilte blede veyne blode.
> Explicit, etc.'
> A similar poem is in Ashmole MS. 189, f. 213ᵇ.

H

32. A supplementary poem of prognostications for Christmas Day. f. 75.

> Beg. 'Now hathe ye harde both olde and yonge
> Discrivede many a dyvers thynge.'
> End. 'What womane that day of childe travaile
> They shall bothe be in grete peraile. Amen.
> Explicit, etc.'

33. 'Howe all ye yere ys rewlyde by the day that Cristemas day fallythe on;' ff. 77, 79.

> Unfinished; but followed by a complete prognostication in Latin for all the days of the week.

34. Three perilous days in the year. f. 77.

35. Tabulae quatuor [kalendares?]; ff. 77^b, 78, 81.

36. Experimenta varia; *Lat.* et *Angl.* ff. 77^b, 78, 80.

37. Prognostication for 'a man that has fortune of the wedder.' f. 78^b.

38. Years and eras from the creation; written in red and green ink. f. 80.

> 'Fro the byrthe of Crist xiiii^c xvii zere.'

39. Regulae pro festo Paschae, pro quatuor temporibus, et pro bisexto. ff. 80^b, 82^b.

40. Tabula pro festis mobilibus. f. 82.

41. Tempora in quibus matrimonium celebrare prohibitum sit. f. 83.

42. Tabula circularis de aetate viri. f. 83^b.

43. Distichon de usu campanarum. *ibid.*

44. Versus memoriales 'S. Bedae' dicti, ad cognoscendum singulis annis terminum Paschae etc., cum litteris dominicalibus et aureis numeris interlinearibus, et regula de usu. ff. 84–88.

> Inc. 'Grande bonum tribus cujus formam placat aurum.
> Non impressi exstant versus inter Opera Bedae.'

45. Note 'for plowyng of lande,' that one plough may 'stere and tele' eight or nine score acres in the year. f. 88^b.

46. On the twelve signs; with prognostications in verse on nativities under each. f. 89.

47. Versus de diebus malis in anno. f. 91.

48. Excerptum e cap. 19 libri Marbodi 'de lapidibus,' de magnete adulteram manifestante. f. 91^b.

49. 'De Antichristo et ejus signo et conversacione.' f. 92.

50. 'De quindecim signis ante diem judicii;' versibus leoninis. f. 93^b.

> Inc. 'Antequem judicii dies metuenda.'

51. 'De adventu Christi in nube;' versibus leoninis. f. 95.

> Inc. 'Postea incipiet mundus rutilare.'

52. 'Nota de ix. paribus' sive heroibus mundi, ab Josua ad Godefridum de Bolyne. f. 96.

53. Nota :—'Quinto kal. Sept., lit. domin. B., A.D. 1457, a. r. r. Henr. sexti xxxv, Petrus Brasille, senescallus Francie, et Robertus Floket,

armiger, cum aliis, villam Sandwici insultarunt in aurora, et eadem villa (*sic*) quasi per spacium duodecim horarum in sua custodia servaverunt.' f. 96^b.

54. Tabula numeralium ad novies centum mille millia. f. 97.

55. Twelve lines of English verse on the twelve months of the year and their distinctive occupations, with representations of their symbols and of farming implements; followed by nine Latin lines on the same. ff. 97^b, 98.

> Beg. '*Jan.* By thys fyre I warme my handys.'

56. Tabula ad numerandos nummos per annum, a quadrante per diem ad tres denarios. f. 98.

57. Versus quatuor super quatuor anni tempora. f. 98^b.

58. Versus 'quomodo numerus aureus debet ordinari in kalendario.' *ibid.*

89.

Membranaceus. In 8vo. ff. 56. Saec. xiv. 'Liber magistri Thome Lyseux, Decani Sancti Pauli,' [Lond., 1442–1456]. Inter codd. T. Allen, 58.

Commentarius in Prophetias [Johannis de Bridlington] de rebus in Anglia gestis, et per Anglos cum Scotis et Francis, ab anno 1307 ad 1376, carmine scriptas, et in distinctiones tres partitas.

Commentarii hujus in opus anonymum auctor anonymus dicit se nomen suum propter triplicem causam 'ponere aperte' non audere, sed tamen 'sub salutationis stilo' (in qua salutatione opus 'Humfredo de Bowne, Comiti Herford., Essex. et North., Constabulario Angliae, et domino de Breknok' inscribit) occulte expressisse. Res usque annum 1361 gestas exponit; inde ad 1376 eventuras praedicere videtur. In titulo, manu saeculi xvi. ad initium praefixo, commentarium habere Johannem Erghome in auctorem asseritur; illum autem circa 1490 vixisse aiunt Baleus, Pitseus, atque alii.

> Inc. prol. 'Venerabili domino et mira magnitudine extollendo, temporali predito potestate.'
> Inc. proph. 'Febribus infectus, requies fuerat mihi lectus.'
> Prophetiarum exemplar alterum in cod. 186, *infra*, existit.
> Impress. inter 'Political Poems and Songs relating to English History, edited by T. Wright,' 8°. Lond. 1859, vol. i. pp. 123-215.

90.

Membranaceus. In 4°. ff. 63. Saec. xiv. 'Fratri Johanni Teuksbury constat.' Inter codd. T. Allen, 14.

[Simonis de Tunstede?] Quatuor principalia musicae.

> Praemissa est tabula alphabetica contentorum.
> Incip. prol. 'Quemadmodum inter triticum et zizannia.'
> Incip. opus. 'Quoniam circa musicam, Deo auxiliante.'

Exemplar alterum, manu seculi sequentis transcriptum, in Bodl. MS. 515 invenias. Cf. Burney, *Hist. of Music*, vol. ii. p. 395. Quidam (inter quos T. Tanner) tractatum Johanni Hambois attribuunt; alii Johanni de Teukesbury qui non nisi possessor libri fuit, et de quo nota, in fol. 6^b inscripta, ita testatur: 'Ad informacionem scire volentibus principia artis musice, istum libellum qui vocatur Quatuor principalia musice, Frater Johannes de Teukesbury contulit communitati Fratrum Minorum Oxonie, auctoritate et assensu Fratris Thome de Kyngusbury, Magistri Ministri Anglie, viz. anno Domini 1388. Ita quod non alienetur a praedicta communitate fratrum, sub pena sacrilegii.' Ad calcem autem operis haec subscripta sunt, quae alium quendam quam S. de Tunstede auctorem fuisse indicant:—'Cujus operis finis primo erat pridie Nonas Augusti, anno Domini M.CCC. quinquagesimo primo. Illo autem anno regens erat inter Minores Oxon. Frater Symon de Tunstude, doctor sacre theologie, qui in musica pollebat et etiam in septem liberalibus artibus. Explicit tractatus qui Quatuor principalia vocatur, quem edidit Oxon. quidam frater Minor de custodia Brustoll., qui nomen suum propter aliquorum dedignacionem hic non inserebat.' Exstat impr. sub nomine Simonis de Tunstede in *Auctt. de Musica medii Ævi Nova Series*, per E. de Coussemaker, vol. iv. pp. 200–298, 4°. Par. 1876.

91.

Chartaceus. In 4°. Saec. xvi. ff. 127. Ex codd. T. Allen.

1. Rogeri Bacon Perspectiva; [sive pars quinta Operis Majoris]. **f. 1.**

    Impr. pp. 256–357 edit. *Operis Maj.* per S. Jebb, fol. Lond. 1733.
    Inest (ad fol. 9) folium unum extractum e codice, saec. xiii., in membranis exarato, unde transcriptum fuit hoc exemplar.

2. Alkindus de radiis stellarum. **f. 66.**

    Inc. 'Omnes homines qui sensibilia sensu percipiunt.'

3. 'Alkindus de judiciis, ex Arabico Latinus factus per Robertum Anglicum, A.D. 1272.' **f. 80.**

    Inc. 'Quanquam post Euclidem Theodosii Cosmometriae.'

92.

Chartaceus, foliis paucis membranaceis utrinque compactis. Saec. xiv; quoad finem, saec. xiii. ff. 107. Inter codd. T. Allen, anno 1596, '42.'

1. De signis duodecim. **f. 1.**

    Inc. 'Aries est primum signum zodiaci, calidum.'

2. 'Haly de disposicione aeris.' **f. 5.**

    Inc. 'Ad prenotandum diversam aeris dispocicionem.'

3. Tres sphaerae astrologicae; quarum secunda pro annis 1374–1386. **ff. 9^b–10^b.**

4. Canones super Tabulas astronomicas Gul. Rede, episc. Cicestr. **f. 11.**

    Inc. 'Volentibus prenosticare effectus planetarum.'
    Ad calc. 'Expliciunt canones super tabulas Reed.'

5. Notae variae de signis xii. **f. 14.**

6. Nota de aequatione planetarum 'per tabulas domini Johannis Trendeley, nuper monachi ecclesie Christi Cant., cujus anime propicietur Deus, Amen.' **f. 15.**

7. Multa de arte astrologica et de planetis, manu una inscripta, sed disjunctim, et non in tractatus compositi formam disposita. **ff. 16–64, 70–79.**

8. Notae de elementis, humoribus corporis humani et spermate, compilatione Decretorum, etc. **ff. 65–69.**

9. Quaestiones variae in septem artibus liberalibus, scholis [Oxoniensibus?] secundum formam breviter disputatae. **ff. 80–95.**

In membr., saec. xiii.

10. Pars commentarii Latini in hymnum quendam Graecum, *Exoticon* dicti. **f. 96.**

    Binis columnis. In linea tertiodecima ita incipit nova sectio:—
    'O probaton mithos phoros ymas ton que boetos,
      Atque creos et bus troclaten en galeros.
    Sensus istorum versuum est, O oves, vos fertis auxilium nobis in terris.'
    Ad calc. (f. 98) 'Explicit Exoticon.'

11. De scholarum disciplina tractatus [olim Boethio ascriptus, et inter Opera ejus impressus]. **f. 98^b.**

    Inc. 'Vestra novit intencio de scolarum disciplina compendiosum postulare tractum' (*sic*).
    Imperf.; desinit versus finem cap. iv, ad verba 'cratuque tempestivo comminetur ut jocosa.'
    Thomae Cantimpratensi (qui saec. xiii. vixit) a quibusdam hoc opus ascriptum est.

93.

Chartaceus, foliis membranaceis hic illic interjectis. In 4°. Saec. xiv. exeuntis, excepta sectione prima quae saec. xiii. exeunte exarata fuit. Inter codd. T. Allen, '62' et 'A. 101.'

1. Liber Sem filii Haym, de significatione Saturni quando intrat duodecim signa zodiaci, quem transtulit Ptolomaeus ex Arabico. **f. 1.**

2. Theorica planetarum [Gerardi Cremonensis, sive, secundum quosdam, Gualteri Britte]; cum figuris. **f. 2^b.**

    Inc. 'Circulus ecentricus vel egresse cuspidis, vel egredientis centri, dicitur qui non habet centrum cum mundo.'
    Expl. '—equaciones appellantur minuta proporcionalia cujus racio et ymaginacio potest haberi ex figura sibi appropriata.'
    Exstat textus in hoc exemplari forma breviori ad finem quam alibi invenitur, *e.g.* in cod. 47.
    In fol. primo sunt haec: 'Quaternus fratris Thome Ruvel per fratrem Rogerum de Notingham, sacre theologie doctorem.'

3. 'Conclusio in astronomia valde utilis.' **f. 9^b.**

    Inc. 'Assignatur per *a.* aliquod corpus circulare.'

fol. 10 *vacat.*

4. [Johannis de Sacro Bosco] Tractatus de Sphaera, in quatuor capitula distinctus. **f. 11.**

    Inc. 'Tractum de spera in quatuor capitulis distinguimus, dicentes primo quid sit spera.'

5. 'Rinuby astronomus' [sive Abilrihan Albiruni, *alias* Aburihan Birunensis?] de motibus astrorum. **f. 27^b.**

    Inc. 'Astrorum diversi motus indigent exposicione nominum variorum.'

ff. 34–36 *vacant.*

6. [Simonis Bredon] Theorica planetarum. **f. 37.**

    Inc. 'Circulus ecentricus et circulus egresse cuspidis et circulus egredientis centri idem sunt.'

7. Regulae ad inveniendum gradum et altitudinem solis, et ad corrigendum gradus. **f. 52ᵇ.**

fol. 54 *vacat.*

8. [Isagoge Alcabitii, ex interpretatione Johannis Hispalensis]. **f. 55.**

Inc. 'Postulata a Domino prolixitate vite.'

ff. 89–92 *vacant.*

9. Notae ex Albumasar et e *Secretis secretorum* Aristotelis; et de longit. et lat. variarum urbium in Anglia et regionibus exteris. **f. 93ᵇ.**

10. 'Exposicio Alkabycii;' scil. commentarius Johannis Danck, de Saxonia, in Isagogen. **f. 94.**

Inc. '*Vir sapiens dominabitur astris.* Ptolomeus in sapienciis Almagesti.'

Ad calc. (f. 171ᵇ), 'Expliciunt scripta super Alkabicium, et finita anno Domini nostri Jesu Christi 1384, in die Sancti Bartholomei circa mediam noctem, per manus Nicholai de Erfordia. Deo laus.'

Impress. cum textu, 4°. Par. 1521; etc.

11. Figurae conjunctionis solis et lunae, et introitus solis in arietem, Parisiis, anno 1331. **f. 172.**

12. 'Albumasar de partibus et eorum causis.' **f. 173.**

Inc. 'Antiqui sapientes in judiciis suis.'

13. 'Tractatus Alkindi vel Haly de pluviis secundum planetas sub radiis exeuntes.' **f. 183ᵇ.**

Initium solum; desinit abrupte ad verba 'Saturnus in virgine.'

14. Regula 'pro vero gradu ascendentis alicujus nativitatis investigando.' **f. 185.**

15. [Messahalae] 'Libellus de intencionibus secretorum astronomie,' **f. 186.**

Inc. 'Cum astrorum sciencia difficilius cordetinus inspicienti' [etc] '—secreta ex doctrinis omnium philosophorum in unum breviter collegi quem in 12 capitula compendiosa divisi, quorum primum docet de signacione interrogacionis.'

Expl. 'Qui est principium et origo totius sciencie, Qui sit benedictus in secula. Amen.'

94.

Chartaceus. In 4°. Saec. xv. ff. 76.

'Illibro del primo bello Punico, conposto de messere Lionardo Darezo in Latino, volgarizato poi per uno suo amico:' scil. versio Italica historiae Polybii, ex interpretatione Latina per Leon. Brunum, Aretinum.

95.

Chartaceus, exceptis foliis primis decem. Saec. xiv. In fol. 10 sunt nomina, 'J. Bowtell,' 'W. Bull,' et in ff. 144, 191ᵇ, 'Thomas Aglonby.'

1. (*In membr.*) Tractatus de nativitatibus sub variis signis variis mensibus anni appropriatis. **f. 1.**

Inc. 'Qui natus fuerit in signo Aquarii.'

2. De quatuor humoribus in corpore humano. **f. 6ᵇ.**

3. De physiognomia. **f. 7.**

4. 'Cyromancia et palmastria.' **f. 8.**

Desinit incompl.

5. (*Saec.* xv.) Receipts for the small-pox, the eyes, head-ache, etc. **f. 9.**

6. English version of Macer's treatise *De virtutibus herbarum*, in three books. **f. 10.**

A table of contents is prefixed.

7. Of the virtues of rosemary; in prose and verse. **ff. 81, 83.**

Beg. 'Rose mary ys bothe tre and herbe, hote and drye in the third degre.'

Beg. verse, 'Jhū that art oure best leche
Of helthe we the beseche,
And to maydene myld Marye
That modyr ys of alle mercye.'

At end (f. 89ᵇ), 'Explicit libellus de virtutibus rose marine secundum Salernitanos ad comitissam de Hennand, cujus copiam propriam transmisit Philippe sue filie regine Anglie, anno Domini millesimo ccc.xxxviii, quem unus Anglicus transtulit de Latino in suum proprium idioma.'

8. Miscellaneous medical collections and miscellaneous notes:—

   i. Of the virtues of herbs. **ff. 89ᵇ–92, 104–111.**

   ii. Various receipts. **ff. 92ᵇ–95, 133ᵇ–135ᵇ.**

   iii. De tonitruis. **f. 95ᵇ.**

   iv. Of the four humours in the human body. **f. 96ᵇ.**

   v. De urinis; *Lat* et *Angl.* **f. 101.**

Desunt quaedam inter ff. 103–4, *et inter ff.* 111–112.

9. 'Liber de conservanda sanitate.' **f. 112.**

Inc. 'Constat maxime sapientibus quod inter cetera hujus mundi caduca.'

Expl. '—et ibi moretur sicut dictum est superius. Explicit.'

10. 'Gouernayle of helle' [health]. **f. 124ᵇ.**

Inc. 'In this tretis that is callyd gouvernayle of helle sumwhat schortly is to be sayd with Christes helpe.'

Printed by Caxton.

11. 'Tractus de pestilencia.' **f. 136.**

Inc. 'Quicunque cupit se plene a pestilencia tam corporis quam anime custodire.'

Expl. '—nulla potencior existit supra residuum, et beneficio medicine facilius juvatur. Explicit.'

12. 'De febribus;' capitulum breve. **f. 141.**

Inc. 'Modo dicendum est de nominibus febrium.'

13. Capitulum de operatione naturae in digestione nutrimenti. **f. 141ᵇ.**

Inc. 'Circa operacionem nature intellige sic.'

Ad calc. 'Explicit tractatus Bernabi.'

14. Tractatus 'Bernabi' de medicina practica; *imperf.* **f. 142ᵇ.**

Inc. 'Incipit tractatus brevis et utilis Bernabi medicinarum omnium membrorum distemperatorum tam in caliditate quam frigiditate.'

Desunt quaedam.

15. 'Tractatus herbarum;' ordine alphabetico. **f. 144.**

In prima pagina sunt *Agnus Castus, Absinthium, Abrotanum, Acacia,* et *Achorus;* in ultima, *Zinziber, Zedearium, Zuctura,* et *Zizania.*

Sequuntur ad finem (ff. 207–209) quaedam pauca de herbis, *Anglice* et *Latine,* alia manu inscripta et utrinque manca.

96.

Membranaceus. Saec. xii. In 4º., sive 8ᵛᵒ. maj. ff. 74. Bene exaratus. Forsan olim in bibl. monast. Abendonensis; v. Lelandi *Collectanea*, vol. iii. p. 57.

'Meditaciones Godwini, cantoris Salesberie, ad Rainilvam reclusam.' **f. 8.**

Inc. 'Hec sunt prima documenta nove legis tue Christiane. Expl. (f. 68), '—peccatores salvos facere Jesus Christus Dominus noster novus legis lator et judex, qui vivit et regnat,' etc.

Scriptores varii de historia Angliae antiqua literaria auctorem nostrum tempore Henr. III. et circa an. 1272 vixisse asserunt, quo tempore alter quidem ejusdem nominis eodem officio cantoris in ecclesia Sarisburiensi functus est. Codex autem noster certe non post annum 1170, potius circa 1150-60, exaratus fuit.

In foliis utrinque rejectaneis, manibus prope coaevis, saec. ejusdem exeuntis, inserta sunt haec :—

i. Notae ex 'Petro' quodam. f. 1.

ii. Interpretatio moralis creationis Mundi et lapsus Adae. f. 2.

iii. Narratio de miraculo Oswaldi regis; cap. xiv. lib. iv. *Hist. Eccl.* Bedae. f. 6.

iv. Sermo de tribus habitaculis sub manu Dei. f. 68ᵇ.

97.

Membranaceus. In 4º. Saec. xv. ineuntis. ff. 292 (*rectius* 291). Inter codd. T. Allen, '61' et 'A. 68.' In fol. 1–2, 'Mr. Robert Weldon . . . this book;' in fol. 292ᵇ, 'Br. Twyne.' Praemissa est in fol. 3ᵇ tabula contentorum, manu T. Allen.

1. Tabulae astronomicae super meridiem Oxonii, [dictae in tabula contentorum et in veteri catalogo, tabulae Gul. Reade, episc. Cicestr.] **f. 5.**

2. 'De introitu solis in arietem imperpetuum;' tabula et canon. **f. 41.**

3. Canon novus de introitu solis in quodlibet signum. *ibid.*

4. Tabula equationis centri, cum canone. **ff. 41ᵇ, 42.**

5. De circuitu terrae mensurando, et de septem climatibus. **f. 42.**

Inc. 'Sciendum est quod antiqui sapientes temporibus Almeonis convenerunt.'

6. Johannis Walteri, Wintoniensis, Tabulae equationum duodecim domorum, cum canonibus. **ff. 43, 50ᵇ.**

Inc. canon, 'In unum collecta que ad idem pertinent.' Expl. '—cujus ortum cupio habere, Amen. Expliciunt canones secundum magistrum Walterum cum tabulis ejusdem Johannis.'

7. Algorismus. **f. 54.**

Inc. 'Liber iste vocatur Algorismus, et dicitur Algorismus ab Algore rege ejus inventore, vel dicitur Algorismus ab *algos*, quod est ars, et *rudos* quod est numerus, quasi ars numerandi.' Expl. '—et resultabit 22 pro summa petita. Et explicit.'

8. Canones super tabulas astronomicas Gul. Reade. **f. 64ᵇ.**

Inc. 'Volentibus prenos[ti]care futuros effectus planetarum in inferioribus.' Ad calc. 'Expliciunt tabule secundum magistrum Willielmum Reede valde utiles.'

9. Alia quaedam astronomica; de quantitate anni solaris; longitudo et latitudo civitatum diversarum; regula 'secundum Albategni' pro usu tabulae eclipsium. **ff. 71ᵇ, 72.**

10. Algorismus minutiarum. **f. 73.**

Inc. 'Modum representacionis minuciarum vulgarium et philosophicarum preponere.' Cap. ult. est 'de divisione minuciarum.' Ad calc. 'Explicit tractatus algorismi de minuciis.'

11. 'Liber judiciorum Echelbrebit Israelite.' **f. 84ᵇ.**

Inc. 'Dixit Echelbrebit Israelita, Scito quod signa sunt duodecim.' Expl. '—propter diversitatem horum planetarum et eorum domorum. Explicit exposicio.'

12. 'Epistola Messehallah in rebus eclipsis solis et lune, et in conjunctionibus planetarum et stellarum, et qualiter operentur in hoc, ac revolucionibus annorum ;' capitula 12. **f. 91.**

Inc. 'Dixit Messehalla, Dominus altissimus fecit terram.' Expl. 'Hoc est ultimum eorum que protulimus in hoc libro, et est ex secretis sciencie astrorum, etc. Explicit.'

13. Tractatus de judiciis nativitatum, secundum Ptolomaeum et Haly Habenragel; in quatuor partibus. **f. 94.**

Inc. 'In prologo theorice Ptholomei que dicitur Almagesti scribitur.' Expl. '—digna in hoc opusculo registravi, principem celi gratando. Explicit.'

14. Schema nativitatis cujusdam die 30 Jan. 1297; et tabula fortitudinum planetarum. **ff. 103ᵇ, 104.**

15. 'Introductorium' de motibus et effectibus planetarum, sive expositio verborum quibus motus eorum describuntur. **f. 104ᵇ.**

Incip. 'Conjunccio est quando duo planete sunt in duobus signis.' Expl. '—ita quod oportet quod sol prius jungatur Jovi quam Marti. Explicit introductorium bonum et utile.'

16. Regulae ad inveniendum declinationes et ascensiones, etc., sive 'Canones primi mobilis.' **f. 109ᵇ.**

Incip. 'Volo invenire sinum rectum unius arcus.' Expl. 'Alie autem sex opponuntur eis, etc. Explicit.' Inest 'exemplum de figura celi hora introitus solis in primum punctum equinoccii vernalis, anno Domini 1336.'

17. Descriptio instrumenti 'de direccionibus, quod dicitur Directorium planetarum,' secundum instrumenta Johannis de Porta et Henrici Vace. **f. 112ᵇ.**

18. Tractatus brevis, tribus capitulis, de judiciis super quaestionibus, an res perficiatur. **f. 114.**

Inc. 'Cum ad astronomie judicia pervenire intenderis.' Expl. '—prout de capitulis de ipsis loquentibus invenitur tantum. Explicit iste tractatus.'

19. De judiciis quum planetae rebus impediant. **f. 117.**

Inc. 'Obsessio planete dicitur.' Expl. '—pejus enim erit si pulset significator quam si pulsetur. Explicit.'

20. De pluviis et ventis, et de infirmitatibus. **f. 118ᵇ.**

Inc. 'Si quis voluerit scire quid in quolibet mense.' Expl. '—sine aliqua dubitacione morietur infirmus. Explicit.'

21. De hora conceptionis et hora nativitatis ex se mutuo cognoscenda ; ex libro Abrahae ben Ezra. **f. 120.**

> Inc. 'In libro Abraham de judiciis ita dicit Abraham.'
> Expl. '—simili modo debes operari ad inveniendum horam revolucionis, etc. Explicit.'

22. 'Sermo de anni quantitate ;' de inventione sinus ; etc. **f. 122.**

> Inc. 'Dixerunt Alfonsiste, sicut patet in tabulis.'

23. ' Ars brevis de equacione eclipsis solis.' **f. 122ᵇ.**

> Inc. 'Priusquam ad eclipsim solis equandam.'
> Expl. '—sine fine, sicut anterius est expressum.'

24. Canones Johannis de Muris de eclipsi lunae. **f. 124ᵇ.**

> Inc. 'In opposicione habenda aliud nos non oportet scire.'
> Ad calc. 'Hos autem canones disposuit Johannes de Muris Parisius in anno Domini 1339 in domo scolarium de Sorbona.'

25. Canones Johannis de Janua de eclipsibus. **f. 125.**

> Inc. 'Ad sciendum eclipsim solis primo quere conjunctionem mediam.'
> Expl. 'Et ideo de hoc ad presens supersedeo. Laus Deo et beate Marie, Amen. Expliciunt canones eclipsis, quos magister Johannes de Janua compilavit, extrahendo eos partim a canonibus communibus, partim ab Albategni, partim a minori Almagesti, partim a magistro Johanne de Cecilia in scripto suo super tabulas Ptholetanas et specialiter quantum ad puncta eclipsis, min[utarum] casus ac eciam min[utarum] more [sic]. Anno Domini 1332 incompleto, 22 die Januarii.'

26. 'Notula magistri [Gulielmi] Merla de futura temperie aeris pronosticanda.' **f. 128ᵇ.**

> Inc. 'Hec sunt consideranda ad hoc.'

27. Regula ad inveniendum verum motum solis et lunae in una hora, cum tabula facta super equationes tabularum Alphonsi. **ff. 129ᵇ, 130ᵇ.**

28. ' De figuracione eclipsis solis et lune.' **f. 130.**

29. Regulae ad componendum tabulam ascensionum, cum tabula declinationis zodiaci ab equinoctiali, et tabula sinus, etc. **ff. 131–4.**

30. 'Flores divi Hermetis de Secretis astrologie.' **f. 134ᵇ.**

> Inc. 'Dixit Hermes quod sol et luna.'
> Expl. '—cum sobrietate utendo nunquam peccabis cum Dei auxilio. Explicit tractatus de judiciis 100 proposicionum.'
>
> *Fol. 137 vacat.*

31. Roberti Grosseteste Theorica sphaerae. **f. 138.**

> Inc. 'Investigantibus astronomie raciones.'
> Expl. 'Bisse momentum est dimidium momentum. Explicit Lincolniensis in theorica (sic) spere.'

32. Tractatus brevis Thomae Werkworth de motu octavae sphaerae. **f. 143.**

> Inc. 'Nota pro motu octave spere quod Ptholomeus posuit.'
> Citantur ex Anglicis 'Magistri Oxoniae' anno 1316, Simon de Bredone circa an. 1340, Rob. Grosseteste, et Walterus Odyngtone, monachum de Evesham. 'Ego Thomas Werkwoth [sic] in anno Christi 1396 perfecto,' etc.

33. De mensuratione terrae. **f. 143ᵇ.**

> Inc. 'In mensuracione terre sive prati ut habeamus principium.'

34. Theorica planetarum ; cum multis figuris. **f. 145.**

> Inc. 'Fiat circulus signorum cujus semidiametrum.'

35. Algorismus. **f. 156ᵇ.**

> Inc. 'Dicente Boicio in principio arismetice.'
> Expl. 'Et hec sufficiant de radicum extraccione tam in numeris quadratis quam cubicis. Explicit liber Algorismi valde utilis.'

36. Commentarius [Johannis Danck, de Saxonia] in Isagogen Alcabitii. **f. 165.**

> Inc. '*Ut sapiens dominatur* [etc.] et potest declarari, Ille dominatur astris.'
> Expl. '—donec exiverit casum suum.'
> Impr. cum textu Alcabitii, 4°. Par. 1521 ; et alibi.

37. Canones in tabulas Alphonsinas. **f. 240ᵇ.**

> Incip. 'Tempus est mensura motus, ut vult Aristoteles.'
> Expl. 'Sed de sole habetur in omni tempore. Deo gracias. Hic expliciunt canones secundum Alfonsum.'
> In fol. 292, rejectaneo, est nota de nativitate 'Agnetis uxoris mee,' 20 Apr. 1432 ; et, 'Regula docens qui numerus est prima quolibet anno.'

98.

Membranaceus partim, partim chartaceus. Saecc. xii. xiii. xiv. xv. ineuntis. ff. 263. In 4°. Inter codd. T. Allen, 'A. 136,' '19.' Tabula contentorum manu saec. xv. praemissa est in fol. 1ᵇ. In fol. 197ᵇ est nomen 'William Maydwelle.'

1. (*Chart., saec.* xv. *ineuntis.*) 'Tractatus generum, secundum magistrum Robertum Allyngtone.' **f. 4.**
> Inc. 'Apud naturam duo tantum sunt genera.'

2. Tractatus de gerundis et supinis. **f. 7ᵇ.**
> Inc. 'Veterem de gerundis querelam.'
> Expl. '—nata communem habent significacionem.'

3. 'Massa Compoti' [Alex. de Villa Dei] ; opus metricum cum prol. et commentario. **f. 11.**
> Inc. prol. 'Licet modo in fine temporum.'
> Inc. textus. 'Aureus in Jano numerus clavesque novantur.'
> Ad calc. (fol. 21), 'Explicit Compotus ecclesiasticus, bene correctus secundum sentenciam Bredone.'

4. 'Tractatus de Algorismo' [sc. carmen Alex. de Villa Dei], cum commentario. **f. 21ᵇ.**
> Inc. 'Hec Algorismus ars presens dicitur in qua.'
> Inc. comm. 'Liber iste quem pre manibus habemus dividitur in duas partes.'

5. 'Tabula extraccionis radicum in cubitis et in quadratis.' **f. 30.**

6. Versus xiv. de progressione in algorismo, cum commento. **f. 31.**
> Inc. 'Cum sit contraria progressio terminus impar.'

7. 'Ars docens multiplicare sine anterioracione vel deleccione figurarum ;' metrice. **f. 31ᵇ.**
> Inc. 'En brevis interius datur ars nova multiplicandi,
> Qua nec transfertur nec demitur ulla figura.'

8. 'Almanak' [sc. nomina] 'stellarum fixarum, secundum Symonem Suthray.' **f. 32.**

9. Tabula numerorum quorundam usque ad decem loca. **f. 33ᵇ.**

10. Quaestiones variae arithmeticae. **f. 34.**
> Inc. 'Quidam senex salutat puerum, cui dixit.' Multae ex his impressae sunt inter 'Propositiones ad acuendos juvenes' apud Bedae opera spuria.

11. Canon Rich. Maydestone, Carmelitae, in *Annulum* Johannis de Northamptone, ejusdem ordinis ; scil., regulae pro usu instrumenti. sive tabulae instar volvellae, ad inveniendum litteram dominicalem, aureum numerum, et festa mobilia, ab J. de Northamptone 'instinctu divino' compositi ; partibus duabus. **f. 41.**

Deest maxima pars praefationis, quae autem integra exstat in Bodl. MS. 68. 'Annulus' ipse folio praecedenti (40) affixus est. Ad calc. (f. 48ᵇ), 'Explicit tractatus de anulo. Deo gracias quod P. Partrich, etc.' [Petrus Partriche, eccl. Lincoln. cancellarius, obiit anno 1451].

12. 'Compendium' Gualteri Burley super Aristotelis quatuor libros meteororum. **f. 49.**

Inc. 'In isto libro qui liber Metheororum intitulatur Aristoteles dat completam ordinacionem.'
Expl. '—tunc scimus principium motus ejusdam rei. Explicit processus quarti libri Metheororum secundum Burley.'

13. 'Quedam exposicio abreviata super 4 libros Metheororum secundum antiquam translacionem.' **f. 61ᵇ.**

Inc. '*Quia ergo jam diximus*, [etc.] Determinacio a principio tocius libri de hiis que sunt in alto.'
Expl. '—ab Avicenna in cujus libris multum est de illa materia et epilogat predeterminata.'

14. Nota ex S. Augustino de digestione cibi. **f. 71ᵇ.**

15. Prophetiae Merlini, ex libro vii. Hist. Galfredi Monumetensis, praemissa narratione de Vortigerno. **f. 72.**

16. Directiones pro constructione et usu instrumenti cujusdam astronomici vocati *Navicula ;* cum figuris duabus. **ff. 75ᵇ–77.**

Inc. 'Ad constructionem Naviculae tria ad minus sunt instrumenta valde necessaria.'
Expl. '—similiter in equinoccione ab utroque puncto solsticiali equidistet omni modo.'

17. (*Membr., saec.* xii. *exeuntis.*) Pars Euclidis Elementorum geometriae, usque ad prop. iv. libri iii. **f. 78.**

Rubricae et literae initiales a scriba omissae sunt. Figurae delineatae sunt in margine usque ad prop. xv. libri i.

18. Pars [Boethii] Arithmeticae. **f. 86.**

Desinit manus prima in initio cap. iii. lib. i. ; sed exinde manus secunda, saec. xiv., continuat textum usque ad finem cap. xv.

19. (*Chartac., saec.* xv. *ineuntis.*) 'Contra opinionem ponentem quadratum continuum componi ex non quadratis.' **f. 107.**

Ad calc. 'Deo gracias quod Partriche.'

20. 'Incipit quedam abstraccio et competens exposicio Arsmetrice Boicii,' per Sim. Bredon. **f. 109.**

Inc. 'Quantitatum alia continua que magnitudo dicitur, alia discreta.'
Ad calc. 'Explicit Arsmetrica Bredone. Deo gracias quod Partriche.'

21. (*Membr. et chartac.*) Johannis Peccham Perspectiva ; libris tribus. **f. 118.**

Inc. 'Inter philosophice consideracionis studia.'
Ad calc. 'Explicit Perspectiva fratris Johannis de Peccham.'

22. Notitia contentorum in libris Elementorum Euclidis. **f. 128.**

23. Propositiones i–vi. libri primi Euclidis, cum figuris propp. i–xlvii. **f. 130ᵇ.**

24. (*Saec.* xv. *ineuntis.*) [Simonis Bredon Theorica planetarum ;] cum figuris. **f. 132.**

Inc. 'Circulus ecentricus, circulus egresse cuspidis, et circulus egredientis centri idem sunt.'

25. 'Tractatus [Rob. Grosteste] docens cognoscere questiones astrolabii.' **f. 145ᵇ.**

Inc. 'Astrolabii circulos et membra nominatim discernere.'
Ad calc. 'Explicit practica Astrolabii.'

26. Tractatus de compositione et officio quadrantis, anno 1395, ut videtur, compositus. **f. 148ᵇ.**

Inc. 'Post compositionem chylindri nunc cujusdam instrumenti horologici.'
Expl. 'Hec quoque breviter dicta de practica quadrantis causa introductionis sufficiant ad presens. Completa Oxon. in domo Scolarium de Merton tempore superius annotato. Explicit tractatus de practica quadrantis quod Partrich.'
Qu. annon auctor sit Gualterus Britte qui inter Mertonenses tempore supradicto vigebat ?

27. Experimentum de radiis solis in crystallum sphericum aqua plenum venientibus ; cum figura. **f. 152.**

28. 'Tractatus de luce secundum Lyncolniensem,' scil. Rob. Grosseteste. **f. 152ᵇ.**

Inc. 'Formam primam corporalem quam corporeitatem nominant lucem esse arbitror.'

29. 'Tractatus [brevissimus] de colore secundum Lyncolniensem.' **f. 154.**

Inc. 'Color est lux incorporata.'

30. 'Tractatus de yride secundum eundem.' *ibid.*

Inc. 'Et perspectivi et philosophici est speculacio de yride.'
Ad calc. 'Deo gracias quod Partriche.'

31. 'Tractatus de potencia et actu secundum Lyncolniensem.' **f. 155ᵇ.**

Inc. 'Omne quod est aut est ens actu aut ens potencia.'

32. 'Tractatus Lyncolniensis de impressionibus aeris ;' cum figura. **f. 156.**

Inc. 'Ad precognoscendam diversam dispocicionem aeris.'

33. 'Tractatus de spera secundum Lincoln.' **f. 158.**

Inc. 'Intencio nostra in hoc tractatu est machine mundane formam describere.'
Ad calc. 'Explicit Spera sancti Roberti Lyncolniensis episcopi. Deo gracias quod Partriche.'

34. (*Membr. saec.* xiii., *binis columnis.*) Liber quadrantis ; cum tabulis ad meridiem Oxon. **f. 162.**

Inc. 'Cum quadrantem componere volueris accipe tabulam eneam vel ligneam bene politam.'

35. Liber de compositione chilindri. **f. 166.**

Inc. 'Investigantibus chilindri composicionem quod dicitur Orilogium.'
Ad calc. 'Explicit composicio chilindri cum ejus operacione que facta est apud Oxoniam.' Exemplar alterum in cod. Ashmol. 1522, art. 20.

36. Rob. Grosseteste Tractatus de sphaera. **f. 168.**

Inc. 'Cum de composicione machine mundane que sperica est sit presens intencio.'
Ad calc. 'Explicit tractatus de Spera secundum R. episcopum Lincolliensem ;' addit manus secunda, 'sed abbreviatus.'

37. Joh. de Sacro Bosco Tractatus de sphaera. **f. 171.**

> Inc. 'Tractatum de spere (*sic*) in quatuor capitula distinguimus.'
> Ad calc. ' Explicit tractatus de spera secundum communem usum ;' addit manus secunda, 'quem edidit magister Johannes de Sacro Bosco, Anglicus.'
> (Hic desunt, secundum veterem contentorum tabulam, 'Cronice Cestrensis abbreviate.')

38. (*Membr., saec.* xv. *ineuntis.*) Regula Sancti Francisci. **f. 177.**

39. Testamentum ejusdem. **f. 177ᵇ.**

40. (*Chartac.*) Epistolae duae Satanae. **ff. 178ᵇ, 180.**

> Inc. i. ' Belial, apostatarum prepositus et magister invidie, abbas claustri superbie . . . . . universis ordinis nostri confratribus de conventu malignantium.' Dat. 'anno incarceracionis nostre millesimo ccc°.v°.'
> ii. ' Lucifer, princeps tenebrarum tristicie profunde, regens Acherontis imperia, dux Hereby . . . . . ⁎. universis sociis nostris regni nostri.'
> Ad calc. secundae, 'Explicit litera posita in sedili Clementis pape [VII ?] predecessoris Urbani predicessoris Bonefacii [IX] presentis.'
> De his epistolis notitia inveniatur in Tractatu de schismate inter Papas, in cod. 188 infra, art. 3. fol. 66ᵇ.

41. Litera Regis Henr. IV. vice-comitibus London., quod nullus capellanus regularis vel secularis praedicet nisi prius ad hoc per diocesanum admittatur ; dat. apud Westm. 12 Maii, an. 1 [1400]. **f. 179ᵇ.**

42. Petitio sacerdotum secularium ad Regem contra praedictam literam. *ibid.*

43. Excerptum ex prophetiis S. Hildegardis, part. I. cap. 5. **f. 181.**

[44. Memoranda of prices paid for threshing wheat, barley, oats and peas at Graveley Place [Cambr.], and of wages paid to Will. Pawle of Glentham, in 16th cent.; etc. **ff. 181ᵇ, 182, 199ᵇ, 214, 224.**]

> Desunt folia duo, in quibus olim, secundum veterem contentorum tabulam, 'Epistole multe Johannis Wytcliff.'

45. 'Epistola missa ad episcopum Wygorniensem per Rob. Chetyngdone,' in qua revocat quicquid in scriptis ejus sacrae Scripturae contrarium dixerit, speciatim de praedicatoribus. **f. 183ᵇ.**

46. 'Credencia nuncii papalis exposita domino nostro Regi;' sc. proposita ex parte Bonifacii IX. Regi Ric. II., per Petrum de Bosco, episcopum Aquensem, anno 1398, de revocatione statuti *Contra Provisores*, et brevium *Quare impedit* et *Praemuniri facias*, et de pactis cum Francia et Alemannia. **f. 184.**

> Cf. Chron. Tho. Walsingham, sub anno.

47. Declaratio intolerabilis blasphemiae Prioris de Clerkenwell, quod, dum sit ditissimus dominus in regno post regem, mendicat eleemosynas a pauperibus regnicolis ad guerrandum, ut dicit, contra infideles, quum Christus exemplum sanctissimae conversationis et fidelem evangelizationem una cum devota oratione et patientia ad convertendum infideles ordinasset. **f. 185.**

48. ' De venia seu indulgencia moderna, quam indigne et male distribuitur.' **f. 185ᵇ.**

49. ' Pentacronon Hildegardis virginis;' quinque Vae! sive prophetiae pro quinque mundi aevis. **f. 186.**

> Inc. 'Spiritus Sanctus uterum Virginis fecundavit.'
> Expl. 'Verba autem hec fideles devoto cordis affectu percipiant, quoniam per Jesum qui primus et novissimus est ad utilitatem credencium edita sunt. Explicit pentacronon Sancte Hildegaris virginis, inceptum anno Domini м°.c°.

50. Versus contra avaritiam monachorum quorundum ' Jacobitae' vocatorum. **f. 194.**

> Inc. ' Achab diu studuit vineam acquirere.'
> Strophae sex, singulae versibus quatuor constantes, quibus subsequitur distichon hoc :—
> > ' Acabita, Jacobita, cave tibi consulo
> > Tua vite ne unita sit totali (?) seculo.'

51. Versus satirici contra monachos. *ibid.*

> Inc. 'Sedens super flumina flevi Babilonis.'
> Singularum stropharum (numero circiter 28) penultima linea incipit cum verbis 'With an O and an I.'

52. (*Membr.*) Satira de Concilio Londinensi anno 1382 habito, et in laudem Wiclevitarum. **f. 195.**

> Inc. 'Heu! quanta desolacio Anglie prestatur.'
> Penultima linea in singulis strophis incipit, ut in poemate praecedente, cum verbis 'With an O and an I.'
> Impr. (e cod. Cotton. Cleop. B. ii.) in *Political Poems and Songs, edited by Thos. Wright*, 8°. Lond. 1859, vol. i. pp. 253–263. Pro nomine *Crophorne*, p. 261, legit nostrum exemplar *Crumphorn*.
> [Hic, secundum tabulam contentorum veterem, desideratur 'Apocalipsis Walteri Mape,' nisi forte poemata praecedentia male ita describantur.]

53. (*Chartac.*) Pars tractatus cujusdam in quo sub quatuordecim capitibus contra (ut videtur) fratres Praedicatores disputandum erat. **f. 196.**

> Inc. '*Ecce videntes clamabunt foris* [etc.]. Ysa. xxxiii. Sicut prophete in sacris Scripturis videntes appellantur.'
>
> *Desiderantur quaedam.*

54. Pars disputationis cujusdam contra Judaeos. **f. 198.**

> Deest initium ; incipit cum verbis, '—magis floruit Ecclesia Christi quam gloriosum templum Salomonis.'
> Expl. 'Item Thobias, Deduces canos nostros cum dolore ad inferos. Item 2. Re. Deduces canos etc.'

55. 'Determinacio magistri Johannis Whytheed de Hibernia in materia de mendicitate contra fratres ;' in qua respondet pro Radulpho archiepiscopo Armachano contra fratrem Petrum Russel. **f. 200.**

> Inc. 'Supposito secundum dominum Armachanum, 8°. de pauperie, c°. 2.'
> Expl. '—sed per Dei graciam non probabunt quod ego laboro in aliquo ad subversionem ecclesie, quod doctor J. Whytheed.'

56. Determinatio ejusdem de confessione et absolutione, contra magistrum Willielmum Edlesburghe de ordine Praedicatorum. **f. 208.**

> Inc. 'R. Magistri, in actibus licet exilibus anteactis.'
> Expl. '—patet etiam quomodo oportet illam Extravagantem intelligere cum adjectionibus prenotatis, etc. Deo gracias. Whytheed quod Partriche. Amen.'
> [Hic desunt, secundum veterem contentorum tabulam,
> > 1. 'Galfridus de nova poetria.'
> > 2. 'Rethorica secundum Merke.']

57. Elementa juris, sive instructiones primae in jure civili. **f. 216.**

> Inc. 'Jus dupliciter dicitur, scil. jus puplicum et jus privatum.'

---

58. (*Membr.*) Le Miroir de S. Edmond Rich, de Pountney, archevêque de Cant. **f. 225.**

> Tit. 'Hors de seint escripture deuez sauoir et estrere queux sount les vii mortels peches, et les vii vertuz, et lez x commandementz, et lez xii articles de la foy, et les vii sacrementz, et les vii douns del seint espirit, et lez vii eopres de misericorde, et lez vii vertuz del euaungelie, et lez peines denferne, et les ioies du ciel;' 'les vii prieres de la Pater noster;' 'de vii dowairs en corps et vii en lalme;' contemplations devant les sept heures; etc.
>
> Ad calc. 'Ci finist vn bon tretiz qest appelle le Mirour Seint Esmound.'

59. The twelve articles of the faith, as assigned severally to the twelve Apostles; *Engl.* **f. 255ᵇ.**

---

60. (*Membr.*) English medical receipts, chiefly for wounds and hurts; apparently the tract described in the old table of contents as 'Cirurgia Walteri Brit.' **f. 257.**

> Probably imperfect at the beginning; and the last leaf effaced.
> [In fine desideratur, secundum veterem tabulam, 'Spera Pictagore.']

99.

Chartaceus. In 8ᵛᵒ. Saec. xiv. exeuntis. ff. 156. Ad calcem, 'Frater Johannes Stanys, monacus Thetfordie, constat istum librum' (*sic*). In primo folio haec :—'Iste liber constat Margarete Salis de Methewolde, cum magno gaudio et honore, Amen;' 'Iste liber pertinet Roberto Joley, litterato, qui pro eo soluit certum precium;' 'Johannes Fearneley me tenet, 1598.' Postea inter codd. T. Allen, '10,' 'A. 106.'

1. Statuta synodalia Walteri de Suthfeld et Simonis de Walton, episcoporum Norwicensium, circa an. 1257. **f. 1ᵇ.**

> Ad calc. 'Expliciunt statuta synodalia, alias in synodo promulgata, per Walterum quondam Norwyc. episcopum, et addiciones postea per Symonem successorem suum, [quae] firmiter precipimus observari.'
> Impressa ex hoc codice apud Wilkins, *Concilia Magn. Brit.* vol. i. pp. 731–6.

2. 'Liber qui vocatur Stimulus conciencie,' per Rich. Rolle de Hampole. **f. 8ᵇ.**

> Inc. 'Ye myht of ye fadyr al myhty
> Ye wyt of ye sone al wyhty.'
> Expl. 'To ye quilk place he us bryng
> Yat for us on rode hyng.'
> Ad fol. 139 insertum est folium in quo oratio Domin., Ave, et Credo, *Anglice*, et exorcismi contra febres et dentium dolores, *Latine.*

100.

Chartaceus. In 8ᵛᵒ. Saec. xiv. ff. 189. Madore corruptus, et ad finem et alibi mancus.

1. Bedae liber de arte metrica. **ff. 1–10, 13–14.**

---

2. [Marbodi Redonensis] Liber metricus de ornamentis verborum. **ff. 10, 12, 20ᵇ.**

> Inc. 'Versificaturo quedam tibi tradere curo
> Scemata verborum studio celebrata priorum.'
> Expl. 'Sicut sunt in re studeat distincta referre,
> Hec spernens Bavius, hec servans fiet Homerus.'
> Impr. ad calc. Opp. Hildeberti Cenomannensis, fol. Par. 1708, col. 1587.

3. 'Versus de Sancta Katerina,' metris variis, cum notis marginalibus formas versuum describentibus. **f. 11ᵇ.**

> Inc. 'Celi gemma bona succure reis Katerina ⎱ Caudati
> Et prece melliflua sis egrotis medicina ⎰ versus.'

4. 'Liber de scematibus' Sacrae Scripturae 'secundum Bedam.' **f. 15.**

5. 'Bonus tractatus et utilis de arte metrica.' **f. 21.**

> Inc. 'Variacio monoculos. Et est quando omnes partes versus sunt unius coloris.'

6. Tractatus metricus de prosodia, sive pronunciatione verborum. **f. 25.**

> Inc. et expl. 'Que non ponuntur hec omnia corripiuntur.'
> Synonyma quaedam Anglica inter lineas inserta sunt.

7. 'Diversitates metrorum in pede exametro et pentametro,' per Joh. de Garlandia. **f. 32ᵇ.**

8. Tractatus metricus de verbis neutris et deponentibus. **ff. 33–41, 103–114.**

> 'Iste libellus dividitur in duas partes, quarum prima tractat de neutris, et secunda de deponentibus.'
> Prima pars invenitur in duplo, sed alterum exemplar exstat (ad fol. 103) in forma paulo absolutiore.
> Inc. pars i, 'Aspirans precibus vestris persepe rogatus.'
> Ad calc. (f. 112), 'Explicit liber omnium neutrorum.'
> Inc. pars. ii, de deponentibus (f. 113ᵇ), 'Nobis ignota ne deponencia verba.'
> Expl. 'Et si quis plura inveniat precor addet ut illa.'

9. 'Liber Senece de virtutibus moralibus.' **f. 41ᵇ.**

> Inc. 'Omne peccatum est actio voluntaria.'

10. 'Facetus;' poema anonymum de moribus. **f. 42ᵇ.**

> Inc. 'Moribus et vita si quis vult esse facetus.'
> Expl. 'Sed tamen in cunctis placidus modus est adhibendus.'
> Cf. cod. 26, art. 3, *supra.*

11. Notae in varia Evangeliorum loca; de Resurrectione Domini; sermo in Epiphaniam. **ff. 44–51ᵇ, 52ᵇ–55ᵇ.**

12. Sententiae ex Patribus. **ff. 51ᵇ–52.**

13. Commentum in Ps. lxviii, et notae in varia Psalmorum loca. **ff. 56–61.**

14. Notae de decimis, ex Constitutionibus. **f. 62.**

15. Notae et versus de interpretatione verborum variorum. **ff. 63–4.**

16. Glossa super quendam tractatum metrice, ut videtur, compositum. **ff. 65–6, 100ᵇ, 102ᵇ.**

> Inc. 'Augustus Tito etc. *Divinacio*, scil. facta per garritum. *Augustus nobilis*, unde oportet vos precor [etc. . . . . .] *Abacus*, liber metrice compositus.'

17. De terminationibus quinque declinationum. **ff. 67–69.**

> Inc. 'Quot ter[minationes] habet prima declinacio? iiii, scil. as, es, a, am.'

18. Versus de variis significationibus verborum in se similium. ff. 69–71.

> Inc. 'Faccio dissidium signat, faccio factum
> Arbor, aqueductus, est fistula, musica, morbus.'

19. Glossae in [hymnos?] pro diebus quorundam sanctorum. ff. 71–2, 101.

> Inc. '*De Andrea*. Supersticiosus, a, um, falsus vel vanus vel dampnosus.' Multa hic illic *Anglice* interpretata sunt.

20. Versus alii de variis significationibus verborum, cum glossa. f. 73.

> Inc. 'Vomer adunccus, anus incurva, pandus asellus
> Interdumque tamen complectitur omnia curvus.'

21. Theoduli Ecloga de miraculis Veteris Testamenti, cum commento. f. 75.

> Saepe impr.

22. Nicholai de Brakendale Deponenciale, sive liber metricus de verbis deponentibus; cum notis marginalibus. f. 115.

> Inc. 'Sinderesis rogitata refer quo pandere tractu.'
> In marg. 'Libellus iste dividitur in duas partes, in partem proemialem et exsecutivam. Pars proemialis durat usque in Bachor-aris, et ibi incipit pars exsecutiva.'
> Expl. 'Scriptoris nomen et honoris, si placet omen,
> Sic est ejusdem quem Brakyndalia fovit,
> Ejusdem studio quem Cantabrigia novit,
>   i. dixi
> Ore patenter ay liber hic finit Nicholai.'
> Explicit 'Deponenciale domini Nicholai de Brakend.'
> Item (f. 127ᵇ), 'Titulus est, Nicolai Brakendaliensis deponenciale, sive liber de deponentibus.'

23. Explicationes verborum multorum. f. 127ᵇ.

> Inc. 'Strues, is, dicitur composicio, congeries, colleccio.'

24. Versus quidam morales atque miscellaneae. f. 128ᵇ.

> Inc. 'Omne genus floris tritum plus prestat odoris.'

25. Pars commentarii in hymnum quendam Graecum, *Exoticon* dicti. f. 129.

> Imperf. in princ., sed habet hoc exemplar folia quatuor quae in altero in cod. 92 *supra* existente deficiunt. In linea quinta fol. primi ita incipit sectio :—
>   'Henn doxa theos en rama, melos latron odos
>   Cristos plebs arthos onos quod thele fatin orge.'
> Sensus, Gloria sit Deo in excelsis et plebs serviat Christo dulci cantu ut abundemus pane vino et cultura terre.'
> Ad calc., 'Hic explicit Liber exoticon.
>   Pro precibus Nicholaus habet quod quisque precetur
>   Ut sibi sana fides, bona mens et gracia detur.
> Editus est liber iste et perlectus in studio Cantebrigie sub venerabili Cancellario magistro Stephano de Wyttun, anno ab incarnacione Domini Mᵒ.CCᵒ. sexagesimo primo, xv. kal. Decembris, libro perlecto Nicholao de Brachedel exeunte lectore. Hoc ydioma legens, Quis pro lectore precetur, Ut rex cuncta regens, Anime dicti memoretur.'

26. Virgilii Copa, cum notis marginalibus. f. 137ᵇ.

27. Verba Graeca, et verba e Graeco origine hausta, alphabetice in metrum redacta, interpretatione inter lineas addita. f. 143.

> Inc. 'Antropos, angarum, sic anthropophogus addam,
> Sic armonias, anastas, anastasis addas.'
> Expl. 'Zodia, zodiacus, zoa, zoagraphia notamus
> Zuunga (?), zoe, zauge, ziris, quoque zete.
> En prothos ana Theos epi cacon et archos et archos.'
> Addit manus altera :—
>   'Partes ignotas a metri jure remotas
>   Quas hic collegi, quas sub brevitate redegi,
>   Forcitan ignoras logicam qui scire laboras.
>   Sed decus est scire que scripta soles reperire,
>   Et magis applaudit brevitas quod carmine claudit.'

28. Catonis Disticha moralia, cum commento. f. 148.

> Imperf. in princ., incipientia ad versum 'Consilium arcanum tacito committe sodali.'

29. Horatii Epistolarum lib. i., cum notis marginalibus et interlinearibus. f. 155.

> Epist. vi. desinit abrupte ad vers. 26; Epist. vii. incipit ad v. 24; et xx. desinit ad v. 14.

30. 'Ovidius de mirabilibus mundi,' cum notis marginalibus. f. 169.

> Inc. 'Hic serpens ventis pernicior atque sagittis.'
> Expl. 'Cum digitis lassis hoc scripsi pro tribus assis.'

31. 'Poeniteas cito;' carmen de poenitentia, ita incipiens, cum commento. f. 171.

> *Desunt quaedam.*

32. Pars Fabularum Aesopicarum, carmine expressarum; a fabula de milvo infirmo in lib. i. ad finem fab. de cervo et bobus in lib. iii. ff. 174–5, 173, 176–7*.

> Primum folium est fragmentum manu saec. xiv. exaratum; caetera manu saec. xv. suppleta sunt.

33. Liber de varietate carminum, in capp. xviii. distinctus, cum prologo. f. 178.

> Mancus; desinit in cap. x.
> Tit. prologi, 'Epigramma in primum librum de varietate carminum . . . (*vacat*) domino episcopo Norwicen.'
> Inc. prol. 'Dudum conflictu vexatus rithimachie.'
> Inc. cap. 1, 'Proporcio secundum Euclidem.'

101.

Membranaceus. In 4º. Saec. xiii. exeuntis. ff. 209. Bene scriptus.

1. Bedae Historia ecclesiastica Anglorum. f. 1.

2. Willelmi de Novoburgo Historia Anglorum, libris v. f. 106.

> Codex nondum collatus.

102.

Membranaceus. In 4º. Saec. xv. ineuntis. ff. 139. Inter codd. T. Allen, '41,' 'A. 139.'

1. Will. Langland's Vision concerning Piers the Ploughman, and concerning Dowel, Dobet and Dobest. f. 1.

> Imperfect at the beginning, commencing in line 156 of passus iii. Written across the page, as if in prose. The text agrees with that called the 'C-text' by Rev. W. W. Skeat in his edition printed for the Early Engl. Text Society; see part iii. pref., p. xlvi, 8º. Lond. 1873. At fol. 35, '*Explicit visio Willielmi W. de Petro le Plouhman. Et hic incipit visio ejusdem de Dowel.*' (See *ibid.* p. xxxvii.)

2. A series of poems chiefly religious, but also partly political, under separate heads, but apparently composed by one author, and written in one style. f. 98.
The titles are as follows :—

> i. *Love God and drede*. 'Eche man be war that bereth a state.'
> ii. *Mede and muche thanks*. 'In blossemed buske I ʾ ɔde boote.' f. 99ᵇ.

iii. *Trouth reste and pes.* 'For drede ofte my lippes y steke.' f. 100.

iv. *Lerne say wele, say litel, or say noght.* 'As þe see doþ ebbe and flowe.' f. 101ᵇ.

v. *Wyt and wille.* 'Man bewar of wikkid counsaile.' f. 103ᵇ.

vi. *To lyf bodyly is perylous.* 'Lerne bodyly to lyue.' f. 104.

vii. *Man, know thyself and lerne to dye.* 'Mannys soule is sotyl and queynt.' f. 104ᵇ.

viii. *A good makynge of ȝour delaye.* 'Man, haue hit in þy þouȝt.' f. 105ᵇ.

ix. *With God of loue and pes ȝe trete.* 'This holy tyme make ȝow clene.' f. 106ᵇ.

x. *A good steryng to heuenward.* 'Many man is loþ to here.' f. 108.

xi. *God and man ben made atte on.* 'Glade in God þis solempne fest.' f. 109ᵇ.

xii. *God kepe oure kyng and saue the croune.* 'Glade in God calle hom ȝoure herte.' f. 110ᵇ.

xiii. *Dede is worchyng.* 'Whanne alle a kyngdom gadrid ysse.' f. 111ᵇ.

xiv. *Man, be warre or the be weo.* 'The herrere degre þe more wys.' f. 113.

xv. *The descryuyng of mannes membres.* 'Whereof is mad al mankynde.' f. 114.

xvi. *A remembraunce of lii. folyes.* 'Loke how Flaundres doþ fare wiþ his folyhede.' f. 115.

xvii. *Loue that God loueth.* 'That ilke man wole lerne wele.' f. 116.

xviii. *The declaryng of Religioun.* 'Who þat wold knowe condicion.' f. 117ᵇ.

xix. *A lernyng to good leuynge.* 'Pore of spirit blessed be.' f. 121ᵇ.

xx. *Knowe thy self and thy God.* 'Thenke hertely in þy þouȝt.' f. 123.

xxi. *Of the sacrament of þe altere.* 'I wold be mendid ȝif ȳ say mys.' f. 123ᵇ.

xxii. *The lessons of the Dirige.* 'Almyȝty Lord God me spare.' f. 124ᵇ.

This is not the same as R. Rolle's *Lessons of the Dirige* called *Petty Job.*

3. Metrical paraphrase of the Seven Penitential Psalms [by Richard Maydestone, or, as in MS. 18 *supra*, by Richard Rolle]. **f. 128.**

> Beg. 'Lord, in þyn angur vbbraide me nowȝt,
>   And in þy wratthe þou blame not me.'
> End. 'Into heuene kyngdom me resseyuen,
>   This graunte me God in persones þre. Amen.'

4. 'Disputacio inter corpus et animam;' in English verse. **f. 136.**

> Beg. 'As I lay in a wynter nyȝt
>   In a derkyng bifore þe day.'

Printed in three varying versions in Tho. Wright's *Poems attributed to Walter Mapes*, 4°. Lond. 1841, pp. 334–349, where this MS. is mentioned in a note on p. 323.

103.

Membranaceus. In 4°. Saecc. xii, xiii, xiv. ff. 154. Inter codd. T. Allen, 39.

1. (*Saec.* xiii. *columnis binis.*) Summa theologica de articulis fidei, oratione Dominica, decem mandatis, etc., collecta pro maxima parte ex operibus Gulielmi de Montibus, cancellarii Lincolniensis; interspersis multis versibus memorialibus. **f. 1.**

Inc. 'Qui bene presunt presbyteri [*etc.*]. Presbyter igitur senex.'

Ita incipit cap. iii. 'Ad manifestacionem singulorum prenominatorum per ordinem possunt induci auctoritates Scripturarum et sententie magistrorum, et specialiter dicta memorie

bone magistri W. de Montibus, quondam Cancell. Lin. cujus anime propicietur Deus.' Iterum in initio cap. iv. idem auctor sic citatur, '—predictus magister W. in fine libelli quem Numeralem (*sic*) appellavit.'

In foliis 39, 40 ad calcem tractatus praedicti inscripta sunt haec:—

i. (Manu saec. xv.) Versus Gallici de Nativitate Domini. f. 39.

> Inc. 'E mel do ciel   } Nus vint ia
>   En countre fel   }
>   Par Gabriel   } On message sa.'
>   Ke vint du cel   }

ii. Herbae ad faciendum aquam pro oculis. f. 39ᵇ.

iii. Prognostica de hieme ex Calendis Januarii. f. 40.

iv. 'Anno 1547 in vigilia S. Luce ea nocte qua primum dormivi in collegio Exestrensi visus sum vidisse innumeram multitudinem pauperum undique ad me confluentium, etc.' f. 40ᵇ.

2. (*Saec.* xii. *exeuntis.*) 'Liber thesauri occulti a Pascale Romano editus Constantinopolis anno mundi vi. DC.LXXIIII. anno Christi M.C.LXV.;' sive tractatus de somniis et interpretatione eorum, in libros duos distinctus. **f. 41.**

Inc. 'Thesaurus occultus requiescit in corde sapientis.'

In fol. 48, juxta finem lib. i, mentio fit operum duorum aliorum per eundem auctorem, '—sicut in Viatico et Passionario demonstrantur.'

3. [Oneirocritica, sive de interpretatione somniorum, Achmetis filii Sereim]; ex Graeco per Leonem Tuscum versa, cum prologo ejusdem et tabula capitulorum. **f. 59.**

Tit. prol. 'Ad Hugonem Ecerialium doctorem suum et utraque origine fratrem Leo Tuscus, imperatoriarum epistolarum interpres, de sompniis et oraculis.'

Ad calc. 'Explicit liber sompniorum, Latine doctus loqui a Leone Thusco, imperialium epistolarum interprete, temporibus magni imperatoris Manuel.'

Aliam versionem edidit sub tit. *Apomasaris Apotelesmata*, Jo. Leunclavius, Francofurti, anno 1587; et Nic. Rigaltius, sub veri auctoris nomine, Lutetiae anno 1603; sed in utraque editione desunt quaedam in initio.

4. 'Aristotiles de sompno et vigilia et ea que in sompno divinatione.' **f. 128.**

5. (*Saec.* xiv. *manu Italica.*) 'Summa introductoria super advocacione in foro ecclesie, composita a domino Bonaguida judice et juris causarum vel canonum professione' (*lege* professore]. **f. 137.**

Inc. 'Cum advocacionis officium perquam utile.' Manca ad finem.

104.

Membranaceus, pro maxima parte binis columnis exaratus. In 4°. Saecc. xii, xiii, xiv. ff. 198. Olim inter codd. T. Allen, 'A. 209,' '38;' 'A. 87,' '23;' 'A. 160,' '64;' 'A. 135,' '86;' 'A. 161,' '70.' Art. ii. 'Liber domus beate Marie de Witham. ordinis Carthusiensis, ex dono magistri Johannis Blacman.'

1. (*Saec.* xiii.) 'Tractatus beati Roberti Grosteste, Lincolniensis episcopi, de anima.' **f. 1.**

Inc. 'Multi circa animam erraverunt.'

Expl. '—omnia corpora tam celestia quam inferiora naturalia sunt.'

2. (*Saec.* xiii. *ineuntis.*) 'Liber magistri Galfridi Anglici [de Vino Salvo] de artificio loquendi,' sive Nova Poetria. **f. 21.**

> Inc. 'Papa stupor mundi, si dixero papa nocenti.'
> Expl. 'Gestum: per notulas hec est moderata venustas.'
> Desunt sexaginta circiter versus ad finem.
> Impress. apud Leyserum, *Hist. poett. medii aevi*, pp. 862–978; et saepe alibi.

3. Alani de Insulis Anti-Claudianus. **f. 34**[b].

> Inc. 'Auctoris mendico stilum phalerasque poete.'
> Ad calc. 'Explicit Anticlaudianus Alani de Antirufino.'
> Saepe impressus.
> In fol. 60[b] sunt octodecim versus initiales Alexandreidos Gualteri de Castellione.

4. [*Saec.* xiv.] [Alexandri de Villa Dei Massa compoti]; cum praefatione et notis marginalibus. **f. 61.**

> Inc. praef. 'Licet modo in fine temporum.'
> Inc. textus, 'Aureus in Jano numerus clavesque novantur.'

5. [Ejusdem] Algorismus; cum notis. **f. 68.**

> Inc. 'Hec Ambrosmus ars presens dicitur, in qua.'

6. Quaestiones arithmeticae, cum solutionibus; *imperf.* **f. 73**[b].

> Inc. 'Sunt tres homines S. et P. et C. et habebant, S. 10 pira.'

7. [*Saec.* xv. *ineuntis.*] Regulae de nativitatibus. **f. 75**[b].

8. Notae paucae chronologicae de regno Angliae a coronatione Edw. III. [qui dicitur 'flos tocius milicie Christiane'] A.D. 1324, ad coronationem Henr. IV. A.D. 1399. **f. 77**[b].

9. [*Saec.* xiii.] De cognitione quantitatis linearis, superficialis et solidaris; cum figuris. **f. 78.**

> Inc. 'Quia cujuslibet quantitatis noticia ex numeri relacione consistit.'
> Deest fol. unum, et manu altera concluditur tractatus.
> Ad calc. 'Explicit ars mensurandi quantitatem linearem superficialem et solidarem.' Sequitur nota brevis de mensuris Anglicis.

10. [Alhazen] 'Liber de ascencionibus nubium,' sive de crepusculis. **f. 80.**

> *Imperf.*; desinit in cap. secundo.
> Inc. 'Ostendere quid crepusculum et que causa necessaria faciens ejus apparicionem.'
> Impr. ad calc. Alhazen Opticae, fol. Bas. 1572.
> *Desunt (secundum numerationem veterem) septem folia.*

11. [*Saec.* xiv.] 'Compendium theorice planetarum.' **f. 82.**

> Inc. 'Zodiacus est quidam magnus circulus.'

12. 'Conclusiones theorice planetarum.' **f. 84**[b].

> Inc. 'Conclusio prima : solem in suo ecentrico.'

13. Nota brevis: 'Ad investigandum loca planetarum qui dicuntur erratici per tabulas Ewyas.' **f. 85**[b].

14. Ars geomantiae; *Gallice. ibid.*

> Inc. 'Ceste art est appelle geomencie, et en autre manere la file de astronomye, et en la terce manere est appelle la science de gravel.'
> Desinit manca.

15. [*Saec.* xiii.] Adae de Marisco Epistola ad Sewallum archiepiscopum Eboracensem. **f. 90.**

> Impr. apud *Monumenta Franciscana* per J. S. Brewer, 8°. Lond. 1858, pp. 438–489.

16. [*Saec.* xiv.] 'Tractatus de potenciis anime per magistrum Walterum de Burley.' **f. 102.**

> Inc. 'Ut dicit Aristoteles in secundo de anima.'

17. Tabula docens 'quot pedes habeat virga in quolibet mense per singulas horas.' **f. 107**[b].

18. Nota brevis: ad inveniendum meridiem alicujus diei per umbram. **f. 108.**

19. De quadrantis compositione et usu, cum figura. **ff. 108, 108**[b].

> Inc. 'Cum quadrantem componere volueris accipe tabulam eneam.'

20. Rob. Grosseteste, episc. Linc., tractatus de luce. **f. 109**[b].

> Inc. 'Formam primam corporalem.'
> Expl. '—in musicis modulaminibus, gestibus et rithmicis temporibus. Explicit tractatus de luce secundum Linc.'

21. Ejusdem tractatus brevissimus de coloribus. **f. 110**[b].

> Inc. 'Color est lux inceperata (*sic*) perspicuo.'
> Expl. '—quos voluerint visibiliter ostendunt. Explicit de coloribus secundum Linc.'

22. Ejusdem tractatus de iride. *ibid.*

> Inc. 'Et perspectivi et phisici est speculatio de yride.'
> Expl. '—prope terram et ipsius expansio. Explicit tractatus de yride secundum Linc.'

23. Tabula multiplicatoria. **f. 111.**

24. Aristoteles de coloribus. **f. 112.**

> Ad calc. 'Explicit textus libri Arist. de coloribus.'

25. Averrois Commentarius in librum Aristotelis de sensu et sensato. **f. 116.**

> Inc. 'Virtutes quedam sensibiles.'

26. Idem super librum ejusdem de memoria et reminiscentia. **f. 119**[b].

> Inc. 'Secundus tractatus autem incipit, Perscrutari de rememoratione.'

27. Idem super librum ejusdem de somno et vigilia. **f. 121**[b].

> Inc. 'Et cum diximus de hac virtute.'
> Fine mutilus.

28. [*Saec.* xiv. *manu Italica.*] 'Tractatus brevis et utilis de gradibus, compilatus a m. B. de Gordonio.' **f. 124.**

> *Imperf.*; incipit juxta finem particulae secundae.

29. 'Tabula magistri Bernardi de x. ingeniis curandi morbos.' **f. 128**[b].

30. 'Tractatus brevis et utilis supra materiam de crisi et diebus creticis, compilatus a m. Bernardo de Gordonio in studio Montep[essulano].' **f. 131**[b].

> *Imperf.*; desinit juxta finem capituli quinti et ultimi.
> Folia in quibus opuscula haec Bernardi inveniuntur olim in quodam alio codice numeris 170–180 designabantur.

31. [*Saec.* xii.] Pars carminis Hildeberti, episc. Cenomannensis, sive, ut alii, Petri de Riga (ex *Aurora* ejus) de Susanna. **f. 136.**

Inc. in versu, 'Canities etiam mentiri novit, et albam.'
Impr. inter Opp. Hildeberti, fol. Par. 1708, col. 1233.

32. [Ejusdem?] Carmen de navigatione a Gallia in Angliam per mare procellosum, et de laudibus Anglorum. **f. 136ᵇ.**

Inc. 'Venimus ad naves, conscendere nos prohibebat
Imperiosa satis causa, timere mori.'

33. [Ejusdem?] Carmen in laudem Angliae. *ibid.*

Inc. 'Anglia terra ferax et fertilis angulus orbis
Fertilior cornu copia sacra tuo.'

34. [Ejusdem?] Carmen contra Papam quendam e vivis excessum [Innocentium II.?] **f. 137.**

Inc. 'Papa nocens, qui nemo nocencior effera cujus
Stat sibi, plus mundo vita nociva fuit.'

35. [Ejusdem?] Versus in laudem Jacincti [Hyacinthi] cujusdam. *ibid.*

Inc. 'Celsus ad excelsos Jacincte vocaris honores.'

36. Ejusdem carmen in laudem Samsonis [Remensis archipraesulis]. *ibid.*

Inc. 'Tange, manus, calamum, Samsonis pinge triumphos.'
Impr. inter Opp. Hildeberti, *ut supra*, col. 1316.

37. — de quatuor Evangelistis. **f. 137ᵇ.**

Inc. 'Tange, Camena, stilum, faleratos exue vultus.' vel, cultus.'
Impr. *ibid.* col. 1317.

38. — de tribus hominis mansionibus. *ibid.*

Inc. 'Trina domus justo est, sit in aere prima, secunda.'
Impr. *ibid.* col. 1316.

39. [Ejusdem?] Versus de Maria Magdalena. **f. 138.**

Inc. 'Procumbit Christi pedibus non lota lavatrix.'

40. — de vero monacho. *ibid.*

Inc. 'Non tonsura facit monachum, non horrida vestis,
Sed virtus animi perpetuusque rigor.'

41. — de passione Christi. *ibid.*

Inc. 'Ponitur in precio res impreciabilis, ipse
Perditur exiguo, venditur ere Deus.'

42. — Hymnus ad B. V. Mariam. **f. 138ᵇ.**

Inc. 'Salve prosapia regali nata Maria.'

43. — hexastichon de praeparatione in adventum Domini. *ibid.*

Inc. 'Quisquis serat dum transit hiemps, estate sequenti.'

44. Ejusdem hexastichon de vinea Domini. *ibid.*

Inc. 'Vinea culta fuit, cultores premia querunt.'
Tetrastichon inter *Opp.* ut supra, col. 1363. Hic autem hi duo versus adduntur:—
'Sic Deus ostendit quod quandocunque velimus
Aggrediamur opus, certi de munere simus.'

45. [Ejusdem?] tetrastichon de vero jejunio. *ibid.*

Inc. 'Sit simul exclusus cum carne libidinis usus.'

46. [Ejusdem?] hexastichon de cruce via vitae. *ibid.*

Inc. 'Vita beata Deus mortem gustavit ad horam.'

47. [Ejusdem?] Versus contra superbiam hominis et de miseria conditionis ejus. *ibid.*

Inc. 'Unde superbit homo cujus conceptio culpa.'
Duo versus initiales reperiuntur in initio poematis de eadem re quod inter Opera Giraldi Cambrensis exstat (vol. i. p. 371, Lond. 1861), sed caeteri omnino differunt.

48. [Ejusdem?] Carmen in quo homo araneae comparatur. *ibid.*

Inc. 'Vermis est aranea, vermis monstruosus.'

49. [Matthaei Vindocinensis] Tobias, sive Historia Tobiae carmine expressa. **f. 139.**

Ad calc. 'Expliciunt versus Tobie.'
Saepe impressa.

50. Disticha duo; i. de judice eadem cum reo faciente; ii. de lingua tacita quum opus loquatur. **f. 151.**

51. [Hugonis de Sancto Victore] Sermo in Cantic. iv. 6–8. **f. 151ᵇ.**

Inc. '*Ibo michi* [etc.] Sponsus quidam hic loquitur qui habet sponsam.'
Inter *Opp.* fol. Ven. 1588, vol. ii. fol. 113.

52. [Augustini] Sermo in Prov. xxxi. 10–31. **f. 154.**

Inc. '*Mulierem fortem* [etc.] Prestabit nobis Dominus.'
Sermo 37 inter Sermones in edit. Benedict. Operum, Par. 1683, vol. v. col. 181.

53. Sententiae quaedam morales. **f. 160ᵇ.**

Inc. 'Quod decrevit majestas regia firmum debet ac stabile permanere.'
Expl. 'Denigrat meritum dantis mora. Et magister H[ugo] Constanciensis episcopus dicit,
Munus dilatum diluit omne datum.'

54. [*Saec.* xiii. *ineuntis.*] 'Integumenta secundum magistrum Johannem Anglicum, super Ovidium Metamorphoseos' (*sic*), scil. epitome fabularum atque expositio, metrice atque prosaice expressae. **f. 161.**

Inc. 'Par . . . . . (*mutil.*)
O . . . .
Sic . . . . poetis
Et . . . . illo levis
Morphosis . . . . ine Johannis
Pandit et . . . . . servit ei
Nodos secreti denodat, clausa revelat,
Rarificat nebulas, Integumenta canit.'

55. Pars initialis et exigua, commentarii cujusdam super opus Ebrardi Bethuniensis *Graecismus* dictum, sive compendium dictionum multiplicem significationem habentium. **f. 167ᵇ.**

Desinit abrupte, post expositionem prooemii operis, in comment. super versum primum, *Est proprie meta,* etc.

56. Capitula xxvi–li (et pars cap. 25) cujusdam tractatus de phenomenis naturalibus mundi, scil. de ventis, tonitruis, nubibus, maribus, etc. **f. 169.**

Inc. cap. xxvi. de ventis, 'Ventus est aer commotus et agitatus.'

57. Catalogus librorum per Johannem de Bruges, monachum Coventriensem, in usum ecclesiae Coventriensis exscriptorum; et notae de terris per Leofwinum abbatem et episcopos Robertum de Lymesi et Rogerum alienatis. **f. 171.**

Impr. per T. Hearne, in opere [Ric. Rawlinson] cui tit. *Hist. and Antiq. of Glastonbury,* 8°. Oxf. 1722, pp. 291–4.

58. (*Manu alt.*) Confirmatio Magnae Cartae per Henr. III.; Westm. 11 Feb. an. 9 [1225]. **f. 171**[b].

59. Confirmatio Cartae de foresta, per eundem. **f. 173.**

---

60. [*Saec.* xiii.] [Gulielmi de Conchis] de elementis philosophiae naturalis libri iv. **f. 176.**

> Inc. 'Philosophia est eorum que sunt.'
> Impr. sub nomine Bedae in variis editionibus operum ejus, vol. ii.
> Synopsis contentorum hujus codices exstat in Langbainii Adversariis MSS., vol. vii. pp. 405-410, 249-50.

105.

Chartaceus. In 4⁰. Saec. xiv. exeuntis. Utrinque mancus, et madore corruptus. ff. 203 ; desunt, secundum veterem enumerationem, 103 folia in initio, et duo inter ff. 175-6.

Quaestiones in Galeni 'Tegni,' seu Artem Parvam.

> Incip. in quaest. 22, libri secundi ; desin. in quaest. 11 libri tertii.

106.

Chartaceus. In 4⁰. Saec. xv. ff. 82. Praemissa est tabula capitulorum.

'Computo, tracto del corso del sole e della luna dellanno e demesi delle settimane e dedi e delhore, e dipui altre cose conuenienti accio ordinate per la sancta madre chiesa.'

> Ad calc. (f. 79[b]), 'Finito e la presente opera e scripta per me Agnolo di Jacopo Dedinuzi dascō Gimignano notario publico Fiorentino e alpresente not. dedampni dati e cancellieri del commune di Vinci nel castello desso commune, in anno Domini MCCCCLXXXI⁰. indict. xv., die xxiiij mensis Decembris. Laus Deo. Eo modo et forma prout in exemplari.'
> Sequitur tabula Paschalis ab anno 1472 ad an. 1527 ; item, 'Notitia diquelle tre messe lequali si dicono per la natiuita di Yhesu Christo.'

107.

Membranaceus. In 4⁰. sive 8[vo]. maj. Saec. xiv. ff. 52. Olim 'liber Guilelmi Martialis, non ita pridem, jure jam olim Mertonensis Collegii socii.' Inter codd. T. Allen, 'A. 85.'

'Summa magistri Willelmi de Conches super naturalibus questionibus [et] responsionibus . . .' (*caetera erasa sunt*) ; cum figuris.

> Dialogus inter auctorem et Henr. ducem Normanniae, postea Regem Angliae.
> Inc. 'Queris, venerande dux Normannorum et comes Andegavensium.'
> Expl. (f. 49), 'Extincto vero naturali calore desinit homo vivere. Explicit.'
> Sequuntur quaedam de divisione mundi et anni.
> Accedit index, in chartis, manu saec. xv.

108.

Membranaceus. In 8[vo]. maj. ff. 112. Saec. xii. Bene exaratus, literis ad initium cujusque libri eleganter ornatis. Inter codd. T. Allen, '55,' 'A. 117.'

1. 'Glose super Johannicium,' scil. super Isagogen Johannitii in Tegni Galeni. **f. 4.**

> Inc. 'Cum inter omnia animalia humanum corpus.'

2. Glossae in septem libros Aphorismorum Hippocratis. **f. 26.**

> Inc. 'Temporibus Ypocratis doctissimi viri pro multiplici medicorum varietate.'

3. Glossae in Theophili Librum urinarum. **f. 76.**

> Inc. 'Sicut in humano corpore non simpliciter sed multiformiter fit operatio.'

4. Glossae in Prognostica Galeni. **f. 91.**

> Inc. 'Quoniam humana corpora assidue interius exteriusque dissolvuntur.'

5. Glossae in Philareti Librum de pulsibus. **f. 106**[b].

> Inc. 'Humana corpora tribus subjacent qualitatibus.'
> In foliis tribus ad initium codicis sunt haec, manibus duabus saec. xiii., inscripta :—
> 1. 'Continencia omnium librorum phisicalium quos M. de Cuintune legat R. fratri suo ;' catalogus librorum novendecim, includens 'Notulas subscriptas,' scil., glossas supradictas. f. 1.
> 2. De mundo, coelo, sole, luna, etc. f. 1[b].
> Inc. '*Mundus* quasi *undique motus* dicitur, est enim in perpetuo motu.'

109.

Membranaceus. In 4⁰. Saec. xiii. ineuntis. ff. 50. Olim inter codd. T. Allen, ' 29,' 'A. 64.'

1. Abbonis Floriacensis Passio S. Eadmundi Regis Saxonum Orientalium in Anglia ; cum praef. ad Dunstanum, Dorobern. archiep. **f. 1.**

> Impr. apud Surium, *Acta SS.* vol. vi. p. 465.

2. Officium in vigilia et in die S. Eadmundi, scil. lectiones et hymni, etc., cum notis musicis. **f. 34.**

110.

Membranaceus. In 4⁰. Saec. xiii. Binis columnis exaratus. ff. 62. Inter codd. T. Allen, ' 18,' 'A. 143.'

1. Vita et passio S. Elphegi, Cantuariensis archiepiscopi [auctore Osberno]. **f. 1.**

> Inc. 'Principium nascendi splendidissimis natalibus trahens Elfegus.' Sine prologo.
> Saepe impressa.

2. Vita S. Dunstani, Cantuariensis archiepiscopi, [auctore eodem]. **f. 35.**

> Inc. 'Regnante magnifico rege Ethelstano.' Sine prologo.
> Saepe impressa ; recentissime, collato hoc codice, pp. 68-128 inter *Memorials of Saint Dunstan, edited by Will. Stubbs*, 8⁰. Lond. 1874.

111.

Chartaceus. In 4⁰. Saec. xv. ff. 66. Manu Italica.

Benedicti de Nursia libellus de sanitatis conservatione, sub titulis, sive capitulis, xciv. ordine alphabetico digestus.

> Praemissa est tabula. Ad calc., 'Explicit pulcherimum et utilissimum opus ad sanitatis conservacionem, editum ab eximio arcium et medicine professore magistro Benedicto de Nursia, tunc serenissimi ac potentissimi ducis Mediolani medico, ad sanctissimum in Christo patrem et dominum nostrum dominum N. [Nicholaum V.] divina providencia summum pontificem.'

112.

Membranaceus. In 4°. Saec. xii. ineuntis. ff. 152. Olim in quadam bibliotheca signo 'H. 4' notatus. Inter codd. T. Allen, '46,' 'A. 111.'

1. 'Vita Sancti Swithuni episcopi et confessoris,' lectionibus novem comprehensa. **f. 1.**

Incip. 'Glorioso rege Anglorum Eghberto regnante qui regi Kynegilso.'

Gocelino Bertiniano, postea Cantuariensi, ascripta, sub cujus nomine impressa exstat.

2. Vita S. Birini. **f. 5ᵇ.**

Incip. 'Beatissimus igitur Birinus magnificus pater.'
Eadem ac in cod. 39, *supra.*

3. Descriptio reliquiarum in magno palatio et in ecclesiis Constantinopolitanis conservatarum, cum variis de eisdem legendis. **f. 17.**

Inc. 'Hic sunt scripta omnia sanctuaria quae sunt in magno palacio sancti et magni Constantini.'

Expl. 'Ego autem, fratres karissimi, hoc tantillum descripsi. Sed orate pro me.'

4. Loca sancta in civitate Jerusalem. **f. 28ᵇ.**

5. Descriptio duodecim lapidum pro fundamentis muri coelestis civitatis positorum. **f. 29.**

6. 'Passio Sancti Marci Evvang. que est vii. kl. Mai.' **f. 32.**

Inc. 'Post gloriosam Domini nostri Jhesu Christi in coelum ascensionem.'

fol. 39 vacat.

7. 'Vita Sancti Benedicti, cognomento Biscop, abbatis, quae est ii. idus Januarii;' [auct. ven. Beda]. **f. 40.**

Inc. 'Religiosus Christi famulus Biscopus cognomento.'

8. 'Vita Sancti Ceolfridi abbatis.' **f. 47ᵇ.**

Inc. 'Praecipit apostolus Paulus scribens ad Hebreos.'
Cf. vitam impr. per Jos. Stevenson in Append. ad editionem suam Bedae *Opp. Hist.* vol. ii. p. 318.

9. 'Vita Sancti Egcwini episcopi;' annexis miraculis quibusdam. **f. 58.**

Inc. 'Temporibus regum Adelredi atque Kenredi.'
Concordat pro maxima parte (hic illic autem paulo fusior) cum vita a Thoma priore Eveshamiae abbreviata, quae exstat in *Chron. abbatiae de Evesham,* Lond. 1863, pp. 3-15, 34-35, 42-44, 40-41.

10. 'Vita sancti Maximi episcopi' [*potius* abbatis], et martyris in Gallia. **f. 66.**

Inc. 'Igitur sanctus Maximus ortus est in territorio Caturcense.' Apud *Acta SS.* Bolland. Jan. vol. i. pp. 91-94.

11. 'Vita sancti Encharii episcopi,' sive Eucherii, episc. Aurelianensis. **f. 72ᵇ.**

Inc. 'Fuit vir vite venerabilis et Deo dignus, Encharius nomine.'
Ibid. Feb. vol. iii. pp. 217-219; et alibi.

12. 'Vita sancti Eustasii abbatis' [auctore Jona Bobiensi]. **f. 75ᵇ.**

Inc. 'Igitur venerabilis Eustasii abbatis Luxoviensis monasterii scripturus vitam.'
Ibid. Mart. vol. iii. pp. 785-790.

13. Vita S. Burgundofarae, sive Farae, abbatissae Eboriacensis, auctore eodem. **f. 82.**

Inc. 'Meminisse lectorem velim me superius fuisse pollicitum.'

Apud Mabillonii *Acta SS. ord. Bened.* vol. ii. pp. 439-448, ad fin. cap. xiii.

14. Vita S. Salvii episcopi et martyris prope Valencenas in Belgio. **f. 91.**

Inc. 'Igitur regnante in perpetuum Domino et Salvatore nostro Jhesu Christo, tempore gloriosissimi ducis Francorum Karoli.'

Apud *Acta SS.* Bolland. Jun. vol. v. pp. 198-204.

15. Vita S. Indracti, Hiberni, apud Glastoniam sepulti. **f. 99.**

Inc. 'Regnante inperpetuum Domino et Salvatore nostro Jhesu Christo, anno incarnationis ejusdem Domini nostri sexcentesimo octuagesimo nono, imperante glorioso Augusto Justiniano.'

Expl. 'Finem dicendi hic, patres et domini, constituto (*sic*); non quod alia non sint que de hujus martiris sociorumve ejus actis possint referri mirabilibus, sed ne de re tam antiqua et ob hoc quam plurimum incerta, videar non de Anglica lingua in Latinam eorum acta vertisse, sed [quae] cordi advenere prorsus scriptitasse. Ob hoc itaque vitans hujus dictionis prolixitatem, statui non alia scribere quam que in exemplar Anglicum (*sic*) valui reperire. Sit laus ergo omnipotenti Deo, sit perpes gloria ejus Unigenito, sit decus potestasque Spiritui Paraclito in secula seculorum. Amen. Explicit.'

Non convenit cum vita quae sub nomine Gulielmi Malmesburiensis apud Colganum et Bollandi *Acta SS.* exstat.

16. 'Vita sancti Dewi [*alias* David] archiepiscopi' Menevensis, auctore Ricemarcho, episc. Menev. **f. 104.**

Inc. 'Dominus noster quamvis omnes suos ante mundi constitutionem dilexit atque prescivit.'

Expl. 'Michi autem qui Ricemarchus nominor, quique ingenioli mei capacitate his quamvis temerarius subdidi [*etc.*]. . . . . sine fine Deo collocent qui est benedictus super omnia Deus in secula seculorum. Amen. *Explicit vita sancti Dewi archiepiscopi.*'

Excerpta quaedam exstant in Whartoni *Anglia Sacra,* vol. ii. pp. 645-647.

17. 'Passio sancti Christophori martiris;' cum correctionibus et additionibus manu altera sed coaeva. **f. 119ᵇ.**

Inc. 'Cum per adventum unici Filii Dei.'
Expl. 'Credidit vero rex Dagnus et omnis domus ejus in Domino Jhesu Christo, cui est honor et gloria per omnia secula seculorum. Amen.'

18. 'Liber Proverbiorum domni G[odefridi] prioris' Wintoniensis. **f. 125ᵇ.**

Impr. apud *Anglo-Latin Satirical Poets, etc.,* edited by Thos. *Wright,* Lond. 1872, vol. ii. pp. 103-147, ubi hic codex littera A designatur.

19. [Ejusdem?] Versus paralleli de rebus odiosis nimis, et de rebus statuendis cum bonis. **ff. 145ᵇ, 146.**

Inc. i. 'Res odiosa nimis
  Si subditur equus iniquis,
  Si sapiens stultis
  Res odiosa nimis.'
    ii. 'Res statuenda bonis
  Si precipit equus iniquis,
  Si sapiens stultis
  Res statuenda bonis.'
Impr. *ibid.* pp. 160-162.

20. [Ejusdem?] Versus de historiis Veteris Testamenti, a morte Abel ad mortem Heli sacerdotis. **f. 147ᵇ.**

Inc. 'De grege prima suo dicat sanctissimus Abel,
  Et vultu placido respicit illa Deus.'

Expl. 'Dum narratur Heli que sit fortuna duelli,
Cum de sede ruit non reprehensa luit.'

21. [Ejusdem?] Versus de historia Romana, a Metello usque ad Neronem. **f. 148.**

Inc. 'Absque metu belli florebat vita Metelli.'
Expl. 'Exiit orbe Nero, gaudeat omnis homo.'

22. Ejusdem Epigrammata historica, de regibus et episcopis Angliae, a Cnuto ad tempora Henr. I. **f. 148^b.**

Ad calc. 'Explicit libellus Domni Godefridi.'
Impr. per T. Wright, *ut supra*, pp. 148–155.

113.

Membranaceus. Saec. xiv. In 4°. Utrinque mancus. ff. 208. Inter codd. T. Allen, '12,' 'A. 70.'

1. [Galfridi Hardeby] Tractatus de vita evangelica, sive defensio Fratrum Mendicantium et ordinis Eremitarum S. Augustini contra Ric. Fitzralph, archiep. Armachanum; in capitula viginti distinctus. **f. 1.**

Deest fol. primum.
Ad calc. 'Et sic libellus de vita evangelica sit finitus ad honorem Dei, cui sit honor et gloria per secula sempiterna. Amen.'

ff. 118, 119 vacant.

2. Vindicatio Fratrum Mendicantium contra oppugnatores; responsio (ut videtur) in librum Gulielmo de Sancto Amore *De periculis novissimorum temporum*. **f. 120.**

Inc. '*Ecce inimici tui sonuerunt* [etc.]. Omnipotens Deus, amator hominum, suo amore nobis utitur.'
Expl. 'Qui vero eis consenciunt ceci cecos sequentes simul cum eis in foveam cadent, a quo liberemur. Hec dicta sufficiant, Deo adjuvante, cui sit honor et graciarum accio in secula seculorum. Amen.'

3. Bulla Alex. IV. contra praedictum librum Gul. de Sancto Amore; 3 kal. Apr. anno pontif. 3. [1257.] **f. 204.**

Ad calc. 'Non Plus Hamptoñ And Prestoñ Quod etc.' (?)

4. 'Martyrium fratris Stephani [de Ungaria] de ordine fratrum Minorum,' anno 1334, die 22 Aprilis, in civitate Saray apud Saracenos, scriptum per Raymundum Marcerii, custodem ordinis Taurisinum, sicut didicit ab ore fratris Gregorii, socii ejusdem Stephani, qui tunc praesens extitit. **f. 205.**

Desunt quaedam in fine.
Synopsis contentorum partis codicis exstat in MS. Langbain. xix. pp. 35–38, 46–50.

114.

Membranaceus. In 4°. Saecc. xiii, xiv. ff. 229. Inter codd. T. Allen, '33,' 'A. 140.'

1. Tabulae variae astronomicae (partim pro meridie 'Leycestrie vel Norhamtonie') inter quas (f. 3) 'Tabula medie composicionis et operacionis solis et lune in annis Christi expansis per Campanum.' **ff. 1^b–7.**

2. 'Canones super tabulis Campani.' **f. 8.**

3. 'Canones magistri J. de Liveris super tabula sequentes que sunt super Parisius.' **f. 9.**

---

4. 'Tractatus Profacii Judei de utraque eclipsi, lune scilicet et solis, de modo operandi et projiciendi utramque eclipsim.' **f. 17.**

Inc. 'Ut autem annos Arabum per hanc sequentem tabulam invenias.'
Sequuntur tres tabulae 'ad extrahendum annos Arabum ex annis Domini nostri Jhesu Christi notis nobis' et variae tabulae astronomicae ad civitatem Toleti calculatae.

5. Tabulae variae, ad civitates Toleti, Londoniarum et Oxoniae. **ff. 25–32.**

6. Canones super tabulas quatuor, i. de scientia chordandi arcum et arcuandi chordam; ii. de chorda recta altitudinis meridiei; iii. de modo operandi per stellas de nocte; iv. tabulam ascensionum. **f. 33.** ———

7. De diversis computationibus annorum, cum tabulis dierum in annis secundum Graecos et Arabes. **ff. 35^b–36.**

8. Almanach Profacii Judaei, praemissis canonibus. **f. 37.**

Inc. can. 'Quando vis scire locum trium superiorum.'

Desunt folia quatuor.

9. Albumasar de magnis conjunctionibus, annorum revolutionibus, ac eorum profectionibus. **ff. 53–102.**

Imperf.; incipiens versus finem differentiae sextae tractatus secundi. Finitur, manu secunda, in margine inferiori fol. 100^b, his verbis, 'Completus est liber conjunctionum Albumasar, Jafar filii, cum laude Dei et auxilio ejus. Amen.' In fol. 103^b adduntur differentiae 1–3 primi libri.

10. De praesagiis tonitruum. **f. 83.**

11. Astrologica varia de nativitatibus, eclipsibus, etc. **f. 83^b.**

folium 85 vacat.

12. Ad inveniendum tempus conjunctionis solis et lunae, verum locum solis, etc. **ff. 102–4^b.**

13. Tractatus de stellis fixis et de potestatibus earum. **f. 105.**

Inc. 'Sciencia stellarum fixarum et quod evenit ex operibus earum patefaciam tibi.'
Expl. '—scito quod universa que dixi tibi erunt in civitate que fuerit in divisione ejusdem signi, et considera ergo hoc quod non herrab' [errabis?] si Deus noluerit.'
Manu saec. xvi. Haly dicitur esse auctor; postea autem manus eadem addit, 'ista de stellis fixis sunt apud Guidonem,' sed non reperiuntur in opere Guidonis Bonati *de Astronomia*. Annon sit alter Guido astrologus?
Ad oram inferiorem fol. 107 inseritur nota de conjunctione Saturni et Jovis, 21 Apr. 1306.

14. Tractatus primus et secundus Quadripartiti Ptolomaei, cum commentario Haly Abenragel. **f. 108.**

Imperf.; incipit in cap. 19 tract. i. ad verba, '—tales ventos, et pars occidentalis est feminina.'
Expl. '—id quod accidet in mundo, de pauco vel multo, cum auxilio summe rei.'
Impr. fol. Ven. 1493.

15. Tractatus Abrahae Aben-Ezrae de planetarum conjunctionibus et annorum revolutionibus, ab

Henrico Bate translatus; cum prologo. **ff. 165, 167.**

Inc. prol. 'Tractatus Aveneszre de planetarum conjunctionibus et annorum revolucionibus translacionem aggressuri, in vestibulo quidem sermonis obstupimus.' Inc. tract. 'Si tu inveneris librum Albumazar.'

Ad calcem, 'Explicit liber de mundo vel seculo, completus die lune postluce, hora diei quasi decima, anno Domini 1281, inceptus in Leodio, perfectus in Matchlinia, translatus a magistro Henrico Vate [al. Bate] de Ebrayco in Latinum.'

Impr., una cum hac nota traductoris, inter *Abrahae Avenaris in re judiciali Opera*, 4°. Ven. 1507.

16. 'De effectu lune.' **f. 175**ᵇ.

Inc. 'De lunari effectu atque potencia secundum Se. juxta naturalem signorum ordinacionem ex dictis Aristotelis.'

17. Liber Zaelis 'de revolutionibus annorum' (secundum tit. manu saec. xvi. praefixum), sive de judiciis annorum secundum signa zodiaci. **f. 176.**

Notat quidam, saec. xvi., 'Liber secundus; liber primus alibi extat, sed non in hoc volumine.'

Inc. '*Hic incipit liber Zael.* Secundus post conditorem orbis moderator sol.'

Expl. '—vi appresse minus fuerint efficaces. Explicit fedidica [l. fatidica] Zael Banbinxeir Caldei. Translacio hec mam. [manu?] Gⁱ. [Gerardi Cremonensis?] astronomie libri anno Domini 1138, 3 kal. Octobris translatus [sic] est.'

18. Haly, filii Aben-ragel, octava pars libri de judiciis astrorum, in qua de revolutionibus annorum. **f. 199**ᵇ.

Imperf., desinens in initio cap. xxv.

Incip. 'Dixit Aly filius Aben Rachel, Laudatus sit Deus qui est dominus subtilitatum.'

Impr. fol. Bas. 1571, et alibi.

115.

Membranaceus. In 4°. Saec. xv. ff. 106. Olim 'Liber ecclesie cathedralis beate Marie de Coventre' (f. 91ᵇ). Inter codd. T. Allen, '49,' 'A. 112.'

1. 'Tractatus de ymagine peccati, scriptus per magistrum Walterum Hilton cuidam recluso.' **f. 1.**

Inc. 'Dilecte in Christo frater, inter cetera que mihi scripsisti ostendere tuam miseriam verbis quibus potueras conatus es.'

Expl. '—nam qui dederit tibi velle dabit et perficere pro bona voluntate ad laudem et honorem nominis sui. Amen.'

Sequitur exemplar alterum et originale primi folii, quod rescriptum in initio exstat.

2. [Bonaventurae] Stimulus amoris, in tribus partibus. **f. 11.**

Ad calc. 'Expliciunt meditaciones cujusdam simplicis cordati et pauperculi discalciati et contemptibilis denudati, sapientissimorum rudissimi, electorum infimi, et Minorum minimi. Deo gracias.'

3. [Hugonis de Sancto Victore] Tractatus de conscientia; scil. liber tertius tractatus ejus de anima. **f. 78.**

Inc. 'Domus hec in qua habitamus.'
Inter *Opp.* fol. Ven. 1588, vol. ii. fol. 82.

4. 'Incipit quidam tractatus scrupulositate consciencie vexatis valde utilis.' **f. 91**ᵇ.

Inc. 'Dubia in vestra epistola contenta mihi sunt tam difficilia.'

Expl. 'Scio quod libenter fertis insipientes cum sitis ipsi sapientes. Explicit tractatus de consciencia scrupulosa.'

5. [*Saec.* xiv.] 'Tractatus valde utilis quomodo homo debet se habere in omnibus temptacionibus Hugonis de Sancto Victore.' **f. 105.**

Manu saec. xv. haec praemissa sunt: 'Subsequencia notabilia facta sunt a Ricardo, ut fertur, de Sancto Victore. Remedium contra scrupulositatem consciencie, missum mihi per T. Fyscheburne.'

Inc. 'Aliqui propter cordis pusillanimitatem putant se desperare cum non desperant.'

Non inter Opera impressa aut Hugonis aut Ricardi de Sancto Victore exstare videtur.

Folium ad initium codicis compactum fragmentum exhibet indulgentiae concessae per . . . archiepiscopos, Johannem Imelacensem episc., Johannem Carminen. episc., Petrum, aliosque, omnibus preces offerentibus pro animabus Roberti Countermayl et Amiciae uxoris suae, qui jacent humati infra dioc. Covent. et Lichf., et pro . . . al' de Kyngesley, impetratore praesentium; *c.* 1470–80.

116.

Chartaceus. In 4°. minori. Saec. xvii. ineuntis. ff. 216. Manu Italica.

Disputationes academicae Romanae in Isagogen Porphyrii sive commentarium super Praedicamenta Aristotelis.

117.

Chartaceus. In 4°. minori. Saec. xvii. ineuntis. ff. 115. Manu eadem ac codex praecedens.

'Institutio ad logicam;' disputationes academicae.

118.

Chartaceus. In 4°. minori. Saec. xvii. ineuntis. ff. 426. Manu eadem ac codices duo praecedentes.

'Introductio ad logicam;' disputationes academicae.

Ad calc. 'Anno Domini 1609 in colegio Romano a R. P. Antonio Magilio.'

119.

Membranaceus. In 4°. minori. Saec. xiv. ineuntis. ff. 222. Anno 1581 possedit 'Joannes Deeus;' anno 1626 acquisivit K. Digby.

1. Recepta varia alchemica; inter quae, de opere albo et rubeo, et, 'ad ignem Grecum.' **ff. 1–7, 22–25**ᵇ.

In ora inferiori fol. 25ᵇ sunt nomina, 'Frater Johannes Drews, de ordine Minorum.' 'Frater Johannes Somer, de ordine Praedicatorum.'

2. Tabula, manu saec. xiv., capitulorum omnium librorum in hoc codice contentorum; intit. 'Medulla a diversis libris alkymie extracta,' etc. **ff. 9–22.**

3. [Alberti Magni] Libri v. de mineralibus. **f. 26.**

Inter *Opp.* fol. Lugd. 1651, vol. ii. par. ii. p. 210.

4. 'Breve breviarium fratris Rogeri Bacon de dono Dei,' de metallis et eorum transmutatione; ad Raymundum Gaufridum scriptum. **f. 64.**

Inc. 'Breve breviarium breviter abbreviatum sufficit intelligenti.'
Impr. inter *R. Baconis de arte chymiae scripta*, 12°. Francof. 1603, p. 95; et alibi.

5. Raymundi Gaufridi, ordinis fratrum Minorum ministri generalis, Verbum abbreviatum de leone viridi, 'ab egregio doctore nostro Rogero Bacon primo declaratum.' **f. 77ᵇ.**

Inc. 'Verbum abbreviatum verissimum et approbatum.'
Ibid. p. 264. Notula ibi impressa in fine, p. 285, in nostro codice de verbo ad verbum inscripta est.

6. 'Secretum Secretorum nature;' de laude lapidis philosophorum. **f. 80.**

Ibid. p. 285.

7. Rogeri Bacon Tractatus trium verborum, sive Epistolae tres ad Joannem Parisiensem. **f. 82.**

Inc. 'Cum ego Rogerus rogatus a pluribus sapientibus de separacione ignis ab oleo.'
Ad calc. 'Explicit verdhsm. meuetz. dhsm. Rlierh. azdsu. ad fratrem. hleggimē.'
Ibid. p. 292.

8. Ejusdem Speculum secretorum, sive Editio de alchemia. **f. 90ᵇ.**

Inc. 'Edicio fratris Rogeri Bacun super instruccione tocius artis alkymie.'
Ibid. p. 387.

9. 'Confeccio lapidis majoris;' *Gallice.* **f. 92ᵇ.**

10. 'Nobile capitulum de materia et composicione aque vite frigide;' etc. **f. 93.**

11. 'Summa Aurea;' tractatus alchemicus anonymus, 'Ebrardi' cujusdam dictus [*v.* art. 35 *infra*]. **f. 94.**

Inc. 'Alkimia est sciencia docens transformare omne genus metallorum in bonum.'
Exemplar alterum anon. reperiendum est in cod. 147 *infra.*

12. 'Opus lapidis rebis vel besci,' cum commento. **f. 96.**

Ad calc. textus, 'Explicit opus debesci;' in fol. 97 '—versus operis dabasci.'

Desunt folia duo.

13. Tractatus Triginta Verborum, sive regularum, de elixir conficiendo. **f. 98.**

Inc. *imperfecte* in Verbo primo, '—reconde, deinde autem iterum mitte in aqua destillata.'

14. 'Liber secretorum alkymie ab Haly editus, filio Salith.' **f. 99ᵇ.**

Inc. 'Liber secretorum philosophorum in opere alkymico per Haly filium Selith (*sic*) compositus qui Salith fuit filius Imcauso filii Euphon philosophorum, quibus Creator indulgeat in eternum.'
Expl. 'Adora ergo Creatorem qui tibi tantam graciam sua misericordia voluit exhibere. *Explicit liber qui intitulatur Secretum Secretorum Haly philosophi.*'
Impr. sub nomine regis Calid, p. 209, vol. v. *Theatri Chemici*, 8°. Argent. 1622; et saepe alibi.

15. 'Practica Haly philosophi.' **f. 103.**

Inc. 'Cum ergo volueris.'
Ad calc. 'Explicit practica Hali filii Imcauso filii Euphon.'
Impr. *ibid.*, ut cap. xv. operis supradicti.

16. Tractatus de variis alchemicis. **f. 103.**

Inc. 'Argentum vivum congelatur per Saturnum calidum superadjectum.'
Expl. 'Vitrum, dissolvi debet, cum quo fit azorium. *Explicit.*'

17. Tractatus brevis de coloribus multiplicibus inter operationes alchemicas generatis. **f. 106ᵇ.**

Inc. 'Si quis huic operi alkymico insistere voluit.'

18. Varia alia alchemica. **ff. 107–110.**

Deest fol. unum.

19. Tractatus de operationibus alchemicis quibus corpora varia dissolvuntur; titulo '*Portae*' forsan insignitus [cf. ff. 120, 122, 124 etc.]; in septem partes distinctus. **f. 111.**

In tabula contentorum intitulatus est, 'Bubucharius Mahometes de secretis.' Auctor iste ita in libro quinto citatur: 'Bubachar dixit quoniam lapides vitreantur cum salibus.'
Incip. *imperfecte* cum verbis '—et boracis albe colate partes 3.'
Expl. 'Custodias librum istum ab omnibus nec eis ostendas, quia quilibet potest eum intelligere dummodo ipsum videat et legat quia planus est et verus. *Explicit:*' additur, manu saec. xv, 'liber Bubachari Machometi.'

20. Tractatus Tullii Graeci de operationibus alchemicis; libris tribus. **f. 128.**

Inc. 'Dixit Tullius, Tantum debes confricare.'

21. Liber Nabali et Phileti philosophorum super intencione Tullii in quolibet capitulo. **f. 131.**

Inc. 'Dixerunt, In principio hujus intencionis quoniam omnia fiunt ex terra.'

22. Alchemica varia. **f. 133.**

23. 'De oleis philosophorum.' **f. 133ᵇ.**

24. 'Diversa capitula extracta ex diversis dictis sapientum, a pluribus probata.' **f. 135ᵇ.**

25. 'Ars argentariorum.' **f. 139ᵇ.**

Inc. 'Habeat argentarius sive aurifaber utensilia competencia officio suo.' Versus finem his verbis citatur tractatus proxime sequens: 'sicut docetur in tractatu qui dicitur Ycocedron nuper edito.'

26. Gualteri Odington, sive Eveshamensis, Tractatus de alchymia, *Icosihedron* dictus; cum figuris vasorum hic illic in margine. **f. 142.**

Inc. 'Alkymiste moderni temporis sunt plerique delusores.'
Ad calc. 'Nemo pervertat vel occultet quod ego frater Walterus de Otyntone monachus de Evesham duxi caritatis intuitu manifestare. Qui autem fecerit malediccionem Dei incurrat; sed amantibus sapienciam gratis communicetur, et quia tractatus xx. capitulis concluditur *Ycocedron* nominetur.'
In superiori margine primi folii manu altera nomen 'Arnaldus' [de Villa Nova?] est appositum, sed quare, non apparet. Ex hoc autem in tabula contentorum codicis, et exinde in veteri catalogo, prima pars tractatus dicta est 'Arnaldi tractatus de solutione dubiorum in alkymia.' Auctor vero in principio tractatus dicit, '*nec obligo me ad solucionem dubiorum*, que sunt in arte quasi infinita.'

27. 'Liber de operibus Antiochi.' **f. 148.**

Inc. 'Accipe Mercurii vi. partes.'

28. 'Liber utilitatis nature secretorum;' partibus quatuor. **f. 157.**

Inc. 'Liber iste qui merito Utilitatis inscribitur ex archanorum philosophie floribus aromaticitate suavi fragrantibus electis ex compositis 4 partibus congruis roboratur.'

29. Tabula brevis synonymorum in arte alchemica. **f. 167.**

30. 'Liber Rationum, super corpora, spiritus, sales et atramenta:' [*tit. manu saec.* xv. *praefixo*]. **f. 167ᵇ.**

    Inc. 'Scias quod atramentorum multa sunt genera.'

31. 'Liber 12 aquarum.' **f. 175ᵇ.**

    Inc. ' Capitulum aquarum valde acutarum et calidarum.'

32. Avicennae ad Hasen regem epistola. **f. 176ᵇ.**

    Inc. 'Pertractata sunt inter me et Haysin quedam de eo quod ipse scit verba.'
    Impress. in *Theatro Chemico*, vol. iv. p. 863, 8°. Argent. 1659.

33. ' Liber intencionis majoris operis et minoris ;' [*tit. manu saec.* xv.]. **f. 180ᵇ.**

    Inc. 'Intencio circa solem et lunam est practica que dividitur in duos modos hujus artis, scilicet in majus opus et minus.'

34. 'De spiritu occultato in sulphure' [*tit. manu saec.* xvi.], sive epistola de secretis naturae. **f. 182ᵇ.**

    Inc. 'Interrogacioni tue de secretis nature, amice dilectissime.'

35. Ebrardi Summa aurea. **f. 185.**

    Inc. 'Alkymia est sciencia docens transformare omne genus metali.'
    Ad calc. 'Explicit liber aureus quem fecit Ebrardus.'

36. 'Tractatus de preparacionibus spirituum et aquarum :' [*tit. manu saec.* xv.]. **f. 186ᵇ.**

    Inc. et des. prol. 'A primevis infancie cunabulis meisque tenerrimis annis . . . hunc librum compilavi ubi omnes operaciones continentur sciencie memorate per ordinem seriatim.'

37. Tractatus quidam alchemicus 'de inferiorum corporum alteracione.' **f. 188.**

    Inc. 'Cum Rasis multiloquium et brevitas Avicenne reddat aliquos tremebundos.'
    Expl. '—vel ferri purgati in optimum convertat solem. Explicit.'

Deest folium unicum.

38. 'Liber' brevissimus 'modorum ignis et ponderis Arthillei,' sive (*ut in veteri Catalogo*) Archillei. **f. 194.**

    Ad calc. 'Explicit optimus liber de modis ignium et ponderum quo melior nullus invenitur.'

39. Experimenta varia alchemica; inter quae, 'opus libri arcaici,' 'secundum librum arcaycum,' 'secundum librum Syraicum.' **ff. 194, 195.**

40. 'Liber Hermetis de arte alkymie;' prologus. **f. 195.**

    Inc. prol. 'Valde mentem meam suis garuli tantum mendaciis.'

41. 'Secundum Geber Buharem incipit liber adabessi quod est lapis de quo fit alkimia;' liber brevissimus. **f. 195ᵇ.**

Deest folium unicum.

42. Sententia Maharin ad Flandion de lapide in hoc opere necessario. **f. 196.**

43. 'Exposicio verborum Hermetis magistri philosophorum.' **f. 196ᵇ.**

    Inc. 'Quoniam ea que Maharin et ceteri de quibus supra mensionem (*sic*) fecimus.'
    Ad calc. 'Hec est edicio verborum Hermetis juxta racionem Massillencium. Qui melius sapit, melius dicat.'

44. Operationes variae alchemicae simul collectae, inter quas multa de aquis corrosivis. **ff. 197–210.**

    Deest fol. unicum inter ff. 200–201.

45. Liber Rasis de aquis 12 optimis. **ff. 205–6.**

    Inc. 'Aqua mollificatissima et nigrissima.'

46. Hermetis Tractatus de lapidis philosophici secreto, atque Tabula Smaragdina; septem capitulis. **f. 211.**

    Inc. 'Cum in tanta etatis prolixitate.'
    Expl. 'Itaque vocatus sum Hermes tres tocius mundi partes habens sapiencie. Completum est quod diximus in operacione lune et solis.'
    Ad init., manu saec. xv., 'Liber valde corruptus.'
    Alia versio Tractatus exstat in *Theatro Chemico*, vol. iv. p. 592.
    Tabula Smaragdina impr. ad calc. *Gebri Alchemiae*, 4°. Bernae, 1545, p. 294.

47. Alchemica varia; inter quae, quaedam de herbis variis, atque experimentum quoddam Gallice scriptum. **ff. 217ᵇ–219.**

48. Hortulani, sive Ortolani [i. e. ut dicunt quidam, Joannes de Garlandia], commentarius in Tabulam Smaragdinam Hermetis. **f. 219ᵇ.**

    Inc. 'Gloria laudis resonet in ore omnium creaturarum.'
    Exstat versio alia impressa cum Gebro, *ut supra*, p. 295; et alibi.
    In fol. 219ᵇ est nomen, 'Joh. Lawton.'

120.

Chartaceus. In 4°. Saec. xvi. ff. 310. Manu Italica.

1. 'In libros [Aristotelis] de generatione et corruptione quaestiones r. p. T. Alciati, [Romae] MDCV.' **f. 1.**

2. 'In Metaphysicam Aristotelis questiones r. p. Alciati, MDCV.' **f. 245.**

121.

Membranaceus. In 4°. ff. 90. Saec. xv. Binis columnis, manu Italica.

    Varia de rebus alchemicis, libris quinque sive sex, ordine confuso, disposita.

1. 'Incipit liber primus, de vii. generibus metallorum.' **f. 1.**

2. 'Explicit liber primus. Incipit secundus, de regimine salis.' **f. 43.**

3. 'Explicit liber iiᵘˢ. Incipit iiiᵘˢ de salibus.' **f. 60.**

4. 'Explicit liber secundus. Incipit tertius.' **f. 67.**

5. 'Explicit iiiᵘˢ. Incipit iiiiᵘˢ.' **f. 70.**

6. 'Explicit liber iiiiᵘˢ. Incipit v. qui dicitur Leviticus, in quo existit summa totius efficationis ac pŏitois ' (?). **f. 72ᵇ.**

    In foliis duobus ad finem compactis sunt quaedam ejusdem generis sparsim scripta, partim *Italice*.

122.

Chartaceus. In 4º. Saec. xvi. ff. 139. Manu Italica.

1. Tabulae ascensionum ad medium sexti et septimi climatis, ex libro impresso [scil. Jo. Angeli *Astrolabio*, 4º. Aug. Vindel. 1488] excerptae, in octo foliis signo '♭' subscriptis; praemissa explanatione manu scripta. ff. 1–12.

2. Tractatus de horoscopis inveniendis et calculatione nativitatum. f. 13.

> Inc. 'In primo gradu arietis homo aliquando laborat, aliquando vero bella exercet.'

123.

Chartaceus. In 4º. Saec. xv. ff. 65.

1. Tractatus de morbis variis et eorum curatione; capitulis xcii. f. 1.

> Tit. 'Iste medicine sunt regales et omnes probate, et non debent uti nisi in necessitate, et sunt tantum amicis precordialibus et fidelibus exhibende. *Incipit prolougus* (*sic*). Omnis morbus naturaliter venit in hominem aut accidentaliter.'
> Sequitur ad calcem tabula capitulorum.

2. 'Tractatus sive compendium de epydimia;' sc. de febribus et igne S. Antonii. f. 54.

> Inc. 'Quoniam omnia tam electa (?) quam elementata a superioribus reguntur.'

3. Liber Hermetis de significatione stellarum beibeniarum in nativitatibus. f. 63.

> Tit. 'Iste liber est Hermetis qui fuit caput omnium sapientum, extractis (*sic*) de aliis libris tamquam flos, de virtute et profunditate eorumdem.'
> *Imperf.*, desinens in capitulo de Marte et Mercurio.
> Impress. cum Ptolomaeo aliisque veteribus astronomis, fol. Ven. 1493, fol. 118.

124.

Chartaceus. In 4º. Saec. xvi. ff. 87. Mancus ad finem.

Alchemica varia, partim ex variis auctoribus excerpta, partim ex scriptis 'Dominici Parchassot, Ligoniensis in Burgundia, militis, et archiphilosophi Regis Romanorum et Hungarie et sacri ordinis Velleris Auri.' (f. 4ᵇ.)

Inter alia insunt haec :—

1. Carmina alchemica Dom. Parchassot. f. 4ᵇ.

2. Ejusdem Conclusiones in arte lapidis philosophici. f. 15ᵇ.

3. Practica alchemiae. f. 35.

> Inc. 'Charissime fili, sapientes et philosophi in suis libris et voluminibus dicunt unanimiter.'

4. 'Notabilia bona valde utili (*sic*) in arte alchimie secundum Dominicum.' f. 50.

125.

Chartaceus. In 4º. Saec. xvii. ff. 128.

'Quaestiones in octo libros Phisicorum Aristotelis Stagiritae, a Patre Ludovico Fuster, societat.

Jesu, in Gandiensi universitate, undecimo kalendas Decembris, 1625,' usque ad 6 Maii, 1626.

> Accedit index quaestionum et capitum.

126.

Chartaceus. In 4º. Saec. xv. exeuntis. ff. 87. Minutis characteribus, manu Italica, exaratus.

Naturalis philosophiae summa, per Joannem Baptistam Sypontinum, in sex partes distincta, ut sequitur :—

1. 'Compendium phisicum de rebus naturalibus in communi.' f. 1.

2. 'Compendium de celo et mundo, seu de motu ad ubi.' f. 17.

3. 'Compendium de generatione et corruptione, seu de motu ad formam.' f. 33.

4. Compendium de phenomenis coelestibus. f. 44.

5. 'Compendium de mineralibus seu mixtis.' f. 48ᵇ.

6. Compendium de anima. f. 58.

> Ad calcem, 'Explicit compendium de anima, et denique totius naturalis philosophie summa, edita per reverendum patrem D. Joannem Baptistam Sypontinum, canonicum regularem, philosophum eximium, astrologum prestantissimum, theologum elevatum, ac medicum peroptimum.'

127.

Chartaceus. In 4º. Saec. xvi. ff. 162.

1. 'Compilatio Leupoldi, ducatus Austrie filii, de astrorum sciencia;' tractatus astrologicus. f. 1.
> Transcriptus ex editione Venetiis anno 1520 impressa.

2. Explanationes imaginum signorum, sicut expressae sunt in *Astrolabio Plano* Jo. Angeli (4º. Aug. Vindel. 1488). f. 45.

3. Large extracts 'out of an old written boke of Geomancie had [from] Mr. Hales,' with notes, probably from other sources, on the same subject; in English. ff. 50–94.

> At f. 89 the horoscope of Rob. Newton, whether mistress Isabella Houldcrofte loves him, 22 Dec. 1564; at f. 91ᵇ, three charms.

4. 'Angelorum opus, aucthore Hermete philosopho perito;' a series of 66 hieroglyphical figures, well drawn and coloured, representing the various stages of alchemical processes, with titles in English. f. 95.

> On the title-page is a series of seven figured circles significatory of the 'masculyne' and 'femynyne' humours of the body, surrounding an inner circle representing the 'prima materia.'
> Of this tract later copies, by Simon Forman, are in Ashmole MSS. 1433, 1490.

128.

Chartaceus. In 4°. Saec. xvii. ff. 239. Manu eadem ac codex 125 supra.

'Preambulae quaedam et compendiariae disputationes ad universam disserendi facultatem,' sive de arte logicae; 'a P. Ludovico Fuster, societatis Jesu, in universitate Gandiensi societatis ejusdem;' 18 Nov. 1624–29 Nov. 1625.

Accedit index quaestionum et capitulorum.

129. [B. N. 7.]

Chartaceus. In 4°. Saec. xv. ff. 71. Hodie signo 'B. N. Digb. 7' notatus.

1. 'Quinti Serenii medicinalis liber ad Caesarem.' f. 1.

Versus tres, 'Membrorum series' etc., qui in impressis ad calcem prooemii exstant, hic in principio ponuntur.

2. Carmen de virtutibus herbae *Germandela* dictae. f. 29.

Inc. 'Cantreus grece quę germandela latine.'

3. Carmen de balneis. f. 29ᵇ.

Inc. 'Inter partes operum Deus est laudandus in illis.'
Sectiones poematis sunt, 'de sudatorio,' 'de fulfureo,' 'de bulla,' 'de astrane,' 'de juncare,' 'de balneolo,' 'de cripta vel balneo foris,' 'de balneo petrę,' 'de colatura,' et 'de lavacro.'

4. 'Versus Egidii de urinis;' sc. liber Ægidii Corboliensis. f. 33.

5. Versus ejusdem de pulsibus. f. 42.

Impress. cum libro praecedente.

6. [Marbodi] 'Liber de virtutibus lapidum.' f. 53.

130.

Membranaceus. In 4°. Saec. xv. ff. 90. Nitide a manu Italica exaratus. Ad init., 'Hunc librum habuit ex bibliotheca quam Pius 2ᵘˢ, Pont. Max. Sienis fundavit. K. D[igby].' In ora inferiore primi folii sunt insignia gentilitia [familiae de Malatesta?]; sc. scutum in septem partes, aureas et nigras, perpendiculariter divisum, [*Anglice* 'paly of seven, or and sable'].

1. Phalaridis epistolae, Latine versae per Franciscum de Accoltis, Arretinum, praemisso ejusdem Arretini, 'ad illustrem principem Malatestam Novellum de Malatestis' prooemio. f. 1.

2. 'Leonardi [Bruni] Arretini Œconomicorum Aristotelis e Gręco traductio, ad Cosmam de Medicis;' praemissa praefatione. f. 34.

Impress. 4°. Par. 1526.

3. Ejusdem in librum eundem commentariolus. f. 40.

4. Diogenis Cynici Epistolae, ex Graeco per Franc. Arretinum traductae; praemissis, 'Elegia

in qua musam alloquitur, mandatque ut libellum suum Epistolarum Dyogenis reddat Pio II. Pont. Max.,' atque praefatione ad eundem. ff. 51, 52, 53.

Impress. 4°. Florent. 1487.

5. Liber 'Petripauli Vergerii, Justinopolitani, ad generosum adolescentem Ubertinum de Carraria, de ingenuis moribus et liberalibus adolescentię studiis.' f. 68ᵇ.

Impress. 8°. Lips. 1604.

6. Epistolae Publii Lentuli Senatoribus Romae et Pontii Pilati Tiberio imperatori, de Christo. f. 88ᵇ.

In foliis ad finem (89ᵇ, 90ᵇ), quaedam de coitu ex Avicenna et Averroe, et declaratio contra rebelles imperii infra provinciam Longobardiae.

131.

Membranaceus. In 8ᵛᵒ. Saec. xv. ff. 27. Manu Italica bene scriptus.

'Opusculum de medicina ac legali scientia, que dignior sit, atque de medicine causis cur vilior videatur;' dialogus inter Carolum Ghisilerium, legistam et militem, Petrus Johanenitum, medicum, et Nicolaum de Fabis, in cujus domo conveniunt.

Praemissa est dedicatio ad Andream Picolomini [de Siena, 1476–1496?]; nomen autem auctoris non constat.

132.

Chartaceus. In 4°. Saec. xvi. ff. 92. Olim inter codd. T. Allen, '57,' 'A. 153.'

1. Tabulae latitudinis planetarum. ff. 1–28, 40–57.

'1521, die 11 Martii, hora tertia post meridiem . . . per Joannem Vernerum, sacellanum divorum Joannis Baptistae Joannisque Evangelistae in suburbio Nurembergensi, computus praemissarum tabularum latitudinis planetarum consumatus scriptusque fuit.' (f. 13ᵇ.)

2. 'Joannis Verneri Nurembergensis compositiones et usus organorum latitudinum lunae et quinque planetarum.' f. 29.

'Aeditae scriptaeque anno . . . 1521, die Mercurii, vigesima quarta mensis Aprilis.' (f. 38ᵇ.)

3. Tabulae et figurae, multa cura descriptae, i illustrationem organorum praedictorum. ff. 58–64.

Ad fol. 61ᵇ, '1513, die 30 Octobris, Joannes VVerner hoc organum excogitavit, hortante Joanne Stabio.'
Sequitur (f. 65) liber impressus, cui tit. 'Equatorii astronomici . . . canones, per Jo. Schöner,' 4°. Nuremb. 1522, una cum Tabulis radicum per eundem, 4°. Nuremb. 1524.

133.

Chartaceus. In 4°. Saecc. xvii, xvi, et xv. ff. 169.

1. 'Discorso del flusso e reflusso del mare, del sig. Galileo Galilei, primario filosofo e matematico

del ser. Gran Duca di Toscana, all' ill^{mo} e rev^{mo} sig. Car. Orsino.' **f. 1.**

'Scritta in Roma dal Giardine de Medici, li 8 di Gennaio, 1616.'

Primum impressus fuit anno 1780 in collectione intit. *Aggrandimento delle scienze fisiche*, per Joh. Targioni; postea in editionibus Operum Galilaei Mediolanensi atque Florentina.

2. ' Radix Mundi;' a treatise of the work of the philosophers' stone, by Roger Bacon, in fifteen chapters; 'finished and translated out of Lattin by Robert Freelove, of London, mercer, the 16 of Februarii, a° 1550.' **f. 22.**

Beg. 'The bodies of all things being, as well perfect as imperfect, from the begining of the Creation, are compondid of the 4 elements.'

3. The Conversion of St. Paul; a mystery-play. **f. 37.**

Beg. 'Rex glorie, Kynge omnipotent,
        Redemer of ye world by the power diuine.'

On the first page is the name of a former possessor 'Myles Blomefylde,' and at ff. 45–47 is inserted a dialogue between Belial and Mercury which may possibly be in Blomefylde's handwriting.

Printed pp. 31–61 of Sharpe's *Ancient Mysteries from the Digby MSS.*, printed for the Abbotsford Club, 4°. Edinb. 1835; and, from a new collation of the MS., by F. J. Furnivall, for the Early English Text Society, 1882.

4. 'De theorica trium superiorum' planetarum; *Angl.* et *Lat.* **f. 51.**

5. 'De epiciclo lunae;' sequitur, 'de capite et cauda draconis.' **ff. 53, 57.**

Inc. 'Circulus lunae debet dividi in 12 signa.'

6. Trattato dell' arte geomantica. **f. 61.**

Inc. 'Geomantia e una scientia breve da conosere per virtu destrologia quelli' cose de la persona uuole operare.' Desin. incomplete in cap., 'Per sapere in quale case le figure sono bone ouer cative.'

Binis manibus exaratus.

7. The mystery-play of St. Mary Magdalene. **f. 95.**

Beg. ' *Inperator*. I command sylyns in ye peyn of forfete
        To all myne audyeans present general.'

At the end, 'Explycit oreginale de sancta Maria Magdalena.'

On the first page are the initials M. B. [Miles Blomefylde].

Printed in Sharpe's *Ancient Mysteries, ut supra*, pp. 62–164; and, edited by F. J. Furnivall, *ut supra*.

On f. 145^b are two lines of music with this note, 'Sollffa thes ij. pleynsonges, and ye xall soollffa eny of ye viij. townys.'

8. 'Candelmes day and the kyllynge of ye children of Israell, a° Do^i, 1512. The vii. booke.' **f. 146.**

Beg. ' *Poeta*. This solenne Fest to be had in remembraunce of blissed seynt Anne modere to oure Lady.'

At the end, 'Jhon Parfre ded wryte thys booke.'

Printed in Hawkins' *Origin of the English Drama*, vol. i. pp. 5–26, 12°. Oxf. 1773; pp. 3–30 of Sharpe's *Ancient Mysteries, ut supra;* and by F. J. Furnivall, *ut supra*.

9. A morality; in which the *dramatis personae* are Wisdom, Anima, Mind, Will, Understanding, etc. **f. 158.**

Inc. 'Fyrst entreth Wysdam in a ryche purpylle cloth of gold.'

Imperfect at the end. The initials 'M. B.' are on the first page.

Printed in Sharpe's *Ancient Mysteries*, ut supra, pp. 165–200; and, edited by F. J. Furnivall, *ut supra*.

134.

Chartaceus. In 4°. Saec. xv. exeuntis. ff. 128. Manu Italica. Olim peculium 'Anto. Mariae Amadi, Doc. et Com.'

' Ars Geomantie, que docet hominem solvere omnes questiones de quibus vult certificari, divina virtute per istam artem;' auctore Bartholomaeo de Parma.

Inc. 'Geomantia est ars punctorum qui sorte computantur in loco ad libitum punctatoris.'

Ad calc. 'Explicit ars geomantie [etc.] Compositus quidem est iste presens liber a magistro Bartolameo de Parma in Bononia ad preces domini Tedisii de Flisco, qui erat tunc ellectus in episcopum civitatis Regii, curentibus annis Domini M.CC LXXXVIII.'

In folio chartaceo ad initium compacto sunt tabulae hae duae : 1. 'Significationes omnium domorum in quibus figure geomantie collocantur :' 2. 'Nomina prime proprietatis cujuslibet figure geomantie.'

Ad calcem sunt duo folia membranacea, quae olim tegmen codicis constituebant, ex libro quodam rituali, saec. xiii. conscripto ; insunt officia pro diebus SS. Gregorii et Benedicti et Annunc. B. V. M., cum notis musicis, ac etiam exorcismus cerae, atque benedictiones crucis et candelarum.

135.

Membranaceus. In 4°. ff. 130. Saec. xv. 'Hunc librum habui ex bibliotheca quam Pius secundus Sienis fundavit. K. D.'

' Ad summum pontificem Pium secundum Johannis Mathei [de Ferrariis]˙ de Gradi Mediolanensis Commentharia in tractatum secundum secundae et vigessimae phen Avicennae de doloribus juncturarum.'

Praemissa est dedicatio ad Pium II, cum littera initiali et marginibus folii eleganter depictis.

Ad calc. 'Compillatus per Johannem Matheum de Gradi militem, qui eum per me Gulielmum Bascieriam de Campo scribere (*sic*) fecit.'

Tabula capitulorum praefixa est manu altera.

136.

Membranaceus. In fol. minori. Saec. xiv. ff. 148. In fol. 1, 'George Ogle me tenet.'

'Ci comence le Bretun en Fraunceis;' the treatise on the laws of England called Britton.

Not collated for the edition published by F. M. Nichols, M.A., in 1865. It ends with the words 'autres acheisons qui est encontre departie,' as there printed (p. 361, vol. ii.) in a supplemental note taken from Harl. MS. 3644 and Rawlinson MS. C. 898.

137.

Chartaceus. In fol. minori. Saec. xvi. exeuntis. ff. 336.

1. Tractatus in artem Logicae, in decem decades distributus, cui praemissa sunt 'Prolegomena totius philosophiae,' sive 'In cursum philosophiae

prolusio; a patre Claudio, societatis Jesu, in gymnasio divae Magdalenae, anno Domini 1583.' **f. 1.**

2. Ejusdem commentarius in Porphyrii Isagogen. **f. 242.**

3. Ejusdem commentarii 'in universam Aristotelis logicam,' scil. in Categorias, lib. de Interpretatione, Analytica priora et posteriora, atque in Topica. **f. 254.**

138.

Membranaceus partim, partim chartaceus. In fol. minori. Saec. xv. ff. 157, praeter alia quaedam utrinque compacta. In fol. 158^b, 'Claudatur muro, constat liber iste Rogero. Roger Waller.'

Poema quod dicitur Vox Clamantis, auctore Johanne Gower.

Impress. (e codice in Coll. Omnium Animarum cum hoc collato) cura H. O. Coxe, M.A., impensis Societatis Roxburgensis, 4º. Lond. 1850.

In foliis ad initium et finem sunt quaedam medica atque coquinaria *Anglice*. Et in fol. 159, manu saec. xvi. exeuntis, versus Elizabethae reginae quae in libro H. Puttenham, *The Art of Poesy*, exstant, et quae exinde re-impressa sunt per G. Ellis, *Specimens of early Engl. Poets*, 8º. Lond. 1801, vol. ii. p. 134.

Inc. 'The dowte of future force [*interlin.* foes]
　　　　Exiles my presente ioye
　And wytt me warnes to shonne [*impress. male*, shew]
　　　　suche snares
　　　　As threten mynne annoye.'

139.

Chartaceus. In 4º. Saec. xvii. ff. 113.

Trattato di Astrologia.

Inc. '*Capo della sustanza e monumento del cielo. La sustanza del cielo o che sia la medesima di questo nostro aere.*'

Ad calcem adjecta est tabula capitulorum, ac etiam (f. 99), 'Raccolta di 304 aforismi nelli quali si contiene la principali sostanza dell' astrologia.'

140.

Membranaceus. In folio. Saec. xiii. ff. 17. Olim liber 'Tho. Allen, 63.'

'De successionibus archiepiscoporum Eboracensium,' usque ad mortem Turstini, anno 1139; [auctore Thoma Stubbs].

Impress. (cum contin. ad annum 1373) per R. Twysden apud *Decem Scriptores*, fol. Lond. 1652, coll. 1685–1721.

In fol. ult. depicta est figura [auctoris?] in solio sedentis et rubro pallio amicti.

Ad initium codicis compacta sunt duo folia membranacea saec. xiii, in quibus haec :—

1. Fragmentum ex poemata quodam Gallico de coelo et mundo, etc.

'*Del nombre des estoiles.*
　　Des estoiles vous di le nombre
　　Si com Tholomeus le nombre,' etc.
'*De la grandesce del firmament.*
　　Se latene plus grant estoit
　　C. mile tanz quele ne soit,' etc.

Qu. ex *Imagine Mundi*, per Walt. de Metis? Cf. *Hist. Litt. de France*, vol. xxiii. p. 294.

2. Fragmentum ex tractatu Gallico de mensibus anni, continens descriptionem mensium Apr.–Sept., cum figuris opera unicuique mensi apta repraesentantibus.

'*Auril.* Le mois dauril est en astronomie nomez plein de grace.'

Notitia codicis exstat apud Langbainii Adversaria, vol. vii. p. 298.

141.

Membranaceus. In fol. minori. Saec. xv. ff. 176, praeter sex in quibus index. Bene exaratus. 'Hunc librum habui ex bibliotheca quam Pius 2us pont. max. Sienis fundavit. K. D.'

Sonetti e Trionfi di Franc. Petrarcha.

Praemissa est tabula alphabetica versuum initialium, et ad calc. adjecta est Petrarchae nota celebris de morte Laurae.

In f. 176^b, 'Francisci Petrarchae, vatis insignis, carmine et materno sermone praeclara poemata, Andreoccii geradi, militis Senensis, cujus ipse polex est, perscripta manu, et vitandi indigni ocii et animi oblectandi gratia, 1465, xii. kal. Januarii. Laus Deo.'

Insignia gentilitia, in folio primo olim depicta, barbara cujusdam manus exscidit.

142. [B. N. 13.]

Chartaceus. In 4º. majori. ff. 165. Saec. xv. Manu Italica. Hodie signatus 'B. N. Digb. 13.'

'Lucii Annei Senece Cordubensis incipit Liber [decem] tragediarum.' Notis hic illic interlinearibus.

In folio penultimo ad finem compacto est narratio, *Italice* scripta, de heremita et quibusdam latronibus; deinde sequuntur, eadem manu, in fol. ultimo versus quidam Italici, et postea haec, Latinis verbis sed non Latino sermone expressa :—'Ottavo Januarii die memoria quemadmodum filius unus mihi fuit, cujus Sigismundi nomine, et ejusdem die baptizatus fuit anno Domini MDV.' 'Iste liber est fratris Sigismundi Praedicatorum ordinis, filius Blasii Senensis, nepos fratris Simonis ejusdem Praedicatorum ordinis, germanus meae matris.'

143.

Chartaceus. In fol. Saecc. xvi, xvii. ff. 149.

1. De stellis fixis, 'per' (ut additur manu saec. xvii.) 'Joh. Robyns, canonicum Aedis Christi Oxon. et Wyndesore.' **ff. 1–59.**

　i. 'Mediatio celi stellarum fixarum.' f. 1.
　ii. 'Culminatio celi stellarum fixarum.' f. 2^b.
　iii. 'Ortus stellarum fixarum.' f. 25.
　iv. 'Occasus stellarum fixarum.' f. 42.

2. Tractatus quidam imperfectus, *Italice* scriptus, de rebus geometricis; in quo problemata varia de mensura circuli, de pentagonis, de proportione, de cubis, et de libramentis ('secondo m^o Luca'); cum figuris. '1537.' **ff. 64–100.**

3. 'De erratis Orontii Finaei, regii mathematicarum Lutetiae professoris, qui putavit inter duas datas lineas, binas medias proportionales sub continua proportione invenisse, circulum quadrasse, cubum duplicasse, [etc.] Petri Nonii Salaciensis liber unus.' **f. 103.**

Transcriptus ex editione anno 1546 Conimbricae impressa.

Contenta libri describuntur in vol. iv. Adversariorum Langbainii, pp. 647–8.

144. [B. N. 15.]

Chartaceus. In 4°. ff. 400. Saec. xv. Bene scriptus.
'Ex bibliotheca Jani Rutgersii.' Hodie, 'B. N.
Digb. 15.'

Tertia decas Historiarum Titi Livii Patavini, scil. de secundo bello Punico.

In fol. primo insignia quaedam gentilitia depicta sunt. sub quibus, ora inferiori, est haec nota:—'Ranerii de Maschis de Arimino, equestris ordinis, jurisque consulti, Senarum capitanei, codex fuit jussu scriptus et sumpti (*sic*) et insignia sunt MCCCCLXVI°. manu propria.'

Ad calcem codicis haec:—'Finit. Emendatum, correctum, apostillatum, rubricatum, revisum et remissum per me Ranerium antedictum manu propria. Ranerius.'

145.

Chartaceus. In fol. Saec. xvi. ff. 161.

1. The Vision of Piers Ploughman. f. 2.

 i. 'Primus passus de visione Petri Plowghmane.'
 ii. 'Vita de Dowelle, Dobett and Dobest, secundum Witte and Resone.' f. 43^b.

2. 'The dyfference betwene Dominium Regale et Dominium Politicum et Regale;' by Sir John Fortescu; with a table of contents prefixed. f. 133.

At the end, 'Explicit liber compilatus et factus per Johannem Fortescue, militem, quondam Capitalem Justiciarium Anglie, et hic rud . . . ter scriptus manu propria mei Adriani Fortescu, militis. 1532.'

First printed from this copy in 1714 and again in 1719 by John, Lord Fortescue; and in the *Works* of Sir J. Fortescue, edited by Lord Clermont, 4°. Lond. 1869, where an engraved facsimile of the last page is given at p. 474.

3. A collection of proverbial sayings. f. 160^b.

Printed in *A History of the Family of Fortescue*, by Thomas, Lord Clermont, 4°. Lond. 1869, pp. 177–8.

The whole volume is in the handwriting of Sir Adrian Fortescue, by whom a note of ownership and penmanship in 1534 is prefixed, which, together with a memorandum by him of the birth of his second son Thomas, at Shirbourn, Oxon, 14 May, 1534, baptism, and confirmation, is printed *ibid.* p. 179.

146.

Membranaceus. In folio minori. Saec. x. ff. 104.
'Liber monasterii Abendonie quem Johannes Clyff fecit ligari anno . . .' (*Caetera exscissa.*) Liber Tho. Allen, '66,' 'A. 180.'

1. Aldhelmus, episcopus Shirburnensis, de virginitate; praemissa tabula capitulorum. ff. 1, 7.

In marginibus atque inter lineas sunt glossae perplurimae, manu saec. xi, inter quas multae *Anglo-Saxonice* expressae.

2. Ejusdem Epistola ad Eahfridum, sive (ut in nostro textu), Ehfridum. f. 95^b.

Apographum manu cl. Jac. Usserii, cum notitia codicis et lectionibus variantibus e codicibus Cottoniano et Regio per eundem, exstat in Rawl. MS. D. 280. ff. *49^b-*50^b.

3. (*Manu saec.* xii. *exeuntis sive* xiii. *ineuntis.*) Narratio de morte Edwardi Regis et Martyris apud domum de Corph. f. 101^b.

Exstat ex Legendario eccles. Sar. apud *Acta SS.* mense Martii, ii. 644-5; et, fere eadem. in Chronico de Joh. Brompton apud *Decem Scriptt.*, ed. per R. Twysden.

Describitur codex in vol. xix. Adversariorum Langbainii, pp. 73-4.

147.

Membranaceus. In fol. minori. Saec. xiv. ff. 206.
'Liber ecclesie Sancte Marie de Mertone,' in com. Surr.; postea, liber Johannis Gisborne; denique, Tho. Allen, '26,' et 'A. 138.' Praemissa est tabula contentorum.

1. 'Carmen' [*sed in prosa scriptum*] 'domini Walteri de Henleye quod vocatur Yconomia sive Housbundria;' tractatus de arte agriculturae et cura praedii. f. 1.

Inc. 'Pater jacet in senectute, et dicit filio suo, Fili mi, vive sapienter secundum Deum et secundum seculum.'

2. Philobiblion Ricardi de Bury, episcopi Dunelmensis. f. 9.

Ad calc. 'Explicit Philobiblon domini Ricardi de Aungervile, cognominati de Buri, quondam episcopi Dunelmensis. Completus est autem tractatus iste in manerio nostro de Aukelande xxiiij. die Januarii, anno Domini millesimo trecentesimo quadragesimo quarto, etatis nostre quinquagesimo octavo precise completo, pontificatus vero nostri anno undecimo finiente, ad laudem Dei feliciter etc.'

Saepius impressum.

3. 'Proprietates metrorum Ympnarii.' f. 28^b.

Inc. 'Metrorum periciam in scrinio pectoris recondere cupientes.'

4. 'Summa aurea;' [Ebrardi] tractatus alchemicus. f. 30.

Inc. 'Alkemia est sciencia docens transformare omnia genera metallorum.'

5. Praecepta varia chemica, speciatim 'de coloribus.' ff. 33-4.

6. 'Practica Geometrie,' cum figuris. f. 35.

Inc. 'Geometrie due sunt partes principales, theorica et practica.'

7. 'Utilis et compendiosus tractatus de metris.' f. 40.

Inc. 'Quoniam pes naturaliter prior est metro, de pedibus breviter perstringamus.'

8. 'Vita Secundi philosophi in silencio philosophantis,' [e Graeco translata]. f. 45.

Inc. 'Secundus fuit philosophus qui philosophizatus est omni tempore silencium conservans.'

Textus Graecus impr. est apud Orellii *Opuscula Graecorum*, 8°. Lips. 1819, vol. i. p. 208.

9. 'Seneca' [rectius, Martinus Dumiensis] 'de institucio[ne] morum.' f. 47.

Inc. 'Omne peccatum actio est.'

10. 'Liber Senece de remediis fortuitorum.' f. 48^b.

Inc. 'Licet cunctorum poetarum carmina.'

11. 'Libellus Senece' [rectius, Martini Dumiensis] 'de formula vite honeste, sive de 4 virtutibus cardinalibus.' f. 51.

Inc. 'Quatuor virtutum species multorum sapiencium sentenciis.'

12. 'De remediis spiritualibus et corporalibus contra pestilenciam, secundum magistrum Johannem Maluerne, doctorem in medicina.' **f. 53**[b].

Inc. 'Nuper fuit quedam cedula publice conspectui affixa, continens consilia medicinalia contra pestilencialem infeccionem indies jam regnantem.'
Ad calc. 'Si quid dicetur hic recte, gloria detur
Summo qui sanat et de quo gracia manat.'

13. 'Tractatus arsmetrice,' sive de arte mensurandi; cum figuris bene descriptis. **f. 57.**

Inc. 'Dicitur Arsmetrica de *ars, artis,* et *metros,* quod est mensura, quasi ars mensurandi.'

14. 'Tractatus de magnete;' [auctore Petro Peregrino de Maricourt]. **f. 63.**

Inc. 'Amicorum intime, quandam magnetis lapidis naturam.'

15. 'Ars cognoscendi in quo signo sit luna' et cujus aetatis sit. **f. 68.**

Inc. 'Cum medicus secundum auctores duobus utitur instrumentis.'

16. 'De complexione 12 signorum et super que membra habent aspectum.' **f. 69.**

Inc. 'Quoniam unumquodque signum proprium habet aspectum.'

17. 'Tractatus de spera, secundum Lyncolniensem,' [Rob. Grosseteste]. **f. 69**[b].

Inc. 'Intencio nostra in hoc tractatu est describere figuram machine.'

18. 'Tractatus communis de spera.' **76**[b].

Inc. 'Tractatum de spera quatuor capitulis distinguemus.'

19. 'Cautele algorismi,' regulae arithmeticae cum exemplis. **f. 86.**

Inc. 'Sunt autem quedam in numerandi questionibus subtilia.'

20. 'Tractatus de quadratura circuli secundum Campanum,' cum figuris. **f. 89.**

Inc. 'Aristotiles in eo qui de cathegoriis libro inscribitur dicit hec.'

21. 'Tractatus de arsmetrica, editus a magistro Simone Bredene,' (*tit. ad calc.*), libris duobus. **f. 92.**

Inc. 'Quantitatis alia continua que magnitudo dicitur, alia discreta que multitudo dicitur.'
Expl. '—necnon et omnes consonancie uni. Ista ergo sufficiant pro sentencia hujus libri.'

22. 'Tractatus mirabilis aquarum quem composuit philosophus naturali industria secundum intellectum.' **f. 104.**

Inc. 'Aqua mirabilis valet ad visum conservandum.'

23. 'Tractatus septem herbarum septem planetis appropriatarum, de quibus fit mencio in Kyrando, et quomodo virtutem habent influencia planetarum.' **f. 106.**

24. 'Secreta fratris Alberti de Colonia, ordinis fratrum Predicatorum, super naturis quorundam herbarum et lapidum et animalium efficacia, in diversis libris philosophorum reperta et in unum collecta.' (*tit. ad fin.*) **f. 107.**

Inc. 'Sicut dicit philosophus in pluribus [locis] omnis sciencia de genere bonorum est.'

25. 'Tractatus 12 signorum zodiaci et lune.' **f. 113**[b].

Inc. 'Si fiat questio vel nativitas, et sit luna et sint planete in gradibus masculinis.'

26. 'Tractatus de subradiis planetarum, per Haly.' **f. 117**[b].

Inc. 'Saturnus in ariete sub radiis.'

27. 'Tractatus de 7 planetis et de 12 signis et de 28 mansionibus lune et de 28 constellacionibus.' **f. 119.**

Inc. 'Gloriosus et sublimis Deus, Creator omnium rerum.'

28. 'De luna.' **f. 124**[b].

Inc. 'Cum cursum lune scire volueris.'

29. 'De pronosticacione aeris;' per Willielmum Merlee; duodecim capitulis. **f. 125.**

Inc. 'Opusculum istud est de pronosticacione aeris. In eo determinatur que et qualia hujusmodi pronostica aerea.'
Ad calc. 'Expletum igitur est opus istud Exon. anno Domini 1340 per magistrum Willielmum Merlee.'

30. 'Regule versificandi.' **f. 138**[b].

Inc. 'Qui cupis et queris, puer, ut bene versiferis
Versificaturis mea multis tradita curis
Carmina perlustra, que non sunt edita frustra.'

31. Henrici de Amanda Villa Tractatus de anatomia humani corporis. **f. 140.**

Inc. 'Quamvis sirurgico et medico necessaria sit anathomia.'
Ad calc. 'Et sic finitur anathomia Henrici de Amanda Villa preter pauca dimissa.'

32. Versus de Annunciatione B. V. M., et de Incarnatione. **f. 151**[b].

Inc. 'Angelus ad Virginem subintrans in conclave,
Virginis formidinem demulcens, inquit Ave.'

33. Alani de Insulis Liber de planctu naturae; partim metro, partim prosa. **f. 152.**

Inter *Opera* Alani, cura Car. de Visch, Antv. 1654. Quae metrice scripta sunt exstant etiam in Leyseri *Hist. Poett.,* 1721, pp. 1045-61.

34. 'Epistola Valerii ad Ruphinum de uxore non ducenda;' pars, scilicet, distinctionis iv. libri Gualteri Mapes de Nugis curialium. **f. 103.**

Commentum desinit imperfecte; quae autem desunt paucissima sunt. Cf. cod. xi, *supra,* art. 7.
In fol. 1[b] est haec nota: 'Anno Domini M.CCC.LXXXII., xi. kal. Julii, videlicet xxi. die mensis Maii (*sic*) fuit terremotus quasi universalis per Angliam et per alia regna.'
In fol. ad calcem conjectaneo est praescriptio medica, *Anglice:* 'This is the makynge de aqua vite perfectissima:' 'This bene the vertuse that this water hathe.'

148.

Membranaceus. In folio minori. ff. 143. Saec. xii. exeuntis. Olim (ut in fol. ult. notatur) 'Liber [monasterii] de Radynge.'

Hugonis [de Sancto Victore] Liber de sacramentis Christianae fidei.

Impr. inter *Opera* ejus, fol. Ven. 1588, vol. iii. ff. 218-324.

149.

Membranaceus. In fol. minori. ff. 216. Pro maxima parte saec. xiii., et binis columnis exaratus. Inter codd. T. Allen, 'A. 163,' '40.'

1. Fragmentum commentarii in primum caput libri Geneseos. **f. 1.**

Citantur Gregorius, Augustinus, Beda, Hugo de Sancto Victore, et Glossa Ordinaria.

2. [Remigii Autissiodorensis] 'Interpretaciones Hebraicorum nominum,' per ordinem alphabeti. **f. 9.**

Inc. '*Aaz*, apprehendens, sive apprehensio.'
Ternis columnis.

3. 'Sermones Mauricii [de Soliaco] episcopi Parisiensis, dicendi ad populum in festivitatibus omnium sanctorum et in dominicis diebus per totum anni circulum.' **f. 37.**

Praemissa est tabula.
Incip. 'Credimus sanctam Trinitatem, Patrem et Filium et Spiritum Sanctum.'

4. [Rob. Grosseteste] 'Templum Domini;' tractatus de confessione, in quo etiam expositiones Symboli et Orationis Dominicae, et de 'equiparancia angelorum et hominum.' **f. 45.**

Incip. '*Templum Dei sanctum est, quod estis vos.* Sermo iste quamvis omnes tangat.'

5. Epistola a quodam R., sacerdote seculari, ad sacerdotem quendam claustralem A. 'de confessionis articulis.' **f. 61.**

Incip. 'Activus contemplativo, R. A. Quae autem sursum sunt contemplari, sapere, et intelligere.'

6. Notae miscellaneae; de jejunio, de quatuor signis dilectionis, de poenitentia, etc. **ff. 65ᵇ, 66ᵇ.**

7. Jubilum rhythmicum, Bernardo Claraevallensi ascriptum, de nomine Jesu, cum versione Gallica interlineari. **f. 67ᵇ.**

Inc. 'Dulcis Jhesu memoria, dans vera cordi gaudia
    Dulce memorie de Jhesu Crist, qui cel et tere et tut ben fist.'

8. Miraculum S. Augustini Cantuar., cui tit. 'In vita beati Augustini Anglorum Apostoli de excommunicacione et decimis.' **f. 68ᵇ.**

Inc. 'Est vicus in pago Oxfordensi, vi. miliariis distans a loco hac tempestate celebri qui dicitur Wdefuxi, Cinnetona nomine.'
Cf. *Cat. of Materials relating to the Hist. of Gr. Brit.*, by T. D. Hardy, vol. i. p. 199.

9. 'De garritulatoribus in sacrosancta ecclesia;' narratio de eodem Augustino in ecclesia apud Romam ridente quum demonem verba mulierum colloquentium levia perscribentem vidisset. **f. 69.**

Inc. 'Solebat etiam coram domino papa venerabilis Levita Augustinus.'

10. Excerpta ex Bedae *Hist. Eccl.*; scil., lib. iii. cap. xix. de Furseo; lib. iv. cap. xxii. de Imma; lib. v. capp. xii. xiii. xiv. de visionibus Drycthelmi, laici cujusdam, et fabri scelesti. **ff. 69ᵇ–72.**

11. Historia S. Petri Telonearii, quae in vita S. Johannis Eleemosynarii legitur. **f. 72.**

Tit. 'De Petro Theolenario . . . caritatem convertente.'
Cf. versiones alias ex Leontio et Metaphraste apud *Acta SS.* per Bollandum, die 23 Jan.

12. Sententiae variae piae. **f. 73.**

13. 'Tractatus domini papae' Innocentii III. 'de contemptu mundi.' **f. 74.**

Imperf.; desinit in cap. ix. libri secundi.
Saepius impressus. ————————

14. [*Saec.* xii.] Excerpta ex Sermonibus S. Augustini de verbis Apostoli; *utrinque manca.* **f. 88.**

In editione Operum Benedictina sermones hic citati sub his numeris inveniuntur, 155, 165, 156, 158, 159, *Append.* 109, 157, 167, 178, et 154. In fol. 96ᵇ est sermo 'de verbis Apostoli, *Invicem honera vestra portate,*' ita incipiens, 'Quia lex Veteris Testamenti custodiam timorem habebat,' qui differt ab eo qui super verba ista impressus exstat.

15. 'Summula de viciis et virtutibus;' sententiae ex Patribus, praesertim ex Augustino, Gregorio, et Bernardo, cum multis aliis, inter quos etiam Seneca et Cicero. **f. 100.**

Inc. '*Primo de Superbia, August.* Quemcunque superbum esse videris.'
Ad finem, 'Gradus ascendendi et descendendi;' et 'Contra Novatum hereticum' ex Augustino.

16. S. Johannes Chrysostomus 'contra gulosos.' **f. 122ᵇ.**

17. Nota de responso Regis Arthuri quum quod militibus suis dispensaret deficeret. **f. 123.**

18. 'Hoc dixit Dionysius tempore passionis Christi tempore eclipseos solis et lune :—
    Christus nature patitur aut machina mundi dissolvitur.' **f. 123ᵇ.**

19. Calendarium lunare, praemissis regulis variis de lunationibus inveniendis. **ff. 124, 128.**

Juxta init. haec: 'Sciendum quod anno Domini 1292 facta est in Anglia in universitate Oxon. verificata primacio super medios motus solis et lune.'

20. Tabulae graduum proportionales; tabulae planetarum et solis; tabulae medii cursus lunae ab anno 1299 ad 1307; tabulae equationum lunae; tabula capitis draconis. **ff. 134–172.**

21. Canones Profacii Judaei pro tabulis suis super tabulis Toletanis fundatis et exordium ab anno 1300 sumentibus. **f. 172ᵇ.**

Inc. 'Quia omnes homines naturaliter scire desiderant et maxime res occultas.'

22. Tabula quaedam planetarum et signorum. **f. 176.**

23. 'Fortitudines' et 'Debilitates et impedimenta' planetarum. **f. 176ᵇ.**

24. 'Liber Ysagogarum Alkabicii,' [ex interpretatione Johannis Hispalensis.] **f. 177.**

Inc. 'Postulata a Domino prolixitate vite Ceyfhald Daula, i. gladii regni.'
Imperf., desinens in cap. 'de directione significatoris' in Differentia quarta.
Saepe impr.

25. 'Liber de quatuor partibus astronomie judiciorum, editus a magistro Rogero de Herefordia.' **f. 189.**

Inc. 'Quoniam regulas astronomie artis.'

Pars prima hic sola invenitur; ad calc. 'Explicit prima pars; require in sexterno precedente proximo librum qui sic incipit *Quoniam circa tria sit omnis astrono.* etc., et sunt 3 libelli.'

26. **Pars libri quadripartiti Johannis Hispalensis de judiciis astrologicis. f. 195.**

Incip. in cap. ult. libri secundi. Cap. ult. lib. iv. est de emptione bruti animalis, quod est cap. xvii. in edit. anno 1548 impressa. Ad calc. 'Explicit 4 pars de quadripartito Johannis Hispalensis.'

27. 'Liber Messehalle de interpretacione cogitantis.' **f. 200.**

Inc. 'Precipit Messeallas ut constituas ascendens per gradum suum.'

Ad calc. 'Explicit liber Messehalle de interpretacione cogitacionis.'

28. 'Liber ejusdem de ocultis.' **f. 201.**

Inc. 'In nomine Domini incipit interpretacionum [liber] quem puto esse Messehalle, inveni enim eum extractum de libro suo de interrogacionibus. Scito aspiciens quod astrologus poterit errare 4 modis.'

Insunt haec :—

i. 'Tractatus Dorothei in ocultis;' capitulum breve. f. 202. Inc. 'Dixit Dorotheus, Cum interrogatus fueris de thesauro.'

ii. 'De eodem, secundum Ptholomeum.' *ibid.* Inc. 'Dixit Ptholomeus, Si aspexerit signator ascendens.'

Ad calc. 'Explicit liber Messehalle de ocultis.'

29. 'Capitulum utrum oculta fuerunt in loco in quo dicuntur esse.' **f. 202^b.**

Inc. 'Capitulum in sciencia locorum, si aliquid fuerit in eis an non.'

30. 'Quedam capitula extracta de libro 3 Judicum.' *ibid.*

Inc. 'Quid per singulos dies ab hora questionis ad noctem accidat.'

31. 'Abenaiat, Messahallae, Dorothei, Jergris, Aristotilis, Albumazaris, Aomar, Alkyndi, Zaelis, liber ;' scil., tractatus astrologicus ex sententiis eorundem compositus. **f. 205.**

Inc. 'Celestis circuli forma sperica.'

Imperf. ad fin.; desinit in cap. ex Messehalla extracto, 'de lune proprietatibus.'

150.

Membranaceus. In fol. minori. Saec. xiii, versus finem. ff. 196. Binis columnis. Olim inter codd. T. Allen, '20,' 'A. 110.' In fol. ult., 'Iste liber constat domino Bryggeman, magistro . . .'

1. [Alberti Magni Summa philosophiae naturalis, sive Philosophia pauperum,] quinque partibus. **f. 1.**

Imperf. ad fin.

Inc. 'Phylosophia dividitur in tres partes, scilicet, in logicam, ethicam et physicam.'

Expl. '—sicut supradiximus de forma que apparet in speculo et in materia in qua est secundum naturam.'

Inter *Opera*, fol. Lugd. 1651, vol. xxi. p. 1. Nostro autem codice omittitur cap. i. partis v, caeteraque in eadem parte abbreviata sunt, atque aliter non congruunt cum impressis.

In ora inferiori fol. 1. notat quidam, 'Hanc summam composuit frater Rogerus Bagount;' addit alter, 'secundum quosdam.' Hinc in veteri Catalogo, 'Summa Rogeri Bacon' male dicitur.

Desunt quaedam inter ff. 31, 32.

2. **Fragmentum ex abbreviatione tractatus [ejusdem] de sensu et sensato. f. 32.**

Incip. in cap. v ; omittuntur cap. vii–ix ; desinit ad fin. cap. xi.

Opp. vol. v. pp. 5–16.

3. 'Disputacio Alberti super de morte et vita;' scil., capp. vi. vii. libri ejus de eisdem. **f. 34^b.**

Inc. 'Nos autem ad eorum que dicenda sunt intelligenciam.' *Opp.* vol. xv. pp. 168–171.

4. [Idem] 'de nutrimento et nutribili.' **f. 37.**

Inc. 'Animadvertendum primo quid sit nutrimentum. Dicimus enim quod nutrimentum est potentia simile ei qui nutritur.'

Expl. '—similiter mures multum ponunt in semine.
Sorte beatorum scriptor libri pociatur,
Morte superborum raptor libri moriatur.'

Inter *Opp.*, in tractt. duos divisus, vol. xv. pp. 175–184.

5. [Rogeri Bacon commentarius in octo libros Physicorum Aristotelis, sive potius analysis eorundem.] **f. 42.**

Inc. 'Naturalis philosophie principales partes sunt viii.'

Expl. 'Si vero sint aliqua benedicta gratias postulant [*in marg.* postulent] sciencie largitori qui est Christus benedictus in secula seculorum. Amen.'

Nomen auctoris appositum est manibus duobus saecc. xv, xvi.

6. **Quaestiones de coitu. f. 101.**

Inc. 'De coitu quinque possunt notari.'

Expl. '—non appetunt coitum sicut mulieres.'

7. **Quaestio (***manu saec.*** xiv.) de voluntate et intellectu. f. 103^b.**

Inc. 'Queritur utrum voluntas sit alcior potestate quam intellectus.'

8. **De phlebotomia. f. 105.**

Inc. 'Discretionis inspiciendi sanguinem triplex est modus.'

9. 'Extracciones a Thezauro pauperum,' libro, scilicet, preceptorum medicinalium. **f. 106.**

Inc. 'Primo, de usu capilorum.'

10. **Commentarius in librum Aristotelis spurium de bona fortuna, per fratrem Aegidium [de Columna]. f. 114.**

Inc. 'Quidam ordinavit bonam fortunam in idem felicitati, ut vult philosophus primo Ethicorum.'

Expl. '—et in hoc finitur sentencia fratris Egidii supra libellum de bona fortuna.'

11. (*Tit. manu saec.* xv.) 'Tractatus,' sive Quaestiones, 'de intellectu potenciali, editus a fratre Egidio' [de Columna]. **f. 132^b.**

Inc. 'Queritur utrum anima se semper intelligat, et videtur quod non.'

Ad calc. 'Explicit tractatus de intellectu potenciali, editus a fratre Egidyo ordinis heremitarum sancti Augustini.'

12. **Quaestiones de anima. f. 144^b.**

Inc. 'Queritur utrum essentia anime sit una in homine.'

Desin. *imperf.* in quaest secunda, 'Utrum anima sit idem sue potencie' ad verba, 'sed accidentia, ut color, sunt in corpore accidentaliter. Item ea que sunt—'

Desunt quaedam.

13. Commentarius [Aegidii de Columna] in tractatum Aristotelis de anima. **f. 146.**

Inc. '*Bonorum honorabilium.* Tractaturus philosophus de
anima et de partibus anime.'
Incompletus; desinit abrupte in cap. i. lib. ii.

14. Commentarius [ejusdem] in libros duodecim
Metaphysicorum Aristotelis. **f. 149.**

Inc. '*Omnes homines naturaliter scire desiderant.* Sciencia
illa tria sortitur nomina.'
Expl. '—nec bonum est ponere pluralitatem principatuum.
Unus ergo est princeps omnium, qui est Deus benedicus in
secula seculorum. Amen. Explicit liber xii. Metaphisice.'

15. Quaestiones breves (*manu saec.* xiv.) de SS.
Trinitate. **f. 196.**

Ex veteri tabula contentorum codici praemissa constat haec
hodie deperdita esse: 'Tractatus de forma speculi secundum
Albertum. Item tractatus de lumine. Item de virtutibus . . .
Tractatus de impressionibus aeris secundum Albertum, utilis
valde.'

151. ['B. N. 11.']

Membranaceus. In 4º. ff. 122. Saec. xiii. ineuntis.
In fol. i. 'Hic est liber Sancte Marie de Radinges,
quem qui celaverit vel fraudem de eo fecerit, anathema sit.' Hodie signo 'B. N. Digb. 11' notatus.

1. Actus Apostolorum, glossati. **f. 9.**

Praemissa sunt haec:—
i. Praefatio quaedam. **f. 1**[b].
Inc. 'Qualiter Herodes ad Judaici regni apicem pervenerit
breviter intimabo.'
ii. (*Manu altera.*) Interpretationes multorum verborum in
Bibliis metaphorice in usu habitorum. f. 3.
iii. 'Prefacio Jeronimi in Actus Apostolorum.' f. 6.

fol. 8 vacat.

2. 'Incipit Lucidarius;' scil. excerpta e capp. 1–
25. libri i. Elucidarii S. Anselmi, sive Honorii
Augustodunensis. **f. 73.**

Inc. 'Solet queri quid sit Deus, quia absurdum videtur
adorare quod nescimus.'

3. 'Tractatus magistri Alani Poriani' sive Porretani
(*v. not. ad fin. cod.*) 'de modo praedicationis:'
tabula capitulorum xxxii. praemissa. **f. 74.**

Inc. 'Vidit Jacob scalam a terra usque ad celum.'
Major pars exstat impressa inter Opera Alani de Insulis
sub tit. 'Summa de arte praedicatoria,' non autem eodem
ordine; ibi etiam continentur capitula xlviii.

4. Excerpta e sermonibus [ejusdem?] de judicio
ultimo, de dignitate conditionis humanae, de
religione vera, de ascensione Domini, et de Petro.
ff. 87[b]**-89**[b].

5. Excerpta e distinct. xxxviii. [partis primae
Decreti Gratiani], 'de ammonitione scolastica;'
accedunt alia brevia de vita praedicantium. **f.
90.**

6. 'Excepciones de libro Cipriani;' sententiae
breves. **f. 90**[b].

7. Tractatus de assumptione B. V. Mariae. **f. 91**[b].

Inc. 'Ad interrogata de virginis et matris Domini resolu-
cione temporali.'
Impr. inter opera spuria S. Augustini, in append. ad vol. vi.
Operum, edit. Bened.

8. Sententiae breves theologicae. **f. 93**[b].

fol. 95 vacat.

9. Glossarium vocum ex Graeco derivatarum sive
raro occurrentium; ordine alphabetico. **f. 96.**

Inc. 'Abactus, ab actu remotus
Abaso, infirma domus.'
Expl. 'Zoroastris, sidus vivum
Ziphet, germinantes sive florentes.'
Quatuor columnis. Ad calcem est tabula verborum ad
voces animalium describendas aptorum.

fol. 121 vacat.

In verso fol. 122 (conjectanei) est haec nota:—'Hii sunt
libri quos dominus R. supprior accepit in deposito a magistro
H. [de Mar'], scil., In uno volumine Actus Apostolorum et
Sermones secundum magistrum Alanum Porretanum; in alio
Dialogi Gregorii; in tercio Exameron Ambrosii; in iiijº Epistole
canonicales et Sermones, Merlinus, Apocalipsis, et post, Sermones; in v. Cantica Canticorum et liber Eclesiastes. Hos
dominus tradet vel tradi faciet magistro Ricardo de Cicestr, vel
prefato magistro H. de Mar'., vel tali quem unus illorum per certa
insignia pro eis miserit. Teste, R. de Straford, canonico.'

152.

Membranaceus. In folio minori. ff. 54. Saec. xiv.
Manu Gallica. Inter codd. T. Allen, '51,' 'A. 116.'

'Summa philosofie magistri Theodoti filosophi Imperatoris, et magistri Moamyn falconarii Cesaris,
de sciencia venandi per aves et quadrupedes ut
ex eis solacium habeant, et theorica et practica
predictorum.'

In tractatus quinque divisa.
Inc. prol. 'Reges pluribus delectationibus gaudent.'
'Tract. primus de theorica hujus artis continens capitula
xiii.'
f. 10. 'Explicit tractatus primus. Incipit tractatus secundus de libro Moamin falconarii de disposicionibus avium rapi-
darum [etc.] et dividitur in sexaginta capitula.'
f. 31[b]. 'Explicit secundus tractatus de libro falconarii.
Incipit tercius de medicinis infirmitatum,' etc. [capp. xv.]
f. 36. 'Explicit tractatus tercius. Incipit quartus de dis-
positionibus et accidentalibus rapacium quadrupedum que capitula continet vi.'
f. 40[b]. 'Finitus tractatus quartus. Incipit quintus de medicinis egritudinum canum, et sunt capitula decem.' Ad finem
autem cap. v. sunt haec: 'Cap. vi. et cetera non habentur.'
Deinde, sine ullo intervallo, sequitur (f. 42), 'Liber *quartus*
ponens et continens quo docentur girofalci ire ad loycum,' etc.,
qui sic incipit, 'Diximus in precedenti nostro libro tercio hujus
operis modos per quos habentur aves de rapina.' Sed in tractatu
tertio supradicto haec non inveniuntur: inde colligendum est
hunc *librum quartum* ex quodam alio tractatu de venatione per
aves extractum esse. Desinit imperf. in capitulo 'De avibus
cum quibus venari debemus.' Ad fol. 50[b] est cap. 'Quod Anglici loyrant sine voce,' sic incipiens, 'Illi vero qui habitant
Britanniam que vocatur Anglica non loyrant hoc modo.'

153.

Membranaceus. In fol. minori. ff. 185. Saec. xiv.
Olim liber Johannis Bruyl, de ord. fratrum minorum,
de custodia London., et conventu Cant.; postea, 'istius libri Thomas Lucius ipsissimus possessor;' tertio,
'A. Goodere;' denique inter codd. T. Allen, '27,'
'A. 201.' Praemissa est tabula contentorum, literis
rubricatis, manu Joh. Bruyl.

1. [Alberti Magni Summa philosophiae naturalis, sive Philosophia pauperum.] **f. 1.**

Inc. 'Philosophia dividitur in tres partes.'
Impr. in Opp. vol. xxi., sed quae ibi in libro quinto habentur, hic in forma alia et multo breviori exhibentur.
Folia 22–27 *vacant; in quibus, secundum tabulam contentorum, inscribenda erat* 'Spera Pictagore.'

2. Commentarius in libros Meteorologicorum Aristotelis. **f. 28.**

Inc. 'Circa processum philosophi in libro Metheororum tria sunt investiganda.'
Expl. '—ultimo fini tocius nature, qui est Deus, benedictus in secula seculorum. Amen.'
Praemissa est nota de nova translatione tract. Arist. facta ex Graeco apud Nicaeam urbem A.D. 1260, ut et expositionis Alexandri Aphrodisiensis, et de caysis versionis novae, 'ut dicit Bacun in sua naturali philosophia.'
Ad calc. 'Iste liber constat fratri Johanni Bruyl, de ordine Fratrum Minorum.' Sequitur index rerum.

3. 'Afforismi Ursonis;' liber aphorismorum 109 de rebus variis in philosophia naturali, cum prologo. **f. 67ᵇ.**

Inc. prol. 'Quoniam phisicalis sciencie inventores.'
Inc. liber. 'Consuetum et ordinatum rectum [rerum?] naturalium processum non miramur.'
Sequitur ad calcem index rerum.

4. Incantamentum (*Anglice* 'Charm') e lib. vii. *Compendii Medicinae* a Gilberto Anglico, sive Leglaeo, quo ille multas mulieres concipere fecit. **f. 99.**

Fol. 101, *verso, vacat, eo quod, secundum tabulam contentorum, ibi inscribendum erat* 'Argumentum demonstrativum quod triangulus habet* 3 ' (sic).

5. Summa Problematum Aristotelis, cum expositione brevi; praemisso prologo. **f. 102.**

Inc. prol. '*Felix qui poterit causas cognoscere rerum.* Felicitas quoque sive beatitudo est summum bonum.'
Inc. textus, 'Quare egritudines generantur per superhabundanciam et defectum. Respondeo, primo propter distemperamentum complexionis.'
Ad calc. 'Completa est summa causarum problematum Aristotilis, assistente prime Cause subsidio, ex qua, in qua, per quam omnia. Cui laus honor et gloria in secula seculorum. Amen. *gud ha.* Deo gracias. Per fratrem Johannem Bruyl de custodia London. et de conventu Cant., pro cujus anima oret quilibet qui ejus usum habuerit devoto corde.'
Sequitur (ff. 138–147) tabula alphabetica omnium rerum in expositione tractatarum. Ad calc. 'Explicit tabula super problemata, compilata labore fratris Johannis Lyurb' [*i. e.* Bruyl, retroverso literarum ordine).
In fol. 137ᵇ, insertus est modus componendi aquas coloratas pro pictoribus.

6. 'Secreta Philosophorum,' sive summa brevis septem artium liberalium; cum figuris. **f. 148.**

7. 'Tractatus curiosus de attraccione naturali.' **f. 168.**

Inc. 'Quoniam terra sperica est, vapor ascendens de ipsa.'
Expl. '—grossiorem flammam emittit quam ligna decisa in novilunio. *J. Bruyl. Nunquam vidi plus de illo tractatu, quod doleo; multum concordat cum sententiis Ursonis in Amphorismis.*'

8. Tabula multiplicatoria, a 1 usque ad 10. **f. 174ᵇ.**

9. 'Secreta fratris Alberti ordinis fratrum Praedicatorum;' tres, scilicet, breves tractatus, i. de herbis sedecim, ii. de lapidibus, iii. de animalibus octodecim. **f. 175.**

Inc. 'Quia, sicud vult philosophus in pluribus locis, omnis sciencia de genere bonorum est.'
In fol. 179 *spatium vacuum occurrit, in quo inserendus erat* 'Liber intoxicorum.'

10. 'Liber ignium subtilis: opus ignium secundum Marchum Grecum.' **f. 179ᵇ.**

Inc. 'Incipit liber ignium a Marcho Greco descriptus, quorum utilitas ad resistendum hostibus tam in mari quam in terra plurimum recipitur.'
Experimenta decem. Abbreviatio videtur esse operis Marci, quod forma completa editum erat apud Parisios anno 1804.

11. Experimenta quatuor: 'ad faciendum scripturam argenteam vel auream;' 'ut ovum integrum intret per violam,' etc. **f. 180.**

12. Precepta varia chemica. **ff. 180ᵇ, 181.**

Sequuntur folia vacua quatuor.

13. Tabula 'ad sciendum qua hora diei quis planeta regnat.' **f. 182.**

In margine inferiori est nomen 'Thomas Gifforde.'

14. Tabulae signorum zodiaci et planetarum. **ff. 182ᵇ–3.**

15. Figura orbium coelestium sive circulorum coeli, cum distantiis. **f. 183ᵇ.**

'Iste quantitates sumpte sunt ex Alfragano et aliis autoribus autenticis.'

16. 'Lincoll.' [scil. R. Grosseteste] 'de quadratura circuli.' **f. 184.**

17. Praescriptiones paucae medicae. **f. 184ᵇ.**

18. Versiculi quidam leves, raptim scripti. **f. 185.**

154.

Membranaceus. In fol. minori. Saecc. xiii, xiv. ff. 112. In saec. xv. 'liber Abbacie de Tychefeld, ordinis Premonstr., Wynton. dioc., juxta Hamelehoke in com. Suth.'

1. [*Saec.* xiii.] Expositio ordinis Missae. **f. 2.**

Inc. '*Magnum est pietatis sacramentum*, 1 Thimo. iii. Duo sunt in his verbis attendenda.'
Expl. '—per lapidem angularem Christum colliguntur in unum.'

2. Sententiae ex Bernardo et Augustino. **f. 13ᵃ, ᵇ.**

3. Commentarius in initium et finem libri Job, scil. in capp. i, ii, et in verss. 12–17. cap. xlii. **f. 14.**

Inc. '*Vir erat* [etc.] Tria hic ponuntur, simplex et rectus et timens Dominum.'
Expl. '—ad illam supernorum civium mansionem in qua est pax eterna, qui est impermutabilis Deus per omnia secula seculorum. Amen.'
Inest narratio de quodam monacho, ordinis Carthus., nomine Giraldus.

4. De excellentia Sacrae Scripturae, et de usu historiarum in ea contentarum. **f. 26.**

Inc. 'Cum quis in divinis erudiendum accedit primum debet considerare que sit materia.'

5. Magna Carta, confirmata ab Edw. I. apud Westm., 28 Mar., anno regni 28. **f. 27.**

6. Carta de libertatibus forestae, eodem die confirmata. **f. 29.**

7. Narratio de papa quodam missam offerente pro matre sua; intit. in veteri tabula contentorum, 'Visio per quam trentale sancti Gregorii fuit introductum;' *Gallice.* **f. 30**[b].

> Versio Latina exstat in cod. Rawlinsoniano C. 553, fol. 8. Versio metrica Anglicana impressa est una cum '*The Visions of Tundale*,' edente W. B. D. Turnbull, 8°. Edinb. 1843.

8. 'Decretum contra Ordinem Templariorum;' Literae, scil., Simonis [de Gandavo] Episc. Sarisbur., Decano Sarisb. et Archidiaconis Dors., Berk., Sar. et Wilt., missae, in quibus recitantur Literae Roberti Archiep. Cantuar., recitantes, vice sua, bullas quatuor papae Clementis V. contra Ordinem; dat. apud Cherdestoke, idus Sept. A.D. 1309. **f. 31.**

9. Epistolae variae ac brevia regia ad res ecclesiasticas, partim infra comitatum de Oxon., pertinentes, annis 1293–1317.

i. Brevia R. Edw. II, annis ix, x, atque Mandatum episc. Linc., an. 1317, pro summonitione J. de Capella, personae de Ambrosdene, ad respondendum apud Westm., de debitis ejus Roberto Bordoyn et Petro Cosin, mercatori, de Malins. **f. 35**[b].

ii. Epistolae variae Rogeri de Merlawe, presbyteri ecclesiae de H., pro diversis amicis scriptae; sc., de admissione ad sacros ordines, in favorem cujusdam ad beneficium de Ardington juxta Wanetyng praesentati, ad W. Hervy [archidiac. Salisb.], pro licentia quod rector quidam non resideret per xii. annos, aliaque similia; et pro seipso ad J. de H. monachum de Haylle de emendo pullano apud Wynchecumbe 'ubi multociens copia pullanorum;' item, contra quendam H. de C., messorem episcopi W. in parochia de H., qui fecit tenentes episcopi quadam die Dominica foenum levare. **ff. 36–38.**

iii. Epistolae fratris P. de S., fratris J. de Rossel, fratris J. de G., et M. abbatis de Missenden ad Rogerum de Merlawe. **f. 37**[a, b].

iv. Epistola Edmundi, comitis Cornubiae, fratri Reymundo, Ordinis Minorum generali ministro, gratias agens pro muneribus preciosis ('cultellis, scil., nobilibus de corallo atque insigni vase ciriaco') per manus domestici sui fratris Johannis Rossel sibi missis; 'dat. in manerio nostro de B. prope Oxon. in f. Decoll. B. Jo. Bapt. anno r. r. 21' [29 Aug. 1293]. **f. 38.**

v. Formulae procuratoriae. **f. 38**[b].

vi. Literae certificatoriae de administratione bonorum Margaretae de Clare, comitissa Cornubiae, quae habuit in manerio suo de Kyrketone [Kirtlington], per executores suos Joh. de Capella et Petrum de Brixia; 1315. **f. 39, 39**[b].

vii. Literae quaedam de herietis, sive mortuariis, exigendis, et de taxatione decimae pro procurationibus nunciorum papae solvendae. **ff. 39**[b]**, 40.**

10. Tituli (ut videntur) capitulorum quindecim in tractatu quodam de diversis legis Angliae violatoribus; *Gallice.* **f. 40**[b].

> Inc. 'De homicides, roberyes, e totes manere felonyes, per queles fetes, de quey e de quel temps. De eux qe pervent e prendre font al oeps le Roy, le Reyne ou lur enfauntz ou a nul autre,' etc.
> Expl. 'Des mausesours, forstallares, e batours des gentz.'
> Cf. excerptum *infra* e tabula contentorum quoad librum 'de statutis regni Angliae.'

11. Nota de confirmatione per papam Joh. XXII., apud Avenionem die Omn. SS. 1317, indulgentiarum quarundam per Urbanum IV. et Clem. V. concessarum. **f. 41**[b].

12. Physica et logica quaedam, raptim, ut videtur, et imperfecte scripta, atque non facile intelligenda.

i. De motu et de causis rerum; intit. in veteri contentorum tabula, 'Tractatus de actione naturali.' **ff. 42–46**[b].

> Inc. 'Cum omnes effectus naturales per motus ad esse producantur, inquisicioni talium (?) volenti insistere precognicio motus sibi esset necessaria.'

ii. De proportionibus. **f. 47.**

> Inc. '*Hic incipiunt proportiones, etc.* Omnem motum succ[essivu]m alteri in ve. contingit propor. etc. Omnis proporcio l[ocalis] est dicta proprie l[ocalis].'
> Ad calc. (f. 50) 'Expliciunt proporciones.'

iii. De consequentiis. **f. 50.**

> Inc. 'Consequencia est a[s] [accidens?] et consequens.'
> Ad calc. (f. 53), 'Expliciunt consequencie cum exclusivis et exceptivis, et cetera.'

---

13. [*Saec.* xiii. *ineuntis sive* xii. *exeuntis.*] [Tractatus Nicolai Arabici ad Clementem papam de articulis fidei,] in libros quinque distinctus. **f. 54.**

> Praemissae sunt 'Descripciones primi libri,' sive definitiones, tres 'peticiones' sive postulata, et sex 'animi concepciones' sive axiomata.
> Lib. i. De causa suprema, Deo; propositiones xxix.
>   ii. 'De rerum creatione;' propp. xxx, praemissis descriptionibus.
>   iii. 'De Filii Dei incarnatione;' propp. xv.
>   iv. 'De sacramentis ecclesie;' propp. ix, praemissis descriptionibus.
>   v. 'De arte fidei catholice;' propp. vii.
> Cf. cod. 28, *supra, art.* 20.
> Sequuntur sententiae quaedam e Patribus.
> *Deest folium unum.*

---

14. [*Saec.* xiv.] Pars tractatus de jure Anglicano, vocati *Britton.* **f. 63.**

> Desinit juxta finem cap. li., aliter cap. xx. libri ii. Quaedam ex foliis maculis discolorata sunt.

> Ex tabula contentorum, manu saec. xv. praemissa, constat haec, olim hic inventa, hodie deesse:—
> 'Meditaciones beati Bernardi abbatis.
>   Tractatus de x. preceptis et vii. sacramentis ecclesie.
>   Constituciones.
>   Tractatus de elemosina, paupertate et aliis bonis operibus.
>   Sermones cujusdam religiosi.
>   Omelie quedam.
>   De statutis regni Anglie in Gallico editis tempore E. Regis filii Regis Henrici.
>   Cronicule.
>   Altercacio inter animam et corpus.
>   Versus notabiles.'

155.

Membranaceus. In fol. minori. Saec. xiv. exeuntis. ff. 129. Binis columnis. 'Liber domus scolarium de Merton Halle in Oxon. ex dono magistri Johannis Burbache, doctoris in theologia et quondam socii ejusdem domus, ut inchatenetur in libraria communi ad perpetuum usum studencium ibidem.' Inter codd. T. Allen, '13,' 'A. 131.'

'Questiones super Tegni G[aleni], secundum Parisiensem, Cancellarium Montis Pessulani' (*tit. ad calc.*)

> Inc. 'Testatur Ptolomeus in Almagesti quod disciplina hominis cui intellectus socius est et apud homines intercessor.'

156.

Membranaceus. In fol. minori. Saec. xiii. ff. 159, quorum utrinque duo a bibliopego addita sunt. Bene exaratus, binis columnis. Olim '. . . prioratus de Tonebr[idge] pro libro medicine,' [dedit, scilicet, prioratus cuidam in excambium.]

[Petri Lombardi] Sententiarum libri quatuor.

> In ff. 1, 158^b sunt notae quaedam expensarum in itinere versus Doveriam et Parisiam, cum quodam 'magistro Willelmo.' Et in fol. 2 quaedam de sacramentis sicut tractantur in lib. iv. Sententiarum.

157.

Membranaceus. In folio minori. Saec. xii. ff. 99, praeter duo ad init., totidemque ad finem. Bene scriptus. In fol. ad init., 'Too ys welbelouyde ffrynd Tomas Hankes thys be delyveryde wythe spyde.' Inter codd. T. Allen, '45.'

1. Bernardi Silvestris [Carnotensis] opus, metricum partim, partim prosaicum, de Creatione; Teodorico, 'doctori famosissimo,' dicatum. **f. 1.**

> In libros duos distinctum: i. 'Megagosmus,' sive 'Megachosmus,' in quo Noe Naturam instruit de quatuor elementis, sive 'de ornatu elementorum;' ii. 'Microchosmus,' in quo iterum Noe cum Natura loquitur de homine et planetis, speciatim de Urania 'siderum regina.'
> Ad calcem est synopsis contentorum operis.

2. 'Architrenius magistri Johannis de Alvilla,' sive Altavilla. **f. 16.**

> Tit. ad calcem. Accedit tabula capitulorum.
> Vid. cod. 64, *supra.*

3. [Josephi Iscani] Poema de bello Trojano, ex Darete Phrygio. **f. 65.**

> Inc. '*Frigii Daretis Iliados liber primus incipit.*
>   *Iliadum lacrimas concessaque Pergama fatis.*'
> Saepe impressum; olim sub nomine Cornelii Nepotis.
> In fol. ult., scil. 101, est carmen ad Bacchum.
> Inc. 'Bache, decus mundi, terra mira potestas,
>   Gentes das letas sub diro principe mestas;
>   Vincis victrices regum vineisque tirannos;
>   Vincis pontifices; letos mihi da, precor, annos.'

158.

Membranaceus. In fol. minori. Saec. xii, versus finem. ff. 126. Bene scriptus. In fol. 1, Hic est liber S. Marie de Radinge, quem qui celaverit vel fraudem de eo fecerit anathema sit.' Inter codd. T. Allen, '14,' 'A. 62.'

1. 'Epistola Johannis [Presbyteri] regis Indie ad Emanuelem Constantinopolitanum imperatorem:' [circa A.D. 1165.] **f. 1.**

> Impress. cum *Itinerario* Jo. de Hese, 4°. Davent. 1504; et denuo edit. per Fred. Zarncke, pp. 909-924, vol. vii. *Abhandlung der philol.-hist. classe der Sächsischen Gesellschaft der Wissenschafften*, 8°. Lips. 1879. Initium etiam exstat apud Pezii *Anecdota*, vol. vi. part ii. p. 20, fol. Aug. Vind. 1729.

2. 'Liber Sententiarum Cassiodori Senatoris de diversis voluminibus;' sive rectius, Defensoris Liber Scintillarum. **f. 7.**

> Praemissa est tabula in fol. 6; 'Incipiunt capitula libelli Scintillae Scripturarum.'
> Saepe impressus, inter Opp. Bedae et alibi.

3. 'Sententia Anselmi archiepiscopi de motione altaris;' scil. epist. clix. ad Willelmum abbatem. **f. 91.**

4. Excerpta quaedam e SS. Augustino et Gregorio. **ff. 91^b, 92^b.**

5. Dialogus inter Dominum et monachum ex ord. Bened. quomodo quis pro Christo negotiari in paupertate possit. **f. 94.**

> Inc. 'Dixit Dominus Jhesus discipulis suis, Negotiamini dum venio.'

6. 'Sermo venerabilis Anselmi archiepiscopi Cantuariensis de duabus beatitudinibus et miseriis.' **f. 96.**

> Inc. 'Notandum est duas esse beatitudines et duas miserias. Una est beatitudo quam Adam habuit in Paradiso.'
> Expl. 'Meror et desolatio his qui Dominum Christum contempserunt, gaudium et exultatio erit his qui eum dilexerunt et diligunt, cui gloria et imperium in secula seculorum Amen.'
> Non inter opera Anselmi impressa exstare videtur.

7. 'De octo beatitudinibus.' **f. 103.**

> Inc. '*Beati paupere spiritu.* Contraria sibi non conveniunt, ut paupertas et beatitudo, vel sanitas et egritudo.'
> Expl. '—in quo processus mansionum et diversa meritorum premia numerantur.'

8. De Oratione Dominica. **f. 105^b.**

> Inc. 'In septem precibus Orationis Dominicae omnia bona presentis vitae et futurae continentur.'
> Expl. '—nec sine merito ad beatitudinem pervenitur.'

9. 'De spirituali claustro.' **f. 106^b.**

> Inc. 'Sciendum est claustro corporali monachos concludi parum aut nichil prodesse nisi spirituali muniantur.'

10. 'De libero arbitrio.' **f. 107.**

> Inc. 'Queritur quomodo facta sit in nobis liberi arbitrii depressio.'

11. An Adam sive Eva gravioris sententiae poenam promeruisset. **f. 107^b.**

> Inc. 'Inquisitione dignum videtur cum Adam pariter et Eva ad injunctae obedientiae transgressionem.'

12. De primo peccato et casu hominis. **f. 108.**

> Inc. 'Deus fecit hominem bonum et justum hac conditione.'

13. 'De diversis opinionibus animae.' **f. 109.**

Inc. 'Diversae diversorum opiniones sunt de anima. Dixerunt enim quidam illam de parte Dei creatam esse, qui male dixerunt.'

14. Sententiae e SS. Augustino et Hieronymo de anima. **f. 109ᵇ.**

15. 'De corpore et sanguine Domini.' **f. 110.**

Inc. 'Quomodo panis sanctificatus convertatur in carnem.'

16. 'De perceptione corporis et sanguinis Domini.' **f. 111.**

Inc. 'Cotidie Eucharistiae communionem percipere nec laudo nec vitupero.'

17. Notae e commentario quodam, super Gen. ii. 19–iii. 15. *ibid.*

18. 'De trina sepultura;' de morte non timenda; de signo Jonae: [excerpta, scil., ex cap. vi. libri iii, et capp. ix, x, et vi. libri iv, tractatus S. Augustini de Symbolo ad catechumenos.] **ff. 112ᵇ–114.**

19. 'De tolerantia Noae in archa.' **f. 114.**

Inc. 'Omnis qui pie tolerat recte credit.'

20. De dilectione inimicorum: [excerptum e sermone 382 S. Augustini, de S. Stephano.] **f. 114ᵇ.**

21. Excerptum e cap. xxx. libri Cassiodori de Institutionibus divinarum literarum. **f. 115.**

22. Excerpta brevia de mystico sensu quatuor pedum mensae tabernaculi, de tribus generibus martyrii, de octo per monachos observandis. **ff. 115ᵇ, 116.**

23. 'De non recta comparatione virtutum et vitiorum.' **f. 116ᵇ.**

Inc. 'Nonnunquam ideo extollimur et aliis detrahimus.'

24. Alia brevia; 'de immunditia cordis;' de tribus in juvene notandis; 'de septem gradibus humilitatis.' **ff. 117ᵇ, 118.**

25. [*Manu altera, saec. ejusdem.*] 'Sermo de veneratione reliquiarum sanctorum.' **f. 119.**

Inc. 'Audistis, fratres dilectissimi, psalmista dicente, quod preciosa sit in conspectu Domini.'

Expl. 'Quid igitur, fratres karissimi, per hoc nobis innuitur nisi quod nos qui sanctorum reliquias suscepimus, ex hoc etiam sanctius vivere debemus?'

159.

Membranaceus. In fol. minori. Saec. xiv. ff. 87. Mutilus ad finem. Inter codd. T. Allen, '24,' 'A. 78.'

'Liber Aristotilis de ducentis lv.que Indorum voluminibus, universalium questionum tam genecialium quam circularium summam continens.'

Praemissus est prologus (incip., 'Ex multiplici questionum genere' in quo quidam Hugo Sanctellensis, domino suo opus inscribens ('tue sublimitatis servus ac indignus minister'), dicit se librum transtulisse ex Arabico in Latinum.

Inc. '*Incipit Aristotilis comentum in Astrologiam.* Primo quidem omnium id recte atque convenienter proponi videtur.' Desinit liber imperfecte in cap. 'de Jovis alfardaria.'

In folio ad init. vacuo manus saec. xvii. ineuntis [T. Allen?] scribit haec, minime autem ad hunc nostrum codicem referentia: 'Summa judicialis de accidentibus mundi secundum Johannem de Eschinden quondam socium aulae de Merton. in Oxon.'

160.

Membranaceus. In fol. minori. ff. 223. Saec. xv. Inter codd. T. Allen, '22,' 'A. 67.'

1. Fragmentum tabulae capitulorum in quodam tractatu systema theologiae continente. **f. 1.**

2. Fragmentum tractatus cujusdam astrologici, in quo de orbe coelesti et de planetis. **f. 2.**

3. 'Tractatus de anathomia membrorum, continens duas doctrinas:' i. 'de anathomia membrorum communium universalium et simplicium;' ii. 'membrorum propriorum particularium et compositorum.' **f. 3.**

Inc. 'Quoniam secundum Galienum medicorum lucernam.'
Citantur ex medicis recentioribus Henricus de Hermondavilla [*sive* Amandivilla] atque 'Guillelmus de Saliceto et sectator ejus Lantfrandus.'

4. 'Tractatus de basibus medicinarum compositarum, secundum Jo. de Sancto Amando.' **f. 18.**

Inc. 'Quoniam ut dictum est, et similiter attestatur Jo. Damascenus.'
Ad calc. 'Explicit tractatus bonus de basibus et medicinis componendis Jo. de Sancto Amando.'

5. Tractatus de medicinis simplicibus, cum tabulis medicinarum intertextis. **f. 22ᵇ.**

Inc. 'Cum non sit medicus nisi administrator rerum non naturalium.'
Expl. 'Scias ergo quod contrarii in operacionibus sunt contrarii in complexionibus, et in hoc est finita tabula medico multum necessaria.'

6. 'Speculum' introductionum medicinalium 'Arnoldi' de Villa Nova, 'super Johannicium.' **f. 46.**

Desinit incompletum in cap. lxxxiii.
Impress. inter *Opera* sua.

Sequuntur tria folia vacua.

7. Opus medicum *Trifolium* dictum, auctore [ut notat T. Allen] Simone Bredon, socio collegii Mertonensis: libris tribus. **f. 102.**

Inc. 'Intencio mea in hoc opusculo fuit juxta triplex regimen trifolium ordinare.'
Lib. i. De judiciis urinarum aliarumque evacuationum. f. 103ᵇ.
Lib. ii. De judiciis medicinarum. f. 173.
Lib. iii. (*sive aliter* ii.) De signis a pulsu et anhelitu. f. 220.
Desinit mutilum, ubi tractatur de effectu balnearum, ad verba, [balneum calidae aquae] 'dum usitatur temperate facit pulsum magnum, velocem.'
In folio ad finem compacto (fol. 223) est hoc memorandum, vix propter rasuram legendum, 'Ego Johannes Gerarde . . . in cista de Dunken, anno Domini m.cccc.lxxvij, viijᵒ die Aprilis . . . liber medicine, secundo folio *seu particulis*' [ut supra, fol. 4.] 'et jacet pro xiijˢ. iiijᵈ.' De cista *Dunken* in acad. Oxon. v. *Munimenta Academica* a H. Anstey, vol. ii. p. 744.

161.

Membranaceus. In fol. minori. ff. 93. Quoad maximam partem, saec. xiv. Inter codd. T. Allen, 'A. 72,' '47.'

1. Fragmentum e tractatu Abraham Aben-Ezrae de revolutionibus. f. 1.

> Inter ejusdem *In re judiciali opera*, 4°. [Ven. 1507], ff. lxxxi–lxxxiii.

2. Fragmentum alterum; conclusio tractatus ejusdem auctoris de significationibus planetarum in duodecim domibus. f. 2.

> Ad calc. 'Finis quorundam tractatuum particularium Abrahe Avennarre quos Petrus Paduanus ordinavit in Latinum.'
>
> *Ibid.* fol. xci[b].

3. Sermo 'magistri Herdeby,' *alias* 'Galfridi Hardeby,' 'in ecclesia Virginis' [apud Oxonienses?] in S. Luc. xxi. 25, *Erunt signa in sole*, etc. *ibid.*

> Inc. 'Signorum tria sunt genera.'

4. 'De factura et formis rerum et ymaginum que ascendunt in faciebus signorum.' f. 6.

> Inc. 'Arietis vero natura est ignea, colerica, [etc.] Et ascendit in prima facie ejus mulier que vocatur Azne.'

5. [*Saec.* xii. *exeuntis.*] De mundi et coelorum constitutione, de sole et planetis. f. 10.

> Inc. 'Mundus igitur ex quatuor elementis constans, et ex isdem totis in modum spere globatus.'
>
> Expl. '—qui eas percuciens aut in sublime tollit, aut in profundum deprimit, aut in latitudinem declinare aut retrogradari facit.'

6. Pars tractatus cujusdam de medicamentorum compositione et usu. f. 16.

> Incipit (*in fol.* 9, *secundum veterem enumerationem*) cum descriptione aluminis zucarini 'vulgariter Alumglas.' Sine dubio auctor est ille chirurgus celeberrimus, Johannes Arderne, de Newark. Describuntur casus qui 'apud Neuwerk' et 'apud Dankastre,' ut etiam 'apud London ad fratres Carmeli,' occurrebant; citatur etiam Johannes Gadesdene. Juniperus dicitur crescere 'in Cancia super Schetereshylde in via versus Cantuariam, apud Dorkyng eciam in Soreray... eciam apud Bedyngtone juxta Croyden, quam incole patrie illius vocant *gorst*.' Exemplar integrum, sine nomine auctoris, invenitur in codice chartaceo saec. xv, Ashm. 1434, art. 3; ex quo constat nostrum tribus circiter foliis carere.

7. Pars summae [Petri Aponensis] Problematum Aristotelis; f. 24.

> Inc. (*in fol.* 31, *secundum quendam veterem enumerationem*) in quaestt. de mari, [sect. xxv.]
>
> Ad calc. 'Completa est summa causarum problematum Aristotelis, assistente prime Cause subsidio, ex qua, in qua, et per quam omnia, cui laus et gloria quamdiu causa fuerit vel causatum. Amen.'

8. 'Liber Ursonis de commixtionibus elementorum.' (*tit. ad fin.*) f. 35[b].

> Inc. 'Quoniam naturalis sciencia ceteris elegancior.'

9. 'Tractatus de diebus creticis, etc.' (*tit. ad fin.*) f. 84.

> Inc. 'Natura summa et provida, a qua cuncta suam causaliter extraxerunt originem.'

10. De potentiis animae. f. 93[b].

> *Liber imperf.*, initium solummodo exhibens.
> Inc. 'Sciendum est autem in primis quod multorum opinio.'

162.

Membranaceus. In fol. minori. Saec. xiii. ff. 48. Binis columnis. Inter codd. T. Allen, '25,' 'A. 179.'

1. Tractatus chemicus de coloribus quibusdam componendis; capp. xii. f. 1.

> Inc. 'Proloquta inter me et Asende eo quod ipse scire verba que rogavit me in parte una iterando.'
> Expl. '—et mitte desuper ipsum quando fuerit siccum.'
> Sequuntur versus septem de arte pictoria, quorum primus et postremus hic subjiciuntur:—
> 'Sensim per partes discuntur quelibet artes.
>
> Ars opus augebit sicut liber iste docebit.'

2. (*Manu saec.* xiv.) De urinis. f. 6.

3. 'Lumen luminum;' tractatus alchemicus, libris tribus, cum prologo. f. 7.

> Inc. prol. 'Cum de sublimi atque precipuo rerum effectu sermo habendus sit.'
> Expl. '—sed intimum et precordiale deputandum descripsi.'
> Non est opus Arn. de Villa Nova sub eodem titulo vulgatum.

4. 'Liber Aristotelis de xii. aquis secreti fluminis, translatus ab Arabico in Latinum;' opus alchemicum; in 12 capp. f. 10[b].

> Inc. 'In xii. aquarum investigando libro.'

5. Tractatus de auri et argenti confectione, variisque ejusdem generis, et de compositione ac usu colorum, etc.; intit. Mappae Clavicula. f. 11[b].

> Inc. 'Multis et mirabilibus in hiis meis libris conscriptis cure nobis fuit exponere commentarium.'
> Expl. (in cap. *de ferri deauratione*) '—que in auro fit, et mitte in foco ut nosti.'
> Praemissa est tabula capitulorum.

6. i. 'Prima translacio libri Morieni' Romani, heremitae Hierosol., de transmutatione metallorum. f. 21[b].

> Inc. 'In nomine Domini pii et misericordis res que accidit ad Kalid filii (*sic*) Gesid, filii Maohoia cum Morieno Romano.'
> Alia versio, forma longiori, exstat in vol. ii. *Artis Auriferae quam Chemiam vocant*, 8°. Bas. 1593. p. 1.

> ii. 'Translacio ultima libri Morieni secundum magistrum Robertum Cestrensem;' sive pars secunda tractatus Morieni. f. 23.

> Inc. 'Moriene, primum querere libet que et qualis hujus rei substancia.'
> Ad calc. 'Explicit liber alkimie de Arabico in Latinum translatus, era M.C.LXXX. secundo, mense Februarii et in ejus die xi., in hora viii. ejusdem diei.'
> Impress. *ibid.*, pp. 25–54, sine nomine traductoris.

7. Libri Septuaginta; sive tractatus alchemicus in lxx. sectiones distributus, in quibus summae 'omnium nostrorum librorum.' f. 29.

> *Imperf.*, desinens in libro xxxvii. qui est 'Liber Utilitatis.'
> Incip. lib. i. 'Liber Divinitatis,' 'Laudes sint Deo habenti graciam et bonitatem et pietatem et misericordiam qui donavit nobis rem quam non meruimus apud eum ut retribueret nobis.'

163.

Membranaceus. In 4°. majori. Saec. xv. ff. 88. Inter codd. T. Allen, 'A. 134.'

1. Rob. Grosseteste, episc. Lincoln., tractatus de venenis, (id est, de septem peccatis mortalibus). f. 1.

M

Inc. 'Racio potissima veneni convenit peccato prioritate originis, generate infeccionis, et difficultate curacionis.'

2. Ejusdem libellus de decem praeceptis Decalogi. f. 21.

Inc. 'Sicut dicit Apostolus ad Cor. 12°. Plenitudo legis est dileccio.'

3. 'Quedam notabilia et descripciones vocabulorum secundum ordinem alphabeti et secundum diversos patres et catholicos orthodoxos.' f. 57.

Notae in verba quaedam, ab *Auxilium* ad *Zelus.*

4. 'Meditaciones beati Bernardi de passione Domini.' f. 83^b.

Inc. '*Quis dabit capiti meo aquam* [etc.] donec appareat servo Dominus Deus visu vel sompno consolans.'
Ad f. 87, 'Hic tractat beatus Bernardus de morte Ade et tribus virgulis de quibus fiebat Sancta Crux.' Inc. 'Post peccatum Ade, expulso eodem a Paradiso.' *Imperf.*, desinens ad verba, 'inventa est ceteris brevior uno cubito que per lineam—'
Non sunt hae meditationes inter opera impressa Bernardi.

164.

Chartaceus. In 4°. majori. Saec. xv. ineuntis. ff. 142. Inter codd. T. Allen, 'A. 92.'

1. (*Manu saec.* xvi.) Tractatus alchemicus de metallorum praeparationibus; *imperf. ad fin.* f. 1.

Incip. 'Sciendum est quod septem sunt corpora metallina.' Scriptus manu cujusdam Joannis Penon ; *cf.* fol. 113^b.

2. 'Ex libro Rogeri Baconis de arte et natura,' sive epistola de secretis operibus artis et naturae. f. 8.

Inc. 'Vestre peticioni respondeo diligenter. Nam licet nature potestas sit mirabilis.'
Saepe impress.

3. 'Benediccio nove domus.' f. 12^b.

4. 'Extracta de libro mineralium Alberti, qui est de lapidibus in communi;' scil. e capp. 3, 5, 6, 7, 8. ff. 13, 14.

Opera, vol. ii. part iii. pp. 212-7.

5. 'Liber Trium Verborum [Regis Calid] qui dicitur Liber Divinitatis;' tractatus alchemicus. f. 15.

Inc. 'Et hec tria verba sunt de lapide precioso qui est lapis omnium lapidum preciosorum, et est corpus volatile, aereum.'
Expl. '—quia qui habet indeficientem thesaurum habet.'
Citantur quidam ('Dixit filius regis Persarum,' et, 'Dixit Rabachay') qui in textu in vol. v. *Theatri Chemici* impresso non nominantur, cum qua editione codex noster, initio excepto, minime consentit.

6. 'Extracta de tractatu fratris Ferrarii super arte alkymie.' f. 17.

Inc. 'Dirigit epistolam suam Papae, et primo ponit artis impe^{ta} [impedimenta?] et que conveniunt artiste. Secundo narrat illorum raciones qui hanc scienciam impugnant.' Deest fol. unum inter 17, 18.
Expl. 'Unde dicit Hermes, Qui filios Rubi₉^{nis} (rubiginis ?) servi et candide mulieris desponsare sciverit ipsos in infinitum multiplicabit. Hanc (*sic*) nobis juxta cor nostrum prestare dignetur' [etc.]. 'Explicit frater Ferrarius.' Non conveniunt haec cum iis quae sub nomine Efferarii in vol. iii. *Theatri Chemici*, et alibi, exstant.

7. 'De humano sanguine,' sive de compositione medicamenti cujusdam e sanguine per separationem quatuor elementorum. f. 21.

Inc. 'Ex sanguine humano philosophicam medicinam extrahamus sive componamus.' Sequitur (f. 24^b) de herba Celidonia et de extractione quatuor elementorum eodem modo.

8. (*Manu saec.* xvi.) 'Pour dissoudre en fiens plus en ung jour que en 12 aultrement.' f. 25.

9. 'Ramus secretissimi lapidis per Virgilium a natura expletum' (*sic*). f. 25^b.

Inc. '℞. lapidem rubeum et scinde in peciis minutissimis.'

10. 'Dyalogus A. de Villa Nova super philosophico lapide :' (*tit. ad calc.*); 'in sex capitulis expletus.' f. 27.

Inc. 'Scito, fili, quod in hoc libro dicam de secretis nature.'
Expl. 'Jam ergo complevi intentionem meam in hoc libro in quo locutus sum quid est lapis.'

11. 'De cristallo et lapidibus preciosis ;' alchemica quaedam. f. 29^b.

12. 'Pauca extracta de diversis auctoribus de philosophico lapide tractantibus.' f. 33.

Inc. 'Hic aliqua investigabuntur de materia, de modo generacionis metallorum.'
Expl. '—ut thesaurus absconditus a multis quesitus in lucem prodeat in utilitatem sub[ti]lium et proborum. Amen.'
Sequuntur :
    i. De sublimatione. f. 50^b.

Inc. 'Notandum bene quod omnes operaciones hujus artis stant in sola sublimacione.'
Expl. '—habes elixir seu lapidem philosophorum completum quod convertet omne imperfectum corpus et mercurium in lunam optimam qua melior non poterit inveniri.'

    ii. De excellentia artis faciendi aurum et argentum. f. 53^b.

Inc. 'Inter omnia omnium studia, maxime sapiencie studium est perfectius.'

13. 'Alphidius philosophus de lapide philosophico.' f. 56^b.

Inc. 'Primum libri hujus, Otheophile (*sic*), constat eulogium aperire nescientibus quod studiosus philosophorum chorus agere consuevit.'
Expl. 'Et de ista herba' (scil. borisa, sive martago, alias lunaria) 'vidi in magna quantitate in monte Sancti Michaelis et in quodam monte de Bairo prope Collmer. (?), sed modus habendi non est notus omnibus propter serpentes eam custodientes, etc.'

14. (*Manu saec.* xvi.) Figura coeli hora nativitatis Johannis Penon, 12 Apr. 1489, et figurae coeli 13 Apr., 22 Aug., et 11 Dec. 1535, de eodem Johanne 'preparation de la matere de la grande pierre' tunc temporis operante, per eundem descriptae. ff. 65^b, 68.

15. Alchemica varia, partim *Lat.*, partim *Gall.* ff. 66-70.

Inter haec :
    i. 'Opus solis et lune completum.' f. 67.
    ii. 'Chy sensieut ung traities de la vraie science dalkimie.' f. 70.

16. Astrologica paucula, de planetarum influentiis et de effectu coeli. f. 71.

17. Virtutes herbarum, etc., partim medicinales, partim magicae. ff. 72, 75.

18. De Igne Graeco modis sexdecim componendo, quorum septem sunt de oleis benedictis. ff. 73^b-75.

19. 'Hic incipit unus liber philosophicus Rosarius nominatus,' cum prooemio, [auctore Arnaldo de Villa Nova]. **f. 76.**

Inc. prooem. 'Liber abbreviatus, approbatus, verissimus, thesaurus thesaurorum, Rosarius sanctorum philosophorum ac omnium secretorum maximum secretum, de rectissima composicione naturalis philosophie.'

Impr. in *Verae Alchemiae doctrina*, fol. Bas. 1561; et alibi. Hic autem additum est ad finem capitulum 'de preparacione elixir.'

20. 'Dissolucio solis et lune, veneris et martis.' **f. 95.**

21. 'Ars magistri Johannis Gallici circa tercium ordinem medicinarum,' de aqua solis et opere solis et lunae. **f. 95ᵇ.**

22. Excerpta e libris quinto et primo Testamenti Arnaldi de Villa Nova. **ff. 97, 98.**

23. 'Ars completa ad rubeum, data domino cardinali Prenestrium (*sic*) per quemdam philosophum, magistrum Walterum, commorantem Parisius.' **f. 101.**

24. 'Ars ad extrahendum quatuor cujuslibet rei elementa.' **f. 107.**

Inc. 'Modus est iste: ℞. rem putrefactam in aquam reductam.'

25. Varia alia brevia alchemica. **ff. 107ᵇ–110.**

Inter haec:
i. 'Tractatus balsami artificialis.' f. 107ᵇ.
ii. 'Ad album, ex addicionibus Rosarii.' f. 108ᵇ.
iii. 'Opus de lapide rubeo.' f. 109ᵇ.

26. 'Chi commence noble practique et moult excellente cose et moult merveilleuse recepte sur le fait Dalkimie.' **f. 111.**

Praemissa est rubrica: 'Recurro ad consilium hujus codici (*sic*) ad practicam Cathalanicam que incipit sic, Corruption et depuratio, etc. Vide ibi supra.' Supra haec inscriptus est (manu Joannis Penon) hic titulus: 'Chi sensieut ung liure que on dit de Remon Lulle nommes Cuncta Praxis.' *Practica Lullii* dicitur incipere verbis *Corruptio et depuratio*, sed haec versio Gallica (si revera sit versio) ita inc. 'Vous deuez savoir que il sont iij. coses lesquelles sont toute transmutation.' Expl. 'Et tout ainsi convertist il tous les aultres metaulx imperfais en fin argent meilleur que de miniere en toutes ses proprietes.' In marginibus sunt notae scriptae anno 1525 a Jo. Penon.

27. Alchemica quaedam recepta; *Gallice*. **f. 117.**

Postrema duo sunt manu Jo. Penon, qui etiam notas addit in annis 1530–5 in ff. 134, 135.

28. 'Chi sont les lettres frere Nichole enuoiies a frere Bernard de Verdun et les lettres de frere Bernard enuoiies a frere Nichole,' sur la pierre des philosophes. **f. 119.**

29. 'Cy apres sensieut le Tresor de philosophie frere Bernard de Verdun.' **f. 122ᵇ.**

Inc. 'Pour chou que al innorant les principes de mon art.' Expl. 'Tu navas ia vraye tainture fors que par iaubbe de souffre nete. Explicit tractatus fratris Bernardi de Viriduno, translatus de Latino in Gallicum anno Domini 1410, in mense Maii.'

30. 'Characteres planetarum et figure;' 'Sigilla signorum et figure.' **f. 134ᵇ.**

31. Alchemica varia; de reductione et calcinatione metallorum; 'regimen aquarum acutarum;' 'fixatio mercurii.' **ff. 135ᵇ–141ᵇ.**

32. Alchemica quaedam *Gallice*, manu Joannis Penon. **ff. 141ᵇ–2ᵇ.**

165.

Membranaceus. In fol. minori. Saec. xiii. ff. 135. Inter codd. T. Allen, 'A. 71.'

Vita S. Hugonis episcopi Lincolniensis; [auctore Adamo quodam, forsan abbate Eynshamensi].

Desunt sex aut septem folia in principio quae continebant capp. i–vii. libri primi.

Impress. ex hoc codice per Jac. F. Dimock, A.M., 8º. Lond. 1864.

166.

Membranaceus. In fol. minori. ff. 110. Saecc. xiii exeuntis, xiv. Partim binis columnis. Inter codd. T. Allen, 'A. 174.'

1. Expositio in tractatum [Joh. a Sacro Bosco] de sphaera. **f. 1.**

Inc. 'Ut ait Plato in Thimeo, Mundus iste sensibilis.'

2. 'Generalis introduccio in practicam geometrie,' in qua 'de triangulo Pictagorico;' auctore quodam P. **f. 6ᵇ.**

Inc. 'Pauca potens conpilare aliorum facta sibi non debet attribuere vel aliorum bona facta diffamare; idcirco ego pauper P. aliorum meliora meis hic preordino.'

3. 'Canones in triangulum Pictagoricum de mensuris practice geometrie;' auctore eodem. **f. 8ᵇ.**

Inc. 'Paucis verbis paupertatis libellus est scribendus.'

4. 'Exposicio magistri Petri de Dacia super algorismum prosaicum.' **f. 13.**

Inc. '*Omnia que a primeva*, etc. In hoc tractatu determinatur de arte numerandi sive de numero practico.'

5. Tractatus [Johannis a Sacro Bosco] de sphaera. **f. 21.**

Inc. 'Tractatum de spera quatuor capitulis distinguimus.'

6. Versus 'de fastu mundi.' **f. 27.**

Inc. 'Turpiter erratur quando fastus dominatur.'

7. Poema 'de excidio Troie.' *ibid.*

Inc. 'Diviciis, ortu, specie, virtute, triumphis.' Expl. 'Arteque non partu ligneus egit equus.'

8. 'Planctus Hugonis [Nowers?] prioris de Monte Acuto [in com. Somerset.] ad idem.' **f. 27ᵇ.**

Inc. 'Pergama flere volo fato Danais data solo.' Expl. 'Tot clades numero scribere si potero.'

9. Historia Daretis Phrygii de excidio Trojae, praemissa epistola Cornelii ad Salustium Crispum. **f. 28.**

Folium ultimum mutilum est.

10. Narratio Odorici, fratris Ordinis Minorum, provinciae Paduanae, de mirabilibus quae vidit in partibus orientis. **f. 36.**

Cf. art. 3 in cod. 11, *supra*. Hic desinit ad finem narrationis martyrii quatuor fratrum Minorum.

11. 'Epistola Sathane ad universalem ecclesiam.' **f. 46.**

Inc. 'Princeps regionis iehennalis ecclesiarum prelatis et clericis universis.'

12. 'Responsio papae sanctam ecclesiam defendentis.' *ibid.*

Inc. 'Magnus mundi monarcha, Christicolarum calipha.'

13. 'Epistola [Ottonis] Rectoris fratrum de Penitencia Jhesu Christi,' [super suppressionem ordinis per decretum Conc. Lugd. anno 1274]. **f. 48.**

Inc. 'Viris abjecte religionis universis fratribus Penitencie Jhesu Christi desolatis.'

14. 'Dissuasio Valerii ad Ruffinum de uxore non ducenda;' [ex libro Gualt. Mapes *De nugis Curialium*]. **f. 48.**

Cf. art. 18 in cod. 67, *supra.*

15. 'Aureolus Teofrasti de nupciis,' sive epitome libri sic inscripti, quem legendum monet G. Mapes ad finem 'Dissuasionis' praedictae. **f. 50.**

Inc. 'Fertur Aureolus Theofrasti liber de nupciis, in quo queritur an vir sapiens ducat uxorem.'

16. Versus de incommodis Amantis, Militis, et Scholaris. **f. 51.**

Inc. 'Tria sunt officia quibus laus honoris
Et tocius gracia queritur favoris.'

17. Versus quod Deus super omnia sit quaerendus. *ibid.*

Inc. 'Ut jocundas cervus undas estuans desiderat,
Sic ad divum fontem vivum mens fidelis properat.'

18. [Apocalypsis Goliae, per Gualt. Mapes.] **f. 51.**

Inc. 'A tauro torrida lampade Cinthii.'
Saepe impr.

19. [G. Mapes contra ambitiosos et avaros.] **f. 53**[b].

Inc. 'Missus sum in vineam circa horam nonam.'
Des. 'Ambitus et luxus, et opum metuenda facultas.'
Inter *Latin Poems attributed to W. Mapes*, 1841, p. 152; noster autem exemplar non e toto textui ibi exhibito consentit.

20. Versus de rosa, moraliter tractata, ad quendam Petrum [de Rosa?], natione Gallicum, e civitate Chrysopolitana [*Besançon?*] natum, et doctorem decretorum Bononiae admissum, dicati. **f. 54**[b].

Inc. 'Ecce nectar roseum populis irrorat
Quod amaritudinem seculi dulcorat;
Letare Crisopolis quam laus non ignorat
Dum te parem Francie facere laborat.
Primo loco Francie rosa dedicatur
Tibi secundario laus appropriatur.'
Expl. 'Patrie nos liberans interventu precis
De lacu miserie et de luto fecis.'

21. Poema quoddam in duas partes distinctum, praemissis prologis in prosa: pars i. de donis scientiae hominibus a Deo datis; pars ii., Cur Deus homo? **f. 55.**

Inc. prol. i. 'In Domino confido; quomodo dicitis anime mee.'
Inc. pars i. 'Ante legum dominos et magistros arcium
Usurpasse videor doctoris officium.'
Inc. prol. ii. 'Unum non immerito in primitiva fide quesitum est.'
Inc. pars ii. 'Dum medium silencium teneret legis apices
Et litere dominium regnaret apud simplices.'
Sequitur prologus in tertiam partem de quaterna generatione hominis, sed deinceps cetera desunt.
In cod. 168 *infra* poema idem occurrit sub nomine Philippi Gualteri de Castellione, sed ille Gualterus hic inter quatuor emi-

nentiores eorum eo tempore 'metrice scribentium,' his versibus recensetur :—

'Stephanus, flos, id est, Aurelianensium,
Et Petrus qui dicitur de Castro Blecencium ;
Istis non merito [*sic, lege* immerito?] Berterus adjicitur,
Sed nec inter alios quartus pretermittitur
Ille quem Sistellio latere non patitur,
In cujus opulus [*sic, lege* operibus] Alexander legitur.'

22. [Gualteri Mapes Goliae querela ad Papam.] **f. 56**[b].

Inc. 'Tanto viro locuturi
Studeamus esse puri.'
Inter *Latin Poems*, etc., ut supra, pp. 58–63 ; et alibi.

23. [Ejusdem?] Poema de potestate papali Caesaream excedente, et de controversia inter Alex. III. et Anti-papas Paschalem et Calixtum versus finem saec. xii. **f. 57.**

Inc. 'Quis furor, O cives, quae tanta licencia litis?'
Deinde, post prol. in prosa,
'Totus hujus temporis ordo sive status
Ab antico legis est fonte derivatus.'

24. Versus alii de eodem inter papas schismate, in quibus auctor neutram partem suscipit, dicens
'A Christo neuter est forsitan electus,
Neuter mihi sufficit, uterque suspectus.' **f. 58.**

Inc. 'Heliconis rivulo modice respersus.'
Multi ex versibus, forma et ordine mutatis, reperiuntur in carmine *De pravitate saeculi*, inter Poemata G. Mapes, *ut supra*, p. 159, ubi autem nulla mentio schismatis occurrit.

25. [G. Mapes?] Versus de virtute baculi, sive de iis quae per baculum facta in Vet. Test. memorantur. *ibid.*

Inc. 'Baculare sacramentum
Nec recenter est inventum
Nec sine mesterio (*sic*).'

26. De pravitate saeculi. **f. 58**[b].

Inc. 'Dum contemplor animo seculi tenorem,
Reproborum gaudia, proborum merorem,
Contentum justicie, fidei torporem,
Credo quod non habeant secula rectorem.'
Mentionem facit auctor de nece Tho. Becket.

27. Item de eadem. **f. 59**[b].

Inc. 'Ecce sonat in aperto
Vox clamantis in deserto.'

28. [Praedicatio Goliae.] *ibid.*

Inc. 'Multis a confratribus pridie rogatus.'
Inter Poemata G. Mapes, *ut supra*, p. 31.

29. [Golias ad Christi sacerdotes.] **f. 60**[b].

Inc. 'Viri dilectissimi, sacerdotes Dei.'
Ibid. p. 45; et alibi.

30. Contra monachos vagantes atque mendicantes. *ibid.*

Inc. 'Nos per mundi climata ferimur vagantes,
Semper vagi, stabiles nunquam set instantes.'

31. De iisdem; sive paupertatis descriptio. *ibid.*

Inc. 'Paupertatis fero pondus,
Meus ager meus fundus
Domus mea totus mundus,
Quem pererror vagabundus.'

32. [Praedicatio Goliae ad terrorem omnium.] **f. 61.**

Inc. 'Tempus acceptabile tempus est salutis.'
Inter Poemata G. Mapes, *ut supra*, p. 52; et alibi.

33. Contra avaritiam et luxuriam cleri. **f. 61ᵇ.**

> Inc. 'Ad terrorem omnium surgam locuturus,
> Omnis clerus audiat, simplex et maturus.'

34. [Golias de avaritia Romanae Curiae.] *ibid.*

> Inc. 'In hoc consistorio si quis curam [*sic*] regat.'
> Expl. 'Et solvit contraria copia nummorum.'
> Pars poematis 'In Curiam Romanam' inter Poemata G.
> Mapes, *ut supra*, pp. 37–38, ubi in vv. 13–36 inveniuntur haec,
> ordine versuum mutato.

35. Versiculi quidam Latini (12) quorum unusquisque voce quadam Gallica desinit. *ibid.*

> Inc. 'Quando cadit qui posset adhuc bene vivere dole est
> Dum potest haec infugiat contagia fole est.'

36. Paraphrasis metrica Orationis Dominicae. **f. 62.**

> Inc. 'Pater noster qui es in celis
> Et in nobis esse velis
> Per mundi confinia.'

37. Peccatoris oratio devota, misericordiam petens. *ibid.*

> Inc. 'De profundis criminum profero clamorem
> Te, Redemptor hominum, petens adjutorem.'

38. Peccatoris lamentatio et confessio. *ibid.*

> Inc. 'Miserere mei, Deus,
> Quia miser ego reus
> Delictorum honeri.'

39. [Confessio Goliae.] **f. 62ᵇ.**

> Inc. 'Estuans intrinsecus ira vehementi.'
> Inter Poemata G. Mapes, *ut supra*, p. 71. In versu quarto
> a fine, loco verborum
>   'Praesul Coventrensium, parce confitenti,'
> legit hoc nostrum exemplar,
>   '*Electe Colonice*, parce confitenti.'

40. Carmen de S. Thoma Cantuariensi, exilio, martyrio, et miraculis ejus. **f. 63.**

> Inc. 'Ante chaos jurgium indigeste molis
> Adhuc ile gravida fetu magne prolis.'
> Impr. inter *Anecdota Bedae, Lanfranci et aliorum*, ed. J.
> A. Giles, 8º. Lond. 1851, pp. 115–132; pars etiam exstat in
> opere Stapletoni, *Tres Thomae*.

41. Rhythmica quaedam in laudem ejusdem. **f. 66.**

> Inc. i. 'Praefulgens sidus Anglicum
> Jubar ecclesiasticum.'
> ii. 'Dux gregis egregie
> Pastor gloria pacis.'

42. Carmen in laudem B. Mariae Virginis. *ibid.*

> Inc. 'Venter puellaris, expers tamen maris
> Proph[et]arum predicta carmine.'
> Expl. 'Tibi, Virgo, summa leticia,
> Nobis autem perfecta gaudia,
> Per infinita seculorum secula. Amen.'
> Praemissa sunt :
> i. Introductorium, ut videtur, tetrastichon.
>   'Laudibus eximie sunt carmina plena Marie,
>   Que vobis mistica mito (*sic*) Petrus.
>   Hec fecere duo me scribere, sydera tangens
>   Vestris [*sic*] honor, matris Virginis almus honor.'
> ii. Versus tredecim.
>   Inc. 'Cara parens,
>   Pare carens,
>   Virgo singularis.'

43. Hymnus ad B. M. Virginem. **f. 68.**

> Inc. 'Ave, Virgo, mater Christi, templum Salvatoris,
> Stella solem genuisti, vasculum pudoris.'

44. (*Manu alt.*) Johannis Peccham, archiep. Cantuar., Carmen, in quo Mundus introducitur coram curia Romana adversus claustrales querens, dum Religio, e contra, eos, praesertim Fratres Minores atque Praedicatores, defendit. **f. 68.**

> Inc. 'O Christi vicarie, monarcha terrarum.'
> Expl. 'Nec habere poterit relaxacionem
> Nisi prius fecerit satisfaccionem.'

45. Dialogus inter Divitem et Lazarum. **f. 71ᵇ.**

> Inc. 'Audi, pater senior, audi me loquentem,
> Dives ego morior, audi morientem.'
> Expl. 'In inferno crucior, celo Phariseus (*sic*)
> Parce mihi senior, tu mihi parce Deus.'
> Videtur esse auctor Robertus Baston, cujus *Dialogus inter
> Divitem et Lazarum*, incip. 'Paupertate melior est argenti marca,'
> exstat in cod. Cotton. Tit. A. xx. Haec autem verba in nostro
> codice, versu vicesimo quinto, ita leguntur :—
>   'Paupertate melior argentum in arca.'

46. [Gualteri Mapes, sive cujuscunque sit] 'Disputacio corporis et anime.' *ibid.*

> Inc. 'Noctis sub silencio tempore brumali.'
> Impr., in forma hic illic longiori, inter Poemata G. Mapes,
> *ut supra*, p. 95 ; et alibi.

47. [Goliae Dissuasio nubendi.] **f. 72.**

> Inc. 'Sit Deo gloria, laus, benediccio.'
> Impr. *ibid.* p. 77.

48. Nota ex lib. xiii. cap. 12 Originum Isidori Hispalensis de duodecim ventis, cum schemate subscripto. **f. 74ᵇ.**

---

49. (*Manu saec.* xiv.) [Honorii Augustodunensis, sive Anselmi Cantuar., sive Henrici Huntingdoniensis, Imago mundi.] **f. 75.**

> Inc. 'Septiformi Spiritu in trina fide illustrato.'
> Saepe impressa.

50. 'Epilogium fratris Walteri de Burgo super Alanum in opere suo De planctu nature contra prelatum sodomitam.' **f. 91.**

> Inc. 'Vix nodosum valeo nodum enodare.'
> Expl. 'Tolle sodomiticum, deprecor, abbatem
> Qui tot tuos docuit tantam feditatem.'

51. Sententiae morales multae. **ff. 93ᵇ–96ᵇ.**

52. 'Bellum Nasoreum gestum et sic digestum aº Domini Mᵐᵒ.cccᵐᵒ.lxviº, habens versus quingentos sexaginta, per W[alterum] Burgensem.' **f. 97.**

> Inc. 'Bella referre paro fratrum de germine claro.'
> Cf. *Catal. codd. Rawlinson.* vol. i., sub numero B. 214.
> Impr. in *Political Poems and Songs*, a T. Wright, 8º. Lond.
> 1859, vol. i. pp. 101–122.

53. [Goliae Dialogus inter Aquam et Vinum.] **f. 106.**

> Inc. 'Dum tenerent omnia medium tumultum.'
> Impr., ordine versuum per totum alio, apud Poemata
> G. Mapes, *ut supra*, p. 87.
> Hic autem continuatio additur, metro mutato, quae sic inc.
>   'Tu scis linguas impedire,
>   Titubando solet ire
>   Sumens tua basia,'
> et des.   'Ego presens disputator,
>   Hujus cause terminator,
>   Omni dico populo
>   Quod hec miscens execretur
>   Et a Christo separetur,
>   In eterno seculo.'

54. 'Disputacio inter cor et oculum.' **f. 109.**

Inc. 'Si quis cordis et oculi non sentit in se jurgia.'
Impr. *ibid.* p. 93.

55. De uxoribus sacerdotum poema. **f. 109^b.**

Inc. 'Ita quidam presbyter cepit allegare.' Mutilum per madorem.
Impr. *ibid.* p. 171, praemissis versibus viginti ita incip.,
'Prisciani regula penitus cassatur.'
Synopsis contentorum codicis exstat in vol. vii. Adversariorum MSS. G. Langbaine, pp. 1–8, 149.

167.

Membranaceus. In folio minori. ff. 79. Saec. xiv, diversis manibus. In fol. 1, 'Qui parce seminat parce metet: George Napper.' Inter codd. T. Allen, 'A. 66.'

1. 'Tabula docens pro 120 annis a nativitate regis Ricardi secundi post conquestum, A.D. 1367, quis sit annus bisextilis, que litera dominicalis, que indiccio, que primacio.' **f. 1^b.**

2. 'Tabula eclipssis lune;' A.D. 1387–1462. **f. 2.**

3. Calendarium, cum tabulis conjunctionum in cyclis quatuor. **f. 4.**

4. 'Tabula eclipssis solis;' A.D. 1387–1462, cum figuris eclipsium solis et lunae in hac serie annorum. **ff. 10, 11.**

Annon haec sint Nicholai de Lynne qui Calendarium ab anno 1387 ad 1463 composuisse dicitur?

5. 'Almanach perpetuum ad inveniendum vera loca planetarum in signis,' 'translatum de Arabico in Latinum;' accedunt tabulae, cum volvella, sive schemate rotatorio, de gradibus solis etc. per annum. **ff. 12–31.**

6. Notae quaedam musicae, raptim inscriptae; ad princ., nomen 'Frank.' **f. 31^b.**

7. Visio Thomae Becket, archiep. Cantuar., in ecclesia apud Senones. **f. 32.**

[8. Nota de regula in quodam collegio apud Oxonienses anno 1513 die 31 Julii proposita, 'destruere invidiam et reducere ad unitatem,' eligendo scholares ad annum probationis sorte et non voce. **f. 32^b.**]

9. 'Provincie seu satrapie' in Europa, Africa et Asia, una cum longit. et latit. earum, e libb. ii–vii. operis cujusdam. **f. 33.**

10. Tabulae quaedam rem astrologicam spectantes. **ff. 33^b, 34.**

11. Tabula longit. et latit. stellarum et constellationum. **f. 34^b.**

12. Tabulae ascensionum signorum. **ff. 35–40, 59.**

13. 'Tabula quantitatum horarum inequalium Oxonie;' etc. **f. 41.**

14. 'Convercio graduum in tempora;' 'tabula declinacionis solis;' 'tabula augmenti longitudinis diei;' complexiones signorum; 'tabula mansionum lune.' **ff. 41^b–42^b.**

15. Tabulae stellarum fixarum. **ff. 43–53.**

16. Tabula conjunctionum Saturni et Jovis a Creatione usque ad annum mundi 9423, 'sequendo radices Alfonsi.' **ff. 53^b–57^b.**

17. 'Composicio chilindri' sive horologii viatorum, cum ejus operatione. **f. 60.**

Inc. 'Investigantibus chilindri composicionem, qui dicitur horologium viatorum, sumendum est lignum maxime solidum.'

18. 'Composicio Turketi cum ejus operacione;' [ad inveniendum loca solis et stellarum, etc.] **f. 62.**

Inc. 'De nominibus parcium instrumenti quod Turketus dicitur primo, postea de utilitatibus, est dicendum.'
Ad calc. 'Factum anno Domini 1284, secunda die Julii in die Dominica.'

19. 'Operacionis modus cum astrolabio.' **f. 64.**

Inc. 'Astrolabii circulos et membra nominatim discernere. Primum membrum est armilla suspensoria.'

20. Descriptio Astrolabii universalis Arzachelis Toletani, 'cujus rei sciencia usque ad hoc nostrum tempus anno Domini 1231 omnes fere modernos latuit.' **f. 67^b.**

'Distincciones ejus instrumenti primo in corpore, deinde lunaciones ejus in plano, postremo opus et utilitates ejus enodabimus.' Mutil. ad calc.; des. ad fin. regulae, 'altitudinem solis et stellarum congnoscere.'

21. [Liber Japhar de mutationibus temporum.] **f. 72.**

Inc. 'Universa astronomie indicia prout Indorum asseverat antiquitas.'
Impr. cum libro Alkindi de temporum mutationibus, 4°. Par. 1540. In nostro autem codice deest ultimum capitulum.

22. De diebus criticis et de influentiis planetarum. **f. 74.**

Inc. 'Ad evide . . .^d (?) dierum creticorum est notandum, et primo de notificacione diei cretice. Unde sciendum est secundum G[alenum] quod dies cretica.'

23. De quatuor anni temporibus, quatuor mundi partibus, humoribus signorum, metallis, aere, etc. **f. 78.**

Inc. 'Sciendum quod quarte anni proporcionantur quatuor elementis.'

168.

Membranaceus. In 4°. minori. ff. 231. Saecc. xiv, xiii. Variis manibus, binis columnis exaratus. Inter codd. T. Allen, 'A. 44.'

1. Richardi de Wallingford, abbatis S. Albani, Quadripartitum de sinubus demonstratis. **f. 1.**

Desunt folia duo in princ.; incipit textus ab verbis, 'ergo per communem scienciam 10 et gc sunt equalia.'

2. Alfraganus de differentiis in re astronomica inter Arabes et Latinos, sive de rudimentis astronomicis; cum indice differentiarum praemissa. **f. 13^b.**

Saepe impr. Desinit mutilus in differentia 24, ad verba 'quanto plus aucta fuerit longitudo.'

3. Simonis Bredon Commentarius in tres libros priores Almagesti Ptolomaei. **f. 21.**

In ora inferiori, 'Edicio Bredoñ de Almagesti.' Ex additionibus et correctionibus hic illic factis codicem autographum esse auctoris justa ratione opinantur Langbaine et Tanner. Desunt (secundum veterem enumerationem) tria folia inter ff. 21-2, et duo inter ff. 23-4.

Inc. 'Quoniam princeps nomine Albugicafe in libro suo quem Scienciarum eleccionem et verborum nominavit.'

4. Johannis Campani, Novariensis, Theorica super motibus et magnitudinibus septem planetarum. **f. 40.**

Incip. prol. 'Clementissimo patri et piissimo domino, unico mundane pressure solacio, domino Urbano quarto.'
Inc. textus, 'Primus philosophie magister ipsius negocium in tria prima genera dispertitur.'
Expl. '—per istud instrumentum facile invenies quemadmodum de Mercurio supra docuimus.'

5. 'Rectangulus domini Ricardi de Wallyngford abbatis Sancti Albani;' scil. de arte componendi rectangulum atque operandi cum illo. **f. 61ᵇ.**

Inc. 'Rectangulum in remedium tediosi et difficilis operis armillarum eodem tempore quo composuimus Albeon, hoc est, sub annis Christi 1326, concepimus ad rectificandum cursus et loca stellarum errancium et fixarum.'
Accesserunt, 'Tabula pro rectangulo brevis et utilis;' 'tabula ad inveniendum arcum per cordam versam.' f. 64.

6. 'Equatorium planetarum secundum magistrum Johannem de Lyners:' abbreviatio Equatorii Joh. Campani; *imperf.* **f. 64ᵇ.**

Inc. 'Quia nobilissima sciencia astronomie.'
Deest folium unum secundum enumerationem veterem.

7. 'Secundus tractatus canonum fratris Rogeri de Cotum:' *imperf.* **f. 66.**

Inc. 'Qui voluerit planetas equare seu eclipses solares ceteraque hujus[modi] pronosticare.'
Deest folium unum secundum enumerationem veterem.

8. Conclusio tractatus cujusdam astronomici, in qua de diebus canicularibus quaedam. **f. 67.**

Insunt etiam haec: 'Tabulam autem stellarum fixarum in astrolabio ponendarum, quam ego per armillas Parisius verificavi, transcriptam vobis transmitto.'

9. 'Liber quem edidit Thebit filius Chore de hiis que indigent exposicione antequam legatur Almagesti.' **f. 68.**

Inc. 'Equator diei est circulus major.'

10. Theorica planetarum Rogeri Herefordensis. **f. 69ᵇ.**

Inc. 'Diversi astrologi secundum diversos annos tabulas et computaciones faciunt.'
Deest folium unum, secundum veterem enumerationem, inter ff. 69, 70.

11. 'Canones tabularum Arzachelis ad Toletum facti;' auctore, secundum Lelandum, Stantono quodam, mathematico Anglo. **f. 84.**

Inc. 'In nomine Domini scito quod annus lunaris.'
Deest folium unum inter ff. 88, 89.

12. Nomina mensium, Hebraice, Graece, Latine et Anglice. **f. 93ᵇ.**

Nomina Anglica sunt eadem quae in cap. xv. tract. Bedae De ratione temporum inveniuntur.

13. 'Theorica planetarum antiqua,' [scil., Theorica Gerardi Cremonensis]; sine figuris. **f. 94.**

Inc. 'Circulus ecentricus dicitur vel egresse cuspidis.'
Vid. art. 16, *infra.*

14. De arte faciendi 'almenak.' **f. 98.**

Inc. 'In faciendo almenack sunt primo extrahendi.'
Ad calc. 'Explicit almanack.'

Desunt folia duo.

15. 'Theorica planetarum nova;' cum figuris. **f. 99.**

Inc. 'Sit circulus A. et circulus signorum I.
Expl. '—sicut inter unam civitatem et aliam. Explicit.'

Desunt folia quatuor.

16. 'Theorica planetarum antiqua,' [scil., exemplar alterum, manu Italica, tractatus Gerardi Cremonensis], cum figuris. **f. 108.**

Inc. 'Circulus ecentricus vel egresse cuspidis.'
Ad calc., Quibus nationibus quae signa dominant; deinde—
'Explicit iste liber; scriptor sit crimine liber.
Sit nomen Domini benedictum nunc, in eternum et ultra.'

Desunt folia undecim.

17. Fragmenta duo e tractatu quodam geometrico, in quo occurrunt 'Capitulum quadrati altera parte longioris,' et 'Capitulum trianguli diversorum laterum et acutorum angulorum.' **ff. 116, 117.**

Unaquaeque sectio incipit cum verbis, 'Quod si tibi dixerint,' vel similibus.
Desunt folia tria inter ff. 116, 117, et duo etiam post f. 117.

18. Excerpta 'de libro Tholomei introductorio ad artem spericam;' *mutil. in princ.* **f. 118.**

Vid. art. 21.

Desunt folia duo.

19. Excerpta ex libris Milei, sive Menelai Alexandrini, de figuris sphericis. **ff. 119, 120.**

Mutila in principio; incip. in prop. 32. lib. i. Ad calc., 'Explicit ex libro Milei 3° de figuris spericis, et cum eo completus est liber totus.'

20. 'Ex libro Thebit filii Chose de figura sectore.' **f. 120.**

Inc. 'Quod de figura que nominatur sector dixisti intelexi.'

21. Excerptum aliud 'ex Introductorio Tholomei ad artem spericam:' *imperf.* **f. 120ᵇ.**

Incip. 'Signum sumitur dupliciter pro 12ᵃ parte zodyaci.'

Deest fol. unum.

22. Geometrica quaedam brevia. **f. 121.**

Inc. 'Volo ostendere qualiter inveniam inter duas lineas duas lineas ita ut continuentur omnes secundum proporcionem unam.' Conclusio videtur esse propositionis in art. 34 infra descriptae, quo loco quae hic inscribuntur propositioni illae subsequi a scriba designantur.

23. 'Proposiciones [sex] Archimedis.' *ibid.*

Inc. 'Omnis spere superficies.'

24. 'Proposiciones [tres] libri Arsamethis de mensura circuli.' *ibid.*

25. 'Ex libro Milei de figuris spericis proposiciones extracte.' **f. 121ᵇ.**

Inc. 'Demonstrare vel declarare volo qualiter faciam super punctum datum arcus circuli dati.'

Desunt folia duo.

26. Fragmentum excerptorum e quodam tractatu astronomico, sive summulae contentorum ejus. **f. 122.**

Inter alia, notae extractae sunt de formis stellarum, de orbibus qui sunt super sphaeram, de die et nocte, de mensibus; 'tunc sequitur sermo de orientalitate et occidentalitate,' sermones de zonis, de habitabilibus locis et zonis (in quo sermone mentio fit quod Karites retulit Homerum versificatorem dixisse de Ethiopis in suis versibus, et quod 'Apollonius fecit librum de locis habitacionis sub equatore diei'), de luna, eclipsibus, 'de revolucione nominata Acsilamios,' etc. Ad finem, in ora inferiori est haec nota, 'Quere plus de isto in prima columpna 19 folii hujus voluminis, post finem magne practice geometrie, ad tale signum o—;'—o, et est folio tercio quaterni tercii;' frustra autem hodie in codice quaeratur. Prima linea folii proxime sequentis haec habet, '—cooperire sed contingit in loco propinquiori. Explicit Thideus;' sed haec ad alia pertinent, de quibus vid. art. 38, *infra.*

27. 'Ex libro qui sic intitulatur, Verba filiorum Sekir, i. Maumeti Hasen, qui sic incipit, Propterea quia vidimus, etc.' **f. 123.**

Ad calc. (f. 123[b], 'Ista que sequuntur erant addita illi libro. Cum dividitur linea in 3 secciones,' etc.

28. 'De exposicione libri Euclidis de geometria secundum Avarizum.' **f. 124.**

Inc. 'Sanbelichius. Ideo sunt tantum 3 dimensiones et 3 motus locales.' Ex. libb. i–ix; 'de 10[mo] nichil.'

29. 'Proposiciones libri Autholici de spera mota.' **f. 125[b].**

Inc. 'Punctum equali motu moveri dicitur.'

30. Excerpta ex 'Epistola Abujafar Ameti filii Josephi de arcubus similibus, que sic incipit, Postquam optavit ei bona, etc.' **f. 125[b].**

Inc. 'Omnes geometre diffiniunt arcus similes.'

31. Nota brevis 'ex libro de 5 essenciis Alkindi.' **f. 126.**

32. 'Ex commento super practicam geometrie.' *ibid.*
Citatur *Liber trium fratrum.*

33. 'De proporcione et proporcionalitate.' **f. 126.**
Cf. art. 36, *infra.*

34. 'Proposicio necessaria pro probacione 12[e] proposicionis 3[ii] Theodosii.' **f. 126[b].**
Cf. art. 22, *supra.*

35. Quaestiones variae arithmeticae, e tractatu quodam Arabico de quaestionibus computationum. **f. 127.**

Forsan, ut suggerit Langbaine (Advers. MSS. vol. iv. p. 655), auctor fuit Mohammed ben Musa. Praefigitur haec nota :—'o—||—o Hic est residuum tractatus de questionibus computacionum, cujus principium est in quaterno de quibusdam parvis libris naturalibus nove translacionis de litera debti (?), cujus principium est liber de sensu et finis de bona fortuna, ad tale signum o—||—o;' frustra autem haec in hoc codice quaerantur. Quaestiones sunt hae, 19. de cambicione, 20. de centum aureis, 21. de tritico et hordeo, 22. de divisione, 23. de foris rerum venalium, 24. de censu, 'capitulum de anulis.'
In imo margine addita sunt haec manu eadem saec. xiii. : 'De talibus cautelis quaestionum de numeris quere plus in fine *Compoti mei Lincoln.*, sc. cum algorismo suo, et etiam in margine ultimi folii tocius in medietate prima.' Subjicit manus saec. xiv. : 'Nota bene hanc medietatem folii.' 'Hinc' dicit Langbaine (*ubi supra*) 'colligo Collectanea haec omnia abusque fo. 117 [119] ad 136 [135], cum ex eadem manu antiqua sint, Roberti Lincolniensis autographa fuisse.' Non autem consentit manus cum ea, ejusdem Roberti credita esse, quae notas marginales in cod. Bodl.198 inscripsit ; et scriptor, sine ullo dubio, in verbis ita male interpretatis refert solum ad exemplar Compoti Lincolniensis quem ipse possedit.

36. 'Ex libro Ameti filii Joseph de proporcione et proporcionalitate.' **f. 127[b].**

Cf. art. 33, *supra.*

37. 'Ex libro Jacob Alchindi de perspectiva.' **f. 129.**

38. 'Ex libro Tidei filii Theodori medici de eo quod videtur in speculo et non in speculo.' **f. 130[b].**

Verba novissima invenias in prima linea fol. 123, scil., 'cooperire sed contingit in loco propinquiori. Explicit Thideus.' 'Theudii mathematici, auditoris Platonis, meminit ex Proclo Savilius in Euclidem, pag. 33 :' (Langb., *ubi supra*, p. 656).

39. Canones [Johannis de Muris?] ad tabulas Alphonsinas. **f. 131.**

Inc. 'Quia secundum philosophum, 4[to] Physicorum, tempus et motus mutuo se mensurant.'
Ad calc. 'In nomine ergo omnipotentis Dei expliciunt canones tabularum Alfonsi olim regis Castelle. Expliciunt eciam canones eclipsium que aliis canonibus sunt annexe.'

40. Tabulae Alphonsinae. **ff. 136[b]–146[b].**

41. Canones ad inveniendum vera loca planetarum secundum tabulas Alphonsinas. **ff. 145–6.**

Inc. 'Quia ad inveniendum loca planetarum per tabulas Alfonci, oportet reducere annos nobis notos.'

42. Fragmentum e Chronico Angliae [Walteri Hemingford] ab anno 1264 ad an. 1297, cum additionibus res abbatiae Osneiensis spectantibus. **f. 147.**

Incip. in pag. 583 Chron. sicut impr. exstat apud Gale, *Quinque Scriptt.* 1687, ad verba, 'Adjiciens quod homines,' et des. in p. 138, vol. i. edit. T. Hearne, ad verba 'vel exigeret in posterum absque.' Deest fol. unum inter ff. 156, 157, in annis 1282–3.
Inter additiones Osneienses reperiuntur errores in Grammatica, Logica et Naturali Philosophia ab archiepiscopo Cant. apud Oxon. an. 1284 condemnati, quos Ant. à Wood in *Annalibus* suis sub anno notat.

43. Chronicon Angliae a Bruto usque ad an. 1305, [auctore quodam qui exequiis Will. de Bellocampo, comitis Warw. in ecclesia Fratrum Minorum apud Wigorniam anno 1298 interfuit,] Petro de Ickham vulgo ascriptum. **f. 181.**

Inc. 'Non solum audiendis scripture sacre verbis.' Expl. '—Treylebastun wlgariter appellabantur.' Post narrationem brevem de anno 1301 sequuntur quaedam superaddita, de annis 1287–1300, praemissa hac nota, 'Sed ne alii casus nobiles sicut et praedicti recidant a memoria in futurum, tangam aliquos qui superius interseri potuissent si memorie occurrissent.' Denique, post annum 1305 haec : 'Hic deficiunt alia gesta dicti Regis parum ante mortem suam, ed de transitu mortis, et etiam multa deficiunt usque in hodiernum diem.'
A Joh. Caio (in libro *De Antiq. Cantebr. acad.* 4°. Lond. 1574, p. 61) Historia 'de gestis regum Angliae' quae incipit iisdem verbis ac nostra dicitur esse opus Rob. Remington ; ibidem autem citantur quaedam annum 1316 sive 1320 concernentia, quae igitur in nostro exemplari, in anno 1305 desinente, locum non habent. Sed ex hac citatione nomen Rob. Remington praeponitur in primo folio, manu Ric. James.
Notulae quaedam breves, in ff. 197[b], 198, inscriptae sunt manu Tho. Gascoigne, cancellarii Oxoniensis.
De aliis codicibus MSS. hujus chronici cf. *Hardy's Cat. of Materials relating to the hist. of Great Brit.*, vol. iii. pp. 271-3, 276, ut et de nostro in p. 277. Duodecim folia initialia quae a multis annis in hoc codice deerant, anno 1880 ab auctore hujus catalogi e cod. 172, ubi antea latebant, in proprium suum locum restituta sunt.

44. (*Saec.* xii. *exeuntis seu* xiii. *ineuntis.*) Tractatus de regulis theologicis; regulae, scilicet, sive propositiones 131 de fundamentis scientiae theologicae. **f. 211.**

Inc. 'Omnis Sciencia suis nititur regulis velud propriis fundamentis.'

Regula i. 'Monas est qua quelibet res est una.'

Regula ult. 'Omnis subsistens dissimilitudine nature est aliud, dissimilitudine vero proprietatis est alius' (*sic*).

In marginibus notae adduntur.

45. Epistola Richardi Dovoriensis, archiepisc. Cantuar., ad episcopos suae provinciae, quod ne permittant pseudo-episcopis quibusdam Hibernicis et Scoticis episcopalia populis in eorum dioecesibus ministrare. **f. 222.**

Impress. inter Epistt. Petri Blesensis in var. editt. operum ejus, epist. liii.

46. 'Sermo magistri UUalterii de Castellione apud Romam in presentia domini pape;' metrice, cum prologis in prosa; quatuor sectionibus. **f. 222ᵇ.**

i. Inc. prol. 'In Domino confido, quomodo dicitis.'

Inc. textus, 'Ut membra conveniant invicem cum capite.'

ii. Inc. prol. 'Nec illud pretereundum est silentio quod in legalis scientie doctoribus.'

Des. prol. 'Et hec dixi salva tamen auctoritate illius peritissimi viri beati Turonorum episcopi Equivoci quem dum adviveret in omnibus proposuimus imitari.'

Inc. textus, 'Veniamus igitur ad ordinem tercium,
Id est ad theologos, quorum felix studium.'

iii. Inc. 'Tanto viro locuturi
Studeamus esse puri.'

Impr. inter Poemata, et sub nomine, G. Mapes, sub tit. *Goliae querela ad Papam.*

iv. Tit. 'Qualiter infecto petitionis sue negotio Romam descripsit.'

Inc. 'Propter Syon non tacebo.'

Impr. ibid., *De ruina Romae.*

47. Sermo in die, ut videtur, S. Bartholomaei, de pugna spirituali, super verbis 'Domini et Salvatoris nostri' (!) *Estote fortes in bello* [Heb. xi. 34?]. **f. 223ᵇ.**

48. Sermo incompletus de instabilitate humanae sortis et de quadriplici rota. **f. 224ᵇ.**

Inc. 'Nonne Deo suberit anima mea ab ipso enim s. m. Ecce babilo Saul inter peophetas psallit.'

49. Notae miscellaneae super varia loca Vet. et Nov. Test., quarum prima de nuptiis apud Cana. **ff. 225ᵇ, 226, 227ᵇ.**

50. Fragmentum quarundam distinctionum theologicarum, sc. de fure corporali et spirituali, de sanguine, quod Christus est lucerna, quod pedes Christi sunt pauperes, pennae praedicationis, etc. **f. 227.**

51. Medicamenta, 'ut pili cadant,' et 'ad petram frangendam in vesica.' **f. 227ᵇ.**

52. Pars tabulae capitulorum in quadam Summa Theologica fuse tractata. **f. 228.**

Pars octava Summae continet capitula cxii. 'circa sapientiam Dei;' nona pars c. 'de voluntate Dei;' decima pars xc. de immutabilitate Dei; undecima pars plusquam lv. (*imperf.*), 'de spiritibus celestibus;' et 'secunda pars secundae partis principalis enumerationis' continet lxxvi. de naturae praecepto et creatione hominis.

Synopsis contentorum codicis invenienda est in vol. iv. Adversariorum Ger. Langbaine, pp. 649–658.

169. [B. N. 8.]

Membranaceus. In fol. minori. ff. 203. Saec. xiv. exeuntis. Manibus tribus Italicis bene exaratus.

1. Aristotelis Ethica Nicomachea. **f. 1.**

Imperf.; desinunt in cap. xi. libri viii.

2. Pars Virgilii Æneidos. **f. 91.**

Continet vv. 418–473 lib. iii., 136–247 lib iv., et deinde ab v. 707 lib. v. ad 818 lib. xii.

170.

Membranaceus. In 4º. maj. ff. 158. Saecc. xiv. exeuntis, xv. Olim peculium J. Woode.

1. Determinationes Willielmi Widford, sive Wodford, contra Wyclevistas. **f. 1.**

Imperf.; incipit in Determ. ii. ad verba, 'Et nullum predictorum est impedimentum legitimi matrimonii.'

Ad calc. Determ. ii. 'Explicit 2ᵈᵃ determinacio magistri et fratris Willelmi Wydforde, Oxon. de ordine Minorum contra Wyclevystas. Incipit 3ᵃ determinacio magistri Willelmi Wydforde contra libellum magistri Johannis Wyclyff quam Oxon. determinavit, anno Domini millesimo cccº.lxxxx.' Ad calc. iii. 'Explicit 3ᵃ determinacio sive lectio magistri et fratris Will. Wodford contra Wyclevistas Oxon., anno Dom. millesimo cccº.lxxxixº. (*sic*) in scolis Minorum, et die vesperiarum fratris Johannis Romseye proximi magistri regentis. Incipit 4ᵃ determinacio,' etc. Ad calc iv. et ult., 'Explicit 4ᵃ determinacio doctoris egregii fratris Willelmi Wodforde de ordine Minorum pro tunc vicarii ministri provincialis quam determinavit Oxon. contra magistrum Jo. Wyclyf et Wyclyvianos, anno Domini mº.cccº.lxxxxº.'

Determinatio secunda est de auctoritate et interpretatione S. Scripturae, tertia et quarta de vera religione Christiana.

2. 'Mirabilis litera de quodam maledicto in partibus Babilonie,' scil. de infante mirabili qui Antichristus, in fine saeculi expectatus, credebatur esse; scripta dominis et comitibus Italiae a Johanne, Magistri Ord. S. Joh. Jerus., et data Romae 10 Aug. 1443. **f. 34.**

3. 'Responsio per venerabiles doctores ac baccalarios, viz. Ric. Pede, Lucam et Tho. Sawndres, magistrum Joh. Mylle cum ceteris juris canonici baccallariis, magistro Joh. Carpentar professori theologie ac episc. Wygornie porrecta. **f. 34ᵇ.**'

Protestatio, scilicet, quod notulae quaedam, numero viginti quinque (non hic relatae), diebus 4–6 mensis Maii, anno 1451, in synodo in eccl. cath. Wigorn. propositae, 'sunt inhonestae, et irrationabiles, impossibiles, superfluae, inordinate conceptae . . . tendentesque in avaritiam et cupiditatem magis quam in animarum correctionem.' Subscriptis nominibus abbatum et priorum aliorumque in dioc. Wigorn.

4. Epitaphium in mortem Matthaei Gough, [militis celebris, interfecti super pontem London. anno 1450]. *ibid.*

'Anglia dat planctum,
Miratur Francia casum
Mortis Mathewe Goghe,
Cambria clamitat *Oghe.*'

5. Historia anonyma belli sacri in Palaestina ab anno 1195 ad an. 1199. **f. 35.**

Inc. 'Cum jam appropinquasset ille terminus.'

Impr. apud *Gesta Dei per Francos*, edente Jac. Bongarsio, fol. Hanov. 1612, pp. 1–29. Hic autem sequitur capitulum de situ locorum in Terra Sancta notabiliorum, incip. 'Si quis ab occidentalibus partibus Jerusalem adire voluerit.'

6. Chronica brevis regni Johannis regis Angliae, ab anno 1200 usque ad coronationem Hen. III. **f. 58**[b].

> Inc. 'Anno Dom. mill⁰.cc. Rex Johannes duxit in uxorem.'
> Sequuntur notae de regibus Britonum, de situ Britanniae ex Beda, et de quatuor viis 'a fine in finem regie sublimitatis auctoritate' factis.

7. Pars Chronici Walteri Hemingford, ab anno, scilicet, 1264 ad an. 1307. **f. 63**.

> Inc. abrupte in verbis, 'Reversisque magnatibus,' cap. xxix. libri tertii; desinitque abrupte in verbis 'Placuitque ista responsio cunctis,' in initio regni Edw. II.

8. Aristotelis Secreta secretorum, sive tractatus de regimine principum; praemissis prologis Philippi, clerici Guidonis de Valencia, et Johannis qui transtulit librum primo de Graeco in Chaldaicum, secundo de Chaldaico in Arabicum, denique de Arabico in Latinum. **f. 129**.

> Brevis notitia codicis habetur in Langb. Adversariorum vol. viii. pp. 129-130.

171.

Membranaceus. In fol. minori. ff. membr. 60. Saec. xiv. exeuntis sive xv. ineuntis.

The Vision of Piers Plowman.

> Imperfect; beginning at line 217 of passus iii, and ending, unfinished, at l. 65 of passus xvi.
> On a paper leaf inserted at the beginning is this memorandum, 'Bowght this book aᵒ 1578 of Harvy in Grac Street the 14 October, ij[s] (?) vj[d];' underneath, in an older hand, 'precium xvj[d].' Then, on another paper leaf, follows the title, with (i) a commendatory note on the book, in the same hand as the first memorandum, signed 'S. B., minister,' who has been identified with Stephen Batman; and (ii) a neat drawing of a husbandman sowing seed broadcast in a field. A notice of the MS. is given in the preface to part iii. of the Early English Text Society's edition of Piers Plowman, edited by Rev. W. W. Skeat, 8⁰. Lond. 1873, pp. xliii–xlv.
> In the old catalogue of 1697 there is an additional entry (copied from Langbaine's MS. Cat. in vol. xix. of his *Adversaria*) of an article contained in this volume,—'Disputationes inter Cor et Animam; forte Greg. Palamae.' This entry refers, however, to the English poem thus entitled (ascribed to Mapes) which is found with another copy of Piers Plowman in MS. 102, *supra*.

172. [B. N. 10.]

Membranaceus. In fol. minori. ff. 158. Saecc. xiii–xv. Pro maxima parte binis columnis exaratus. Art. 3 olim inter codd. T. Allen, '237;' art. 4, '162,' '50;' art. 6, '41;' art. 9, '69;' art. 30, '228;' art. 31, '39,' et '52.'

1. [*Saec.* xiv.] [Rob. Grosseteste, Lincolniensis] Tractatus de potentiis animae. **f. 1**.

> Inc. 'Ut dicit Philosophus secundo de anima, potenciarum anime quibusdam animatis.'
> Expl. '—dividitur in duo membra, sicut et appetitus sensitivus.'

2. Aegidii de Columna tractatus de principiis naturae. **f. 6**[b].

> Inc. 'Sicut fructus est ultimum quod exspectatur ab arbore.'
> Expl. '—essencialiter ordinate ad hunc effectum. *Suppleciones principiorum nature secundum Egidium.*'

Varia Johannis Peckham aliorumque olim hic subjungebantur, quae in tabula contentorum, huic parti codicis praemissa, ita recensita sunt :—

> 'Quedam exposicio super Cantica.
> Peccham super eadem.
> Questiones ejusdem in Quodlibeta.
> Exposicio ejusdem super Trenos.
> Questiones ejusdem de peccatis capitalibus.
> Tractatus ejusdem de preceptis 10.
> Quedam notabilia super libros quosdam metaphysicae.
> Speculum ecclesie et misse.
> Speculum anime.
> De symbolo.
> De Oracione Dominica.
> Seneca de 4 virtutibus cardinalibus.'

3. [*Saec.* xv.] 'Passio beati Albani, Anglorum prothomartiris, et Sancti Amphibali sociorum (*sic*) ejus.' **f. 12**.

> Incip. prol. 'Quisquis beatorum martirum gloriosa certamina.'
> Mutil. ad calc., uno folio avulso; desinit ad verba, 'ut fierent veridici.'
> Impr. inter *Acta Sanctorum* per Bollandum aliosque, mens. Junii, vol. iv. pp. 149-159, ubi dicitur narrationem, sermone Anglico primum scriptam, Latinam esse factam per quendam Gulielmum, monachum S. Albani.

4. [*Saec.* xv.] 'Vita venerabilis domine Katerine, filie beate Birgitte de regno Swecie, prime Abbatisse in monasterio Wasten in eodem regno sito;' accedunt miracula pauca. **f. 25**.

> Inc. 'Venerabilis et Deo dilecta Katerina nobilis viri domini Vlphonis Qudhmarson.'
> Expl. '—caput de cera offerens in testimonium sue sanitatis.'
> Impr. inter *Acta Sanctorum*, mens. Martii, vol. iii. pp. 505-518, ubi auctor dicitur esse quidam Ulpho, monachus Vastenensis.

5. 'Vita domini Petri Olavi confessoris beate Birgitte.' **f. 43**[b].

> Inc. 'Venerabilis et Deo dignus Petrus de civitate Skevingie oriundus.'
> Expl. '—superbe loqutus fuerat gladiis interiit inimicorum.'
> Sequitur attestatio de exemplari altero harum vitarum, sigillo munito et in monast. Wazsten servato, data ibidem 20 Jun. 1427; '*quod Thomas Colyngburne*' (transcriptor, scil., Anglicus). Adjungitur etiam attestatio, anno 1451, per Thomam Gascoigne, cancellarium Oxoniensem (qui multas notas marginales ubique addit) quod hoc exemplar ex libro illo sigillato transcriptum fuerat; varia etiam hic illic citat Gascoigne e libro de vita et miraculis S. Brigittae 'in monasterio Syon, ordinis Sancti Salvatoris, London. diocesis.'

6. [*Saec.* xiii. *sive* xii. *exeuntis.*] Tractatus quatuor de B. Virgine Maria.

> i. De Annunciatione. 'Incipit tractatus super illud, *Rorate celi desuper et nubes pluant, iterum aperiatur terra et germinet Salvatorem;*' [Es. xlv. 8.] **f. 55**.

> Inc. 'Sacratissimo sermone prescripto sanctus Ysaias.'
> In margine superiori sunt haec :—
> 'God send vs þe dew of heuene; gratiam Spiritus Sancti;
> And reyn fro þe cloudes of heuene; per doctrinam divini verbi.
> And þirle our erþe and open our land; ad contricionem animi et confessionem peccati.
> And bryng forth a blome of sich feng and sich fuysoun
> þat be our bote and our savacioun; i. Jesum filium **Dei** vivi.'

ii. De Assumptione. 'Tractatus de beata Virgine, annunciacionem ei factam assumpcionemque ejus describens, secundum tenorem versiculi propositi [*Tenuisti manum dexteram*, etc. Ps. lxxii. 24], et primo de concepcione beati filii sui usque ibi, *cum gloria suscepisti me.*' **f. 60.**

Inc. 'Quod in persona unigeniti Filii Dei.'

iii. 'Residuum superioris tractatus, quod ad assumpcionem beate Virginis Marie spectat.' **f. 64.**

Inc. '*Cum gloria suscepisti me.* Sive in persona sacrosancte Virginis Marie.'

iv. 'Sermo de nativitate beate Virginis,' super illud, *Orietur stella ex Jacob*, etc. [Num. xxiv. 17.] **f. 66ᵇ.**

Inc. 'Terram Chaldeorum ac clima eorum.'

7. 'Sermo de titulo Christi crucifixi secundum Johannem.' **f. 68ᵇ.**

Inc. '*Jes. Naz. R. Jud.* Hunc titulum multi legerunt, multi etiam lecturi sunt.'
Expl. '—titulus Crucifixi claves vite et mortis baiulantis conscriptus est. Quod scripsi, inquit, scripsi.'

---

8. [*Saec.* xiii. *exeunt.*] 'Liber de duabus rotis' allegoricus; i. de rota vitae religiosae et 'de hiis qui ad prelacionem eliguntur;' ii. de rota simulationis, sive de hypocritae vita, praemissa tabula rotae picta. **f. 71.**

Inc. 'Vita viri religiosi sicut rota volvitur.'
Expl. 'Et hoc iterum de predictis rotis sufficiat, donec de hiis aliquis pociora dicat.'

[*Vid. cod.* 168, *supra, art.* 43, *de duodecim foliis olim hic male compactis, sed nunc in locum suum proprium restitutis.*]

9. [*Saec.* xiv.] 'Versus beati Anselmi, archipresulis Cantuar. de contemptu mundi.' **f. 78.**

Inc. 'Quid deceat monachum vel qualis debeat esse.'
Impr. inter Opp., sed editor, vir sc. doctus Gerberon, dicit nullum e codicibus a se collatis nomen Anselmi auctoris habere. Impr. sub nomine Alex. Neckam, cui a quibusdam ascribitur, inter *Anglo-Latin Satirical Poets of the twelfth century, ed. by T. Wright*, 8º. Lond. 1872, vol. ii. pp. 175–200. Desinit textus impressus cum versu
'Sola facit, miserum cetera pondus habent,'
qui in fol. 82ᵇ occurrit; alia autem hic sequuntur, 'De pietate Dei,' 'De peccato et contemptu Dei,' 'De amore Dei,' 'De fructu amoris Dei,' 'De ineffabili dulcedine Dei,' quae omnia in impressis sub titulo 'Deus solus amandus' carmen alterum, sed brevius, componunt. Versus qui ibi in medio textu deficit, ita hic suppletus est:—
'Cui nostrum pridem, cras, heri, perstat idem.'
Plura etiam alia adduntur in laudem Dei, de excellentia psalmorum, quantum debeat homo Deo, etc. ; post quae, 'Explicit.'

10. Versus varii; de luxuria, de casibus reservatis, de vii. quaestionibus in tractatu de penitentia in Decretis, de causis in Decretis, epitaphium in Ganymedem Crisipolitam, 'versus cujusdam q . . etriste' (ita desinentes,
'Isti sex versus proprii sunt Henriolato,
Cum sit perversus, sic dic ita de Michiloto'),
et de triplici Herode. **f. 84.**

11. 'Incipit Inventum (?) quod habet proverbia centum.' **f. 84ᵇ.**

Inc. 'Pax Henrico Dei amico.
Deo servire est regnare
Decet regem discere legem.'
Expl. 'Melius est supernum concilium quam hujus vite exordium,
Superna patria pulcra tenet atria.'

12. Versus 'de significacione candelarum in die Purificacionis Marie.' **f. 85.**

13. 'Tres libri fabularum Esopi Atteniensis,' cum prologis. *ibid.*

14. Versus de Jacobinis Clarevallorum decimas petentibus. **f. 91ᵇ** (*in ora inferiori*).

Inc. 'Clarevallorum Jacobi decimas peciere
A domino papa, sed eas non obtinuere.'

15. Pars libri Petri de Riga qui dicitur Aurora, sive 'Biblioteca versificata, a magistro P. canonico Sancti Dionisii Remensis de Veteri et Novo Testamento exposita;' cum prohemio et prologo. **f. 92.**

Continet libros Gen., Exod., Levit., Act. Apostt., Cant., et Job. Desunt, secundum veterem enumerationem, 41 folia inter ff. 108, 109.

16. 'Historia [metrica] de incarnacione Salvatoris Domini Jesu Christi.' **f. 121ᵇ.**

Inc. 'Virgo salutatur, verboque Dei gravidatur.'

17. 'Versus de Sancto Edwardo,' Rege et Conf. **f. 122.**

Inc. 'Anglia, quid meres? dabitur tibi rector et heres.'

18. 'Oracio peccatoris ad Dei matrem; Oracio Dei matris ad Filium suum; Responcio Filii Dei;' versus sex. *ibid.*

19. 'De beata Virgine Maria.' *ibid.*

Inc. 'Jesse stirps egregia, lilium candoris.'

20. 'Item de beata Virgine pro tribulacione mundi.' **f. 122ᵇ.**

Inc. 'Inter mundi turbines per hoc magnum mare
Qui sinistris flatibus te scis navigare.'

21. 'Henricus, versificator magnus, de beata Virgine.' **f. 123.**

Inc. 'Ave Maris stella, vera mellis stilla,
Fecunda puella, humilis ancilla.'
Annon Henricus Huntingdoniensis?

22. 'Liber qui dicitur Secundus philosophus.' **f. 123ᵇ.**

Inc. 'Vir prudens et providus nomine Secundus fuit philosophus qui philosophisatus est omni tempore silencium servans.'
Cf. Vincent. Bellov. *Speculum Historiale*, lib. x. cap. 71. Hic autem plenior exstat narratio.

23. 'Epistola Presbiteri Johannis ad Emanuelem gubernatorem Remeon.' (*sic*). **f. 124.**

Cf. cod. 158 *supra*, art. 1.

24. 'Nobilis salutacio beate Mariae;' carmine. **f. 125ᵇ.**

Tetrasticha 103, cum salutatione praemissa in prosa, post unumquodque tetrastichon etiam repetenda.
Inc. 'Ave et gaude Maria stella maris, mater misericordie.'
Inc. tetr. i. 'Bonitatis tocius femina,
Sancta virgo, celorum domina.'

25. 'Liber de penis purgatorii;' [scil., Narratio Henrici Saltereyensis de purgatorio S. Patricii]. f. 127.

Inseruntur, versus finem, exhortationes quaedam, partim ex S. Anselmi Meditationibus, partim ex S. Augustino quoad sensum, non omnino quoad verba, depromptae.

Impress. apud *Triadem Thaumaturgam* Colgani, fol. Lovan. 1647, pp. 273–280. Hic autem sequuntur, i. 'aliud haut longe ab eodem loco quoddam valde memorabile' de visione daemonum, et ii. 'aliud' de sacerdote a daemone tentato, quod autem fine caret, desinens mancum in verbis 'versucias vestras non intellexerim. De.'

Desunt folia viginti duo, secundum enumerationem veterem.

26. Conclusio (capitula duo comprehendens) tractatus cujusdam de gaudiis coeli. f. 134.

Desin. 'Pro eterno igitur et ineffabili gaudio beatorum hereditabunt et incogitabilem tristiciam omnes qui pro impenitudine reatus sui transituri sunt in societatem demoniorum.'

27. Oratio [S. Anselmi] ad B. M. Virg. *ibid.*

Inc. 'Singularis meriti sola sine exemplo.'

Inter *Opp.* Anselmi, orat. xlix, sive xlviii.

28. [Simonis Islip, archiep. Cantuar.] Admonitio ad Regem Edw. III, sive Speculum Regis. f. 134[b].

Inc. 'Domine mi Rex, ex quo respublica tibi committitur.'

Ad calc. 'Explicit Epistola edita ad Dominum E. regem Anglie.'

29. 'Explanatio super Cantica Canticorum secundum dominum Thomam abbatem S. Andree Vercellensis;' [cum prologo]. f. 141.

Initium solum; omnia enim desunt post comment. in ver. 3. cap. i.

Inc. prol. 'Jer. 9. *In hoc glorietur* [etc.]. Duplex hic designatur Dei cognicio.'

Omnino differt tractatus ab eo qui sub nomine auctoris ejusdem publici juris fecit Pezius in *Thes. Anecdd.*, vol. ii. col. 503, fol. Aug. Vindel. 1721.

30. (*Saec.* xii.) Glossae in epistolas Sidonii, sive commentarius in dictiones ejus difficiliores. f. 143.

Liber mancus; des. in glossa super epist. xvi. libri viii.

31. (*Saec.* xiii. *ineuntis.*) Narrationes quinquaginta duae, ex historiis variis variorumque vitis desumptae; praemissa nota de quatuor causis quare Sabbatum Beatae Virgini dedicatur. f. 151.

Prima narratio est de quodam Jaket nomine et matre ejus defuncta; deinde, inter alias, de magistro Serlone Parisiis; de Odone episc. Paris.; de episcopo de Carcossonia; de milite Gallico, nomine Thomas de Marle, Hierusalem visitante; narratio a Willelmo Parisiensi archidiacono relata; narrationes duae 'magistri Jacobi' [de Vitriaco?]; de episcopo Tulosiae; de Baldwino monacho albo; de consuetudine Parisiensi in venditione pirorum; de Mauricio episc. Paris.

32. Sermo in parabolam Coenae, Luc. xiv. 16. f. 155[b].

Inc 'Fratres karissimi, non spe temporalis mercedis sed potius eterne remuneracionis semen inter vos seminare proposui.'

33. 'De lupo.' f. 156[b].

Inc. 'Lupus a rapacitate dicitur, unde meretrices lupas vocamus.'

34. De S. Johanne Baptista, de undecim Apostolis, et de SS. Paulo et Matthia. ff. 157, 158.

Incip. sectio ult. 'Hii sunt triumphatores et amici Dei, doctores gentium, principes orbis terrarum.'

173.

Membranaceus. In fol. minori. ff. 59. Saecc. xiii. et xv. ineuntis. Inter codd. T. Allen, '65.'

1. 'Liber de miseria humane condicionis, conditus a Lothario diacono cardinale sanctorum Sergii et Bachii, qui postea Innocencius papa III. appellatus est;' binis columnis scriptus. f. 1.

Saepe impr. In fol. 9[b], 'Liber ecclesie cath. Sarum, dat. per dominum Petrum Fadir, nuper vicarium choralem in eadem.' In fol. 1 nota pretii, manu saec. xv., 'precii xiij[s]. iiij[d].'

2. Commentarius in Decem Mandata. f. 10.

Inc. '*Non habebis* [etc.] In hoc primo mandato sicut liquet ex glosis percipitur unius solius veri Dei cultus.'

Expl. '—quia vidit ceteros inferiores se ipsum prefert ut Deum et Dominum Christum.

Explicit tractatus de decem mandatis luculenter compilatus. Finito libro sit laus et gloria Christo. Amen.'

Insunt multa exempla ex vitis Sanctorum deducta.

In Catalogo olim impresso dicitur, (ex veteri Catalogo MS. Langbainii, in Advers. ejus vol. xix.) opus esse R. Grosseteste; non constat autem unde hoc conjici possit, nec concordat tractatus cum illo sub nomine Lincolniensis in cod. 163, *supra.*

174. [B. N. 9.]

Membranaceus. In fol., 4°., et 8[vo]. Saecc. xii, xiii, xiv. ff. 150. 'Liber Johannis de Lond[oniis] de librario Sancti August. Cant.' ('dist. xi. g. 1'), qui paucula ex artt. 1–14 breviter, in tabula contentorum praemissa, recenset. Inter codd. Tho. Allen, '147.'

1. (*Saec.* xii.) Boethius de consolatione philosophiae, cum prologo et glossulis interlinearibus atque marginalibus. f. 3.

Quaedam aliae glossulae praemittuntur in ff. 1, 2.

In initio metr. 5. lib. i. (fol. 11) est pictura, auctorem in genua coram Deo (in solio sedente et librum in manu sinistra habente), procumbentem repraesentans.

Ad calcem sunt haec :—

i. Nota de trium bonorum Dei, animae et corporis, dissimilitudine. f. 74.

ii. Quae probabilem narrationem constituunt. *ibid.*

iii. Versus scribae de operis ejus conclusione. f. 74[b].
'Ut gaudere solet fessus jam nauta labore
Desiderata diu littora nota videns,
Haut aliter scriptor optato fine libelli
Exultat viso, lapsus et ipse quidem.'

iv. Versus septem de vii. diebus Creationis. *ibid.*

Inc. 'Primus in orbe dies lucis primordia sumpsit.'

v. Tabula in qua a capite Philosophiae deducuntur scientiae quae sub tribus divisionibus Logicae, Theoricae, et Practicae comprehenduntur. *ibid.*

2. (*Saec.* xii.) 'Glosae Boecii;' comment. in tractatum eundem, usque ad metr. 1. lib. v. f. 75.

Inc. 'Tempore Teoderici regis insignis actor Boecius claruit.'

3. (*Saec.* xii. *exeuntis.*) Euclidis Elementa geometriae.

i. Demonstrationes et figurae libb. i–ix, cum prologo. f. 99.

Inc. prol. 'Geometrie, sicut et reliquarum facultatum, usus suum antecellit artificium.'

In ora superiori fol. primi inscriptum est, manu saec. xiv, 'Quaterni Johannis de Lond. cum monoculo;' deinde sequitur figura capitis humani unicum oculum habentis.

ii. Liber x, una cum initio xi; cum figuris.
f. 125.

iii. Iterum liber x; cum figuris. f. 139.

iv. Libri ii–iv, sine figuris. f. 146.

v. Pars libri vi; et propositiones libb. vii–x;
cum figuris. f. 154.

vi. Libri xi–xiii, una cum initio xiv; cum
figuris. f. 160.

4. 'Libellus de similibus arcubus, quem Jordanus
saepe citat in libris suis de triangulis;' cum
figuris. f. 133.

Tit. praefixus est manu saec. xvi.
Inc. 'Geometre eos esse arcus similes qui angulos recipiunt
equales.'
Exemplar alterum exstat in cod. saec. xiii. Auct. F. v. 28.
fol. 144ᵇ.

5. Archimedis, sive, ut alii dicunt, Theonis Alexandrini, tractatus de figuris isoperimetris; cum
figuris. f. 135.

Inc. 'Prelibandum primum quadratum ysoperimetrorum,
ysopleurorum, rectilineorum et circulis contentorum.'
Exemplar alterum exstat ibidem, fol. 146 ubi in margine,
manu scribae tractatus, ineunte saec. xiii, est nomen 'Zenodorus.'

6. Theorema de circulo quadrando, cum figuris.
f. 136ᵇ.

Inc. 'Si circulo inscribatur quadratum, et eidem circulo
describatur aliud quadratum octogonum.'
Des. 'Si quem, inquam, tam arguto natura beasset acumine
quod sciret invenire duas lineas quarum una se haberet ad
aliam ea proporcione qua quadratum ad circulum ei inscriptum,
ille nostro jam dicto usus artificio cuilibet circulo proposito
statim quadratum equum inveniret.'
Fol. 138 *vacat.*

7. De altimetria, sive altitudinum mensuratione;
cum figuris. f. 145.

Inc. 'Geometrie due sunt partes principales, Theorica et
Practica.'

8. [Jordani Nemorarii] opusculi pars de ponde-
rositate, cum figuris. f. 174.

Inc. 'Omnis ponderosi motum esse ad medium.'
Quae hic exstant invenienda sunt in pp. 1–5 edit. Nic. Tar-
taleae, 4°. Ven. 1565. Hic autem sub quaest. v. est mentio
operis alterius per eundem auctorem ('sicut demonstravimus in
Philothegni') quae non occurrit in editione citata. Exemplar
alterum in cod. supra citato, fol. 150ᵇ, ubi ad finem haec : 'Expliciunt elementa Jordani super demonstratione ponderum.'

9. 'Archimedes de curvis superficiebus,' (*tit.
manu saec.* xvi); propositiones decem, cum commentariis cujusdam Johannis de Tiū [Tine-
mutha?], atque figuris. f. 174ᵇ.

Prop. i. 'Cujuslibet rotunde pyramidis curva superficies
est equalis triangulo orthogonio cujus unum laterum rectum
angulum continentium equatur ypothenuse piramidis, reliquum
circumferentie basis.'
Prop. ult. 'Cujuslibet spere proportio ad cubum sui diametri est tanquam proportio undecim ad viginti unum. Hoc
respondet secunde propositioni Archimenidis de quadratura
circuli.'
Expl. comm. 'Sicque Tiphis noster portum tenet in quem
jam dudum vela succingserat (*sic*). Jamque cum bibulis hereat
harenis anchora Archimenides remigii (*sic*), Johannes naviga-
tionis grates agat summo Creatori. Explicit commentum Johannis de Tiū. in demonstraciones Arch'.'
Exemplar alterum, eadem ad finem habens, est in codice ubi
supra, fol. 152, manibus binis saec. xiv. exaratum, et intitu-
latum 'De curvis superficiebus. Archimenides.'

10. Commentarius in propositiones septem tractatus Archimedis, sive cujuscunque sit, de figuris isoperimetris, cum figuris. f. 178ᵇ.

Inc. 'Prelibandum primo [*etc., ut supra*]. Figura dicitur
alii ysoperimetra quando omnia latera unius et simul accepta.'

11. [Jordani] Liber de speculis, cum figuris. f.
179.

Inc. 'Visum rectum esse cujus media terminos recte con-
tinuant.'
Expl. '—quare in eis stupo posita accenditur.' Sequuntur
propositiones duae aliae de radio visuali. Nomen *Jordani* manu
Johannis de London apponitur. Exemplar alterum exstat in cod.
saepe supra citato fol. 64, sine nomine auctoris.

12. (*Saec.* xiii. *ineuntis.*) Tractatus tres, ut videtur,
de proportionibus. ff. 182, 186, 189.

Inc. i. 'Circa proporciones duo sunt investiganda ; scilicet,
primo, quid sit proporcio et quid effectum habeat in subjectis.'
Inc. ii. 'Arrepti laboris seriem quadripartito distinguendam
decrevimus. Primo enim videbimus utrum ex aliquot simplicibus solum constet continuum, aut in omni continuo sint infinita
simplicia.'
Inc. iii. 'Quoniam ad quamlibet speciem matheseos pertinet
consideracio proporcionum, ideo perutile arbitramur naturam
proporcionum investigare.'
Spatia quaedam vacua pro figuris inserendis, sed non in-
sertis, hic illic relinquuntur.

13. [*Saec.* xii.] Hermanni [Contracti] Liber de
mensura astrolabii. f. 196.

Inc. 'Hermannus Christi pauperum peripsima.'
Impr. apud Pezii *Thes. Anecdd. Nov.*, vol. iii. par. ii. col. 95.

14. [Ejusdem, sive potius Gerberti, postea Silves-
tri II, liber de utilitatibus astrolabii]. f. 200.

Inc. 'Quicunque astronomicae peritiam disciplinae.'
Impr. sub nomine Hermanni, ibid. col. 109. Hic autem
desinit textus impressus ad calcem cap. iv. lib. ii, deinde sequitur capitulum de motu solis. Addita est (f. 210ᵇ) nota super
his de astrolabio libris (incip. 'Quatuor sunt quibus tota matheseos disciplina continetur'), in qua ita legitur : 'Nota quod Gir-
bertus quendam librum de astrolabio composuit, qui in hoc
volumine secundo loco ponitur, et nimis implicitus est, et instrumentum facere non docet sed artem exercere; quo perlecto
Berengarius artem quidem exercere sed instrumentum componere non noverat. Ideo Hermannum amicum suum rogavit
ut doctrinam astrolabium componendi preberet. Hujus ergo
rogatu Hermannus hunc primum librum composuit, secundo
loco librum Girberti ordinavit. Prologum premittit in quo
benevolentiam Berengarii captat, et suam imbecillitatem insinuat.' Sequuntur quaedam de Hermanno ipso, et de infirmitate
sub qua laborabat.

15. (*Saec.* xiii. *ineuntis.*) Tractatus, fuse compositus, super artem Logicae. f. 211.

Folia 32, in quarto, binis columnis, characteribus minutis
et contractioribus.
Inc. 'Propositum quidem negocii est circa opinionis nostro
positiones singula diligenter inquirere ... Ordinem illam doctrine nostre per iiijᵒʳ distinguemus capitula, primo agentes de
terminis, deinde de significatis eorum, tercio de proposicionibus,
quarto de dicteriis proposicionum, id est, de enunciabilibus.'

16. [*Saec.* xiv.] Sententiae variae theologicae,
praesertim ex Sacris Scripturis. f. 243.

In ff. 248–250 ad finem compactis sunt literae alphabeti
Hebraici sine punctis et cum punctis, et pars Orationis Dominicae Latine sed characteribus Hebraicis; manu eadem ac
art. 16.
In fol. 147 inscripta sunt multa nomina Anglicorum hominum, e. g. 'Reginaldus et Hugo de Banneb'., Will. de Thawel-
done, Ric. de Yppedene,' etc.
Folium ad initium codicis compactum continet fragmentum
ex tractatu quodam de metris, saec. xi. exaratum.

175.

Membranaceus. In fol. minori. Saec. xi. ff. 46. Utrimque mancus, et alibi. Inter codd. T. Allen, '166.'

1. Ven. Bedae Vita S. Cuthberti. **f. 1.**

Desunt folia duo; incip. ad finem cap. viii.

Ad calc. 'Explicit liber de vita et miraculis beatissimi patris Cuthberti Lindisfarnensis aecclesiae episcopi.'

Deinde sequitur, 'Item de quo supra ex iiij^to aecclesiasticae ystoriae gentis Anglorum libro, xxx. cap.,' [sive xxxi, xxxii].

2. Narratio miraculosa de Aelfredo rege, dum 'in Glestingiensibus paludibus' cum uxore sua latitabat, pauperem relevante: *imperf*. **f. 24.**

Cf. versionem narrationis hujus in Simeonis Dunelmensis vita S. Cuthberti, (Twysdeni Scriptt. X., p. 73); nostra autem et paululum antiquior est et fusior.

Incip. 'Deus omnipotens juste misericors et misericorditer justus.'

Desunt quaedam.

3. Bedae Vita S. Cuthberti metrica. **f. 25.**

Ad calc. 'Bedae famuli Christi et presbyteri explicit de virtutibus Sancti Cuthberti Lindisfarnensis aecclesiae antistitis. Deo gratias.'

Desunt quaedam.

4. Vita Oswaldi regis Northanhumbrorum, ex libro iii. Hist. Eccl. Bedae compilata; *imperf*. **f. 40.**

Incip. ad fin. cap. 2; quae sequuntur, ex capp. 3, 6, 9–13 extracta sunt. Ad calc. 'Explicit de vita et miraculis gloriosissimi et sanctissimi regis Oswaldi.'

5. 'Vita Sancti Aidani Lindisfarnensis aecclesiae antistitis, sicut in tercio aecclesiasticae ystoriae gentis Anglorum libro continetur.' **f. 44.**

Scil., ex capp. 3, 5, 15–17: desin. imperf. ad verba, 'actibus laudans, atque ad,' in cap. 17.

176.

Membranaceus. In fol. minori. Saec. xiv. ff. 119. Olim liber collegii Mertonensis (cujus titulus in fol. 1^b) pro usu scholarium ejusdem collegii et collegii Exoniensis, e dono Will. Reed episc. Cicestrensis. Praemissa est, manu saec. xiv, tabula contentorum.

1. Tabula graduum ascensionis signorum in unoquoque mense anni. **f. 1.**

2. Regulae ad futuram aeris temperiem praenosticandam, per magistrum Will. de Merle, socium domus Mertonensis. **f. 3.**

Inc. 'Hec sunt consideranda ad hoc.'

3. Descriptio temperiei aeris Oxoniis, in unoquoque mense per spatium septem annorum, ab anno 1337 usque ad Jan. 1344; per eundem. **f. 4.**

4. 'Pronosticaciones cujusdam eclipseos [lunae] visibilis, et conversionum trium superiorum anno Christi 1345 contingencium et primam pestilenciam precedencium, quas m. W. Reed calculavit et m. Jo. Aschedene pronosticavit.' **ff. 9, 13.**

5. 'Tractatus magistri Leonis Hebrei de conjunccione Saturni et Jovis anno Christi 1345.' **f. 16.**

Inc. 'Quoniam fuit declaratum antiquitus per experiencias longas.'

6. Tractatus magistri Johannis de Muris de eadem conjunctione. **f. 17^b.**

Inc. 'Tres principes ex milicia superiori.'

7. Tabula ascensionum solis, lunae, et quatuor planetarum in unoquoque mense pro annis 1328–1357. **f. 19.**

8. 'Tabula ad habendum dominos annorum in 55 annis, quorum primus est annus Christi 1332, finalis annus Christi 1386.' **f. 22^b.**

9. Tractatus Galfredi de Meldis de conjunctione Saturni et Jovis anno 1325, et de pestilentia et de conjunctione eorundem anno 1345. **f. 25.**

Inc. 'Cunctis quorum interest astronomie scire nova.'

10. 'Pronosticacio $\left\{\begin{array}{l}\text{conjunctionis Saturni et Martis, 23 die Marcii,}\\ \text{eclipsis lune universalis, primo die Julii,}\\ \text{conjunccionis Jovis et Martis, 7 die Augusti,}\end{array}\right\}$ 1349;' per Johannem Aschedene sive Esshyngdene. **f. 30.**

Incip. 'Sicut dicit Haly, 2° Quadripartiti Tholomei.'

Ad calc. 'Expliciunt iste pronosticaciones 6to die mensis Februarii, anno Christi millesimo ccc°xl° nono.'

11. 'Significacio conjunccionis magne Saturni et Jovis que erit anno Christi 1365 in mense Octobris, completis de eodem mense 29 diebus, 14 horis et 22 minutis,' 'quam M. W. Rede calculavit et J. Assh[enden];' (*tab. contentt*.) **f. 34.**

Ad calc. 'Completus est iste tractatus 10 die mensis Marcii anno Christi 1357, per magistrum Johannem Eschindene.' Vid. art. 13, *infra*.

12. Epistola a Reginaldo Lambourne, monacho Eyneshamensi, [ad Gul. Reed ut videtur,] anno 1367, de conjunctionibus Saturni, Jovis et Martis, cum prognosticatione malorum inde in annis 1368–1374 probabiliter occurrentium. **f. 40.**

Inc. 'Reverendissime domine, ut recencius nunc (?) perficiam quatinus industrie mee parvitas suppetit in hiis que memini me infra presentis anni spacium doctorali reverencie vestre.'

13. 'Tractatus Johannis de Eschyndene de significacione conjunccionis Saturni et Martis in Cancro que est isto anno Christi 1357, in 8° die Junii, et de significacione conjunccionis magne Saturni et Jovis que erit anno Christi 1365, in 30° die Octobris.' **f. 42.**

Inc. 'Sicut dicit philosophus in Centilogio, proposicione 50ª.'

Ad calc. 'De magna conjuncione Saturni et Jovis de qua erat mencio in principio istius tractatus vide in proximo quaterno precedenti qui hic deberet situari,' scil. art. 11, f. 34.

14. Epistola a Reg. Lambourne ad quendam Joh. London, de significatione eclipsium lunae ' hoc anno instante 1363 sub mensibus Marcii et Septembris.' **f. 50.**

 Inc. ' Magister mi reverende, et dilecte multum in Christo et sub Christo domine, quia me disciplina jam tarde coram reverencia vestra constitutum.'
 Ad calc. ' Scripta sunt hec primo et concepta per vestrum Reginaldum monachum simplicem Eyneshamie, 27 die mensis Februarii anno supradicto. Domino Johanni London.'

15. ' Notula de corrupcione pestilenciali,' sive ' de complexcione.' **f. 54.**

 Inc. ' Omnis complexcio que est extra naturam et temperamentum sit quadruplex.'

16. ' Tabula mansionum lune.' **f. 55.**

17. ' Tabula de superioritatibus planetarum, secundum Albumasar ;' (*tit. in tab. contentt.*) **f. 55**[b].

18. ' Tabula de dignitatibus planetarum ;' (*tit. in tab. contentt.*) **f. 59.**

19. Prognosticationes e luna secundum signa. **f. 59**[b].

20. Nota de cognitione ventorum. *ibid.*

21. ' Plinius de temporibus,' sive praesagia temporum e ventis, luna, stellis, nubibus, ignibus, mari, montibus, pluviis et animalibus. **f. 60**[b].

 Inc. ' Predicta racione ventorum ne sepius eadem dicantur, convenit ad reliqua tempestatum presagia accedere.'

22. Liber Alkindi de imbribus; capitula octo. **f. 61.**

 Inc. ' Rogatus fui quod manifestem consilia philosophorum.'
 Desinit abrupte in initio cap. v.

23. ' Tabula de qualitatibus graduum duodecim signorum ;' (*tit. in tab. contentt.*) **f. 63**[b].

24. ' De pluviis ;' scil., praesagia pluviarum. **f. 67,** (*item in* **f. 88**[b]).

 Inc. ' Si sol fuerit in emisperio australi.'
 Fol. 70 mutilum est.

25. ' Almanak solis pro quatuor annis,' scil. 1341–4, ' per W. Reed anno Christi 1337 calculata et scripta ;' (*tit. in tab. contentt.*) **f. 71.**

26. ' Almanak Johannis de Almannia juxta motus et radices Alfonsi calculata,' (*tit. in tab. contentt.*); sive tabulae verorum locorum lunae et planetarum pro annis 1349–1380. **f. 73.**

27. Notae astrologicae; i. de diebus criticis in morbis; ii. de quinque aspectibus planetarum. **ff. 87**[b]**, 88.**

28. Praesagia pluviarum et ventorum. **f. 88**[b].

29. Tabula quaedam pro anno 1333. **ff. 89**[b]**, 91**[b].

30. Figurae conjunctionis solis et lunae, apud Combe [co. Oxon.?] observatae, anno Christi 1317, die 4 Dec., et nativitatis conjunctionalis et nocturnae ibidem, eodem anno, die 10 Dec. **ff. 90**[b]**, 91.**

31. Tabula radicalis ad inveniendum ' primum diem Nisan vel Pascha seu principium Tyssery.' **f. 92**[b].

32. Tabulae verarum conjunctionum et oppositionum solis et lunae, cum veris locis aliorum planetarum, pro annis 1341 super merid. Oxon., 1342 super merid. Lond., et 1343–1346 super merid. Oxon.; cum figuris eclipseos lunae universalis et solis particularis. **ff. 94–119.**

 Fol. 115 mutilum est.
 Artt. 27–31 non in tabula contentorum veteri recensentur, sed loco eorum haec (quae hodie non exstant) inseruntur :—
 ' Almanak Profacii Judei juxta radices et motus Arzachelis calculata.
 Calculacio M. Walteri Elvesdene de dominis mensium ab anno 1332 usque ad 1357, annorum ab anno 1332 usque ad 1386.'
 In primo folio, verso, est haec nota :—' Liber m. Willelmi Reed, episcopi Cicestrensis, cujus partem habuit ex dono rev. domini sui m. Nicholai de Sandwyco, partem emit de executoribus rev. patris domini Thome de Bradewardina archiepiscopi Cantuariensis, partem emit de executoribus m. Ricardi Camsale, partem ipse m. Willelmus scripsit et partem scribi fecit. Oretis igitur pro singulis supradictis, et pro benefactoribus eorundem, et fidelium animabus a purgatorio.' Et in fol. 2, haec, manu alia :— ' Liber scolarium de genere venerabilis patris domini Willelmi Reed, episcopi Cicestrensis, Oxon. successive studencium, ex dono venerabilis patris predicti, per Custodem et Rectorem domorum de Merton et Stapelton in Oxon., vel per eorum librarios, eisdem scolaribus juxta facultates et merita ipsorum cujusque, ad tempus sub caucione juratoria provide liberandus.'

177.

Membranaceus. In fol. Saec. xii. exeuntis. ff. 30. Binis columnis. Inter codd T. Allen, ' 14.'

Philippi, Prioris monasterii S. Frideswidae, Oxon., liber de miraculis S. Frideswidae, virginis, cum prologo.

 Impr. apud *Acta Sanctorum*, Oct., vol. viii. pp. 568–589, fol. Brux. 1853.
 In folio ultimo, verso, sunt octo acrosticha (ut vocant) metrica super nomen Frideswidae.

178. [B.N. 12.]

Membranaceus. In fol. Saecc. xiv. et xv. ineuntis. ff. 115; quorum 1–3 vacua sunt, excepta tabula contentorum. Inter codd. T. Allen, ' 20.' Media pars, ff. scil. 15–87, olim inter codd. Jo. Dee; ' 147, Joannes Dee, 159.'

1. ' Tabula equacionis domorum secundum gradus arcuum,' [forsan Johannis Walter]. **f. 4**[b].

2. Tabulae latitudinum planetarum, [forsan Simonis Bredon]. **f. 5.**

3. ' De motu Thebith,' sive diversorum diversae sententiae de quantitate anni. **f. 9.**

 Inc. ' Campanus Novariensis in capitulo 10 compoti sui sic diffinit annum.'
 Expl. ' Constat ergo ex predictis quam diversa diversi senserunt de quantitate anni.'

4. Tabulae solis pro annis 1341–4, super meridiem Oxoniae; accessit tabula latitudinis lunae; [per Gul. Reed]. **ff. 11–13.**

5. Simonis de Bredone Conclusiones quinque de numero quadrato; *manu auctoris.* **ff. 11**[b]**–13,** *in marginibus inferioribus.*

Inc. 'Omnis numerus quadratus totus est.'

Expl. 'Has conclusiones recommendo ego Simon de Bredone volenti circa quadraturam circuli laborare.'

6. Notae breves mathematicae atque astronomicae; inter quas, de citationibus et de falsa conclusione ex Apollonio Pergaeo in Perspectiva Vitellionis, manu ejusdem Simonis de Bredone; de scala musica, (incip. 'Ut monocordum Γ 3 dividatur in 21 notas';) et excerptum ex libro Ptolomaei de dispositione orbis et temporum. **ff. 13^b, 14.**

----

7. [*Saec.* xv.] 'Quadripartitum Ricardi Walyngforde, abbatis Sancti Albani, de sinibus demonstratis;' cum figuris et notis marginalibus. **f. 15.**

Inc. 'Quia canones non perfecte tradunt noticiam sinus.' Fol. 24 mutilum est.

Ad calc. 'Explicit quartus tractatus de corda recta et versa quem composuit frater Ricardus Wallyngford, quondam abbas Sancti Albani ac prius socius collegii Walteri de Merton Oxonie, summus astronomus ac geometer eximius, cujus anime Deus propicietur excelsus.'

Hic illic sunt notae marginales quibus nomen cujusdam 'Lewys' praefigitur, ut et postea in fol. 46; ejusdem theorema etiam quoddam mathematicum in fol. 38 additur.

8. [Ejusdem] Tractatus de sinubus et arcubus in circulo, cum figuris. **f. 39.**

Inc. 'Arcus dicitur pars circumferencie circuli, sive medietati talis circumferencie fuerit equalis sive major sive minor.'

Expl. 'Et hec pauca sufficiunt dicta pro sinus et arcus aliquali noticia.'

9. 'Commentum magistri Symonis Bredone super aliquas demonstraciones Almagesti;' cum figuris. **f. 42.**

Inc. 'Nunc superest ostendere quanta sit maxima declinacio ecliptice ab equinocciali.'

Expl. '—anni Nabuzodonosor, qui sunt per quos intrabis in hunc librum.'

Notae paucae marginales in ff. 66-69 sunt manu Henrici Savile.

10. Calculatio de distantia centri lunae a centro terrae. **f. 87, 87^b.**

----

11. [*Binis columnis; saec.* xiv.] Definitiones et propositiones in xv. libris Elementorum Euclidis. **f. 88.**

Hic illic additae sunt demonstrationes.

12. Propositiones in lib. i. tractatus Gebri de astronomia, scil. de sphaeris, etc. **f. 107.**

Impress. cum tract. P. Apiani de Instrum. mob., fol. Norimb. 1534.

13. Nota de compositione tabulae differentiae ascensionum universae terrae. **f. 108.**

14. Propositiones in libris tribus Theodosii de sphaeris. **f. 108^b.**

Saepius impr.

15. Propositiones in libris tribus Sphaericorum Menelai, sive Milei, additis hic illic demonstrationibus brevibus. **f. 112^b.**

Ad calc. 'Expletus est tractatus tercius libri Milei de figuris spericis, et cum ejus complecione completus est totus liber.' Impressae exstant.

Sequuntur demonstrationes duarum propositionum de triangulis in sphaeris.

Folia 88-115 quae ad finem codicis compacta sunt (veteri manu numeris 176-204 signata), foliis hodie 1-14 (antehac 230-243) olim praecedebant.

Synopsis contentorum invenitur in Adversariis Langbainii, vol. iv. pp. 659-661, ubi male conjicitur demonstrationes in ultimo folio additas (et quaedam alia paucula) manu Rob. Grosseteste esse inscriptas.

179.

Membranaceus. In fol. Saec. xiv. ff. 208. Binis columnis exaratus. Inter codd. T. Allen, '49.'

1. Quadripartitum Ptolomaei cum glossa 'Aly Abenridiani,' praemissa praefatione Egidii de Cebald[is], Lombardi, de civitate Parmensi. **f. 1.**

Inc. prol. 'Scire et intelligere gloriosum est.'
Inc. opus, 'Verba que dixit sapientissimus Ptholomeus.'

Subjicitur in marginibus per totum, manu altera, alia versio operis Ptolomaei, ita descripta, 'Incipit liber quadripartiti Ptholomei Pheludensis de judiciis astrorum, secundum aliam translacionem;' addit manus tertia, 'et apparet Bredone.'
Inc. prohem. 'Pronosticacio per astronomiam fienda dependet a duobus.'

2. 'Judicialium,' sive de judiciis astrorum, Ptolomaei libri quatuor. **f. 171.**

Ad calc. sequitur nota brevis sub hoc titulo:—'Que sequuntur in Greco exemplari subjuncta reperi quo mense morietur quis in omni nativitate.'

Folium ad initium codicis compactum, saec. xiv., habet excerpta quaedam e sermonibus SS. Chrysostomi et Basilii.

180.

Partim chartaceus, partim membranaceus. In fol. Saec. xv. ff. 113.

1. (*Chartac., binis columnis, manu Italica.*) Legenda, pro Praedicatoribus abbreviata, 'beate Katherine de Senis, sororis ordinis de Penitencia beati Dominici ordinis Predicatorum;' per fratrem Thomam de Senis, ord. Praed.; cum prologo. **f. 1.**

In litera prologi initiali depicta est figura S. Katherinae.
Pars exstat in Mombritii *Vitis Sanctorum.*

Sequitur ad fin., 'Capitulum ponendum immediate post legendam abbreviatam beate Katerine de Senis, in quo capitulo per processum dicte legende et scripturarum in eadem expressarum evidenter deducitur quantum et a quibus dicta virgo sit devote invocanda, veneranda et extollenda, necnon qualiter sit ymitanda et quasi sicud approbata tenenda.'

2. (*Membran., binis columnis, manu Angl.*) 'Exafrenon pronosticorum temporis;' sex capitulis; [tractatus astrologicus, Ricardo Wallingford abbati S. Albani ascriptus]. **f. 30.**

Inc. 'Ad perfectam noticiam judiciorum artis astrologie.'
Expl. '—ad pristinam se transtulit paupertatem.'
In fol. 39^b inscripta est regula pro calculatione superationis inter planetas.

----

3. (*Chartac., manu Italica.*) Vita et miracula beati Hieronymi, *Italice.* **f. 40.**

Inc. 'Il beato messere santo Ieronimo sechondo chedice nella fine duno suo libro titulato De viris inlustribus.' Miraculum postremum est resuscitatio de mortuis 'duno maestro barbato.' Alia vitae versio est quam ea quae saepe impressa exstat. Acquisita a Kenelmo Digby pretio '4 reals.'

4. (*Chartac., manu Gallica.*) Praecepta de variis operationibus chemicis; *Gallice*. **f. 80**[b].

Praemittitur 'Alphabeth' sive tabula notarum in arte chemica usitatarum et quid quaeque significet.
Praeceptum i. 'Maniere de luter grossement tres necessaire.'
ii. 'Pour donner entree dissouldre et faire fondre tous metaux a la flambe dune chandelle.'
Olim inter codd. T. Allen.

Synopsin contentorum codicis videsis in vol. xix. Adversariorum G. Langbainii, pp. 67–70, 77–8.

181.

Chartaceus. In fol. ff. 93. Saec. xv.

1. [Thomas Occleve's] Letter of Cupid. **f. 1.**

The first leaf, containing the first ten stanzas, is wanting.
Beg. 'To hire nay [*altered by the same hand to* name] ʒhit is it no reprefe.'
Printed by Urry in his edition of Chaucer's Works, p. 534.

2. A poem against marriage; being an English version of the Latin poem attributed to Walter Mapes, 'Goliae dissuasio nubendi.' **f. 7.**

Beg. 'Glory unto God, laude and benysone,
To Johne, to Petir, and also to Laurence.'
Printed by Wynkyn de Worde under the title of *The Payne and Sorowe of Evyll Maryage;* reprinted by the Percy Society; and from this MS. in Wright's edition of Mapes' *Latin Poems*, pp. 295–9.

3. A poem of the deceitfulness of women. **f. 8**[b].

In fifteen seven-line stanzas.
Beg. 'To Adam and Eve Crist gave the soveraigte
Of Paradyce and domynacione.'
End. 'Suche welle disceyue, there nature is so frayle.'

4. 'Formula honestae vitae;' an English poem of religious and moral precepts, written by Peter Idyllearte for the instruction of his son Thomas, with Latin prologues to the several sections. **f. 10**[b].

The initial prologue ends thus :—
'Volens igitur ego Petrus Idyllearte filium meum Thomam bonis operibus ac moribus conformare, ac de amore Dei et proximi ac aliarum rerum necnon de forma vite instruere, sic incipio.
In the begynnyng of this litle werke
I pray God my penne to lede.'
End. 'Safe only nature, þe whiche doth me spede
To the my childe to þis simple dede.
Explicit liber consolacionis et consilii.'
The author is called Peter Idle, a Kentish squire, by Tanner and Ritson.

5. 'The man in þe erber;' [Chaucer's Complaint of the Black Knight]. **f. 31.**

Beg. 'In May whanne Florra the lusty quene.'
At the end, 'Explicit. Edorb qd.' ['quod Brode,' the transcriber's name ?].

6. [Chaucer's Queen Annelida and false Arcite.] **f. 39**[b].

Beg. 'O thowe fers god of armes Mars the rede.'
End, 'That shapyne was, as ye shall aftir here.
Explicit Lamentacio Annelide Regine Ermonie.'

7. [Chaucer's] 'Parlement of Fowlis.' **f. 44.**

Beg. 'The life so short, the crafte so longe to lerne.'
End, 'The bettir, and thus to rede I woll not spare.
Explicit. Here endith the Parlement of Fowlis.'

8. Against hasty credence of reports without examination; a translation in verse (in nineteen seven-line stanzas) from Boccaccio. **f. 52.**

Title, 'Where Bochas reprouythe heme þat yeue hasti credence to euery report or tale.'
Beg. 'All though so be in euery maner age
Folkis beene dyuers of condicions.'

9. [Chaucer's] Troilus and Creseide. **f. 54.**

Unfinished; ending at l. 533 of book iii,
'A certeyne houre in which she come sholde.'

182.

Membranaceus. In fol. ff. 58. Saec. xv. ineuntis. In fol. ad init. compacto, nomen 'M. Crofte;' in fol. ad finem, 'Joannes Lumleye miles dominus Lumleye.'

'Þe book of huntyng, þe which is clepid Maistre of game;' dedicated to Henry, Prince of Wales, son of Henry IV, by the King's Master of the Game.

In thirty-five chapters, besides the prologue; of which a table is prefixed.

183.

Chartaceus, foliis membranaceis hic illic intermixtis. In fol. ff. 54. Saec. xiv. exeuntis. Inter codd. T. Allen, '22.'

1. [Alberti Magni] Tractatus de mineralibus, libris quinque. **f. 1.**

Desinit imperf. in cap. ii. lib. v, deficientibus capp. iii–viii.
Impress in vol. ii. Operum Alberti.

2. Alkindus de radiis stellarum. **f. 38.**

Inc. 'Omnes homines qui sensibilia sensu percipiunt.'
In marg. inferiori est nota ita incipiens : 'Nota hoc quod est extractum de libro Rogeri Bakun de celo et mundo, capitulo de numero celorum,' etc.

3. 'Liber Bacon de sermone rei admirabilis,' sive de retardatione senectutis. **f. 45.**

Inc. 'Intendo componere sermonem rei admirabilis domino meo fratri E., cujus vitam Deus prolonget, exponendo illud quod occultum est in quibusdam libris antiquorum, videlicet juvenem a senectute retardare et ipsum in juventute diu retinere, et senem quocunque modo ad juventutem reducere.'
Imperf.; desinit in capitulo 'de refectione et hillaritate anime' ad verba, 'cum similatur calori naturali sane adolescencie facit operaciones nobiles. Et cum similatur calori naturali sane—.'

4. Pars tractatus [Rog. Bacon ?], de radiis solaribus aliisque coelestibus, elementis, locis mundi habitabilibus, etc. **f. 49.**

Utrinque mancus; incipit in cap. ii. ad verba 'et virtutis a loco sue generacionis.' Inc. iii. 'Deinde consideratum est quomodo fit multiplicacio.' iv. 'Hiis consideratis circa multiplicacionem sunt aliqua consideranda circa accionem ulteriorem.' [v.] 'Sed locus est principium generacionis quemadmodum et pater.' [vi.] 'Cum autem diucius tenui persuasione processi ut ostenderem quomodo in rebus mundi a parte suorum efficiencium et generancium nichil potest sciri sine geometrica potestate.' Desinit in verbis, 'quoniam si esset plane vel concave non—.'

184.

Membranaceus. In fol. Saec. xii. ff. 147. Bene scriptus. Inter codd. T. Allen, '15,' '20.'

B. Hieronymi opera varia exegetica.

1. De Hebraicis quaestionibus in Genesi. f. 1.

2. De mansionibus filiorum Israel. f. 27.

3. De distantiis locorum, [sive de situ et nomi-nibus locorum Hebraicorum, ordine alphabetico]. f. 39.

4. Liber interpretationum Hebraicorum nominum. f. 65.

Adduntur in fine interpretationes literarum in alphabeto utroque, Hebraico et Graeco, et 'notae divinae legi necessariae,' sive notae ad varias locutiones et figuras designandas usitatae. Interpretatio literarum Hebr. exstat inter Opp. vol. ii. col. 361; vide etiam prol. comment. in Lamentationes Hieremiae inter opera spuria.

5. De quaestionibus in librum Regum, [scil. in libros i, ii]. f. 94[b].

Impress. inter opera spuria, vol. ii. append.

6. De quaestionibus in [libros] Paralipomenon. f. 112.

Item inter opera spuria, vol. ii. append.

7. De decem temptationibus. f. 129[b].

Ibid.

8. Canticum Debborae. f. 131.

Ibid.

9. Commentarius brevis in Lamentationes Hie-remiae. f. 134.

Ibid., vol. v. col. 843.
Ad calc. 'Explicit expositio super alfabeto Hebreo.'

10. Ad Dardanum de musicis instrumentis. f. 138.

Ibid., vol. ii. Append. col. 541.

11. Notae variae, ex Hieronymo pro maxima parte collectae, 'de partibus minus notis Veteris Tes-tamenti,' de locutionibus variis in Epistolis S. Pauli, de sphaera coeli, de lapidibus, de mensuris, 'ad estimandum cujusque rei altitudinem,' etc. ff. 139–147[b].

In fol. ad finem rejectaneo est nota de depositione hujus codicis cum altero per dom. Will. de Redinge, Nigrum mona-chum, in cautionem pro dimidia marca.

185.

Membranaceus. In fol. Saec. xv. ff. 203. In usum cujusdam e familia de Swillington bene exaratus; postea possedit Nicholas Gilbourne.

1. 'Brute of England;' with the prologue. f. 1.

Ends, as usual, with the capture of Rouen in the year 1418.
The first initial contains a shield bearing quarterly, 1 and 4, arg. a chevron az. with a label of three points erm., the arms of Swillington; 2 and 3, gules, a griffin segreant arg. [Rivers or Swinlington?]; crest, the head of a savage.

2. [Thomas Occleve's poem De regimine principum.] f. 80.

Beg. 'Musyng vpone the resteles bysynesse.'
End, 'That knoweth He that nothing is hidd fro.'
Edited by Thomas Wright, M.A., for the Roxburgh Club, 4°. Lond. 1860.
In the first initial letter the arms of Swillington are again given, impaling quarterly, 1 and 4, arg. a bend sable, thereon three stars arg.; 2 and 3, gu. fretty arg. [Beauchamp].

3. The story of the Emperor Gerelaus and his wife, from the Gesta Romanorum; a poem [by Occleve], with a prose 'Moralization' at the end applying the story to the case of the Soul tempted by the Body. f. 145.

Beg. 'In the Romayne Jestys wretyne is thus:
Sum tyme an Emperour in the citee
Off Rome reigned clept Gerelaus.'
End, 'Whiche that no wyght eschue may ne fle,
And when Gode wole also dye schall we.'

4. The story of Jonathas and his paramour, also from the Gesta Romanorum; a poem [by the same], with a prose 'Moralization,' or application to man's spiritual condition. f. 157[b].

Beg. 'Sum tyme an Emperoure prudent and wise
Reigned in Rome, and had sonnes thre.'
End. 'Wher as in joye and prosperite
His lif he had vnto his endyng day,
And so Gode vs graunt that we doo may.'
In the initial letter are ten coats of arms; 1, gules, a griffin segreant, as above; 2, Swillington; 3, or (?), a fess dancette sable, Vavasour; 4, barry of six, ermine and gules, over all three crescents sable, Waterton; 5, arg., a pale sable, thereon a conger eel's head erect and couped, of the field, Gascoigne; 6, arg., a saltire gules, Fitzgerald or Gerard; 7, gules, fretty ermine, Alford or Alesford; 8, quarterly, 1 and 4, arg., a bend sable, thereon three . . . (?) arg., 2 and 3, Alford, as above; 9, arg., a fess sable, in chief three mullets of the last, Townley; 10, sable, three bars arg., Houghton. Below, there is what seems to be a badge; on a shield, sable, a handle with five scourges, each with three knots arg.

5. The Romance of King Ponthus of Galicia and the princess Sidon; in prose. [Translated from the French?]. f. 166.

Beg. 'Now I wolle you tell a noble storye wherof a man may lerne mony goode ensamples.'
End, '—there be noone so faire ne so ryche, so stronge ne so goode, bot at the last he must nedes leve this worlde.'
Printed by Wynkyn de Worde, 4°. 1511.
In the initial letter are the arms of Swillington and Rivers, quarterly, impaling Townley (on a fess sable 3 mullets) and Alford (fretty ermine), quarterly.

186.

Chartaceus, intermixtis hic illic foliis membranaceis. In fol. ff. 90. Saec. xv. Inter codd T. Allen, '63.'

[1. Statutum Johannis, S. Mariae in Via Lata cardinalis et apostolicae sedis legati, pro refor-matione monasterii S. Mariae Eboracensis. f. 1.

Folium membr., saec. xiii. ineunte exaratum, ad initium codicis compactum. 'Promulgavit autem dominus J., apostolice sedis legatus, has constitutiones in accessu suo ad monasterium nostrum, ad Assumpcionem Sancte Marie, anno Incarnacionis Domini millesimo ducentesimo sexto.']

2. 'Vaticinium cujusdam viri catholici [Johannis] canonici de Brydlynton circa annum Domini M.CC. predicentis futura sibi divinitus ostensa;' cum glossa marginali. **f. 5.**

Inc. 'Febribus infectus requies fuerat mihi lectus.'
Expl. 'Ad mortem tendo, morti mea carmina pendo.'
Ad calc. 'Explicit prophecia de fortuna et castigatione Regis et Regni Anglorum, a tempore Edwardi secundi post conquestum usque ad tempus successoris Edwardi tercii inclusive, quam metrificavit et fecit scribi unus Canonicus de Brydelyngtone, decumbens in magnis febribus ante mortem suam qui nuncquam per prius sciverat versificare vel versus intelligere sufficienter, et fuit circa annum Domini millesimum ducentesimum.'
Impr. apud *Political Poems and Songs*, per T. Wright, 8°. Lond. 1859, vol. i. pp. 128-211.

3. 'Prophecia Galfridi Eglyn' de Rege Ricardo II. **f. 14.**

Inc. 'Asinus coronatus turbabit regnum.'

4. List, in English, of eleven symbolical names of badges used in prophecies, for Richard of York, Earl of March, three for Henry Percy, Earl of Northumberland, and one each for the Earl of Westmorland and Lord Clifford. *ibid.*

5. 'Prophecia;' versibus viginti quinque. **f. 14ᵇ.**

Inc. 'Intras cum sole canis taurusque leone.'

6. 'Bedam' (*sic*); prophetia, versibus quatuor. *ibid.*

Inc. 'Scoti cum Britone sternunt Anglos in agone.'

7. 'Eldegar',' *i.e.* Hildegardis prophetia, versibus quatuor. *ibid.*

Inc. 'Mens cor cur cupiunt lex Christi vera jocunda.'

8. 'Prophecia quedam Willelmi Stapiltone, ut dicitur, cuidam forestario in foresta de Inglewod tradita, anno Domini 1379.' *ibid.*

Inc. 'Anno cephas mille canis cuculus et cocodrillus.'

9. 'Alia prophecia ejusdem.' **f. 15.**

Inc. 'Tolle caput milvi cancer ter simile fiat.'

10. [*Manu secunda.*] 'Prophecia Henrici de origine mundi. Est autem Henricus in Historia Almannorum sicut Marlinus in Historia Britonum prophetizatus;' cum interpretatione nominum. **f. 15ᵇ.**

Inc. 'Lilium regnabit in nobiliori parte mundi.'
Cf. cod. 196, *infra*, art. 11.

11. [*Manu tertia.*] Vita metrica Edwardi Regis et Confessoris, auctore anonymo, Henrico sexto dicata. **f. 16.**

Inc. 'Quid faciat virtus, que spes speciosa beatis.'
Impress. e codice Bodleiano, 'Selden. supra 55,' apud *Lives of Edw. the Conf.*, edente H. R. Luard, 8°. Lond. 1858, pp. 361-377, ubi variantes in hoc exemplari lectiones in notis exhibentur.

12. [*Manu saec.* xvi.] 'Quaedam narratio de nobili rege Arthuro in sacramento altaris non plene credente, qualiter confirmatus fuit in fide et factus vere credens, et quare mutavit arma sua.' **f. 23.**

Inc. 'Dominus Deus universorum conditor.'
Notat quidam in margine, 'Haec fere omnia (ad verbum) recitantur a Gulihelmo Malmesberry in libro de antiquitatibus Glastonberry;' non autem exstant in textu per Gale aut Hearne impresso.

13. (*Manu eadem.*) 'Haec est vera historia de morte Arthuri.' **f. 24ᵇ.**

Inc. 'Igitur finito prelii certamine.'
Desin. incompl. ad verba, 'Igitur prefati tres episcopi spiritum—.'

14. (*Manu eadem.*) 'De origine gigantum in insula Albion, i. Brittania Majore, quae modo Anglia dicitur, habitantium, et nomine insulae.' **f. 26.**

Inc. 'Anglia modo dicta olim Albion dicebatur.'
Expl. 'Et sic veritas clarescit historiae de primis habitatoribus hujus terrae.
Explicit de ortu gigantum in Anglia.'

ff. 28-30 vacua sunt.

15. (*Manu saec.* xvi. *ineuntis.*) Versus quidam recensentes nomina villarum quarundam et comitatuum in Anglia; item de nominibus *Albania* et *Scotia.* **f. 31.**

Inc. 'London, Yorke, Carlell, Kente, Wynchester, Leycyterque.'

16. (*Manu eadem.*) Notae quaedam de comitatu Westmorlandiae, de villis de 'Berwyke' et Novo Castro, et de muro Severi.

i. De rege Mario sive Westmario: cap. xvii. lib. iv. Galfredi Monumetensis. **f. 32.**

ii. Versus quidam de eodem. **f. 32ᵇ.**

iii. '*In Cronica Anglice conscripta legitur parte 3, fo. 30.* How Kynge Westemere gave to Berengere an ylande forlete, and there this Berengere made ye towne of Berwyke.' **f. 33.**

iv. Notae de rebus inter Scotos et Anglos, de prophetia Merlini super Edw. I., de constructione castelli de Berwick, etc. ab anno 1199 ad an. 1482. **ff. 33ᵇ-4.**

'In quodam kalendario antiquo scribitur per manus bonorum virorum tunc viventium ac annotaciones temporum et acta regum perlustrancium, quod scilicet anno Domini 1210 Johannes rex Anglie edificavit castrum Berwici.'
'Anno Domini 1482 ultimus conquestus de Barwike factus fuit per dominum Ricardum ducem Glowcestrie et anno novissimo regni regis Edwardi quarti post conquestum, qui usque in hodiernum diem feliciter regum Anglorum succedencium dominio legitime subjacet.'

v. 'De muro Severi famoso,' ex Hist. Britonum, Beda, Orosio, Henrico Hunt., et Michaele Volaterrano. **ff. 35-36ᵇ.**

vi. De Novo Castro et de monasterio ibidem. **ff. 37-38ᵇ.**

'Notandum quod baron de Hilton, miles olim strenuissimus, per generaciones et successiones heredum legitimorum appellatus est fundator illius monasterii monialium in Novo Castro super Tynam.'

Fol. 39 vacat.

17. [*Manu prima.*] 'Vaticinium unius Sillabarum [*lege*, Sibyllarum] Ytalie;' in quo de Rege quodam Sexto. **f. 40.**

Inc. 'Veniet aquila ardens et Regina Austri.'

ii. 'Sequuntur versus ad cognocendum illum Sextum et de modo regni sui.'

Inc. 'Tolle caput Martis bis Cancri lune suum dat.'

18. 'Item de Dodeno' (?). **f. 40**[b].

Inc. 'Presides hiis tronis virose lux visionis.'

19. 'Versus [xii.] Gilde de Sexto.' *ibid.*

Inc. 'Cambria Carnarvan Anglis natum dabit agnum.'

20. 'Item Gildas de eodem Sexto;' versus sex. *ibid.*

Inc. 'Ter trina lustra tenent cum sema tempora Sexti.'

21. Variae alia prophetiae, speciatim (ut videtur) de Edwardo I; *metrice.* **f. 41.**

Inc. 'Anglia transmittet leopardum lilia Galli.'
Versus 1–13 inveniuntur *infra* in cod. 196, fol. 24, sub tit. 'Versus Merlini.'

22. Chronica Angliae a Bruto usque ad mortem Edw. I.; partim carmine, partim prosa. **f. 42.**

Inc. 'Anglorum regum cum gestis nomina scire
Qui cupit, hos versus legat et poterit reperire.'
Usque ad saec. ix. erae Christianae historia *metrice* scribitur, additis notis prosaicis in margine; exinde stylo mixto continuatur; ab accessione autem Hen. II. oratione soluta pro maxima parte auctor utitur. Hic illic versus *Anglici* intermixti sunt, e rhythmo Johannis Lydgate de Regibus Angliae a Gul. Conquest. excerpti.

23. [*Manu quae scripsit art.* 10.] Notae variae. **f. 64.**

i. De versione Septuaginta, et versionibus Veteris Test. Latinis.

ii. [Versus Gildae de Sexto, *ut supra*, art. 20.]

iii. Prophetiae aliae duae.

Inc. i. 'Flamine Romano crescit Britanicus honor.'
ii. 'Rex unus erit qui Franciam perdere querit.'

———

24. Commentarius Johannis de Athona, sive Acton, canonici Lincolniensis, in Constitutiones legatinas Othonis; *incompl.* **f. 65.**

Inc. 'Ad succidendos palmites pestiferos et nocivos.'
Desinit abrupte ad verba 'conventibus, id est congregationibus,' in cap. *De habitu clericorum.*
Saepe impressus.
In fol. secundo, ad init. codicis compacto, verso, sunt haec: 'Anno Domini millesimo. ccc.iiij°, x° kal. Maii, obiit dominus Robertus Haworthe, quondam abbas domus de Stanelawe.' '1572. John, 26, et Henry, 23, Thomas, aetatis. Mors Henrici Savile de Bradley, patris, die Veneris xj. Septembris 1566, tempore parliamenti 8 Elizabethae.'

187.

Membranaceus. In fol. Saec. xiii. ineuntis. ff. 180. Binis columnis. Inter codd. T. Allen, '35,' '52.' Desunt multa folia in principio, unum aut duo inter ff. 2, 3, et duo, sive plura, inter ff. 4, 5.

Pars Summae cujusdam theologicae, sive collectionis Quaestionum theologicarum grandis; in veteri Catalogo ita descripta, 'Quaestiones theologicae admodum subtiles, authore incerto.'

Nomen auctoris adhuc frustra, licet diligentius, quaesitum est.

Incipit codex (verbis, 'a se esse quo Pater a se est et non alio') in cap. xlii. quintae partis primae partis 'principalis enumeracionis,' in qua quinta parte tractatur de eterna bonitate et veritate Dei. Desunt capp. li–lv.

Pars vi. De sapientia Dei et de SS. Trinitate, in capp. lii, quorum desunt vii–xiv. f. 3[b].

vii. 'De potencia Dei ejusque sapiencia et bonitate;' capp. lxxiv. f. 13.

viii. 'Octave partis disputacio circa sapienciam Dei tota consistit,' in qua etiam de praedestinatione; capp. cxvii. f. 27[b].

ix. De voluntate Dei; capp. ciii. f. 43[b].

x. De Deo ipso; capp. xciv. f. 59.

xi. De spiritibus coelestibus; capp. ccx. f. 72.

'Secunda pars principalis enumeracionis; Qualiter homo sit factus et qualis sit factus;' capp. cxciv. f. 96[b].

'Prima pars secunde partis principalis enumeracionis;' 'ipso vero principaliter disserit qualis fuisset homo futurus si non peccasset, et de qualitate et modo vivendi ipsius,' etc. capp. cxxiv. f. 121.

'Secunda pars secunde partis principalis enumeracionis,' de praeceptis et peccato, etc.; capp. cccxxxvi. f. 136.

[Tertia pars] De peccato originali; capp. l. f. 175[b].
Desinit opus imperfectum in capitulo de circumcisione.

Folia 1–6, anno 1880 in cod. 190 reperta, in suum proprium locum exinde restituta sunt.

188.

Chartaceus. In fol. ff. 66, praeter quatuor ad finem compacta. Saec. xv. ineuntis. Inter codd. T. Allen, '21,' '19.'

Varia de Schismate inter Papas Bonifacium IX. et Benedictum XIII.; manu Belgica transcripta.

1. 'Responsiva Unitatis fidelium ad processum Regis Francie sibi directum, que Catholica dicitur, id est, recta, universalis et generalis, secundum Papiam,' [*i. e.* secundum interpretationem verbi in Lexico Papiae]. **f. 1.**

Dialogus inter Unitatem et Regem Franciae Carolum VI., male *Carolum IV.* a scriba dictum. Partes Urbani VI., et successoris ejus Bonifacii IX. contra Bened. XIII. defendit, ortum dissidii et seriem rerum gestarum exponens.
Ad fin., 'Ad laudes et gracias eterno Patri de rudi hujus textura responsi que *Catholica* intitulatur in ejus principio, vel, si mage placeat convenire proposito, *Catapulta* dicatur,' etc. Sequitur 'Unitatis oracio hiis consona.'

2. Epistola Universitatis Oxoniensis ad Ricardum II. Regem Angliae; responsoria ad epistolam 'Parisiensis studii.' **f. 47.**

Inc. 'Venera[bi]li lucerne principum et regum speculo speciali Ricardo.'
Expl. '—nostro virtutis verbo, troni unde fastigium, muniemus hec, principum Christianissime.
God laet, goet wesen.'
Verba pauca, his praecedentia, impressa exstant apud Ant. à Wood, *Hist. and Antiq. of Univ. of Oxf.*, 1792, vol. i. p. 534, sub anno 1398. Alia epistola anno 1396 exstat apud Bulaei *Hist. Univ. Paris*, 1668, vol. iv. pp. 776–785.

3. Tractatus de Schismate, et de quatuor articulis speciatim considerandis; in quo arguitur, contra Parisienses, 'viam concilii generalis' ceteris modis anteponendam esse pro sedando schismate. **f. 62.**

Inc. 'Cum nuper a Christianissimo et piissimo Rege nostro [Ric. II.?] prodieunt [*sic*] edicta ut hii qui sciencie talenta a Domino credita receperunt.'

Deest fol. ultimum.

In fol. ad initium compacto sunt haec, 'Naseby debet pro attestacionibus abbatis Ebor. v^s;' et in foliis adjectitiis ad calcem sunt memoranda quaedam de querelis quibusdam in curiis ecclesiasticis; inter alia, de arrestatione vicarii de Dodington, dioc. Cant. (f. 67), mentio Matillidis abbatissae de Sion, anno 1445 (f. 67^b), querela vicarii de Croston dioc. Lichf. eodem anno (*ib.*); et notae de solutis et receptis per Thomam Holthorp et Isabellam Bold, 1445–1460 (ff. 67^b–70).

189.

Chartaceus. In folio. ff. 319. Saec. xvi. Manu Italica.

1. 'Lettere di mon. Carlo Visconti, [Card.] vescovo di Ventimiglia, sopra il successo delle cose del Concilio di Trento, scritte all' ill^mo et rev^mo Cardinale Borromeo l'anno MDLXII.' **f. 1.**

2. 'Relatione di Savogia di m. Andrea Boldú,' al Doge e Senato di Venezia. **f. 171.**

3. 'Alcune cose dette nella Relatione di m. Mattio Zane ritornato d'Amb^or di Savogia.' **f. 198.**

4. 'Relatione del cl^mo sig. Marin de Cavalli del sereniss^o Carlo Quinto Imperatore del issi.' **f. 199.**

5. 'Discorso del regno di Portogallo.' **f. 224.**

6. 'Relatione del clar^mo sig. Marcantonio Barbaro ritornato da Costantinopoli l'anno 1573.' **f. 237.**

7. 'Paese de Conferati,' sive 'Paese de Suilleri;' [descriptio provinciarum Helvetiae, una cum tractatibus pacis variis temporibus per rempublicam Helveticam factis.] **f. 270.**

'Tratato del governo della republica di Genoua.' **f. 311.**

190.

Membranaceus. In fol. ff. 209. Saec. xiv. ineuntis et xiii. Variis manibus exaratus. Inter MSS. Th. Allen; art. i. '223;' ii. '40,' '39;' iii. '79,' '70;' iv. '26,' '62;' vi. '188,' '37;' xvi. '45;' xx. '28,' '36.' Artt. xvi. xvii. antehac inter contenta cod. 191 locum suum habebant, ut ex tabula ibi inserta patet. Codex autem olim ita confuse compactus fuit, priusquam in bibliothecam Bodl. venit, quod vix in ordinem reduci nunc possent folia.

1. Alberti Magni Tractatus de mineralibus. **f. 1.**

Saec. xiv. exeuntis. Desinit mutilus (deficientibus foliis quatuor) in cap. iii. tract. ii. libri iii. De colore metallorum.

2. Rogeri Bacon Tractatus de principiis naturae. **f. 29.**

Titulus manu saec. xvi. exeuntis est praefixus.

In initio non nisi hæc pauca legi possunt : '. . . alia est (?) . . . alia forma alia com . . . et sibi equivoca.' Clausula subsequens ita incipit : 'Item omne genus sic dividitur per differentias in species donec ad aliquam speciem.'

De hoc codice brevem mentionem facit v. c. J. S. Brewer in praef. ad *Rog. Bacon. Opp. inedita*, 1859. p. lxxii.

3. 'Bacon in Meteora.' **f. 38.**

Titulus manu supradicta praefixus.

Inc. 'Cum ad noticiam impressionum habendam.'

Expl. '—sed signat dominium Martis.'

4. Argumenta ex S. Scriptura et Patribus super tribus quaestionibus theologicis; i. de loco daemonum ante diem judicii; ii. ubi sint animae impiorum; iii. quam gloriam animae sanctorum patrum separatae a corporibus invenerunt propter sua opera. **f. 44.**

Ad calc. 'Hec sunt raciones que fiunt pro parte domini pape quam (?) in sermone Purificacionis asseruit se dixisse non asserendo sed recitando oppinionem B[ernardi], que videbatur rationalis propter auctoritates sacre Scripture, et ut sic supradicta opinione producta in publicum per tantum dominum quis valeret de ipsa securius disputare. Verumptamen ex quo hec dixerat mandavit absolvi Priorem Predicatorum.'

(*Olim hic compacta exstabant folia sex quae ad initium codicis* 187 *supra nunc locum suum rite occupant.*)

5. 'Venerabilis Aelredi abbatis Rievallis' libri tres de spirituali amicitia, cum prologo. **f. 54.**

Inc. prol. 'Cum adhuc puer essem in scolis.'

Inc. opus, 'Ecce ego et tu.'

'Hos olim transcriptos ad D. Jacobum Merlonem Horstium, Coloniensem, una cum nonnullis aliis Bernardi, inter opera Bernardi edendos transmisimus anno 1642.' (Langbaine, in vol. iv. Adversariorum ejus MSS., pp. 662–3.)

Sæpe impressi inter opera Aelredi.

6. Extrema pars tractatus Johannis de Muris de canonibus tabulae minutiarum; opusculum ad quendam amicum familiarem 'duobus sermonibus bipartitum.' **f. 66.**

Anno 1321 auctor dicit se hunc librum composuisse, aliosque tractatus eodem tempore scriptos ita recenset : 'Eodemque anno noticia artis musice proferende, figurande, tam mensurabilis quam plane, quantum ad omnem modum possibilem discantandi, non solum per integra sed usque ad minutissimas fracciones; Cognicioque circuli quadrature perfectissime demonstrata; Exposicioque tabularum Alphonsi regis Castelle; ac Genealogia Astronomie nobis claruit, Altissimo collaudato; que tanquam inaudita et ignota ceteris annis antecedentibus quasi sopita in thesauro sapiencie jacuerunt.'

Ad calc. 'Explicit tractatulus canonum tabule minuciarum philosophicarum et vulgarium, qui tractatus et tabula composita sunt a magistro Jo. de Mur', Normano, qui eodem anno complevit plures alios tractulos [*sic*] cum isto, ut hujus tractatuli finis manifestat.'

7. Tractatus arithmeticus (forsan incompletus) de additione, subtractione, multiplicatione et divisione numerorum, cum regulis ad exprimendum 'ab alieno corde factas meditaciones de numero.' **f. 66^b.**

Inc. 'Cum agitur de numeris aut agitur de eis secundum eorum naturam.'

8. 'Ars compoti manualis de utilioribus kalendarii ecclesiastici. **f. 69.**

Inc. 'Ad habendum ciclum solarem sive litteram dominicalem quod idem est in proposito ut patebit secundum Gerlandum.'

Expl. (*cum versu*), 'Istis vigiliis jejunes luceque Marci. Et hec ad presens dicta sufficiant.'

9. Versus memoriales docentes quo mense quaevis festa per totum annum contingunt; series binae. **ff. 71^b, 72.**

'circum nem i. Januarius phania   cis   lum
Inc. i. Cisio   Janus epi sibi vendicat hinc Feli Marcel
ii. 'Scissa Geno. sec. epi. retinet Janus Il. Fe. Mau. Mar. An.'

10. Tractatus [forsan Joh. de Muris] de minutiis philosophicis et vulgaribus; sub octo titulis. f. 72^b.

Inc. '*Modum representacionis minuciarum vulgarium et philosophicarum preponere.*
Quia in fraccionibus sunt duo.'

11. Tres tabulae kalendares, quae 'facilitant multum compotum manualem:' (i.) 'Tabula principalis Gerlandi;' (ii.) 'Contra-tabula,' de festis mobilibus; (iii.) 'Tabula terminorum' paschalium. ff. 75^b-6^b.

12. [Rogeri Bacon] Tractatus de somno et vigilia; libris duobus. f. 77.

Nomen auctoris praefigitur manu saec. xvii. ineuntis.
Inc. 'De somno et vigilia pertractantes, Perypateticorum sentenciam potissime sequemur.'
Expl. '—secundum quod ex philosophicis racionibus sciri potest. Explicit.'

13. 'Methaphisica fratris Rogeri [Bacon], ordinis Fratrum Minorum, de viciis contractis in studio theologie.' f. 86^b.

Omnia desunt praeter primas lineas, ad numerum viginti quinque.
Inc. 'Quoniam intencio principalis est innuere nobis vicia studii theologici que contracta sunt ex curiositate philosophie cum remediis istorum.' Citatur Alanus *de Conquestione Naturae.*

14. Fragmentum e quodam codice saec. xiii., unico folio constans, in quo haec :—

   i. 'Differentiae' duae ultimae ex Astronomia Alfragani, adjectis capitulis duobus brevibus de eclipsibus. f. 87.

Ad calc. 'Explicit Alfraganus Liber Admet. Perfectus liber Alfragani in scientia astrorum et radicibus motuum celestium, *interpretatus in Limia a Johanne Hispalensi atque Limensi,* et expletus est 24to die quinti mensis lunaris anni Arabum quingentesimi vicesimi noni, et exeunte xi° die mensis Marcii, et anno M°.C°. 73 Domini, sub laude Jesu Christi et ejus opere.'

   ii. 'De invencione annorum Arabum per annos Christi.' f. 87^b.

   iii. 'Tabula inventionis.' *ibid.*

   iv. 'Quadratura circuli per lunulas.' *ibid.*

   v. Versus sex 'de mansionibus 7 planetarum.' *ibid.*

Inc. 'Est tua, Saturne, domus hec Therontis et urne.'

   vi. 'De inventione domorum planetarum septem in xii signis.' *ibid.*

15. Commentarius in septem aenigmata Aristotelis [sive symbola Pythagorica], quae 'recitat Ieronimus libro tercio contra Rufinum.' f. 88.

Inc. 'Boecius de disciplina scolarium summum inquit solacium.'

16. [Ricardi Wallingford, abbatis S. Albani, Opus Quadripartitum, sive] 'Tractatus de sinibus demonstratis,' libris quatuor. f. 90.

Inc. 'Quia canones non perfecte tradunt noticiam sinus.'
Ad calc. 'Explicit quartus tractatus de corda recta et versa [*hic sequebatur nomen auctoris, postea diligenter erasum*] ... fratris ... Wa ... in quo apparent omnia facilia et levia que peritis astrologis usque ad tempus suum [sinum, MS.] fuerant quasi occulta [occultis, MS.] et modernis loquentibus omnino ignorata.'

17. [Tractatus de motu et speciebus ejus, in quo multae quaestiones, sive argumenta, proponuntur de lineis, angulis, circulis, etc., quibus solutiones adduntur.] f. 105^b.

Inc. 'Sequitur que species sint sub ipso Ar[istotele]. Motuum alius est generacio, alius corrupcio.' In ora inferiori sunt haec, manu paululum recentiori, 'Incipiunt falsigravie de motu et aliis;' in tabula contentorum cod. 191, 'Falsegraphie geometrie.'
Expl. 'Sed nihil est citra tuam rationalitatem.'

18. [Tractatus super arithmeticam; regulae cum exemplis et commentariis.] f. 128.

Hic illic a scriba confuse scriptus. Deest initium.
Inc. sectio (hodie i.) 'Digitus est omnis numerus minor x :'
[ii.] 'Numerus compositus est qui constat ex numeris diversorum limitum.'
Expl. 'Quod autem idem contingat in cubicarum radicibus extrahendis ita considera. Amen.'
Inter ff. 138-9 sunt tres paginae vacuae.

19. [Joannis de Sacro Bosco Tractatus de algorismo, sive arte numerandi.] f. 169^b.

Inc. 'Omnia que a primeva rerum origine processerunt racione numerorum formata sunt.'
Ad calc. 'Explicit Algorismus.'
Impress. apud *Rara Mathematica* per J. O. Halliwell, 8°. Lond. 1841.

20. Tractatus alter de algorismo. f. 175.

Incip. cum versibus duobus prioribus ex poemate Alex. de Villa Dei, 'Hec algorismus ars presens' etc.; tunc, post explicationem figurarum in arithmetica usitatarum, ita procedit, 'De modo legendi secundum quod uno modo debet scribi, incipiendo a parte dextra.' Desin. incompl. ubi tractat de multiplicatione, his verbis, 'et tunc ultimum productum erit numerator.'

21. Synopsis tractatus cujusdam de arithmetica, exhibens titulos capitulorum cum verbis initialibus. f. 181^b.

Incip. 'P. in quo continetur divisio mathematice. Capitula. i. Inter omnes prisse (*sic*) auctoritatis.'

22. Tabula exhibens comparationem numeri paris et imparis. f. 183, 183^b.

23. 'Tractatus super arsmetricam.' f. 184.

Desunt quaedam, ut videtur, in medio, inter ff. 186-7.
Inc. 'Eorum que sunt aliud continuum, aliud discretum.'
Expl. '—sola est epoctous, hoc est sexquigena proporcio diffinitiva. Explicit tractatus super arsmetricam.'

24. Fragmentum breve de diversitate aspectus lunae et de eclipsibus. f. 197.

25. Tractatus Rob. Grosseteste, episc. Linc., de iride. f. 197^b.

Inc. 'Et perspectivi et philosophi est speculacio de yride.'
Sequuntur folia vacua tria.

26. 'Capitulum sextum secunde dictionis Almagesti,' et cap. viii. lib. iii. et (alia manu) excerptum ex initio cap. iii. lib. iv. ff. 202, 207, 209.

Inc. 'Ad hujus autem similitudinem in reliquis lineis equidistantibus.'
Synopsis contentorum codicis data est in cod. Langb. iv. pp. 662-668.

191. [B. N. 14.]

Membranaceus. In fol. sive 4°. maj. Saecc. xiii. et xiv. ineuntis. Manibus variis exaratus. Praemissa est tabula contentorum (olim male cum cod. 200 compacta) ex qua patet artt. i–vi, una cum artt. xvi, xvii in cod. proxime praecedente, volumen unum inter libros 'domus scolarium de Merton in Oxonia,' constituisse. Art. 1. inter codd. T. Allen, '38,' '32;' art. x, 'Liber domus beate Marie in Oxon.,' postea, '37,' '71;' art. xv, '42,' '40.'

1. Euclidis Elementorum Geometriae libri xv; cum figuris. f. 1.

Libri i–vi. manu saec. xiii. exeuntis scripti sunt; ad calcem haec, 'Explicit liber 6ᵘˢ geometrie Euclidis cum commento Campani.' Libri vii–xv. manu secunda in saeculo sequente additi sunt; ad calc. 'Explicit geometria Euclidis.'

2. Tractatus de arithmetica; [scil. Analysis tractatus Boethii de eadem.] f. 66ᵇ.

Incip. 'Dicit Aristoteles in principio Methaphisice.'
Expl. '—ista medietas recte maxima et perfectissima appellatur. Et hec de ista sciencia sufficiant.'

3. 'Incipit brevis exposicio musice;' [scil. Analysis libb. i et ii. tractatus Boethii de eadem.] f. 68ᵇ.

Inc. 'De evidencia eorum que dicuntur in musica primo sciendum est quod causa materialis est multitudo relata ad sonos.'
Expl. '—2187 ad 21848, ut ibi demonstratur, nec in minori proporcione potest reperiri.'

4. Introductio, ut videtur, in commentarium super quodam tractatu (forsan Rob. Grosseteste) de computo kalendari. f. 70ᵇ.

Incip. 'Ut testantur sapientes, 4 sunt in ecclesia cuilibet clerico precipue necessaria.'
Inter auctores de computo mentio fit de his:—'quidam Beda venerabilis presbiter nacione Anglicus, *Parisen. universitatis fundator*' (!), 'quidam Elpericus abbas Anglorum,' 'Gerlandus in confinio Germanie et Gallie oriundus,' 'Johannes de Sacro Bosco, et 'Lyncolnensis episcopus.' Tractatus quem explicare propositum est incipit cum verbis initialibus libri Rob. Grosseteste de eadem re, 'Est autem compotus sciencia numeracionis et divisionis temporum.' Quae de Beda, Elperico et Garlando hic leguntur, locum etiam habent, paene verbatim, in prologo commentarii in tract. J. de Sacro Bosco in cod. 193 *infra*, fol. 27.

5. 'Incipit Practica Geometrie'; [scil., capp. xiv–xciv. Geometriae Gerberti.] f. 71ᵇ.

Inc. 'Geometricales tractanti diversitates premonstrandum est.'
Expl. '—et intervallo *e* circulum scribimus. Finit.'
Impr. apud Pezii *Thes. Anecdd. Nov.*, tom. iii. par. ii. coll. 37–82, fol. *Aug. Vindel.* 1721.

6. Varia mathematica et astronomica brevia; 'racione circuli probatur quociens rota plaustri in leuga rotetur,' de altitudine invenienda, de sphaera, de horis diei per astrolabium sciendis, etc. ff. 77–8.

7. Epistola Gerberti ad Adalbaldum, alias Adelboldum, episc. Traject., [sive, ut rectius videtur, Adelboldi ad Sylvestrum II. papam] de ratione inveniendi crassitudinem sphaerae. f. 78.

Inc. 'Domino ab Albaldo [*lege* Adalbaldo] Gerbertus vite felicitatem et felicitas [*sic*] perpetuitatem. Macrobius super Somnium Scipionis.'

Expl. '—sed et invenitur quidem in puteorum profunditatibus.'
Impr. sub nomine Adelboldi, cum prologo, apud Pezium, *ut supra*, coll. 87–92.

8. Gerberti Epistola ad Adelboldum de causa diversitatis arearum in trigono aequilatero. f. 78ᵇ.

Inc. 'Adalbaldo nunc usque dilecto [etc.] In hiis geometricis figuris.'
Expl. '—et in ea [*lege*, mei] semper memento.'
Ibid. coll. 83–4.

9. Regula ad inveniendam 'profunditatem alicujus pelagi, vel stagni, sive fluminis.' *ibid.*

Ad calc. 'Explicit hic totum, pro Christo da sibi potum.'

10. [Canones astronomicae de motibus coelestibus, inter quas etiam regulae kalendares pro annis Arabum et Christi, etc., inveniendis.] f. 79.

Inc. 'Quoniam cujusque accionis quantitatem temporis metitur spacium, celestium motuum doctrinam querentibus.'
Expl. '—invenies signum oriens et ejus gradum, sicut ostensum est in precedentibus. Expliciunt canones secundum Tholomaeum.' (*Haec verba duo ultima paene erasa sunt.*)

11. Explanatio tabulae cujusdam minutorum proportionalium. f. 102ᵇ.

12. Tractatus Rob. Grosseteste de compoto; duodecim capitulis. f. 103.

Inc. 'Compotus est sciencia numeracionis et divisionis temporum.'
Expl. '—ut jejunemus nos atque Matheus. Explicit compotus Lincol. episcopi.'
Sequuntur tabulae duae, quarum secunda titulum habet, 'Tabula secunda episcopi que dicitur Contratabula et est verificata.'

13. Tractatus ejusdem de sphaera; cum notis marginalibus manu altera. f. 125.

Inc. 'Intencio nostra in hoc tractatu est describere figuram machine mundane.'
Desunt quaedam pauca ad finem. Des. in verbis, 'dicitur diversitas aspectus lune in latitudine.'
Impr. cum Sphaera Jo. de Sacro Bosco aliisque aliorum, fol. Ven. 1508.

14. 'Liber Alpetragii de motibus celorum' (*tit. ad calc., manu saec.* xiv.), sive de motu corporum coelestium. f. 132.

Mancus in initio; incipit cum verbis, 'ista corpora quo sequuntur post corpus suppremum quodlibet movetur et movet suo motu.'
Expl. '—et totum motum unum sine motibus diversis. Laudetur Jesus Cristus qui vivit in eternum per tempora, in decimo octavo die Augusti, in die Veneris, hora tercia, cum Abucelenie era M.CC. quinquagesima quinta. Amen. Finit.'

15. Pars orationis devotae ad Dominum Jesum Christum pro anima ab eo creata et redempta. f. 168.

Inc. '—[de]fensionem ejus accipias et scuto bone voluntatis tue.'

16. 'Doctrina Roberti episc. Lincoln. de cura pastorali.' f. 168.

In hoc libro agitur i. de praedicatione; ii. de exemplo bonae conversationis; iii. de dilectione Dei et proximi; iv. de vii. sacramentis, (*hic autem desunt tria folia*); de reductione peccatorum ad memoriam; de vii. circumstantiis peccatorum; de sacerdote (quoad confessionem) et de vii. peccatis ; denique, de x. praeceptis.

Inc. 'Scriptum est de Levitis, sc. de ministris tabernaculi Domini.'

Notitia contentorum imperfecta data est in cod. Langb. iv. pp. 546-7.

192.

Membranaceus. In fol. Saec. xiv. ff. 2 et 61. Olim liber Johannis Dee ; postea inter codd. T. Allen, ' 46,' ' 53.'

[Raymundi Lullii] Ars demonstrativa, sive methodus brevis ad inveniendum veritatem in qualibet arte et ad solvendum quaestiones.

Accedunt, i. (ff. 34-8) 'Questiones que solute sunt juxta literam exponentem figuras et ostendentem quomodo per cameras perscrutanda est solucio questionis ;' et ii. (ff. 38-63) 'Questiones que tantummodo solvuntur per figuras.'

Inc. '*Deus qui es clarificacio totius intellectus dum ipse te cognoscit, et qui es beatitudo totius voluntatis dum ipsa te diligit, tua excellentissima virtute, gracia et benediccione incipit ars demonstrativa. De prologo. Quoniam hec ars demonstrativa sequitur regulam artis compendiose inveniendi veritatem.*' Inc. prima distinctio : 'Prima igitur distinccio dividitur in duodecim figuras.'

In margine inferiori est nota de titulo et usu libri, a quodam L. (?) -uns (nomine paene eraso) inscripta, in quo dicitur hanc artem ab auctore pluribus modis sub diversis nominibus descriptam esse, sc. Ars magna, Ars brevis, Ars inventiva, &c. Hoc etiam dicit Corn. Agrippa in Commentario suo super *Artem Brevem*.

Praefigitur nota de tribus aliis '*ejusdem authoris doctissimi*' libris (de commixtionibus, scil., elementorum, de aphorismis, et de crisi et criticis diebus), olim in hoc volumine contentis ; haec autem Ursonem auctorem habebant, et Jo. Dee huic notae ita subscribit, 'This was my scholer Christopher Cary his note, but he was deceyved to think this Urson his worke, which is Raymundus Lullius doing. J. D. 1576.'

Ad initium codicis compacta sunt duo folia e computis cujusdam ballivi terrarum in comitatu Wiltonensi, saeculo xv ; nomina locorum quae occurrunt sunt Canynge, Lavyntone, Poternewode et Worton.

193.

Membranaceus. In fol. Saec. xiv. ff. 36. Binis columnis. Inter codd. T. Allen, ' 36,' ' 48.'

1. Pars cujusdam Theoricae planetarum ; cum figuris. f. 1.

Manca in initio. Incip. in verbis, '—ecentrici, quod secundum centrum solis semper equidistat ab illo.' Insunt capitula ad sciendum verum motum lunae, ad inveniendum mediam oppositionem lunae et solis, de eclipsibus, etc. Expl. '—qui erit orizon regionis. Postea transit circulus per puncta *kph*.'

2. 'Incipiunt Canones in motibus celestium corporum, edite ab auctoribus.' f. 10.

Inc. 'Quoniam cujuslibet accionis quantitatem temporis metitur spacium.'
Des. imperf., his verbis :—a loco linee equinoccialis secundum Tholomeum et Hermetem. Capitulum sequens incipit ad hoc signum ♏︎, quod sic incipit, Si autem hoc idem per stellas. Pagina 86.'
Cf. cod. 191 *supra*, art. 10.

3. Tractatus [Petri Peregrini de Maricourt] de magnete ; abbreviatus. f. 13.

Incip. in cap. iii, non, quoad verba quaedam, cum editione impressa anno 1558 congruente : 'Inter omnes res inferiores lapis qui dicitur Magnes in se gerit similitudinem celi, et cognoscitur 4 differenciis, s. colore, unigeneitate, pondere, virtute.'

4. De bonis et malis horis in qualibet die septimanae. f. 15.

5. 'Ad habendum verum locum et puncta sub accensu lune a sole ;' versus decem, cum commento. f. 15ᵇ.

Inc. versus, 'Accensus lune sic scitur punctus et hora.'
Inc. commentum, 'Et hec est quarta particula principalis lune.'
Ab ima linea in fol. 16, verso, revertendum est ad fol. 9ᵇ pro continuatione ; ibi autem ex reliquis desunt quaedam.

6. Johannis de Sacro Bosco Tractatus de sphaera. f. 17.

Inc. prol. 'Tractatum de spera quatuor capitulis distinguimus.'
Saepe impressus.
Sequitur nota de civitate unde Dionysius Areopagiticus (a Sacro Bosco citatus) agnomen suum hausit.

7. Nota de umbra triplici, scil., chelyndroydes, conoydes, et calathoydes ; versus de signis zodiaci diebus septimanae affixis ; etc. f. 23.

8. 'Probacio '—i. quantitatis anni solaris ; ii. quantitatis mensis solaris ; iii. quantitatis mensis peragrationis ; iv. morae motus lunae ; v. mensis consecutionis sive quantitatis lunationis ; vi. equationis 19 annorum solarium et cicli decennovalis ; vii. quantitatis anni lunaris communis. ff. 23ᵇ-4ᵇ.

9. 'Cautele algorismi,' sive quaestiones arithmeticae. f. 24ᵇ.

i. De panibus inter 12 milites et puellas divisis ; ii. 'divinare quot denarios socius habeat in bursa ;' etc.

10. 'Exposicio numerorum,' scil. commentarius in verba pauca ex initio tractatus Jo. de Sacro Bosco de algorismo sive de arte numerandi. f. 26.

Inc. '*Omnia que a primeva rerum*, etc. Quoniam completam cujuslibet rei scienciam.'

11. Expositio in tractatum ejusdem de sphaera. *ibid.*

Inc. '*Tractatum de Spera*, etc. Auctor hujus operis principali proposito prohemium premittit.'

12. Expositio in tractatum ejusdem de computo ; scil. in prologum et in quosdam versus in tractatu citatos. f. 27.

Inc. 'Compotus editus a magistro J. Sacri Bosci, *Compotus est Sciencia.* Cum inter seculi sapientes antiquitus.'
Expl. '—79 gradus, 6 minuta, et 73 secunda, i. tercium, et 13 quarta.'
Cf. quae de art. 4 in cod. 191 *supra* notantur.

13. 'Liber Marbodii de sculptura gemmarum.' f. 28.

Inc. 'In quocunque lapide inveneris arietem.'
Expl. 'Lapis bufonis obstat venenis secundum dictum omnium philosophorum peritissimorum.'

14. 'In nomine Domini. Hic est preciosus liber magnus signorum Cethel atque secretus, quae (?)

fecerunt filii Israel in deserto post exitum ab Egipto secundum motus et cursus syderum. Et quia multi ad similitudinem hujus sigilli in lapidibus insculpserunt, virtutes verorum sigillorum in hoc libro prenotamus.' **f. 30.**

Inc. 'Si inveneris in lapide sculptum virum sedentem super aratrum.'

Mutilus ad finem, exsciso dimidio exteriori folii 31.

15. Fragmentum de quaestione an homines et caetera animalia virtutem et defectum contrahunt e planetis aut e generantibus, scil. e patre vel matre; in quo de septem climatibus mundi. **f. 31ᵇ.**

Desunt folia tria.

16. [Jo. de Sacro Bosco] Algorismus, sive de arte numerandi tractatus. **f. 32.**

Mancus in initio; incip. in cap. de subtractione.
Expl. 'Et hec de radicum extraccione sufficiant tam in numeris quadratis quam cubicis. Explicit algorismus. Deo gracias.'
Impress. (multis autem corrigendis) apud *Rara Mathematica* per J. O. Halliwell, 8°. Lond. 1841.

17. De cursu et virtutibus lunae; *Gallice.* **f. 34ᵇ.**

Inc. 'Ky uodra sauoir le cours de la lune, coment il enuiroune le mounde.'

18. 'Descripcio spere,' et signorum zodiaci. **f. 35.**

Inc. 'Duo sunt extremi vertices mundi quos appellant polos.'

19. De motibus lunae, etc. **f. 36.**

Inest nota de eclipsi apud Herford visibili, 21 Aug. 1309.

20. De harmonia existente inter planetas et membra humani corporis, cum notis brevibus ex antiquis medicis de scientiae astronomicae usu necessario in medicinis exhibendis. **f. 36ᵇ.**

Inc. 'In nomine Patris et Filii et Spiritus Sancti altissimi. Amen.
Vos debetis scire quod sermo quem dixit quidam ex philosophis antiquis, sc. quod sol est in manu Creatoris tanquam securis in manu carpentarii, sermo verus ac philosophicus est, et est ac si diceretur quod sol est in manu Creatoris sicud instrumentum in manu operantis.'

194.

Chartaceus. In fol. minori, forma oblonga. ff. 153. Saec. xv. Inter codd. T. Allen, '65.' Desunt, secundum veterem enumerationem duo folia initialia.

1. 'Incipit liber in quo est Major Introductorius Albumassar astrologi ad scienciam judiciorum astrorum, ac tractatus super eadem judicia, cum disputatione racionali autentica, et figure signorum atque nature;' in octo tractatus divisus. **f. 3.**

Inc. 'Ideo qui creavit celum et terram cum omnibus que in eis sunt.' Inc. cap. i. 'Intencio itaque nostra est in hoc libro exponere et patefacere scienciam omnis rei.'
Ad calc. (f. 84ᵇ), 'Perfectus est liber Introductorii Majoris in magisterio sciencie astrorum; translatus a Johanne Hispalensi.'
Impr. 4°. Ven. 1506, atque antea, sed, ut dicit Langbainius, codex noster 'multum differt ab edito, et est longe completior, ut conferenti liquebit.' Deest dimidium folii 61.

2. [Richardi de Wallingford, abbatis S. Albani] Exafrenon prognosticationum temporis. **f. 85.**

Inc. 'Ad perfectam noticiam judiciorum artis astrologie que natura regulante ex effectibus planetarum oriuntur.'

3. Commentarius super constellationem quae accidit die 21 Sept. anno 1435, hora 19, min. 4, quo tempore facta est pax inter Regem [Franciae] Carolum et [Philippum] Ducem Burgundiae in civitate Atrebati; 'collectus per Thomam Broun urbis Merlini' [*i.e.* Caermarthen]. **f. 95ᵇ.**

4. 'Anno 1425, Judicium constellacionis Saturni et Jovis;' per eundem. **f. 96ᵇ.**

Ad calc. 'Explicit judicium conjunccionis magne Saturni et Jovis, ultimo die Augusti in Scorpionis 12° gradu, quem collegit T. Broun, phisicus, Menevensis dioc., anno Christi 1425, in opido de Brugis.'

5. Notae astrologicae; de hora nativitatis invenienda, secundum Alcabitium (**f. 99**) et secundum Haly (**f. 100ᵇ**); notae ex Floribus Albumasar. (**100ᵇ**). **ff. 99–101.**

6. Albumasar Flores astrologiae. **f. 102.**

Tit. 'Hic est liber quem collegit Albumasar ex floribus eorum que signant res superiores in rebus inferioribus, et quid sit in revolucione annorum, mensium, ac dierum,' etc.
Inc. 'Oportet te primum scire dominum anni.'
Expl. '—propter brevitatem et levitatem operis, et veritatem eorum que collecta sunt in eo ex floribus et secretis astrorum, si Deus voluerit. Finit liber florum.'
Differt textus ab impressis.

7. 'Aggregaciones abbreviate super libros astrorum judiciorum, sive flores auctorum.' **f. 111ᵇ.**

Inc. 'Sciencia astrorum dividitur in duo: in demonstraciones que sunt certe et sine errore, et in scienciam judiciorum que non potest perfecte comprehendi propter subtilitatem et difficultatem.'

8. 'Liber Aomar filii Alfragani de nativitatibus;' scil. libb. i–iii. tractatus Omar de eisdem. **f. 114.**

Inc. 'Dixit Aomar Benalfagrani Tyberiadis, Scito quod diffiniciones.'
Expl. '—verte eum in gradus equales, et ipse erit ascendens.'
Impr. 4°. Ven. 1503.

9. 'Sequuntur alie sentencie de patre secundum Ptholomeum;' sententiae variae de nativitatibus e Ptolomaeo, Dorotheo, Albubar, et Verekali. **f. 126.**

Ad calc. (f. 127ᵇ), 'Perfectus est liber universus Aomar Benigan Tyberiadis cum laude Dei et ejus auxilio, quem transtulit magister Johannes Hispalensis atque Limensis de Arabico in Latinum.'

10. Praecepta Messahalae de interrogationibus, quomodo, scilicet, in respondendo procedendum est; (intit. in cod 51 *supra*, art. 18, Tractatus de cogitatione vel intentione.) **f. 127ᵇ.**

Inc. 'Precipit Messealach ut constituas ascendens per gradum suum atque m. et domos certissime, et dixit quod interrogaciones sint tribus modis.'
Expl. '—et jam exposui tibi superius qualiter misceas significaciones planetarum significacionibus signorum.'

11. 'Incipiunt interrogaciones Messahala.' **f. 128^b.**

Inc. 'Invenit quidam vir de sapientibus librum ex libris secretorum astrorum de illis quos thezaurizabant Reges.'
Expl. '—eoque Mercurius redibat ad Jovem, et ipse erat levior utrisque stellis, ideoque cogebatur ad hoc nutu Dei.'
Impr. cum Ptolomaeo, fol. Ven. 1493.
Ad imum fol. 132^b inseritur haec nota: 'Deficiunt hic iiij folia libri integri Messahala de interrogacionibus;' omnia, nihilominus, nunc recto ordine sequi videntur.

12. 'Libellus interpretacionum, quem puto de Messealach; inveni enim eum extractum de libro suo [de] interrogacionibus.' **f. 138.**

Inc. 'Scito quod aspiciens, i. astrologus, poterit errare quatuor modis.'
Expl. '—et ubicunque fuerit dominus hore ibi erit res intellige.'

13. 'Tractatus Dorothei in occultis.' **f. 139.**

Inc. 'Dixit Dorotheus, cum interrogatus fueris de thesauro vel de alia re occulta.'
Expl. '—et hoc occultabant antiqui sapientes astrologorum a ceteris qui in hac arte nunquam docti erant,' etc.

14. 'Zael in eleccionibus.' **f. 140.**

Inc. 'Omnes concordati sunt quod elecciones sunt debiles.'
Expl. '—sitque ipse et luna munda a malis.'
Impr. annis 1493 et 1551, et sub tit. 'Liber Electionum Messeallach et Ptholomei,' 4°. Ven. 1509.
Ad calc. inseritur haec nota, 'Hic deficiunt tria folia integri libri Eleccionum Zaelis.' Editiones vero ann. 1493 et 1551 verbis 'sitque ipse' etc., *ut supra,* desinunt; sed editio anno 1509 impressa habet plura, foliis duobus comprehensa.

15. 'Thebyth de ymaginibus' magicis. **f. 145^b.**

Inc. 'Dixit Thesbith Benchorah, Dixit Aristoteles, Qui philosophiam.'
Expl. '—non cures qua hora incipies formam eorum. Intellige quod exposui tibi si Deus voluerit. Finit liber o. Thesbith Bencorath translatus a Johanne Hispalensi atque Limiensi in Limia ex Arabico in Latinum. Sit laus Deo maximo.'
Impr. 4°. Francof. 1559.

16. Liber de pluviis et ventis. **f. 147^b.**

Inc. 'Sapientes Indi de pluviis indicant secundum lunam, considerantes ipsius mansiones.'
Expl. '—quum dominus aspectus aspicit dominum vel est ei conjunctus.'

17. (*Manu recentiore.*) Sententiae quaedam ex variis auctoribus antiquis. **f. 151.**

18. Apographum cartae qua Johannes Tison de Ailberton in com. Glouc. concedit Johanni Baire annuitatem viginti solidorum, pro termino vitae, de manerio de Ailberton. **f. 152.**

19. Fragmentum ex versione quadam Anglicana, in prosa scripta, historiae de Sidrach astronomo et Rege Boccho; continens quaestiones 494– 521. **f. 153.**

Inc. '—hyt nozt; þᵗ day ne borwe nozt. A seke best ne schall nozt deye.'
Expl. '—and in þᵗ maner þei be fast to þe pecys of flesche.'

195.

Chartaceus. In fol. Saec. xvi. **ff. 127.**

'Joannis Riolani medici in Joannis Fernelii artem medendi [libris quinque] perutilia commentaria.'
Impressa anno 1588.

196.

Chartaceus. In fol. Saec. xv. ff. 197. Inter codd. T. Allen, '45.'

Miscellanea multa, praesertim historica. Praefixa est tabula quorundam e contentis, manu saec. xvi. exeuntis.

1. Fragmentum tractatus Marci Pauli, Veneti, de regionibus orientalibus, incip. in cap. lviii. libri secundi, et desin. abrupte in initio libri tertii. **f. 2.**

2. 'Descripcio urbis Rome cum indulgenciis.' **f. 6.**

Inc. 'Notandum est quod a mundi creacione.'

3. 'Liber de proprietatibus lapidum,' sive 'Lapidarium gemmarum.' **f. 11.**

Incip. cum excerptis ex Vitruvio, Avicenna, atque Isidoro de lapidibus variis; 'Lapidicine sunt quedam molles quedam dure.' Deinde gemmae recensentur ordine alphabetico, ab *Achates* ad *Zimetnallasury.*

4. Excerptum e *Legenda Sanctorum* de adventu Domini. **f. 17.**

5. De S. Andrea apostolo. *ibid.*

6. 'Prophesia Eusebii Cesariensis episcopi.' **f. 18.**

7. Prophetia Merlini, cum interpretatione de regibus Angliae usque ad Hen. IV. **f. 18^b.**

Incip. 'Arbor fertilis a primo trunco.'
Ad calc. prophetiae, 'Prophesia precedens est profecia quam prophetavit aquila in monte Paladur olim sic vocato, nunc autem in vulgari Anglicano Schaftesbury nuncupato.' Ad calc. interpr., 'Scriptura prelocuta est secundum Merlinum, et secundum aliquos secundum Hugonem et secundum episcopum Lincoln.'

8. Versus novem contra quendam prophetam, Danielem nomine, cujus consilio scriptor matrimonium iniit. **f. 20.**

Inc. 'Daniel propheta nec est sed pseudopropheta,
　　Sermone blando decepit me maritando.'

9. Versus decem *Anglice* de matrimonio caute contrahendo. *ibid.*

Inc. 'Know er thow knytte,
　　Prove er thow preyse yt.'

10. Poema Anglo-Latinum de insurrectione hominum Cantiae anno 1381, sub *Jack Strawe.* **f. 20^b.**

Inc. 'The taxe hath tened us alle,
　　Probat hoc mors tot validorum.'
Impr. (non sine erroribus, et cum lectionibus variantibus ex alio codice) apud *Political Poems and Songs,* a T. Wright, 1859, vol. i. pp. 224–6; antehac ab eodem apud *Reliquias Antiquas,* 1843, vol. ii. pp. 283–4.

11. 'Prophesia Hermerici ab origine mundi vi^m. v^c.xxxvj,' cum interpretatione nominum. **f. 21^b.**

Incip. 'In historia Almanorum ultima v° in historia Britonum, Lilium regnans in nobiliori parte mundi.'
Iterum occurrit in fol. 25^b, ita incipiens, 'Hermes, deus sapientum, dixit quod anno ab increacione mundi vi^m.vi^c, lilium regnans.'

12. 'The prophesye of Ezechiel and of Merlyne;' *Lat.* et *Gall.* **f. 22.**

Inc. 'Dum Rex Henricus regnabit origine Dacus.'

13. 'Versus cujusdam prophesie in Francia in quadam ecclesia Normandie juxta Daners.' *ibid.*

Inc. 'Quum sambucus fert ceresa fructificando.'

14. Nota quod 'ne curemus quid os loquencium iniqua loquatur;' etc. **f. 23**[b].

15. 'Isti versus inventi fuerunt Rome sub . . .' (*mutil.*) **f. 24.**

Inc. 'Gallorum levitas Germanos justifica[bit].'
Occurrunt iterum in fol. 25, proxime succedente, sub tit.
'Sibilla de eventibus regnorum et eorum regum.'

16. 'Versus Merlini in Vasconia . . .' (*mutil.*) *ibid.*

Inc. 'Anglia transmittet leopardum lilia . . .'

17. 'Versus ejusdem de patre et matre Merlini et de Vortigerno rege Britannie in cujus puericia Merlinus prophetavit.' *ibid.*

Inc. 'Que propter natum dimittit claustra reatum.'

18. Versus prophetiales [Gildae] paene ex toto exscissi (octo ultimis solum remanentibus) quorum tit. ita finit '—de Cerio de rege Edwardo tercio post conquestum.' **f. 24**[b].

Expl. 'Historie veteris Gildas luculentus arator
Hec retulit parvo carmine plura notans.'
Cf. cod. Rawl. D. 248. art. 15.

19. 'Prophecia Gilfardi,' sive Galfredi, 'Egelin.' *ibid.*

Inc. 'Azinus coronatus turbabit regnum.'

20. Prophetia quaedam, versibus sex. **f. 25.**

Inc. 'Tolle capud milvi ter cancer simile fiat.'
Duo versus initiales inveniuntur in prophetia Willelmi Stapiltone in cod. 186 *supra*, f. 15.

21. Prophetia altera. *ibid.*

Inc. 'Lilium florebit et erit pulcherimus (*sic*) et erit speciosus forma pre filiis hominum.'

22. Narratio de visione quae apparuit Thomae Cantuariensi archiepiscopo apud Senonas. *ibid.*

23. Chronologia brevis regum Angliae a Bruto ad Ric. II.; *Anglice.* **f. 26.**

'Summa of ʒeres by þe wrytyng of this boke fro þe incarnacyon,' 1396.

24. 'Disposicio arche secundum Augustinum' et 'secundum alios;' figurae rude descriptae, cum notis e Petro Comestore et Hugone [de S. Victore, sive Hugutione]; [excerptum ex cap. v. lib. ii. *Polychronici* Ranulphi Higden]. **f. 27**[b].

25. 'Prophecia domini Roberti de Grostest;' metrice. **f. 28.**

Inc. 'Externis populis dominabitur aquila fortis.'

26. 'Prophesia de regibus Anglie.' *ibid.*

Inc. 'Cum enim desierit esse capra.'

27. 'Isti versus fuerunt inventi in literis enneis sub pavimento aule majoris Constantini Imperatoris.' **f. 29.**

Inc. 'Cesaris imperium per tempora longa latebit
Et unum gladium tunc papa longe tenebit.'

28. Qualiter quatuor elementa, quatuor partes anni, et quatuor humores humani corporis inter se concordant. *ibid.*

29. Versus memoriales de diebus festis in anno usque ad mensem Octobris; atque alii versus breves. **f. 29**[b].

Inc. 'Cisio Ian. Ed. Epifa. Adriani et Hil. Fe. Mau. Mar. An.'
Cf. cod. 190 *supra*, f. 72.

30. [Capp. ii–x. libri primi Galfredi Monumetensis de gestis Britonum.] **f. 30.**

Inc. 'Eneas primo post Trojanum bellum.'

31. Tabula genealogica regum Angliae ab Hen. III. ad Hen. VI. et 'Edw. verum heredem Anglie.' **f. 35.**

32. Nomina locorum, etc., in Anglia, et unde derivantur. **f. 35**[b].

33. 'Quantum archiepiscopi Cantuarienses in archiepiscopatu vixerunt,' ab Augustino ad mortem Simonis Sudbury anno 1381. **f. 36.**

34. Historia Alexandri Magni, [scilicet, capp. xxvii–xxx. libri tertii *Polychronici* Ranulphi Higden]. **f. 37.**

35. Notae de LXX. interpretibus; [cap. xxxii. lib. iii. ejusdem chronici.] **f. 43**[b].

36. De creatione et de historia patriarcharum usque ad diluvium; [capp. iii–vi. lib. ii. ejusdem chronici.] **f. 45.**

37. De fabulis; cap. xxxix. lib. i. Etymologiarum Isidori. **f. 48.**

38. 'De consciencia.' **f. 49**[b].

Inc. 'Hoc nomen consciencia componitur ab hac proposicione, *cum* et *sciencia*.'

39. Notae de variis expensis domesticis, pro carnibus, piscibus, vino, etc. **f. 50.**

40. Auctoritates e Patribus de necessitate piae vitae et operum bonorum. **f. 51.**

41. De sex aetatibus mundi. **f. 53**[b].

42. 'De vestibus sacerdotum; quibus utitur; quid significant.' **f. 54.**

Inc. 'Primo lavat manus suas.'

43. De triplici amicitia, scil., carnis, mundi et Dei. **f. 54**[b].

44. Narratio de episcopo quodam cuidam Saraceno promittente quod si pecunias suas pauperibus impenderet centuplum in vita aeterna acciperet. *ibid.*

45. 'Isti versus inventi fuerunt sculpti in lapide marmoreo in rupe excelsa in monte Sancti Michaelis in Cornubia.' **f. 55**[b].

46. De justo septies in die cadente; beatitudo corporis. *ibid.*

47. Excerpta e libro iv. et lib. v., usque ad cap. ix., Polychronici R. Higden, scil., ab Incarnatione ad annum 590 sub quo mentio fit de Guntrauno Rege Francorum. **ff. 56–64.**

48. Catalogus Regum Angliae, a Conquestu, versibus Anglicis conscriptus. **f. 65.**

Imperf., desinens cum heptasticho de Edwardo II. Inc. 'Loo this noble and victorious conquerour, William Duke of alle Normandy.'

49. Tabula adverbiorum Latinorum cum synonymis Anglicis. **f. 66ᵇ.**

50. Nota de decem apparitionibus Domini nostri post Resurrectionem suam. **f. 67ᵇ.**

51. Notae paucae in Psalmos i–xxi. **f. 68.**

Desinunt abrupte. Praemissus est titulus, 'Incipit Psalterium de translacione septuaginta interpretum a sancto Jeronimo emendatum.'
     Inc. comm. '*Cogitacio larga accepta*, sive voluntas tria complectitur.'

52. 'Linea regalis Anglie,' a Rollone usque ad Hen. VI. et Edw. principem; *imperf.* **f. 69ᵇ.**

53. Historia Socratis e cap. xviii. libri tertii Polychronici R. Higden; nota de Dionysio non barbam tondente, e cap. xxi.; historia Platonis, e cap. xxiii., et Aristotelis e cap. xxiv. **ff. 71ᵇ–72ᵇ, 70ᵇ–71.**

54. 'Quedam cronica de ecclesiis Angliae;' tabula ecclesiarum cathedralium et abbatialium cum annis in quibus fundatae fuerunt. **f. 73.**

55. Circuitus terrae, et distantiae lunae atque planetarum; circuitus Angliae; summa feodorum atque ecclesiarum. **f. 73ᵇ.**

56. De primis inhabitatoribus Angliae. **f. 74.**

Inc. 'Anglia modo dicta, olim Albion dicebatur, et habebat inhabitatores gigantes.'
Expl. '—et sic veritas patet historie de primis habitatoribus hujus terre.'

57. Chronologia brevis ab Incarn. ad an. 1377, praesertim de rebus Anglicis ab anno 446. **f. 76.**

Ad calc. 'Require omnia tabula subsequente fere circa finem libri ante regnum Regis Henrici quarti.' *V. artt.* 67, 70.

58. Excerpta miscellanea e Polychronico R. Higden, incipientia a cap. lvii. libri primi, et desinentia abrupte in initio cap. xxviii. libri sexti. **ff. 78–90ᵇ.**

Desunt folia quaedam inter ff. 87, 88, quae continebant excerpta e lib. v. cap. xxx. usque ad cap. x. lib. vi.

59. 'Cause' sexdecim 'exilii et martirii Sancti Thome martiris et pontificis Cantuar.' **f. 91.**

60. Quomodo signa zodiaca sunt signa quorundam e prophetis, patriarchis, etc. **f. 91ᵇ.**

61. Excerpta e cap. xiv. lib. v. Polychronici de Machometo. **f. 92.**

62. De navigatione, et de archa Noae. **f. 93.**

63. Epistola de remediis contra pestilentiam. **f. 94ᵇ.**

Inc. 'Dilectissime frater, ut intellexi multum times tibi pro instanti pestilencia quasi in ipsa sis moriturus.'

64. Expositio parabolae Domini nostri de operariis in vinea. **f. 95ᵇ.**

65. Chronicon Angliae a Bruto ad Conquestum. **f. 96.**

Inc. 'Anglia insularum maxima in occidentali oceano sita.'
Expl. cum citatione e Gulielmo Malmesburiensi (qui 'verus historiographus' dicitur) de bello Hastingensi, ita desinente '—cito defuit vel compescitur.'

66. Liber septimus Polychronici R. Higden, una cum continuatione ab anno 1344 ad annum 1377. **f. 111.**

Hic illic textus abbreviatus est; hic illic etiam, ut videtur, ampliatus.
     Inc. 'Willelmus igitur Lond. veniens coronatus est in regem.' Ad calc. cap. xliv. 'Usque huc scripsit [R.] etc.'
     Expl. '—longam continuacionem diu postea habuerunt.'
     Continuatio, ab anno 1353 usque ad finem, impressa exstat ut pars *Anonymi Historiae Edw. III.* una cum Chronico Gualteri Hemmingford a Th. Hearne editae, vol. ii. pp. 421–452.

67. Rerum Anglicarum ab anno 1378 ad an. 1436 chronologia brevis. **f. 153ᵇ.**

Paucula quaedam ad Cantuariam spectant.

68. Res eaedem plenius narratae, pauculis aliis ad finem additis. **f. 154ᵇ.**

69. Narratio de legatione Marchionis Suffolciae ['Markes de Sowthfolke'] in Franciam ad tractandum, apud civitatem Turonensem, de matrimonio contrahendo inter Regem Hen. VI. et 'dolphenissam' Margaretam, 16 Apr.–28 Maii, 1444, an. 22 Hen. VI. **ff. 154ᵇ–5.**

70. Chronologia brevis, *Anglice*, rerum gestarum sub regnis Ricardi II., Hen. IV. et Hen. V. **ff. 156ᵇ–8.**

71. Versus de martyriis Apostolorum. **f. 159ᵇ.**

Inc. 'In cruce Petrus obit Romam dum predicat urbem.'

72. Vocabula Anglica ad designandas bestiarum avium atque hominum congregationes usitata. **f. 160.**

Inc. 'A heerde of hertes, a heerde of cranes.'
Cf. 'The companyes of bestys and foules' apud *The Book of Hawking*, etc. per Julianam Berners.

73. Nomina Anglica bestiarum venaticarum; de canibus; de accipitribus; *Anglice.* **ff. 160, 161.**

74. Nomina vinorum, *Anglice.* **f. 161.**

75. Tabula mensurarum. **f. 162.**

76. 'Questiones pertinentes presbiteris.' **f. 163.**

Quaest. 1. 'Quare cantantur tres misse in die Natalis Domini plus quam in aliis diebus.'
Quaest. 9 et ult. 'Quare presbiter celebrat missam cum rubro vino quam cum albo.'

77. Septem virtutes naturae; septem opes fortunae; sex opera pietatis; septem dona gratiae, etc. 'Hec Rogerus Bacon, doctor ordinis Minorum.' **f. 163ᵇ.**

78. 'Commendacio' satirica 'mulieris.' *ibid.*

Inc. 'Quid est mulier? Hominis confusio, insaciabilis bestia.'

79. Notae de S. Frideswida et de S. Gengulpho. **f. 164.**

80. Notae paucae chronologicae de variis Angliae rebus, 1315–1382. *ibid.*

81. Comitatus et episcopatus Angliae. **f. 164ᵇ.**

82. ' De Cambria sive Wallia et de ejus moribus ; '
poema a quibusdam Gualtero Mapes ascriptum.
f. 165.

> Inc. 'Libri cursus nunc Cambriam
>   Prius tangit quam Angliam.'
> Excerptum e cap. 38. lib. i. *Polychronici* R. Higden.   Impr.
> apud *Poemata* Gualt. Mapes, 1841, pp. 131-146.

83. Descriptiones insularum Oceani, Hiberniae,
Scotiae, et Angliae ; scil., capp. xxxi, xxxii,
xxxiv–xlvii, xlix, l. libri primi *Polychronici.* **ff.
166–172.**

84. Descriptiones insularum principalium Indiae
majoris, quae sunt Insula Masculina, Insula
Feminina, Scoria, Medeigascar, et Zanzibar,
una cum descriptione provinciae Abaciae. **ff.
172–3.**

> Videntur haec, primo aspectu, e *Polychronico* cum iis quae
> praecedunt et quae sequuntur, desumi, sed, re vera, e capp. xxxvii–
> xliii, et xlv. libri tertii operis Marci Pauli Veneti de regionibus
> orientalibus extracta sunt.

85. Excerpta varia geographica e libro primo
Polychronici, a cap. x. usque ad cap. xxx. **ff.
173–177ᵇ.**

86. Excerpta varia e libro primo Marci Pauli de
regionibus orientalibus. **ff. 177ᵇ–183.**

87. ' Incipit Cronica bona de regibus Anglorum a
Noe usque ad hunc diem.' **f. 183ᵇ.**

  i. Catalogus nominum usque ad Cadwalla-
drum.

  ii. ' Causa vocacionis Anglorum et adventus
eorum et de regibus eorum in divisione istius
regni.' **f. 184.**

  iii. ' De regibus Angliae post monarcham.'
f. 185ᵇ.

  iv. ' De regibus Anglie post conquestum ' usque ad coronationem Ric. II., anno 1377. **f. 186ᵇ.**

88. Catalogus Paparum a tempore Regis Alfredi
ad Ric. II. **f. 188.**

89. ' Nomina sanctorum regum in Anglia,' ante
Conquestum. **f. 188ᵇ.**

90. Excerpta miscellanea e libris ii–vi. *Polychronici.* **ff. 189–193ᵇ.**

91. De Antichristo. **f. 194.**

> Inc. 'De Antichristo scire volentibus primo nomen nota-
> bimus.'
> Expl. '—in septimo erit dies judicii, sed quando nemo scit
> nisi solus Deus.'

92. ' Ista sunt nomina quorum ope et auxilio Dux
Willelmus Anglie Conquestor terram Anglie
conquisivit, A.D. 1066.' **f. 195.**

> Ad calc. 'Istorum fortunata milicia fuit terra Anglica con-
> quisita. Summa cclv.'

93. Nota de ceto grandi capta in mari per vii.
miliaria a Sandwyco anno 24 Hen. VI. *ibid.*

94. Mappa mundi, rudissime descripta. **f. 195ᵇ.**

95. Versus de morte ; ' Vado mori.' **f. 196.**

> Inc. 'Vado mori rex, sive quid honor, quid gloria mundi.
>   Vado mori medicus medicamine non redeundo.'

96. Versus sex (*mutili*) contra ' flies, fles. and
flateryng freres.' *ibid.*

97. Nomina ventorum Latina et Anglica. **f. 196ᵇ.**

98. Distichon de eclipsi solis anno 1433. *ibid.*

99. Versus quatuor ' pro judicibus.' *ibid.*

100. Sententiae variae e libro Proverbiorum Salomonis desumptae ; (*fragmentum*). **f. 197.**

> Quatuor folia ad finem deesse constat.

197.

Membranaceus.   In fol.   Saec. xiii.   ff. 84, binis
columnis.   Deest folium unicum inter ff. 56, 57.
Inter codd. T. Allen, ' 16,' ' 18.'

1. Tractatus de cibis. **f. 1.**

> Inc. 'Corpus hominis ex quatuor constat hu[moribus].'
> Expl. '—et omnem putredinem mundificat et ventrem sol-
> vit, et ita Explicit.'
> In margine superiori est nomen 'Burgeis.' (?)

2. [Johannis Platearii Salernitani] Tractatus de
medicinis simplicibus, [qui ex verbis initialibus
Circa Instans dicitur] ; ordine alphabetico, ab
Aloe ad *Zuccarum.* **f. 4ᵇ.**

> Inc. 'Circa instans negocium in simplicibus medicinis nos-
> trum versatur propositum.'
> Impress. cum Serapionis *Practica,* 4º. Lugd. 1525.

3. [Ejusdem Glossae, sive Additiones, in Antidotarium Nicolai de Florentia] ; ordine alphabetico. **f. 34.**

> Inc. 'Liber iste quem inpresenciarum legendum assumpsi-
> mus.' Desinit in art. *Yera Ruffini,* uno folio deficiente.
> Impress. in Suppl. ad Opera Mesues, fol. Ven. 1589. f. 159.

4. Ferrarii cujusdam tractatus de febribus. **f. 57.**

> Inc. 'Febris, ut testatur Jo[annitius], est calor innaturalis.'
> Expl. '—in qua bullierint ar. dragma (?) liquir. et succus
> ejus. Expliciunt febres M. Ferrarii feliciter.'
> Exstat exemplar alterum inter codd. Coll. Omn. Anim.

5. ' Liber de catarticis dandis.' **f. 69.**

> Inc. 'Cum omnis sciencia ex fine et utilitate sua natura-
> liter sit appetenda.'
> Expl. ' De laxativis hec sufficiant medicinis. Explicit.'

6. ' Liber de anathomia.' **f. 83.**

> Inc. 'Sicut asserit Galienus duplex est anathomia, vivorum
> scil. et mortuorum.'
> Desinit abrupte in descriptione venarum, in verbis ' et pul-
> monis causa quia sanguis augmentatur.'
> Fol. ult., 'Aqua imperialis contra pestilenciam ; ' receptum
> manu saec. xv. inscriptum.

198.

Chartaceus.   In fol.   Saec. xv. exeuntis.   ff. 90.
Inter codd. T. Allen, ' 61.'

1. Johannis Fortescue, militis, liber de laudibus
legum Angliae. **f. 1.**

> Saepe impressus.

2. 'The difference between *dominium regale* and *dominium politicum et regale;*' by the same. **f. 48.**

> Desinit ad calcem cap. xviii, in verbis, ' when the shall not do mow seruyce. Finis.'
> Impr. 1714, 1729, et inter *Opera* ejusdem edente barone Clermont, anno 1869.

3. 'The declaratyon made by John Fortescu, knyght, uppon certen wrytynges sent out of Scotland ayenst the Kynges tytle to hys realme of England;' *incompl.* **f. 76.**

> Impress. inter *Opera*, ut supra, p. 523. Desinit noster exemplar abrupte, in verbis 'jugement of Genesis may no be denyed for;' p. 533 editionis citatae.

199.

Chartaceus. In fol. ff. 222, binis columnis. Exaratus anno 1452 manu Nicolai Jovannis de Vannis de Sassena. Ad calcem sunt nomina duorum qui olim possederunt, hodie autem non legenda.

'Libro intitolato Romuleon,' sive Historia de gestis Romanorum ab urbe condita usque ad Imp. Maximinum; *Italice.*

> Versio est operis ab anonymo scriptore Gallico *Latine* et etiam ab eodem *Gallice* primum compositi.
> Ad calc. ' Finito lo libro intitolato Romuleon, De me ... ... capitanio et podesta in Pisa del millequatrocento cimquantadue. Iste liber scripsit Nicolaus Jovannis de Vannis de Sassena. Deo gratias. Amen.'
> In foliis ad calcem haec adjecta sunt :—
> i. Dies mali in anno ; *Italice.* f. 221[b].
> ii. Epistola Lentuli de Christo. f. 222.

200.

Membranaceus. In fol. Bene exaratus. Saec. xiii. ineuntis. ff. 107, binis columnis. In fol. ad init. compacto, 'Hic est liber sancta Marie de Radinge, quem qui celaverit vel fraudem de eo fecerit anathema sit.' Inter codd. T. Allen, '31,' '21.'

1. 'Tractatus venerabilis Ricardi de Sancto Victore super quosdam psalmos.' **f. 1.**

> Additis quibusdam aliis excerptis, de anno jubilaei, super Matt. ii. 13, Lev. xxvi. 5, Hos. ix. 14, etc.
> Expositiones Psalmorum impressae sunt (cum aliis) inter *Opera* Ricardi, fol. Ven. 1592.

2. Ejusdem de statu interioris hominis liber. **f. 35[b].**

> Impr. *ibid.* p. 23.

3. [Ejusdem meditationes, sive annotationes, in vv. 135, 163 Ps. cxix, 'Illumina faciem Tuam,' et 'Exitus aquarum.'] **ff. 51, 54.**

> Annotatio prima incipit cum prologo epistolae ad quendam H. (usque ad verba, 'stilum converto. Illumina faciem Tuam'), quae inter impressa exstat sub tit. 'De superexcellenti baptismo Christi,' p. 390. Reliqua exstant *ibid.* par. ii. pp. 66–73. Meditatio secunda desinit abrupte in verbis, 'Sed ut oculorum culpam diligentius discutiamus.'

4. [Excerpta e libro ejusdem secundo de eruditione hominis interioris, sive de somnio Nabuchodonosoris; scil. capp. i, ii, xiii, xiv, xviii–xxvi.] **f. 57.**

> *Ibid.* part. i. pp. 83–97.

5. [Ejusdem tractatus] de exterminatione mali et promotione boni. **f. 62.**

> *Ibid.* pp. 1–23.

6. [Ejusdem tractatus de praeparatione animi ad contemplationem ; liber dictus *Benjamin Minor*.] **f. 77[b].**

> Ad calc. ' Explicit liber Benjamin.'
> *Ibid.* pp. 118–150.

7. [Ejusdem ? Tractatus de duabus processionibus Christum in Hierusalem comitantibus.] **f. 102.**

> Inc. 'Exiit edictum ab Alexandro magno.'
> Desinit abrupte, ut videtur, in verbis, 'Habetis de cimbalo et tuba quid valeant ad processionem terciam.'
> Non exstat inter opera impressa Rich. de S. Victore.
> In folio ad finem compacto, verso, sunt haec, manu saec. xv. 'Radulfus Bathe, monachus, sacerdos et professus, jurat in verbis sacerdocii quod observabit consuetudines et statuta ecclesie Radingensis, testante domino Johanne Thorne monacho ejusdem loci.'

201.

Membranaceus. In fol. ff. 289, binis columnis. Saec. xv.

Ranulfi Higden Polychronici libri vii., continuati ab anno 1344 (cap. 44. lib. vii.) usque ad an. 1451.

> Desin. 'Multi alii fuerunt perempti in diversis locis regni Anglie.'
> Praemissa est tabula contentorum alphabetica.
> Impressa est continuatio ab an. 1353 ad 1377 una cum Chron. Walt. Hemingford a Tho. Hearne; ab 1377 ad 1402 ab eodem sub tit. *Vita Ric. II.* Inserta autem est in cap. 58. lib. vii., ff. 262–269[b], narratio de depositione Ric. II. quae, omissis quae in fol. 262 inveniuntur, addita est in editione Hearniana ad calcem, pp. 182–216. Narratio de eventibus ann. 1403–1412 vix unam columnam in fol. 275[b] occupat.
> De hoc codice notam habet Usserius in MS. Rawlinsoniano D. 280, fol. *49[b].

202.

Chartaceus. In fol. ff. 160. Saec. xvi. Inter codd. T. Allen, '32,' '31.' Praemissa est tabula contentorum.

1. Michaelis Securis, [*Angl.*, Hatchett] medici Sarisburiensis, Libri septem de antiquitate ac illustri medicinae origine. **f. 2.**

> Ad calc. lib. vii. 'Finis libri de medicorum privilegiis, authore Michaele Securis. Deo gratias.'

2. Ejusdem Paraphrasis in epistolam Rogeri Bacon de retardatione accidentium senectutis. **f. 87.**

> Praemissa est praefatio in qua dicit Securis se hunc libellum Baconi, rogatu amici mortui Thomae Candel, e lacera papyri charta in lucem (forma mutata, non sua propria, propter multas mendas, lituras atque nugationum ambages) restituisse.
> Sequuntur, i. (f. 115), 'Ex diversis Rogeri opusculis fragmenta quaedam, ab alio collecta, et praesentis epistolae libello agervata, velut auctarium quoddam non inutile;' ii. (f. 121[b]) Epistola supradicti Thomae Candel, 'Michaeli Securis, medicinae doctori, in Novo Vico Sarum residenti' libellum transmittens; dat. 'e castro regio supra ventos' (i. e. *Windsor Castle*) 17 Sept. 1545.

3. Ejusdem 'de victus rationis hominum bile redundantium formula, ac ejusdem prophylactice commentarius,' cum praemonitione. **ff. 123ᵇ, 124ᵇ.**

4. Ejusdem libellus de epilepsia. **f. 135.**

5. Ejusdem de sudore epidemiali atque pestilentiali libri duo, 'ad rev. in Christo patrem ac dominum, dom. episcopum Sarrisberiensem Johannem Cappon.' **f. 141.**

> Ad calc. lib. ii. 'Finis libri 2ᵈⁱ de sudoris epidemialis curatorio presidio per me Michalem Securis compositi anno Domini 1542 et denuo recogniti anno 1553.'

6. Ejusdem tractatus in pestis perniciem alexipharmaca narrans, 'spectatae probitatis viris civitatis Sarrisberiensis optimatibus ac rectoribus precipuis' oblatus. **f. 152ᵇ.**

> 'Anno gratiae 1546 conscriptus et anno 1553 recognitus.'

7. Ejusdem 'Consilium super gonorrhoeae affectu, ad dominum priorem de Crichurch ultimum fortassis, non contemnendum;' [ad, scil., Joh. Draper, priorem de Christ-Church.] **f. 156ᵇ.**

8. Ejusdem 'de ilei et coli precautione, quibusdam amicis opem rogantibus, pauca precepta.' **f. 158.**

9. Idem 'de victus ratione attenuantis, cuidam amicorum.' **f. 159ᵇ.**

> Ad calc. 'Finis dietae attenuantis obesos, anno 1553 absolutus' (*sic*).

10. Ejusdem 'alia obesorum attenuari cupientium victus ratio, in cujusdam generosi gratiam anno 1554 conscripta.' **f. 160ᵇ.**

203.

Membranaceus. In fol. ff. 235, binis columnis. Saec. xiii. versus finem. In fol. 1ᵇ, adjectitio, 'Iste liber est concessus fratri Anselmo de Valoynes ad terminum vite.'

Quaestiones fratris P[etri de Tarentasia, postea Innocentii V. papae] super libros i. et ii. Sententiarum ; praemissis tabulis quaestionum duabus.

> Inc. prol. '*Nunquid nosti ordinem celi* [etc.]. Job. xxxviii. Verba ista sunt Domini ad beatum Job.'
> Expl. '—et mandata ejus observa, quia mandatorum Ejus perobservantia perducit ad vitam, quam nobis prestare dignetur Qui est benedictus in secula. Explicit liber 2ᵈᵘˢ f. P. super Sentencias.'

204.

Membranaceus. In fol. ff. 154, binis columnis. Saec. xiv. ineuntis, manibus variis. Inter codd. T. Allen, '222,' '13.' Mancus in initio.

1. Conclusio tractatus, male Senecae dicti, de paupertate. **f. 1.**

2. 'Seneca de clemencia, ad Neronem.' *ibid.*

3. 'Seneca de remediis fortuitorum bonorum, ad Caldoneum.' **f. 2.**

4. 'Regule quas bone memorie Robertus Grossetete fecit comitisse Lincoln. ad custodiendum et regendum terras, ospicium, et domum et familiam.' **f. 3.**

> Inc. 'Quantum ad terras vestras forinsecas.'
> Expl. '—et nullus honor accressit domino vel domine.'

5. 'Tractatus fratris Roberti de Kylverdeby, de ordine Predicatorum, archiepiscopi, card. Portus., de ortu scienciarum.' **f. 6.**

> Inc. 'Scienciarum alia divina, alia humana.'
> Ad calc. sequitur, 'Epilogus hujus tractatus in summa,' qui, de magicis ex Hugone [de S. Victore] tractans, ita explicit,—'horoscopica, sortilegium, maleficium, prestigium. Explicit.'

6. Rogeri Bacon Summula dialectices, sive tractatus de logica. **f. 48.**

> Inc. 'Introduccio est brevis et aperta demonstracio in aliquam artem vel scienciam.'
> Expl. '—que non est fallacia quamvis videatur respondenti quid sit fallacia. Expliciunt sumule magistri Roberti Baccun.'

7. 'Fallacie fratris Thome Haukyn.' **f. 75ᵇ.**

> Inc. 'Quia logica est raciocinalis sciencia.'
> Expl. 'Et hec de fallaciis dicta sufficiunt. Expliciunt fallacie,' etc.

8. Tractatus de fallaciis, *secunda manu* Thomae de Wyk *dictus*. **f. 81.**

> Inc. 'De sophisticis autem (*sic, pro* aut) elenchiis, etc. Queratur an sophistica sit sciencia.'
> Expl. 'Due enim premisse sunt unum antecedens regula contrarii, non tamen sunt una proposicio similiter hic.' Additur manu saec. xv. 'Expliciunt fallacie fratris Thome de Wyk.'

9. 'Sincategreumata fratris Rogeri Bacon.' (*tit. manu secunda*). **f. 88.**

> Inc. 'Parcium oracionis quedam sunt declinabiles, quedam indeclinabiles.'
> Expl. '—tu scis an de currente sit falsum, etc.; ergo, tu scis de currente.'

10. 'Incipit compilacio quedam librorum naturalium' Aristotelis, per quendam R. de Stanington.

     i. Excerpta e libro Physicorum. **f. 101.**

> Inc. 'Quoniam, ut dicit Ar. in primo Phisicorum, tunc opinamur.'
> Expl. '—quod indivisibile et immobile et incorruptibile est, nullam habens magnitudinem. Expliciunt quedam extracta a libro Phisicorum, per fratrem R. de Staningtona.'

     ii. 'De libro celi et mundi.' **f. 108.**

> Inc. 'Summa cognicionis nature et sciencie.'

     iii. De libro de generatione. **f. 111ᵇ.**

> Inc. 'De generacione et corrupcione in naturali primo determinandum est.'

     iv. De libro meteororum, 'de quibusdam preambulis.' **f. 114.**

> Inc. 'Postquam precessit rememoracio nostra de elementis.'
> Ad calc. 'Expliciunt extracta de libro metheororum.'

     v. De libris de anima. **f. 121.**

> Inc. 'Bonorum et honorabilium dicitur esse sciencia de anima.'
> Desin. abrupte in libro tertio.

11. (*Manu altera.*) 'Quaestiones metheororum' [scil. in Meteorologica Aristotelis], 'a magistro Willelmo Bonkis.' **f. 126.**

> Inc. 'Queritur de subjecto (? sᵗᵒ) quid sit.'

12. 'Questiones libri celi et mundi, date a magistro Willelmo Bonkys.' f. 151^b.

Inc. 'Queritur utrum c[elum] sit alterabile, quod sit; utrum hoc aparet quia movetur.'

205.

Membranaceus. In fol. Sacc. xiv. ff. 124. Inter codd. T. Allen, '13,' '8.' Mancus ad princ.

1. Short Chronicle of Emperors and Popes of Rome, in English, from Otho I. [A.D. 936] to Conrad IV. [1254], and from Adrian II. [A.D. 868] to the death of John XXI. [1277]; *imperf. at the beginning.* f. 1.

Beg. '—worschupfully and was icrowned, and þan he ʒaf manye ʒyftes to churches.'
End, 'And ʒut lyuede fro Seturday to Sonday aftur.'

2. Note, by a hand of the fifteenth cent., about Brute of Troy; *Lat.* and *French.* f. 8^b.

3. Robert of Gloucester's metrical History of England, to Edw. I. f. 9.

Beg. 'Englond is ryʒt good; I wene hit is londe best,
In one ende hit is ysette of þe worlde al in þe west.'
End, 'That of Walsche londe clenliche al owte
He wan þe signorie, were þei neuer so prowte.'
To the accession of Stephen the text appears generally to agree with that printed by Hearne, although with many different readings; thenceforward it is a different and shorter version, and from the accession of Hen. II. a mere abridgement. Many marginal notes are inserted by a hand of the fifteenth century. On the last fly-leaf are the words, 'To Mr. Selden.'

206.

Membranaceus. In fol. Sacc. xiv. ff. 219, binis columnis. In folio adjectitio in init. est inscriptio paene erasa quae ita incipit : 'Istum librum . . . Robertus (?) Harbone de Cl . . . sing' etc. Inter codd. T. Allen, '12,' '22.'

1. 'Moralizacio prioris S. Eligii de mirabilibus mundi; libri duo, cum tabula.' f. 2.

Inc. 'Quia Deus cotidie facit magnalia in Egipto.'
Expl. 'Rom. 8. Optabam ego anathema fieri pro fratribus meis. Explicit liber se[cundus] in quo tractatur de mundi mirabilibus ad mores hominum applicatis quem edidit Prior S. Eligii de ordine Minorum.'
Non constat quis sit auctor. Inter domos ord. Minorum non invenitur monasterium S. Eligio dicatum, nec inter priores domorum S. Eligii, ordd. S. Bened. et S. Aug. in dioc. Noviomensi apud Gallias, recensetur aliquis qui sibi hoc opus vindicet. Citantur in opere Solinus et Gervasius [Tilberiensis].

2. 'Summa causarum problematum Aristotelis;' (*tit. ad calc.*) f. 96.

Inc. '*Felix qui poterit* [etc.] Felicitas quandoque sive beatitudo est summum bonum.'

3. 'Tabula super afforismos Ursonis.' f. 129.

4. 'Notule extracte per modum tabule de afforismis ejusdem Ursonis.' f. 130^b.

5. 'Tabula super sermones beati Bernardi.' f. 145.

6. Distinctiones J[acobi de Voragine] de Janua super varia loca S. Scripturae sub variis capi-

tibus, ab *Abstinentia* usque ad *Xrus* [*Christus*], ordine alphabetico dispositae; sive Figurarum Compendium. f. 153.

Praemissa est praefatio 'religiosis viris in Christo sibi dilectis, studentibus Neapolitani conventus fratrum ordinis sancti Dominici.'

207.

Membranaceus. In fol. Saec. xiv. ineuntis. ff. 40. Partim binis columnis; manibus variis. Inter codd. T. Allen, '30,' '68.'

1. 'Liber Alphratgani in quibusdam collectivis sciencie astrorum et radicum motuum planetarum, et est xxx. differenciarum, interpretatus a Johanne Hispalenum, sub Dei laude;' praemissa tabula differentiarum. f. 1.

Inc. 'Numerus mensium Arabum et Latinorum est duodenus.'
Impress., sub tit. *Rudimenta astronomica*, 4°. Norimb. 1537, etc.

2. Messahalae tractatus de astrolabio; cum figuris. f. 16.

Inc. '*Prohemium in Astrolabium Messehallach.* Scito quod astrolabium est nomen Grecum cujus interpretacio est accepcio stellarum.'
Expl. '—et nota illa erit polus zodiaci, ut patet in hac figura.'

3. 'Practica astrolabii, sive rememoracio parcium astrolabii.' f. 22.

Inc. 'Nomina instrumentorum sunt hec. Primum est armilla suspensoria.'
Expl. '—talis est comparacio stature tue ad planiciem. *Explicit practica astrolabii.*'

4. [Gerardi Cremonensis, sive Walteri Brit] Theorica planetarum. f. 24^b.

Inc. 'Circulus ecentricus, vel egresse cuspidis, vel egredientis centri, dicitur qui non habet centrem (*sic*) suum cum mundo.'
Expl. '—tunc erunt conjuncti lumine ipsi planete et non corporaliter. *Explicit theorica planetarum.*'

5. Commentarius Rob. Grosseteste, episc. Linc., in Posteriora Aristotelis. f. 29.

Imperf.; desunt pars cap. viii. et capp. ix–xiv. libri primi (inter ff. 32, 33), pars cap. ii. libri secundi (inter ff. 38, 39), et pars cap. iii. una cum iv. (inter ff. 39, 40).
Inc. 'Intentio Aristotelis in hoc libro est investigare.'
Expl. '—in omni similiter se habente.
Lin finit *colni* sentencia nobilis *ensis.*'
Saepe impr.

208.

Membranaceus. In folio. ff. 189, binis columnis. Saec. xiv. versus finem. Manu Italica bene exaratus, literis initialibus depictis.

'Alphabetum novum Ethymologiarum,' ex libris Etymologiarum Isidori Hispalensis compilatum a Jacobo[Cina] de Sancto Andrea, de Senis, ord. Praed., et papae Gregorio XI. praefatione dedicatoria inscriptum.

In litera prima initiali depicta est figura auctoris in genua provoluti, librum suum papae offerentis. Praemissa est operi tabula ita descripta; 'Principia capitulorum librorum omnium Ethymologiarum Beati Ysidori Yspalensis Episcopi, secundum capitulationem factam per venerabilem doctorem sacre theologie fratrem Robertum Anglicum, ord. fratrum Praedicatorum.'

Subjecta est (f. 184) 'Expositio quam fecit ipsemet auctor prefationis seu epistole' ad Papam Greg. XI. Ad calc., 'Finit declaratio seu expositio epistole vel prefationis novi Alphabeti Ethymologiarum facta per auctorem ipsorum alphabeti et epistole seu prefationis.'

209. [B. N. 16.]

Membranaceus. In fol. ff. 152. Saec. xiii. exeuntis. Binis columnis. Inter codd. Tho. Allen, '73,' '42.'

1. Johannis Saresberiensis, episcopi Carnotensis, Polycraticus de curialium nugis et vestigiis philosophorum; libris octo. f. 1.

   Saepe impr.

   ff. 100–102 vacant.

2. Arnulfi Lexoviensis episcopi varia; scilicet, epistolae lxxxi, sermones iv, carmina xvi. f. 103.

   fol. 130 vacat.

3. Epistola Sidonii ad Agricolam; scil., epist. secunda libri primi. f. 131.

4. Epistolae multae e libris decem (pro majori parte e libb. i–vii.) Epistolarum Symmachi. f. 131^b.

   In multis locis lectiones ab impressis variantes exhibet textus, meliores saepe, saepe etiam corruptiores. Hic illic quaedam inseruntur quae forsan inedita sunt.

5. 'Extractum de libro epigrammatum Marci Martialis Valerii Satirici;' excerpta e libris i–xi. f. 148.

   Contenta codicis forsan e cod. nostro Auct. F. I. 8 transcripta sunt; ibi enim eadem habentur manu saeculi ejusdem tertiodecimi ineuntis exarata.

210.

Chartaceus. In fol. ff. 93. Saec. xv. Manu Italica.

1. Tractatus astrologicus de calculatione nativitatum. f. 1.

   Inc. 'Multos esse cognovi qui existimant non experti annorum rationibus posse de futuris contingentibus alicujus nati pronosticari.'
   Expl. '—prout jungitur bonis vel malis planetis in figura revolutionis et ad eorum aspectus.
   Finis ad laudem Dei et beatissime Virginis.'

2. Notae variae de aspectibus planetarum. f. 33^b.

3. Pronosticationes 'de morte natorum.' f. 35^b.

   Inc. 'Pronosticatio mortis nascentium laudem maximam astronomo prestat.'
   Expl. '—rationem mortis ex domo et signo quibus predominantur. Et hic est finis de octava domo; alia defecerunt in exemplari.'

4. Notae de locis signorum, 'ad annum 1480.' f. 39^b.

5. 'Albumasar de revolutionibus nativitatum liber primus, translatus a Greco in Latinum.' f. 42.

   Inc. 'Sol in nativitatis tempore in loco aliquo exeunte.'

ii. 'Tractatus secundus, de ascendente revolutionis anni in nativitatibus et domino ejus in se et respectu ad domos alias,' etc. f. 63^b.

   Inc. 'Post dominum anni divisor habet significationem.'

6. 'Hec sunt equationes Annimodat' [sive, ut postea, Annimodar] 'Hermetis, quas posuit Avenesre et magister suus princeps Abraam.' f. 88^b.

   Inc. 'Sed cum in nativitate data nec Venus nec Mercurius nec similiter Mars.'
   Quaedam medica a manu saec. xvi (quae marginalia hic illic interserit) in folio ad initium codicis compacto inscripta sunt, inter quae 'Receta del Sarto Mantuano.' Manu altera ad calcem insertae sunt (ff. 92, 93) Tabulae nativitatum annis 1556 et 1497, cum prognosticatione.

211.

Membranaceus. In fol. ff. 108. Saec. xii. exeuntis. Binis columnis bene exaratus. Olim 'liber Sancte Crucis de Waltham.'

Venerabilis Bedae Historiae Ecclesiasticae Anglorum libri v, cum praefatione; accedit Epistola Cuthberti ad Cuthwinum de morte Bedae.

212.

Membranaceus. In fol. ff. 72, quorum primum, secundum veterem enumerationem, fuit olim '44.' Saec. xiv. Post fol. 10 binis columnis descriptus. Inter codd. T. Allen, '34.'

1. Tractatus Roberti de Leicestria 'de compoto Hebreorum aptato ad Kalendarium,' quatuor partibus, cum prologo. f. 2.

   Anno 1294 compilatus, ut ex cap. 7. partis primae patet.
   Inc. prol. 'Operis injuncti' [non, ut in Tanneri *Bibl. Brit.* ex Langbainii notis, 'inventi'] novitatem, pater meritis insignissime, magister ac domine R[icarde Swinfeld] Dei gracia Herfordensis antistes ecclesie.'
   In ora paginae inferiori sunt haec: 'Istud opus composuit frater Robertus de Leycestria, ordinis fratrum Minorum. In literis autem capitalibus hujus operis scribitur sic, *O Jesu pie, Minorum mentes posside.*'

2. Ejusdem 'Compotus Hebreorum purus.' f. 7^b.

   Inc. 'Prima erarum est a creacione mundi.'

3. Ejusdem commentariolus supra tabulas in tractatu primo supra recensito descriptas; anno 1295 conscriptus. f. 8^b.

   Inc. 'Ad planiorem et pleniorem prescripti tractatus intelligenciam.'
   Ad calc. 'Explicit compotus Hebreorum.'
   Sequuntur tria folia vacua, secundum veterem enumerationem, 53, 54, 56.

4. 'Julii Firmici viri consularis junioris liber de astrologia;' scil. libb. i–iv. (usque ad finem cap. xvi.) Firmici tractatus astronomici. f. 11.

   Tabulam capitulorum invenias in codicis folio primo.

5. Abrahae Aben-Ezrae Liber de nativitatibus, capitulis septendecim. f. 30.

   Inc. 'Hic incipit liber Abrahe Judei de nativitate. Dixit quoque Abraham Judeus, Optimum instrumentorum ad inveniendum oriens.'
   Expl. 'Tercius de pecudibus et pecoribus indicat, singuli secundum statum proprium.'

6. 'Incipit liber introductorius Habrae Havenarre in judicia astrorum, et dicitur Principium sapiencie. **f. 34.**

Tit. secundus, 'Incipit liber completus quem compilavit Habraham Havenarre ex dictis sapientum et floribus antiquorum, cujus quidem sunt 6 tractatus, quorum primus est de arte introductoria in astrorum judicia.'
Inc. 'Cum inicium sapiencie Dei timor existat.'
Impress. inter *Abrahe Auenaris* [*al.* Aben-Ezra] *in re judiciali opera*, 4°. Ven. 1507.

7. Idem 'de planetarum conjunccionibus et annorum revolucionibus,' cum prologo; 'translatus a magistro Henrico Bate de Hebreo in Latinum.' **f. 48^b.**

Inc. 'Mondanorum translacionem aggressuri.'
Impr. *ibid.* fol. lxxvi.
In nota ad finem liber completus fuisse dicitur anno 1181, non, ut in impresso, anno 1281.

8. Ejusdem 'quidam tractatus particulares;' scil. i. capitula quatuor de rebus occultis, etc.; ii. de maneriebus 13 planetarum; iii. 'de significacionibus planetarum in 12 domibus Abrahe Auenarre;' iv. 'dogma universale in judiciis.' **f. 53.**

Impr. *ibid.*, fol. lxxxv.
Ad calc. 'Finis quorundam tractatuum particularium Abrahe Hauenarre, quos Petrus Paduanus ordinavit in Latinum.'

9. Ejusdem 'liber de racionibus, quem transtulit Petrus de Padua.' **f. 56.**

Inc. 'In nomine [etc.] Volo enim nunc ponere fundamentum.'
Ibid., fol. xxxii.

10. Ejusdem liber 'de interrogacionibus, sermo universalis in doctrina judiciorum.' **f. 63.**

Inc. 'Astrologie duo extiterunt capita.'
Ibid. fol. lx^b.
Desinit abrupte circa medium cap. de sexta domo.

11. Ejusdem Electiones. **f. 64^b.**

Inc. 'Sapientes legis sentenciaverunt quod homo de libero arbitrio potest facere bonum et malum.'
Ibid. fol. lxvii.

12. Ejusdem 'liber questionum'; versio altera, scilicet, et completa, libri de interrogationibus supra notati. **f. 67^b.**

Ad calc. 'Explicit liber questionum Abraham. Laus Deo omnipotenti.'
In fol. ad finem compacto, verso, sunt 'Sigilla planetarum.'
Synopsis contentorum codicis exstat in cod. Langbain. iv. pp. 558–562.

213. [B. N. 17.]

Membranaceus. In fol. ff. 113. Saec. xii. exeuntis. Trinis columnis bene exaratus. Inter codd. T. Allen, '3,' '23.'

Prophetae duodecim minores, cum prologis et glossis ex S. Hieronymo.

214.

Membranaceus. In fol. ff. 234. Saec. xii. Binis columnis bene descriptus.

S. Gregorii Magni Registrum Epistolarum, libris xiv.

Praemissum est, 'Simbolum fidei dictatum a beato Gregorio papa.'

215.

Chartaceus. In fol. ff. 98. Saec. xv. Manu Italica binis columnis descriptus.

1. [Johannis de Sacro Bosco] Tractatus de sphaera. **f. 1.**

Inc. 'Tractatum de spera quatuor capitulis distinguimus.'
Saepe impr.

2. 'Tractatus de spera solida sive de astrolabio solido sperico, compositus anno Domini millesimo;' partibus duobus, capp. ix. et xiv.; cum figuris. **f. 6.**

Inc. 'Tocius astrologice speculationis radix et fundamentum.'
Expl. 'At quoniam de mensuris tractare non est presentis intentionis, hunc tractatum sub laude Dei finiemus.'
In cod. Ashmol. 1522 (ubi exemplar alterum invenitur) dicitur tractatum hunc anno 1303 compositum fuisse. Cotta, in *Museo Novarese* (fol. Mediol. 1701), recenset librum inter opera Campani, et refert ad *Bibl. Patav.* Tomasini, p. 111; ibi autem, quamvis descriptioni codicis cujusdam *Campani Theoriam Planetarum* continentis mentio hujusce libelli subjicitur, non eidem auctori tribuitur.
Impressus exstat anonymus in collectione tractatuum intit. *Sphera mundi*, fol. Ven. 1518, f. 139^b.

3. [Gerardi Cremonensis, sive Walteri Britte, Theorica planetarum]; cum figuris. **f. 12.**

In manu saec. xvi. 'Theorica Gerardi.'
Inc. 'Circulus ecentricus dicitur vel egresse cuspidis.'
Expl. '—quia in tam paucis annis non est magna inequalitas anni Christi, 6 minuta vera.'

4. 'Theorica planetarum edita a magistro Canpano de civitate Novarie;' cum figuris. **f. 16^b.**

Inc. 'Primus phylosophie magister ipsius negocium in prima tria genera dispertitur.'
Desin. abrupte, ut videtur (in fol. 46), in verbis, '—per 360 divisiones equales, sitque omnis quarta circuli.'

5. 'Liber de aggregacionibus sciencie stellarum et principiis celestium motuum quem Ametus filius Ameti, qui dictus est Alfagranus, compilavit, triginta continens capitula;' sive Rudimenta astronomica. **f. 46^b.**

Inc. 'Numerus mensium anni Arabum et aliorum omnium est 12 menses.'
Expl. 'Jam ergo declaravimus de eclipsibus solis et lune quod sufficit intelligenti.'
Expletus est liber Ameti Alfagrani in sciencia astrorum.'

6. 'Canones de motibus celestium corporum.' **f. 57^b.**

Inc. 'Quoniam cujusque actionis quantitatem temporis.'
Expl. '—signum oriens et ejus gradum, et sic ostensum est in precedentibus.
Expliciunt canones in motibus celestibus.'

7. 'Computus major Campani Novariensis.' **f. 68ᵇ.**

Inc. 'Rogavit me unus ex hiis.'
Expl. 'Istorum vigilia jejunes Luceque Marci.'
Impr. in *Sphera Mundi*, ut supra, f. 159.
Sequuntur [ejusdem]
i. Tabulae quatuor calendares, ad cyclos decemnovennales.
f. 93.
Inc. 'Tabule 4 que sequuntur non sunt de Computo meo, sed feci eas extravagantes.'
ii. Calendarium. f. 94ᵇ.

8. [Alhazen] 'Liber de crepusculis,' cum figuris et commentario marginali. **f. 96ᵇ.**

Inc. 'Ostendere autem volo quid sit crepusculum.'
Expl. 'Et illud est quod volumus. Hic est finis ejus quod intendit in hec epistola. Quedam nunc secuntur que ego pretermisi [etc.]. Et quia in eis que dicit nulla est utilitas, ideo ea pretermisi. Explicit. Explicit de crepusculis, et secuntur proposiciones planusperii.'
Impr. ad calc. Opticae Alhazeni, fol. Bas. 1572, p. 283.
Synopsin contentorum codicis videsis in cod. Langb. iv. pp. 638, 635.

216.

Membranaceus. In fol. ff. 61. Saec. xiv. Manibus variis exaratus. 'Liber m. Willelmi Reed, archidiaconi Roffen., ex dono reverendi domini sui m. Nicholai de Sandwyco. Oretis igitur pro utroque et pro benefactoribus eorum ac fidelibus animabus a purgatorio liberandis. Questiones per eundem m. Nicholaum Oxon. collecte' (f. 1ᵇ). Saec. xv., 'Constat magistro Thome . . . . clerico, quem luebat de cista Universitatis' (f. 61ᵇ); postea, ut videtur, liber collegii Mertonensis (f. 1ᵇ); denique, Tho. Allen, '16.'

Quaestiones variae theologicae.

1. Lectura scholastica de peccato originali. **f. 1.**

Inc. 'Hodie intendo pauca tractare de peccato originali et ejus pena.'

2. 'Utrum cujuslibet creature racionalis ultima beatitudo sit fruicio Trinitatis.' **f. 5.** (*cf. etiam* **f. 53**).

3. 'Utrum per penitenciam deleatur peccatum;' disputationes duae. **ff. 33, 33ᵇ, 35ᵇ.**

4. 'Utrum accidentia panis et vini in sacramento altaris fundantur in aliquo subjecto.' **f. 34.** (*cf. etiam* **f. 51ᵇ**).

5. Notae multae, raptim scriptae, de quaestionibus super peccatis et poenitentia. **ff. 37–52.**

6. Quaestiones tres quibus nomen 'Ratforde' praefigitur; an quilibet adultus teneatur laudare Deum, utrum ex sui meriti vel demeriti circumstantiis juste debeat augeri vel minui poena, utrum ad omnem actum creature rationalis concurrat necessario Dei efficientia specialis. **f. 40.**

7. Notae multae de quaestionibus variis: (*e.g., e multis aliis*, utrum liceat imprecare mala malis, utrum liceat mentiri, utrum in inferno posset fieri peccati remissio, utrum daemones possent scire cogitationes hominum, utrum Antichristus posset salvari). **ff. 53–57.**

8. Initium commentarii [in libros Sententiarum Petri Lombardi, usque ad cap. 2. dist. iii. lib. i.] **f. 58.**

9. Pars disputationis super thesi, Quod Deus sit illud quo majus cogitari non potest. **f. 60.**

217.

Membranaceus. In fol. ff. 178. Saec. xiv. Quoad partem posteriorem, binis columnis. In folio ad finem compacto, 'De perquisito fratris Ricardi de Wynkele.' Inter codd. T. Allen, '10,' '34.'

1. Avicennae Liber de anima, sive liber sextus de naturalibus. **f. 2.**

Deest fol. primum; incip. in cap. i. ad verba, 'in potencia principium recipiendi.'
Ad finem subjecta est epistola dedicatoria cujusdam 'Auedauth' [sive, ut apud Wolfium, Avendana], de 'Ierusalem' philosophi, qui vertit librum ex Arabico in Latinum, 'Tolletanae sedis archiepiscopo' inscripta, de libri contentis.
Impr. inter *Opera* [philosophica] Avicennae, fol. Ven. 1508.

2. Avicennae Sufficientia, partibus tribus, cum prologo. **f. 46.**

Impr. *ibid.*

3. Pars tractatus Thomae Aquinatis de ente et essentia. **f. 94.**

Inc. 'Quia parvus error in principio.'
Desinit mutilus in medio cap. iv.

4. 'Liber Avendauth de universalibus, asumptus ex quinto Methaphisice Avicenne.' **f. 95.**

Inc. 'Usus fuit ut cum hec v. distinguerentur.'
Expl. 'Et hoc postea certificabitur in philosophya prima. Amen. Avendauth explic.'

5. 'Liber Alchindi philosophi de quinque essenciis, ex verbis Aristotelis abstractus.' **f. 96ᵇ.**

Inc. 'Sapiens ubi dialecticam incepit.'
Ad calc. 'Explicit Alchindus filius Ysaac de v. essenciis.'

6. Timaeus Platonis, in tres libros divisus; ex versione Chalcidii et cum prologo ejusdem. **f. 98ᵇ.**

Insunt notae marginales copiosae in lib. i.

7. 'Liber Isaac [Israelitae, senioris] de diffinicionibus, translatus a magistro G. Cremonensi, in Toleto.' **f 111.**

Inc. 'Plures eorum qui antiquorum libros inspexere.'

8. [Jacobi Alchindi] opus 'abbreviatum de intentione antiquorum in racione, translatum a Girraddo Cremon;' sive de intellectu. **f. 115ᵇ.**

Inc. 'Intellexi quod quesivisti de scribendo sermone in racione abreviatum.'
Expl. '—cum sic intencio mea sermo enunciativus sufficiat.'

9. 'Liber Alexandri philosophi [Aphrodisiensis] de intellectu et intellecto secundum sentencias Aristotelis, translatus de Greco ab Isaac filio Johanicii.' **f. 116.**

Inc. 'Dixit Alexander quod intellectus apud Arist. est tribus modis.'
Expl. '—quod non intelligimus nec acquirimus sic sicut cum erat in nobis.'
Impr. cum Arist. *Secretis Secretorum*, fol. Bonon. 1516.

10. 'Logica Algacelis.' **f. 117^b.**

Inc. 'Quod proponi debet hoc est, scil., quod scienciarum, quamvis multi sunt rami, due tamen prime sunt partes.'
Expl. 'Hoc autem est quod volumus ostendere et facere intelligi de logica. Explicit tractatus de logica. *Explicit loyca Algacelis.*'

11. 'Liber Alchindi philosophi de intellectu et intellecto.' **f. 127.**

Inc. 'Intellexi quod queris, scil., scribi tibi sermonem brevem de intellectu.'
Expl. 'Quantum vero ad intencionem tuam de hoc tantum sermonis sufficit.'
Cf. art. 8, *supra.*

12. 'Liber introductorius in artem loyce demonstracionis, collectus a Mahometh discipulo Alchindi philosophi.' **f. 127.**

Inc. 'In nomine piissimi et misericordissimi Dei. Postquam jam locuti sumus de predicabilibus.'
Desin. imperf. ad verba, '—et extra suum mundum mundus.'

13. 'Averoys de substancia orbis.' **f. 129.**

Incip. 'In hoc tractatu intendimus perscrutari.'
Desin. imperf. (in medio cap. ii.) ad verba, '—et ex dimensionibus in dimensiones.'
Impr. in vol. ix. Operum Aristotelis, fol. Ven. apud Juntas, 1550, f. 3.

14. 'Liber Abiceni de philosophia prima sive sciencia divina;' sive metaphysica; tractatibus decem. **f. 132.**

Inc. 'Postquam auxilio Dei explanavimus tractatum de intencionibus scienciarum loycarum.'
Ad calc. 'Completus est liber : laudetur Deus super omnia, quemadmodum decet et oportet; quem transtulit dominus Gundisavius, archidyaconus Toleti, de Arabico in Latinum.'
Impr. inter *Opera* Avicennae, ut supra, f. 70.

15. [Liber Alpharabii de intellectu.] **f. 176^b.**

Inc. 'Nomen intellectus dicitur multis modis.'
Impr. *ibid.* f. 68.

16. 'Liber Alexandri philosophi de intellecto et intellectu, secundum sententiam Aristotelis, translatus de Greco in Arabicum ab Ysaac filio Johannicii.' **f. 177^b.**

Incip. 'Aristoteles mentem tribus modis distinguit.'
Expl. '—quod nos intelligimus nec adquirimus sicut cum erat in nobis.'
Cf. art. 9, *supra.*

17. [Jacobus Alkindi de intellectu.] **f. 178.**

Inc. 'Intellexisti [*sic*] quod queris sermonem brevem de intellectu secundum sententiam Platonis et Aristotelis.'
Expl. 'Quantum vero ad intencionem tuam tantum sermonis tibi sufficiat. Explicit.'
Cf. artt. 8, 11, *supra.*
E tabula contentorum manu saec. xiv. codici praemissa patet haec, hodie deperdita, olim in fine voluminis locum habuisse :—
'Liber planetarum cujusdam discipuli Platonis.
Trimegistus.
Secundus philosophus de diffinitionibus.
Bo[eci]us de unitate.
Liber de differencia spiritus et anime.
Liber methaphisice Avicenne, qui non est completus, sed parum deficit versus finem.'

218.

Membranaceus. In fol. ff. 109. Saecc. xiii exeuntis, xiv. Manibus diversis exaratus, partim binis columnis. Art. i, inter codd. T. Allen, '43,' '38;' ii, '49,' '17;' iii, '50,' '43;' iv–ix, '35;' x, xi, '47,' '46;' xii, '5.'

1. Perspectiva Joh. Peccham, archiep. Cantuar., tribus partibus; cum figuris. **f. 1.**

Saepe impr.

2. Jacobi de Tharamo (*aliter*, Ancharano) liber dictus Consolatio Peccatorum [*sive*, Processus Luciferi contra Jesum]. **f. 25.**

Saepe impr.

3. Rogeri Bacon Opus Minus. **f. 57.**

Caret initio; desinit etiam abrupte, fine tractatus a scriba omisso.
Impr. ex hoc codice (unico, ut creditur, superstite) inter *R. Bacon Opera inedita*, cura J. S. Brewer, 8°. Lond. 1859, pp. 313–389.

4. Fragmentum e conclusione adhortationis cujusdam ad animam. **f. 70.**

Expl. 'Confessus peccata tua, facito tibimet ipsi racionem, et ora misericordiam Dei, et invenies requiem. Pro hiis agamus gracias Deo, cui gloria in secula seculorum. Amen.'

5. 'Liber Aldredi,' *potius*, Ailredi, 'Rievallensis abbatis, de vinculo perfeccionis.' *ibid.*

Inc. 'Extendisti, Domine, sicut celum tuum.'
Expl. '—in ipso sinu tuo cum ipso aliquando locum quietis indulge. Amen.'
'Exemplar hujus MS. amico meo Jacobo Merloni Horstio, theologo Coloniensi, misi una cum Bernardo per ipsum edendum, A.D. 1641, uti et quod mox sequitur, De vita inclusarum.' Langbainius, in vol. iv. Adversariorum MSS. ejus, p. 410.

6. 'Collacio abbatis Cheremonis;' scil., excerpta e capp. iv–ix. Cassiani collationis undecimae, de perfectione. **f. 82.**

Fragmentum; desinens ad verba 'adempto timoris' in cap. ix.

Desunt folia quaedam.

7. Excerpta e cap. x–xiv. Cassiani collationis x., sive collationis abbatis Isaac de oratione. **f. 83.**

8. 'Liber Aldredi abbatis de vita inclusarum.' **f. 83^b.**

Inc. 'Jam pluribus annis a me exigis, soror.'
Expl. '—apud Judicem meum quem timeo pro peccatis meis intercedat.'

9. 'Ieronimus ad Nepocianum de vita clericorum;' *initium solum.* **f. 91^b.**

Desunt quaedam.

10. 'Notabilia excerpta de epistolis domini Roberti Grostete, episcopi Lincoln.,' scil. ab epist. 1 usque ad 89. **f. 92.**

11. Pars indicis cujusdam in sermones quosdam sive epistolas. **f. 94.**

Inc. 'Abstinencia: require in dictis ubi *Jejunium*, et dicto, Ascendit Deus in jubilacione, 50.'
Expl. in litera P.; 'Contra literatos nolentes predicare et contra ecclesiasticos scientes [*nescientes ?*] predicare 52.'
Numeri sermonum in indice citati attingunt 147.

12. 'Tractatus Rogeri Bacon de laudibus mathematice;' *incompletus.* **f. 98.**

Incip. 'Post hanc scienciam experimentalem mathematica est dignior et utilior.'
Desin. abrupte cum verbis, '—et Ptholomeus dicit in Almagesti et omnes sciunt astronomi quod tota terra—.' Haec verba, et quae immediate praecedunt, inveniuntur in *Opere Majori*, edente J. Jebb, p. 112.

13. Fragmentum, duobus foliis constans, in quo sunt figurae mysticae, continentes invocationes Dei cabbalisticas (ut vocant), sub nominibus variis e Graeca lingua et aliis formatis, pro studiis artium diversarum prosequendis; scil., 'tercia figura grammatice,' prima et secunda 'nota dyaletice,' et 'prima figura artis rethorice.' ff. 104, 105.

Inc. invoc. in 3 fig. gramm. 'Principium Deus bonorum omnium atque virtutum, confirma hoc per largitatem Spiritus tui atque virtutem, Gelos, azonimos, azil, letanoloi, samathar.'

14. Bulla Papae Joh. XXII. ad Acad. Oxon. directa de Constitutionibus papae Clem. V., in concilio Viennensi sancitis et eaedem transmissis; Avin. kal. Nov. an. pontif. 2 [1318]. f. 106.

15. 'Revocacio penarum constitucionum provincialium Cant. infrascriptarum per rev. patrem Thomam Burgchier, Cant. archiep., A.D. 1460.' f. 106ᵇ.

Cf. *Concilia* a Wilkins, iii. 579.

16. 'Modus et forma inducendi aliquem in possessionem beneficii.' *ibid.*

17. Prophetia metrica de Romano quodam papa, et de sedatione (ut videtur), schismatis inter Pontifices anno 1429; versibus duodecim. f. 107.

Inc. 'Flamine Romano crescit Britannicus honor.'

18. Visio a Thoma Becket, archiep. Cant., habita quum apud Senonas ageret. *ibid.*

19. Visio cuidam monacho ordinis Cisterciensis apud Tripolym anno 1347 revelata, in qua prophetiae de annis 1350–1365. *ibid.*

20. Prophetia [Galf. Eglyn de Ric. II.]. f. 197ᵇ.

Inc. 'Asinus coronatus turbabit regnum.'

21. 'Divisio tocius orbis post diluvium.' *ibid.*

22. Notae de rebus paucis in Anglia gestis annis 1371, 1399, 1403 et 1405. *ibid.*

23. Fragmenta duo e duobus codicibus Polychronici Ranulphi Higden, quorum primum initium libri sexti continet; alterum, finem libri septimi et ultimi, anno 1352, una cum epilogo de morte auctoris et de opusculis ab eo compilatis. ff. 108, 109.

Opuscula memorata sunt haec, 'Speculum Curatorum, curatis necessarium, Distincciones, que sic incipiunt, Abjicere secundum phisiologos, Petagogicum artis gramatice, In literam (?) Kalendarii, et Derivaciones sub compendio.'

Sequuntur hi versus :—
  'Pro quo, fratres, Dominum velitis orare
  Ut ad sui gaudium velit collocare
  Hunc Ranulphum monachum, qui quesivit a re (*sic*)
  Pro labore manuum secum conregnare.'

Synopsin contentorum continet codex Langbain. iv. pp. 409–12.

219.

Chartaceus. In fol. ff. 167. Saec. xvi., versus finem. Inter codd. T. Allen, '27,' '15.'

1. 'Liber Avicennae de anima, qui dicitur Clavis sapientiae majoris in Alkimia;' tractatus al-

chemicus, in dictiones, sive partes, decem distinctus; *incompletus.* f. 1.

Praemissa est tabula capitulorum. Desinit textus ad finem cap. 8. dictionis vi.

Inc. cap. ii. 'Dixit Habohali Avicenna Habucalemi filio suo propter quem hunc librum ediderat.'

2. 'Liber Albuali Avicennae de anima lapidis nostri;' in dictiones decem distinctus. f. 28.

Inc. 'In nomine illius qui maior est et dominus totius mundi dixit Albuali Avicennae, istum librum feci de anima.'

3. Excerptum e Platone, de lapide alchemico. f. 76.

Incip. 'Plato philosophorum maximus dixit, Natura natura letatur.'

4. Excerpta e tractatu quodam alchemico *Libri Septuaginta* vocato, scil. ex 26 libris de 70. f. 77.

Liber i. *Liber Divinitatis*, aliter Divinationis, dictus est, xxiv. *Liber Ludorum*, etc.

5. 'De lapide rebis;' instructio quam dedit Merlzheris ad Fledium. f. 108.

Inc. 'Sume ex lapide ubique reperto qui vocatur rebis.'

6. 'Liber 12 aquarum.' f. 109ᵇ.

Inc. 'Libelli hujus series 12 splendet capitulis.'
Cf. MS. Ashmol. 1485, fol. 173.

7. 'Liber commutationum.' f. 111.

Inc. 'Ut ex antiquorum scientia philosophorum percipitur, omne colorum genus ex mineria ducit originem principalem.'

8. i. 'Interpretationes de Arabico vel Graeco.' f. 112.

Inc. 'Aliamen, i. regio.'

ii. 'Interpretationes et experimenta.' f. 112ᵇ.

Inc. 'Adoz, i. aqua qua ferrum extinguitur.'

9. Ordo et tituli quorundam ex Libris Septuaginta sicut in alio quodam codice exstabant. f. 116.

Tit. 'Hii libri de 70 ita dispositi inventi sunt in libro magistri W.'

10. 'Liber quartus Platonis,' tribus partibus; explicatus ab Hamete filio Hasam rogatu Thebeth. f. 120.

Inc. 'Dixit Thebeth Hames filio Hasam, Abrevia nobis quod de revelatione occultorum intellexisti, et expone librum senioris Platonis.'

Expl. 'Dixit Plato, et qui cognovit cognovit quod quedam dictorum nostrorum, etc. *Hic deficiunt multa.*'

Impressus, forma pleniori et ex alia versione, in vol. v. *Theatri Chemici*, 8°. Argent. 1622, p. 114 *et seqq.*

11. [R. Calid Rachaidibi] Liber Trium Verborum. f. 143ᵇ.

Inc. 'Hic est liber rudiam (*sic*), liber divinitatis et est liber trinitatis, id est, trium verborum, et hec sunt tria verba de lapide precioso.'

Expl. '—et hoc est siccitas que tingit in citrinitatem unitam.'

Exstat, ex alia versione et forma breviori, in *Artis Auriferae quam Chemiam vocant vol.* i. 8°. Bas. 1593, pp. 352–361; cf. etiam p. 402. Versio 'ex MSᵗᵒ diversam lectionem praebente' item impressa exstat in vol. v. *Theatri Chemici*, ut supra, pp. 217–220.

12. 'Opus quomodo debet fieri Athanor ad dictum e[li]xir faciendum.' f. 146.

Inc. 'Hoc modo fiat ut sit longum et magnitudinem quantum tenet.'

13. S. Thomae Aquinatis Tractatus 'de essentiis rerum;' cum praefatione ad R. . . . Siciliae ducem; libri duo: *opus spurium.* **f. 149.**

Inc. cap. i. 'Quoniam divina potentia est infinita.'
Expl. '—multa mirabilia nature sensualiter vidi que nullo modo aut vix possunt alii pervenire, Domino dirigente, quam benedicam in saecula saeculorum. Amen.'
Cf. Quetif, *Scriptt. Ord. Praedd.,* ii. 344-5.
Excerpta exstant in vol. v. *Theatri Chemici,* ut supra, pp. 901-910.

220.

Membranaceus. In fol. ff. 186, binis columnis. Saec. xv. ineuntis. Inter codd. T. Allen, ' 6,' ' 44.' In fol. ad finem compacto, ' To Mr. E. Dyer.'

1. Roberti Grosseteste, episc. Lincoln., Summa philosophiae; in 19 tractatus distincta. **f. 1.**

Inc. 'Philosophantes famosi primi fuerunt Caldei a tribus filiis Noe sanguinis vel institucionis originem trahentes.'
Quaedam deesse videntur inter ff. 55-56 et 70-71; alia quaedam desunt in fine, prout fragmentum unius folii parvum hodie testatur.

2. [Pars tractatus per eundem de unica forma omnium.] **f. 81.**

Inc. mutil. in verbis 'quosdam versus temporum peragant.'
Expl. '—et ei ex omni parte simile fingere.'
Impr. inter *Opuscula,* fol. Ven. 1514.

3. 'Secunda questio;' [ejusdem auctoris tractatus de intelligentiis]. **f. 81ᵇ.**

Inc. 'Voluisti insuper a me scire quid senciam de intelligenciis.'
Expl. '—rescribendo errorem meum corrigas.'
Impr. *ibid.*

4. Epistola ejusdem, dum adhuc archidiac. Leicest., ad Marg. de Quinci, comitissam Wintoniae, quod Judaeos a comite Leicest. e municipio ejus expulsos non per terram suam Christianos usuris opprimere permittat, sed opere manuum victum quaerere compellat; in qua etiam, secundo loco, queritur de injuriis circa decimas in parochia praebendae ejus a quodam ballivo dictae comitissae commissis. **f. 83.**

Manu quodam saec. xv. epistola male intitulata est, ' Pro Judeis non molestandis.'
Excerpta quaedam brevia in cod. Langbain. iv, pp. 572-4.
Impr. inter *Rob. Grosseteste Epistolas,* edente H. R. Luard, 8ᵛᵒ. Lond. 1861, pp. 33-41.

5. Idem super libros Physicorum Aristotelis. **f. 84.**

Inc. 'Cum scire et intelligere adquirantur ex principiis.'
Expl. '—et finietur motus et tempus cum cessabit hominum generacio. Explicit scriptum Lincol. super libros phisicorum. Jesus, Maria, Johannes.'

6. Idem de statu causarum. **f. 105.**

Inc. 'Aristotiles in primo Philosophie sue supponens causas esse quatuor.'
Expl. '—remotissima est yle, sc. materia prima. Explicit tractatus domini Lincol.: Roberti Grosted de statu, sufficiencia et ordine causarum. Jesus, Maria, Johannes.'
Impr. inter *Opuscula,* fol. Ven. 1514.

7. Idem de luce, sive de inchoatione formarum. **f. 106.**

Inc. 'Formam primam corporalem quam corpus esse nominat lucem esse arbitror.'

Expl. '—in musicis modulacionibus, gestilacionibus et rithmicis temporibus. Jesus, Maria, Johannes. Explicit tractatus R. G. Lincol.'
Impr. inter *Opuscula,* ut supra.

8. Idem de colore. **f. 107ᵇ.**

Inc. 'Color est lux incorporata perspicuo terminato.'
Expl. '—quos voluerint ostendunt. Explicit tractatus R. G. Lincol. de colore. Jesus, Maria, Johannes.'
Impr. *ibid.*

9. 'Liber de causis et processu universitatis a causa prima per fratrem Albertum.' **f. 108.**

Inc. 'Difficultates que sunt circa tocius entis principia.'
Expl. (verbis quibusdam codicis quo usus est scriba deficientibus, sive non legendis) '—et non . . . assercionibus nostris inductas . . . postulacionibus s . . .'
Impr. inter *Opera* Alberti Magni, fol. Lugd. 1651, vol. v. pp. 528-655.

10. Roberti Kilwardby, archiep. Cantuar., Liber de divisione scientiarum. **f. 183ᵇ.**

Nomen auctoris e tabula contentorum codicis constat; in veteri autem catalogo tractatus dicitur Gualt. Burlaei.
Inc. 'Cum secundum philosophum Aristotelem aliosque philosophos precipuos anima in prima sui creatione est quasi tabula nuda.'
Expl. '—Rethorica est sermocinalis sciencia raciscionativa ['racisciona'] circa questionem civilem terminand.' etc.
Praemissa est codici tabula contentorum, ex qua patet haec alia olim contenta fuisse:—
    'Albertus de origine statu et immortalitate anime.
    Secretum Sigillum Sancti Cipriani Cartaginensis episcopi et martiris.
    Confescio ejusdem Sancti Cipriani.
    Burley de divisione scienciarum.'
            R. E.'

221.

Membranaceus. In fol. ff. 120, binis columnis. Saec. xiv. Utrinque mancus. Inter codd. T. Allen, ' 9,' ' 10.' In fol. 87ᵇ, manu saec. xvi, ' L. Edovardi (?) de Burgeynay.'

1. Fragmentum e cap. 15 et ult. libri ix. Memorabilium Valerii Maximi. **f. 1.**

Expl. '—et falsi sordida contagione inquinarentur. Explicit liber ultimus Valerii.'

2. 'Mithologie Alexandri Nequam, et alio nomine Sintillarium appellatur.' *ibid.*

In loco nominis veri auctoris, et in titulo et in fine erasi, substituitur nomen 'Alberici,' sub cujus nomine opus exstat anno 1520 impressum. Utrique auctori aeque a Lelando aliisque ascribitur, rectius autem sine dubio Alexandro Nequam.
Inc. 'Fuit vir in Egipto ditissimus nomine Syrophanes.'

3. 'Alexander Nequam super Marcianum de nupciis Mercurii et Philologie.' **f. 34ᵇ.**

Inc. 'Marciani Minei Felicis Capelle de nupciis Philologie et Mercurii fabula incipit.'
Expl. '—quasi diceret, Scis quid scriptum et quid scribendum sit.'

4. Hermes 'Tremogistus' de sex principiis. **f. 88.**

Inc. 'Legimus in verbis divinorum hystoriis ' (*sic*).
Expl. '—domus in olla, posita sint: qui sapit, exponat.'

5. Anonymi cujusdam Tractatus 'de natura deorum.' **f. 100.**

Inc. prol. 'Ne faleratis utamur sermonibus et exquisitis.'
Inc. textus, 'Primus omnium deorum pater Demogorgon dictus.'
Expl. mancus, in cap. de Palamede, '—ignem maximum fecit ad quem quasi ad refugium veniens Ulixes—.'

222.

Membranaceus. In fol. ff. 183. Saec. xiv. ineuntis. Mancus ad finem. Manibus tribus exaratus.

Henrici de Bracton de legibus et consuetudinibus Angliae libri quinque; praemissa indice.

Desunt duo folia ultima; explicit textus cum verbis, 'et capta in manu domini Regis detineat,' quae versus finem sect. 7. in cap. 31. tract. v. libri quinti occurrunt.

Hic illic notae paucae historicae de casibus citatis interspersae sunt; quaedam etiam memoranda a scribis de transcriptione codicis, scil. in fol. 1, 'Mem. de una quaterna que est cum Johanne Longe;' 'Mem. quod continentur in isto libro viginti quinque pecie et Kalendare;' fol. 90, 'Sunt cum Johanne Longe duo quaterni de assisa nove desis.;' f. 130b, 'Mittuntur J. de Bello Prato septem pecie et dim. subsequentes rubricam, [*non*] *est capienda conviccio super conviccionem*, et de illis tenetur respondere domino.' Hae autem 'septem peciae' quae, (ut videtur) tract. vi. libri quarti, de dote, continebant, nunquam in locum suum restitutae fuerunt; idcirco tractatus iste sextus omnino deest.

223.

Membranaceus. In fol. ff. 260, binis columnis. Saec. xiv. Picturis hic illic ornatus. Utrinque mancus.

The Romance of Lancelot du Lac, in French prose; by Walter Mapes; parts iii, iv, v.

It begins in the 32nd section, fol. xxiiij, vol. iii. of the edition printed at Paris in 1533, at the words 'lespee pour lui ferir, et cil guencist au cop,' and ends in the last section but one of that volume, fol. clxi, at the words, 'auoit ia lordene de provoire li quil cantoit chascun iour messe.'

At the end of part iii (fol. 76b), before the commencement of 'des Aventures del Graal,' is this colophon, 'Si fenist chi maistres Gautiers Map son liure, et commenche a parler del Graal,' and at the end of part iv. (fol. 172b) the following: 'Quant il orent mangiet acouit li rois fist venir auant les clers, qui metoitoient (*sic*) en escrit les auentures achiaus de laiens, et quant Boors ot contees les auentures del saint Graal teles come il les aueit ueues, si furent mises en escrit et gardees en laumaire de Salesbieres. Dont maistres Gautiers Maap lestaist (*sic*) a faire son liure del saint Graal por lamour au roi Henri son singnur, ki fist lestoire translater de Franch' en Latin. Si sentaist a tant li contes que plus non dist des auentures des Graal.'

La Queste del Saint Graal was edited separately, from MS. Reg. xiv. E. 3 in Brit. Mus., for the Roxburghe Club by F. J. Furnivall, in 1864. The book is there said to have been translated from Latin into French, not, as above, from French into Latin.

224.

Membranaceus. In fol. ff. 187, binis columnis. Saec. xiv. Literis initialibus eleganter ornatis. 'Hunc librum habui ex bibliotheca quam Pius 2us Pontifex Maximus Sienis fundavit. K. D.'

Decadis primae Historiarum Titi Livii Italica versio.

Inc. prol. 'Io non soe altutto bene certamente sio faroe alcuna utilitate.'

Praemissa est explanatio titulorum officialium aliorumque verborum in usu apud Romanos.

Folium primum historiae habet in margine scutum gentilitium quadripartitum, ab angelis portatum, bene depictum, in quo, 1 et 4, aquila nigra alis extentis super tabula aurea, 2 et 3,

---

serpens purpureus, flammas rubras evomens; in summo, corona aurea. Subtus depictus est lacus septo inclusus, anatibus innatantibus.

Exemplar alterum hujus versionis exstat inter codices Canonicianos Italicos, 146; cf. Catal. per A. Mortara, coll. 155-7.

225.

Membranaceus. In fol. ff. 243, binis columnis. Saec. xiv.

'Summa judicialis de accidentibus mundi, quam compilavit magister Johannes de Eschendene;' libris duobus.

Inc. prol. 'Intencio mea in hoc libro est compilare sentencias astrologorum de accidencium pronosticacione que accidunt in hoc mundo ex corporum superiorum volubilitate.'

Ad calc. 'Completa est hec compilacio tractatus secundi Summe Judicialis de accidentibus mundi 18o die mensis Decembris, anno Christi 1348.'

'Explicit Summa Judicialis de accidentibus mundi secundum magistrum Johannem de Esshendene, quondam socium aule de Mertone in Oxon., cujus anime propicietur Deus. Amen.'

Impr. fol. Ven. 1498.

In fol. ad finem compacto est nota paene erasa de depositione hujus libri in cautionem: '. . . excepta in cista de Langton (?) anno Domini M.CCCCVI, octavo die Februarii. Ja[cet] pro xxs.' Ibidem etiam, manu saec. xvi, nomen, 'Thomas Corbett.'

226.

Membranaceus. In fol. ff. 234. Saec. xiii. ineuntis. In vet. catal. codd. T. Allen, 2; item, '24.' Bene exaratus, hic illic literis initialibus depictis.

1. **Liber Esaiae prophetae, glossatus [per Gilbertum Autissiodorensem, postea Londinensem episcopum, *Universalem* dictum.] f. 1.**

Inc. praef. 'Nemo cum prophetas versibus viderit esse descriptos.'

2. **Liber Hieremiae prophetae, glossatus [per eundem]. f. 96.**

Inc. praef. 'Deus ad benefaciendum promptus est, ad puniendum dissimulator.'

3. **Threni Hieremiae, glossati per eundem. f. 198.**

Inc. praef. 'Sunt Cantica canticorum, sunt et Lamentaciones lamentorum.'

Ad calc. 'Suffitiant hec ad exposicionem Lamentacionum Jeremie, que de patrum fontibus hausi ego Gillibertus, Altisiodorensis ecclesie diaconus.'

227.

Membranaceus. In fol. ff. 270. Anno 1461 pulchre descriptus et ornatus. Inter codd. T. Allen, '5.'

Officia divina [in usum abbatiae de Abingdon, in com. Bercheriensi].

1. **Orationes 'cum induit se abbas vestimentis episcopalibus,' et forma pro exorcismo salis. f. 1.**

2. **Calendarium. f. 7.**

Commemorationes insunt abbatum et priorum variorum quorum nomina inveniuntur in fastis monasterii Abendoniensis; item, ad diem 23 Oct. sunt haec, literis caeruleis, 'Dedicacio ecclesie Abendone.'

3. Missale, a die Paschae usque ad diem S. Thomae apost.; sequuntur, commune sanctorum, missae de S. Trinitate et de Cruce, etc., atque orationes generales. **f. 13.**

> Ad calcem hi versus, literis rubris :—
>   'Scriptori merita mater pia, redde, Maria,
>   Annus millenus quadringenus tibi notus
>   Et sexagenus primus tunc, ecce, repletus.'
> Quatuor folia, olim subsequentia, hodie desunt.

228.

Membranaceus. In fol. ff. 79, praeter schedulas quasdam ad ff. 47, 48, et 75 insertas; binis columnis. Saec. xiv. Inter codd. T. Allen, '23,' '61.' In primo folio est nomen, manu antiqua, 'Stevenson;' et in fol. 2ᵇ, manu saec. xv, tabula contentorum.

1. Glossa brevis super tractatum [Johannis de Sacro Bosco] de Sphaera. **f. 1.**

> Inc. '*Spera est circumferencia d[imidii] c[irculi], etc.* Et notato quod hic agitur de motu.'
> Expl. '—hoc est, non oriuntur existentibus sub equinocciali. Explicit.'

2. Brevia de quatuor climatibus mundi et de septem planetis. **f. 1ᵇ.**

3. 'Incipit quidam tractatus de 7 planetis et 12 signis et de multis aliis rebus sub compendio traditus;' *initium solum, ibid.*

> Inc. 'In principio creavit Deus celum et terram. In primo ordinavit 12 zodiaci circuli signa.'
> *Desunt quaedam.*

4. 'De signacione puerorum in qua die nascuntur.' **f. 3.**

> Inc. 'Sol est mundi oculus.'
> Ad calc. 'Expliciunt signaciones puerorum in qua die nascuntur per 7 planetas, et nomina et natura 12 signorum.'

5. [Alexandri de Villa Dei] Massa Compoti, metrice, cum praefatione atque commentario prosaice scriptis. **f. 3ᵇ.**

> In quatuor partes divisa : 1 de calendis ; 2. de cunctis terminis ; 3. cyclum solare ; 4. cyclum lunare et epactae.
> Inc. praef. 'Licet modo in fine temporum constat habere plures radices [*sic; lege* codices] qui de arte calculatoria videantur posse sufficere.'
> Inc. textus : 'Aureus in Jano numerus clavesque novantur.'
> Desinit incompletus ad lineam,
>   'Et noctes equant Aries et Libra diebus,'
> quae invenitur in fol. 194 codicis Ashmol. 1522, ubi textus (sine commentario) desinit in fol. 198ᵇ.

6. Commentarius [Haly ibn Rodhwan] in Centiloquium Ptolomaei. **f. 8.**

> Inc. '*Sciencia stellarum ex illis et ex te est.*'
> Expl. in cap. 100, '—quia luna sub terra tunc erit, sed si fuerit inter. *Imperfectum.*'
> Impress. cum *Quadripartito* Ptolomaei aliisque astronomicis, fol. Ven. 1493, sed versus finem omnino differunt et textus et commentarius in exemplari nostro.

7. 'Liber Messahalle intencionum secretorum astronomie.' **f. 12ᵇ.**

> Inc. 'Precepit Messehallach ut constituas ascendentem per gradum suum atque minuta et 12 domos certissime, et dixit quod interrogaciones sunt tribus modis.'
> Expl. '—Qui est principium et radix tocius sciencie, qui sit benedictus. Amen.'

8. Tractatus Galfridi de Meldis de stellis comatis. **f. 14.**

> Ex Johanne Damasceno, Aristotele, Ptolomaeo atque Albumazar confectus.
> Inc. 'Omnibus in stellarum sciencia studentibus Galfridus de Meldis presentem cedulam corrigendam.'

9. 'Tractatus de 28 mansionibus lune.' **f. 14ᵇ.**

> Inc. 'Prima mansio lune ab antiquis philosophis vocatur Alnach.'

10. [Introductio, sive canon, in Almanach Profacii.] **f. 15ᵇ.**

> Praemittitur in hunc brevem tractatum anonymum descriptio haec, manu secunda saec. xiv :—'Apparet ex fine quod sit introductorium Profacii Judei in almanak suum, et ex principio apparet quod sit exposicio quorund[dam] terminorum requisitorum ad ipsum almanak pro theorica cognoscenda.'
> Inc. 'Astrologie floridos fructus quivis efficaciter metere concupiscat.'

11. Albumazar Flores astrologiae; libris duobus. **f. 16.**

> Inc. 'Oportet te primum scire dominum anni.'
> Impr. 4°. Ven. s. a.
> In margine inferiori haec addit scriba ;—'Hoc inveni in prologo alterius exempli hujus libri : hic est liber quem collegit Albumasar de floribus eorum que signant res superiores in rebus inferioribus, et quid sit in revolucione annorum et mensium ac dierum, et erat hunc librum deferens secum in peregrinacionibus quia posuit in eo flores rerum et cetera de hiis que elegit et placuerunt sibi, et incipit sic, Dixit Albumasar.'

12. 'Compotus sancti Roberti Grosteste Lyncoliensis episcopi, modo prolixo et bono;' duodecim capitulis. **f. 20.**

> Inc. 'Compotus est sciencia numeracionis.'
> Expl. 'Ab hiis autem ceterorum jejuniorum observacio patriarum consuetudinibus est permissa.'

13. Tabulae duae calendares. **f. 27ᵇ.**

14. 'Liber morum de regimine dominorum, qui alio nomine dicitur Secreta Secretorum, editus ab Aristotile ad peticionem Alexandri imperatoris.' *ibid.*

> In margine superiori haec notat scriba:—'In isto libello primo ponitur prologus, deinde tabula contentorum in libro, deinde prologus cujusdam doctoris in commendacionem Aristotilis, deinde prologus Johannis qui transtulit librum istum, deinde epistola Aristotilis ad Alexandrum deinde incipit liber Aristotilis, deinde phisionomia Aristotilis ad Alexandrum.'
> Post verba 'semper ad meliorem et probabiliorem partem,' cum quibus concluditur textus in impressis, haec sequuntur:—
> i. 'Capitulum Aviconne [Avicenne?] de serpentibus.' f. 38ᵇ.
> Inc. 'Capiantur vipere cum est finis veris.'
> ii. 'De fructibus planetarum.' f. 39.
> Inc. 'Cupientibus habere fructum planetarum primo oportet scire quid sit eorum ordo.'
> Ad calc. (f. 40ᵇ), 'Explicit liber de secretis secretorum Aristotilis.'

15. 'In nomine Dei et ejus auxilio incipit Liber Alfragani in quibusdam collectivis Sciencia astrorum et radicum motuum planetarum, et est triginta differenciarum, interpretatus a Johanne Hispalenum sub Dei laude.' **f. 41.**

> Impress. sub tit. *Rudimenta astronomica*, 4°. Norimb. 1537, et alibi.
> Schedulae duae, notulas quasdam habentes, foliis 47ᵇ, 48, consutae sunt.

16. Tabulae quaedam pro planetarum motibus calculandis, ita in tabula contentorum (f. 2ᵇ) descriptae: '3 cicli conjunccionum et opposicionum cum eclipsibus.' **f. 50.**

In f. 51ᵇ, 'Tabula eclipsium solis pro primo ciclo, cujus principium est annus Domini 1330, cujus autem finis est annus Christi 1348.'

17. 'Tractatus de utilitatibus equatorii planetarum magistri Johannis de Lineriis.' **f. 53ᵇ.**

Inc. 'Descripciones que sunt in equatorio notificare.'
Expl. '—a fine arcus zodiaci seu equantis usque ad principium. Explicit ars utendi equatorio planetarum magistri Johannis de Lineris. Corrigitur secundum exemplum.'

18. 'Liber lune;' tractatus de 28 mansionibus et 28 imaginibus lunae, et de 54 angelis 'qui serviunt ymaginibus.' **f. 54ᵇ.**

Desinit abrupte, incompletus, in verbis, 'in cujus facta fuerit sepeliatur et non ledet medium.'

19. Proportiones motuum [Thomae Bradwardini archiep. Cantuar.] **f. 56.**

Inc. 'Omnem motum successivum alteri motui in velocitate proporcionari contingit.'
Ad calc. 'Expliciunt proporciones,' addit manus saec. xv, 'Bradewardyn.'
Impressae exstant.

20. [Johannis de Sacro Bosco] Tractatus de sphaera. **f. 61ᵇ.**

Inc. 'Tractatum de spera in 4 capitula distinguimus.'
Impr. exstat.

21. Commentarius anonymus in tractatum praecedentem. **f. 66.**

Inc. 'Una sciencia est nobilior vel melior alia duabus de causis.'
Expl. '—per prius et posterius ut ibidem declaratur. Explicit. Finita est ista compilacio super materiam de spera celesti.' Citatur Ovidius.

22. Regulae de responsis astrologicis per literas alphabeti Hebraici calculandis. **f. 73ᵇ.**

Inc. 'Omne aut cognomen hominis cujusdam inauditum vel rei.'
Expl. '—pro *e* pura et simplici *alef* scias subputari.'

23. Tractatus de virtutibus septem planetarum. **f. 74.**

Inc. 'Gloriosissimus et subtilissimus Deus, Creator omnium rerum, ordinavit in vii. speris vii. planetas.'
Expl. '—et tu qui facis debes esse mundus.'

24. 'Liber Messehalla de significacione planetarum et plagis terre;' in 12 capitulis; a Johanne Hispalensi translatus. **f. 75.**

Inc. cap. i. 'Quia Deus altissimus fecit terram ad similitudinem spere.'
Impr., sub tit. *De conjunctionibus planetarum*, una cum Ptolomaeo, fol. Ven. 1493, et alibi.

25. [Alberti Magni] Tractatus de libris astronomicis licitis et illicitis. **f. 76.**

Inc. 'Occasione quorundam librorum apud quos non est radix sciencie.'
Impr. inter *Opera* Alberti, vol. v. p. 656.
In margine superiori haec notat manus saec. xiv: 'Tractatus magistri Philippi cancellarii Parisiensis de libris astronomie qui tenendi sunt secundum integritatem fidei catholice et qui non.'
Olim, secundum tabulam veterem contentorum codicis, hic sequebatur, 'Liber alkymicus prolixus.'

229. [B. N. 18.]

Membranaceus. In fol. majori. ff. 207. Saec. xiii. Binis columnis; bene scriptus et servatus; notis marginalibus, diversis manibus, per libros Pentateuchi et Nov. Test., interspersis.

Biblia Vulgata, cum praefationibus Hieronymi.

Psalmi adduntur manu secunda ad calcem librorum Vet. Test.
Accedunt ad finem codicis:—

1. Tabula alphabetica interpretationum nominum propriorum. **f. 197.**

Ad calc. 'Expliciunt interpretaciones Biblee. Quod Symon Andrew.'

2. Tabula epistolarum et evangeliorum pro diebus Dominicis et diebus sanctorum per annum. **f. 207.**

Notat, ad f. 207ᵇ manus saec. xiv, 'precii cˢ,' (figura autem *c*. pro altera substituta) et in fol. ad initium compacto sunt haec, 'Gybbys. xxxˢ.'

230.

Membranaceus. In fol. majori. ff. 223. Saec. xv. Binis columnis; bene exaratus. Inter codd. T. Allen, '4.' Deest fol. unum in initio, item alterum inter ff. 27, 28.

1. 'The Sege of Thebes,' a poem by John Lydgate; in three parts. **f. 1.**

The first leaf, containing the greater portion of the prologue, is lost.
Beg. 'Fully in purpos to come vnto dinere
Vnto Ospringe and breke þere oure faste,
And whanne we weren fro Caunterbury paste.'

2. 'The Sege of Troye,' [by Lydgate]; being his version of Guido de Colonna's translation of Dares Phrygius; in five books. **f. 28.**

The first leaf is also wanting here, having probably been cut out for the sake of some illuminated initial.
Beg. (in prol.) 'The sothfast pith to impe it in oure þought.'

3. 'The Sege of Jerusalem,' [by Adam Davie, or by Lydgate]; being a narrative of our Lord's Passion, and legends of Pilate and Vespasian, and of the capture of the former when Jerusalem was taken. **f. 195.**

Beg. 'Lystneth alle that ben alyve
Bothe cristen man and wyve,
And I wole ȝow telle a wonder cas
Howe Jhesu Crist byhated was.'
Other copies are in Laud MS. 622 and Douce 78.
At the end, in red letters,
'Pees makith Plente,
Plente makith Pride,
Pride makith Plee, } And therfore
Plee makith Pouert,
Pouert makith Pees.
Grace growith aftir gouernaunce.'
On a fly-leaf at the end, 'Fran. Richarde,' and in the same hand (of sixteenth cent.), 'If happ helpe not Hope is hindered. William Gresley.' In the upper margin of f. 39ᵇ is written, 'The trwyffe (?) of wemenne quod Fynderne.'

231. [B. N. 19.]

Membranaceus. In fol. majori. ff. 340. Saec. xv. Bene exaratus atque servatus. 'Hunc librum habui ex bibliotheca quam Pius 2us, Pontifex Maximus, Sienis fundavit. K. D.'

Marci Tullii Ciceronis Orationes.

Insignia gentilitia in primo folio olim, ut videtur, depicta quidam barbarus erasit; tres autem virorum imagines totidemque mulierum, forsan verae icones, remanent in oris ejusdem folii eleganter depictis.

Ad init. voluminis haec notata sunt: 'Codicem hunc MS. cum editione Jacobi Gronovii in 4°. contuli Maii 2do CIↃ.DCC.IX. Tho. Hearne.'

232.

Membranaceus. In fol. majori. ff. 157. Saec. xv. Binis columnis; bene scriptus.. In fol. 157^b, 'Edward Atkinson, his booke, 1605.'

Lydgate's Siege of Troy; in five books, with prologue, 'lenvoye' to Hen. V., and the two final stanzas of 'Verba Translatoris ad librum suum.'

There are miniatures at the beginning of the prologue and of each of the books; the first one represents Lydgate kneeling and presenting his work to the king. But the manuscript does not as a whole merit the description given by Warton, who says (*Hist. of Engl. Poet.* § xxiii.) that 'from the splendour of the decorations it appears to be the copy which Lydgate gave to Henry the Fifth.' At the bottom of the first page is the coat of arms (arg. a chevron sable between three tuns) borne by the Vintners' Company, and granted to them in 1442; it is not therefore likely that the manuscript was written as a presentation-copy for King Henry V.

At f. 105 are written in the margin some trifling religious lines beginning with the successive letters of the alphabet from A to S.

233.

Membranaceus. In fol. majori. ff. 227. Saec. xv. ineuntis. Binis columnis; bene scriptus. In fol. ad calcem compacto, 'Loyallte me ley. Mary Hastyngs, Hungreford, Bottreaux, Molliens [Molines] and Mulles [Moeles]. God help me. M. H. H. M. B. M. H.' (?); in fol. 227^b, 'Arthur Gresley,' 'Geo. Gresley.' Inter codd. T. Allen, '1, 2.' Deest fol. unum inter ff. 116, 117.

1. Translation into English of the treatise by Ægidius de Columna *De Regimine Principum.* f. 1.

One leaf, containing chap. xx. of the third part of book ii., with the list of chapters in part i. of book iii., is wanting, having been probably cut out for the sake of the illumination prefixed to book iii. The first book has at its commencement a miniature representing the presentation of the work by the author, in the habit of a monk, to King Philip of France, and the second book a similar miniature, in which the author kneeling before the King, addresses him, as he draws near the door of his house, followed by his household, on the duties of family life.

'To his special lord icome of kynges blood and of most holy kyn sire Phelyp þe eldest sone and heire of þe passyng clere man sire Phelyp.'

End, '—cheef quiete and reste, þe whiche pees God graunteþ and byhoteþ to his owne trewe servantes, þat is iblessed for everemore. Amen.'

2. Translation of Vegetius *De re militari.* f. 183.

Tit. 'Here bygynneþ a schort tretys þe whiche Vegesius þat was þe worschepful Erle Renate is sone wroot to þe Emperoure of Rome, þe whiche tretis is depertid in foure books;' *etc.*

Prol. beg. 'In olde tyme it was þe manere and þe costome þat sotelteis and studies of hie craftis.'

Treatise ends, '—þan eny olde doctrine or lore in bokes hath schewed. Explicit. Here endeth þe book þat clerkes clepum in latyne Vigesius de re militari, þe book of Vigesii of dedus of knyჳthod, þe whiche book was translated and turned fro latyn into englishe at þe ordinaunce and byddynge of þe worthi and worschepful lord sire Thomas of Berkeley to gret disport and dalyaunce of lordes and alle worthy werryours þat ben apassed by wey of age al labour and trauaillyng, and to grete informacioun and lernyng of ჳonge lordes and knyჳtes þat ben lusty and loueþ to here and see and to vse dedus of armes and chiualrye. þe turnynge of þis book into englisch was wretoun and endud in vigil of al halwes, þe ჳeer of oure lord a þousand foure hundred and eiჳte, þe x^e ჳeer of Kyng henry þe ferþe. To him and to vs alle god graunt grace of oure offendynde (*sic*) space to oure amendynge, and his face to seen at oure endyng. Amen.

This is his name þat turned þis book fro latyn in to Englische, worschepful ☐ toun.'

The name of the translator was evidently therefore *Clef-* or Clif-ton. Another copy, with the same enigmatical colophon, is in Magd. Coll. MS. 30; *comp.* Mr. Coxe's Catalogue. Tanner supposed from the connection of the translator with Sir Thomas Berkeley that the version was made by John Trevisa, who was vicar of Berkeley at the time, and translated Barth. Glanville's treatise *De proprietatibus rerum* and Higden's *Polychronicon* at the request of the same Sir Thomas Berkeley.

234 *a, b, c.*

Tres codices chartacei. In 4°. Saec. xvii. ff. 57, 40, et 38.

1. (*a*) 'Catalogus librorum manuscriptorum quos publicae Bibliothecae academiae Oxoniensis dedit Kenelmus Digby, Eq. Aur., anno 1634;' cum numeris olim Allenianis, additis etiam numeris in ordine novo.

Bene scriptus. In tegmine affixum est hoc memorandum de advectione codicum, atque etiam de allocatione eorundem inter parietes bibliothecae:—

'Decemb. 31, 1634, Delivered then to Mr. Joh. Rowse, Biblioth., of Sir Kenelme Dygbies guift [15] chests of manus. books conteyning 233 voluns 5 rowles and a Catalog of them in velam guilt. By mee, Rob. Pinck, Vicecan.'

2. (*b.*) Exemplar secundum ejusdem Catalogi, in usum commune transcriptum.

3. (*c.*) Exemplar tertium.

235.

Membranaceus. In fol. ff. 270. Saec. xv. Binis columnis. Inter codd. T. Allen, '18.' Anno 1825 emptus, et in locum a Digbaeo destinatum feliciter reductus. (Duo folia exscissa sunt inter ff. 183, 4.

1. Rogeri Bacon Opus Majus. f. 1.

Inc. 'Sapiencie perfecta consideracio consistit in duobus.'

Paginae 249-295 ex altero et antiquiore exemplari, saeculo scilicet xiv. exarato, desumptae sunt, quibus scriba secundus suas schedas juxta ordinem contentorum cura diligenti annectit.

Ad p. 304, 'Finit 5ta pars majoris operis fratris Rogeri Bacon.' Deinde sequuntur—

   i. 'Tractatus magistri Rogeri Bacon de multiplicacione specierum.' p. 305.

ii. 'Pars 6ta hujus persuasionis et est 6ta pars majoris operis de sciencia experimentali.' p. 389.

Desin. '—et secreta nature et artis indagarent.'

Hucusque impressum exstat *Opus*, cura Sam. Jebb, fol. Lond. 1733.

iii. 'Pars septima hujus persuasionis de morali philosophia, habens distincciones et capitula . . .' p. 421.

Inc. 'Manifestavi in precedentibus quod cognicio linguarum, et mathematica.'

Desin. 'Et alibi, Nolite tangere christos meos. Et quid potest homo plus petere in hac vita?'

Ad initium codicis compactum est folium unicum e codice quodam saec. xiv., continens capp. xiii–xvi. cujusdam historiae de Tartaris, cum titulo suprascripto 'Tempora Vacacionis Imperii.' Capitula his titulis insignita sunt : 'xiiij. De potestate imperatoris [*scil.* Tartarorum] et ducum ejus. xv. De eleccione imperatoris Occoday [*scil.* post mortem Chingiscan] et legacione ducis Bacy. xvi. De legacione Cyrpodan ducis. xvij. Qualiter Tartari se habent in preliis.'

236.

Membranaceus. In fol. Saec. xiv. ff. 195. Binis columnis. Inter codd. T. Allen, '11,' '51.' Anno 1825 a Bibliotheca acquisitus eodem modo ac codex praecedens.

1. Commentarius Procli in Platonis Parmenidem, libris septem; [ex versione Gulielmi de Morbeka?]. f. 1.

Inc. 'O . . . (?) deos deasque omnes.'

Expl. '—abnegaciones silencio autem conclusit eamque de ipso theoriam.'

Explicit 7us liber exposicionis Procli in Parmenidem Platonis.'

Hic illic verba omissa sunt quae scriba in exemplari quo usus est legere (ut videtur) non potuit.

2. [Liber Procli de providentia et fato, ad Theodorum], capitulis quatuordecim, ex versione Gul. de Morbeka. f. 150.

Inc. 'Conceptus quidem tue anime, amice Theodore.'

Ad calc. 'Expleta fuit translacio hujus operis Corinthi 14^a die mensis Feb. anno Domini M.CC.LXXX. per fratrem G. de Morbeka archiepiscopum loci.'

3. Ejusdem liber de subsistentia malorum; ex versione translatoris ejusdem. f. 158.

Inc. 'Plato quidem magnus in primo Legum adamantinis ut est dicere sermonibus.'

Ad calc. 'Explicit liber Procli de subsistencia malorum, et completa fuit translacio ejusdem Corinthi a fratre Guillelmo de Morbek archiepiscopo Corinthiensi, anno Domini 1280, 22 die Febr.'

4. 'Epistola Averoys ad amicum qui intitulatur qualiter possit Deus singula scire.' f. 184.

Inc. 'Inpegisti, inquis, in illam dubitacionem que circa scienciam Dei eternam consuevit accidere, quomodo, scilicet, possit Deus absque sui mutacione universa et singula scire.'

5. 'Tractatus ejusdem de perfeccione naturali intellectus secundum mentem philosophi.' f. 185.

Inc. 'Intencio mea in hoc tractatu nobilissimo est declarare secundum principalem intencionem philosophorum.'

Expl. '—et sua essencia perfeccior est ut recipiat formam; si autem forma non esset, nec materia.'

Explicit tractatus Averoys de perfeccione naturali intellectus secundum mentem philosophi, et forte modicum deficit.'

Impr. sub tit. *Tract. de animae beatitudine*, f. 64. vol. ix. Operum Aristotelis, per Juntas, Venet. 1550, et alibi.

6. 'Tractatus Averoys de separacione primi principii,' cum prologo interpretis Alphonsi cujusdam Toletani. f. 190.

Inc. prol. 'Pro tractatu sequente est advertendum ad id quod Averoys dicit in principio hujus tractatus, scil. quod non est alia via ad prod. vel ad affirmandum aliquid separatum esse nisi via motus qua incessit Aristoteles.' Postea sequuntur haec :—'Credo quod sit iste tractatus qui dicitur de separacione primi principii, quoniam apud nullum de lingua Arabica vel Latina inveni alium tractatum de hac materia quanquam diligenter perquisivi.' Postea, juxta finem, 'Scivit enim Averoys optime Almagestum. Nam vidi per eum Almagesti abbreviatum, quem librum fecit transferri Rex Alfonsus Magnus, et habetur Bononie et in Hispania. Hec sunt verba magistri Alfonsi translatoris hujus tractatus, qui intitulatus Contra aliquos Avicennistas ad prod. primum necesse esse, id est, primum principium, scil. Deum, ipsum esse abstractum a materia, scil. per se subsistentem, et potest verius intitulari Tractatus Averoys de separacione primi principii.'

Inc. textus, 'Inquit Alkaid et senescallus vel judex Abualualit Benrost quod qui inspexerunt in sciencia secundum viam Viatorum, scil. Peripateticorum.'

Expl. '—quod primum principium est unum, et quod [non] indiget alio principio nisi ex habundanti. Explicit addicio Averoys super demonstracione Aristotelis dicentem (*sic*) primam causam esse unicam, infinitam in duracione et vigore, et ipsam esse causam omnium rerum ultimatam, et iste tractatus translatus fuit a magistro Alfonsio Dionysii de Vlixbona Hispano apud Vallem Toleti, interprete magistro Alfonso converso, sacrista Toletano.'

7. Narratio de Averroe et rege Saraceno Cordubensi, in laudem ejusdem Averrois. f. 194^b.

Inc. 'Sciendum quod retulit mihi Alfonso unus fide dignus Judeus, medicus regis Castelle, quo inter Judeos neminem inveni meliorem et veraciorem, quod in cronicis Saracenorum legitur pro constanti quod iste solempnissimus amator philosophice veritatis, precipuus ac philosophie Aristotelis singularis evulgator, quem nos Christiani communiter vocamus commentatorem Averoys.'

Expl. 'Ex hiis patet quare dicitur Averoys Alcayd in principio precedentis tractatus. Explicit.'

ROTULI.

I.

Membranaceus, decem schedis simul consutis constans; paucis quibusdam verbis in initio carens.

Processus in curia Romana anno 1312, inter Fratres Ordinis Predicatorum apud Oxonium commorantes, ex una parte, et Cancellarium Magistrosque Universitatis Oxon., ex altera, in quo recensentur statuta de gradibus academicis anno 1251 edita, variaque annis 1311–12 apud Oxonienses gesta.

Narratio brevis de tota re hic agitata, ex hoc rotulo pro maxima parte confecta, invenienda est in libro Ant. à Wood, *Hist. and Antiq. of the Univ. of Oxf.* [1792], vol. i. pp. 376–380.

In calce sequuntur certificationes notariales, hae forma:—

'Et ego Pax, quondam Guidarelli, de civitate Castelli clericus, publicus imperiali auctoritate notarius, predicta omnia acta habita et actitata, coram reverendo patre domino Ricciardo sancti Eustachii diacono Cardinali, prout in Regestro magistri Guillielmi notarii suprascripti inveni, ita hic in hiis decem peciis de pergameno transcripsi, nil addens vel minuens quod sensum mutet vel intellectum, nisi forte punctum vel silabum, et de licencia ipsius Guillielmi in hac publica forma redegi, et in juncturis earum signum meum apposui consuetum in testimonium premissorum.

'Et ego Guillielmus Toringhelli, clericus Lucanus, publicus apostolica et imperiali auctoritate notarius, et dicti domini Cardinalis scriba, acta predicta omnia habita et actitata coram predicto domino Cardinale prout in Regestro ipsius domini Cardinalis de verbo ad verbum scripseram, ita hic per Pacem notarium predictum in istis decem peciis pergameni simul sutis, et in juncturis earum meo et dicti Pacis signo signatis, transcribi feci, et quia facta collacione de dicto Regestro ad hanc copiam ipsa concordare invenimus, ideo me subscripsi et signum apposui consuetum.'

II.

Membranaceus, perlongus, pedum sexaginta unius; bene scriptus. Saec. xvi. ineuntis.

'Nomina custodum London;' being the Chronicle of London, from the accession of Rich. I, 1189, to the third year of Hen. VIII, 1511, in English.

To the year 1442, 21 Hen. VI, the Chronicle agrees *verbatim* with the text printed from Harl. MS. 565 by Sir H. Nicolas in 1827; for the year 1443 the narrative is continued in English, but thenceforward to 1489, 5 Hen. VII, the entries are few, brief, and in Latin. At 1490 the English narrative is resumed in a full form, and ends with the names of the Lord Mayor and Sheriffs 3 Hen. VIII. Under the year 1498 is an account of the blessing of a new ball and cross for St. Paul's steeple by the Bishop of London, which is printed in vol. xxvii. of the *Journal of the Brit. Archæol. Assoc.*, pp. 127–8 (where for 'oute' read 'once,' and for 'six ynche' read 'xi ynche').

On the back of the roll are—

1. A list of 'The Craftes in London,' in number 72.

2. 'Nomina omnium ecclesiarum parochialium infra civitatem London et franc[hisas] ejusdem.'

3. Assessment of each ward for the tax of a fifteenth.

4. Table of regnal years from the Conquest to Hen. VIII, with the days of accession, coronation, and death.

III.

Membranaceus, saec. xv.

1. 'Tractatus arsmetrice,' sive ars mensurandi; cum figuris.

'Dicitur ars metrica de *Ars, tis,* et *metros* quod est *mensura,* quasi Ars mensurandi. Dividitur autem iste tractatus in tres partes, scil. in altimetriam, planimetriam et profundimetriam.'

2. Astrologica quaedam; de quaestionibus variis determinandis, etc.

3. Translation of [chaps 1–5 of the 'Exafrenon prognosticorum temporis' of Rich. Wallingford, abbot of St. Alban's.]

Beg. 'To the perfyte knowlage of the synes of the craft of astronomye.'

End, '—þe thyrd face as þus i. þe figures of þis … in þe nexd tabil foluand.'

See another copy in MS. 67 *supra*. There is the same passage here about the tables (for which blank spaces are left), but ending, 'the wyrshypfull prelate þat *this* treite made.'

IV.

Membranaceus. Saec. xiv. exeuntis sive xv. ineuntis.

A treatise of Palmistry, written at the desire of an English lady.

Beg. 'Ryȝt noble and reuerent Ladi, As Poetys dyties recordene, the prayer of the souereyn is a violent maner of comavvndement, which semeth not ȝe soiet in no wyse disobey. This made me to awake as fro my long slep of sadness whan yowre chargaunt prayer sownd in my erys, where in I conceyuyd that yovvre reuerence likyd I shuld conuerte my stody a lytyl space to make you a smalle tretyse of Palmestrie, and declaren it in open speche of owre modir langage.'

V.

Membranaceus. Saec. xiv.

Calendarium astronomicum, cum tabulis ad cognoscendam quantitatem diei, crepusculi, atque noctis per verum locum solis.

APPENDIX.

CATALOGUS ALIORUM CODICUM MSS. QUOS ANNO 1622 POSSEDIT

T. ALLEN, QUI HODIE INTER CODD. DIGBEIANOS

NON REPERIUNTUR.

Excerptus e Catalogo in cod. Wood. F. 26 asservato.

IN FOLIO.

9. Rob. Lincoln. de Intelligentiis.
   Idem de cessatione legalium.
   Ejusdem Exameron.
   Chronicon de Anglia et de rebus in ea gestis, et illius regibus.
   Speculum chronicorum.

12. Vitae Pontificum Romanorum.
    Vitae archiepiscoporum Cantuar.
    Episcopi soli Rom. pontifici et nulli aliae provinciae subjecti.
    Brutus de gestis Anglorum.
    Chronicon aliud de Regibus Angliae.
    Omnia haec sub nomine Willielmi [Johannis?] Reade.
    [Hodie Cotton. Julius B. iii.]

14. Lincolniensis de cessatione legalium.

23. S. Hieronymus in minores Prophetas.

25. Glossarium Saxonicum.

28. Pars prima Granarii Johannis de Loco Frumenti, seu Whethamsted, abbatis de S. Albano.

29. Altera pars ejusdem.

30. Rolandi Reductorium physiognomiae.

43. Fragmentum Rogeri Bacon de erratis theologorum, et de rerum generationibus.

47. Liber chartarum prioratus S. Frideswydae Virg. Oxon. In bib. C. C. C. Oxon.

56. Registrum quoddam ecclesiae cathedralis Cantuar.

57. Summa logicae et philosophiae Johannis Dumbleton.

58. Gulielmi Worcestrensis variorum autorum deflorationes.

62 B. Albertanus de lingua.
    Prophetiae diversae.
    Visio quaedam S. Thomae Cantuar.
    Prophetiae Merlini.
    Prophetiae Hermetis.
    Tractatus de confessione.
    Galfredus de Solo super Nono Almansoris.
    Antidotarius Arnoldi de Nova Villa.
    Receptae magistri Jordani de Turro.
    Cura mali morbi magistri Johannis de Turnonia.
    Liber Johannis Jacob de pestilentia.
    Liber virtutum medicinarum simplicium per unum Johannem de S. Paulo.
    [*Et quadraginta sex tractatus alii de medicis variis.*]

63. Discorso sopra la corte di Roma di monsignore ill^mo et rever^mo il cardinale Comendone vescovo di Zante.

64. Roffensis de divortio Regis Henrici 8.

66. An English book of Heraldry.
    Creations of the nobility of England.
    Officers of the Coronation.
    Earle Marshall his office.
    Royall Genealogies; and the like.

67. Quadrilogium de vita S. Thomae.

IN 4°.

4. [*Hodie in hoc codice, nunc 168, haec desiderantur.*]
   Liber Maumeti filii Mossi Altharismi de Algebra, etc.
   Tractatus Euclidis de speculis.
   Liber Saydi Abnothini de figuris, etc.
   Excerpta ex libro Apollonii de pyramidibus.
   Excerpta ex libro Messahala de causa, motu et natura orbis.

7. [*Pars hodie invenitur in codd.* 170 *et* 173; *quae sequuntur desiderantur.*]

    Confessio Johannis Tyssingtoni, fratris Ordinis Minorum, contra Wyclefum.

    Bulla Gregorii papae ad universitatem Oxon. contra Jo. Wyclef, cum protestatione et responsione ejusdem Wyclefi ad eandem bullam.

    Determinatio magistri Johannis Wyclef de dominio, cum responsione alterius incerti authoris.

8. Alredus abbas Rievallensis de institutis inclusarum.

    Meditationes Anselmi Cantuar. archiepiscopi.

    Meditationes Bernardi Clarvellensis.

    Libellus Elizabethae ancillae Christi et sanctimonialis Stavaugiae.

    Liber viarum Dei annunciatus praedictae Elizabethae A.D. 1157.

    Sermo magistri Willelmi de Rymyngton, monachi de Salley, cancellarii Oxon., in synodo Eborac. anno Christi 1373.

    Sermo ejusdem ibidem A.D. 1372.

11. Tractatus de tribus regibus Coloniae.

    Chronicon quoddam de Bruto et illius historia; Gallice.

    The Lamentation of our Lady St. Mary.

    A treatise in English of 6 Masters.

    Consecratio et coronatio Regis et Reginae Angliae.

16. Chronica cujusdam monachi de Brinton [Bruton?] de regibus Angliae ab adventu Normannorum usque ad Ricardum 2.

89. Aphorismi varii de re astrologica Johannis Robyns.

90. Tractatus de prognosticatione per eclipsim, etc. per Jo. Robyns.

52. Narrationes aliquot.

56. Liber geomantiae, cum quodam tractatu de Paschate et calendario.

60. Leonardi Aretini oratio in hypocritas.

    Idem in nebulonem maledictum.

    Tractatus unus aut alter tapi Castelunculi [*sic*] de curiae commodis, in vitam Periclis, etc.

    Antonii Tudelini consolatio ad Cardinalem Campanum de obitu fratris sui.

84. Statuta aularia Oxon. cum statutis collegii sanctae Mariae in Oxon.: statuta collegii sancti Georgii infra Castrum Oxon. cum statutis illius ordinis.

88. Robertus Talbott in Itinerarium Antonini quoad Brittaniam.

65. Epistola universitatis Oxon. ad papam Joh. XXII. de promotionibus.

    Varii articuli Anglorum exhibiti papae Rom.

    Bulla papae Johannis scolaribus Oxon. de publicandis decretalibus.

    Tractatus de vii. vitiis mortalibus.

    Sermo de omnibus sanctis.

    Tractatus Ricardi Hampole de emendatione vitae.

    Turgotus, prior Dunelmensis, de exordio et occursu illius ecclesiae.

    Tractatus de signis.

        [Cotton. Faust. A. v.]

87. Liber de antiquitate coenobii Glastoniensis.

67. Postillae quaedam veteres Saxonice.

74. Joh. Robyns annotationes astrologicae.

76. Joh. Robyns annotationes astrologicae aliae.

77. A booke of the lands of the knights of the order of St. John of Jerusalem.

78. Rogerus Bacon de erroribus medicorum.

    Ejusdem tractatus de experimentali scientia, aut saltem excerpta ex illo tractatu.

79. Ars notoria, ad Hen. regem Angliae.

80. A compendious introduction to Dyallinge.

In 8vo.

In 8vo.

3. Radulphi Nigri Chronicon.

        [Cotton. Cleop. C. x.]

4. Liber de sphaeris, signis et planetis, Gallice.

5. Incerti authoris Chronicon de rebus Britannicis, cum miscelaneis quibusdam.

9. Tractatus ad rem astronomicam et notitiam calendarii pertinens. Certayne hieroglyphicks upon the moneths of the yeare, with verses in English.

12. Liber dictus Antidotarius [Nich. de Florentia, *sive* Nich. de Horsham?].

17. Tractatus de situ Hyberniae antiquus.

    Tractatus theologicus de variis rebus, etc.

    Excerpta ex Gerlando ex libro Magni Franconis Legiensis.

    Quomodo Alexander adoravit nomen Dei.

    Alii tractatus theologici.

18. Johannis Rossi Historia de regibus Angliae et contra distinctores villarum.

19. Calendarium vetus cum canonibus ejusdem, ad meridianum Oxon. ut videtur, alio planetarum calendario et elegantibus imaginibus lunae.

    De effectu lunae in 12 signis, etc.

    Parvus tractatus de lunationibus.

    Interpretatio somniorum Danielis.

Physiognomia Aristotelis cum alio de eadem re tractatu.

Tractatus chiromantiae per magistrum Rodoricum de Majoricis in universitate Oxon.

Tractatus alter de physiognomia ejusdem.

Tractatus geometricus de altimetria et planimetria.

Lyncolniensis de sphaera.

Johannes de S. Bosco de sphaera communi.

Tractatus optimus de chiromantia, id est, palmistria, cum ipsarum manuum et palmarum viva delineatione.

De constellationibus fortunae virorum et foeminarum.

De horis planetarum et effectibus earundem.

Walteri Brytt Theorica planetarum.

Tabulae Reade et canones in easdem.

Burleus in libros meteororum.

Compositio cujusdam instrumenti vocati Rectangulus per Ric. Wallingford.

Contenta astrolabii novi.

Practica magistri Johannis Slape de compositione navis, quandrantis et cylindri.

Compositio astrolabii cum figuris ejusdem.

Practica astrolabii.

Canones calendarii planetarum.

25. Bestiale, sive tractatus de bestiis.

Tractatus Will. de Monte, cancellarii Lyncoln., de tropis.

Incertus author de naturis animalium.

Imago mundi, per Henr. Huntindon.

Numerale Will. de Monte.

Vita S. Thomae Cantuar. per magistrum Edwardum.

Historia Bruti, per Galfredum Monumetensem, cum continuatione usque ad finem Ricardi 2.

[Cotton. Vesp. E. x.]

33. Johannis Robyns Annotationes Astrologicae.

34. Regula S. Benedicti Latino-Saxonice.

[Cotton. Titus A. iv.]

36. Will. Malmesburiensis de antiquitate coenobii Glaston.

40. Liber de promiscuis tractatibus, viz. de Grammatica; de Computo manuali; de Calendario; de Significatione vocum.

42. A booke of Heraldry, especially of ye armes of such as went with K. Henry ye 8 to France.

A treatise of ye Parlament of birdes.

44. Versus Gildae Britanni qui floruit anno Christi 860.

47. Martianus Capella de nuptiis Mercurii et Philo[logiae], cum commentario.

Compendium Ethicorum Aristotelis; in fine sic, Finis Monomachiae sive Ethicae Aristotelis.

Canones Aristotelis de essentia primae bonitatis expositae ab Alpharabio.

Aristoteles de somno et vigilia.

Liber Alpharabii de intellectu et intellecto.

Avicennae Tractatus de anima.

Liber Alexandri philosophi de intellectu.

Liber Aristotelis de bona fortuna.

59. Dialogus venerabilis Alredi abbatis Rhievallensis de anima.

In 16mo.

2. Secreta philosophorum.

Messahala de eclipsibus, transl. a Jo. Hispalensi de Arabico in Lat.

Vetus calendarium cum statutis.

Tractatus quidam theologicus.

Tractatus qui dicitur Astronomia super physicam.

Poema Galfredi Vinesauf Angli.

Virtutes herbae Rosamarini.

Liber Dinam deorum (sic).

Liber pharmacorum variorum.

Liber Anequems Platonis, id est, Liber vaccae.

Tractatus de experimentis variis.

6. Alphabetum antiquum Hebraicum, Caldaicum et Syriacum, characteribus majusculis et antiquissimis.

17. Constantinus monachus de coitu.

19. Aphorismi Ursonis, partim philosophici, partim medicinales.

———

Possedit etiam Th. Allen. *Evangelia S. Cuthberti*, hodie in collegio de Stonyhurst asservata, et cod. Cotton. append. iv. in quo, Guido de arte dictandi epistolas, Iter Joh. Maundevill, Philobiblion Ric. de Bury, etc.

Subjicitur huic Catalogo haec nota a Briano Twyne: 'Mr. Rich. James of Corp. Christi Coll. comminge afterwardes into Mr. Allen's acquayntance gott away many of those manuscripts from ye good old man, and conveyed them awaye to London to Sir Rob. Cotton's studdie. Allso ye owner himselfe (Mr. Tho. Allen) dienge att Oxford in Glocester hall, aᵒ Domini 1633, gave all his whole studdie of bookes to Sir Kenelme Digbie of London, who afterwardes gave most of them to ye Universities Library.'

INDEX

NOMINUM ET RERUM.

S

Nota de transl. corporis ejus in eccl. Dunelm. anno 1104, **40**. 91^b.

CUTHBERTUS, monachus. Epist. ad Cuthwinum de morte Bedae, **211**, *ad fin.*

CYPRIANUS, S. Sententiae breves ex eo, **151**. [B. N. 11.] 90^b.
Secreta; [de daemonibus], **30**. 1. Confessio; [de visionibus daemonum], *ib.*29. [Olim etiam hi duo libri spurii in **220** exstabant].

CYRILLUS, S., Alexandrinus. Catechesis quintodecima; *Graece*, **6**. 389.
Epist. ad synodum Carthaginensem, **63**. 60.

DAMIETTA: *v.* Poemata.

DANBY, Robertus, prior de Bridlington. Epitaphium, **53**. 1.

DANCK, Johannes, de Saxonia. Comment. super Isagogen Alcabitii, **48**. 243. **71**. 3 (*imperf.*). **93**. 94. **97**. 165.

DANERS: *v.* Normannia.

DANIEL, propheta. 'Sompniale'; sive liber de interpretatione somniorum, **81**. 99^b. **86**. 34^b.
'Lunarie'; prognosticationes e luna in quolibet die mensis; *Gallice*, **86**. 41.

DANIEL, quidam. Versus contra eum, quia quendam ad matrimonium contrahendum persuaserat, **196**. 20.

DARES, Phrygius: *v.* Lydgate, John. Historia de excidio Trojae, **166**. 28.

DAVID, S., archiep. Menevensis: *v.* Ricemarchus.

DAVIDSON, Andreas. Nomen inscriptum, **63**, *ad calc.*

DAVIE, Adam. 'The sege of Jerusalem'; [ascribed to him], **236**. 195.

DAW, Topias, *i. e.* John Walsingham, *q. v.*

DE, Thomas. Nomen inscriptum, **22**. 11. **64**. 125^b.

DECIMAE. Notae de eis, **65**. 34^b.

DEDINUZI, Agnolo di Jacopo, notario Fiorentino. Tracto del corso del sole e della luna, 1481, **106**.

DEE, Johannes. Art. 3 in **71** manu sua transcriptus, anno 1557.
Nota manu ejus, **192**, *in init.*
Emit **76** ex bibl. J. Lelandi.
Possedit **119**, **178** (*in parte*), **192**.

DEUS.
Dicta 24 philosophorum de Deo, **67**. 89.

DEUSDEDIT, Balius Severinus, cardinalis. Carmina sacra, **25**. 35^b.

DEWI, S., *alias* David, *q. v.*

DEFENSOR. Liber scintillarum, sub tit. 'Lib. sententiarum Cassiodori,' **158**. 7.

DIABOLUS: *v.* Epistolae.

DIALLUS: *v.* Horologium.

DIALOGI: *v.*
Baston, Rob.
Conchis, Gul. de.
Gratianus.
Mapes, Gualt.
Medicina.
Villa Nova, A. de.

Inter Dominum et monachum ord. Bened. de paupertate, **158**. 94.

Poema (sub titulo, ut videtur, *Philomenae*) de iv elementis, angelis, planetis, etc., **41**. 93.

Disputatio inter corpus et animam: *v.* Mapes, Gualt.

Dialogue between Belial and Mercury, **133**. 45.

DIES: *v.* Somer, Johannes.
Dies Egyptiaci [sive dies mali in anno], **63**. 36. Versus de diebus malis in anno, **88**. 91. Three perilous days in the year, *ib.* 77. 'Les dolerous jours del an,' **86**. 68, 168^b. —— *Italice*, **199**. 221^b.
What is a natural day, **88**. 15^b.

DIES DOMINICA. De ea, et de injunctione Innoc. I super observatione ejus, **88**. 39^b.

DIGBY, Sir Kenelm. Three catalogues of his MSS., **234**.

DII: *v.* Mythologia.

DIOGENES Cynicus. Epistolae, Lat. per Fr. Aretinum, cum ejusdem versibus, etc., **130**. 51.

DIONYSIUS Areopagita. De eclipsi ab eo tempore Passionis Domini visa, **56**. [B. N. 4.] 154^b. **149**. 123^b.
Nota de nomine ejus, **193**. 23.

DIONYSIUS Exiguus: *v.* Thomas de Novo Mercato.
Tabulae Paschales, **63**. 1. Epistola de ratione Paschae, *ib.* 63. Epist. secunda ad Bonifacium, *ib.* 67^b. De exordio sui compoti, *ib.* 67. Nota de continuatione cyclorum ejus, *ib.* 70^b.

DIRECTORIUM Planetarum, *instrumentum astronom. sic dictum*: *v.* Astrolabium.

DODDINGTON, com. Cantiae. Mem. de arrestatione vicarii, *circa* 1445, **188**. 67.

DONATUS: *v.* Oratio.
D. minor, abbreviatus, **26**. [B. N. 3.] 8. Quatuor conjugationes, sub compendio, **29**. 33.

DOROTHEUS: *v.* Astrologia.
Tractatus astrologicus de occultis, **51**. 135. **149**. 202. **194**. 139.
Citatur, **194**. 126^b.

DRAMATA: *v.* Babio.

DRAPER, Johannes, prior de Christ-Church, in com. Hant. Art. 7 in **202** ei inscriptus.

DREWS, Johannes, ord. Min., **119**. 25^b.

DUMBLETON, Johannes. Compendium de actione elementorum, e quarta parte Jo. Dumbleton, secundum Jo. Chylmerk, **77**. 153^b.

DUNELMUM. Nota de transl. corporis S. Cuthberti anno 1104, **41**. 91^b. Catalogus reliquiarum in eccl. Dunelm. saec. xii, *ib.* 92^b.

DUNS, Johannes, Scotus. Quaestiones meteorologicae: libb. i–iii, **54**. Pars meteorologicorum ejus, **37**. 72.
Quaestt. in libb. Arist. de anima, **44**. 134^b.
Quaestio de SS. Trinitate [annon ejus?], **54**. 123.

DUNSTANUS, Dorobernensis archiep.: *v.* Abbo. Osbernus.

DUSSYNG, W. Possedit **81**, art. 1.

DYER, E. Nomen inscriptum, **220**, *ad calc.*

E. R., **220**, *in init.*

EADMUNDUS, *sive* Edmundus, *q. v.*

EBORACUM. Statutum Joh., cardinalis et legati, pro reformatione monast. S. Mariae, 1206, **186**. 1.

EBRARDUS Bethuniensis. Pars initialis commentarii cujusdam in *Graecismum* ejus, **104**. 167^b.

EBRARDUS quidam, alchemista. Summa aurea, **119**. 94, **185**. **147**. 30.

ECCLESIA: *v.* Epistolae.

ECHELBREBIT, Israelita. Liber judiciorum, **97**. 84^b.

ECLIPSES: *v.*
Astronomia.
Dionysius Areopagita.
Kalendaria.

EDLESBURGH, Willielmus de, ord. Praed.: *v.* Whitehead, Joh.

EDMUNDUS, S., rex Orientalium Anglorum. Miracula ejus, **39**. 24.
Passio, per Abbonem Floriac., **109**. 1. Officium pro festo ejus, *ib.* 34.

EDMUNDUS, monachus de Eynsham [*alias* de Amesham, *sive* Evesham]. Visio, anno 1196, **34**. 100.

EDMUNDUS Abendoniensis, archiep. Cantuar., *i. e.* Edm. Rich, *q. v.*

EDWARDUS, Anglo-Sax. rex et martyr. Narratio de morte ejus, **146**. 101^b.

EDWARDUS, S., rex et confessor: *v.* Ailredus.
Visio; sive Speculum sacerdotum, **75**. 208.
Vita metrica, **186**. 16.
Versus de eo, **172**. [B. N. 10.] 122.

EDWARDUS I, rex Angliae. Prophetiae de eo, **186**. 41. **196**. 22.

EDWARDUS III, rex Angliae: *v.*
Islip, Simon.
Philippa, regina.
Historia, 1344–1377, sive continuatio R. Higden: [*impr. a T. Hearne una cum Chron. Hemmingf.*], **196**. 111.

EDWARDUS IV, rex Angliae. Dies et horae natales ejus et quatuor e fratribus et sororibus ejus, **57**, 2*. Descensus ejus a Noe; *mutil.*, **82**. 41^b.

EETHEL, *sive* Cethel, liber: *v.* Astrologia.

EGLYN, *sive* Egelin, Galfridus, *al.* Gilfardus. Prophetia de rege Ric. II, **186**. 14. **196**. 24^b. **218**. 197^b.

EGWINUS, S., episc. Wigorn. Vita, **112**. 58.

ELIGII, prior monasterii cujusdam S. Moralizatio de mirabilibus mundi, **206**. 2.

ELIZABETHA, regina. Verses by her, **138**. 159.

The siege of Jerusalem [also ascribed to Adam Davie], **230**. 195.

The siege of Troy; from Colonna's transl. of Dares Phrygius, **230**. 28. **232**.

LYNDEWODE, Willelmus. Provocatio, ut procurator regis Henr. VI, in concilio Basil., **66**. 4[b].

LYNERS, Jo. de, *al.* de Ligneriis, *q. v.*

LYNNE, Nicholaus de. [Ejus?] tabulae calendares, 1387–1462, **167**. 1[b]–11.

LYSEUX, Thomas, decanus S. Pauli Lond. Possedit **89**.

LYVERS, Johannes de, *rectius* Ligneriis, *q. v.*

MACARIUS, monachus. Epistola ad filios, **33**. 84.

MACER. Poema de virtutibus herbarum, **4**. 48. **13**. 58[b]. (*in tit.* 'Liber Omad'), **29**. 206. —— cum notis, **69**. 66. —— in English, **95**. 10.

MAGICA: *v.*
Botanica.
Gemmae.

MAGILIUS, Antonius, praelector in coll. Romano. Institutio ad logicam: [annon ejus?], **117**. Introductio ad logicam, 1609, **118**.

MAGNA CHARTA: *v.* Jus Anglicanum.

MAGNES: *v.* Peregrinus, Petrus.

MAHARIN. Sententia ad Flandrion de quodam lapide alchemico, **119**. 196.

MAHOMETES Hasen: *v.* Mohammed.

MAHOMETES, discipulus Alkindi. Introd. in artem logicae, **217**. 127.

MALACHIAS, Armachanus archiep. Distichon, **53**. 18.

MALATESTA, familia de. [Possedit **130**?]

MALCHUS, S.: *v.* Reginaldus Cantuar.

MALCOLMUS IV, rex Scotiae. Versus de apparitione ejus prima nocte post humationem, **65**. 15[b].

MALVERNE, Johannes, medicus. De remediis contra pestilentiam, **147**. 53[b].

MAN, Thomas. Nomen inscriptum, **32**. 1.

MANDATA, Decem. Commentarius [*in catal. vet.* R. Grosseteste *ascriptus*], **173**. 10.
Les x; *Gall.*, **86**. 5.

MANSOR, *sive* Almansor, *q. v.*

MANUALE SACERDOTIS: *v.* Mircus, Joh.

MANWODE, Willielmus. Nomen inscriptum **31** *ad calc.*

MAPES, Gualterus. Epist. Valerii ad Rufinum de uxore non ducenda: [pars distinct. iv. tract. de Nugis Curialium], **67**. 80. **147**. 103. **166**. 48. Comment. in epist. eandem, **11**. 70.
Goliae dissuasio nubendi; poema, **166**. 72. —— in *Engl.* verse, **181**. 7.
De uxoribus sacerdotum, **166**. 109[b].
[Philiberti?] Disputatio corporis et animae, **28**. 27. **75**. 138[b]. **166**. 71[b].

—— *Anglice*, **86**. 195[b]. **102**. 136. [*Altercatio inter animam et corpus* olim in **154** exstabat.]

Disputatio inter cor et oculum, **166**. 93.

Golias de avaritia Romanae curiae, **166**. 61[b].

Goliae exhortatio ad Christi sacerdotes, **166**. 60[b].

Poemata duo contra ambitiosos et avaros, **4**. 32, 33[b]. **166**. 53[b].

Poema de lege baculi, **4**. 35[b]. **166**. 58.

Goliae dialogus inter aquam et vinum, **166**. 106.

Praedicatio Goliae, **28**. 25[b]. **166**. 59[b].

Praedicatio Goliae ad terrorem omnium, **166**. 61.

[Ejus?] Confessio Goliae, **166**. 62[b].

Apocalypsis Goliae, **166**. 51. [*Apocalypsis* olim etiam in **98**.]

[Ejus?] Poema de potestate papali Caesaream excedente, **166**. 57. [Ejus?] Versus de schismate inter papas Alex. III, Paschalem et Calixtum, *ib.* 57, 58.

[Ejus?] Poema de ruina Romae, **4**. 31. —— sub nomine Gualt. de Castellione, **53**. 24. **168**. 223[b].

Goliae querela ad papam, **4**. 36[b]. **53**. 25. **166**. 56[b]. —— sub nomine Gualt. de Castellione, **168**. 223.

Golias de quodam abbate, **53**. 27[b].

Carmen (sive ejus, sive Bern. Clarevall., sive Jac. de Benedictis) de contemptu mundi, **28**. 24.

Versus Hamelino clerico regis scripti, **53**. 33.

Carmen de Cambria, *sive ejus, sive* Ran. Higden, *q. v.*

The romance of Lancelot du Lac, with the Saint Graal; *Fr.*; parts iii, iv, v, **223**.

MAPPAE. Mappa mundi, **196**. 195[b].

MAPPAE CLAVICULA; liber sic dictus: *v.* Alchemia.

MAR', H. de. **151**. [B. N. **11**.] 122[b].

MARBODAEUS, sive Marbodus, episc. Redonensis. Liber de naturis gemmarum sive de virtutibus lapidum, **13**. 1. **28**. 169. **129**. 53. —— excerptum ex cap. ix, **88**. 91[b].
Liber de sculptura gemmarum, **193**. 28.
Liber de ornamentis verborum, **100**. 10, 12, 20[b]. —— prologus et sect. i, **53**. 12.
Commendatio virtutum; versus, **53**. 22[b].
De lupo fabula metrica, dicta Ovidii, **26**. [B. N. **3**.] 96[b].
Versus varii, **65**. 12[b], 60[b], 61, 70.

MARCELLINUS, papa. Nota de eo, tempore Diocletiani idola thurificante, **66**. 44[b].

MARCERII, Raymundus, ord. Min. Martyrium Stephani de Ungaria apud Saracenos, **113**. 205.

MARCHE, Johannes, capellanus. Tract. de metris, **29**. 13.

MARCUS, S., Evang. Passio ejus, **112**. 32.

MARCUS, eremita. Excerpta ex eo; *Graece*, **6**. 342.

MARCUS, Graecus. Liber ignium, **67**. 33[b].

—— [abbrev.; experimentax], **153**. 179[b].

MARIA, Virgo, B.: *v.*
Anselmus, S.
Hermannus, quidam.
Horae.
Hymni.
Sermo de nativitate ejus [in Num. xxiv. 17], **172**. [B. N. **10**.] 66[b].
Epithalamium B. M. V.; poema, libris decem, **65**. 102. Octo causae cur viro desponsata fuit, **88**. 27.
Tractatus de annunciatione, **172**. [B. N. **10**.] 55. Versus de Annunciatione et de Incarnatione, **147**. 151[b].
Quinque ejus gaudia, **86**. 27, 161[b]. —— *Gall.*, **86**. 188[b].
Miracula quinque, **39**. 93.
Descriptio ejus, miracula quaedam, etc., **82**. 64–5.
Tract. de assumptione ejus [inter opp. spuria S. August. impressus], **151**. [B. N. **11**.] 91[b]. Tract. alter, **172**. 60, 64. Sermo in die Assumptionis, **11**. 199[b]. Cur assumptio ejus crederetur, **23**. 1.
Carmen in laudem ejus, **166**. 66.
Salutatio; carmen in laudem ejus, **172**. [B. N. **10**.] 125[b].
Versus de significatione candelarum in die Purif., *ib.* 85.
Nota de iv. causis quare sabbatum eae dedicatur, *ib.* 151.
Versus varii de ea, *ib.* 122–3.
De tribus Mariis, etc., **53**. 19, 23.
Song to our Lady 'ounder rode,' **86**. 127.
'Coment le sauter noustre Dame fu primes cuntroue'; in Engl. verse, *ib.* 130. Les Aves; *en vers, ib.* 186[b].

MARIA Aegyptiaca, S.: *v.* Hildebertus Cenom.

MARIA MAGDALENA, B.: *v.* Mysteries. Dialogus cum Jesu in horto, **2**. 5[b].

MARICOURT, Petrus Peregrinus de: *v.* Peregrinus.

MARISCO, Adam de. Epist. ad Sewallum archiep. Ebor., **104**. 90.

MARISCO, Johannes de. Scripsit artt. 2–4, etc. in cod. **81**.

MARLE, Thomas, eques Gallicus. Narratio de eo, Hierusalem visitante, **172**. [B. N. **10**.] 152[b].

MARRIAGE: *v.*
Mapes, Gualt.   Matrimonium.

MARTIAL, Gulielmus, coll. Merton. socius. Possedit codd. **69**, **107**.

MARTIALIS. Epigrammata quaedam, e libris i–xi, **209**. [B. N. **16**.] 148.

MARTINUS Dumiensis, *sive* Bracarensis. De moribus [tract. perperam Senecae ascriptus], **55**. 110. **147**. 47.
De iv. virtutibus, sive Formula honestae vitae [item Senecae ascript.], **55**. 111[b]. **147**. 51.

MARTINUS, S., Turonensis: *v.* Poemata.

MASCHIS, Ranerius de, de Arimino. Cod. **144**. [B. N. **15**.] ejus jussu anno 1466 scriptus. Insignia gentilitia, manu propria, *ib.*

De mensuratione terrae, **97**. 143[b]. Rules for land-measuring, **88**. 61[b].

MERKE, —. [*Rhetorica* secundum eum olim exstabat in cod. **98**.]

MERLAWE, Rogerus de, presbyter parochialis de H. Epistolae variae; ineunte saec. xiv, **154**. 36-8.

MERLEE, Willielmus, soc. coll. Mertonensis Oxon. De prognosticatione aeris; A.D. 1340, **147**. 125. **176**. 3. Temperies aeris Oxoniis annis 1337–Jan. 1344, **176**. 4. Notula ex eo de temperie aeris pronosticanda, **97**. 128[b].

MERLINUS. Prophetiae variae, **28**. 162, 168. **98**. 72. **186**. 41.
Prophetia aquilae apud Shaftesbury, cum interp. per Hugonem quendam sive Rob. Grosseteste, **196**. 18[b], 24.
Nota de prophetia ejus super Edw. I, **186**. 33[b].
'Prophesye of Ezechiel and of Merlyne,' **196**. 22.

MERLZHERIS. Instructio ad Fledium de lapide Rebis, **219**. 108.

MERTON, com. Surr. Ecclesia S. Mariae possedit **147**.

MESSAHALA; v. Astrologia.
Liber de 14 proprietatibus stellarum, **47**. 84.
Epistola de eclipsi lunae et conjunctionibus planetarum; transl. a Platone Tiburtino, **51**. 136. **97**. 91.
Tract. astrol. de interpretatione cogitationis; alias, de interrogationibus, **51**. 133[b]. **149**. 200. **194**. 127[b]. Interrogationes, **194**. 128[b]. Libellus interpretationum, sive de occultis; ex libro ejus de interrogationibus, **47**. 184[b]. **51**. 134. **149**. 201. **194**. 138.
Liber intentionum secretorum astronomiae, **93**. 186. **228**. 12[b].
Liber de significatione planetarum et plagis terrae; interp. Jo. Hispalensi, **228**. 75.
Tract. de astrolabio, **207**. 16.

MESUE, Joannes. Excerpta ex eo de naturis animalium, **69**. 23[b].
Notae de variis medicinalibus, secundum eum, **73**. 56[b]–60, 64[b], 69.

METAPHYSICA : v.
Albertus Magnus.
Alexander Aphrodis.
Alkindi.
Alpharabius.
Anima.
Aquino, Tho. de.
Aristoteles.
Avendana.
Avicenna.
Bacon, Rogerus.
Burley, Walt.
Thomas, quidam.
Propp. de intelligentia et de eternitate, cum comment., **67**. 97[b].
Memoriale rerum difficilium, sive liber de intelligentiis, **67**. 103.
Quaestio de voluntate et intellectu, **150**. 103[b].
Tract. [Gualt. Burlaei?] de duobus primis principiis, **77**. 194.

METEOROLOGICA : v. Venti.
Lunarie : v. Daniel.
Prognosticationes aeris : v. Merlee, Will.
Praesagia temporum : v. Plinius.
Liber de tempestatibus et praesagiis, **28**. 136.
Praesagia pluviarum, **176**. 67, 88[b].
Liber de pluviis et ventis, **194**. 147[b]. De pluviis et ventis, etc., **97**. 118[b].
'Signe tonitrui,' **75**. 138. De tonitruis, **88**. 37[b]. **95**. 95[b]. **114**. 83. De tonitruis, arcu, tempestatibus, etc., **63**. 33[b]–4[b].
Progn. ex vento in nocte Natalis Domini, **86**. 32. —— e diebus in quos Nat. Dom. acciderit; *Gall.*, *ib.* 40. Prognostica de hieme ex kalendis Jan., **103**. 40.
'Dyverse tokyns of weþer,' **88**. 12[b], 25, 78[b].

METHWOLD : v. Salis, Marg.

METRUM : v.
Marche, Joh.
Poesis.
Proprietates metrorum ympnarii, **147**. 28[b].
Tractatus de metris, **147**. 40. Fragm. tract. de metris, **174** *ad init.*

MICHAEL, S. Archangelus. Miracula quaedam Michaelis atque Gabrielis; *Graece*, **6**. 392[b].

MIDHULLE, Will. de. Mentio de eo, **86**. 40.

MILEUS, *sive* Menelaus, Alexandrinus. Propp. in libris iii. de sphaeris, **178**. [B. N. 12.] 112[b].
Excerpta e libb. de figuris sphericis, **168**. 119–20, 121[b].

MILL, Johannes, jur. canon. bac. : v. Wigornia.

MINERALIA : v. Albertus Magnus.

MIRACULA : v. Narrationes.

MIRCUS, Johannes, prior Lilleshullensis. Manuale sacerdotis, **75**. 162.

MISSA : v. Stureya, Tho. de.
Expositio ordinis missae, **154**. 2.
Versus de officiis missae, **53**. 20–22.
De milite, propter missas auditas, in torneamentis vincente, **11**. 128[b].
Narratio de papa offerente pro matre sua; sive, Trentale S. Gregorii; *Gallice*, **154**. 30[b].

MISSALE. — in usum monast. Abendoniensis, **227**. 13.

MISSENDEN, monasterium in com. Buckingh. Epistola M. abbatis ad Rog. de Merlawe [ineunte saec. xiv.], **154**. 37[b].

MOAMYN, falconarius Caesaris : v. Theodotus.

MODWENNA, S., de Hibernia. Vita, carmine Gallico, **34**. 1.

MOHAMMED ben Musa : v. Arithmetica.

MOHAMMED Hassan. Excerptum e lib. *Verba filiorum Sekir*, **168**. 123.

MONACHI : v.
Claustrum.
Dialogi.
Nequam, Alex.
Peccham, Joh.
Serlo Paris.

De pravis monachis poema, **65**. 22.
Versus de monachis, *ib.* 74.
Versus contra avaritiam monachorum *Jacobitae* dictorum, **98**. 194. Versus satirici contra monachos, *ib.*, *ib.*
Versus de Jacobinis Clarevallorum decimas petentibus, **172**. [B. N. 10.] 91[b].
Versus de monachis vagantibus et mendicantibus, **166**. 60[b].
De octo per monachos observandis, **158**. 116.

MONASTERIA. Sermo in visitatione domus cujusdam, **45**. 190[b].

MONASTICI, Ordines : v. Hardeby, Galf.

MONS S. MICHAELIS, in com. Cornubiae. Versus inventi in rupe excelsa in Monte S. Mich., **196**. 55[b].

MONTIBUS, Gulielmus de, cancellarius Lincoln. Summa theologica, ex operibus ejus pro maxima parte collecta, **103**. 1.

MORALITIES : v. Mysteries.

MORBEKA, Gul. de, ord. Praed., **48**. 152 : v. Proclus.

MORES : v.
Poemata.
Vergerius, P. P.

MORIENUS Romanus, heremita Hierosol. Prima translatio libri ejus de transmutatione metallorum, **162**. 21[b].
Transl. secunda, sive pars ii, ex Arab., secundum Rob. Cestrensem, *ib.* 23.

MORINUS, episc. Alexandrinus. Disputatio de ratione Paschali, **63**. 79.

MORS : v. Poemata.
Tabula qua cognoscatur an vir aut mulier primo moriatur, **88**. 24.

MOTUS : v.
Bradwardine, Tho.
Philosophia Naturalis.
De motu corporis ponderosi notae, **15**. 133[b].
Tract. de motu, dict. Falsigraphiae geometriae, **190**. 105[b].

MULIERES : v.
Medicina.
Mors.
Poemata.
Trotula.
De ornatu mulierum, **79**. 142.
Distincta mala foeminarum; versus, **86**. 201.
Commendatio satirica, **196**. 163[b].
Quomodo temperamenta earum a facie cognoscenda sunt, **88**. 43[b], 46.
Versus de eis, **65**. 27[b].

MUNDUS : v.
Casa, Petrus de.
Honorius Augustodunensis.
Philosophia Naturalis.
Poemata.
De mundi divisione secundum Melam, Alfraganum et auctorem de Sphaera, **17**. 131, 133[b], 142. Descriptio tabulae orbis, *ib.* 137[b]. Figurae orbem mundi illustrantes, *ib.* 157[b]–162.
Tract. de circulis mundi, **20**. 1.
Moralizatio prioris S. Eligii de mirabilibus mundi, **206**. 1.
Nota de vi. aetatibus, **196**. 53[b].

Nota de divisione orbis post diluvium, 218. 197[b].

Circuitus terrae, 56. [B. N. 4.] 155. De circuitu mensurando et de septem climatibus, 97. 42. Notae de iv. climatibus, etc., 228. 1[b].

MURIS, Johannes de. Tract. de conjunctione Saturni et Jovis, A.D. 1345, 176. 17[b].
Canones de eclipsi lunae, 97. 124[b].
Tractatus [ejus?] de minutiis philosophicis et vulgaribus, 190. 72[b]. Conclusio tract. ejus de canonibus tabulae minutiarum philosophicarum et vulgarium, 190. 66.
Canones [ejus?] ad Tabb. Alphonsinas, 168. 131.

MUSA, Anthonius. Epist. ad Agrippipam de herba betonica, 69. 28[b].

MUSICA: v.
Boethius.
Johannes de Tewkesbury.
Tonarius, 25.
De partibus diatessaron, diapason, etc.; metrice, 25. 32.
Quatuor principalia musicae a quodam Minorita e custodia Bristol. [annon S. Tunstede, sive Joh. Hambois?], 90.
Notae de scala, manu S. Bredone, 178. [B. N. 12.] 14.
Notae quaedam, saec. xiv, suprascripto nomine Frank, 167. 31[b].
Notae musicae ad verba quaedam ex Pentateucho, 41. 92.
Two lines of plain-song, for instruction in the eight tones, 133. 145[b].

MYRCUS, Johannes, sive Mircus, q. v.

MYSTERIES: v. Babio.
'How Jesu Crist harowed hell,' 86. 119.
The Conversion of St. Paul, 133. 37. St. Mary Magd., ib. 95. Candelmas day, 1512, ib. 146. A morality, of Wisdom, Anima, Mind, etc., ib. 158.

MYTHOLOGIA: v. Nequam, Alex.
Tract. de natura deorum, 221. 100.
Poema de sensu allegorico mythol. Graecorum, 64. 49[b].
Fragmentum tractatus de exemplis ex mythol. Gr. deductis, 41. 102[b].

NABALUS, philosophus: v. Tullius.

NANNETES, hodie Nantes, urbs Galliae. Narratio de duobus clericis inibi, 34. 98.

NAPPER, Geo. Nomen inscriptum, 167. 1.

NARRATIONES: v.
Alfunnus, Petrus.
Vitriaco, Jac. de.
Variae de monachis aliisque, 11. 135–46.
Triginta, de miraculis et visionibus, 66. 45.
Quinquaginta duae, 172. [B. N. 10.] 151.
De heremita et quibusdam latronibus, 142. [B. N. 13.] ad calc.
De episcopo vitam eternam cuidam Saraceno promittente, 196. 54[b].
Quae probabilem narrationem constituunt, 174. 74.

NATURA: v. Philosophia Naturalis.

NAVICULA, instrumentum sic dictum: v. Astronomia.

NEAPOLIS. Art. 6. in cod. 206 studentibus conventus ord. S. Domin. inscriptus.

NECKAM, sive NEQUAM, Alexander. Liber de utensilibus, 37. 121.
Poema [sive ejus, sive Anselmi Cantuar.] de vita monachorum, 65. 18.
Mythologia, 221. 1. Comment. super fabulam Marciani Capellae de nuptiis Mercurii et Philologiae, ib. 34[b].
Versus [sive ejus, sive S. Anselmi], de contemptu mundi, 172. [B. N. 10.] 78.

NEOTI, Monasterium Sancti. Epistolae R. prioris et monachorum quorundam, 20. 110.

NEVILL, Ralph, 2nd earl of Westmoreland. Symbolical name used for him. 186. 14.

NEWCASTLE-UPON-TYNE. Notae de villa et de monasterio ibidem, 186. 37–8[b].

NEWMARKET, Thomas de: v. Novo Mercato, Tho. de.

NEWMINSTER, Abbatia de. Epistolae quaedam hanc abbatiam spectantes, 20. inter 110–142.

NEWTON, Robert. His horoscope, 1564, 127. 89.

NICHOLAUS, S.: v. Wace, Robertus.

NICHOLAUS, Arabicus. Liber de articulis fidei; papae Clementi [IV?] inscriptus, 28. 138[b]. 154. 54.

NICHOLAUS, frater quidam. Lettres à Bern. de Verdun sur la pierre des philosophes, 164. 119.

NICHOLAUS, medicus, sive N. de Horsham, q. v.

NICHOLAUS de Florentia: v. Platearius, Joh.

NICHOLAUS de Lynne, q. v.

NICHOLAUS de Sandwyco, q. v.

NICODEMUS. Hist. de gestis Salvatoris, sive Evangelium Nicodemi, 16. 208.

NONIUS, Petrus, Salaciensis. Liber de erratis Orontii Finaei, 143. 103.

NORMANNIA. Prophetia in quadam ecclesiae Norm. juxta Daners inventa, 196. 22.

NORTHAMPTON, Johannes de, Carmelita. 'Annulus' ejus: v. Maydestone, Rich. de.

NORTHUMBERLAND, Earl of, i.e. H. Percy, q. v.

NORWICUM, Angl. NORWICH.
Diocesis. Statuta synodalia W. de Suthfeld et S. de Walton, episc. Norw., 99. 1.
Episcopi: v. Poesis.

NOTORIA, Ars: v. Characteres.

NOTTINGHAM, Rogerus de, S. T. D., 93. 2[b].

NOVATUS, haereticus. Excerptum e S. August. contra eum, 149. 122.

NOVA VILLA, Arnoldus de: v. Villa Nova.

NOVO BURGO, Willelmus de. Historia Anglorum, 101. 106.

NOVO MERCATO, Thomas de. Comment. in carmen Alex. de Villa Dei de algorismo,

81. 11. —— in libr. Dionysii Exigui de compoto eccl., ib. 35. Compotus manualis [forsan ejusdem], ib. 8.

NUMERALE: v.
Arithmetica.
Computus.

NUMMUS: v. Godefridus Winton.

NURSIA, Benedictus de. Libellus de sanitatis conservatione, 111.

NUTRIMENTUM: v. Bacon, Rogerus.

OCCLEVE, Thomas. De regimine principum; an English poem, 185. 80.
Story of the Emp. Gerelaus and his wife, from the Gesta Romanorum, 185. 145.
The story of Jonathas, from the Gesta Rom., 185. 157[b].
Letter of Cupid, 181. 1.

OCKAM, sive Hockam, Gulielmus. 'Dialogus Hockam inceptoris' in univ. Oxon. citatur anno 1390, 170. 29[b] (et forsan alibi).

OCTAVIANUS Augustus, rex Aegyptiorum. Epistola ad Septiplantum Papiensem, 43. 15.

OCULUS MORALIS: v. Grosseteste, Rob.

ODINGTON, Walterus, monachus de Evesham, astronomus. Citatur, 97. 143[b].
Icosihedron; tract. alchemicus, 119. 142.

ODO, episcopus Parisiensis. Narratio de eo, 172. [B. N. 10.] 152.

ODORICUS, de ord. Minorum. Itinerarium, de mirabilibus Indiae, 11. 44. 166. 36.

OFFICIA Ecclesiastica: v.
Breviarium.
Edmundus, S.
Hymni.
Legendarium.
Missale.
Theologica Varia.

OGLE, Geo. Possedit cod. 136.

OLAVUS, Petrus, confessor B. Brigittae. Vita, 172. [B. N. 10.] 43[b].

OLLYFFE, Anthonius, vinetarius, Londinensis. Possedit, annis 1590–3, cod. 40.

'OMAD': v. Macer.

OMAR, sive Aomar, filius Alfraganus: v. Astrologia.
Tract. de nativitatibus; libb. i–iii; interp. Jo. Hispalensi, 194. 114.

OPTICA: v. Grosseteste, Rob.
Experimentum circa radios solis in crystallum aqua plenum venientes, 98. 152.

ORATIO. 'Donatus orationis'; tract. de oratione, 34. 130.

ORATIONES: v. Preces.

ORATOR: v. Rhetorica.

ORIENS: v. Paulus, Marcus.
Mirabilia Orientis, 82. 50.

ORTOLANUS, i.e. Jo. de Garlandia, q. v.

OSBERNUS, monachus Cantuar. Vita S. Elphegi, 39. 74[b]. 110. 1.
Vita S. Dunstani, 110. 35.

OSBERTUS, filius Thioldi: v. Wace, Robertus.

OSNEY, Abbatia de, juxta Oxonium : *v.* Hemingford, Walterus.
Possedit cod. **23**. 1.

OSWALDUS, rex Northumbriae: *v.* Beda.
Godmannus.

OTHBERTUS, Saxonicus. De miraculo in eum operato, **11**. 140[b].

OTHO, cardinalis, in Anglia legatus : *v.* Acton, Jo. de.

OTTO, rector Fratrum de Penitentia. Epistola super suppressione ordinis anno 1274, **166**. 48.

OTTOBONUS, cardinalis. Excerptum breve ex Constitt. ejus, **58**. 85[b].

OVIDIUS : *v.*
Joannes Anglicus.
Marbodaeus.
Excerpta ex eo, **65**. 75.
De mirabilibus mundi ; cum notis, **100**. 169.

OXONIUM.
Comitatus. Epistolae ac brevia de rebus quibusdam ecclesiasticis annis 1293–1317, **154**. 35[b]–40.
Academia : v.
Artes.
Astronomia.
Johannes XXII.
Ockam, Gul.
Sharpe, Joh.
Widford, Gul.
Errores in gramm., logica, et phil. nat. ab archiep. Cant. anno 1284 condemnati, **168**. 157[b].
Processus apud Romam an. 1312 inter Praedicatores apud Oxon. commorantes et Canc. Magistrosque Univ., Rot. **1**.
Notae de conflictu inter scholares et cives anno 1354, et de tempestate anno 1361, **57**. 28[b].
Epistola Univ. ad regem Ric. II, responsoria ad Epist. Acad. Paris. de dissidio inter Papas, 1398, **188**. 47.
Quaestt. theologicae, **216**.
Oratio panegyrica quum quidam baccalaureus pro gradu magistri in artibus praesentaretur, **55**. 203.
Notae de libris variis in cautionem in cistis Univ. depositis, etc., **160**. 223. **216**. 61[b]. **225** *ad fin.* Cista *Dunken,* **160**. 223.
Regula proposita in quodam collegio, an. 1513, de electione scholarium per sortes, **167**. 32[b].
Coll. Exon. : v. Philips, Joh.
Cod. **176** dat. in usum coll. Merton et Exon.
Nota de somnio cujusdam in vigil. S. Lucae, 1547, **103**. 40[b].
Coll. Merton : v. Martial, Gul.
Possedit codd. **67**, art. 18, **155**, **176**, **191**, **216**.
Coll. Novum.
Tituli librorum in studiis scholarium Wintonie Oxon. repertorum, anno 1489, **31** *ad calc.*
Coll. Omn. Anim. Possedit cod. **44**.
Monast. S. Frideswidae : v. Philippus, prior.
Fratres Minores. Possederunt cod. **90**.
' *Domus B. Mariae.*' Possedit cod. **191**.

' P, frater,' *i. e.* Petrus Tarentasia, *alias* Innocentius V, *q. v.*

P., quidam. Introductio in practicam geometriae, **166**. 6[b].
Canones in triangulum Pictagoricum, *ib.* 8[b].

PADUA, Petrus de, *sive* Aponensis ; *v.* Petrus.

PALESTINA : *v.* Terra Sancta.

PALIMPSESTA. Folia duo, **76**. 119, 120.

PALLADINUS, Jacobus, *sive* de Ancharano, *q. v.*

PALLEMON : *v.* Polemon.

PALMESTRIA. Figurae manuum cum signis fortunae, **88**. 44–46[b].
De ea (*incompl.*), **95**. 8.
A treatise ; *Engl.,* Rot. **4**.

PAPAE : *v.*
Epistolae.
Mapes, Gualt.
Missa.
Prophetiae.
Roma.
Theologica varia.
Catal. paparum a temp. R. Alfredi ad Ric. II, **196**. 188.
Quando papa celebrat missam in Lateran. eccl., **53**. 68.
[Hildeberti ?] versus contra Papam quendam, **104**. 137.

PARCHASSOT, Dominicus, Ligoniensis, miles. Carmina alchemica, **124**. 4[b]. Conclusiones in arte lapidis philos., *ib.* 15[b]. Notabilia in arte alchimiae, *ib.* 50.

PARES, Novem, *sive* Heroes. Nota de eis, **88**. 96.

PARFRE, Joh. Exaravit art. 8 in cod. **133**.

PARISIA : *v.*
Bonifacius IX.
Casa, Petr. de.
Narratio de consuetudine Parisiensi in venditione pirorum, **172**. [B. N. 10.] 154.
Sermo cujusdam theol. facult. Paris. super Prov. ix. 1, **33**. 16.

PARISIENSIS, quidam, cancellarius Montis Pessulani : *v.*
Galenus.
Philippus.

PARKER, Joh. Possedit cod. **17**.

PARMA, Bartholomaeus de. Ars geomantiae, **134**.

PARMA, Johannes de. Libellus de medicinis digestivis, **43**. 1.

PAROCHI. Instructiones ad parochos, Eliae de Trickingham ascriptae, **37**. 134.

PARTRICHE, Petrus, eccl. Lincoln. cancellarius. Provocatio, ut procurator episcc. prov. Cantuar., in conc. Basil., **66**. 5[b].
Scripsit varia in cod. **98**. (v. ff. 48[b], 107[b], 117, 161).

PASCHA : *v.*
Beda.
Bonifacius, notarius.
Dionysius Exiguus.
Linus, papa.

Morinus.
Paschasinus.
Pauconius.
Proterius.
Theophilus Caesariensis.
Ars faciendi chronica paschalia, **17**. 68.
' Rota ' ad Pascha inveniendum, **22**. 62[b].
De luna Paschali, **63**. 62. Argumenta de titulis Paschalibus, *ib.* 72[b]. Tract. de creatione, et de celebratione Paschae ; ad Vitalem quendam, *ib.* 81.
Tabulae et regulae paschales, **81**. 133. **88**. 80[b]–82[b].
Tabula Paschalis, 1472–1527, **106** *ad calc.*
Tab. ad inveniendum primum diem Nisan vel Pascha, **176**. 92[b].
Versus de terminis Paschae, **53**. 22[b].
Versus de numero aureo, **88**. 98[b].

PASCHALIS Romanus. Liber thesauri occulti, sive tract. de somniis, **103**. 41.

PASCHASINUS, episc. Alexandrinus. Epist. ad Leonem papam de ratione Paschali, **63**. 51[b].

PASSURTONE, W. de. Mentio de eo, **29**. 30.

PATRES. Excerpta ex Patribus, *Graece,* **6**. 161.
Notae de superbia, etc., **82**. 65[b].

PATRICIUS, S. : *v.* Henricus Saltereyensis.
Sermo de tribus habitaculis sub manu Dei, **96**. 68[b].

PAUCONIUS, monachus Egyptiacus. Epistola de Pascha, **63**. 60–1.

PAULUS, Marcus, Venetus. Fragm. tractatus ejus de Regionibus orientalibus, **196**. 2. —— lib. iii. capp. xxxvii–xliii, xlv, **196**. 172–3. Excerpta alia, *ib.* 177[b]–83.

PAULUS, S. : *v.* Mysteries.

PAWLE, William, Glentham, **98**. 214.

PAX. Sex causae quare universalis pax non habetur, **82**. 49[b].

PAX, notarius Romanus. Certificatio notarialis anno 1312, Rot. **1**.

PECCATA : *v.* Theologica Varia.

PECCHAM, Johannes, archiep. Cantuar. Constitutiones, **58**. 97.
Perspectiva, **28**. 180. **98**. 110. **218**. 1.
Carmen de Mundo et Religione coram Papa de claustralibus causam agentibus, **168**. 68.
Philomena ; carmen [*sive ejus, sive* Bonaventurae, *sive* Joh. Hoveden], **28**. 24.
[Opera varia olim in cod. **172**, B. N. 10, exstabant.]

PEDE, Ricardus, jur. canon. bac. : *v.* Wigornia.

PENEDOK, Robertus de, de Rid-Morley, com. Wigorn. Nota de testamento ejus ; saec. xiii. exeunte, **86**. 39[b].

PENITENTIA, Ordo Fratrum de : *v.* Otto.

PENNAFORTI, Raymundus de. Fragmenta ex libro iv. Summae ejus, **85**. 1–4, 190–3.
Summula Summae ejus versificata, **75**. 142.

PENON, Johannes. Scripsit art. i. in cod. 164, et notas marg. ad art. xxv. anno 1525. Figurae astrologicae de seipso, 1489-1535, *ib.* 65^b, 68. Alchemica quaedam, *Gallice, ib.* 117, 141^b-2^b.

PENZANCE, com. Cornub.: *v.* Mons S. Michaelis.

PERCY, Henry, 2nd *or* 3rd earl of Northumberland. Names used for him in prophecies, 186. 14.

PEREGRINUS, Petrus, de Maricourt. Tract. de magnete, 28. 18^b. 147. 63. —— abbrev., 193. 13. —— capp. i–iii. partis secundae, 75. 65, 66.

PERSIUS. Excerpta ex eo, 65. 74^b.

PERSPECTIVA: *v.*
  Bacon, Rog.   Peccham, Joh.

PESTILENTIA: *v.* Medicina.

PETRARCHA, Franciscus. Sonetti e Trionfi, 141.

PETRUS Comestor. Epitaphium, 53. 13.

PETRUS de Dacia. Expositio super Algorismum prosaicum, 166. 13.

PETRUS de Padua, *sive* Aponensis: *v.* Abraham Aben-Ezra. Summa Problematum Aristotelis, 77. 57. 153. 102. 161. 24.

PETRUS, quidam. Notae quaedam ex 'Petro' quodam, 96. 1. Versus in laudem B. Mariae, 166. 66.

PETRUS de Tarentasia, *postea* Innocentius V, *q. v.*

PETRUS, Tarentinus archiepiscopus. Versus de miraculo per eum effecto, 53. 20^b.

PETRUS Telonearius, S. Historia, ex vita S. Joh. Eleemosynarii, 149. 72.

PHALARIS. Epistolae, Lat. per Fr. de Accoltis, 130. 1.

PHILARETUS. Glossae in librum ejus de Pulsibus, 108. 106^b.

PHILETUS, philosophus: *v.* Tullis.

PHILIBERTUS heremita: *v.* Mapes, Gualt.

PHILIPPA, Angliae regina, consors Edw. III. Virtutes medicinales rosae marinae, ei per matrem suam missae, 29. 295^b.

PHILIPPUS, cancellarius Parisiensis. Dicitur verus auctor esse *Speculi Astronom.* Alberti Magni, 81. 102. 228. 76.

PHILIPPUS, abbas Bonae-Spei: *v.* Hildebertus Cenom. Similitudo virginei partus; [ejus, *sive* Hildeberti], 65. 64.

PHILIPPUS, prior monast. S. Frideswidae Oxon. Liber de miraculis S. Frideswidae, 177.

PHILIPS, Johannes, rector coll. Exon., Oxon. Vendidit cod. 57 anno 1468.

PHILO. Lib. de ingeniis specialibus, 40. 9.

PHILOMENA: *v.* Peccham, Joh. Poema in forma dialogi, de iv. elementis, angelis, aliisque, 41. 93.

PHILOSOPHI: *v.* Deus. Secretum Philosophorum; de vii. artibus, 37. 4. 71. 85. 153. 148. Quaestio inter philosophum et rusticum, 82. 71^b.

PHILOSOPHIA. Tabula de scientiis a philosophia deductis, 174. 74^b.

PHILOSOPHIA MORALIS: *v.* Metaphysica.

PHILOSOPHIA NATURALIS: *v.*
  Albertus Magnus.
  Averroes.
  Bacon, Rogerus.
  Conchis, Gul. de.
  Dialogus.
  Sypontinus, Jo. Bapt.
Tractatus de coelo et mundo, planetis et signis zodiaci [forsan Ethelwoldi, episc. Winton.], 83.
Summa de natura rerum, 11. 1.
Pars tractatus cujusdam de phenomenis naturalibus, 104. 169.
Tract. de attractione naturali, 153. 168.
De motu, etc., sive, 'Tract. de actione naturali,' 154. 42. De proportionibus, *ib.* 47.
Notae variae de variis physicis, 92. 65–9. 108. 1^b.

PHLEBOTOMIA: *v.*
  Gordonio, Bern. de.
  Medicina.

PHYSICA: *v.* Philosophia Naturalis.

PHYSIOGNOMIA: *v.*
  Aristoteles, *Secreta Secretorum.*
  Lakynheth, ——.
  Polemon.
Tractatus de ea, 11. 92.
De ea, 95. 7.

PICOLOMINI, Andreas.   Cod. 131 ei inscriptus.

PICTORES: *v.* Colores. Versus septem de arte pictoria, 162. 5^b.

PIERS Ploughman: *v.* Langland, Will.

PILATUS, Pontius. Epistola de Christo, 130. 88^b. Figura capitis Proculae uxoris Pilati, 88. 43^b.

PINCK, Rob., vice-canc. Oxon. Nota in tegmine cod. 234^a.

PIUS II, papa: *v.* Sienna. Cod. 135 ei inscriptus.

PLACIDAS: *v.* Eustachius, S.

PLANIMETRIA: *v.*
  Astronomia.
  Mensuratio.

PLANO Carpini, Joannes de. Vita Tartarorum, 11. 59^b.

PLANTAGENET, Edmundus, comes Cornubiae. Epistola ad Raymundum, ord. Min. ministrum, 1293, 154. 38.

PLANTAGENET, Ricardus, comes Marchiae. List of names or badges used for him in prophecies, 186. 14.

PLANTAGENET, Ricardus, dux Eboracensis. Dies et horae natales quinque ex filiis ejus, 57. 2*. Lordships and badges pertaining to the duke of York, 82. 1^b.

PLATEARIUS, Johannes, Salernitanus. *Circa instans*; tract. de medicinis simplicibus, 197. 4^b. Glossae in Antidotarium Nic. de Florentia, *ib.* 34.

PLATO: *v.* Proclus. Timaeus, ex vers. Chalcidii, 23. 217. 98^b.
Liber Aneguems Platonis, id est, liber vaccae; [tract. alchem.], 71. 40^b.
Liber quartus Platonis, in 3 partt. [tract. alchem.], explicatus ab Hamete, 219. 120.
Excerptum ex eo de lapide alchemico, 219. 76.

PLATO Tiburtinus, apud civit. Barchinon.: *v.*
  Abuali Alchajat.
  Albucasis.
  Almansor.
  Messahala.
  Ptolemaeus.

PLAYS: *v.* Mysteries.

PLENUS-AMORIS, Johannes. Scripsit art. i. in cod. 77.

PLINIUS. De temporibus; sive praesagia e ventis, luna, etc., 176. 60^b.

PLOUGHING: *v.* Agricultura.

POEMATA, *atque* POETICA VARIA: *v.*
  Altavilla, J. de.
  Astrologia.
  Baston, Rob.
  Burgo, Gualt. de.
  Cantia.
  Chaucer, Geoff.
  Christus.
  Epistolae.
  Fabulae.
  Godefridus Winton.
  Gualo Brito.
  Hildebertus.
  Horologium.
  Hymni.
  Idyllearte, Peter.
  Josephus Iscanus.
  Judicium.
  Mapes, Gualterus.
  Marbodaeus.
  Maria, B. V.
  Monachi.
  Mundus.
  Mythologia.
  Neckham, Alex.
  Occleve, Tho.
  Peccham, Joh.
  Philomena.
  Poenitentia.
  Versificatio.
  Vinosalvo, Galf. de.
Carmen de contemptu mundi, 26. [B. N. 3.] 89^b. [*v. etiam* Bernardus Morlan., Mapes, Gualt.]
Disputatio inter corpus et animam: *v.* Mapes, G.
'Facetus'; poema de moribus, 26. [B. N. 3.] 20. 100. 42^b.
Poema de herbis, gemmis, etc., 69. 192–5.
Poema de donis scientiae homini datis, de incarnatione, etc. [Phil. Gualtero de Castellione in exempl. altero ascriptum], partes i–ii, 166. 55.
Poema de excidio Trojae, 166. 27. Versus de destructione ejus, 53. 30.
Varia, aevi Anglo-Normannici, 53.
De judicio sacerdotum avarorum, 4. 37^b.
Contra avaritiam et luxuriam cleri, 166. 61^b.

Sententiae proverbiales, *Graece*, 6. 152[b].
'Inventum (?), quod habet proverbia centum,' 172. [B. N. 10.] 84[b].
Gall.-Lat., 53. 8, 15.
A collection of proverbial sayings, 145. 160[b].

PSALMI : *v.* Biblia.

PTOLOMAEUS : *v.*
Astrologia.
Bredon, Sim.
Haly Aben-Rodoam.
Sem.
Quadripartitum ; transl. a Platone Tiburtino, 51. 79. —— duplici versione, cum glossa 'Aly Abenridiani,' 179. 1. —— tractt. i. ii, cum comment. Haly, 114. 108. Pars Quadripartiti, 75. 92.
Centiloquium, cum comment., 75. 73.
Almag. lib. ii. cap. 6, lib. iii. cap. 8, etc., 190. 202, 207, 209.
De judiciis astrorum, 179. 171.
Liber de compositione astrolabii, 40. 1.
Liber imaginum, 37. 43. 57. 176.
Canones de motibus coelestium corporum, 'secundum Thol.,' 191. [B. N. 14.] 79. 193. 10.
Excerpta e libro introd. ad artem sphericam, 168. 118, 120[b].
Nota, manu S. Bredon, ex lib. de dispos. orbis, 178. [B. N. 12.] 14.
Excerptum de occultis, 149. 202.
Excerptum de diametro lunae, etc., 57. 127.
Notae ex eo de nativitatibus, 194. 126.
De eo et libro ejus Almagesti, 57. 142.

PURGATORIUM : *v.* Henricus Saltereyensis.
Visiones, 34. 81–126.

PYOSCAXYM : *v.* Arithmetica.

PYTHAGORAS : *v.*
Aristoteles.
P.
Sphaera, 29. 193. 46. 106[b]. [*Olim etiam exstabat in* 98 *et* 153.]
Prognostica, 46. 67[b].

QUADRANS : *v.* Astronomia.

QUID PRO QUO : *v.* Medicina.

QUINCY, Marg. de, comitissa Winton. : *v.* Grosseteste, Rob.

QUINTONE, M. de, *sive* Cuintone, *q. v.*

QUIVIL, Petrus, episc. Exon. Constitutiones, 1287, 35.

R., quidam, sacerdos secularis. Epist. ad quendam claustralem sacerdotem A. de confessionis articulis, 149. 61.

R., sub-prior quidam, 151. [B. N. 11]. 122[b].

R . . . . e, magister quidam. Tractatus de geomantia, 50.

RADIX MUNDI : *v.* Bacon, Rog.

RADULPHUS, Armach. archiep., *sive* Fitz-Ralph, *q. v.*

RAEGENBOLDUS, sacerdos, de Wintonia. Scripsit, saec. ix, cod. 63.

RAGEMON : *v.* Poemata.

RAINILVA, reclusa : *v.* Godwinus.

RATFORDE ——, Oxoniensis. Quaestt. tres theologicae, 216. 37–52.

RAYMUNDUS Galfredus, ord. Minorum minister generalis : *v.* Plantagenet, Edm.

READE, *sive* Reed, Gulielmus, episc. Cicestrensis. Tabulae astronomicae, 57. 32–108. 97. 5–41.
Canones ad tabulas ejus astronomicas, 48. 177. 92. 11. 97. 64[b].
Almanak, *sive* tabulae, solis pro annis 1341–4, 176. 71. 178. [B. N. 12.] 11–13.
Regulae ad faciendum almanach per tabulas ejus, 72. 6.
Calculavit eclipsim lunae anno 1345 eventuram, 176. 9. —— conjunct. Sat. et Jovis anno 1365, *ib.*, *in tab. contentt.*
Scripsit partem cod. 176.
Possedit 19, 176, 216.

READING, in com. Berch. Pars statutorum concilii ibi habiti anno 1279, 58. 111[b]. Abbatia S. Mariae possedit 148, 151 [B. N. 11.], 158, 199.

READING, Willielmus, monachus Niger. Deposuit cod. 184 in cautionem.

RECUSANO, Johannes de, ambassiator civ. Pragensis. Collatio Bohemorum in concilio Basil., 66. 22, 22[b].

REGINALDUS Cantuariensis. Excerpta ex ejus Vita S. Malchi, 65. 64–7[b], 70–3.

REMIGIUS Autissiodorensis. Interpretationes nominum Hebraicorum, 149. 9.

REMINGTON, Robertus. [Chron. Petri de Ickham (*q. v.*) ei a quibusdam ascriptum.]

REYNHAM, Joh., S. T. P. Legavit art. 18 in cod. 67 coll. Mertonensi Oxon.

RHAZES. Liber [alchem.] de xii. aquis optimis, 119. 205.
Varia medica, ex eo, 73 *inter ff.* 61–95.

RHETORICA : *v.*
Cicero.
Grammatica.
Tractatus de artificiis, *sive* 'coloribus' in rhetorica usitatis, 53. 51.
De officio oratoris, divisione orationum, etc., 15. 129.

RICARDUS II, rex Angliae : *v.*
Bonifacius IX.
Eglyn, Galf.
Narratio de depositione ejus et coronatione Hen. IV, 82. 42[b].

RICARDUS, dux Eboracensis : *v.* Plantagenet.

RICARDUS Dovoriensis, archiep. Cantuar. Epistola ad episcopos provinciae suae contra pseudo-episcc. Hibern., 168. 222.

RICARDUS, abbas Eliensis. Epitaphium, 65. 13.

RICARDUS, episc. Londoniensis. Epitaphium, 65. 13[b].

RICARDUS quidam, sophista [*annon* Ric. Fitz-Ralph?]. De universalibus ; comment. super Praedicamenta, 24. 61.

RICARDUS quidam. 'La beitournee' ; poema *Gall.*, 86. 111.

RICARDUS de *Sancto Victore*, q. v.

RICARDUS de Wallingford : *v.* Wallingford.

RICEMARCHUS, episc. Menevensis. Vita S. Davidis Menev., 112. 104.

RICH, Edmundus, archiep. Cantuar. Speculum ecclesiae ; *Gallice*, 20. 143.
Miroir ; *Gallice*, 98. 225.
'De vii. morteus pecchez ; de dis comandemens,' etc. [an per eum?], 20. 162–6.
Oratio ad Dominum J. C. ; *Gallice*, 86. 200[b].
Nota de sigillo suo secreto, 41. 101.

RICHARDE, Fran. Nomen inscriptum, 230 *ad fin.*

RIDLEY, *sive* Rydlye, Oswoldus. Possedit 87.

RID-MARLEY, in com. Wigorn. : *v.* Penedok, Rob. de.

RIGA, Petrus de. Pars Aurorae ejus, 172. [B. N. 10.] 92.
[Ejus, *sive* Hildeberti] Carmen de Susanna ; *imperf.*, 104. 136.

RIHAN, Abu, Birunensis, astronomus Arabicus. 'Rinuby astronomus,' de motibus astrorum, 93. 27[b].

RINUBY, astronomus : *v.* Rihan.

RIOLANUS, Johannes. Comment. in Artem medicam Joh. Fernelii, 195.

RITHMACHIA : *v.* Arithmetica.

RIVERS, Familia de. Insignia gentilitia una cum iis de Swillington conjuncta, 185. 1, 157[b], 166.

ROBERT of Gloucester. Hist. of England ; in verse, 205. 9.

ROBERTUS Anglicus : *v.* Alkindi.
Comment. in tract. Joh. a Sacro Bosco de sphaera ; 1272, 48. 48.

ROBERTUS Anglicus, S. T. D., ord. Praed. Tabula capitulorum Etymologiarum Isidori, 208. 1.

ROBERTUS Cestrensis : *v.* Morienus.
Excerptum ex lib. ejus super tabulas Toletanas, 17. 156.

ROBERTUS de Leicestria. Tract. de compoto Hebraeorum aptato ad calendarium ; 1294, 212. 1. Compotus Hebraeorum purus, *ib.* 7[b]. Comment. in tabulas operis primi supradicti, *ib.* 8[b].

ROBERTUS, primogenitus Caroli regis Siciliae. Art. 6 in cod. 71 ei inscriptus.

ROBINETUS, quidam. Narratio de eo, 172. [B. N. 10.] 154.

ROBYNS, Johannes, canonicus Aedis Christi Oxon., et de Windsor. Tract. de stellis fixis, 143. 1.

RODULPHUS, Brugensis. Liber de compositione astrolabii, 51. 26.

ROGERUS Herefordensis. Liber de iv. partibus astronomiae judiciorum ; pars i, 149. 189. Extracta e libro de judiciis astrorum, 57. 145[b].
Theorica planetarum, 168. 69[b].

ROLAND.
Chanson de Roland, 23. 11.

ROGERUS, monachus quidam adulter. Narratio metrica de eo, 53. 33[b].

TROJA: *v.*
 Dares Phrygius.
 Hugo de Monte-Acuto.
 Poemata.

TROTULA. Liber de morbis mulierum, 29. 278. 75. 52.

TULLIUS, Graecus. Tract. de operationibus alchemicis, 119. 128. Comment. Nabali et Phileti in eundem, *ib.* 131.

TUNBRIDGE, in com. Cantiae. Prioratus dedit 156 in excambium.

TUNSTEDE, Simon de, S. T. D. Quatuor principalia Musicae [*forsan ejus, forsan* Joh. Hambois], 90.

TURKETUS: *v.* Astronomia.

TWYNE, Brianus. Possedit 35.
 Nomen inscriptum, 97. 292[b].
 Nota de MSS. Tho. Allen; *ad calc. Catal., supra,* col. 254.

TYNEMOUTH, Prioratus de. Epistolae quaedam hanc domum spectantes, 20. *inter* 110–142.

VALERIUS. Epistola ad Rufinum: *v.* Mapes, Gualt.

VALOYNES, Anselmus de, frater. Cod. 203 ei datus ad terminum vitae.

VAMPAGE, J. Dies et hora natalis ejus, anno 1427, 57. 2*.

VATE, *al.* Vace, Hen., *sive* Bate, *q. v.*

VAVASOUR, Familia de. Insignia gentilitia una cum iis de Swillington conjuncta, 185. 157[b].

VEGETIUS. Engl. transl. of his book *De re militari,* by — Clifton, 233. 183.

VENATIO: *v.*
 Glossaria.
 Theodotus.
 'The book of huntyng, clepid Maistre of game,' 182.

VENETIA: *v.* Boldi, Andr.

VENTI: *v.* Meteorologica.
 Nota de cognitione ventorum, 176. 59[b].
 Nomina ventorum, *Lat.* et *Angl.,* 196. 196[b].

VEREKALI. Citatur, 194. 127[b].

VERGERIUS, Petrus Paulus. Liber de moribus et adolescentiae studiis, 130. 68[b].

VERNERUS, Joannes, sacellanus Nurembergensis. Tabulae latitudinis planetarum; 1521, 132. 1. Compositiones et usus organorum latitudinum cum tabulis de eisdem, *ib.* 29, 58.

VERSIFICATIO. Regulae versificandi, 147. 138[b].

VETERINARIA, Ars: *v.* Equi.

VILAIN. Proverbes; *en vers Franç.,* 86. 143.

VILLA DEI, Alexander de: *v.* Thomas de Novo Mercato.
 Carmen de algorismo, 15. 11[b]. 22. 1. 104. 68. —— cum comment., 48. 31. 98. 21[b].
 Compotus; *metrice,* cum praef. et notis, 22. 25. 28. 1. 98. 11. 104. 61. 228. 3[b].

VILLA NOVA, Arnoldus de. De modo graduandi medicinas, 29. 172[b].
 Speculum introductionum medicinalium super Johannicium, 160. 46.
 Preceptum medicum pro pessario, 43. 9[b].
 Libellus de confectione vini, 43. 18.
 Rosarius; liber alchemicus, 164. 76.
 Dialogus super lapide philosophico, 164. 27.
 Excerpta e libb. v. et i. Testamenti ejus, 164. 97–8.
 Livre de la pierre de vie des philosophes, 10.

VINOSALVO, Gualterus, *sive* Galfridus, de. Poetria nova, 104. 21. —— cum analysi operis et indice verborum, 64. 3, 25[b]. [*Olim exstabat etiam in cod.* 98.]

VINTNERS' COMPANY: *v.* Londinum.

VINUM: *v.* Villa Nova, Arn. de.

VIRGILIUS Maro, P. Pars Aeneidos, 168. 91.
 Copa, cum notis, 100. 137[b].
 'Prophetia de Christo'; ecloga iv, 65. 76.
 Versus: 'Sic vos non vobis,' 53. 18.
 Epitaphia a xii. sapientibus, *ib.* 23[b].

VIRGILIUS quidam. Ramus secretissimi lapidis: [*alchem.*], 164. 25[b].

VIRTUTES ET VITIA: *v.* Theologica Varia.

VISCONTI, Carlo, card. e vesc. di Ventimiglia. Lettere al card. Borromeo sopra il successo del Conc. di Trento, 1562, 189. 1.

VISIONES: *v.* Narrationes.

VITALIS quidam: *v.* Pascha.

VITRIACO, Jacobus de. [Capp. 1–100 Hist. ejus Hierosol., *sive*] libb. i. ii. Tract. Petri de Casa de imagine mundi, 16. 1.
 'Exempla,' atque narrationes, 16. 165.
 Narrationes duae [ejus?], 172. [B. N. 10.] 153[a,b].

ULPHO, monachus Vastenensis. Vita S. Katherinae, 172. [B. N. 10.] 25.

UMBRA. Nota de umbra triplici, 193. 23.

VOCABULARIA: *v.* Glossaria.

VOLVELLAE. Astronomicae, 48. 203. 167. 31.
 Duae astrologicae in tegmine cod. 46.

VORAGINE, Jacobus de, de Janua. Distinctiones super varia loca S. Script., sive Figurarum compendium, 206. 153.

UPLOND, Jack: *v.* Walsingham, John.

URBANUS VI.: *v.* Bonifacius IX.

URINAE: *v.*
 Aegidius Corboliensis.
 Medicina.
 Theophilus.

URSO. De effectibus qualitatum primarum, 71. 27.
 Liber de commixtionibus elementorum, 161. 35[b].
 Aphorismi, 153. 67[b]. Pars cap. cix. Aphorismorum, 37. 1. Tabula super Aphorismos, 206. 129. Notulae extractae de Aphorismis, *ib.* 130[b].
 De eo mentio, 153. 174.
 [*Quaedam ab eo olim in cod.* 192 *exstabant*].

VULGRINUS, cantor quidam Gallicus. Versus de morte ejus, 65. 73[b].

VYNCHE, N., monachus. Scripsit memorandum in cod. 32.

W. C., 32. 1.

WACE, Robertus. Miracula S. Nicholai; ex versibus Lat. in Anglo-Norman. translata ab Osberto quodam, 86. 150.

WALLER, Rogerus. Possedit cod. 138.

WALLIA: *v.* Higden, Ranulphus.

WALLINGFORD, Richardus de, abbas S. Albani. Quadripartitum de sinubus demonstratis, 168. 1. 178. [B. N. 12.] 15. 190. 90.
 De rectangulo, 168. 61[b].
 Tract. de sinubus et arcubus in circulo, 178. [B. N. 12.] 39.
 Exafrenon pronosticorum temporis, 180. 30. 194. 85. —— in Engl., 67. 6. — chaps. i–v, *in Eng.,* Rot. 3.
 Mentio de instrumento vocato *Albion* ab eo composito, et de usu ejus, 57. 125[b], 130. 168. 61[b].

WALSINGHAM, John. Reply of Daw Topias to the Complaint of Jack Uplond; with a rejoinder by a Lollard, 41. 2.

WALTER, Johannes. Tabulae equationum xii. domorum, cum canonibus, 97. 42. Tabula equationis domorum [*forsan ejus*], 178 [B. N. 12.] 4[b].

WALTERUS: *v.* Gualterus.

WALTHAM, in com. Essexiae. Domus S. Crucis possedit cod. 211.

WALTON, Rogerus. Possedit cod. 33.

WALTON, Simon de, episc. Norwicensis *v.* Norwicum.

WASTEN, *al.* Wadzsten, Monasterium de, in Suevia. Attestatio de *Vita P. Olavi,* libro ibi servato, 1427, 172. [B. N. 10.] 52[b].

WATSON, Christophorus, Dunelmensis. Nomen anno 1573 inscriptum, 81. 140.

WEATHER: *v.* Meteorologica.

WELDON, Robert, 97. 1, 2.

WERKWORTH, Thomas. Tractatus de motu octavae sphaerae, 97. 143.

WESTMARIUS, rex Britannus. Notae et versus de eo, 186. 32–3.

WESTMORELAND, Comitatus de. Notae quaedam, 186. 32–38[b].

WESTMORELAND, Earl of, *i. e.* R. Nevill, *q. v.*

WHITEHEAD, *sive* Whytheed, Johannes, de Hibernia. Determinatio de mendicitate contra fratres; pro Radulpho archiep. Armach. contra P. Russel, 98. 200. —— de confessione et absolutione contra Will. de Edlesburgh, *ib.* 208.

WICKLIFFE, Johannes: *v.* Widford, Will. ['Epistolae multae,' *olim in cod.* 98 *exstabant*].

WIDFORD, Willelmus, ord. Min. Determinationes in univ. Oxon. contra Wyclevistas, 170.

CORRIGENDA.

Col. 71, linea antepenult., *pro* 'sceaula' *lege* 'scedula.'
Col. 115, art. 25, l. 6, *pro* Henn *lege* Hemi.

DIGBY MANUSCRIPTS

BODLEIAN LIBRARY
QUARTO CATALOGUES

IX

DIGBY MANUSCRIPTS

2

Notes on Macrays' Descriptions of the Manuscripts

by

†R. W. Hunt & A. G. Watson

Appendix

Thomas Allen's Catalogue

by

A. G. Watson

CONTENTS

PREFACE

The 237 manuscripts in the Digby collection were given to the Bodleian in 1634 by Sir Kenelm Digby (1603–65), diplomat, philosopher, privateer, and experimental scientist as well as book collector. The collection is dominated by the great bequest which Digby had received only two years earlier from his friend and mentor, the Oxford antiquary and mathematician Thomas Allen. The Allen manuscripts include MS. Digby 23, the earliest surviving manuscript of the *Chanson de Roland,* a key witness to the development of vernacular epic in Europe. But apart from this one seminal witness for French literature, the extraordinary richness of the collection lies in two main areas. The first consists of medieval scientific manuscripts, mostly from Oxford colleges or the religious houses of medieval Britain: commentaries on the works of Aristotle, Latin translations of texts by Arabic authors, and mathematical and medieval treatises, including works by Robert Grosseteste and Roger Bacon. The other strength is in the significant number of manuscripts containing Middle English, which illustrate the growing variety of uses for the vernacular in late medieval England, and whose importance can be gauged from the devotion to them of an entire volume of the *Index of Middle English Prose* (vol. III, Cambridge: D.S. Brewer, 1986). Here is the literature of religious devotion and spiritual guidance, including the *Pricke of Conscience* in verse and 'The Digby Plays' (ed. EETS, os 283, 1982); chronicles and political theory; the courtly literature of Hoccleve, Lydgate, and Chaucer; and, as a complement to the Latin scientific material, compendia of practical applications of scientific and medical knowledge—collections of recipes and outlines of the medicinal powers of herbs, uroscopies, and prognostics for human activities and the weather based on palmistry, physiognomy, and the zodiac.

The catalogue which is here reprinted and revised was first published in 1883, as volume IX of the quarto catalogues of Bodleian manuscripts. It was the work of William Dunn Macray (1826-1916) whose long career on the Bodleian staff was marked by the publication of a distinguished series of catalogues, calendars and indexes. In the early nineteenth century scholars still depended on Edward Bernard's catalogue of 1697 for information about the majority of manuscripts in the Library. It was to supplement the meagre details in that list that Henry Octavius Coxe as sub-librarian devoted himself to cataloguing the western manuscript collections, then as Bodley's Librarian set Macray to catalogue the Digby manuscripts in 1878. The manuscripts given by Sir Kenelm Digby lay outside Macray's own field of interest. It is a tribute to the combination of wide-ranging scholarship, industry and attention to detail which he brought to the task that Macray's catalogue served scholars so well so far into the present century.

In the 1950s and 1960s the development of photolithography coincided with the increasing scarcity of copies of the quarto catalogues and prompted Dr Richard Hunt, Keeper of Western Manuscripts from 1945 to 1975, to begin to reprint this series of nineteenth-century catalogues. Impressed by the example of the British Museum's catalogue of fifteenth-century books, he recognised the usefulness of incorporating handwritten additions and corrections in the reprints and persuaded the University Press 'to give it a trial'. Catalogues of the Tanner and Greek collections were reprinted in quick succession in 1966 and 1969. Encouraged by the assistance available to him when Miss Cornelia Starks joined his department, Richard Hunt undertook a more ambitious revision of the Laud volume, which appeared in 1973. Once again ably assisted and encouraged by Miss Starks, he turned his attention to the Digby catalogue. His aim was to produce a revision on the scale of its predecessor and to include an annotated edition of Brian Twyne's catalogue of the Allen manuscripts then being prepared by Andrew Watson. Although much work had been done, the catalogue was not complete when Richard Hunt died in 1979. Miss Starks contributed a section to his memorial exhibition in 1980 under the title 'Work in progress: Richard Hunt's revision of the Digby catalogue' (*Manuscripts at Oxford,* 118–21), and Professor Watson generously agreed to take over the task of revising the catalogue alongside a host of other commitments. Meanwhile, further publications making use of individual manuscripts have continued to appear: most recently, for example, the facsimile of the late thirteenth-century anthology, MS. Digby 86 (ed. Judith Tschann & M.B. Parkes, EETS Suppl. Ser. 16, Oxford 1996).

The publication of this revised Digby catalogue reflects Dr. Hunt's and Professor Watson's intention of preserving the integrity of Macray's great work while amplifying it in the light of the research of a whole host of scholars in the intervening century. In his introduction to the *Summary Catalogue of Western Manuscripts in the Bodleian Library* (1953), Richard Hunt concluded that 'the completion of any catalogue seems more subject to unforeseen obstacles than most scholarly undertakings'. The various stages through which this revision has passed in the course of twenty-five years provide ample evidence of this phenomenon. The Library owes a great debt of gratitude to Professor Watson for seeing to a conclusion the work begun by one of its most distinguished Keepers.

Mary Clapinson
Keeper of Western Manuscripts
April 1997

ABBREVIATED TITLES

Adelard of Bath	*Adelard of Bath, an English Scientist and Arabist of the Early Twelfth Century,* ed. J. Kraye & W. F. Ryan (Warburg Institute Surveys and Texts, 14; London, 1987)
AFH	*Archivum Fratrum Historicum*
AFP	*Archivum Fratrum Praedicatorum*
AHDLMA	*Archives d'histoire doctrinale et littéraire du moyen âge*
AL	*Aristoteles Latinus,* ed. G. Lacombe *et al.,* 3 vols. (Union Académique Internationale, Corpus Philosophorum Medii Aevi; Rome, 1939; Cambridge, 1955; Brugge & Paris, 1961)
ALCD	M. R. James, *The Ancient Libraries of Canterbury and Dover (Cambridge, 1903)*
Allen, *Rolle*	H. E. Allen, *Writings Ascribed to Richard Rolle, Hermit of Hampole, and Materials for his Biography (London, 1927)*
Anal. Hymn.	*Analecta Hymnica Medii Aevi,* ed. G. M. Dreves *et al.,* 55 vols. (Leipzig, 1886–1922)
Anecd. Oxon. 1	Anecdota Oxoniensia. Classical Series 1. 5 (Oxford, 1885)
Bale, *Index*	*Index Britanniae Scriptorum...John Bale's Index of British and other Writers,* ed. R. L. Poole & M. Bateson, reissued with an introduction by C. Brett & J. P. Carley (Cambridge, 1990)
Baur, *Grosseteste*	L. Baur, *Die philosophischen Werke des Robert Grosseteste Bischoffs von Lincoln* (Beiträge zur Geschichte der Philosophie des Mittelalters, 9; Münster, Westfalen, 1912)
Beccaria, *Codici*	A. Beccaria, *I Codici di medicina del periodo presalernitano* (Rome, 1956)
BGP[T]M	*Beiträge zur Geschichte der Philosophie [und Theologie] des Mittelalters*
BHL	*Bibliotheca hagiographica latina.* Ediderunt Socii Bollandiani, 2 vols. (Brussels, 1898–1901) and supplements (Brussels, 1911, 1986)
Bischoff, *Mittelalterliche Studien*	B. Bischoff, *Mittelalterliche Studien.* 2 vols. (Stuttgart, 1967)
Bloomfield	M. W. Bloomfield et al., *Incipits of Latin Works on the Vices and Virtues, 1100-1500* (Medieval Academy of America Publications, 88; Cambridge, MA, 1979)
BLR	*Bodleian Library Record*
BMQ	*British Museum Quarterly*
Book Production	*Book Production and Publishing in Britain 1375–1475,* ed. J. Griffiths & D. Pearsall (Cambridge, 1989)
BQR	*Bodleian Quarterly Record*
Briquet	C. M. Briquet, *Les Filigranes. Dictionnaire historique des marques du papier dès leur apparition vers 1281 jusqu'en 1600,* ed. with supplementary material by Allan Stevenson, 4 vols. (Amsterdam, 1968)
Brown, *English Lyrics*	Carleton Brown, *English Lyrics of the XIIIth Century* (Oxford, 1932)
Bubnov, *Gerberti opera*	N. Bubnov, *Gerberti opera mathematica* (Berlin, 1899)
Burnett, 'Adelard'	C. Burnett, 'The writings of Adelard of Bath and closely related works, together with the manuscripts in which they occur', in *Adelard of Bath,* 143–96
Carmody, *Arabic Sciences*	F. J. Carmody, *Arabic Astronomical and Astrological Sciences in Latin Translation* (Berkeley, CA, 1956)
CBMLC	Corpus of British Medieval Library Catalogues
CBMLC, Augustinians	*The Libraries of the Augustinian Canons,* ed. T. Webber & A. G. Watson (CBMLC, 6; London, 1998)
CBMLC, Benedictines	*English Benedictine Libraries: the Shorter Catalogues,* ed. R. Sharpe, J. P. Carley, R. M. Thomson & A. G. Watson (CBMLC, 4; London, 1996)

CBMLC, *Brig.*   *Brigittine and Carthusian Libraries*, ed. V. A. Gillespie & A. I. Doyle (CBMLC,
    and Carth.   in progress)

CBMLC, *Christ Church*   *The Library of Christ Church Canterbury*, ed. L. O. Ayres & M. T. Gibson
  (CBMLC,   in progress)

CBMLC, *Cistercians*   *The Libraries of the Cistercians, Gilbertines and Premonstratensians*, ed. D. N. Bell
                                (CBMLC, 2; London, 1992)

CBMLC, *Dover*   *The Library of St Martin's Priory, Dover*, ed. W. P. Stoneman (CBMLC, 5, in progress)

CBMLC, *Friars*   *The Friar's Libraries*, ed. K. W. Humphreys (CBMLC, 1; London, 1990)

CBMLC, *Oxford*   *The University and College Libraries of Oxford*, ed. J. G. Clark (CBMLC, in progress)

CBMLC, *St Augustine's*   *The Library of St Augustine's Abbey, Canterbury*, ed. B. C. Barker-Benfield (CBMLC,
                                in progress)

CC   Corpus Christianorum

CCCM   Corpus Christianorum, Continuatio Medievalis

CCSL   Corpus Christianorum, Series Latina

Charland, *Artes*   Th.-M. Charland, *Artes praedicandi* (Publications de l'Institut d'Études médiévales
                                d'Ottowa, 7; Ottowa, 1936)

Charmasson, *La*   T. Charmasson, *Recherches sur une technique divinatoire: La géomancie dans
    géomancie   l'occident médiévale* (Geneva, 1980)

Chevalier, *RH*   U. Chevalier, *Repertorium hymnologicum*, 6 vols. (Louvain, 1892–1921)

Clagett, *Archimedes*   M. Clagett, *Archimedes in the Middle Ages. I The Arabo-Latin Tradition* (Madison,
                                WI, 1964)

Clagett, *Mechanics*   M. Clagett, *The Science of Mechanics in the Middle Ages* (Madison, WI, 1959)

Colgrave, *Lives of*   B. Colgrave, *Two Lives of St Cuthbert* (Cambridge, 1940)
    St Cuthbert

CPL   *Clavis patrum Latinorum*. Editio tertia aucta et emendata, ed. E. Dekkers
                                & E. Gaar (Steenbrugge, 1995)

CSEL   Corpus Scriptorum Ecclesiasticorum Latinorum

d'Alverny, *Transmission*   M.-T. d'Alverny, *La Transmission des textes philosophiques et scientifiques au
                                Moyen Age*, ed. C. Burnett (Aldershot, 1994)

Daly & Suchier,   L. W. Daly & W. Suchier, *Altercatio Hadriani et Epicteti* (Illinois Studies in
    Altercatio   Language and Literature, 24; Urbana, IL, 1939)

Davis, *MC*   G. R. C. Davis, *Medieval Cartularies of Great Britain* (London, 1958)

de la Mare, *Lyell Cat.*   A. C. de la Mare, *Catalogue of the Collection of Medieval Manuscripts Bequeathed
                                to the Bodleian Library Oxford by James P. R. Lyell* (Oxford, 1971)

de Renzi   S. de Renzi, *Collectio Salernitana*, 5 vols. (Naples, 1852–9, rev. edn. Bologna,
                                1967)

de Rijk, *Logica*   L. M. de Rijk, *Logica Modernorum: a Contribution to the History of Early
                                Terminist Logic*, 2 vols. in 3 (Assen, 1962–7)

Destombes, *Mappemondes*   M. Destombes, *Mappemondes, AD 1200–1500* (Amsterdam, 1964)

Diaz   M. C. Diaz y Diaz, *Index Scriptorum Latinorum Medii Aevi Hispanorum*
                                (Madrid, 1959)

Doyle Essays   *New Science out of Old Books: Studies in Manuscripts and Early Printed Books
                                in Honour of A. I. Doyle*, ed. R. Beadle & A. J. Piper (Aldershot, 1995)

Duncan, *Lyrics*   T. G. Duncan, *Medieval English Lyrics 1200–1400* (London, 1995)

Ebbesen, 'Glosses'   S. Ebbesen, 'Medieval Latin glosses and commentaries on Aristotelian logical
                                texts twelfth and thirteenth centuries' in *Glosses and Commentaries on Aristotelian
                                Logical Texts*, ed. C. Burnett (Warburg Institute Surveys and Texts, 23; London,
                                1993), 129–77

EETS   Early English Text Society

EHR   *The English Historical Review*

Emden, *BRUC*   A.B. Emden, *A Biographical Register of the University of Cambridge to 1500*
                                (Cambridge, 1963)

Emden, *BRUO*   A. B. Emden, *A Biographical Register of the University of Oxford to A. D. 1500*,
                                3 vols. (Oxford, 1957–9)

Emden, *BRUO 1501–1540*   A. B. Emden, *A Biographical Register of the University of Oxford A. D. 1501–1540* (Oxford, 1974)

Faral, *Arts*   E. Faral, *Les Arts poétiques du xiie et du xiiie siècle* (Bibliotheque de l'École des Hautes Études, 238; Paris, 1924)

Fauser, *Albertus Magnus*   W. J. F. Fauser, *Die Werke des Albertus Magnus in ihrer Handschriftlichen Überlieferung, Teil 1: Die echten Werke* (Münster, Westfalen, 1982)

Folkerts, 'Aufgabensammlungen'   M. Folkerts, 'Mathematische Aufgabensammlungen', *Sudhoffs Archiv,* 55 (1971), 58–75

Foster, *AO*   J. Foster, *Alumni Oxonienses, Early Series,* 3 vols. (Oxford, 1921–2)

Gibson & Palmer   M. T. Gibson & N. Palmer, 'Manuscripts of Alan of Lille, "Anticlaudianus" in the British Isles', *Studi medievali,* 3rd ser. 28 (1987), 905–1001

Gibson & Smith, *Codices Boethiani*   *Codices Boethiani: A Conspectus of Manuscripts of the Works of Boethius. I Great Britain and the Republic of Ireland,* ed. M. T. Gibson & L. Smith (Warburg Institute Studies and Texts, 25; London, 1995)

Glorieux, *Arts*   P. Glorieux, *La Faculté des arts et ses maîtres à Paris au xiiie siècle,* 2 vols. (Paris, 1971)

Glorieux, *Rép.*   P. Glorieux, *Répertoire des maîtres en théologie de Paris* (Paris, 1933–4)

Goy, *Hugo von S. Viktor*   R. Goy, *Die Überlieferung des Werks Hugos von St. Viktor* (Stuttgart, 1976)

Graham & Watson, *Documents*   T. Graham & A. G. Watson, *The Recovery of the Past in Early Elizabethan England: Documents by John Bale and John Joscelyn from the Circle of Matthew Parker* (Cambridge Bibliographical Society monograph no. 13; Cambridge, 1998)

Greatrex, *Register*   J. Greatrex, *Biographical Register of the English Cathedral Priories of the Province of Canterbury c. 1066 to 1540* (Oxford, 1997)

Gunther, *Early Science*   R. T. Gunther, *Early Science in Oxford 2* (OHS, 78), (Oxford, 1923)

Hardy, *Catalogue*   T. D. Hardy, *Descriptive Catalogue of Materials relating to the History of Great Britain and Ireland to the End of the Reign of Henry VII,* 3 vols. in 4 (Rolls Series, 26; London, 1862–71)

Haskins, *Medieval Science*   C. H. Haskins, *Studies in the History of Medieval Science* (Cambridge, MA, 1927)

Hill, 'Letterbooks'   R. M. Hill, 'Ecclesiastical Letterbooks of the Thirteenth Century' (unpublished thesis, University of Oxford, 1936)

Hoste, *Bibl. Aelrediana*   A. Hoste, *Bibliotheca Aelrediana* (Instrumenta Patristica, 2; Steenbrugge, 1962)

Hunt Essays   *Medieval Learning and Literature: Essays Presented to Richard William Hunt,* ed. J. J. G. Alexander & M. T. Gibson (Oxford, 1976)

Hunt, *Teaching and Learning Latin*   T. Hunt, *Teaching and Learning Latin in Thirteenth-Century England,* 3 vols. (Cambridge, 1991)

HUO   *The History of the University of Oxford I: the Early Oxford Schools,* ed. J. I. Catto (Oxford, 1984); *II: Late Medieval Oxford,* ed. J. I. Catto & R. Evans (Oxford, 1992)

IMEP 1   *The Index of Middle English Prose. Handlist 1: the Henry E. Huntingdon Library,* ed. R. Hanna (Cambridge, 1984)

IMEP 3   *The Index of Middle English Prose. Handlist 3: the Digby Collection. Bodleian Library, Oxford,* ed. P. J. Horner (Woodbridge, 1986)

IMEV   C. Brown & R. H. Robbins, *The Index of Middle English Verse* (New York, 1943). Supplement by R. H. Robbins & J. L. Cutler (Lexington, PA, 1965)

Init.   H. Walther, *Initia carminum ac versuum medii aevi posterioris Latinorum* (Göttingen, 1959) and supplements in *Mittellateinisches Jahrbuch* 7 (1971), 293–314; 8 (1972), 288–304; 9 (1973), 320–44; 12 (1977), 297–315; 15 (1980), 258–86; 16 (1981), 409–41

IPMEP   R. E. Lewis, N. F. Blake & A. S. G. Edwards, *The Index of Printed Middle English Prose* (New York & London, 1985)

Jeffrey & Levy   D. L. Jeffrey & B. Levy, *The Anglo-Norman Lyric: An Anthology* (Toronto, 1990)

Johnson, 'Mappae clavicula'   R. P. Johnson, 'Notes on some manuscripts of the Mappae clavicula', *Speculum,* 10 (1935), 72–81

Ker, *Catalogue*   N. R. Ker, *Catalogue of Manuscripts Containing Anglo-Saxon* (Oxford, 1957; reissued with addenda, 1990)

Ker, *MLGB*   N. R. Ker, *Medieval Libraries of Great Britain: a List of Surviving Books.* 2nd edn. (Royal Historical Society Guides and Handbooks, 3; London, 1964) and *Supplement* by A. G. Watson, Guides and Handbooks, 15; London, 1987)

Kibre, *Hipp. Lat.*   P. Kibre, *Hippocrates Latinus: Repertory of Hippocratic Writings in the Later Middle Ages*, rev. edn. (New York, 1985)

Laing, *Catalogue*   M. Laing, *Catalogue of Sources for a Linguistic Atlas of Early Medieval England* (Cambridge, 1993)

Lambert   B. Lambert, *Bibliotheca Manuscripta Hieronomiana*, 4 vols. (Instrumenta Patristica, 4; Steenbrugge, 1969–72)

Långfors   A. Långfors, *Les Incipit des poèmes français* (Paris, 1917)

Lewis & McIntosh   R. E. Lewis & A. McIntosh, *A Descriptive Guide to the Manuscripts of the Prick of Conscience* (Medium Ævum Monographs, NS. 12; Oxford, 1982)

Lindberg, *Catalogue*   D. C. Lindberg, *A Catalogue of Medieval and Renaissance Optical Manuscripts* (Pontifical Institute Subsidia Mediaevalia, 5; Toronto, 1975)

Lindberg, *Pecham*   D. C. Lindberg, *Pecham and the Science of Optics: Perspectiva Communis* (University of Wisconsin Publications in Medieval Science, 14; Madison, WI, 1970)

Little, *Bacon Essays*   A. G. Little, *Roger Bacon Essays* (Oxford, 1914)

Lohr, 'Aristotle   C. H. Lohr, 'Medieval Latin Aristotle, Commentaries', *Traditio*, 23 (1967), 313–413
  Commentaries'   [A–F]; 24 (1968), 149–245 [G–I]; 26 (1970), 135–216 [Jacobus–Johannes Juff]; 27 (1971), 251–351 [Johannes de Kanthi–Myngodus]; 28 (1972), 281–392 [Narcissus–Richardus]; 29 (1973), 93–137, 383–6 [Robertus–Wilgelmus]; 30 (1974), 119–44 [supplement]

Lohr, *Aristotle   C. H. Lohr, *Aristotle Commentaries. II Renaissance Authors* (Florence, 1988)
  Commentaries II*

Maaz, *Lateinische   W. Maaz, *Lateinische Epigrammatik im hohen Mittelalter* (Spolia Berolinensia,
  Epigrammatik*   2; Hildesheim & Munich, 1992)

MARS   *Medieval and Renaissance Studies*

Meier-Ewert   C. Meier-Ewert, 'A Study and a Partial Edition of the Anglo-Norman Verse in the Bodleian Manuscript Digby 86' (unpublished thesis, University of Oxford, 1971)

Mélanges Pelzer   *Mélanges Auguste Pelzer* (Louvain, 1947)

MGH   Monumenta Germaniae Historica

*Middle English   A. McIntosh, *et al.*, *Middle English Dialectology* (Aberdeen, 1989)
  Dialectology*

Miniatura Fiorentina   *Miniatura Fiorentina del Rinascimento 1440–1525...a cura di Annarosa Garzelli*, 2 vols. (Inventari e cataloghi Toscani, 18; Florence, 1985)

Moody & Clagett, *Weights* E. A. Moody & M. Clagett, *The Medieval Science of Weights* (Madison, WI, 1952)

MSS. at Oxford   *Manuscripts at Oxford: an Exhibition [at the Bodleian Library] in Memory of Richard William Hunt...*, ed. A. C. de la Mare & B. C. Barker-Benfield, (Oxford, 1980)

Mynors, *Balliol*   R. A. B. Mynors, *Catalogue of the Manuscripts of Balliol College Oxford* (Oxford, 1963)

Mynors, *Durham MSS.*   R. A. B. Mynors, *Durham Cathedral Manuscripts to the End of the Twelfth Century* (Oxford, 1939)

Naetebus   G. Naetebus, *Die nichtlyrischen Strophenformen des Altfranzösischen* (Leipzig, 1891)

North, *Wallingford*   J. D. North, *Richard of Wallingford*, 3 vols. (Oxford, 1976)

OHS   Oxford Historical Society

Opera Baconi   *Opera hactenus inedita Rogeri Baconi*, ed. R. Steele, F. Delorme *et al.*, 16 vols. (Oxford, 1909–40)

PA   O. Pächt & J. J. G. Alexander, *Illuminated Manuscripts in the Bodleian Library*, 3 vols. (Oxford, 1966–73)

PAL   C. B. Schmitt & D. Knox, *Pseudo-Aristoteles Latinus: A Guide to Latin Works Falsely Attributed to Aristotle before 1500* (Warburg Institute Surveys and Texts, 12; London, 1985)

Paravicini Bagliani,   A. Paravicini Bagliani, *Medicina e scienze delle natura alla corte dei papi nel
  Medicina e scienze   duecento* (Spoleto, 1991)

Parkes, *ECBH*   M. B. Parkes, *English Cursive Book Hands 1250–1500*, 2nd edn. (London, 1979)

Piccard, *Ochsenkopf-   G. Piccard, *Ochsenkopf-Wasserzeichen*, 3 vols. (Stuttgart, 1966)
  Wasserzeichen*

Piccard, *Wasserzeichen Anker*	G. Piccard, *Wasserzeichen Anker* (Stuttgart, 1978)
Piccard, *Wasserzeichen Fabeltiere*	G. Piccard, *Wasserzeichen Fabeltiere* (Stuttgart, 1980)
Piccard, *Wasserzeichen Hirsch*	G. Piccard, *Wasserzeichen Hirsch*, 3 vols. (Stuttgart, 1987)
PL	*Patrologia Latina*
Polak, *Letter Treatises*	E. Polak, *Medieval and Renaissance Letter Treatises and Form Letters: a Census of Manuscripts Found in Parts of Western Europe, Japan and the United States of America* (Leiden, 1994)
Powicke, *Medieval Books*	F. M. Powicke, *The Medieval Books of Merton College* (Oxford, 1931)
Powicke & Cheney	*Councils and Synods, with Other Documents Relating to the English Church. II: A.D. 1205–1313*, ed. F. M. Powicke & C. R. Cheney, 2 vols. (Oxford, 1964)
Proc. Brit. Acad.	*Proceedings of the British Academy*
Registrum	*Registrum Anglie de libris doctorum et auctorum veterum*, ed. R. H. Rouse & M. A. Rouse; the Latin text established by R. A. B. Mynors (CBMLC, 3; London, 1991)
Rev. Bén.	*Revue Bénédictine*
Rigg, *Anglo-Latin Literature*	A. G. Rigg, *A History of Anglo-Latin Literature 1066–1422* (Cambridge, 1992)
Roberts & Watson	R. J. Roberts & A. G. Watson, *John Dee's Library Catalogue* (London, 1990)
RS	Rolls Series (Chronicles and Memorials of Great Britain and Ireland), 99 vols. in 259 (London, 1858–1911, 1964)
RTAM	*Recherches de théologie ancienne et moderne*
Russell, *Dictionary*	J. C. Russell, *Dictionary of Writers of Thirteenth Century England* (Special Supplement no. 3 to the Bulletin of the Institute of Historical Research; London, 1936)
Saxl & Meier	F. Saxl & H. Meier, *Catalogue of Astrological and Mythological Illuminated Manuscripts of the Latin Middle Ages*, 2 vols. (London, 1953)
SC	*A Summary Catalogue of Western Manuscripts in the Bodleian Library at Oxford*, 7 vols. in 8 (Oxford, 1895–1953; repr. New York, 1980)
Schneyer, *Repertorium*	J. B. Schneyer, *Repertorium der lateinischen Sermones des Mittelalters für die Zeit von 1150–1350*, 9 vols. (BGPTM, 43; 1969–79)
Schmidt, *Piers Plowman*	William Langland, *Piers Plowman: a Parallel–Text Edition of the Plowman A, B, C and Z Versions: Vol. I the Text*, by A. V. C. Schmidt (London & New York, 1995)
Sent.	H. Walther, *Lateinische Sprichwörter und Sentenzen des Mittelalters*, 6 vols. (Göttingen, 1973–9) and supplements in *Mittellateinisches Jahrbuch*, 12 (1977), 316–29; 13 (1978), 315–33
Sent. Neue Reihe	*Proverbia, sententiaeque latinitatis medii ac recentioris aevi nova series*, ed. P. G. Schmidt, 3 vols. (Göttingen, 1982–6)
Severs & Hartung, *Manual*	*A Manual of the Writings in Middle English, 1050–1500*, ed. J. Burke Severs & A. E. Hartung, based upon J. E. Wells' Manual, 9 vols. (New Haven, 1967–93)
Sharpe, *Latin Writers*	R. Sharpe, *A Handlist of the Latin Writers of Great Britain and Ireland before 1540* (Publications of the Journal of Medieval Latin, 1; Toronto & Turnhout, 1997)
Sinclair, *Devotional Texts*	K. V. Sinclair, *French Devotional Texts of the Middle Ages* (Hamden, CT, 1979)
Sinclair	K. V. Sinclair, *Prières en ancien français* (Hamden, CT, 1978)
SK	D. Schaller & E. Könsgen, *Initia carminum Latinorum saeculo undecimo antiquorum* (Göttingen, 1977)
Sonet	J. Sonet, *Répertoire d'incipit de prières en ancien français* (Societé de publications romanes et françaises, 54; Geneva, 1956)
Stegmüller, *Bibl.*	F. Stegmüller, *Repertorium biblicum medii aevi*, 11 vols. (Madrid, 1950–80)
Stegmüller, *Rep. Sent.*	F. Stegmüller, *Repertorium commentariorum in Sententias Petri Lombardi*, 2 vols. (Würzburg, 1947); supplement by V. Doucet (Quaracchi, 1954)
Stengel	E. Stengel, *Codicem Manu Scriptum Digby 86 descripsi...* (Halle, 1871)
Strecker, *Gedichte Walters von Châtillon*	K. Strecker, *Moralisch-satirische Gedichte Walters von Châtillon* (Heidelberg, 1929)

Taavitsainen, *Lunaries*   I. Taavitsainen, *Middle English Lunaries: a Study of the Genre* (Mémoires de la Societé Philologique de Helsinki, 24; Helsinki, 1988)

Tanner, *Bibliotheca*   T. Tanner, *Bibliotheca Britannico-Hibernica* (London, 1748)

TCBS   *Transactions of the Cambridge Bibliographical Society*

Thomson, *Grosseteste*   S. H. Thomson, *The Writings of Robert Grosseteste* (Cambridge, 1940)

Thomson, *Latin Bookhands*   S. H. Thomson, *Latin Bookhands of the Later Middle Ages 1100–1500* (Cambridge, 1969)

Thomson, 'Petrus Peregrinus'   S. P. Thomson, 'Petrus Peregrinus de Maricourt and his Epistola de Magnete', *Proc. Brit. Acad.* (1905–6), 377–408

Thomson, 'Trial index'   D. V. Thomson, 'Trial index to some unpublished sources for the history of mediaeval craftsmanship', *Speculum,* 10 (1935), 410–31

Thorndike, 'Astrological images'   L. Thorndike, 'Traditional medieval tracts concerning engraved astrological images', *Mélanges Auguste Pelzer* (Louvain, 1947), 217–74

Thorndike, *Sacrobosco*   L. Thorndike, *The Sphere of Sacrobosco and its Commentators* (Chicago, 1949)

TK   L. Thorndike & P. Kibre, *A Catalogue of Incipits of Medieval Scientific Writings in Latin*, rev. ed. (Cambridge, MA, 1963)

van Dijk, *Lat. Liturgical MSS.*   S. J. P. van Dijk, *Handlist of the Latin Liturgical Manuscripts in the Bodleian Library* (unpublished typescript catalogue, 7 vols. in 8 (1957–60)

van Dijk, *Sources*   *Sources of the Modern Roman Liturgy*, ed. S. J. P. van Dijk, 2 vols. (Studia et documenta franciscana; Leiden, 1963)

Verfasserlexikon   *Die Deutsche Literatur des Mittelalters: Verfasserlexikon*, ed. W. Stammler, K. Langosch *et al.*, 5 vols. (Berlin, 1933–55; 2nd edn. ed. K. J. Ruh *et al.* (Berlin, New York, 1977–)

Vising   P. S. Vising, *Anglo-Norman Language and Literature* (Oxford, 1923),

Watson, 'Allen'   A. G. Watson, 'Thomas Allen of Oxford and his manuscripts', in *Medieval Scribes, Manuscripts and Libraries: Essays Presented to N. R. Ker*, ed. M. B. Parkes & A. G. Watson (London, 1978), 279–314

Watson, *DMO*   A. G. Watson, *Catalogue of Dated and Datable Manuscripts, c. 435–1600 in Oxford Libraries*, 2 vols. (Oxford, 1984)

Watson, *Savile*   A. G. Watson, *The Manuscripts of Henry Savile of Banke* (London, 1969)

Weisheipl, 'Repertorium'   J. A. Weisheipl, 'Repertorium Mertonense', *Mediaeval Studies*, 31 (1969), 174–224

Wenzel Studies   *Literature and Religion in the Late Middle Ages: Philological Studies in Honor of Siegfried Wenzel*, ed. R. G. Newhauser & T. A. Alford (Binghampton, NY, 1995)

Wickersheimer, *Dictionnaire*   E. Wickersheimer, *Dictionnaire biographique des médecins en France au moyen âge*, 2 parts (Paris, 1936, repr. with supplement, Geneva, 1979)

Woolf, *English Lyric*   R. Woolf, *The English Religious Lyric in the Middle Ages* (Oxford, 1968)

Wordsworth, *Kalendar*   *The Ancient Kalendar of the University of Oxford*, ed. C. Wordsworth (OHS, 59; Oxford, 1904)

General Abbreviations and Conventions

abp.	archbishop
appx.	appendix
art(s).	article(s)
Abh.	Abhandlungen
beg.	beginning, begins
bk(s).	book(s)
bp.	bishop
BL	London, British Library
BnF	Paris, Bibliothèque nationale de France
cap.	capitulum
ch(s).	chapter(s)
c.	*circa*
CUL	Cambridge, University Library
descr.	described, description
ed.	edited (by)
ES	Extra Series
edn(s).	edition(s)
ep(p).	epistle(s)
esp.	especially
fasc.	fascicle
fig(s).	figure(s)
fol(s).	folios
n(n).	note(s)
no(s).	number(s)
OFM	Ordo Fratrum Minorum
OP	Ordo Praedicatorum
os	Ordinary Series
OSA	Ordo Sancti Augustini
p(p).	page(s)

pl(s).	plate(s)
pr.	printed
Proc.	Proceedings
Ps.-	pseudo
repr.	reprinted
reprod.	reproduced
ser.	series
Sitzb.	Sitzungsberichte
s.n.	sub nomine
Soc.	Society
s.	saeculum
ss.	saecula
ss	Special Series
S(S)	Saint(s)
suppt.	supplement
STP	Sacrae Theologiae Praelector
unpr.	unprinted.

Angle brackets, < >, indicate text that has been accidentally or deliberately defaced.

Square brackets, [ ], indicate editorial insertions and also, if left blank, undamaged letters or words which the editor cannot read.

Oblique strokes, \ /, indicate insertions by the scribe or a close contemporary.

Page and line references are in the form, for example, 135/17, indicating line 17 on p. 135.

An obelus, †, before a 'TK' reference (Thorndike and Kibre, *Incipits*), indicates that their reference is to the Digby manuscript only.

Alpabetical divisions of the text, A, B, C, etc., indicate separate manuscripts within the volume as now bound.

INTRODUCTION

Although Kenelm Digby (1603–65) was a brilliant figure in his time and has continued to interest later generations, he has never been the subject of a full and satisfactory biography. Even his library, which has by no means been neglected by scholars, has not been exhaustively studied. Much, however, is to be learned from a study by Michael Foster,[1] which, although relatively short, is the only intellectual biography, and it allows the present Introduction to confine itself to comments on certain aspects of the collection of manuscripts, described in the catalogue that follows, which Digby gave to the Bodleian in 1634.

Partly by intention and partly through force of circumstances, Digby led a life in which periods of residence in England alternated with periods of travel in Europe and of exile in France.[2] Two periods of book-acquisition can be distinguished, the first during the years up to 1635 when, having given his manuscripts to the Bodleian, he retired to Paris with a portion of the printed books; and the second from then until his death in 1665 when, living mostly abroad, he accumulated a second library of printed books. The dispersal of his second collection was not a single, tidy operation and scholars who have attempted to elucidate it have encountered many puzzles. The history of the first collection, although not without obscurities, is less complicated. It is dominated by the great bequest, primarily of manuscripts, which he received from his aged friend and former Oxford mentor, Thomas Allen, in 1632.[3]

Exactly when Digby began to acquire manuscripts is not clear. The first dated acquisition of a manuscript is in November 1620 when, at the age of 17, he acquired in Florence the twelfth/thirteenth-century manuscript of geomancy that is now MS. Digby 50. All twenty-nine or thirty of the other manuscripts of Italian origin may have come to him during his two-year stay in that city. The largest single group of six manuscripts came from the Piccolomini Library in Siena, where he stayed in 1622, which thus provides one of the earliest examples of an Italian library apparently opening its shelves to an English gentleman on the Grand Tour.[4] The volumes that he acquired contain humanistic texts (MSS. 130, 131, 135), Petrarch poems (141), Livy (224) and Cicero (231).

Apart from this Italian group, Digby's non-Italian manuscripts, about seventy in number, comprise mostly manuscripts of English origin. There are twenty-eight books and four rolls. A rough subject-classification of these is English literature eight, science (including astrology and medicine) fourteen, history three, theology five, law two, a saint's life and a commentary on Aristotle. The acquisition of the 'scientific' group (MSS. 15, 22, 29, 68, 73, 76, 95, 119, 127, 176, 225, Rolls 3–5) is consistent with Digby's long-standing interests. Law (Britton and Bracton), history (two Bedes and a chronicle roll) and two Bibles could be acquired by any collector of his time, but the vernacular literature group is surprising. It comprises two copies of Rolle's Prick of Conscience (MSS. 14, 87), a Piers Plowman (MS. 171), a Lydgate (MS. 232), miracle plays (MS. 133) and two volumes of verse (MSS. 181, 185).

The remaining dozen or so non-Italian manuscripts are of uncertain origin and mixed subject-matter— two manuscripts of classical texts (MSS. 6, in Greek, 14, presumably owned by the Dutch scholar Rutgers,[5] medicine (MSS. 123, 129, 195, the last French), alchemy (MSS. 85, 124), Glanville's *De proprietatibus rerum* (MS. 12, an Italian manuscript of s. xiv, also acquired after it had been owned by Rutgers), *Lancelot* (MS. 223, from North France), theological notes of s. xvi (MS. 8), lecture notes of s. xvii (MSS. 125, from Ghent, and 128).

From these mostly quite modest acquisitions one can see that the young Digby was not in the front rank of collectors. His acquisitions of a scientific nature were probably purposeful, and so may have been his acquisition of the quite large group of Middle English manuscripts, but a good many of them can hardly be regarded as major acquisitions from either a textual or an aesthetic point of view. Even if they include no volumes of real splendour, however, Digby's Italian manuscripts, especially those from the Piccolomini Library, are decidedly handsome and it is likely that he was attracted by their appearance. One has to remember that this was the age of the virtuoso and that, as objects of curiosity, manuscripts were welcome in a gentleman's study regardless of their physical attributes or contents.[6]

Like any other collector at a time when he was not alone in being aware of the desirability of these objects, Digby had no doubt to take what came his way. He was lucky to be in England in 1625 when the bulk of John Dee's manuscripts came on the market.[7] We cannot be sure, but it is very likely that most of his non-Allen manuscripts came to him at this time. Another collection that had recently been broken up was that of Henry Savile of Banke, but only the Gilbertine book, now MS. 135, came to Digby then.[8] Other Dee and Savile manucripts were later to come to him from Allen.

In the light of the above it can therefore be understood that Allen's bequest to Digby would be a major event. Allen died on 30 November 1632, bequeathing to Digby all his manuscripts and 'what other of my bookes he shall or may take a likeinge unto, Excepting some of such of my bookes as I shall dispose of to some of my frendes at the discretion of my Executor'.[9] The books were presumably sent to him in London, to his house in Charterhouse Yard. While there they were subjected to a certain amount of sorting, rearrangement and numbering. Since almost all the Allen manuscripts in the Digby collection are now in a Digby binding it is impossible to know how they were bound in Allen's day: some probably had medieval bindings, others may have had loose or pasteboard covers, others may have been unbound.[10] What is clear is that when they reached Digby they were in a state of some confusion probably through being gathered up in Allen's study and packed, and possibly because a further move may have been made necessary by the falling in of the lease of Digby's house in Charterhouse Yard at Michaelmas 1633.[11] By the time the books left Digby's hands in 1634 they must have looked very handsome in his armorial binding;[12] but although he (and presumably an assistant) did his best, the uniformity concealed a good deal of confusion, with pieces of the same tract appearing in different volumes and the relationship of individual tracts to each other often obscured.[13] Nevertheless, although Digby may not always have succeeded in reducing the confusion to order, he deserves our gratitude for causing a series of 'A' numbers (referred to below as 'Digby/Allen inventory numbers') to be put on his Allen manuscripts: without these the distinction between the Allen and Digby elements in Digby's first collection would be much more difficult to make.

Although Allen did not finally bequeath his manuscripts and some printed books to Digby until late October 1630, Digby evidently knew of his intention in advance, for he expressed pleasure at the coming bequest in a letter to Sir Robert Cotton that was probably written between late May and the end of October in that year.[14] In that letter we also find a hint of a reason for his surprising decision to part with

the manuscripts four years later. Already in 1630 he told Cotton that the books could not 'be with anybodie that will gladlier communicate them to them that can make use of them', and when he presented the books to the Bodleian he made accessibility a specific condition. Twenty years later, in fact, in a letter of 7 November 1654 to Gerard Langbaine, Provost of Queen's College, he restated his purpose even more clearly: the main condition of deposit was 'that whensoeuer a deseruing person desired to make use of any of these bookes I gaue (especially for printing of them) they to whom the care of the library was committed, might pleasure him by the lone thereof.'[15] He goes on to state that his general aim was to 'do her [the University] a seruice, and my act was, the making her a free gift of them, without any restriction upon her.' Nevertheless one may wonder how far in the future the donation to the Bodleian might have been if two factors had not intervened—the death of Digby's wife in 1633 and the appearance on the scene of Archbishop Laud in 1634.

The sudden death of his wife on 1 May 1633 threw Digby into a state of mental and moral confusion and effected radical changes in his way of life. In the first weeks of his despair, on 25 May 1633, he wrote thus to his brother John: 'I haue euer bin delighted with reading and in studie but now my palate is so changed as I belieue henceforward bookes will sauour no better to me then with saylors or husbandmen that neuer learned so much as to spell; and therefore I endeavour all I may to sell that library which with so much cost and labor I haue raked together.'[16] There is no suggestion that he intended to give the manuscripts or books away and it is clear that as his gloom lifted he had other ideas. Deciding that his remaining years should be devoted to penitence, prayer and meditation, he resolved to become a hermit and philosopher (but evidently not a bookless one) and took up residence at Gresham College in London, then an active centre for scientific research, and in furtherance of his studies transferred himself to Paris in the autumn of 1635.[17] There, resident in the Collège de Boncourt,[18] he continued his work and announced his reconciliation with the Catholic faith, temporarily compromised by some years of outward conformity to the Anglican church. It was during his period of residence at Gresham College that, through the offices of Archbishop Laud, then Chancellor of the University of Oxford, he presented his manuscripts to the University. Once he was established in Paris he began to lay the foundations of a new library.

Little is known about the circumstances of the donation to the Bodleian, the only account being a letter from Laud to the University, written on 19 December 1634, in which he announced that he had acquired Digby's manuscripts and that they were already on their way to Oxford.[19] Whether the idea was primarily Digby's or primarily Laud's is uncertain, but since the Archbishop was at that time approaching the peak of his manuscript-collecting activities on behalf of the University[20] and was presumably alert to any possibility of picking up collections, it can hardly be doubted that he would be responsive to a suggestion from Digby; and since the latter's interest in making his manuscripts accessible had already crystallized and a watershed had been reached in his own affairs, it is almost as likely that he would respond to such a suggestion from Laud. Whatever the reason, the move took place expeditiously; a mere eleven days after Laud first wrote to the University, the books arrived at the Library in the fifteen trunks in which Digby himself had packed them. Their arrival is acknowledged in a receipt written by the Vice-Chancellor himself on the front pastedown of MS. 234a, the catalogue that came with the manuscripts.[21] Soon after, the University wrote to thank the Archbishop for his part in the transaction. Digby too had a letter of thanks.[22]

When the manuscripts reached the Library they were at first stored with other collections (Laud, Barocci, Roe) in the Tower. After the completion of the future Selden End in 1640 they were taken there and were not disturbed again until about 1790 when nineteen volumes, thought to be of special value, were extracted and placed in the Digby 'Bibliotheca Nova'. A few years after that the main body of Digby manuscripts was moved from Selden End to the Bodley Room, where they were rejoined by the select nineteen in the early years of the twentieth century and where they remained until they were transferred to the New Library in 1939, soon after the outbreak of war.[23]

According to the Archbishop's letter to the University, the catalogue that was sent with the manuscripts, MS. 234a, was, in Digby's opinion, 'somewhat imperfect, his man being indisposed for health at the time when he made it'[24] but there is no reason to doubt that the 233 manuscript books and five rolls listed—a total that was certified by the Vice-Chancellor as being correct—represented all that arrived. The catalogue does, however, include a few which Gerard Langbaine was unable to find some twenty years later when he used Thomas Allen's catalogue as a check-list, and there is a discrepancy, easily explained, between 233, the total number of manuscripts sent and received in 1634, and 237, the present total of Digby manuscripts. Of the four, MS. 234a (later joined by 234b and 234c which were copied from it) is the catalogue itself and MS. 237 is a photocopy of Paris, Bibl. Mazarine, MS. 3576.[25] MSS. 235 and 236 are more interesting; they were not received from Digby in 1634 and did not enter the Bodleian until they were bought at a London sale in 1825 at a cost of 50 and 80 guineas respectively. In both of them Digby himself wrote the University's *ex libris* and his monogram, and each bears a note in French of the number of leaves in it. Although the link between France and the London sale room is unknown, one can hardly doubt that the two books were taken

to Paris by Digby, probably in 1635, and that they were caught up in the complicated later history of his second library.[26]

Reference has been made above to the handsome impression that Digby's manuscripts must have made when they were newly bound for him.[27] Of the 236 manuscripts 196 are in his calf binding with clasps, and all but four of these (MSS. 1, 2, 7, 8, all very small in size) also have his coat of arms on the covers. Four other volumes (MSS. 10, 12, 133, 231) may also have been so bound; they are now in Bodleian bindings of various dates and nothing can be deduced about their earlier states. The remainder are in a variety of bindings. In particular there is a group of twenty-nine manuscripts, MSS. 116–132, 134–144, none of which has the standard binding. They fall into two stylistic groups and one miscellaneous group. The first group comprises MSS. 116–118, 122, 125–6, 128–132, 135, 138, 140, 144, all of which are in plain leather without arms or clasps. One might take them to be non-Digby bindings but two of them (MSS. 132 and 140) are on volumes that Digby acquired from Allen, showing that all must have been bound after 1630 when he inherited Allen's manuscripts. The second group comprises MSS. 120–1, 123–4 and 127. All are in parchment bindings over pasteboard and one, MS. 120, has the remains of fabric ties. None belonged to Allen. The third, miscellaneous, group contains MSS. 119 (an Allen manuscript in John Dee's binding), MSS. 134 and 141 (both with the remains of Italian bindings set into later bindings), 137 (a sixteenth-century suede binding), 145 (a sixteenth-century blind-stamped binding set into a plain Digby binding) and 136, 139, 142 and 143 (parchment bindings, 136, 142 and 143 with the remains or evidence of ties).

Of the third group only MSS. 119, 143 and 145 were Allen's. At least thirteen of the twenty-nine in the three groups come from Italy. One, MS. 120, contains Aristotle commentaries and seven others contain late-sixteenth- or early-seventeenth-century academic texts. With perhaps four or five exceptions these manuscripts are probably among the least interesting of Digby's manuscripts to modern scholars and it may be that Digby himself felt that they were not of sufficient importance to justify much expenditure on the bindings.

In general one has the impression that when possible Digby retained existing bindings. MS. 46, an Allen manuscript, could not be rebound without destroying the fine volvelle set into the inside of the wooden cover; MSS. 76 and 178 were in virtually new Cotton bindings very like Digby's and of slightly better quality, requiring only that his arms should replace Cotton's; MSS. 134 and 141 re-use parts of old bindings; MS. 145 has a blind-stamped sixteenth-century binding set into a plain Digby binding; MS. 210 (not Allen's) is in a good blind-stamped binding over boards; MS. 232 has Digby's arms on a binding that is probably not his; and some of the other manuscripts in the third group mentioned above were in serviceable bindings when they reached him. Were it not for the retention of parts of older bindings the obvious reason for not replacing bindings would seem to be economy, but to inlay parts of an old binding into new surrounds must have been as expensive as having a complete new binding. Is it possible that Digby was ahead of his time in having an antiquarian appreciation of old bindings?[28]

Since Sir Thomas Bodley himself had required donors to the Library either to present books that were fit to go straight on to the shelves or else to pay for the cost of repair and binding,[29] it is tempting to assume that Digby had his manuscripts bound with this in mind but as his standard binding is on many printed books that remained in his possession and there is no evidence that he ever intended to give these away, it seems that he had the manuscripts done for his own pleasure. Perhaps this style was an elaboration, as compared with the simpler bindings referred to above, that emerged with the growth of pride in his greatly augmented library.

At various times Digby used at least five different heraldic stamps on his books but the manuscripts that he gave to the Bodleian consistently bear the simplest one—arms within a vesica surrounded by the legend 'Insignia Kenelmi Digby Equitis Aurati'.[30] The decoration of the Bodleian manuscripts' bindings is also simple in consisting (apart from the arms) of only a gold fillet and one or two blind fillets on the edges of the covers. Later Digby bindings may have a fleur-de-lys and/or KDV monogram on the lower cover and/or more elaborate gold ruling and/or gold corner-pieces in the panels on the covers.

* * *

The revision of the Digby catalogue was begun by Richard Hunt when Keeper of Western Manuscripts within days of the completion of the catalogue the Laud manuscripts.[31] Work continued in his retirement and at the time of his sudden death in November 1979 his first drafts covered about 190 manuscripts. In his revisions of the old catalogues Hunt's intentions were limited and only exceptionally included details of make-up such as quiring. Further, a reference to a repertory such as the *Index of Middle English Verse*, Walther's *Initia* or Thorndike & Kibre's *Incipits* usually precludes citation of editions cited there. The present editor therefore continued by filling in gaps, checking and to some extent redrafting the descriptions and bringing the references up to date but it has to be admitted that in the last respect, and without a conscious change of policy, he has exceeded Hunt's intentions in that many references which Hunt would have left as simple instructions to 'see' have been expanded to indicate the gist of what is said and sometimes to present conflicting opinions. It must nevertheless be emphasised that Hunt's limited intentions have in general been retained and that what is offered here is far from being a full catalogue of an important and very complicated (because fragmented) collection.

Not for the first time, the present editor is greatly indebted to Dr Bruce Barker-Benfield who was not only generous with help and advice over a long period but also checked and improved the descriptions, and to Dr Richard Sharpe who was, as always, a mine of information about texts and authors and allowed free access to the various drafts of his *Handlist of the Latin Writers of Great Britain and Ireland before 1540*. Acknowledgment is made in the text to other scholars who have given advice about specific points. Special thanks are due to Peter Kidd, who at a very late stage subjected the text to severe scrutiny with most beneficial results, and to Graham Wilkins, who showed great patience and skill in getting difficult text on to the page. Responsibility for any remaining errors rests with the editor.

A. G. W.
Oxford, 1998

NOTES

[1]   Michael Foster, 'Sir Kenelm Digby (1603–65) as a man of religion and thinker', *The Downside Review*, 106 (1988), 35–58, 101–25. For the principal sources see pp. 53–4, notes 2–4.

[2]   For the complicated chronology of Digby's life see E. W. Bligh, *Sir Kenelm Digby and his Venetia* (London, 1932), 313–6.

[3]   For Allen, see Watson, 'Allen'. For an edition of Allen's catalogue see pp. 155–89 below.

[4]   Some Continental collectors had, however, been there before Digby. On sixteenth- and seventeenth-century losses from the library see A. E. Strnad, 'Studia piccolominiana. Vorarbeiten zu einer Geschichte der Bibliothek der Päpste Pius II und III', *Enea Silvio Piccolomini Papa Pio II*. (Atti del convegno il quinto centenario della morte e altri scritti raccolta da Domenico Maffei; Siena, 1968), 259–390, at 372.

[5]   Johannes Rutgers, scholar and politician, d. 1625, who bequeathed his library to Daniel Heinsius; see J. H. Zedler, *Grosses vollständiges Universal-Lexicon*, 32 (Leipzig & Halle, 1732), cols. 1991–2.

[6]   W. E. Houghton, 'The English virtuoso in the seventeenth century', *Journal of the History of Ideas*, 3 (1942), 51–73, 190–219; A. MacGregor, 'The cabinet of curiosities in sixteenth-century Britain', *The Origin of Museums: the Cabinet of Curiosities in sixteenth- and seventeenth-century Europe*, ed. O. Impey & A. MacGregor (Oxford, 1985), 147–85.

[7]   Roberts & Watson, 64–6.

[8]   Watson, *Savile*, 10–12.

9   Allen's will is PRO PROB 11/162, fol. 110. There is room for speculation about the reasons for and delay in making the bequest, for it is made not in the will dated 29 January 1629 but in a codicil dated 26 October 1630. For possible explanations of the event see Watson, 'Allen', 302–3.

10 The exceptions are MSS. 10 (a Bodleian binding), 46 (with volvelle set into a wooden cover), 76 and 178 (Cotton bindings with Digby's arms replacing Cotton's) and 119 (John Dee's binding).

11 Foster (n. 1 above), 38 and n. 20.

12 On Digby's bindings see further below.

13 For examples see Watson, 'Allen', 305.

14 Digby's letter to Cotton, BL, MS. Cotton Vespasian F. xiii, fols. 312–3, is quoted in Watson, 'Allen', 302–3. Digby's wishes, as quoted by Laud, are pr. ibid., 306.

15 Bodleian MS. Ballard 11, fol. 20, pr. in modern spelling by Bligh (n. 2 above), 208–9.

16 V. Gabrielli, 'A new Digby letter-book (2)', *The National Library of Wales Journal*, 9 (1955–6), 440–62, at 460.

17 For sources for the history of Gresham College see Foster (n. 1 above), 55 and n. 44).

18 Foster, ibid., 45.

19 Watson, 'Allen', 306.

20 Bodleian Library, *Quarto Catalogues II: Laudian Manuscripts* (Oxford, 1858–1885; repr. with corrections and additions, 1973), xviii.

21 The Library's accounts for 1634–5 record three payments in connection with the move, 'Imprimis for bringing Sir Kenelme Digbies bookes from the carriers 0.3.0'; 'Item to Thomas Edgerlie for bringing Sir Kenelme Digbies bookes from London 1.9.11ob'. A further expense is recorded, 'Item for transcribing the catalogue of Sir Kellam Digbyes manuscripts for the use of the Librarie 0.5.0.' The transcript is presumably MS. 234b, copied from MS. 234a. See *The Bodleian Library Account Book 1613–1640*, ed. Gwen Hampshire (Oxford Bibliographical Society Publications, NS 21; Oxford, 1983), 99, 101.

22 Watson, 'Allen', 307.

23 For the movements of the manuscripts see *SC* 1.69–70. The Digby Bibliotheca Nova MSS. 1–19 were the present Digby MSS. 5, 9, 26, 56, 80, 61, 129, 169, 174, 172, 151, 178, 142, 191, 144, 209, 213, 229, 231; see ibid., 52. The 'BN' marking is still in the manuscripts.

24 The Bodley Room was the middle of three rooms formed around 1820 by the partitioning of the Old Hebrew School, the second room of the first floor south range now part of the Lower Reading Room. See E. Craster, *History of the Bodleian Library 1845–1945* (Oxford, 1952; repr. 1981), 15, and, for the move to the new Library, 341.

25 See pp. 100–101 below.

26 In accordance with wishes expressed by Laud and passed on by him to the University, Digby was to have the right to borrow any of his books at any time, and it is evident that he exercised this right. Four manuscripts now in Paris, MSS. Université 599 and 790, BnF lat. 8802 and Mazarine 3576, all bear ample evidence of his ownership as well as the *ex libris* of the University—'Hic est liber Bibliothecæ Academiæ Oxoniensis'—although the books never reached Oxford. (Watson, 'Allen', 308, errs in stating that MS. Mazarine 3576 lacks the Oxford *ex libris*.)

27 Watson, 'Allen', 308.

28 For an illustration of the standard binding (MS. 101) see C. H. Starks, 'Work in progress: Richard Hunt's revised Digby catalogue', *MSS. at Oxford*, 118–21, fig. 86.

29 For a suggestion that there may have been an element of antiquarianism in the use of whittawed leather bindings in Oxford in the first decade of the seventeenth century see A. G. Watson, 'The manuscript collection of Sir Walter Cope', *BLR*, 12 (1988), 262–97, at 270–71. It may also be relevant that as late as the eighteenth century All Souls was rebinding some of the manuscripts it had had since the fifteenth century in whittawed leather which resembles the older examples closely enough to mislead; see A. G. Watson, *A Descriptive Catalogue of the Medieval Manuscripts of All Souls College Oxford* (Oxford, 1997), xviii.

30 *Letters of Sir Thomas Bodley to Thomas James…*, ed. W. G. Wheeler (Oxford, 1926), xvii.

31 The simplest coat of arms is also illustrated, with errors in identifying the arms, in C. Davenport, *English Heraldic Book-Stamps* (London, 1909), 143. Illustrations of later versions are on pp. 140 and 142. J. Guigard, *Nouvel armorial du bibliophile* (Paris, 1909), 2. 183, shows a fine example of a later, non-armorial binding on the Bibl. Mazarine's copy (Rés. 48593) of Cassian's *Collationes* (Rome, 1588).

32 Starks (n. 27 above).

Notes On Macray's Descriptions
Of The Manuscripts

1

On fol. 1 is Allen's number '15' (i.e. in the 16° section of his catalogue) and a title in his hand.

1. Destombes, *Mappemondes*, no. 41.8. A. Vernet in his list of manuscripts of the *Dragmaticon* (*Scriptorium*, 1 (1946–47), 256, no. 37) wrongly gives the impression that this treatise is complete.

2. The kalendar includes 'Eadmundi archiepiscopi' and 'Eadmundi regis.'

3. TK 1561, Hugo. Apart from the first six words, this is not the same as the text at the foot of the pages of Oxford, Balliol College, MS. 228, art. 1, as suggested by Mynors, *Balliol*, 230–31.

2

2° fo *.18. minutis.*

For a comprehensive description see O. Lewry, 'The miscellaneous and the anonymous: William of Montoriel, Roger Bourth and the Bodleian MS. Digby 2', *Manuscripta*, 24 (1980), 67–75; also K. Reichl, '"No more ne willi wiked be": religious poetry in a Franciscan manuscript (Digby 2)', *Wenzel Studies*, 297–317. The logical tracts especially point to an origin in Oxford. On the basis of the date in art. 7, Watson, *DMO*, no. 416, suggests that it was written in 1282. Fols. 22ᵛ–3ʳ are reprod. in Thomson, *Latin Bookhands*, pl. 94; Watson, *DMO*, pl. 129, reprod. fol. 22; *MSS. at Oxford*, XXVI.1, fig. 87, reprod. fol. 84ᵛ.

On fol. 1 is Allen's number '13' (i.e. in the 16° section of his catalogue).

2. Also pr. from this manuscript in *Anal. hymn.*, 20. 140. Matthew Paris included it in his collection of Henry of Avranches, CUL, MS. Dd.11.78; see J. C. Russell & J. P Heironimus, *Shorter Latin Poems of Henry of Avranches* (Medieval Academy of America Studies and Documents 1; Cambridge, MA, 1935), xvii, no. 64, where the statement about the attribution to Alexander Nequam in BnF, MS. lat. 11867 is wrong. Chevalier, *RH*, no. 28134; *Init.* 9123.

2(a) Fol. 5, 'In ecclesiis celi gloria', a drinking song.

3. 'Ave purum'. Pr. from this manuscript in *Anal. hymn.*, 21. 76–7, also by Reichl, op. cit., 305–7.

4. Pr. by Brown, *English Lyrics*, no. 64; Duncan, *Lyrics*, no. 94, from this manuscript. *IMEV* 1365.

5. Ibid., 65. Laing, *Catalogue*, 127. *IMEV* 1066.

6. Preceding the calendar (fol. 7) are computistical notes, including verses, 'Post martis nonas ubi sit nova luna requiras' and a list of the months with the number of days in each, beg. 'Ianuarius habet dies 31', TK 653. According to van Dijk, *Latin Liturgical MSS.*, 3. 125, the calendar (art. 6) was 'perhaps written for or in Canterbury friary' but Lewry, op. cit., 70, points to Irish connections. MS. B in the edition of the calendar, van Dijk, *Sources of the Modern Roman Liturgy* (Leiden, 1963), 2. 365–84.

8. Pr. by Brown, op. cit., no. 6, Duncan, *Lyrics*, no. 48, from this manuscript. *IMEV* and suppt., 2293.

9. Sonet, and Sinclair, no. 360.

10. For other manuscripts see TK 1033 and Wordsworth, *Kalendar*, 137. *Init.* 19208 ('Joh. de Garlandia').

11. Macray's description is supplemented by both Lewry, op cit., and de Rijk, *Logica*, 2/1, 56–9. De Rijk distinguishes the tract beg. 'Cum sit nostra', descr. in detail in 2/1, 416–47 and pr. in 2/2, 417–51. It appears to be an Oxford work. It ends on fol. 45ᵛ.

11(a) (fols. 46–67ᵛ). 'Fallacie' beg. 'Ut dicit Aristoteles in principio Elenccorum', now ed. by C. R. Kopp, *Die Fallaciæ ad modum Oxoniæ. Ein Fehlschlusstraktat aus dem 13. Jahrhundert* (Cologne, 1985), who rejects suggestions that the author may be William of Montoriel or William de Monte, and suggests instead Walter Burley.

11(b) (fols. 68–79ᵛ). William of Montoriel, Commentary on Porphyry's *Isagoge summa* beg. 'Cum cognicio 5 uniuersalium scilicet generis', ed. from this unique text by R. Andrews & T. B. Noone, *Cahiers de recherche du moyen âge grec et latin* [Univ. of Copenhagen], 64 (1994), 63–100. A 15th-century hand adds 'Explicit quod R. games' followed in the original hand by 'Hec puer est tibi summa brevis bona Porfiriana Funde preces ore pro summe compositore.'

11(c) The formula for making a will, 'Anno domini MCC etc. tali die in nomine patris et filii et spiritus sancti. Amen. Ego H. de B.' It includes bequests 'tantum' to the mother church and to the friars. In a different hand from (b) but contemporary.

11(d) (fols. 80–84ᵛ). A treatise ending 'Explicit Summa libri predicamentorum quam fecit Willelmus Frater de Montoriel', of which the beginning is bound up in MS. 24, fols. 1–16, beg. 'Equivoca sive res est no[mina]te per nomen equivocum in sermone sunt quarum solum nomen commune est.' Below the explicit is 'Willelmus de Montoriel me fecit prevaleo mel.'

11(e) (fols. 85–94ᵛ) a *summa* on Aristotle, *De interpretatione*, beg. 'In principio doctrine libri Periermenias oportet.' Ebbesen, 'Glosses', SE 33.

13. Cf. TK 242.

14. The English is quoted in full in *IMEP 3*, 1. The Latin, French and English pieces are ed. by Reichl, op. cit., 312–3. TK 806, 1583.

15. TK 1062. Lewry, op. cit., 73 and n. 26, notes that this text is found also in MS. Digby 98 fols. 148ᵛ–56 (art. 26); MS. Fairfax 22 (*SC* 3902) fols. 17–18; Merton College, MS. 35 fols. 234ᵛ–6; BL, MS. Arundel 292 fols. 10ᵛ–12; BL, MS. Sloane 514 fols. 42ᵛ–6.

16. The tabula are on fols. 121–2. The collection of Oxford sophismata is found in a more complete version in MS. Digby 24 fols. 61–90, where the author is said to be Ricardus sophista. De Rijk, *Logica*, 2/1, 71–2, proposed to identify him with Richard Fishacre, OP (Emden, *BRUO*), but J. Pinborg, 'Magister abstractionum', *Cahiers de l'histoire du moyen âge grec et latin* [Univ. of Copenhagen], 18 (1976), 1–4, has suggested that he be identified with the Cornish Franciscan Richard Rufus (Emden, *BRUO*), TK 956.

17. The manuscript's title is 'Phisionomia Aristotelis …' and the incipit is 'De phisionomia inquirenda'. Lewry, op. cit., 74, speculates about the identity of Roger Bourth.

18. An anonymous and incomplete *Forma epistolarum*, beg. 'Insinuacione presencium donacione clareat'; Polak, *Letter Treatises*, 370; G. L. Bursill-Hall, *Census of Medieval Latin Grammatical Manuscripts* (Grammatica Speculativa: Sprachtheorie und Logik des Mittelalters, 4; Stuttgart, 1981), 188. 77.

19. More fully, the incipit reads 'Quid est litera? Litera est minima pars vocis composita. id est vox literalis que scribi potest.'

3

Two separate manuscripts which were united, presumably by Digby, by inserting B into the middle of A. On fols. 1 and 60 are Allen's numbers '12' and '14' respectively (i.e. in the 16° section in his catalogue). On fol. 1 is the Digby/Allen inventory number 'A.183'.

A

2° fo *sint*.

1. The date is s. xiiiⁱⁿ. W. H. Frere, *Bibliotheca Musico-Liturgica* (London, 1901), calls it a collectar. According to S. J. P. van Dijk, 'The legend of the missal of the papal chapel…', *Sacris Erudiri*, 8 (1956), 76 n., and *Latin Liturgical MSS*. 2. 289, it is an English portable breviary (*pars hiemalis*) of the Gilbertine rite.

B

2° fo *putat*.

2. The date is s. xiᵉˣ. The work is the *Disciplina clericalis*, Diaz, 892. Ed. A. Hilka & W. Söderhjelm, *Die Disciplina clericalis des Petrus Alfonsi*

(Sammlung mittellateinischer Texte, 1; Heidelberg, 1911). Additional manuscripts listed by J. Tolan, *Petrus Alfonsi and his Medieval Readers* (Gainsville, FL, 1993), 199–204.

4

For a description of the manuscript and a discussion of its history and dismemberment, see Betty Hill, 'Early English fragments and MSS.: Lambeth Palace Library 487, Bodleian Library Digby 4', *Proc. Leeds Phil. and Lit. Soc., Lit. and Hist. Section*, 14/8 (1972), 269–80.

Five separate manuscripts, from Christ Church, Canterbury, recorded among the books of Thomas de Stureye (*ALCD*, no. 954; CBMLC, *Christ Church*, BC4. 907–965) as already bound together. Thomas occurs 1264 and d. 1272 (Greatrex, *Register*, 295, s.n. Stureye). On fol. iii are Allen's number '11' (i.e. in 16ᵐᵒ section in his catalogue) and the Digby/Allen inventory number 'A.127'; his hand is found *passim*. He probably acquired the volume from Richard Lateware, fellow of St John's College, Oxford, for whom as a collector see Watson, 'Allen'. Lateware's name, written in Anglo-Saxon script, is on fol. iii.

A

2° fo *sistant per*.

1. By Richard of Premontré *alias* Richard of Wedinghausen. Pr. *PL* 177. 455–70. Thomas de Stureye's name is an addition to the title 'Tractatus super canonem misse' on fol. iv.

B

2° fo *pregnat*.

2–7. An important collection of poems by Gautier de Châtillon. MS. Db in the edn. by Strecker, *Gedichte Walters von Châtillon*, nos. 2, 4, 5, 12, 1 (in a revised form; see p. 14 and apparatus pp. 3–5), 13. It is the only source for no. 13.

2. Date: s. xii/xiii. Wright's edn. is Camden Society, 16 (1839).

3. *Init.* 11377. 5. *Init.* 2047. 7. *Init.* 39.

8. Beg. 'Seneca. Certis ingeniis inmorari et in nutrici.' According to Hill, op. cit., 274, sixteen out of more than sixty *sententiae* are in the late-12th-century florilegium in MS. Bodl. 633 (*SC* 1966), ed. C. H. Talbot, *Analecta Mediaevalia Namurcensia*, 6 (1956), for which she cites correspondences. Authors include Seneca, Ps.-Seneca and Publilius Syrus.

9. Beg. 'Duas nativitates veneramur in Christo, unam ex patre ante secula.'

C

2° fo *figuratur*.

10. Beg. 'Venientes filii Remmon berochite recha et banaha ingressi sunt'; the second piece (fol. 41ᵛ) beg. 'Erubesce Sidon ait mare. In Sidone quippe figuratur stabilitas'; the third (fol. 42) beg. 'Modestia incessus viri religiosi quibusdam conatibus exigit ut diligi etiam a nolente debeat.'

D

2° fo *Hinc micas*.

11. Odo of Meung (Ps.-Macer), ed. L. Choulant (Leipzig, 1832); TK 610; *Init.* 7711.

E

2° fo *Ne hopie*.

12. Pr. J. Zupitza, *Anglia* 1 (1878), 6–32, descr. 5–6. Laing, *Catalogue*, 127. *IMEV* 1272.

13. The second hand is of s. xiii^med. *Init.* 20529.

14. The third hand is of s. xiii². *Init.* 17690.

At the end of Macray's descr.: the *Proverbs of Alfred*, listed in Allen's catalogue as being in this volume, survive as three fragmentary leaves in BL, MS. Cotton Galba A. xix. On this see N. R. Ker, *Medium Ævum*, 5 (1936), 115–20.

5

On fol. 1 is Allen's number '9' (i.e. in the 16° section in his catalogue). B, which is a separate section, was probably part of the volume in Allen's time but there is no way of knowing when the two parts came together. PA 3. 683.

A

2° fo *certamen*.

Fols. 1–72 are perhaps from Christ Church, Canterbury; Ker, *MLGB*, accepts with a query. The 12th-century catalogue (see *ALCD*, 6, and 12 no. 220; CBMLC, *Christ Church*, BC1. 220.) records 'Seneca de declamationibus' with a letter-mark not unlike that very faintly visible at the top right corner of fol. 1 of this manuscript, and in the margins are letter marks like those found in 12th–century Canterbury manuscripts. In the margin of fol. 41^v 'Brito' may refer to the Brito mentioned in *ALCD*, 7 n. 6 (CBMLC, vol. cit.).

B

2° fo *littere dominicales*.

For other manuscripts see Emden, *BRUO* and J. D. North, *Chaucer's Universe* (Oxford, 1988), 91–92, n. 8; TK 43.

6

The date is s. xvi^med. Watermarks: scales, similar to Briquet 2488 (Treviso and Bavaria, 1460s) and 2497 (Venice, 1480s); bull's head, probably Piccard, *Ochsenkopf Wasserzeichen*, 2/1, Abteilung 13. 587 (Lienz, Donauwörth, Öhringen, 1463).

Given by Andreas Darmarios to Sir John Fortescue; on fol. 397^v is ''ανδρεας δαρμαριος 'πεπιδωριος:- Ιωαννη φορτησκουω βρεταννω εδωκε Πμνημοσυνον.' Fortescue (1531?–1607) was a donor of Greek manuscripts to the Bodleian (*SC* 1, 79–80).

1. J. F. Kindstrand, 'Codex Digby 6, Codex Parisinus Graecus 1168 and Menandri Sententiae', *Revue d'histoire des textes*, 14–15 (1984–5), 361–6, at 361 n. 2, analyses the contents of this article: fols. 1–51

contain a collection of Christian sayings arranged by authors' names; fols. 51^v–5 a collection of oracles; fols. 55–101 a collection of profane sayings arranged by authors' names; fols. 101–23 excerpts from Stobaeus, bk. 3; fols. 123–31 a recension of *Gnomologion Byzantinum*; fols. 131^v–52 a collection of profane sayings arranged alphabetically by authors' name. See article 'Florilèges' in *Dictionnaire de spiritualité*, 5 (Paris, 1964), 489.

2. By Menander, but not used in the edition of his Sentences by S. Jaekel (Leipzig, 1964). Collated with BnF, MS. gr. 1168 by Kindstrand, op. cit. MS. Digby 6 is independent of the Paris manuscript and in a few cases preserves the correct text.

3. Fols. 161–397 contain excerpts from various Christian writers. The 92 quotations from Basil are ed. by J. F. Kindstrand, 'Florilegium e Basilio Magno ineditum', *Eranos*, 83 (1985), 113–24. See also P. J. Fedwick, *Bibliotheca Basiliana Universalis. I The Letters* (Turnhout, 1993), 172–3.

6. This is a miracle worked in the monastery of Dochiariou on Mount Athos; see *Bibliotheca Hagiographica Graeca*, 3rd edn. (Brussels, 1909), 1290, and F. Halkin in *Analecta Bollandiana*, 84 (1966), 378.

7

Probably MS. 18 in the 16° section of Allen's catalogue.

The date is earlier in the century than Macray's 'exeuntis' indicates. The 12° folding conceals the watermarks. What can be seen of the cardinal's hat (fol. 180) is probably nearest to Briquet 3404 (widely used on the Continent, 1490s–1509); for the letter P, cf. Briquet 8516 (Udine, 1511); for the hand, cf. Briquet 11321 (Bruino, 1458); the anchor is of types III and IV in Piccard, *Wasserzeichen Anker*. On fols. 47^v, 52, 55^v, 58^v are marks that suggest that illustrations, c. 53 x 40 mm, were at one time pasted to them.

1. On fol. 5 is a Greek and Hebrew alphabet.

2. The calendar is Latin but written in Greek characters.

3. After the first item is *Ave Maria*. All written first in Greek in a florid hand with much use of compendia (fol. 20^rv) and then copied by the scribe of the manuscript.

4. Roman use. Penitential (fol. 90) and gradual (fol. 101^v), Psalms, litany (fol. 104^v), office of the dead (fol. 118^v), Psalter of St Jerome (fol. 165). The litany includes Erkenwald, Edmund, Benedict, Dunstan, Cuthbert (fol. 107), Edith (fol. 107^v), Christina, Zita, Winifred and Frideswide (fol. 108). At the end of the text (fol. 186^v) is (transliterated into Greek), 'Finem per fratrem Nicolaum Roberts. Angles.' The name is repeated on fol. 192^v. The fact that the text, except for arts. 1–3, is Latin in Greek characters suggests that identification with 'In 16° 18' in Allen's catalogue is probable.

The name on fol. 193 is 'William Salltford' (s. xvi).

8

The foliation of this volume, now v + 229, is confusing. There are two contemporary foliations: (1) in the bottom right-hand margin running from 1 (= present fol. v) to 88 (= present fol. 88) with an unfoliated leaf between 53 and 54 (= present fol. 53); (2) in the top right-hand corner, now cut off until fol. 79 (= present fol. 80), whence it continues 78 (=79), 79 (=80), 80 (=81) to 150 (=151) 150 (=152), 152 (=153) to 179 (=180), 178 (=181), 179 (=182), 181 (=183) to 186 (=188), 189–229 (=189–229). The present foliation (in the top right-hand corner) starts at fol. 2 of (1) above. Preceding it are five leaves numbered i–v, two 17th-century blank parchment flyleaves (i–ii), two 16th-century parchment flyleaves (iii–iv), also blank except for the prognostication on fol. iv, and one paper leaf (v), on which the notes begin. The arrangement of the material is chronological; indexes of places are on fols. 73ᵛ (1503, 1493), 77ᵛ–80ᵛ (1503, 1504), 97–9 (1505–6), 111ᵛ. On fols. 140ᵛ–48ᵛ are names of places and sermon themes for 1508–1510, on fols. 203ᵛ–21ᵛ for 1510–1515. To judge from the convents mentioned, the preacher was an Observant Friar. Besides sermons and extracts there are *quaestiones*, of which a table is on fol. 199. The writing is very small and hard to read. On fol. 229ᵛ are verses, 'Balsamus et munda', *Init.* 2058.

2. On fols. 104–9, 112–39ᵛ.

At the end: 'in folio primo' refers to the present fol. iᵛ.

9

On fol. 1, 'Vacate et videte K. Digby.' 'Auct. B. N. Digb. 2' is now an obsolete pressmark.

The date assigned by PA (3. 468 and plate XLI) is *c.* 1270–1280.

A Bible in the usual order but leaves were lost before binding, causing gaps between (1) fols. 163/4 (1 Chron. 9.17 'sellum et' to 14.1 'ces et'); (2) fols. 256/7 (Ps. 142.1 'obsecrationem' to Prov. 3.10 'dundabunt'); (3) fols. 316/7 (Isaiah 66. 20 'mulis et in' to Jer. 2.28 'tui quos'); (4) fols. 421/2 (2 Mach. 15.39 to Matt. 2.13 'Herodes querat').

There are good historiated and other initials.

Ocasional English marginalia, ss. xiiiᵉˣ–xvi.

10

Bodleian blind-rolled and -ruled leather binding over pasteboards, s. xviiᵉˣ.

PA 1. 761.

11

The volume is made up of three distinct parts bound together by Digby. On fol. 1ᵃ are Allen's number '7' (i.e. in the 16° section of his catalogue) and the Digby/Allen inventory number 'A163', on fol. 92 is his number '5' (i.e. in the 16° section of his catalogue) and on fol 104 is his number '16' (i.e. in the 16° section of his catalogue).

A

2° fo (fol. 1ᵇ) *uelud*.

Edmund Craster, *BQR*, 3 (1920), 51, suggested that this part came from the Franciscan convent at Oxford; the ascription is accepted by Ker, *MLGB*, 142, with a query. CBMLC, *Friars*, F9. 4. It is written in one distinctive scholar's hand, perhaps of s. xivⁱⁿ.

2. From the transl. by Grosseteste; see Thomson, *Grosseteste*, 63–4. MS. D in A. C. Dionisotti, 'Robert Grosseteste and the Greek Encyclopaedists', *Rencontres de cultures dans la philosophie médiévale: Traduction et traducteurs de l'antiquité tardive au xivᵉ siècle* (Louvain & Cassino, 1990), 338–53. Perhaps copied at the Oxford Franciscans from Grosseteste's exemplar; Henry of Kirkstead mentions a complete text of the work at Oxford and this copy is the nearest there is to a complete text, beginning in cap. 32. See R. H. Rouse, *Speculum*, 42 (1966), 492 n. 58.

3. *BHL* 6303. Ed. by A. van den Wyngaert, *Sinica Franciscana*, 1 (1929), 381–495, citing this manuscript.

4. MS. O in edn. by van den Wyngaert, loc. cit., 1–130. Our manuscript contains the first redaction, ending incomplete at edn. 82/12, followed by twenty-two unidentified lines (but for line 1 cf. edn. 93/14, 'Dei fortitudo').

7. Begins on fol. 70. See R. J. Dean, 'Unnoticed commentaries on the Dissuasio Valerii of Walter Map' *MARS*, 2 (1950), 128–50. The six blank leaves referred to are fols. 86–91.

B

2° fo (fol. 93) *ut ita*.

Written in a small text hand, below top line, with green and red decoration in art. 10.

8. *PAL*, no. 66, *Physiognomia v*, also attributed to Loxus and Polemon; TK 538.

9. An anonymous form for a monastic letter, beg. 'Vivere suo suis monastici ordinis rigori subditer'; Polak, *Letter Treatises*, 370. See also Hill, 'Letterbooks', 67–8, 268.

10. Ed. by M. Müller, 'Die Quaestiones naturales des Adelardus von Bath', *BGPM*, 31/2 (1934), 1–91 at 70, in which our manuscript is no. 11 but is wrongly said to be in the British Museum. No. 83 in the catalogue of Adelard manuscripts in Burnett, 'Adelard'. Our incomplete text ends at edn. 27/39.

11. Beg. 'Viris venerabilibus etc. Spiritum consilii sanioris intellecta vestrarum series literarum.'

C

2° fo (fol. 105) *confessionem*.

Collections of a Cistercian monk at Stanley, Wilts.: Stanley provenance for fols. 149–89 accepted by

Ker, *MLGB*, with a query. There is a careless medieval pagination at the beginning of this part: 559 (fol. 104) to 579 (fol. 117), 560 (*sic*) (fol. 117ᵛ) to 573 (fol. 124ᵛ).

12. Fol. 108 beg. 'Ecce venit rex...Fratres karissimi satis vobis constat de ratione apellationis huius nominis adventus.'

14. Beg. 'Signa de adventu domini ad iudicium. Posuit Jesus signa adventus sui.'

16. MS. O.3 in Thomson, 'Trial index'.

18. Pr. T. Hearne, *Remarks and Collections vol. 3* (OHS, 13, 1889), 416.

20. Beg. 'Magister Hugo. Digitus est minima pars agrestium mensurarum'; TK 431.

21. The *Graecismus* and Brito are also quoted.

22. No. 74 in list of manuscripts in edn., Daly and Suchier, *Altercatio*, 164; TK 1423. In edn. our text ends at 156/2. In the bottom margin of fol. 134ᵛ is 'Quere cetera folio 224 sub hoc +' but that part is lost.

23. Burnett, 'Adelard', 186, remarks that this art. (fol. 135) includes excerpts from the *Dialogi cum Iudaeo* of Petrus Alphonsi, *PL* 157. 535–672, at 566–7.

27. MS. S in the edition of the continuation of William of Newburgh, ed. R. Howlett, *Chronicles of the Reigns of Stephen, Henry II and Richard I*, 4 vols. (RS, 82; London; 1884–9), 2. lxxxviii, c, 506–8; see also ibid. 3, pl. lxx, n. 1. Extract pr. by W. de G. Birch in *Wiltshire Archaeological and Natural History Magazine*, 15 (1875), 290–301. Fol. 181 is reprod. by Thomson, *Latin Bookhands*, no. 93.

28. Beg. 'Hec est via Ambulate in ea. Ysaye 30. Karissimi, volenti per aliquam viam ambulare.'

29. Beg. 'þere was sum tyme a mon þat ad a vyfe', *IMEP* 3, 1.

30. Ps.-Bonaventura, *Expositio orationis Dominicae;* B. Distelbrink, *Bonaventurae scripta* (Rome, 1975), 143; Bloomfield, no. 8927. (Fol. 194) 'Ave maria... In ista salutatione virginem in quatuor et a quatuor.' Also found in MS. Laud Misc. 171 fols. 157, 159: cf. BL, MSS. Royal 10 B. ii, fol. 147ᵛ, 6 E. i, fol. 60 (*Oculus sacerdotis*).

31. Beg. 'Amice ascende superius...Ista verba significant virginem Mariam. In assumpcione elevatam quia hodie elevata est.'

12

2° fo *Ac angelis.*

Written in Italy. Bodleian blind-rolled and -ruled leather binding over pasteboards, as on MS. 10 (s. xviiᵉˣ). The offsets from binding strips from the previous binding are on the first and last parchment flyleaves (fols. iv, 417ᵛ). The decoration on the gilt fore-edge shows that the book once belonged to Henri II of France and Diane de Poitiers (*ex info*. Dr Mirjam Foot). Good fleuronnée initial, fol. 1. Earlier titles include 'Le proprietair en Latin' (fol. v), s. xvi. On fol. 1 are Digby's motto and name.

See M. C. Seymour *et al., Bartholomaeus Anglicus and his Encyclopaedia* (Aldershot, 1992). The list of manuscripts therein is augmented and corrected by B. van den Abeele, *Scriptorium,* 48 (1994), 167–9. The total is over 200.

13

2° fo *De achate.*

In the top right-hand corner of fol. 1, is '.G E.', the early shelfmark of Christ Church, Canterbury, and on the left is a title, '.lapidarius.'. The script of arts. 1, 3 and 5 is the Christ Church 'prickly' script. Later at Dover Priory; on fols. iiiᵛ and 3 is the Dover shelfmark ':J:IIII:' followed on fol. 3 by 'lapidarius monachorum...Muscius [*sic* for Muscis] expositum corpus [opening words of fol. 3]...93...3'. No. 415 in the Dover Priory catalogue, *ALCD*; and in CBMLC, *Dover Priory.* The Digby/Allen inventory number on fol. 2 indicates Allen's ownership but the volume is not identifiable in his catalogue.

Fol. 1 is a singleton with a border of s. xiiiᵉˣ, PA 3.485.

1. *PL* 171. 1737–70; *Init.* 5968; TK 530.

2. Bk. 2 of Albertus Magnus, *De mineralibus* (TK 1020); pr. by Joan Evans, *Magical Jewels* (Oxford, 1922), 220–31; see also P. Studer & J. Evans, *Anglo-Norman Lapidaries* (Paris, 1924), 94, 201–2 and for the complete work Fauser, *Albertus Magnus.*

3. Pr. by Evans, op. cit., 81–2.

4. Probably William de Dovoria or de Staunford, prior 1229–1235, on whom see C. R. Haines, *The Library of Dover Priory* (London, 1930), 211–4. At the top of this page is 'O Maria maris stella plena gracie, mater simul', the opening words of the motet of the Notre-Dame repertory, pr. *Anal. hymn.,* 20. 188, no. 252; see *Init.* 12747.

5. Extracts from Isidore, *Etymol.* xvi, concerning the stones in the Apocalypse. On fol. 40 is 'In catere [*recte* cratere] meo Tetis est coniuncta Lieo' (s. xii), a verse of Hugo Primas (*Init.* 8870).

6. *Recte* 'Instituta Canuti regis.' MS. Di in F. Liebermann, *Die Gesetze der Angelsachsen,* 1 (Halle, 1903), xxiii. A bifolium is missing between fols. 43 and 44 (ICn13 to IICn15).

7. After the explicit of Macer are (fols. 82–4ᵛ) sections on medical treatment appropriate to the months, beg. 'Marcius dicit. Si quis sanus vivere meis diebus', ending (Feb.) '...qui hec custodierit medico non egebit.' There follow remedies against fevers.

8. Not by Henry of Huntingdon. D. E. Greenway, *Henry, Archdeacon of Huntingdon, Historia Anglorum* (Oxford, 1996), p. cxiv, refers.

14

2° fo (fol. 3) *And God.*

At the beginning are two flyleaves and seven ruled

leaves, blank except for the first. Fols. 160^v–1^v are ruled but blank. Fols. 162–3 are blank flyleaves. The prayer of St Augustine beg. 'Deus propicius esto michi peccatori' (fol. 1) is close to the version pr. by C. Wordsworth, *Horae Eboracenses*, Surtees Soc. 132 (1920), 125. The *sententiae* on fol. 159 beg. 'Hec dicit Ysidorus: Diligite veritatem quia Iesus veritas est.'

The attribution to Grosseteste should be cancelled. This is one of three manuscripts which attribute the text to him.

See Allen, *Rolle*, 377; *IMEV* and suppt., 3428; Lewis & McIntosh, *Prick of Conscience*, MV63.

In the list of English kings at the end Edward IV is added after Henry VI.

15

2° fo *est ergo*.

The date is s. xv^{med}. On fol. 1 are Digby's motto and name.

1. Commentary on the verse computus *Filio esto dei*, beg. 'Computus iste dividitur in sex partes'; see Wordsworth, *Kalendar*, 119, 253. Cf. MS. 48 fols. 21–8^v which has the same incipit but a text with many differences. TK 244.

2. TK 597.

3. Ed. L. Thorndike (Chicago, 1949). TK 1577.

4. The same work is in MSS. 48 (art. 8), 93 (art. 6) and 98 (art. 24) and is usually ascribed to Simon Bredon (*sic* Weisheipl, 'Repertorium', 183, no. 4). O. Pedersen, 'The problem of Walter Brytte and Merton astronomy', *Archives internationales d'histoire des sciences*, 36 (1986), 227–8, argues, however, that the author is Brytte (probably of Oxford but lacking any apparent Merton connection and not to be confused with the Welsh Walter Brit recorded by Emden, *BRUO*). This is one of three manuscripts of the eight recorded by Pedersen that ascribes the work to Brytte. TK 223.

5. The calendar is of the use of Cambridge; van Dijk, *Latin Liturgical MSS.*, 3. 189.

6. The incipit reads 'Alycen' not 'Avycenne.'

7. The incipit begins 'Primo queritur…'.

9. *Suppositiones* and *prepositiones*, R1.01–10, R3.03–04, R4.01–16 only, from Jordanus de Nemore, *De ratione ponderis*, ed. by Moody & Clagett, *Weights*, 173–227, not noting this manuscript. R. B. Thomson, 'Jordanus de Nemore: Opera', *Mediaeval Studies*, 38 (1976), 97–144 lists many other copies but not this. TK 1000.

16

2° fo *studuerunt*.

On fol. 1 is Allen's number '65' (i.e. in the 8° section of his catalogue). The same number and 'Tho: Allen' are on fol. 2. At the foot of fol. 2 are Digby's motto and name.

The date of the manuscript is s. xiii/xiv. According to the list of contents on fol. 1 there was a 'Tractatus de transitu beate Marie Virginis' (s. xvi^1) after Nicodemus, but fol. 223^v shows every sign of always having been the final page. There are rust marks from an earlier clasp on fols. 1 et seq. At the top of fol. 2 is a title in a bold hand of s. xvi^{in}.

1. MS. O in the edition of J. F. Hinnebusch (*Spicilegium Friburgense*, 17; Fribourg, 1972), descr. at 39–40.

3. No. 231 in Z. Izydorczyk, *Manuscripts of the Evangelium Nicodemi: A Census* (Subsidia Mediaevalia, 21; Toronto, 1993), 120 (q.v. also for bibliography). On fol. 208 is 'Hunc tractatum et authorem suum alleg<at> Jo Raulin sermo 2° de assumptione beate Marie virginis fol. 127'. The reference is presumably to Jean Raulin (1443–1514) but his second sermon on the Assumption as pr. in his collected works (Antwerp, 1611–12, 'Sermonum de sanctis pars secunda', 221–33) does not seem to mention this text. Syon Abbey owned several volumes of Raulin's sermons, none now traced; R.61–4, S. 24–6 in *Catalogue of the Library of Syon Monastery Isleworth*, ed. Mary Bateson (Cambridge, 1898), CBMLC, *Brig. and Carth.* (in progress).

17

The book is made up of three parts. The whole volume belonged to John Parker in s. xvi^2 ('Sum liber John Parker' on fol. 1) but it is not in the list of his manuscripts in London, Lambeth Palace Library, MS. 731, ed. by S. Strongman, *TCBS*, 7 (1981), 1–27. On fol. 1 are 'Tho: Allen' and his number '54' (i.e. in the 8° section of his catalogue) and on the verso of a paper flyleaf facing fol. 1 are the Digby/Allen inventory number 'A.146' and Digby's motto and name. (A) fols. 1–11 (art. 1), parchment, s. xiii^{in}. (B) fols. 12–165 (arts. 2–24), s. xvi^1, paper except fol. 164, a parchment leaf from a manuscript of c. 1300. (C) fols. 166–79 (arts. 25–28), parchment, s. xiii/xiv. The whole volume seems to have been put together by 'Robert Frelove mercer', who wrote his name in Hebrew characters with English transliteration on fol. 179^v. He also wrote Hebrew on fol. 1. For another volume belonging to him (MS. Ashmole 572) see Emden, *BRUO 1501–1540*, 216.

A

2° fo (fol. 3) *ideo*.

1. The date is s. xiii^{in}.

B

2° fo *Capitulum secundum*.

On fol. 12 is 'Jesus Maria Franciscus', 'Franciscus' in Greek letters, and again on fol. 20, where 'Franciscus' is in Latin script. The name of the writer, a Franciscan, is no doubt in the monogram on fol. 163^v, R. Meure(?) or perhaps Mere(?). He writes in varying styles, mostly cursive but sometimes in chancery and secretary scripts. The diagrams are very fine. For a section not written by him see art. 13 below.

2. Beg. 'Est alius circulus undecimus.'

3. †TK 794.

5. Beg. 'Arabes inter ceteras mundi naciones.'

6. Beg. 'Capud primum anni neomeniam...Canon primus in anno embolismico. Quoties liminarium coniunctio.'

7. Beg. 'Notandum quod hebrei utuntur anno et mensibus.'

8. Beg. 'Animadvertendum est annum a quatuor dumtaxat feriis.'

9. Grosseteste's *Compotus correctorius*; Thomson, *Grosseteste*, 95–6. Ed. Steele, *Opera Baconi, fasc. 6* (1926), 212–66; TK 243.

10. Beg. 'Ciclus indictionis currit ab uno usque ad 17.'

12. Beg. 'Pasche autem vocabulum non grecum sed hebreum est.'

13. These leaves, except for the last two leaves, fols. 89–90, are in a different hand, s. xv², and form three quires of 6+1, 2 and 8 leaves, signed o–q.

14. †TK 430.

20. Beg. '[N]ostri habitabilis situs in tres maximas partes divisus est.'

21. The figure of a volvelle on fol. 151ᵛ is reprod. by Gunther, *Early Science*, 2. 244.

23. The figure of the new quadrant of Profacius on fol. 160 is reprod. ibid. 2. 164. See also p. 386. For Macray's 'In verso fol. 162...' read 'in verso fol. 163ᵛ...'.

C

2° fo *ab errore*.

24–28. Part of the *Extracta* of the *Libri naturales* of R. de Stanington, for which see the note on parts of the same text in MS. 204, art. 10.

25. Beg. 'Vita in animalibus inventa est'; commentary on Ps.-Aristotle *De plantis*, found only in this manuscript and MS. Tanner 116 fols. 88–90. Although the anonymous author does not mention Alfred of Sareshel by name, two citations show that he knew Alfred's glosses. R. J. Long, *Knowledge and the Sciences in Medieval Philosophy* (Proc. of the Eighth International Congress of Medieval Philosophy (SIEPM), Helsinki 24–29 August 1987, 3; Helsinki, 1990), 111–23 at 114, describes the work as 'little more than a teaching aid, a summary that represents the earliest stages in the growth of an Aristotelian science of plants.' TK 1705.

26. By Costa ben Luca; TK 1526.

27. Beg. 'De eo autem quod est esse'; TK 372.

28. Beg. 'Summa cognicionis nature et sciencie'; TK 1537.

18

2° fo (fol. 8) *ned to god*.

On fol. 1 is Allen's number '64' (i.e. in the 8° section of his catalogue).

MS. D in the discussion of scribal pointing of Rolle's texts by L. K. Smedick, 'Parallelism and pointing in Rolle's rhythmical style', *Mediaeval Studies*, 41 (1979), 404–47.

2. One of seven distinct Middle English prose translations of Rolle's *Emendatio vitae*: see M. Amassian, 'The Rolle material in Bradfer-Lawrence MS. 10 and its relationship to other Rolle manuscripts', *Manuscripta*, 23 (1979), 67–8. For other copies of this version see *IMEP* 3, 2; *IPMEP*, 652.

3. MS. D in the edn. by V. Edden, *Middle English Texts*, 22 (Heidelberg, 1990); MS. D in the text pr. by E. Kölbing, *Englische Studien*, 10 (1887), 232–55, descr. 215–6; see also Allen, *Rolle*, 371; M. Day, *The Wheatley Manuscript*, EETS, 155 (1921), xii–xv, 19. Edden, 17, locates our copy of the text in Northamptonshire. It lacks lines 257–80 and 905–12. *IMEV* and suppt., 3755. Macray's reference should be to MS. Rawl. D. 389.

5. See Allen, *Rolle*, 257–62, 268 for other texts; for corrections and additions thereto see *IMEP 1*, 13, *IMEP 3*, 3, *IPMEP*, 351. *IMEV* suppt., 2017.5 (fol. 83), 4056 (fol. 85ᵛ).

19

2° fo *testimonium*.

Bequeathed by William Reed (Emden, *BRUO*) to Merton College, Oxford; see Powicke, *Medieval Books*, no. 562. On fol. 1 is '19. Flowr', i.e. the book is no. 19 in a choice (*electio*) of books by Augustine Flower, fellow 1492–1509 (Emden, *BRUO*). On fol. 2 are Reed's *ex libris* and 'Tho: Allen' and on fol. 1ᵛ Digby's motto and name.

The main text, unnumbered by Macray, is pr. *PL* 195. 711–38; Hoste, *Bibl. Aelrediana*, 112.

1. The date of the hand is s. xiii.

2. The date of the hand is s. xivⁱⁿ. The incipit of (i) is 'Salve...', not 'Ave...'. The text is the three-poem version of Walter of Wimborne's *Ave virgo*; see A. G. Rigg, *The Poems of Walter of Wimborne* (Toronto, 1978), 29–30, for a description of this item, a separate booklet with its leaves now disordered. See also ibid., 144–5, for comments on the *Ave virgo*, and Appx. 1 for a reconstruction of the text. The quire (fols. 72–8) consists of seven leaves, three bifolia and one loose leaf (fol. 74); fols. 76–8 are not numbered. The quire has been inserted inside the last two pages of the final quire of the first part of the manuscript, i.e. between fols. 1ᵛ and *79. The correct order of the leaves is thus 71, 79, 74, 75, 72, 73, 77, 78, 76. Macray's art. 2(iii) (fols. 72–3ᵛ) is the beginning of the first poem of the *Ave virgo*; his 2(iv) (fol. 76) is the beginning of the second poem; his 2(ii) is the beginning of the third poem.

4. The verses are on fol. 79ᵛ, headed more correctly 'secundum fratrem Johannem Theutonicum', and are: 'Dum sartor [*glossed* id est cusor] sartit', *Sent.* 6700; 'Comportus. gestus fuga mundi. sermo modestus. | Vestitus mestus, labor essuries. domat

estus' [*glossed* scilicet carnis]'; 'Flet mala Magdala' [*glossed* id est contricio]. pandit adultera [*glossed* confessio]. turvaque recta. | terminat ultima. sanguine. morbida. [*glossed* pro severentia(?)]. sed Cananea [*glossed* id est desiderium eternorum]. | clamat ad Ethera leta naimita [*glossed* gaudium spirituale]. sana puella.'

PA 3. 268.

20

The volume is made up of three parts. Digby/Allen inventory numbers show that the sections came to Digby as separate items: on fol. 1 is 'A.171' and on fol. 169 is 'A.173'. (A) is not in Allen's catalogue; on fol. 65 of (B) is '4' (i.e. in the 16° section of his catalogue); on fol. 169 of (C) are '68' (i.e. in the 8° section of his catalogue) and a title in his hand.

A

2° fo. (fol. 2) *cidentem*.

The date is s. xiii². The spelling 'com', found regularly, suggests that the scribe was not English.

1. Thebit ben Corat, *De recta imaginatione spherae*; ed. Carmody, *Thabit*, 140–44. For other editions see Carmody, *Arabic Sciences*, 118–9. TK 924.

3. A version of the *Canons* of Arzachel: see Carmody, op. cit., 160–6. TK 1268.

4. (i) *Init.* 20230; (ii) *Init.* 18779. Fol. 28ᵛ beg. '[C]um in quolibet mense cuiuslibet anni coniunctionem', TK 307. Of the verses, 'Vigesimo primo' is *Init.* 20320. They are astronomical mnemonics. Walther also includes 'Est tibi Saturne', *Init.* 5865; 'Mercurius lunam', *Init.* 10967, and 'Iupiter atque Venus', *Init.* 9952, but omits others.

5. Arzachel, *Lectiones tabularum*; see Carmody, op. cit., 161. TK 1408.

B

2° fo lacking.

The dates are s. xiiiᵐᵉᵈ and s. xiii³ᐟ⁴. In more than one hand, beginning with two book hands written above top line (fols. 62–92) and continued by more than one documentary hand with writing below top lines from fol. 99. The entries in the letter-book (fols. 110–42) can mostly be dated to 1250–70 and are written by the hand of fols. 92–8ᵛ. From Tynemouth Priory.

6. Defensor of Ligugé, *Liber scintillarum*, xvii. 28 to end, ed. H. M. Rochais, CCSL, 117 (1957), 1–234; *CPL*, 1302.

8. Beg. 'Si scienter deum offenderit quod est magne super[b]ie'; Bloomfield, no. 5598.

9. Beg. 'Vereor venerabiles in Christo filii ne dum vobis'; see *PL* 67. 1154.

10. Ambrosius Autpertus, ed. by R. Weber, CCCM, 27ʙ (1979), 907–31; Bloomfield, no. 0455.

12. Beg. 'Cum rerum necessitas exposcit pensandum valde est.' Extracts from Gregory the Great, *Cura*

pastoralis, *PL* 77. 13; cf. Brussels, Bibl. Royale, MS. 2824, cited by B. Haureau, *Initia*, 7 (Turnhout, n.d.).

13. By Clement of Lanthony; Stegmüller, *Bibl.*, 1980.

16. William de Montibus, *De poenitentia religiosorum*, ed. by J. W. Goering, *William de Montibus* (Toronto, 1992), 216–21; Bloomfield, nos. 0504, 1410. On William see also J. Goering, 'The Summa "Qui bene present" and its author', *Wenzel Studies*, 143–59.

17. Mid-13th-century. Analysed by Hill, 'Letterbooks', 81–4.

18. Third quarter of 13th cent. Relating to St Albans and its cell, Tynemouth Priory. Analysed in Hill, op. cit., and two letters pr. 84–104, 275–7. The letter on fol. 129 pr. by W. A. Pantin, *Chapters of the English Black Monks* (Camden Society 3rd ser., 45, 1931), 1. 56. Nine letters pr. by H. H. E. Craster, *The Parish of Tynenouth* (A History of Northumberland, 8; Newcastle, 1907), 78–9.

19–22. Written by the same hand as art. 17. *IMEV* 2320.

19. Taken as the basis of the text in H. W. Robbins, 'S. Edmund's "Merure de Seinte Eglise"' (unpublished thesis, University of Minnesota, 1923), as MS. 31. B2 in the edn. by A. D. Wilshere, *Miroir de seinte église* (Anglo-Norman Text Soc., 40; London, 1982). Laing, *Catalogue*, 128, notes that 'the usual English quatrain 'Nou goth sonne vnder wode...'' is found in the French text on fol. 155.

20. William de Montibus, *Speculum poenitentis* (incomplete; beginning in section 2.1), ed. Goering (as art. 16), 187–210. Bloomfield, no. 2306.

22. MS. 32 in Robbins, op. cit. A shorter version of these pieces is in MS. 86, arts. 1–3.

C

2° fo (fol. 170) *licentia*.

The date is s. xiiⁱⁿ. Written at Durham. On a recurring motif found in the manuscript, of probable or certain Durham origin, see M. Gullick, 'The scribe of the Durham Cantor's Book (Durham, Dean and Chapter Library, MS. B.IV.24) and the Durham Martyrology scribe', in *Anglo-Norman Durham 1093–1193*, ed. D. Rollason *et al.* (Woodbridge, 1994), 93–109. The same artist decorated Glasgow Univ., MS. Hunter 100, Durham Cath., MS. B.IV, part c, and Oxford, University College, MS. 165. *English Romanesque Illumination* (Bodleian Picture Books, 1, Oxford, 1951), pl. 1 (initial on fol. 194).

25. Added, s. xii/xiii. MS. X in the edn. pr. *Anal. hymn.* 54. 340.

26. MS. O5 in the edn. by Colgrave, *Lives of St Cuthbert*.

PA 3. 72.

21

2° fo *multo plura*.

Written in England, s. xv³ᐟ⁴. On fol. 1 are Allen's number '56' (i.e. in the 8° section of his catalogue) and Digby's motto and name.

1. By Mechthild von Hackeborn, on whom, and for editions, see *Verfasserlexikon*, 6, 251–60.

2. Pr. Leipzig, 1510, etc.

PA 3. 1093.

22

2° fo *extrae radice*.

The main part was written in the South of France; the calendar (art. 12) is of Toulouse (see van Dijk, *Latin Liturgical MSS.*, 3, 176). Besides the 15th-cent. addition (art. 13), French notes were added on fol. 16^{rv}. The beginning of a table of moveable feasts on fol. 24^v, s. xv^1, appears to be English. On fol. iv are late-16th-century notes on pollution. On fol. iii^v is a note in the hand of Humfrey Wanley. On fols. 8^v and 9 respectively are scribbled the names 'Thomas Iles' and 'Henry Smith', *c.* 1600.

2. Beg. 'Quicquid agunt partes [*recte* agant artes]', *Init.* 15973, *Sent.* 25229a, 25259. The colophon reads 'Laus tibi sit Christe quoniam liber explicit artos [*sic*]. | Christus laudetur quia libri finis habetur.'

3. *Init.* 17708.

4. Tables include stylised 'arbores viciorum et virtutum' and verses arranged in a circle fanning from the verse, beg. (fol. 11), 'In presenti rota', *Sent.* 11937a. The third tabula is of the Ten Commandments, beg. (fol. 12) 'Unum crede deum' [cf. *Init.* 19669] 'Lex data fuit Moysi.' At the bottom of the page are two verses: 'Abluo firmo cibo dolet ungit ordine iungo | Ecclesie vere septem sacramenta fuere.'

5. Richard of St-Victor (Ps.-Hugh of St Victor), *Liber exceptionum*, pt. 2, bk. 9, ch. 5; pr. as Hugh's *Allegoriae super Novum Testamentum*, *PL* 175. 759–924 at 767–74; ed. J. Châtillon, *Richard de Saint-Victor, Liber exceptionum* (Textes philosophiques du moyen âge, 5; Paris, 1958), 439–517 at 447–55.

6. Attributed to Hugo de S. Caro in MS. Laud Misc. 512, fols. 154^v–68 and elsewhere, but see the edn. by P. Michaud-Quantin, *RTAM*, 31 (1964), 48–57.

7. The notes are on golden numbers and dominical letters, not confined to 1470–73.

9. Commentary beg. 'Cito. Ne tardes converti.' At the end (fol. 24) is the piece on the fifteen signs of judgment from Petrus Comestor, *Historia scholastica* (In Evang. cap. cxli), beg. 'Iheronimus in annalibus Hebreorum…congregantibus eos.'

10. The Prologue, TK 827, is preceded by an introductory piece beg. 'Huius tractatus editor suo premittit operi compendiosum prologum in quo clare insinuat quid sit computus.' The text is TK 167.

12. Borders recorded by PA, 1.682 (S. France, s. xvi^1(?)). In the bottom margin of February (fol. 42^v) is a piece of four lines, erased but partly legible under ultraviolet light, ending 'reducit eos in spelluncam.'

13. This calendar contains no saints.

23

In two sections, united in Thomas Allen's library but still with two sequences of arabic foliation, 1–55, 1–72. On fol. 3 is Allen's number '48' (i.e. in the 8° section of his catalogue) and on fol. 2^v is the Digby/Allen inventory number 'A 83'. Digby's motto and name are also on fol. 2.

A

2° fo (fol. 4) *tionis calida*.

1. On Master Henry of Langley see Emden, *BLR*, 6 (1961), 677. He was son of Geoffrey of Langley, justice of the forest; magister by 1251, probably of Oxford; canon and prebendary of the king's free chapel of Bridgnorth Castle, Salop, granted 22 April 1246, probably till death. He probably died by August 1263.

MS. *O in the edn. by J. H. Waszink, *Plato Latinus*, ed. R. Klibansky (London & Leiden, 1962). On the glosses see P. E. Dutton in *Mediaeval Studies*, 45 (1983), 79–119, esp. 97–100. PA 1. 475.

B

2° fo. (fol. 2) *asez est*.

2. MS. O in the critical edn. by C. Moignet (Paris, 1969). For a full bibliography of works on the *Chanson de Roland* published from 1955 to 1974 and a selection of important works published before 1955 see J. J. Duggan, *A Guide to Studies on the Chanson de Roland* (1976). A very full discussion of the palaeographical aspects is given by C. Samaran in the introduction to the facsimile *La Chanson de Roland* (Roxburghe Club, 182; [London], 1932); also *Société des ancien textes français*, 74 (Paris, 1933), 30. The date usually accepted is 'written in the second quarter of the 12th century (1130–1140?)'. So, the editors of the New Palaeographical Society, 2nd ser. pl. 39, and approved by Samaran, 4. In 1973, Ian Short, 'The Oxford manuscript of the Chanson de Roland…', *Romania*, 94 (1973), 221–31, proposed a date in the late twelfth century; his arguments were refuted by Samaran ('Sur la date approximative du Roland d'Oxford', ibid. 523–7), who adhered to his original suggestion. In 1985 M. B. Parkes, 'The date of the Oxford manuscript of La Chanson de Roland…', *Medioevo Romanzo*, 19 (1985), 161–75 (reprinted in M. B. Parkes, *Scribes, Scripts and Readers* (London & Rio Grande, 1991), 71–89, pls. 13a, 13b (fols. 38, 36^v)) re-opened the question and adduced evidence to support a date in the second quarter of the 12th century. According to the editors of the New Palaeographical Society at pl. 39, 'the two manuscripts [*Timaeus* and *Chanson de Roland*] were most probably separate until [Digby] bound them together, and there is no reason to believe that the *Chanson* came from Oseney.' This ignores the fact that Thomas Allen's catalogue records them as being together in his time. The present binding is indeed Digby's (although discolouration of the flyleaves (fol. 1 in part 1 and fol. 75 in part 2) shows that it has been

tampered with since it came to the Bodleian in 1634, with the misplacing of fol. 36 in part 2), but matching rust stains and the holes of medieval(?) clasp fittings at fol. 1 in part 1 and fol. 76 in part 2 show that the two parts had shared an earlier binding. Following Samaran, 10, Parkes (166 and n. 23) points to a 'thirteenth-century' mention of Chalcidius on the last page of the *Chanson* (fol. 72 in part 2). If both the reading and dating of this note are correct it would suggest that parts 1 and 2 were connected at an early date. Although the tiny traces of letters are now extremely difficult to interpret even with ultraviolet light, the balance of the evidence is in favour of both parts having been together since the thirteenth century.

24

For a description see de Rijk, *Logica modernorum*, II. 2/1. 59–76.

A

1. The beginning of William of Montoriel's *Summa*, which belongs to MS. 2 art. 11; see note thereon above.

B

2° fo (fol. 19) *ergo est*.

On fol. 17 are Allen's number '61' (i.e. in the 8° section of his catalogue) and the Digby/Allen inventory number 'A.170'.

2. The same text as MS. 2 art. 11. See de Rijk, ibid. 2/1. 420–6. 'Ego Tomas Doneuil(?) sum bonus [*page torn*]', on fol. 17 is a pen trial of a slightly later date than the text. Ebbesen, 'Glosses', SE 33.

3. Walter Burley, *De consequentiis*; ed. N. J. Green-Pedersen, *Franciscan Studies* 40 (1980), 101–66, at 113–63. Weisheipl, 'Repertorium', 195 no. 19a.

5. A list of the sophismata is pr. by de Rijk, ibid. 2/1. 62–71. The author is not Richard Fitzralph but probably either Richard Fishacre or the Cornish Franciscan Richard Rufus; see note to MS. 2, art. 16. On fol. 90ᵛ, in a hand of s. xiii², is 'Sciant presentes et futuri quod ego Johannes Russell' dedi concessi et hac presenti carta mea confirmavi Willemo Wryth de Ryston et asingnatis suis inperpetuum warantezabimus' and, upside down on the same page, a list of names, s. xv: Willelmus atte Pers<i...>us, Hugo Go, Willelmus Gugge, Robertus Hysonde, Parva Sara, Matillis [*surname illegible*], Matillis Haldowart, Magot Louet, Tomas Pec, Falicinus(?) Vallo.

6. Ebbesen, 'Glosses', SE 73, suggests that this is perhaps extracts from a commentary on the *De sophisticis elenchis* or of a summulistic treatise on fallacies.

7. A commentary on the *De sophisticis elenchis*. De Rijk, ibid. II.1, 73–4, has tentatively suggested that this may be an unidentified work known to have been written by Edmund of Abingdon. O. Lewry, 'Grammar, logic and rhetoric 1220–1320',

HUO, 1. 401–33, regards the present evidence as inadequate. Ebbesen, 'Glosses', SE 59.

8. Beg. (1) 'Solutio(?) In eo quod habet pudorem commendendi commodet se altero'; (2) (fol. 104ᵛᵃ): 'Questio est utrum constructio attendatur penes significationem diccionis.'

25

2° fo *Ihesus autem*.

Written in Central Italy, c. 1100. On fol. 1 are Allen's number '3' (i.e. in the 16° section of his catalogue) and the Digby/Allen inventory number 'A.184'.

1. The tonary of Odo, abbot of Cluny, is interpolated into the text; see M. Huglo, 'L' auteur du "Dialogue sur la Musique" attribué à Odon', *Revue de Musicologie*, 55 (1969), 121–71 at 163–4. Van Dijk, *Lat. Liturgical MSS.*, 3. 232; *Latin Liturgical Manuscripts and Printed Books. Guide to an Exhibition held [at the Bodleian Library] 1952* (Oxford, 1952), 48, no. 99.

2. *Init.* 15294.

3. See W. Holtzmann, 'Kardinal Deusdedit alias Dichter', *Historisches Jahrbuch*, 57 (1937), 217–32.

PA 2. 23.

26

Described by D. Thomson, *A Descriptive Catalogue of Middle English Grammatical Texts* (New York, 1979), 268–76. In seven sections. (A) fols. 3–7 (art. 1) originally flyleaves; (B) fols. 8–19 (art. 2), written by a Portuguese scribe, s. xiv; (C) fols. 20–28 (art. 3) written by the same scribe as sections B and F; (D) fols. 29–64 (art. 4), written by a second Portuguese scribe, s. xiv; (E) fols. 65–75 (art. 5), written by the same scribe as section D; (F) fols. 76–136 (arts. 6–11), written by the same scribe as sections B and C; (G) (fols. 137–40), originally flyleaves. The scribe of sections D and E appears to have combined sections B, C and F and the flyleaves into a book along with his own sections. Added hands, English s. xv¹, suggest that the manuscript was in use in a school. Later it was in the hands of regent masters in Oxford—Thomas Chapleyn, Thomas Jolyffe and others (their names are on fol. 4)—who have links with elementary teaching of grammar. On these men and other matters of provenance see Thomson, 274–6, Emden, *BRUO* (Chapleyn and Jolyffe); *BLR*, 6 (1957–61), 677. On fol. 7 are Allen's number '62' (i.e. in 8° section of his catalogue) and the Digby/Allen inventory number 'A 206'.

A

1. Delete Macray's 'rectius 5'. *IMEP* 3, 4.

B

2° fo (fol. 9) *ab hoc*.

2. Other copies are in Munich, Clm 3334 fols. 197–200 and Stuttgart, Poet. et Phil. 4° 53

fols. 1–64: see G. L. Bursill-Hall, 'Medieval Donatus Commentaries', *Historiographica Linguistica*, 8 (1981), 69–97, at 87.

C

2° fo (fol. 21) *sit sapiens.*

3. Ed. A. Morel-Fatio, *Romania* 15 (1886), 224–35. Now recognized as one poem; see P. Dronke, 'Pseudo-Ovid, Facetus and the Art of Love', *Mittellateinisches Jahrbuch* 11 (1976), 126–31. Also in MS. 100, art. 10. *Init.* 11220.

D

2° fo (fol. 30) *Tempore.*

4. Ed. by F. Munari, *Matthaei Vindocinensis opera* (Rome, 1977–88), 2. 159–225. *Init.* 5975. For fol. 63ᵛ see *IMEP 3*, 4–5.

E

2° fo (fol. 66) *sed per.*

F

2° fo (fol. 77) *construi.*

6. The language of text and note is Portuguese.

7. Ed. M. Boas (Amsterdam, 1952). *Init.* 3551.

8. *PL* 184. 1307–14. *Init.* 2521.

9. Ps.-Ovid; *Init.* 17029.

10. *Init.* 19812.

11. Jolyffe's payments are not dated 1400. His floruit is s. xv².

27

2° fo *possent.*

On fol. 1 are Allen's number '52' (i.e. in the 8° section of his catalogue), the Digby/Allen inventory number 'A.94' and Digby's motto and name.

MS. G in the edn. by J. H. Mozley and R. R. Raymo, *Nigel de Longchamp's Speculum Stultorum* (Univ. of California English Studies, 18, Berkeley, CA, 1960), 10. On the form 'Witeker' of the author's name see A. G. Rigg, *Medium Ævum*, 56 (1987), 304–7.

The second subsidiary art., beg. 'Hoc succo lanam', is *Init.* 8357.

28

In two parts.: A fols. 1–8; B fols. 9–215, probably but not certainly together since the late Middle Ages. A Christ Church, Canterbury, provenance was suggested by M. R. James on the basis that the martyrdom of Thomas Becket marks an era (see art. 29, fol. 149ᵛ). This was accepted by Ker, *MLGB*, with a query. Rust stains at the bottom centre of fol. 1 are probably from a chain-staple. Apart from art. 1, the date is s. xiii/xiv. On fol. 73ᵛ is 'Tho. Allen.' and on fol. 1 Allen's number '66' (i.e. in the 8° section of his catalogue). On fol. 1 are also the Digby/Allen inventory number 'A.128' and Digby's motto and name.

A

2° fo *sique.*

1. Written below top line, s. xiii¹.

B

2° fo *nonagesius* [*sic*].

2. TK †763.

3. Beg. 'Numerus annorum ciculi lunaris'; †TK 959.

4. Also in BL, MS. Egerton 3314 fol. 73; see *BMQ*, 30 (1963), 28.

5. MS. 29 (=D) in edn. by L. Sturlese & R. B. Thomson (Pisa, 1995). Also ed. by P. Radelet-De Grave & D. S. Speiser, 'Le De Magnete de Pierre de Maricourt: traduction et commentaire', *Revue d'histoire des sciences et leurs applications* (Paris), 28 (1975), 193–234. No. 9 in list of manuscripts of the work in E. Schlund, 'Petrus Peregrinus von Maricourt...II', *AFH*, 5 (1912), 22–40, at 26; Thompson, 'Petrus Peregrinus', 401; TK 91, †794.

6. *Init.* 3934.

7. By John Pecham. Pr. *S. Bonaventurae opera omnia*, 8 (Quaracchi, 1898), 669–74. *Init.* 4071.

8. By Jordanus Fantasma. No. 23 in N. M. Häring, 'Ein Lehrgedicht des Gilbertschulers Iordanus Fantasma', in *'Sapientiae Doctrina': Mélanges de théologie et de littérature médiévales offerts à Dom Hildebrand Bascour* (*RTAM* numéro spécial, 1; 1980), 91–109. This tract is also in MS. 166, art. 28. *Init.* 11395.

9. *Init.* 11894.

10. *PAL*, no. 81.

11. Little, *Bacon Essays*, 413; TK 47. Cf. MS. 119 art. 8.

12. The same text is in Munich, Clm 380, fols. 19ᵛ–21ᵛ; see M.-Th. d'Alverny in *The Mind of Eriugena: Papers of a Colloquium, Dublin...1970*, ed. J. J. O'Meara & L. Bieler (Dublin, 1973), 181–2, n. 23, and idem, 'La France de Philippe Auguste: le temps des mutations' (as MS. 67 art. 23 below), 880, n. 69.

13. Kibre, *Hipp. Lat.*, p. 98 (VIIA, *Astrologia medicorum*, anon. translation); TK 919.

14. *Init.* 13346.

15. TK 243. 16. †TK 522, †1450. 17. TK 1283.

18. Saxl & Meyer, 3/1. 390, adds a reference to Erfurt, MS. Amplon. Q 369, fol. 181ᵛ. Also in MS. Ashmole 1522, fols. 40c–40d. TK 320.

19. *PAL*, 92, TK 392. This is one of the *Excerpta* from Pliny, *Nat. Hist.* xviii. 340–65; see V. H. King, 'An investigation of some astronomical excerpts from Pliny's Natural History found in manuscripts of the earlier Middle Ages', (unpublished thesis, University of Oxford, 1969, 156–69). It is followed by a paragraph beg. 'Sol in ortu suo', TK 1514, and a series of paragraphs beg. 'Kal. Ia. Si fuerint in prima feria.'

20. *PL* 210. 595–618; Bloomfield, no. 0831. The marginal note referred to by Macray is in Allen's hand. The pope Clement referred to is Clement III.

22. *PAL*, 22 no. 65 (*Physiognomia IV*); TK 535.

23. Bk. 7 of the *Historia regum Britanniae of Geoffrey of Monmouth*, ed. A. Griscom (1929), 383–97; E. Faral, *La Légende arturienne* (Paris, 1929), 3. 186–203. This copy noted by Crick, *The Historia Regum Britannie of Geoffrey of Monmouth III: A Summary Catalogue of the Manuscripts* (Cambridge, 1989), 331, citing C. D. Eckhardt in *Manuscripta*, 26 (1982), 167–76. TK 1426.

24. i = TK 124, here beg. 'Arbor fertilis a proprio trunco'; ii = TK 1496; iii = †TK 882.

26. Kibre, *Hipp. Lat.*, 98 (VII, *Astrologia medicorum*). MS. O in the edn. by Lindberg, *Pecham*; TK 769.

27. By Messahalla; see Carmody, *Arabic Sciences*, 25; TK 1409.

29

2° fo (fol. 4) *item ad*.

On fol. 2 is an erased inscription, legible by ultraviolet light, 'Istum librum dedit M. Ricardus <Stapu>l-ton cathenandum in lib<raria> Collegii Ba<lliolensis ...>' (cf. MSS. Balliol College 197 and 219). Stapulton was Master of Balliol *c.* 1430 and gave MSS. 197 and 219 to the College; see Mynors, *Balliol*, xx, 213 et seq., 282. A large part of this manuscript is in Stapulton's hand. On fol. 305ᵛ is 'Cesely Margarete borne Joh'i[?] bolytowe' (s. xv), and 'Rychard Goodwyn' (s. xv). At the top of the same leaf is 'ijᶜlxiiij levys.' Probably later in the possession of John Dee (Roberts & Watson, M177). On fol. ii are Digby's motto and name.

For the Middle English arts. throughout see *IMEP 3*, 5–17. PA 3. 889.

4. The verses immediately following the *Cisio Janus* are (fol. 9ᵛ), 'A B C sunt extra d e f intra g supra'; see Wordsworth, *Kalendar*, 164, 179. For the *Cisio Janus* see ibid. 349. On fol. 10 is 'Filius esto dei', for which see ibid. 161/9 and *Init.* 6525, but many of the verses are different from those in Wordsworth. Fol. 37ᵛ is another copy of the text on fol. 9ᵛ, probably a reject leaf since fol. 37 is palimpsest.

5. Also in much shorter form in Cambridge, Trinity College, MS. 0.5.4 (1285), fol. 59. Bale, *Index*, 233, cites a work called 'Scansiones metristarum' by this author but its incipit differs.

6. On fol. 117 is a recipe, 'Ad faciend' tabulas albas.' On fol. 120ᵛ is 'Ad faciendum sal quo usi sunt sacerdotes veteris legis', TK 1368.

7. In the bottom margin of fol. 33 are two verses beg. 'Pulcrior esse putat', *Sent.* 22861 (= Pamphilius, v. 113 et seq.).

8. Beg. 'Grana quater quinque', *Init.* 7292.

9. Beg. 'Absintheum amarum idem gallice aloyne anglice weremode'; †TK 11.

10. Antonius Musa, *De herba vettonica* ch. 1, beg. 'Herba betonica contusa'; †TK 609.

11. Beg. 'Herbe plantaginis'; †TK 610.

12. Fol. 50ᵛ beg. 'Nomen herbe saturion vel priapistus gallice foteroyle anglice standelgusse.' The section on fol. 64ᵛ beg. 'Absintheum est herba acerima calida et sicca'; cf. TK 12.

15. Beg. 'Primus color albus est', †TK 1122. Fol. 114ᵛ beg. 'Urine qwite at morne.'

After art. 15, on fol. 72(73)ᵛ, are medical recipes beg. 'Ad maturandum quodcumque apostema in uno die si sit sub assellis.' The text breaks off at the end of the quire with catchword 'resine' and is continued in Balliol College, MS. 219 fols. 1–5.

16. Kibre, *Hipp. Lat.*, p. 227 (XLVIII, *Secreta; Signa sanitatis et mortis*). †TK 1502.

17. Beg. 'Prima urina colorata'; †TK 1097.

18. Ed. by L. Choulant (Leipzig, 1826); *Init.* 4432. Commentary beg. 'Liber quem proponimus legendum est ex antiquorum scripturis', text beg. 'Dicitur urina quoniam fit renibus una'; TK 422, †823.

19. Beg. 'Instrumentum per quod sciuntur hore diei per umbram supra superficiem planam aque', †TK 753.

20. Beg. 'Ex Aristotelis auctoritate expressum habemus', †TK 530.

21. Beg. (fol. 130ᵛ), 'Quoniam circa urinas quinque attenduntur generalis et septem specialia', TK 1247.

22. The title given by Macray is not in the manuscript but represents extracts ascribed to Avicenna, beg. 'Humor est corpus liquidem fluidum', TK 645. Preceding this are six verses beg. 'A nona noctis', TK 3, *Init.* 56.

23. †TK 569. For the version beginning 'Anglorum regi' see *Init.* 1039.

24. TK 1011 attributes this to Bartolomaeus de Ferraria but it is an extract from the *Breviarium Bartholomaei* of John of Mirfeld; see R. Creytens, *AFP,* 25 (1955), 371.

25. †TK 281.

26. Kibre, *Hipp. Lat.*, 99, 103 (VII. *Astrologia medicorum*). In the translation of William of Moerbeke; see L. Thorndike, 'The three Latin translations of the Pseudo-Hippocratic tract on astrological medicine', *Janus,* 49 (1960), 104–29, at 105 (list of manuscripts). TK 458.

27. TK 951. 28. TK 1032. 29. †TK 1301. 30. †TK 1503.

31. See L. E. Voigts, 'The Latin verse and Middle English prose texts on the sphere of life and death in Harley 3719', *The Chaucer Review*, 21 (1986), 291–305, at 298. TK 234; *Init.* 3024.

32. TK 1399.

33. Text on fols. 196ᵛ beg. 'Si volueris horam noctis invenire.' Text on fol. 197ᵛ beg. 'Cinthia mercurius Venus et Sol Mars Iove Satur', followed by 'Primo sciendum quod septem sunt planete', TK 1112, which is Hermes, *Secreta*. On fol. 199ᵛ is a table of complexions with verses, beg. 'Largus amans hilaris ridens', repeated from fol. 200; TK 811, cf. *Init.* 10131. Also three verses beg. 'Anni sunt partes autumpnus yemps ver et estas.' They are also found on fol. 142.

34. The last piece (fol. 201) beg. 'Diameter lune ad diametrum terre.' In the bottom margin are 'Componendi modus incausti nigri. | Vncia gallarum mediate fit vncia gummi | Vncia vitrioli superaddat octo phalarni,' and 'Primo ponantur galle per quinque vel sex dies in aqua pluviali, deinde coperose et simul stent quousque bene comisceantur et erga tempus in quo vis scribere impone gummam per septimam a(?).'

35. As far as the *virtutes* this is a commentary on Johannitius's *Isagoge*; †TK 858.

36. Beg. 'Alhosor, id est species zucrati duri.' At the bottom of fol. 274 are seven verses beg. 'Gaudet epar spodio', TK 579; *Init.* 7108.

37. Odo of Meung (Ps.-Macer), *De viribus herbarum*, ed. L. Choulant (Leipzig, 1832), 28–123. TK 610. *Init.* 7711.

38. Delete Macray's 'sive Nicholai de Hostresham [hodie Horsham] Angli'.

39. Beg. 'Percipe altitudinem stelle'; †TK 1033.

41. TK 284. On the development of this text see M. H. Green, 'The development of the *Trotula*', *Revue d'histoire des textes*, 26 (1996), 119–203. In the bottom margin of fol. 291ᵛ is a list of 'autores in medicinis'—'Galienus, Diascarides, Rasy, Damacenus, Lilium, Mesue, Cupho, Constantinus, Serapion, Avicenna, Algazel, Averoys, et alii sequaces.'

42. Beg. 'Nota quod si quis velit scire locum lune'; †TK 941.

44. By Johannes de Burgundia, beg. 'Dilectissime frater et intellexi multum times pro instanti pestilencia', TK 431. For copies additional to those listed by TK see D. W. Singer & A. Anderson, *Catalogue of Latin and Vernacular Plague Texts in Great Britain and Eire* (reprod. from typescript, Paris & London, 1950), no. 16.

45. Beg. 'Rosa marina arbor et herba calida et sicca'; †TK 1366.

30

2° fo *militantes*.

In one French hand. On fol. 1 are Allen's number '21' (i.e. in the 8° section of his catalogue), the Digby/Allen inventory number 'A.224' and Digby's motto and name.

2. Beg. 'Qui in christi misteriis proficitis meis' (*BHL* 2049), pr. in the appendix to Caecilius Cyprianus, *Opera* (Oxford, 1683), 2. 54–60.

3. William of Auvergne, *De faciebus mundi*, ed. by A. De Poorter, *Revue néo-scolastique*, 25 (1923), 192–209. Glorieux, *Rép.*, no.141f; Charland, *Artes*, 40.

31

2° fo *Incipit*.

On fol. 1 is 'Liber domini Thome dackomb' (not Jakomb as Macray). In the 1964 edition of Ker,

MLGB, this manuscript is listed under Oxford, New College, presumably because of the list of New College books at the end, but that is as likely to have been written at Winchester Cathedral Priory as in Oxford; Dackomb, on whom see A. G. Watson, *The Library*, 5th ser., 18 (1963), 204–17, was a monk there in the 1530s and a minor canon after the refoundation in 1541, and a William Manwode (fol. 87ᵛ) was ordained sub-deacon there in 1484 (see G. W. Kitchin, *Compotus Rolls of the Obedientiaries of St. Swithun's Priory, Winchester* (Hampshire Record Soc., 1892), 478. The book was almost certainly at Winchester at the refoundation. On fols. i and 1 is Allen's number '57' (i.e. in the 8° section of his catalogue); on fol. i the Digby/Allen inventory number 'A.176' and on fol. 1 Digby's motto and name.

2. TK 1614.

Macray's reading of the list of books at New College should be corrected as follows: for 'Predicabilia Alyngton' read 'Predicamenta Alyngton'; for 'Damascenus' read 'J. Damascenus'; for 'Cornubiensis in libros' read 'Cornubiensis super libros'; after 'Quodlibetum' delete 'domini s[ubtilis]'; for 'Dominus super' read 'Duns super'.

32

2° fo *Quod omnibus*.

The Blakwel *ex libris* is of s. xiv: a John Blackwall was at the London Dominican convent in 1379/80 and at the Oxford convent in 1400 (Emden, *BRUO*). The 'C. W.' and Man inscriptions are of s. xv. There are annotations by Man *passim*. Macray's 'Cod. T. Allen 63' refers to Allen's number '63' (i.e. in the 8° section of his catalogue) on fol. 1. On that leaf are also Digby's motto and name.

Hildegard, *Sciuias*, ed. A. Fürkötter & A. Carlevaris, CCCM, 43, 43ᴀ (1978).

33

For a description see *Walter Hilton's Latin Writings*, ed. J. P. H. Clark & C. Taylor, Analecta Cartusiana, 124 (1987), 1. 20–22. The manuscript has iv+137 leaves in modern foliation (in fact 140, since 83 is followed by 83* and 121 is followed by two blank leaves now numbered 121ᵃ and 121ᵇ). Medieval foliation runs from 1 to 135, with 32 and 80 repeated, 55 omitted and a leaf missed after 98. It is a collection of six booklets: (A) fols. 1–48 (arts. 1–3), s. xvⁱⁿ; (B) fols. 49–93 (arts. 4–5), s. xiii; (C) fols. 84–7 (arts. 6–8), s. xii; (D) fols. 88–103 (art. 9) s. xv; (E) fols. 104–21ᵇ (art. 10), s. xiv; (F) fols. 122–7 (art. 11), s. xii. The first booklet is preceded by two 17th-century and two medieval flyleaves (i–ii, iii–iv) and the last booklet is followed by eight medieval flyleaves (fols. 128–35) and two 17th-century flyleaves (fols. 136–7). At some stage fol. 128 was a final leaf; it has holes and rust marks from the metal fittings of an earlier binding and the verso has a name 'Wylmot' (s. xv),

well-written and probably that of an owner.
Fol. 128 seems to be of the same kind of parchment
as fol. iii, which also bears a mark as though
from a binding clasp, and it may be that
fols. iii–iv, 1–128 were together before being
acquired by one Brandesby who added fols. 129–35
and put his name on fol. 122 and 'Hic scripsit
dominus Joh. Brandesby' on fol. 134. After that,
medieval foliation was added to the whole, and,
perhaps on the occasion of a rebinding in s. xvi,
quire numbers 1–13 (13 being fols. 128–37).
The Walton and Coventry *ex libris* inscriptions
(s. xv) are on fol. iv^v. On fols. iii and 1 is Allen's
number '60' (i.e. in the 8° section of his catalogue),
and on fol. 1 are the Digby/Allen inventory number
'A.129' and Digby's motto and name.

A

2° fo *i. c° ecclesiastice.*

1. By Thomas of Ireland. See G. Thery,
AHDLMA, 10 (1935–6), 208; R. H. & M. A. Rouse,
*Preachers, Florilegia and Sermons: Studies in the
"Manipulus Florum" of Thomas of Ireland*
(Toronto, 1977), 104.

2. Thomas of Ireland's *De tribus sensibus sacrae
scripturae*, beg. 'Sapiencia edificat sibi domum';
see Rouse & Rouse, ibid. 104–6.

3. MS. D in edn. by Clark & Taylor, op. cit.,
1. 103–214.

B

2° fo *vitalis in corpore.*

4. The date is s. xiii^{in}. *S. Bernardi opera*, ed.
J. Leclercq & H. M. Rochais (1963), 3. 155–203.

5. Ibid. 3. 241–94. The capitula are added in a hand
of s. xv.

C

2° fo *versus eum.*

6. The date is s. xii. Ps.-Macarius, *Patrologia Graeca*,
34, 405, 443; *PL* 67. 1163, pr. by A. Wilmart,
Revue d'ascétique et de mystique, 1 (1920), 58–83.

7. The date is s. xii.

8. Cf. Gulielmus Peraldus, *Summa de vitiis*, as in
MS. Bodl. 848 (*SC* 2601) fol. 49^v; Bloomfield,
nos. 6097, 1628.

D

2° fo *fectus suos.*

E

2° fo *faciamus hominem.*

10. Ps.-Bernard, *PL* 184. 485–508; Bloomfield, no. 3126.

F

2° fo lacking.

11. Anselm, *Proslogion*, ed. F. S. Schmitt, *Sancti
Anselmi opera* (Edinburgh, 1946), 1. 89–122.
Our fragmentary text is pp. 99/12–114/9.

34

In three parts. (A) On fol. 1 are titles in a hand
of s. xvi^{in}, 'Tho. Allen' and '50' (i.e. the number
in the 8° section of Allen's catalogue). (B) On
fol. 81 are Allen's number '46' (i.e. in the 8° section
of his catalogue), a title in Allen's hand and the
Digby/Allen inventory number 'A 187'. (C) On
fols. 127 and 130 are Allen's number '39' (i.e. in
the 8° section of his catalogue) and on fol. 127
the Digby/Allen inventory number 'A.137.' On
fol. 172^v are 'Thomas Alayne', 'Thomas A<lay>ne
Anno Domini 1565' and 'Robertus Chamberlayne
Anno .1566.'

A

2° fo *mais icele.*

The date is s. xiii; written below top line. The titles
added on fol. 1 record two arts. in the first section,
'Sermones Saxonici boni' and 'Testamentum xij
prophetarum' which are not in the manuscript
and are not recorded in Thomas Allen's catalogue.

1. MS. O in the edn. by A. T. Baker & A. Bell, *St
Modwenna* (Anglo-Norman Texts, 7; Oxford, 1947).

1a. The Life of Modwenna ends on fol. 76. It is
followed by the rhyming sermon ed. H. Suchier,
Reimpredigt (Bibliotheca Normannica; Halle, 1879);
MS. C in that edn.

B

2° fo *tute non.*

The date is s. xiii; written above top line.

2. *BHL* 6510–12.

6. The earliest version, of which this is the only
copy and that incomplete. Text A in H. E. Salter's
edn., *Eynsham Cartulary ii* (OHS 51; 1968),
descr. 176–7.

C

2° fo *secundo dico.*

8. For Augustinians. The date is s. xv; written on
paper.

9. Book 1 only. Both books are in MS. Bodl. 918
(*SC* 2910), 'Compilatus a quodam claustrali anno
domini 1430.'

35

2° fo (fol. 6) *hominibus.*

The Richard Gill inscription on fol. 77 is of s. xv.
On fol. 3 is 'Br: Twyne'. On fol. 3^v is 'Tho. Allen',
on fol. 5 '58' (i.e. in the 8° section of his catalogue)
and on fol. 4^v the Digby/Allen inventory number
'A 103'. On fol. 5 are Digby's motto and name.

On fol.1^v are the name Karey, a list of prohibited
degrees of marriage, and a list of herbs with
quantities, beg. 'parseley ij li, ysope ij li.' On fol.2^v
is the beginning of a form of will in English,
'Y be qwyth my soul to god.'

MS. H in the edn. by Powicke & Cheney, *Councils
and Synods* 2. 983, 1059.

'William Pytts of Cotlagh' (fol. 79) may have been an owner rather than a scribbler. Cotley and Cotleigh are different localities in Devon, but both are appropriate in a volume which contains the constitutions of a bishop of Exeter.

36

2° fo (fol. 5) *quam multi*.

The date is s. xv[med].

Belonged to Henry Savile of Banke; on fol. 4 is 'John Netlton. Hnry Savil' in Savile's shorthand. No. 106 in Watson, *Savile*. Perhaps previously owned by John Dee; a 'Jupiter' symbol like his is on fols. 1 and 4. See Roberts & Watson, DM 110. On this manuscript and related manuscripts see R. Foreville, *Un procès de canonisation à l'aube du xiiie siècle (1201-2): Le livre de Saint Gilbert de Sempringham* (Paris, 1943), xv, and *The Book of St Gilbert*, ed. R. Foreville & G. Keir (Oxford, 1987), lxvii–lxx, where our manuscript is categorized as 'a fifteenth-century book for devotional use, and an abbreviated and adapted version of the archive.'

2. *BHL* 3532. 3. *BHL* 3533.

4. Beg. 'Revelata igitur beati Gilberti gloria.'

5. *BHL* 3535. 6. *BHL* 3534.

7. Pr. from this manuscript by M. D. Knowles, *EHR*, 50 (1935), 475–87. Knowles's document VI, a letter of the bishop of Winchester to Pope Alexander III in support of Gilbert of Sempringham, is no. 97 in *English Episcopal Acta. VIII Winchester 1070–1204*, ed. by M. J. Franklin (Oxford, 1993). PA 3. 1043 (pl. XCVII reprod. detail fol. 97[v]).

8. Pr. from this manuscript by R. M. Wooley, Henry Bradshaw Soc., 59 (London, 1921), 115–26.

PA 3.1043 pl. XCVII repr. details fol. 97[v].

37

In four parts, the last comprising three subsections. A, B, C and D–F were separate units in Allen's library: on fol. 1 are '45' (i.e. in the 8° section of his catalogue), the Digby/Allen inventory number 'A.205' and Allen's hand; on fol. 56 is the Digby/Allen inventory number 'A.154'; and on fol. 72 are '69' (i.e. in the 4° section of his library) and the Digby/Allen inventory number 'A 151'. If D–F (art. 7) corresponds to MS. 4° 44 in Allen's catalogue, the 'Theologia Petri Abelardi', included there, has been lost from the end.

A

2° fo lacking

The date is s. xiv.

2. Beg. 'Iste liber quem premanibus habemus vocatur secretum philosophorum'; TK 791. Johnson, 'Mappae clavicula', 79.

3. Listed by Thorndike, 'Astrological images', 258 (where the manuscript is wrongly referred to as MS. 57). TK 354.

4. TK 1231.

B

2° fo *aliquid*.

The date is *c.* 1450.

5. On fol. 119[v] is a *quaestio* (s.xv/xvi) beg. 'Cum dicitur(?) quod(?) delectatio est quia est summum bonum.' The first verse at the end is *Init.* 13034.

C

2° fo *non est*.

The date is s. xv.

6. Lohr, 'Aristotle commentaries (III)', 195, lists with spurious works of Scotus.

D

D–F were given to Oriel College, Oxford, by Mag. Elias de Trykingham, fellow *c.* 1350–60. His name, erased, is on fols. 98 and 141[v]. Not, however, recorded in the 1375 Oriel library list, CBMLC, Oxford. On fol. 134 is an erased inscription beg. 'Iste liber est fratris <...>.' On fol. 132[v] is a pen trial (s. xiii), 'Sciant presentes et futuri quod ego Johannes de Hugat' dedi concessi...'.

2° fo *proferimus*.

The date is s. xiii[in].

7. There are a number of glosses of s. xiii, and on fol. 120[v] an introduction beg. 'Ut ait Victor[in]us duplex traditur ars.' The verse at the end is *Init.* 18341, *Sent.* 29869, Chevalier, *RH*, no. 40961.

E

2° fo *nicam manibus*.

The date is. xiii[in].

8. Ed. by Hunt, *Teaching and Learning Latin*, 1. 181–90; for other manuscripts and an edn. see R. W. Hunt, *The Schools and the Cloister: the Life and Writings of Alexander Nequam*, ed. M. Gibson (Oxford, 1984), 126–8. PA 3. 754. This section was at one time in the library of Oriel College, Oxford, but it is not in the 1375 catalogue (CBMLC, Oxford).

F

2° fo *genus peccati*.

The date is s. xiii[ex].

9. To fol. 136/36 is the text pr. by Powicke & Cheney, *Councils and Synods*, 2. 140–51/6, synodal statutes for an English diocese, *c.* 1222–1225. Fol. 136/36 to 136[v]/17 is identified ibid., 151, chs. 63–5, as an abridged version of Lateran Council IV, chs. 14–16. Fol. 136[v]/17–20 are ibid., 154, decrees for the province of Canterbury, 1225. The rest of the text has not been identified.

The reference to this manuscript by Thompson, 'Trial index', 414, appears to be wrong.

38

2° fo *tabula*.

On fol. 1 are Allen's number '55' (i.e. in the 8° section of his catalogue) and Digby's motto and name.

1. †TK 1172.

4. Messahalla, *Practica astrolabii*; TK 916.

6. Ps.-Aristotle, *Liber iudiciorum*, *PAL.* no. 49; TK 1504. Also attributed to Ptolemy and Alkanderinus.

7. TK 1050.

8. Johannes Hispalensis, *Epitome totius astrologie*. TK 203; Diaz 956.

10. Add *Commemoratio S. Erkenwaldi*.

12. †TK 1108.

13. By Roger of Hereford; see Haskins, *Medieval Science*, 124. TK 1266.

39

2° fo *statura brevi*.

On fol. 1 are Allen's number '37' (i.e. in the 8° section of his catalogue), the Digby/Allen inventory number 'A.203' and Digby's motto and name.

The oldest foliation (s.xv?) is erratic: 53 is wrongly numbered 35, 88 is omitted, 98–9 are wrongly numbered 93–4, 100 is unnumbered, 101–10 are numbered 96–105, 111 is unnumbered.

1. MS. Z in the edn. by O. von Gebhardt, *Texte und Untersuchungen* 22/2 (1902). It is version Cd. BHL 8020.

3. Attributed to Hermannus Archidiaconus, but A. Gransden, 'The composition and authorship of the De miraculis Sancti Eadmundi attributed to "Hermannus the Archdeacon"', *Journal of Medieval Latin*, 5 (1995), 1–52 at 43–4, proposes an early misreading and identifies the writer as 'Bertramnus archidiaconus' who is mentioned by Goscelin as a hagiographer at work in England. Our manuscript is C in the edn. by T. Arnold, *Memorials of St Edmund's Abbey* (RS, 96; London, 1890), 1, xxviii, lxiv–v. BHL 2395.

4. The date is s. xi. Pr. *PL* 141. 520–24.

5. BHL 4067.

6. MS. A in the edn. by R. C. Love, *Three Eleventh-Century Anglo-Latin Saints' Lives*; *Vita S. Berini, Vita et Miracula S. Kenelmi and Vita S. Rumwoldi* (Oxford, 1996), 1–47 and, for descr. of this manuscript, lxxiv. A translation of the homily (fol. 52) is pr. by J. E. Field, *Saint Bertin, the Apostle of Wessex* (London, 1902). The masses (fol. 56) are printed by F. E. Warren, *The Leofric Missal* (Oxford, 1883), 307. BHL 1361.

7. BHL 2518.

9. Printed by J. Leclercq, 'Écrits spirituels d'Elmer de Cantorbéry', *Studia Anselmiana*, 31 (Analecta Monastica 2 sér.; Rome, 1953), 62–4.

40

The form of the contents-list of s. xv (fol. vᵛ), preceded by 'Liber 360ᵘˢ' shows that the book belonged to the old university library of Oxford, and it has been suggested (*Duke Humfrey's Library and the*

Divinity School 1488–1988: an Exhibition at the Bodleian Library June–August 1988 (Oxford, 1988), no. 42) that the high number indicates that it reached the Library after the accession of Duke Humfrey's manuscripts, the last of which arrived in 1444. In his chapter 'The provision of books', *HUO* 2. 407–83, at 477, n. 326, M. B. Parkes points out, however, that since these numbers are not based on the order of accession it is possible that it was part of the university's collections in the fourteenth century or earlier. After leaving the library the book seems to have been in the hands of unlettered people (judging by script, poor Latin and much defacement by marginal scribbles) but neither then nor later when in Allen's hands did it lose any of its six separate sections: (A) fols. 1–8 (art. 1); (B) fols. 9–20 (arts. 2–3); (C) fols. 21–51 (art. 4); (D) fols. 52–88 (art. 5); (E) fols. 89–115 (arts. 6–7); (F) fols. 116–45 (art. 8). Scribbled names, which may sometimes indicate ownership, include (fol. 8) 'Ellen Benson' (s. xvi), (fol. 9), 'Edward Princ'' (s. xvi), 'Edward Kente' (s. xviᵉˣ), and, very frequently, 'Bryan Ashton', 'Anthony Olliffe', c. 1590, on both of whom see note on art. 8 below. On fol. 1 are 'Tho: Allen' and Allen's number '41' (i.e. in the 8° section of his catalogue). On fol. [i] is the Digby/Allen inventory number 'A.212', and on fol. 1 Digby's motto and name.

PA 3. 292.

A

2° fo *to pro*.

1. The date is s. xiiiⁱⁿ. Perhaps by Roger of Chester; see Haskins, *Medieval Science*, 122; Carmody, *Arabic Sciences*, 19; Thorndike, *Isis* 34 (1943), 467 n. 1. See, however, North, *Wallingford*, 3. 162–4, who suggests as a remote possibility that the work derives from a work in Arabic by Jabir ibn Aflah, translated in London by a compatriot in 1147. TK 1148.

B

2° fo *pleatur*.

The date is s. xiiiⁱⁿ.

2. Printed by V. Rose, *Anecdota Graeca et Graecolatina* (Berlin, 1870), 2. 299–313. It ends on fol. 13 and is followed by Ps.-Euclid, *De speculis*, MS. Q in the edn. by A. A. Björnbo & S. Vogel, 'Alkindi, Tideus und Pseudo-Euklid. Drei optische Werke', *Abh. zur Geschichte der mathematischen Wissenschaften*, 26/3 (1912), 1–176, at 95–119 (descr. at 138–9); Lindberg, *Catalogue*, no. 80. TK 1233. Macray's reference is to Ashmole MS. 1471.

3. By Alkindi. Carmody, *Arabic Sciences*, 84. TK 1590.

C

2° fo *omnia que*.

4. The date is s. xiii¹. The author is also known as Roger of Hereford. See Haskins, *Medieval Science*, 124. *Duke Humfrey's Library*, loc. cit., reproduces fol. 25. TK 322. Partly pr. by T. Wright, *Biographica Britannica literaria* (London, 1846), 2. 89–91.

D

2° fo *erit reuolucio.*

The date is s. xii².

5. MS. O in the edn. by J. M. Millás Vallicrosa, *El libro de los fundamentos de las Tablas astronomicas de R. Abraham ibn Ezra* (Madrid & Barcelona, 1947); the attribution to Abraham is accepted: cf. L. Thorndike, 'The Latin translations of the astrological tracts of Abraham Avenezra', *Isis,* 35 (1944), 301. Millás Vallicrosa reprod. fols. 52ᵛ–3 (pl.2). Diaz, 971; TK 446.

E

2° fo *in longitudine.*

The date is s. xiiiⁱⁿ.

6. TK 429, 960. 7. †TK 348.

F

2° fo *lacking.*

8. The date is s. xiiᵉˣ. Translation by Plato of Tivoli. TK 770. The many scribbles of s. xvi are mostly in the hand of Bryan (Macray reads 'Roger') Ashton who describes himself (fol. 59ᵛ) as of Heawood, Staffs. (not Oxon. as Macray states), probably Great Heawood, Staffs. Others are in the hand of Anthony Olliffe, vintner and citizen (1590–1593): they include on fol. 6ᵛ 'Felix quem fasiant alliena pericula cautem' and on fol. 20, 'Felixe quem facient alleena perickgula cauteme', *Sent.* 8952; cf. also fol. 83ᵛᵇ.

41

For descriptions see Bergmann, (art. 10 below), 15–17, and Gibson & Palmer, 'Anticlaudianus', no. 19.

The volume comprises five manuscripts, three of which, sections A (arts. 1–2), C (arts. 4–5) and E (art. 12), are identifiable as separate entities in Allen's catalogue: (A) fol. 1–16 = MS. 8° 67; (C) fols. 57–90 = MS. 4° 43; (E) fols. 102–4 = a fragment of MS. 4° 81, to the first two of which Digby gave Allen inventory numbers 'A.234', 'A.175.' Two sections, B and D (fols. 17–56 = art. 3) and fols. 91–100 (= arts. 6–11) show no signs of Allen's ownership. Fols. 93–100 (art. 10) are wrapped round by fols. 91 and 101, which bear rust marks perhaps from a chain staple; and two other, conjunct, leaves, fols. 91* and 92, follow fol. 1. Fols. 91, 91*, 92 and 101 are a fragment of BL, MS. Harley 1924 (see below under arts. 6–9, 11). To the collection of fragments now fols. 91–104 Digby gave the Allen inventory number 'A.235' (fol. 91).

A

2° fo *wia pousand.*

2. The two unique texts, *The Reply and the Rejoinder,* ed. by P. L. Heyworth (Oxford, 1968) and by   J . M. Dean, *Six Ecclesiastical Satires* (Kalamazoo, MI; 1991), 145–200 and 201–26. On the *Rejoinder* see also Heyworth, 'Jack Upland's rejoinder etc.', *Medium Ævum,* 36 (1967), 242–8. *IMEV* suppt., 1653.5, 4098.3.

B

2° fo *quid prelarga.*

3. Quires IIII–VIII of a longer manuscript, containing the text as far as VI. 398.

C

2° fo *Aprilis.*

4. Baur, *Grosseteste,* 66*; H. M. Bannister in *Mélanges offerts à M. Emile Châtelain* (Paris, 1910), 146. The tables on fol. 83ᵇ are those of Nicholas of Lynn, TK 1131. PA 3. 677.

D

2° fo *sic infinitas concedo.*

6–9, 11. Identified as coming from BL, MS. Harley 1924 by N. R. Ker; see *BMQ,* 12 (1938), 133–4. They bear annotations in the hand of Thomas Gascoigne (Emden, *BRUO*). MS. Harley 1924 was a Durham Cathedral Priory book and was probably at Durham College, Oxford.

10. Ed. by A. Bergmann, from this, the only known copy, *Carmen de Mundo et Partibus, ein theologisch-physikalisches Lehrgedicht aus der Oxforder-Handschrift Bodleian Digby 41* (Frankfurt am Main, 1991). Bergmann, 53, attributes it to Grosseteste on grounds of style, Grosseteste's known interests and the chronology of his life, suggesting 1242 as the earliest possible completion date but that a date after 1250 is also possible. *Init.* 17410. TK 1414 wrongly refers to this as 'Philomena previa', *Init.* 14071. It is a self-contained fragment. 'Liber huius monasterii' can be read by ultraviolet light on fol. 100ᵛ, which has stains as though it had been pasted to a cover and rust marks as from a chain staple. Bergmann pls. [1] and [2] reprod. fol. 93ᵛ and part of fol. 93ᵛᵇ, enlarged, respectively.

E

12. This is the final part of MS. 61, art. 5 (Fulgentius), lacking only the last leaf.

42

2° fo (fol. 3) *lencia et inuidia.*

On fol. 1 are Allen's number '27' (i.e. in the 8° section of his catalogue), the Digby/Allen inventory number 'A.98' and 'Robert Hargreves' (s. xviᵐᵉᵈ). On fol. 2 are Digby's motto and name.

At the bottom centre of fols. 1 and 1ᵃ is a rust stain presumably from a chain staple. Written in a skilful bastard secretary hand.

3. Bloomfield, no. 4895. MS. 14 in the list in B. Roth, *Franz von Mayronis, O. F. M.* (Werl in Westfalen, 1936), at 236–9.

43

2° fo *usque ad.*

The total number of leaves is 138. On fol. i are Allen's number '38' (i.e. in the 8° section of his

catalogue) and the Digby/Allen inventory number
'A.104'. On fol. 1 are Allen's '38' and Digby's motto
and name. The Haydock *ex libris* is on fol. 136.

1. TK 1295.

3. Beg. 'Rex Egypciorum Octaviano Augusto
salutem. Plurimis exemplis'; TK 1360.

4. TK 812.

5. Beg. 'Nota quod vena [*sic*] capitis sunt post
prandium minuende'; †TK 942.

7. TK 490.

8. Beg. 'Secundum quod dicit Avicenna primo Canonis
practica dividitur in conservativam'; TK 1423.

9. TK 458.

10. By Arnold of Villa Nova; Diaz, 1680; TK 1095.

44

2° fo *eleuantur*.

The date is s. xv^{ex}. John Saunder, fellow of All
Souls, d. 1485; for the college's record of the book
see N. R. Ker, *Records of All Souls College Library
1437–1600* (Oxford Bibliographical Soc., NS 16;
Oxford, 1971), 39, 108, 143. In his will (quoted
by Ker, 143) Saunder describes the book as 'unum
Questionistam super libros naturalis philosophie
ex propria manu.' PA 3. 1124. A reduced coloured
reproduction of the front cover (with Digby's arms)
is at no. 44 in *The Bodleian Library and its
Treasures [Exhibition, Tokyo Fuju Art Museum]*
(Tokyo, 1990). On fol. 2 is Allen's number '26' (i.e.
in the 8° section of his catalogue) and on fol. 1^v
are Digby's motto and name.

1–4. Lohr, 'Aristotle commentaries (IV)' 297–8,
identifies these as works of Johannes Versoris *alias*
Le Tourneur.

2. †TK 1641. 3. TK 1657. 4. TK 1633. 5. †TK 1664.

7. Lohr, op. cit. (II), 193, lists with doubtful works
of Scotus; TK 1670, †1193. A reduced coloured
reproduction of fols. 134^v–5 is at no. 44 in *The
Bodleian Library and its Treasures* (as above).

45

2° fo (fol. 6) *posse infirmitatem*.

On fols. 5 and 206 are erased inscriptions, illegible
under ultraviolet light. On fol. 1 is the Digby/
Allen inventory number 'A.119'.

Fol. 1 is blank; fols. 1^v–4^v contain theological extracts.
Fols. 5–50 (quires of 8, 10, 10, 18, the last irregular)
contain sermons including (fol. 5) *Spe gaudentes
in tribulatione pacientes Ro. 12*, beg. 'Et quia tota
vita nostra in prosperitate'; (fol. 6^v), *Epulemur
non in fermento veteri etc. Cor. 5*, beg. 'Hec verba
scribuntur in quibus tanguntur duo'; fol. 9, *Omne
quod natum est ex deo vincit mundum Jo. 5*, beg.
'In hiis verbis commendantur homines a tribus,
primo a generis nobilitate'; (fol. 10^v) *Sic currite
ut comprehendatis,* beg. 'Hec verba scripta sunt ad
Cor. 14 in quibus tangit apostolus duo.' The regular

series ends on fol. 14. There follow notes in more
than one hand. The sermon *De passione domini*
(fol. 22) beg. 'O vos omnes etc. Quoniam duo sunt
sensus disciplinales per quos potissime.'

2. The work of Philip the Chancellor, Stegmüller,
Bibl. 6952 preceded by a tabula (fols. 51–5, ibid.
6952. 2,3). Fols. 55^v–6 are filled with a sermon
and extract. The text of Philip begins on fol. 57
in Psalm 2.3, 'et dolemus quando diminuuntur'
(MS. Bodl. 745 (*SC* 2764), fol. 235). The text ends
(fol. 190) in Psalm 131.5, 'Qui effugiet agmen eius'
(MS. Bodl. 745 fol. 355^v). Schneyer, *Repertorium*, 4.
848–66, nos. 390–688. There follow extracts
and sermons.

Pieces of Middle English are added in the margins:
on fols. 21^v–2 in crayon, 'O mon þu bihode þat
hic thol', closest to *IMEV* 2502, and on fol. 25,
in ink, 'Anglicum. Naked was hys wite brest', see
IMEV and suppt., 4088; Woolf, *English Lyric*, 29,
38, 373; Laing, *Catalogue*, 128. On fol. 51 is 'Occidens,
weste. Oriens, heste. Auster, soud. Aquilo, nord.' In
the top margin of fol. 203, trimmed by the binder,
is 'Vis concupiscibilis Treuwirinde irr<...>
werchful. trempe. ro schup<...> trempe | efficaciter
spedliche.' After two quotations ascribed to Seneca
comes 'parturire beon bistonde wit childe. fetus in
utero stren in wombe. edificare buggen. insollec'e
hunwoned. dignus, wrþe. prudencia, scleplec. demeruit,
aftersarvet. meritum, aftersarveynke.'

46

2° fo (fol. 3) *sua*.

The date is s. xiv$^{3/4}$. On fol. 2 is Allen's number
'22' (i.e. in the 8° section of his catalogue).

1. MS. D in C. S. F. Burnett, 'What is the Experimentarius
of Bernardus Silvestris? A preliminary study of
the material', *AHDLMA*, 44 (1977), 79–125, repr.
in C. Burnett, *Magic and Divination in the Middle
Ages: Texts and Techniques in the Islamic and
Christian Worlds* (Aldershot, 1996), ch. XVII. See
also idem, 'The Eadwine Psalter and the Western
Tradition of the Onomancy in Pseudo-Aristotle's
Secret of Secrets', *AHDLMA*, 55 (1988), 145–67,
at 152, reprod. in Burnett, *Magic and Divination*,
ch. XVII. The pictures are described in Saxl &
Meier, *Catalogue*, 3/1, 344–5. On their relation to
those in MS. Ashmole 304 see F. Wormald, 'More
Matthew Paris drawings', *The Walpole Society*, 31
(1942–3), 111–2, and T. C. Skeat, 'An early mediaeval
"Book of Fate": the Sortes XII Patriarcharum',
MARS, 3 (1954), 42. North, *Wallingford*, 3, pl. xxii
and M. Evans, 'The geometry of the mind',
Architectural Assoc. Quarterly, 12 (1980), 32–55,
fig. 18 reprod. the gear wheels inside the cover.
For reference to the printed edn. see the
description of MS. Lyell 36 in de la Mare, *Lyell
Catalogue*, 95–8. †TK 94. PA 3. 659 (pl. LXVI reprod.
detail fol. 25^v, reduced).

2. On this tract see Charmasson, *La Géomancie*, 121–7.
Two of the known manuscripts ascribe it to Petrus
de Abano. TK 403.

3. Fol. 107 reprod. (much reduced) in *La Culture populaire au moyen âge* (Quatrième colloque de l'Institut d'Études Médiévales de l'Université de Montréal, 2–3 avril 1977; Montréal, 1977), 128. TK 1315. On the text see L. E. Voigts, 'The Latin verse and Middle English prose texts on the sphere of life and death in Harley 3719', *Chaucer Review*, 21 (1986), 291–305.

4. Charmasson, *La Géomancie*, 293, records only this copy. †TK 143.

47

2° fo (fol. 3) *onalis. Nomen.*

Written in Italy. The list of contents on fol. 1ᵛ is in an English documentary hand, s. xv.

On the front flyleaf are Allen's number '30' (i.e. in the 8° section of his catalogue) and the Digby/Allen inventory number 'A.108'. On fol. 2 are 'Tho: Allen', '30' and Digby's motto and name.

1. TK 512.
2. TK 223. Delete Macray's 'sive Walteri Brytte.'
3. TK 993 ('Zael').
4. TK 1078. 5. †TK 1505. 6. TK 1236. 7. TK 985. 8. TK 833. 9. TK 1104. 10. TK 595.
11–12. Part of the *Liber novem iudicum*. On this text and for references see A. G. Watson, *A Descriptive Catalogue of the Medieval Manuscripts of All Souls College Oxford* (Oxford, 1997), MS. 332. TK †399, 1095.
13. TK 562. 14. †TK 315. 15. TK 1408.

48

2° fo *Januarius.*

Judging by the dates in the tables in art. 1, the manuscript dates from *c.* 1433–38. On fol. iii are 'Tho: Allen', Allen's number '23' (i.e. in the 8° section of his catalogue), the Digby/Allen inventory number 'A.95' and Digby's motto and name. On fol. iiiᵛ is a contents-list in Brian Twyne's hand. On fol. 1 is again '23'.

1. Including John Somers's tables, as in MS. 5. Tables of eclipses run from 1437 to 1463. PA 3. 894 (pl. LXXXV reprod. Zodiac Man fol. 15ᵛ, reduced).
2. Although the incipit is the same as that of the compotus in MS. 15, art. 1, the text differs much. See Wordsworth, *Kalendar*, 139. TK 244, 561.
3. TK 597, 791.
4. Diaz, 977 ('Johannes Hispalensis'). MS. E in the edn. by Thorndike, *Sacrobosco*; descr. p. 60. TK 1596.
5. Beg. 'Quantitas unius miliaris secundum tholomeum'; TK 1174.
7. TK 25.
8. The same work is in MS. 15, art. 4, MS. 93, art. 6 and MS. 93, art. 24. It should now be ascribed to Walter Brytte: see under MS. 15. Weisheipl, 'Repertorium', 183 no. 4. On fol. 113 is a planetary volvelle: see Gunther, *Early Science*, 2. 242.

TK 223; *Init.* 15439.
9. †TK 155. 10. TK 1015. 11. TK 1604.
12. By Henry Bate; TK 1708.
15. TK 1709.
17. MS. K in the edn. by Baur, *Grosseteste*, 41; TK 58.
18. †TK 1705; *Init.* 20677.
21. The volvelle on fol. 203 is reprod. in Gunther, *Early Science*, 2. 240, reversed; TK 738.
22. TK 1078.
24. TK 1699, 712. The author is also known as John of Saxony and is not to be confused with a medical man of the same name; see the entry on the latter in *Verfasserlexikon*, 4. 731.

49

2° fo lacking.

On fol. 116 is 'Tho' Allen' and on fol. 1 are Allen's number '21' (i.e. in the 4° section of his catalogue), the Digby/Allen inventory number 'A.142' and Digby's motto and name.

On the author and his work see A. D. Conti, *Johannes Sharpe, Quaestio super universalia* (Unione Accademica Nazionale. Testi e studi per il Corpus Philosophorum medii aevi, 9; Florence, 1990), including, at 218–29, this unprinted text. For other manuscripts see Lohr, 'Aristotle commentaries (IV)', 279.

50

2° fo *niens atque.*

Written in Italy, s. xiiiⁱⁿ. On fol. ivᵛ are 'Numerus xxxvi' and, mostly erased, 'Florentiae November 1620 Kenelme Digby.' On fol. 1 are Digby's motto and name. On both front and back flyleaves are geomancy notes, 1489–92. On the manuscript see Haskins, *Medieval Science*, 78; Carmody, *Arabic Sciences*, 173; Charmasson, *La Géomancie*, 231. PA 2. p. 105, lists as containing penwork initials.

On the principal text (unnumbered by Macray) see Charmasson, 95–109. Diaz, 946, ascribes to Hugo Sanctallensis. The smaller tracts referred to by Macray are taken by Charmasson, (296, 313) to be one piece, beg. (fol. 73), 'Notandum est quod leticia et acquisitio et fortuna maior' and ending on fol. 106 'et iudicium propter uiam sit factum retencionem significat.' TK 1350.

2. †TK 399.

51

2° fo lacking.

On fol. 1 are 'Tho. Allen', his number '29' (i.e. in the 8° section of his catalogue), the Digby/Allen inventory number 'A.90' and Digby's motto and name.

The parchment is of Italian type. PA 3. 402, describes the manuscript as English but it was probably mostly written by a group of north Italian scribes in s. xii² and was in England by s. xiii². Fols. 5ᵛᵃ/25 to 16 are, except for fol. 12ᵛᵇ, in a small glossing hand of French or English type. Scripts of Italian type reappear from fol. 16ᵛ and Italian type initials from fol. 17. The hand of fol. 12ᵛᵇ reappears from fol. 16ᵛ as one of the Italian type and is the hand of the main glossator. The hand of fols. 5ᵛᵃ–16 reappears on fol. 59 and writes most of the rest of the book, with the other scribes appearing and writing several lines or pages at a time which are then corrected by the main glossator. Dr Charles Burnett remarks (in a letter) that in marginal glosses the main glossator makes very intelligent comparisons with arabic originals and uses arabic script in the diagram on fol. 88ᵛ. Quires are numbered in red, vii–xxii, in the middle of the bottom margin of the first leaf, from fol. 1 onwards. The last quire signature, xxii, is doubled (fols. 123, 131). An English hand of c. 1300 wrote '.xx. pecia libri' at the end of quire xx (fol. 114ᵛ). This hand also appears on fols. 17ᵛ, 45ᵛ, 46, 54, 55, 84, 86, 133 and 138ᵛ.

1. TK 770.

2. *PL* 143. 382–90; TK 611.

3. *PL* 143. 389–404. Also attributed to Gerbert. See note on MS Digby 173 art. 14.

4. TK 285. 5.†TK 1543, 1583.

6. Beg. 'In planicie libera utrobique orizonti detecta.'

7. Beg. De numeris, 'Omne quod est unum remanens a divisione integrorum vocant assem compotiste.'

8. By Hermannus, bk. 2, ch. 1, beg. 'Demonstracio componendi circulum Hermanni de utilitatibus astrolabii'. Pr. *PL* 143. 405–8. TK 400 = 240.

9. Ibid. chs. 2–4, TK 1163. Pr. *PL* 143. 408–11.

10. †TK 1478. 11. †TK 1168. 12. TK 616. 13. TK 1162. 14. †TK 450. 15. TK 452. 16. †TK 315. 17. TK 1504. 18. TK 1081.

19. The incipit reads 'Scito quod aspiciens id est astrologus...'. TK 1408.

20. TK 451, 312. 21. TK 1217.

On fol. 133ᵛ is a short Hebrew inscription of which one element is the date 5202, i.e. AD 1442. The English hand referred to above made notes of a *quaestio*, 'Quod utrum in causis efficientibus sit proʳᵉ in infinitum.'

52

2° *exierat thalamis.*

The date is s. xiiᵉˣ. On fol. 1 are Allen's number '51' (i.e. in the 8° section of his catalogue), the Digby/Allen inventory number 'A. 202' and Digby's motto and name.

For a description see T. Pritchard, 'Three Oxford Alexandreis manuscripts', *Scriptorium*, 34 (1980), 261–8, pl. 24 (fol. 1). Ed. by M. L. Colker (Padua, 1978). On the glosses see Hunt, *Teaching and Learning Latin*, 1. 32.

At the foot of fol. 80ᵛ is 'Memoriale [Ro *deleted*] Galf' de [*hole made by stain from a chain*] pro a<...>.'

The verses on fol. 79ᵛ referred to by Macray beg. 'Os canis ore gerit', *Sent.* 20401. Other verses on fol. 79ᵛ are 'De cruce prescriptio Ecce vides'; 'Sique sapit sapiens cum se putat insipientem | Desipit insipiens cum se putat esse [blank]'; 'Vilis pauper eris dum pondus deficit eris'; 'Vir bene vestitus pro vestibus esse peritus' (4 verses), *Init.* 20386. On fol. 80ʳᵛ are *distinctiones*. On fol. 80ᵛ are theological notes and 'Annis quingentis decies iterumque ducentis | Unus defuerat cum deus ortus erat'; 'Vestis culta cibus', *Sent.* 33259 (first two lines and the beg. of a third, 'Vestis rupta'); 'Versus. Alle pater lu filius ya spiritus almus'.

In *Notes & Queries*, 10th ser. 7 (1907), 69, is a statement, 'I find the saying in the fifteenth-century MS. Digby 52, f. 28...with a gloss 'Ossyng comys to bossyng: Vulgus opinatur quod postmodum verificatur.' The reference is wrong.

53

2° fo (gloss) *sic presentes*; (text) *Cum sit functus.*

On fol. 68ᵛ is 'Liber sancte Marie de Brydlyngton' (s. xv). On fol. 1 is 'Hic iacet Dominus Robertus Danby Prior huius loci qui obijt quinto die novembris anno domini mᵒ ccccᵒ septimo.' On fol. 1 are Allen's number '32' (i.e. in the 8° section of his catalogue) and the Digby/Allen inventory number 'A.84'. On fol. 2ᵛ is 'Tho. Allen.'

There is no exhaustive enumeration of all the pieces in this manuscript. In addition to P. Meyer, referred to at the end of Macray's description, E. Faral made further notes: see item 48. On the several hands see A. G. Rigg, 'Golias and other pseudonyms', *Studi Medievali* 3rd ser. 18 (1977), 65–109 at 90. In his description of item 1 Macray omits the title 'Incipit: Omnibonum: Fastidii: Solacium' written in capitals at the top of the page. It is in the hand of the compiler, who wrote most of the book himself, including the many additions in the margins and between the lines. Art. 58 is in a different hand but the compiler added art. 59. Similarly arts. 62 and 64 are in another hand but the compiler added art. 63.

1–5. MS. Oa in the edn. by J. Oberg, *Serlon de Wilton: poèmes latins* (Stockholm, 1965), 14–16. On 1 see Hunt, *Teaching and Learning Latin*, 1. 126–35.

1. *Init.* 4031, 19623. 2. *Init.* 11450. 3. *Init.* 10349. 4. *Init.* 4378.

5. *Init.* 13119. The verse at the end, 'Preco puella' is *Init.* 14399.

6. *Init.* 19639.

7. Laing, *Catalogue*, 128. 'Heres precati', *Init.* 16422. 'Raro datur', *Init.* 16422. The inscription in the margin of fol. 10 reads 'Transit ab R. Gilebertus in R. fit papa vigens R.'

8. *Init.* 8870. 9. *Init.* 12230. 10. *Init.* 2365.

11. Beg. 'Emicat insignis Brunonis'; *Init.* 5357.

13. *Init.* 4902. 14. *Init.* 20244. 15. *Init.* 18244.

16. *Init.* 14608. 17. *Init.* 3301. 18. *Init.* 16891.

19. MS. Di in the edn. by O. Schumann & B. Bischoff, *Carmina Burana 1.3* (Heidelberg, 1970), no. 210. *Init.* 15455.

20. *Init.* 5831. 21. *Init.* 15736. 24. *Init.* 18492. 25. *Init.* 18491 27. *Init.* 4733.

28. Beg. 'Prima rubens undia'; *Init.* 14595.

29. *Init.* 8736. 30. *Init.* 1410. 31. SK 7855. 32. *Init.* 16233. 33. *Init.* 7223. 34. *Init.* 1376. *Init.* 20475. 36. *Init.* 14669a. 37. *Init.* 16742. 38. includes *Init.* 10656. 39. (i) *Init.* 15704; (ii) *Init.* 12385; (iii) *Init.* 4410; (iv) *Init.* 4580.

40. *Init.* 14838.

41. MS. Di in the edn. by Strecker, *Gedichte Walters von Châtillon*, nos. 2, 1; *Init.* 19018.

42. Includes *Sent.* 4954, 26296, 33043, 27777, 10103.

44. MS. O6 in the edn. by A. Hilka & O. Schumann, *Carmina Burana 1.2* (Heidelberg, 1941), no. 101; *Init.* 13985.

45. MS. Di in A. B. Scott, 'The Biblical allegories of Hildebert of Le Mans', *Sacris Erudiri*, 16 (1965), 404–24.

46. *Init.* 7102.

47. Pr. by P. Lehmann as 'Die Geschichte vom ehebrecherischen Mönch' (from manuscripts including MS. Add. A. 44, fols. 76–8), *Die Parodie im Mittelalter*, 2nd edn. (Stuttgart, 1963), 224–30. Our text is abbreviated. The name Rogerus, expanded by Macray from 'Ro' in our manuscript, is not found in Lehmann.

48. MS. D in the edns. by E. Faral, *De Babione*. (Bibl. de l'École des hautes études, 293; Paris, 1948), xvii–xxvi, and A. K. Bate, *Three Latin Comedies* (Toronto, 1976). *Init.* 10821.

49. On fol. 43ᵛ is 'Artes per partes non partes disce per artes', *Sent.* 1488. On fol. 48ᵇ the verses are respectively *Init.* 18696, 13107 and 7962.

50. (i) *Anal. Hymn.* 23725. (ii) *Anal. Hymn.* 23727. (iii) *Anal. Hymn.* 23731.

51. *Init.* 5850. 54. *Init.* 14576. 55. *Init.* 16341. 56. *Init.* 12499.

58. Galfridus de Vino Salvo, *Summa de coloribus rhetoricis*. Extract pr. by E. Faral, *Les arts poétiques* (Bibl. de l'École des hautes études, 238; 1923), 321–7.

59. *Init.* 2295. 60. SK 10628. 61. *Init.* 699. 62. *Init.* 1634.

63. Kibre, *Hipp. Lat.*, p. 127 (XI, *De cibis*); *Init.* 4136.

65. The hand of the verses on fol. 66ᵇ is of s. xi. The verses on fol. 1ᵛ (s. xv) include: 'Sub Christi latere', *Sent.* 30526; 'Inconstans animus', *Sent.* 12214; 'Claustrum nolenti mors est sed vita volenti'; 'Portatur leviter', *Sent.* 21951; 'Peccantem dampnare', *Sent.* 21063; 'Purpura cum bisso', *Init.* 14941; 'Non nimis omissis [*sic*]', *Sent.* 18088; 'Principiis obsta', *Sent.* 22419; 'Regia maiestas', *Sent.* 26475, 3 verses, of which 2–3 are *Sent.* 22713.

On fol. 2; 'Virtutes istas', *Init.* 20608; 'In lacrimis', *Init.* 8958; *Sent.* 11797a; 'Sume cibum modice', *Init.* 18740, *Sent.* 30642. Walther in *Sent.* sometimes wrongly refers to this part of the manuscript as of s. xiii. The verses on fol. 68ᵇ are *Init.* 3114.

Van Dijk, *Latin Liturgical MSS.*, 6. 53, identifies the music fragment on fol. 69 (s. x/xi) as 'some antiphons of a rhythmical office of St Nicholas, a magnificat(?), antiphon and 2 invitatoria for a similar office of St Vincent, in half-diastematic neums with Notker letters.'

54

2° fo *per aristotelem*.

Written in England; fols. ii+168. Paper, with the outer and inner bifolia of quires of parchment. Watermark: bull's head, not identifiable in Piccard, *Ochsenkopf-Wasserzeichen*.

On fol. 1 are a title in Allen's hand and Digby's motto and name.

2. Beg. 'Queritur utrum...'. An extract from the commentary on the Sentences by Franciscus de Mayronis; Stegmüller, *Rep. Sent.*, 225.

55

2° fo (fol. 1: first leaf excised) *et presequendum*.

On fol. 1 are 'Tho. Allen', Allen's number '11' (i.e. in the 8° section of his catalogue), the Digby/Allen inventory number 'A 141' and Digby's motto and name.

On the make-up and genesis of the manuscript see pp. 142–6 of the article by O. Lewry referred to under art. 33 below.

1. Geoffrey of Aspal, Commentary on *De coelo et mundo*. On Geoffrey and his works see R. Plevano, 'Richard Rufus of Cornwall and Geoffrey of Aspall, *Medioevo*, 19 (1993), 167–232 (this work at 198). See also D. A. Callus, 'Introduction of Aristotelian learning to Oxford', *Proc. Brit. Acad.*, 29 (1943), 229–8, at 272; E. Macrae, 'Geoffrey of Aspall's commentaries on Aristotle', *MARS*, 6 (1968), 94–134, at 97, 127–31. Lohr, 'Aristotle Commentaries (II)', 150–52.

1*. After the end of item 1 (fol. 21) is added in a contemporary hand a short commentary on Aristotle, *De longitudine et brevitate*, '[D]e eo quod est...Iste liber in quo Aristoteles determinat.' This is tentatively ascribed to Adam of Buckfeld by S. H. Thomson in *Medievalia et umanistica*, 2 (1944), 76 et seq., 86, and included in Glorieux's list, *Arts*, no. 4u. It is not included as one of Adam's works by Lohr, 'Aristotle Commentaries (I)', 317–23. See also A. Dondaine & L. J. Bataillon in *AFP*, 36 (1966), 186 n. 44.

2. †TK 426.

3. Adam of Buckfeld(?): see Dondaine & Bataillon, op. cit. 186–7. Accepted by Lohr, op. cit. as by Adam. †TK 1127.

4. Geoffrey of Aspall, *Notulae* on *De generatione et corruptione*. See Plevano, cited in art. 1 above, 187. TK 374.

4*. On fol. 37ᵛ, after item 4, is Jacobus de Duaco, *Quaestiones super libros de anima*, beg. 'Sicut scribitur in sapenciis Pholomei insipiens est... habetur in 2° elencorum'; see Lohr, op. cit. III, 140–1.

6*. At the bottom of fol. 49 are two pieces in Middle English, *IMEV* and suppt., 4087–8, and *IMEV* 3242, pr. by S. H. Thomson, *Medium Ævum*, 4 (1935), 104 et seq. and by Woolf, *English Lyric*, 29, 36. *IMEV* 4087 also pr. by Duncan, *Lyrics*, no. 86, from this manuscript. Laing, *Catalogue*, 128.

7. Beg. 'Questio mea est de modo essendi anime sensitive'.

8. †TK 1531.

9. Glorieux, *Arts*, no. 2523, records another copy in BnF, MS. lat. 16096, fols. 149–61.

13–17. *Aristoteles Latinus*, 1. 333.

16*. A short piece follows item 16 (fols. 95ᵛᵇ–6ʳᵇ), *De altercacione continua*, beg. 'Continue alterantur'.

18. †TK 1593.

20. Bloomfield, no. 3609.

21. Beg. 'Honesta, inquid Epicurus, res est leta paupertas.' Pr. by T. Haase, *Senecae opera* (Leipzig, 1898), 3. 458–61. It is a series of extracts from Seneca's *Epistulae*, nos. 1–88, probably compiled not later than the twelfth century: see L. D. Reynolds, *The Medieval Tradition of Seneca's Letters* (Oxford, 1965), 113.

22. Beg. 'Quatuor virtutum species multorum sapientum sententiis.' Bloomfield, no. 4457.

23. Beg. 'Licet cunctorum poetarum carmina gremium vestrum.' Bloomfield, no. 2956.

24. The explicit (fol. 120ᵛ) of the *quaestio* 'De augmento' is 'Explicit hec questio de aumento [*sic*] secundum magistrum A. de Bochefeld', Callus, op. cit. (art. 1), 256, Glorieux, *Arts*, no. 4y. This text was edited as part of a dissertation by Françoise Thomas, 'Quaestiones in libros tres de anima' (Mémoire présenté pour l'obtention du grade de licencié phil. et lettres, Univ. Cath. de Louvain; 1970).

25. The *quaestiones* on the *Priscianus minor* (fol. 131), beg. 'Innata est nobis materia(?) a notioribus.' Fol. 131 bears a faint inscription in the top margin, 'bona disputacio artis gramatice compilata Parisius et sunt questiones notabiles.' Parkes, *ECBH*, pl. 16(i), reproduces part of fol. 146. The same *quaestiones* but in a different *reportatio* are in Oxford, Merton College, MS. 296, fols. 152–63, ending incomplete.

26. By Siger de Brabant. See F. van Steenberghen, *Siger de Brabant* (Les philosophes belges, 13; Louvain, 1942), 509. TK 281.

27. Ps.-Grosseteste. *PAL*, no. 48, *Grammatica*; Thomson, *Grosseteste*, 101 et seq. MS. O in the edn. by K. Reichl, 'Tractatus de grammatica', *Eine fälschlich R. Grosseteste zugeschriebene Spekulative Grammatik* (Munich, 1976), 11–75.

28. Beg. 'Rethorica assecutiva dialectice est.'

29. Beg. 'Fere itaque et singulariter unitui et communiter omnibus.'

30. Fauser, *Albertus Magnus*, 106, no. 27; TK 1479.

31. Fauser, *Albertus Magnus*, 91, no. 23; TK 365.

33. This item consists of two separate speeches, fols. 203ʳᵃ⁻ᵛ and 203ᵛ⁻4ᵛ, ed. by O. Lewry, 'Four graduation speeches from Oxford', *Mediaeval Studies*, 44 (1982), 138–80.

34. MS. O in the edn. by J. R. O'Donnell, 'The syncategoremata of William of Sherwood', *Mediaeval Studies*, 3 (1941), 46–93.

36. Little, *Bacon Essays*, appx. no. 39; Glorieux, *Arts*, no. 516ap. Ed. by K. M. Fredborg, L. Nielsen & J. Pinborg, 'An unedited part of Roger Bacon's 'Opus Maius: de signis'', *Traditio*, 34 (1978), 75–136 (pl. of fol. 232ᵛ). On fols. 252ᵛ, 253ᵛ, in crayon, are *quaestiones* on natural science. On fol. 253ᵛ is the name 'Johannes Wyncham' (s. xiv). On fol. 254ᵛ are 'Compotus Willelmi de Falwysle'', the names 'Willelmus de Falwyslegh' (not Fallbyslegh, as Lewry, art. 33 above; cf. Emden, *BRUO* 2. 665) and 'Willelmus Nyweton' (not Fylbecon, as Lewry, art. 33 above); name also on fol. 180ᵛ), and 'kar en nule manere ne le' and 'Salutz come a luy meysms | Honurs et reverences en te' (all s. xiv). The last phrase is repeated in altered form on fol. 256ᵛ, 'Salut come a luy meysmes tresd' amy ieo vous pri que ayd...valetz de vii cheval tanq' a Londris kar...'. On fol. 255ᵛ are names 'Ricardus Wodef<ord?>', 'Wylliam de Scher<...>', 'Corde redemptorem debemus amare profunde' (s. xiv) and 'Terra manens firma hinc illic atque remota' (2 verses, s. xvi).

56

The volume is in two parts, the second in two subsections. On fol. 1 is the Digby/Allen inventory number 'A 11<5?>' but this part is not in Allen's catalogue; on fol. 101, covering (B) and (C), are Allen's number '31' (i.e. in the 8° section of his catalogue) and the Digby/Allen inventory number 'A.177', and Allen's hand appears *passim*.

A

2° fo *tibus in*.

1–6 are part of a longer volume with medieval foliation 212–311. C. W. Jones (see below, art. 11) suggests Hereford as the origin of the second part of the volume, arts. 7–14. Not accepted by Ker, *MLGB*.

1. TK 637. 2. TK 1420.

3. Beg. 'Ut seruemus consuetudinem nostram.' Ch. i is an exegesis of the opening sentence of Galen, *De marasmo*, cf. L. Schuba, *Die medizinischen Handschriften der Codices Palatini Latini in der Vatikanischen Bibliothek* (Wiesbaden, 1981), MS. Pal. lat. 1234, fols. 135ᵛ–9ᵛ, and M. McVaugh, *Traditio*, 30 (1974), 274.

4. TK 1574.

5. For Macray's incipit read 'Sicut attestatur G[alenus] in Tegni volentes accedere ad phisicam primo studentem est anathomia. Anathomia est interiorum membrorum divisio.' TK 1480. The verses (fol. 64) beg. 'Decisum sperma sex primis crede diebus.'

6. Beg. 'Senectus domina oblivionis est'; TK 1428.

B

2° fo *Populus est.*

7. Other copies are Oxford, St John's College, MS. 119, fols. 121–49, BL, MS. Royal 9 A. xiv, and Uppsala, Universitetsbibliotek, MS. C. 135.

8. MS. O² in the edn. by O. Weijers, *Pseudo-Boece, De disciplina scolarium* (Studien und Texte zur Geistesgeschichte des Mittelalters, 12; Leiden, 1976), descr. at 53–4.

C

2° fo *Cyclus* or *Luna tertii.*

10. The calendar was probably written in 1164–68. See H. M. Bannister in *Mélanges offerts à M. Emile Châtelain* (Paris, 1910), 144 et seq. On fol. 162 is a table headed 'Incipit tabula magistri Petri Lunbardi continens annos domini indictiones concurrentes cum bissextis ebdomades cum diebus a nativitate domini usque ad quadragesimam, claves terminorum. epactas annos communes et embolismales sicut descriptio satis aperit inferius.' It begins with AD 1112. On the dating see also Watson, *DMO* 1, no. 418. Van Dijk, *Latin Liturgical MSS.*, 3. 119, suggests an origin in a house of Austin Canons on the border of England and Wales. The *manus Bede* is reprod. in *Latin Liturgical Manuscripts and Printed Books: Guide to an Exhibition held [in the Bodleian Library] in 1952* (Oxford, 1952), pl. 30. Watson *DMO* 2, pl. 73 (part of fol. 198). PA 3. 166.

11. C. W. Jones, *Bedae opera de temporibus* (1943), 154, no. 60; 166, no. 27; 171, no. 22. TK 1430.

12. †TK 668.

13. In MS. BnF, MS. lat. 10358, cited by Haskins, *Medieval Science*, 86, this is called 'Summa Magistri Willelmi de compoto': see F. Schulz, 'Bracton as a computist', *Traditio*, 3 (1945), 265–305, no. 22. †TK 105.

14. In the margin of fol. 217 is added (s. xiii) a note on the true date of the Assumption.

57

In four sections; A–C s. xiv^ex; D s. xv. An Oxford book. On Thomas Jolyffe, d. by 1479, see Emden, *BRUO* and cf. note on MS. 26. Selde may be the chaplain of New College 1487–8, recorded by Emden, and for Philips see again *BRUO*, Philipp, John. On fol. 4*ᵛ is 'Sum lodouici Troby' (s. xvi). The whole volume was owned as a unit by Allen; on fol.2* are his number '28' (i.e. in the 8° section of his catalogue) and the Digby/Allen inventory number 'A 102'. On fol. [4*] are Digby's motto and name.

A

2° fo *oriente in.*

1. †TK 1545.

3. Ed. from this manuscript By J. Catto & L. Mooney, 'The Chronicle of John Somer, OFM,' *Camden Miscellany, 34* (Camden Soc. 5th ser. 10, 1997), 197–285, at 221–49.

4. Gunther, *Early Science*, 2. 57.

B

2° fo *pro omni loco.*

5. Fols. 44–103 were originally a separate section with medieval foliation 1–60. At the foot of fol. 44 is 'Primus quaternus.' Gunther, ibid., 47.

C

2° fo *concluditur.*

10. Beg. 'Quantitas diametri lune et quantitas semidiametri umbre'; TK 1174.

11. Gunther, *Early Science*, 2. 31. Paravicini Bagliani, *Medicina e scienze*, 90 n.; TK 1224.

12. †TK 249.

13. L. Thorndike, *Journal of the Warburg and Courtauld Institutes*, 20 (1957), 114; M.-Th. d'Alverny, 'Abelard et l'astrologie', *Pierre Abelard, Pierre le Vénérable...* (Paris, 1975), 611–28 at 613 and n. 15 (repr. in d'Alverny, *Transmission*, ch. xv) identifies this as the *Liber iudiciorum* of Raymundus Massiliensis. Robert Beaumont, earl of Leicester, to whom the text is addressed, is the 2nd earl, d. 1168. TK 1184.

14. Beg. 'Liber Almagesti ex precepto Maymonis'; †TK 818.

D

2° fo *quia non est.*

15. MS. Z in the edn. by Baur, *Grosseteste*, 153*; TK 57.

16. TK 1425. 19. †TK 1429.

20. By Nicholas of Lynne; TK 43.

21. Listed by Thorndike, 'Astrological images', 258; TK 1015.

22. Fol. 178ᵛ beg. 'Cum astrorum scientia difficilis fuerit', TK 284. Used by L. Thorndike, 'The Latin translations of astrological works by Messahala', *Osiris*, 12 (1956), 49–72, at 57.

For James Benet cf. Emden, *BRUO*, and for Fitzjames ibid., Richard Fitzjames. On fol. 184ᵛ is also 'Hudson' (s. xv); see Emden, ibid., Thomas Hudson.

58

In three sections, a unit in Allen's library: on fol 1ᵛ are his number '16' (i.e. in the 8° section of his catalogue). On fols. 1 and 38 are Digby's motto 'Vacate et videte' and name.

A

2° fo (fol. 2) *dies* or (fol. 9) *habens in manu.*

PA 3. 1166. A leaf with an illuminated border has been excised from before fol. 9, leaving its offset on fol. 8ᵛ. The date is s. xv.

1. Thorndike, *History*, 1. 693.

2. The date is s. xv².

4. †TK 306, 1266, 1522.

B

2° fo *cruce sibi illude.*

The date is s. xv.

6. By James of Milan, pr. Quaracchi, 1949², the long version, recorded by B. Distelbrink, *Bonaventure scripta authentica dubia vel spuria* (Subsidia Scientifica Franciscalia, 2; Rome, 1975), 194–5.

7. §33 of the Legatine Council of London, 1268; Powicke & Cheney, *Councils and Synods*, 2. 780.

C

2° fo *superborum.*

The date is s. xv.

8. Beg. 'Filius hominis tradetur ad crucifigendum. Notanda sunt hic(?) quatuor.'

9. Beg. 'Ut quid celestissime in presenti nos perdis... Hoc scriptum est de matre cum 7 filiis...'.

10. Beg. 'Angeli eorum semper vident faciem patris mei...Celestium spirituum operatio precipue...'.

D

2° fo *humani generis.*

The date is s. xiv.

13. Powicke & Cheney (as 7 above), 892–917, with interpolations; see C. R. Cheney, *EHR*, 50 (1935), 219 n. 5.

14. Powicke & Cheney, op. cit., 841. Several leaves have been cut out between fols. 111 and 112.

15. Bloomfield, no. 5306, identifies the work as by Petrus Oxoniensis(?) or Ps.-Seneca.

59

2° fo *entie mee.*

The date is *c.* 1200. PA 3. 301 (pl. xxvi reprod. detail fol. 2ᵛ, reduced).

There are notes by Robert Talbot *passim.* On fol. 1 is Allen's number '35' (i.e. in the 8° section of his catalogue).

1. MS. O6 in the edn. by Colgrave, *Lives of St Cuthbert,* descr. at p. 25. It belongs to his group Bx; see 47, 50. *BHL* 2020.

2. *BHL* 2029. 3. *BHL* 1070.

4. *PL* 195. 737–90; Hoste, *Bibliotheca Aelrediana,* 123–6; *BHL* 2423. A. Squire, 'Aelred and King David', *Collectanea Ordinis Cisterciensis Reformatorum,* 22 (1960), 376 n. 92.

5. (i) *BHL* 3212.

60

The date is s. xviᵐᵉᵈ. Watermarks: hand, similar to Briquet 11387; pot, similar to Briquet 12728.

Fol. 1 beg. 'Duplex est quantitas, scilicet continua et discreta. Quantitas discreta numerus est.'

61

In three parts, Allen manuscripts united by Digby. On fol. 1 is Allen's number '53' (i.e. in the 4° section of his catalogue); on fol. 21 are Allen's number '54' (i.e. in the 4° section of his catalogue), the Digby/Allen inventory number 'A.163', and a title in Allen's hand; on fol. 83 are Allen's number '81' (i.e. in the 4° section of his catalogue) and the remains of the Digby/Allen inventory number 'A<>', the rest having been trimmed off.

A

2° fo *verbi gratia.*

In Allen's catalogue, MS. Wood F. 26, p. 36 (see p. 182 below), Gerard Langbaine records two inscriptions now lost from this manuscript, 'Liber Magistri Gulielmi Read Archidiaconi Roff. cuius primam partem et tertiam emit Oxoniæ et secundam a venerabili patre domino Tho. Trillek Episcopo Roff. Oretis igitur pro singulis supradictis' and 'Liber domus de Merton Oxon' in Libraria communi eiusdem et ad usum communem Magistrorum et sociorum ibidem studentium catenandus ex dono venerabilis patris domini Willelmi tertii episcopi Cicestr'. Oretis igitur pro eodem et benefactoribus.' It is evidently a fragment of a larger book (with a signature 'a' on fol. 1) but there is no clue to the other contents.

1. Fols. 1–11 contain (a) the *Algorismus de integris* and (b) the *Algorismus de minutiis*, both formerly ascribed to Jordanus and found also in MS. 190, art. 18, TK 431. They are listed with *spuria* in R. B. Thomson, 'Jordanus de Nemore: Opera', *Mediaeval Studies*, 38 (1976), 97–144, at 111–2. Marshall Clagett has suggested (*Osiris*, 12 (1956), 106–7) that the Master Gernandus referred to may be Gerard of Brussels. For the text of (a) see G. Eneström, *Bibliotheca mathematica*, 3rd ser. 13 (1912–13), 291–327. There is a gap between fols. 8 and 9, with the loss of bk. 1, proposition 31 (p. 35/36 of the edn.) to proposition 35 (p. 319/7). For (b) see Eneström, ibid. 14 (1913–14) 99–149. There is a gap in the text between fols. 11 and 12 with the loss of bk. 2, propositions 3–10 (p.102/27 'productum' to p. 106/17 'ergo'). The proofs in our manuscript in both (a) and (b) are shorter than those pr. by Eneström from Vatican, MS. Reg. lat. 1261.

B

2° fo lacking.

Written in France.

2–3. The *Epistolae Sidonii et Symmachi*, ed. by C. Luetjohann (MGH Auct. Antiq., 8; Berlin, 1887); see p. viii, where the shelfmark cited is the now obsolete 'Digby B.N. 6'; also ed. by A. Loyen, 2 vols. (Paris, 1970).

Fols. 37–44 are a quire from a selection of letters of Symmachus, comprising I. 1, 5, 6, 14, 23, 25, 31–32, 34, 36–8, 43, 45–7, 56, 60–61, 67, 74–7, 79–80, 82–4, 86, 88, 90–91, 93, 96–7, 107; II. 6, 8, 16, 22, 27, 32, 43, 80, 87–8, 91. Ed. by O. Seeck, MGH Auct. Antiq., 6/1 (1883). The text of Apollinaris Sidonius runs straight on from fol. 36ᵛ 'prero' to fol. 45ʳ 'gativa' (Ep. VI. 2, p. 96/12 in Luetjohann) and the volume bears continuous medieval quire signatures as far as fol. 82.

C

2° fo *Quidquid per.*

5. All the missing leaves except the last are now MS. 41, art. 12, which ends in bk. 3, 11.23 of R. Helm's edn. (Leipzig, 1898).

62

For a detailed description see Gibson & Palmer, 'Anticlaudianus', no. 20.

2° fo *in pura.*

Probably to be identified with CBMLC, *Benedictines*, B88. 27 (St Albans abbey), this being the only English copy of the text and commentary together and recorded by Bale, *Index*, 330, 516, 'ex bibliotheca Johannis Whitamstede [abbot of St Albans].' The Davidson inscriptions are on fols. 93ᵛ and 94ᵛ, in a hand of s. xvi¹. 'Andreas dauidsonus 1539' is found in the same hand in Glasgow University, Dp.e.6, a Bible pr. in Venice in 1484 which bears the *ex libris* of the London Augustinians. For Davidson see Foster, *AO* 1. 385, which records a Cambridge graduate of that name who incorporated at Oxford in 1545. On fol. iii are Allen's number '75' (i.e. in the 4° section of his catalogue), the Digby/Allen inventory number 'A.157', a title in Allen's hand and Digby's motto and name.

The text is pr. in *PL* 210. 487–594 and T. Wright, *The Anglo-Saxon Satirical Poets* (RS, 59; London, 1872), 2. 268–428, and ed. by R. Bossuat, *Textes philosophiques du moyen âge*, 1 (Paris, 1958). The commentary, part of the work of Radulphus de Longo Campo, is ed. by Jan Sulowski, *Radulphus de Longo Campo, In Anticlaudianum Alani Commentum* (Warsaw, 1972), 19–101. At the beginning (fols. 1–7) the commentary surrounds the text, beg. 'In principio huius libri sicut et in aliorum auctorum principiis primo videndum est que sic materia.' It is repeated as a continuous commentary on fols. 71–93.

On fols. iii and 94ᵛ is 'Fortuna opes auferre', *Init.* 9864, and on fol. 94ᵛ also 'O bona fortuna cur non es', *Init.* 12518, *Sent.* 19417.

63

2° fo *b dlxiiii.*

On fol. 1 are 'Tho. Allen' and Allen's number '13' (i.e. in the 8° section of his catalogue), the Digby/

Allen inventory number 'A.157' and Digby's motto and name.

C. W. Jones, *Bedae Pseudepigrapha* (Oxford, 1939), 127, describes the book as 'A computus from a French exemplar, probably at St Omer, containing the Paschal letters of Dionysius, Cyril, Proterius, etc., and excerpts from Bede's computistical works.' Ker, *Catalogue*, 381, suggests that it was 'written by an English scribe Rægenboldus probably between 867 and 892 in the north of England (cf. fols. 8ᵛ, 20, and the calendar, fols. 40–45ᵛ...) but kept probably at St Swithun's, Winchester, by *c.* 1000, when the calendar was added to and the words "de wentona" substituted for other words in the colophon on fol. 71 which gives the scribe's name.' In *Peritia*, 2 (1983), 248–56, D. M. Dumville supports the notion of a North of England origin for the manuscript but argues 'that Rægenboldus worked on the continent. Even in the Saint-Bertin area is possible but, if so, he is at least as likely to have written an exemplar of Digby 63 rather than the manuscript itself; the position of the colophon (which marks no transition between scribal portions) may suggest the same, that Raegenboldus copied the 'Liber de computacio' into a manuscript which was one of the exemplars of Digby 63.' Palaeographical observations are in W. M. Lindsay, *Palaeographica Latina*, 1 (St Andrews, 1922), 20; 2 (1923), 9, 25, (use of 'xb' on fols. 30ᵛ, 49ᵛ–68ᵛ, 80ᵛ–87ᵛ, top left corner), 43; and J. Morrish in *Mediaeval Studies*, 50 (1988), 512–38, at 531. For further observations see 'Sidereal time in Anglo-Saxon England', in W. M. Stevens, *Cycles of Time and Scientific Learning in Medieval Europe* (Aldershot, 1995), ch. 5, at 133–6.

Facsimiles: E. Maunde Thompson, *Introduction to Greek and Latin Palaeography* (Oxford, 1903), pl. 144 (fol. 51ᵛ); Palaeographical Society 1. 168 (fol. 51ᵛ); B. Krusch, *Papsttum und Kaisertum, Forschungen... P. Kehr...dargebracht* (Munich, 1926), pls. I (fol. 9), II (fol. 71), III (fol. 82ᵛ); Watson, *DMO* pl. 12 (fol. 26); M. Drogin, *Medieval Calligraphy* (Montclair & London, 1980), pl. 4 (fol. 51ᵛ); D. Rollason, *Saints and Relics in Anglo-Saxon England* (Oxford, 1989), fig. 3.1 (fol. 41). PA 3. 16 (pl. I reprod. detail fol. 51ᵛ).

1. For Macray's 'ab anno Domini' read 'ab anno Diocletiano 229, ad an. domini [i.e. AD 513–892]'. Jan's edn. is repr. *PL* 67. 493 et seq. Latest edn. by B. Krusch, *Studien zur christlich-mittelalterliche Chronologie* (Abh. der Preussischen Akad. der Wissenschaften, Phil.-Hist. Kl., 8; 1937) = *Studien II*), 69–74, but cf. Jones, *Bedae opp.* 68 n. 6. A preliminary quire containing the preface has presumably been lost: quire letters of s. xv run from b on quire 2, quire 1 having a partly trimmed letter which was presumably 'a.' On fol. 8ᵛ is the beginning of the *argumenta* (Krusch, 75), which has been erased. See below, art. 28.

2. Lines erased at the top of fol. 9 were the beginning of an Anglo-Saxon homily: see Ker, *Catalogue*, 381. Beg. 'Onomata dierum ebdomadis. Prima dies Phoebi sacrato numine fulget', TK 1090, *Init.* 14566,

followed by 'INCIPIT COMPUTACIO GRECORUM [*corr. from* GREGORUM]. vindicat adlucens.' Cf. A. van de Vyver in *Mélanges Pelzer*, 68.

5. Middle paragraph, preceding the chapter from Bede, *De temporum ratione*, pr. by Jones, *Bedae opera de temporibus*, 369. By mischance Jones did not list the extracts from this, the only early copy written in England(?); see C. H. Beeson, *Classical Philology*, 42 (1947), 75.

6.   C. W. Jones, CCSL, 123A (1975), 178, cites this manuscript: 'Some paraphrases of D[e] N[atura] R[erum], but only a sentence or two copied.'

13. Jones, *Bedae Pseudepigrapha*, 64–5.

14. Descr. by J. Gerchow, *Die Gedenküberlieferung der Angelsachsen* (Berlin & New York, NY, 1988), 218–9. Pr. by F. Wormald, *English Kalendars before A.D. 1100* (Henry Bradshaw Soc., 72; London, 1934), 2–13. Obits pr. by Gerchow, 330.

15. *Bedae Pseudepigrapha*, 68–78.

16. *Acta [suppositi] concilii Caesareae*, c. 550, recension B. *CPL*, no. 2307; pr. *PL* 90. 607–10. For further references see M. Lapidge & R. Sharpe, *A Bibliography of Celtic Latin Literature 400–1200* (Dublin, 1985), 90.

17. Pr. by B. Krusch, *Studien zur christlich-mittelalterlichen Chronologie der 84 jährige Ostercyclus* (Leipzig, 1880, = *Studien I*), 247–50.

18. Pr. by Krusch, ibid. 269–78.

19. Pr. by Krusch, *Papsttum*, 56–7.

20. Pr. by Krusch, *Studien II*, 86, where he erroneously states that the heading is 'Vitalius papa urbis Romae.'

21. Pr. by Krusch, *Studien I*, 344–9, not using this manuscript. Jones, *Bedae opp.*, 93, n. 6.

22. Jones, *Bedae Pseudepigrapha*, 83; *Bedae opp.*, 386.

24. Read 'Epistola Dionysii Exigui ad Petronium...'. Pr. *PL* 67. 483–94.

25. Pr. by Krusch, *Studien II*, 86–7; C. W. Jones, *EHR*, 52 (1937), 207 n. 4 and *Bedae opp.*, 73 n. 5.

27. See Jones, *Bedae opp.*, 70, 73, 74, 76.

28. The Dionysian argumenta pr. by Krusch, *Studien II*, 75–81.

29. Pr. *PL* 67. 460–61. See Jones, *Bedae opp.*, 97 n. 2.

30. Pr. by Krusch, *Studien I*, 277 et seq.

64

2° fo (fol. 3) *Qualis sis* or (fol. 6) *et colleccionem.*

On fol. 1ᵛ are 'Tho. Allen' and the Digby/Allen inventory number 'A.114' and on fol. 1 Digby's name and motto. The names on fol. 125ᵛ are both of s. xviᵉˣ.

1. Ed. by E. Faral, *Les arts poétiques* (Bibl. de l'École des hautes études, 238; Paris, 1924), 187–262. The prose summary of the *Poetria Nova* covers only fols. 5–8.

Fols. 8ᵛ–25 contain a collection of sayings of the philosophers, beg. 'Has siquidem et consimiles

fabellulas licet aliquando.' An alphabetical index to these is on fols. 3–4ᵛ. On fol. 1ᵛ, 'Jesu Criste vilis iste ingratusque peccator' (4 verses); 'Mandatum votum promissum curaque fame'; 'Augustine fove bis natos missus ad Anglos'; 'Sancte Johannes Evangelista custos matris domini. Ora pro nobis in vita ista ne pestea [*sic*] demur demoni.' On fol. 107ᵛ, 'Carmina sunt seva cur spernis carmina seva' (five verses). On fol. 120ᵛ, in an italic hand (s. xvi), is Ovid, *Rem. Am.* 85–8.

2. An anonymous and incomplete *Ars dictandi*, beg. 'Vix erant mihi usque finem'; Polak, *Letter Treatises*, 370–71.

3. The copy in BL, MS. Cotton Vespasian E. xii, fols. 110ᵛ–12ᵛ, was probably made direct from this manuscript: see A. G. Rigg, 'Medieval Latin poetic anthologies (3)', *Mediaeval Studies*, 41 (1979), 468–505, at 497–501. *Init.* 9955.

4. MS. P in the edn. by P. G. Schmidt, *Johannes de Hauvilla, Architrenius* (Munich, 1974), 98. *Init.* 20057.

5. Iupiter Monoculus, *Summa de arte dictandi*, *Init.* 17707, the commentary on which beg. 'Sensus est quod volentem dictare'; Polak, *Letter Treatises*, 371.

7. By Hugh Legat, OSB, of St Albans, d. after 1427 (Emden, *BRUO*). (*Ex info.* Dr James Clark.)

65

In three parts: (A) fols. 1–78 (arts. 1–37), (B) fols. 79–101 (art. 38), (C) fols. 102–64 (art. 39). (A) and (B) have probably a common origin: both are written below top line and decoration is similar; foliation, s.xv, is continuous. (C) was a separate book perhaps with a separate history but it was united with (A) and (B) by Allen's time: on fol. 1 are 'Tho: Allen', Allen's number '24' (i.e. in the 8° section of his catalogue) and a note in his hand. On fol. viᵛ is the Digby/Allen inventory number 'A.213' and on fol. 1 are Digby's motto and name.

A

2° fo *Ad radios.*

1. The *Init.* numbers are: (i) 20753; (ii) 11308; (iii) 13112; (iv) 6861; (v) 3841; (vi) 2539; (vii) 3840; (viii) 16926; (ix) 16254; (x) 4102; (xi) 16348; (xii) 3559; (xiii) 16511; (xiv) 13747; (xv) 9551; (xvi) 11974. Maaz, *Lateinische Epigrammatik*, 26, 44, comments on this manuscript. Between Macray's nos. viii and ix are seven pieces, unrubricated: *Init.* 9957, 11040, 11739, 19935, *Sent.* 10010, 15126, *Init.* 19573; after no. ix is one piece, *Init.* 8921. No. xiv ed. by C. H. Kneepkens, *Vivarium*, 8 (1970), 155–6.

2. *Init.* 16733 (?Serlo of Bayeux).

3. *Init.* 2938. 6. *Init.* 16632.

7. By Nicolaus Cadomensis. See A. G. Rigg, 'Medieval Latin poetic anthologies (1)', *Mediaeval Studies*, 39 (1977), 281–330, at 302. *Init.* 17011.

9. (i) *Init.* 20552; (ii) *Init.* 4447; (iii) beg. 'Magnus Alexander bellum mandarat', *Init.* 10603; (iv) beg. 'Accubuere duo soles. decus ille deorum';(v) beg. 'Ergo quicquid habet pulcrius orbis'; (vi) beg. 'O igitur mors digna mori que uiuere dignis';(vii) beg. 'Lucifer ecclesie fidissima cura tuorum'; (viii) beg. 'Nominis et poene fuit heres iste tobie';(ix) beg. 'Plebs pastore bono. patre clerus utrique patrono'; (x) beg. 'Pyeri pauca uel undicas. set presule digna'; (xi) beg. 'O lacii lux leta latini lucifer orbis'; (xii) beg. 'Cura dei cultor uirtutis. caste sacerdos';(xiii) beg. 'Excute desidie sompnos accingere cunctis'; (xvi) beg. 'Et tu qui cathedram cupis et doctoris honorem'; (xvii) beg. 'Signifer ecclesie. fratrum fax. calcar honesti'; (xviii) beg. 'Pyplea. sum presto. solito presentior esto'; (xviiia) beg. 'Musa quid(?) agnoscis fame preconia(?) quenam(?)'; (xix) beg. 'Et lugere libet cum totus lugeat orbis'; (xx) beg. 'Cur sic care taces(?) pro me loquitur mea vita', *Init.* 3945.

After art. 10, on fol. 17ᵛ, are three grammatical verses, beg. 'Fex est filiorum. ceps ferri pexque pilorum', followed by three scribal verses, *Init.* 19381, 17398 and 'Dum digiti scribunt. vix cetera membra quiescunt.'

10. *Init.* 696; *BHL* 694. 11. *Init.* 13985.

12. Attribution to Roger of Caen, monk of Bec, is widely accepted: see Sharpe, *Latin Writers*, s.n. Roger of Bec. Rigg, *Anglo-Latin Literature*, 65, remarks that Wright (as cited by Macray) errs in saying that this poem is in BL, MS. Cotton Vitellius A. xii and that our manuscript ends incomplete: it is BL, MS. Cotton Vespasian D. xix that does so. *Init.* 15778.

13. *Init.* 15954.

14. Beg. 'Celum factum firmamentum', *Init.* 2988, etc. MS. Z in A. B. Scott, 'The Biblical allegories of Hildebert of Le Mans', *Sacris Erudiri*, 16 (1965), 404–24.

15–17. MS. Od in the edn. of Petrus Pictor by L. van Acker, CCCM, 25 (1972), 11–46; manuscript descr. p. xvi. *Init.* 13305; 12832; 13623.

18. *Init.* 16747. 19. *Init.* 11368. 20. *Init.* 11497. 21. *Init.* 11368.

22. Van Acker (as above arts. 15–17), 87–90. *Init.* 18195.

23. *Init.* 18599. Chevalier, *Anal. Hymn.*, 19458. After verse 10 is Petrus Pictor, ibid., 69–70.

24. *Init.* 16855. 25. *Init.* 16440. 26. *Init* 20004.

27. See J. A. Yunck, 'The Carmen de Nummo of Godfrey of Cambrai', *Annuale Medievale* (Duquesne Studies), 2 (1961), 72–103. Rigg, *Anglo-Latin Literature*, 333 n. 31, is not inclined to accept Geoffrey's authorship, proposed by Yunck. Apart from Oxford, Corpus Christi College, MS. 255, fols. 35–42 (s. xviᵉˣ), which does not appear to derive from MS. Digby 65, this is the only known copy. *Init.* 12403.

30. Incipit reads 'Cartula nostra...'; *Init.* 2521.

31. *Init.* 18159.

32. By Petrus Pictor; van Acker as above (arts. 15–17), 131–4. *Init.* 5002.

33. MS. B in the edn. by H. C. Hoskier, *Bernard of Morval, De contemptu mundi* (London, 1929). *Init.* 8411; also ed. by R. E. Pepin, *Scorn for the World: Bernard of Cluny's De Contemptu Mundi. The Latin Text with English Translation and Introduction* (East Lansing, MI, 1991) with bibliography and list of known manuscripts.

34. Macray's enumeration is confusing and very incomplete. Since this part of the manuscript was not sytematically included in Walther's *Initia* we list the items, including those in Macray: (fol. 56ᵛ) 'Deus magnus et immensus', *Anal. Hymn.*, 15. 268–9; (Macray i) *Init.* 20732; (fols. 56ᵛ-7: Macray ii) *Init.* 11853; (fol. 57) 'Ponitur in precio'; *Init.* 14236; 'Verba decem prius inde duo nunc continet unum' (2 verses);'Mens mala', *Init.* 10911; *De forma Rome*, beg. 'Ut doceat cunctis', *Anecd. Oxon. 1*, 5. 21; 'Miror', *Init.* 11094; *De archa Noe*, beg. 'Una domus superest domus hec an navis an archa' (8 verses); 'Dulcis amica', *Init.* 4796; 'Parrus enim quanquam per noctem tinnipet omnem' (37 verses); 'Mediam quadrupedem fari discrimina vocum' (24 verses); (fol. 57ᵛ: Macray iii) *Init.* 18824; 'Nuper eram locuples', *Init.* 12488; (fol. 58) 'Melchisidech domino panem vinumque libavit', *Init.* 10865; Macray iv; *Init.* 15005; (fol. 59) 'Heredes sodome', *Init.* 7721; 'Fontibus', *Anecd. Oxon. 1*, 5. 22; 'Potus Milo sapis', *Init.* 14377; (fol. 59ᵛ: Macray v) *Init.* 4902; 'Natura faciente', *Anecd. Oxon. 1*, 5. 22; *Init.* 11602; 'Luce tuum', *Anecd. Oxon. 1*, 5. 23, *Init.* 10408; 'Plurima cum soleant', *Init.* 14193; 'Invidiam nemo domuit nisi fine supremo' (8 verses); (fol. 60: Macray vi) 'Iam tot in ecclesias', *Init.* 9747; 'Officiosus(?) homo es facile huc discursis et illuc' (4 verses); 'Iuras dasque fidem', *Init.* 9965; 'Languidus accubuit', *Init.* 10107; 'Dextera quid statio signat vel parte sinistra' (10 verses); 'Misterio magno', *Init.* 11545; (fol. 60ᵛ) 'Lapsus in eternum', *Anecd. Oxon. 1*, 5. 23, *Init.* 10118; 'Te nimis infestant circumveniuntque puelle' (6 verses); (Macray vii) 'Moribus esse feris', *Init.* 11217; (Macray vi) 'In natale sacro', *Init.* 9015; 'Quid iuvat argentum quod plus quam milia centum' (16 verses); (Macray vii) 'Ut flos in pratis sic gratia', *Init.* 19803; (fol. 61) 'Fama est fictilibus cenasse Agatho dea regem' (14 verses); 'Sede pater summa disponit secula cuncta' (9 verses); 'Est aliquando', *Init.* 5568;'Quid petis', *Init.* 15869; 'In noctem', *Init.* 9020; 'Diogenes declamabat mundum periturum' (12 verses); 'Est locus ortus ubi quidam spectatur amenus' (30 verses); 'Sicut habes mentem tota pietate carentem' (7 verses); 'Nos fenum leporem canis alba ciconia vermem' (4 verses); (Macray vii) 'Virginitas flos est', *Init.* 20475; (fol. 61ᵛ: Macray viii); 'Ut belli sonnere', *Init.* 19768; 'Trax puer', *Init.* 19369; 'Mater amat prolis primordia dulciter omnis' (45 verses); 'Sanctus cum pravis configitur in cruce clauis' (28 verses); 'Dum regnaret Salomon longeque sonaret' (51 verses); (fol. 62) 'Fortiter omnipotens et suaviter omnia rerum' (26 verses); 'Flebile principium memoris amice decentis' (93 verses); (fol. 62ᵛ) 'Luna sub oscura resplendet nube reperta'

(35 verses); (fol. 63) 'Escarem gurges quid nos tot talibus urges' (8 verses); 'Lesbia semper eges et pusio semper hundat [*sic*]' (6 verses); 'Mus musmo monacus custodes despiciendus' (4 verses); (Macray ix) *Init.* 20679; (fol. 63ᵛ) 'Hoc metro tactus', *Init.* 8294; (fol. 64) 'Sic accusabit sic ante deum reprobabit' (26 verses); (Macray vi, fol. 64) 'Sol cristallus aqua', *Init.* 18366 and A. B. Scott, *MARS*, 6 (1968), 70; 'Trina domus', *Init.* 19435.

35. MS. D in the edn. by L. R. Lind (Urbana, IL, 1942), enumerated p. 23. Mixed with the excerpts are other pieces. Lind lists only the rubrics but in fact a rubricated piece may be followed by a number of others, e.g. Lind f comprises six pieces. His folio references are often wrong. The pieces are as follows: (fol. 67, Lind a) 'Sex sunt etates tibi quas ego carmine vates'; (fol. 67ᵛ, Lind b) 'Hic michi mores describis ut omnis homo res'; 'Est bonus utque bonis sit constant fit sibi donis' (12 verses); 'Nec bibit inter aquas nec poma cadentia captat' (4 verses); 'Rex immense poli nos servos linquere noli' (6 verses); (Lind c) 'Ligna voluptatis', *Init.* 10316); (fol. 68, Lind d) 'Vos qui diligitis', *Init.* 20820; (Lind e) 'Vulpe salitur', *Init.* 20869; (Lind f) 'Cum de latrina' (4 verses), *Init.* 3580; 'Innuba si grauis est' (4 verses). *Init.* 9360; 'Veste cibo potu varios per omnia motu' (2 verses); 'Crux male uincta cruci quarii [*sic*] nos altera luci' (4 verses); 'Sicut solari tempus splendore serenum' (4 verses); 'Frigore iam tellus tracta riget glaciali' (4 verses); (Lind g) 'Cedamus morti, quis enim pugnabit ut ipsam'; (Lind h) 'Causas humani mater primeva doloris' (8 verses); 'Ne contristeris cum pro virtute graveris' (24 verses).

36. Lind continues: (fol. 68ᵛ, Lind i) 'Hos Gileberto', *Init.* 8451; (Lind j) 'Tot scelerum', *Init.* 19323; (fol. 69, Lind k) 'Montibus Armenie' (20 verses), *Init.* 11202a, with the following: 'Cuncta creans et cuncta beans auctorque bonorum' (2 verses); 'Magne deus rex ethereus mundique creator' (4 verses); 'Spes venie rex iusticie deus et bone custos' (2 verses); 'Nullus amicorum' (6 verses), *Init.* 12389; P. Blesensis, *De cervisia*; 'Servus ait' (8 verses), *Init.* 17594; (Lind l) 'Cum veniet' (14 verses), *Init.* 3865a, with the following: 'Omnia pretereunt' (4 verses), *Init.* 13270a; 'Est commune mori' (6 verses), *Init.* 5629; (Lind m) 'Mea ditat avis mensasque meas ave quavis'; (fol. 69ᵛ, Lind n) 'A grege commisso studeat. plus semper amari' (4 verses), with the following: 'Qui puero parcit' (2 verses), *Init.* 15618; 'Prima rubens' (5 verses), *Init.* 14595; 'Vinea culta' (6 verses), *Init.* 20357; 'Convive mater Christus puer architriclinus' (2 verses); 'Qui petit excelsa debet vitare ruinam' (2 verses). *Sent.* 24486; (Lind o) 'Ante gradus', *Init.* 20944; Lind p–v are excerpts from Marbod, *De ornamentis verborum*; (Lind w) 'Susceptum semen' (4 verses), *Init.* 18933, with the following: 'Anglia terra ferax' (12 verses), *Init.* 1021; (fol. 70) 'Res male tuta' (4 verses), *Init.* 16628; 'Orbis et urbs plorat dum rege Nerone laborat' (2 verses); (Lind x) 'Si preceptorum' (16 verses), *Init.* 17859, with the following: 'Omnibus exuto' (18 verses), *Init.* 13300b;

'Morte gravatur homo' (14 verses), *Init.* 11289; 'Aurum Parthorum' (2 verses), *Init.* 1853; 'Virtus Augusti leges et iura reducit | Illius facies pax fit et alta quies.' There follow further excerpts from Reginald of Canterbury, *Vita Malchi*, ending on fol. 73. Next comes 'O fortuna gravis' by Reginald of Canterbury, ed. F. Liebermann, *Neues Archiv*, 13 (1887), 535, lines 1–4, 10, followed by 'Litore quot conche', *Sent.* 13908; 'Felix qui patitur', *Sent.* 8963; 'Contulit ingenium', *Sent.* 3351; 'Vos qui sub Christo', *Init.* 20826; (fol. 73ᵛ) 'Te Vulgrine', *Init.* 19095; (fol. 74) 'Ergo non cantus dulcis non gratia vocis' (Macray, art. 34: xi prints lines 3–4); 'Quisquis ades', *Init.* 16140; 'Quis recte rex est', *Init.* 16105; 'Cantor es et clarus non es sed falso putaris' (9 verses); 'Mundus abit', *Init.* 11450; (Macray, art. 34, xii) 'Quis nescit', *Init.* 16086; 'Quis nescit quam sit speciosa cohors monachorum' (11 verses). There follows the classical florilegium (Macray, art. 37) which is interrupted on fol. 77ʳᵇ by grammatical verses: 'Est pila', *Init.* 5805; 'Acumbens dormit', *Init.* 274; 'Marsupium bursa loculus forulusque crumena'; (Macray, art. 34, xiii) 'Rome Rotomagi Vernone manebat Athenis' (4 verses). At the end of fol. 77ᵛ is a collection of proverbs, MS. D1 in A. C. Friend, 'The Proverbs of Serlo of Wilton', *Mediaeval Studies*, 16 (1954), 179–218; and MS. Od in J. Oberg, *Serlon de Wilton: poèmes latins* (Stockholm, 1965), 28, 56–62.

B

2° fo *Ambo secunda.*

38. *Adaptationes veteris testamenti ad novum* (known as *Pictor in Carmine*), attrib. to Adam, abbot of Dore (d. after 1216), on the basis of a flyleaf note in MS. Rawl. C. 67 which is not clearly related to this text. On the work see M. R. James, *Archaeologia*, 94 (1951), 141–66. Ed. by D. F. Baker, unpublished thesis, University of Toronto, 1991. Stegmüller, *Bibl.*, 870.

C

2° fo *cum vita.*

39. By John of Garland; ed. A. Saiani (Accademia de Toscana di scienze e lettere 'La Columbaria', *Studi*, 139; Florence, 1995).

40. The first two sequences are pr.: (1) *Anal. hymn.* 31, 20–21, and *Mediaevalia et Humanistica*, 15 (1963), 54–68, with the ascription to John of Garland; (2) *Anal. hymn.* 46, 194; (3) appears to be unprinted. This leaf probably belongs with section C although it is separated from the end of C (fol. 164) by three blank leaves of uncertain date.

66

2° fo *Reverencia.*

On fol. 1 are 'Tho: Allen', Allen's number '8' (i.e. in the 8° section of his catalogue), the Digby/Allen inventory number 'A 88' and Digby's motto and name. '8' is repeated on fol. 2.

Contemporary foliation 2–68.

1. 'Moralium dogma [*sc.* philosophorum]' is at the head of the page. It is the source of the extracts.

2. (i) See *Concilium Basiliense: Studien und Quellen zur Geschichte*, 5 (Basel, 1904), *passim*. (iii) See N. Valois, *La crise réligieuse du xv*ᵉ *siècle. Le pape et le concile (1418–1450)*, 2 vols. (Paris, 1909), 1. 232–3. (iv) A. N. E. D. Schofield in *Journal of Ecclesiastical History*, 12 (1961), 182 n. 1. For Macray's 'sceaula' read 'scedula'. On Partridge see Emden, *BRUO*. (xiv) *Concilium Basiliense* (as 2(i) above), 40–41.

3. Beg. 'Sumpto themate ad congruenciam temporis'; Charland, *Artes*, 46. Sunfeld is presumably Hugh de Sunfeld, D. Th., an Augustinian friar who preached before the king on Palm Sunday 1448: see Emden *BRUO* 3. 2219.

6. Henricus de Hassia (*alias* von Langenstein), on whom see *Verfasserlexikon*, 3. 763–74 and bibliography. Stegmüller, *Bibl.*, 3188–95.

On fol. 1ᵛ is 'Littera gesta docet', *Init.* 10358.

67

A collection by Digby of eight separate manuscripts, all probably Allen's. The first three were already a unit in Allen's time. (A–C) fols. 1–44: (Allen's MS. 43 in 8°) comprises three separate sections, arts. 1–4, fols. 1–14ᵇ, arts. 5–6, fols. 15–22, and arts. 7–10, fols. 23–44. (D) arts. 11–13, fols. 45–56, are not in Allen's catalogue but bear the Digby/Allen inventory number 'A.75' on fol. 45. (E) item 14, fols. 57–68, bears no evidence of Allen's ownership. (F) arts. 15–19, fols. 69–84, bears 'To Mr Allen' on fol. 69 (cf. MSS. 77/5, 104/1, 191/15–16, and see Watson, 'Allen', 292–3), Allen's number '48' (i.e. in the 4° section of his catalogue) and the Digby/Allen inventory number 'A.149'. (G) arts. 20–28, fols. 85–116, are not in Allen's catalogue but have 'thomas Allen' on fol. 106 and his hand on fol. 110ʳᵛ. (H) art. 29, fols. 117–24, has on fol. 117 Allen's number '85' (i.e. in the 4° section of his catalogue), a title in his hand and the Digby/Allen inventory number 'A.182'.

A

2° fo *this shal*.

2. Stated in *IMEP 3*, 17, citing a reference to North, *Wallingford* 2.107–8, to be by Richard of Wallingford, but North does not say that.

3. MS. D in the edn. by North, *Wallingford*, 2. 183–243.

4. TK 1383.

B

2° fo *sed sciendum*.

C

2° fo *and moysle*.

7. Taavitsainen, *Lunaries*, 80, draws attention to a blood-letting lunary on fols. 30ᵛ–31.

8. For Macray's 'Albukecy Nazi' read 'Albubecy Arazi', i.e. Rasis. Beg. 'Suus suo amicus amico Anselmo Ferrarius'; TK 1550.

9. Thorndike, *History*, 2. 785 et seq.

10. Ibid. 787 et seq. Includes recipes in the *Mappae clavicula*: see Johnson, 'Mappae clavicula', 79–80. This item is written on both paper and parchment.

D

2° fo lacking.

12. †TK 1292. The verses are *Init.* 1833. On fol. 54ᵛ is another recipe for Greek fire, s. xiii.

13. †TK 471.

E

2° fo lacking.

14. Descr. by J. C. Crick, *The Historia Regum Britannie of Geoffrey of Monmouth. III a Summary Catalogue of the Manuscripts* (Cambridge, 1989), 227–8.

F

2° fo *circule*.

15. MS. D₁ in the edn. by T. Silverstein, *AHDLMA*, 22 (1955), 217–45; TK 1587.

16. Beg. 'Ypocras et Nectanabus philosophus'; TK 627. There is also (fol. 78ᵛ) *Sententia Alhandrej mathematici de nominibus Latinis*. On these two texts see C. Burnett, 'The Eadwine psalter' (as MS. 46 art. 1 above), 146–7, 152. For other Bodleian manuscripts in which the Greek alphabet mentioned by Macray occurs, see the note by H. H. E. C[raster], *BQR*, 3 (1920), 96.

18. MS. D in the edn. by M. R. James, *Walter Map, De nugis curialium* (Anecdota Oxoniensia Medieval and Modern Series, 14; Oxford, 1914), 143–58; collated for revised edn. by C. N. L. Brooke & R. A. B. Mynors (Oxford, 1983).

G

2° fo *multitudine*.

20–28. For the Merton College provenance see Powicke, *Medieval Books*, 352. Written on southern-type parchment in southern French or north Italian script.

20. †TK 996.III.

21. Pr. by C. Baeumker, 'Studien und Charakteristen', *BGPTM*, 24/1, 2 (1928), 207–14; TK 248.

22. TK 1483.

23. By David of Dinant; MS. O in the edn. by M. Kurdzialek, 'Davidis de Dinant quaternulorum fragmenta', in *Studia Mediewistyczne* (ed. J. Legowicza & S. Swiezawskiego), 3 (1963), 91–4; Glorieux, *Rép.*, 85; †TK 297, 1190. For recent studies on David see M.-Th. d'Alverny, 'La France de Philippe Auguste: le temps des mutations', *Colloques Internationaux du CNRS...1980* (Paris, 1982), 868, n. 20, repr. in d'Alverny, *Transmission*, ch. XVII; Paravicini Bagliani, *Medicina e scienze*, 70.

25. Witelo, ed. C. Baeumker, *BGPTM*, 3/2 (1908), 1 et seq.

26. Fauser, *Albertus Magnus*, 108, no. 56.

27. Ibid., 128, no. 17.

H

2° fo *igitur*.

29. Little, *Bacon Essays*, appendix, no. 4. According to Allen's catalogue, MS. 4° 85, this item was bound, or at least kept with, 'Epistola Adamis de Marisco ad Senallum [*sic*]', which is probably MS. 104, fols. 90–101. There is a title in Allen's hand on fol. 117.

68

2° fo *solares*.

From the Franciscan convent at Salisbury: 'De conventu Sarum' (s. xv) erased, but legible under ultraviolet light, is in the top margin of fol. 1, with 'R.II' over an earlier pressmark: reproduced in *MSS. at Oxford*, fig. 88. On fol. 1 are Allen's number '20' (i.e. in the 8° section of his catalogue), the Digby/Allen inventory number 'A86' and Digby's motto and name.

3. North, *Wallingford*, 2. 385, lists with Richard's doubtful and spurious works. TK 953.

8. Beg. 'Quicunque philosophie scienciam…Sermo primus. Circulus igitur', TK 1238, 224. No. 84 in the catalogue of Adelard manuscripts by Burnett, *Adelard*, 179–92, and now ed. C. S. F. Burnett, K. Yamamoto & M. Yano, *Abu Ma'sar. The Abbreviation of the Introduction to Astrology, together with the Medieval Latin Translation of Adelard of Bath* (Leiden, 1994), 92–143.

9. TK 1364.

69

2° fo *de wlture*.

The manuscript was owned by William Marshall, fellow of Merton College 1541–83 (Emden, *BRUO 1501–1540*) (his name, 'Guil. Martialis', is on fols. iii^v, 1) and, on the evidence of the Digby/Allen inventory number 'A 93' (fol. iii^v), later by Thomas Allen, although it is not listed in his catalogue. On fol. 3^v are Digby's motto and name.

Modern foliation is iii+223. Medieval pagination 1–467, with gaps between 188 and 192, 209 and 212, 321 and 323, 432 and 434. Page 324 is doubled. After p. 371 are eleven leaves in two columns with column numbering 371–414. On fol. iii^v is the medieval title, 'Mater herbarum' (s. xv); cf. art. 7.

The manuscript is almost entirely in an English hand of an old-fashioned kind written in s. xiii^ex or xiv^in. The scribe collected extracts over a considerable period of time, usually without indicating their source. The only parts not certainly in his hand are the quire of a 12th-century manuscript (fols. 184–91) and the texts on fols. 202–8^v and 212–4. Beccaria, *Codici* (B) and Wickersheimer, *Dictionnaire* (W) in addition to TK have enabled us to identify some of the pieces and we have also drawn on T. Hunt, *Popular Medicine in Thirteenth-century England* (Cambridge, 1990), 311–34, but our numeration

is far from exhaustive. It is remarkable how many fragments of late antique medical works are included.

1. By permission of the author, the following description is taken verbatim from Hunt, 311. (1) fols. 1^r–11^v a miscellany of medical prescriptions and notes with red rubrics throughout, together with marginal titles, headwords etc. It begins with receipts, then continues with sections on birds (f. 2^r/v) *De passere, De gallina* etc., a short treatise *De aquis medicinalibus* (fols. 2^v–3^r), another *De virtutibus quaru[n]dam herbarum* (ff. 3^v–6^v); marginal indications *contra tumores, ad ossa fracta* etc. and *Contra infectionem pannorum*, followed by a charm (f. [6^v]) 'Incaustum vino lexiva dilue vinum' [Walther, *Initia*, 9164]; 'Still as ymbre laves oleumque liquore fabarum' [Walther, *Initia*, 18625]; 'Jhesu Crist wes in erþe istunge In nomine Patris + | Sone wes et wrd te hevene ysprunge In nomine Patris + | His wunden oken and His wunden sual and þine ne sal In nomine Patris + | His wunden icten and þine ne micten. In nomine Patris + | Carmen istud dicetur ter super plagatum et vulnus non dolebit postea.' Then follow more receipts on ff. 7^r–11^v. (2) f. 12^r [red rubr.] *Incipit de virtutibus quarundam herbarum*, an index in three columns beginning with *Arthemesia*. (3) f. 12^v an Anglo-Norman receipt: 'Encuntre chalde maladie fesuns nus cele ewe durthike que depart la chalde maladie…'. This is followed by Latin verses *Contra omnem guttam* [Walther, *Initia* 1278] with two receipts and another receipt *De paralisi lingue* (red rubr. f. 12^v). (4) ff. 13^r–14^v [red rubr.] *Hec sunt capitula de curis sequentibus*, an index written in two columns per page. (5) ff. 15^r–22^r passages on the medicinal application of various plants (beginning *De zipulis*) followed by red rubrics *De sale et eius speciebus* (f. 17^v), *Hic agit de animalibus silvestribus* (f. 17^v), *De animalibus domesticis* (f. 18^r), *De extremitatibus membrorum* (f. 18^v) together with miscellaneous passages on milk, butter, cheese, birds, and Latin medical verses (ff. 20^v–21^r), ending with *De pane et eius diversitatibus* (fol. 21^r) and short sections on fruit and herbs (f. 21^v). On f. 15^r *zipule* is glossed 'crespeus' and *orobum* 'musepese'.

Other items, not mentioned by Hunt, are: (fol. 1) 'Quidam est cancer recens', TK 1244; (fols. 26–7) 'Epilempticus incenditur sic retro', TK 501. Vernacular items amongst the miscellaneous medical receipts are pr. by Hunt, 314.

2. On fol. 116 is 'Incipit tabula de herbis constrictivis. Hic agitur de herbis stipticis', continuing with extracts on the properties of herbs, including (fol. 120^v) 'De benedicta. Magister Nicholaus acuebat benedictam cum acanto et semine lappe inverse turbit…'.

3. Beg. 'Ex eis itaque quod filius Messye'; †TK 532.

4. Kibre, *Hipp. Lat.*, p. 154 (xx, *Epistolae*). Beg. 'Hippocrates Mecenati suo salutem'; TK 627.

5. Beg. 'Hoc cure mee experimentum'; TK 629; text pr. (not using this manuscript) by E. Howald & H. E. Sigerist, *Corpus medicorum latinorum*, 4 (Leipzig, 1927), 1–11. On fol. 29 is 'Omo. Eos [*sic*] cestros'; TK 1007.

6. Ps.-Apuleius, beg. 'A grecis dicitur arnoglosa', TK 2,

pr. (not using this manuscript) by Howald, ibid., ending incomplete (fol.61ᵛ),'Nomen herbe scholismos' (ibid. 177). Fols. 62–5 contain medical receipts. Vernacular glosses of ss. xiii and xiv are pr. by Hunt, op. cit., 314. †TK 2.

7–10. Beg. 'Herbarum quasdam dicturus'; TK 610. The text of Macer does not follow the order of J. L. Choulant's edn., *Macer Floridus de viribus herbarum* (Leipzig, 1832) and parts of the *De cultura hortorum* of Walafrid Strabo are interwoven (*PL* 114. 1124–30). Laing, *Catalogue*, 129, notes a small number of vernacular glosses beside the rubrics and refers to T. Hunt, *Plant Names of Medieval England* (Cambridge, 1993). The last section, 'De sclarega' (Strabo, lines 275–83) is followed (fol. 84ᵛ) by *De canicie*, beg. 'Quos pudet etatis longe quos sancta senectus.' The text of Macer is written partly in a central column with marginal glosses on either side in the hand of the text (fols. 66–8, 69ᵛ–70ᵛ), partly in two columns (fols. 68ᵛ–9, 71ʳᵛ), partly as one of two columns, the other containing texts not related to the poem (fols. 72–84ᵛ). These other texts include (fol. 72), *De medicina*, beg. 'Medicina est que corporis', TK 857, W xxix.8; *De sanitate*, beg.'Sanitas est integritas corporis', TK 1375, B 106.9; (fol. 72ᵛ) without heading, beg. 'Oxia est acutus morbus', cf. TK 1024; (fol. 75ᵛ); *De medicaminibus*, beg. 'Medicine creatio spernenda non est', †TK 861; (fol. 76) *Qualis debeat esse phisicus*, beg. 'Aforismus est sermo brevis integrum', †TK 113; *Vocabula utensilium*, beg. 'Enchiridion dictum quod manu', †TK 499; (fol. 76ᵛ) *Commendacio artis medicine*, beg.'Queritur a quibusdam quare inter ceteras', †TK 1192; (fol. 77) *De unguentis*, beg. 'Unguenta autem quedam dicuntur', †TK 1599; *De secretis humani corporis*, beg.'Ne ignorans quisquam [sic]', TK 906, W xxix.5; (fol. 78ᵛ) *De epate*,'Propria sedes sanguinis est epar'; (fol. 79) *De quatuor complexionibus*, beg. 'Quatuor complexionibus constat homo', †TK 1179; (fol. 79ᵛ) *De stomacho*, beg. 'Omnia dulcia naturaliter', †TK 989; (fol. 80) *De naturis fructuum*, beg. 'Poma, pira, cerisia et pruna', †TK 1057; *De tropo nostro*, beg. 'Oropum [sic] vocatur quoddam lignum per longum', †TK 1021; (fol. 80ᵛ) *Nomina infirmitatum metrice dicta*, beg.'Flegmon apoplexis reuma liturgia spasmus', TK 565, *Init.* 6607; *Pulmentum Johannis medici* = Macray's art. 9, W lxxxi.1; *Ad sanguinem*, beg.'Qui sanguinem per anum fundunt'; *Ad paraliticos*, beg. 'Qui sunt paralitici vel quos paralisis tangit'; (fol. 81) 'Delpnus' [glossed frater], adelfa [glossed soror], meter [glossed mater], alle [glossed pater], philus [glossed filius] hius [glossed amicus], tigater [glossed filia], dedronte [glossed moriuntur], tonalit [glossed equaliter]; (fol. 81ᵛ) *De natura urinarum*, beg. 'Cum sit necessarium prius morborum causas', †TK 343; (fol. 83) *De naturis urinarum*, beg. '[Q]uisquis naturas urine noscere curas', TK 1250; *De naturis capillorum*, beg. 'Capillus ex fumo grosso', TK 187 (Constantinus Africanus, *Viaticum*, ch. 1). Vernacular glosses are pr. by Hunt, 312.

There follows in the main text (fol. 84ᵛ), *Laus phisicorum*, beg. 'Cum omnis sciencia ex fine', TK 327, the first three chapters of Gerard of Montpellier, *Summa de modo medendi*, as in MS. e Mus. 219 (*SC* 3541), fol. 146ʳᵛ; on fol. 85ᵛ [Philaretus] *De pulsu*, beg. '[P]ulsus est mocio cordis', TK 1150, only two paragraphs; [Galen, *De modo medendi*], *Quante sint diversitates febrium*, beg. 'Que vel quante sint febrium diversitates', W xxix.14.

11. *Incipiunt synonime*, beg. 'Alphita farina ordei', followed by passages on mandragora, squinantia, etc. and medical receipts. A leaf is missing at the end. TK 86.

12–13. Kibre, *Hipp. Lat.*, pp. 150, 232 (xx, *Epistolae*) are one piece. See also W lxxvii.4 = MacKinney, *Bull. Hist. Medicine*, 26 (1952), 16–21, with many differences from our text. †TK 1207, 921. Followed by miscellaneous prescriptions.

14. †TK 1079.

15. Fols. 126–7 are an acephalous index of medical extracts which occupy fols. 128–83: see Hunt, 313, no. 19. Also included are (fol. 138) a piece beg. 'Primo videndum est utrum lac de quo puer nutritur [sic]', TK 1114; (fol. 138ᵛ) 'Incipiunt anathomie. Ut testatur Galienus in Tegni volentibus ad phisicam accedere. primo studendum est in anathomiis', ends (fol. 145) 'est prius in perfectione. Explicit anathomia', TK 1624. (fol. 161 = Macray 15.i) Sextus Placitus, *De taxone*, TK 1055 (pr. Howald & Sigerist, op. cit., 4. 229–32), beg. 'Plurimis exemplis expertus sum victoriam tuam'; (fol. 151ᵛ = Macray 15.ii) beg. 'Quesisti a me fili karissime adiuratio', TK 1199; (fol. 154) *De oleis et eorum utilitatibus*, beg. 'Amphoris doctrine et utilitatis causa tractatum de oleis ordinamus'; (fol. 157) '[P]ondera et mensure medicinales. Metrus id est media mensura' (another copy on fol. 191ʳᵇ), B 422, W 73 et seq. After the ending given by them, 'Cicer grecus id est pis latinus albus' (fol. 191ʳᵇ/10–21) our text continues 'calis habet uncias ii'; (fol. 168ᵛ), 'Incipit summa de conferentibus et nocentibus. [C]onferunt cerebro fetida in gravi', TK 246, variously attributed to Gautier Agilon, Arnoldus of Villa Nova and Platearius: see Wickersheimer, *Dictionnaire*, 172 under Gautier Agilon for other manuscripts and Supplement 81, where his claim to authorship is rejected. Then follows *Incipit Summa Quid Pro Quo*, beg. 'Pro aristoligia rotunda ruta domestica', TK 1129.

16. Vernacular items are pr. by Hunt, op. cit., 314–24.

17. The hand is of s. xii. †TK 1242.

18. †TK 1810.

19. Beg. '[L]a terre de Inde est issi apelee de Indun vii flum ki de vers occident la aceint.' It is a prose work in Anglo-Norman dealing with the marvels of India and other regions. The first few lines closely resemble Isidore, *Etymologiae*, xiv. 3.5, *PL* 82. 496 and Honorius Augustodunensis, *De imagine mundi*, *PL* 172. 123.

21. In another hand. Ps.-Hugh of St-Victor, *De bestiis et aliis rebus*, 3. 59–61, pr. *PL*, 177. 119–36; TK 901.

23. Beg. 'Infigit pungit extendit at aggravat errat'; †TK 743.

24. Beg. 'Pervenit ad nos quod cum Ypocras morte'; Kibre, *Hipp. Lat.*, p. 118 (IX, *Capsula eburnea*). It ends on fol. 214 and is followed by miscellaneous medical extracts. TK 1037.

On fol. 220ᵛ, in the bottom margin, legible by ultraviolet light, is 'Constat domino Johanni <...> monacho' (s. xv).

70

2° fo *Nam*.

On fol. 1 are 'Tho. Allen', Allen's number '72' (i.e. in the 4° section of his catalogue), the Digby/Allen inventory number 'A.169' and Digby's motto and name.

MS. D in the edn. by Steele, *Opera Baconi, fascs. 2 and 3* (1909–11). Our manuscript breaks off in part iv, ch. 7, p. 266/11.

71

In four sections but from at least Dee's time a single volume.

A

2° fo (fol. 4) *et medicine*.

On fol. 1 is a title in John Dee's hand: the book is M84 in his catalogue (Roberts & Watson). On fol. 1 are Allen's number '2' (i.e. in the 8° section of his catalogue) and Digby's motto and name.

1. Beg. 'Instrumentum perficere'; TK 753.

2. TK 1699. See note on MS. 48 art. 24.

B

3. In Dee's hand. TK 334.

C

2° fo *non frangit*.

4. For other manuscripts see D. W. Singer, 'Alchemical texts bearing the name of Plato', *Ambix*, 2 (1946), 115–28; TK 246.1. Dee's hand occurs *passim*.

5. Beg. '[L?]aturcus id est avar animal notissimum.'

D

2° fo *tres raciones*.

6. After the salutation, beg. 'Cum prima causa et summa ex attitudine', cf. MS. 77, art. 3. TK 331. Dee's hand occurs passim.

7. Beg. 'Perfectissima aqua vite'; TK 1034.

8. Beg. 'Iste liber quem pre manibus'; TK 791.

On fols. 86–7ᵛ see Johnson, 'Mappae clavicula', 80.

72

2° fo (fol. 2) *Tabula*; (fol. 6) *De faciendum*.

On fol. 1 is Allen's number '32' (i.e. in the 4° section of his catalogue).

On fol. 4ᵇ, which is otherwise blank, is 'Universis et singulis Christi fidelibus presentes litteras inspecturis Johanes Hylsey prior ordinis fratrum predicatorum conventus Bristolie salutem.' On Hylsey, prior of Bristol in 1533, see Emden, *BRUO 1501–1540*. On fol. 4ᵇᵛ is 'Right honerable Lord William Earle of Worceter', s. xvi² (William Somerset, earl 1549–89). On fol. 199ᵛ is 'lanthonie civitatem mea[.]...' (s. xv).

4. Little, *Bacon Essays*, appendix, no. 15. TK 951.

5. TK 1411. 6. TK 1411. 7. TK 1411. 8. TK 1050.

10. Described by M. C. Seymour, *A Catalogue of Chaucer Manuscripts: Volume 1, Works before the Canterbury Tales* (London, 1995), 114.

73

2° fo *prouocat*.

Richard Ledes wrote his name several times on fol. 88ᵛ in a skilful italic hand and also in secretary hand: 'Richard Leaddes marchant of London ocquepinge Flanders marchandyses'. Three times he added the dates 1550 and 1557. On fol. 97ᵛ he twice wrote an *ex libris*, once with the date 1549. On fol. 64ᵛ is a notary's(?) mark, '·IC·'. On fol. 78ᵛ is 'pd. to Malkebey' (s. xviᵐᵉᵈ). On fol. 90ᵛ is 'By me John Colyng(?)' (s. xviᵉˣ). On fol. 1 is John Dee's 'ladder' mark: DM 112 in his catalogue (Roberts & Watson).

5. On fol. 64 are verses in a fere-humanistica hand and the same hand wrote excerpts from Mesue and Serapion on fols. 64ᵛ, 68ᵛ–70ᵛ. The verses are 'Igne quid utilius siquis tamen urere tecta | Comparat audaces instruit igne manus'; 'Tunc tua res agitur' (2 verses), *Sent.* 31814; 'Felix quem faciunt', *Sent.* 8952; 'Virgilius in Eneydos li xii°. medicina pro quocumque vulnere' (*Aen.* xii. 422–24); 'Diptamnus [*for* dictamnus] defixa trahens panaceaque crudis | Cognita vulneribus ferre salutis opem'; 'Virgilius, Stat sonipes' (*Aen.* iv. 135); 'Inter cuncta leges et percuntabere doctos' (2 verses), *Sent.* 12599a; 'Est et semper erit', *Sent.* 7418.

On fol. 97ᵛ is an Alleluya written on a 5-line stave (s. xv²).

74

In two sections, former Allen manuscripts united by Digby.

A

1. On fol. 1 is Allen's number '68' (i.e. in the 4° section of his catalogue) and on fol. i is the Digby/Allen inventory number 'A 152'.

Probably written in France. For watermark cf. Briquet 12720 (Lisieux, 1559).

The explicit, 'Finis feliciter opus magistri Gerardi Crimenensis' is presumably Macray's authority for his attribution of the text. A version is found in MS. Bodl. 625 (*SC* 2180), fols. 18–85ᵛ, attributed to Gerard with a query, TK 1446.

B

2° fo *sed sicut*.

2. On fol. 53 are Allen's number '63' (i.e. in the 4° section of his catalogue) and 'Quaestiones Physicae' in his hand.

Written in north-west Europe (Germany or Netherlands), in two hands and on two different papers, fols. 53–76 and fols. 77–124. Watermarks are best (but not fully) seen on fols. 58/9 and 116/121. For that on fol. 58 cf. Piccard, *Wasserzeichen Hirsch*, IV. 532, but it is not identical and the visible part on fol. 59 does not seem to correspond. The watermark on fols. 116/121 has not been identified.

Fauser, *Albertus Magnus*, 198, no. 34. Ed. by A. & Ae. Borgnet, *Opera omnia*, 10 (Paris, 1891), 361–619.

75

In three sections, the last two already united in Allen's catalogue.

A

2° fo *cum sucto*.

On fol. 1 are Allen's number '59' (i.e. in the 4° section of his catalogue) and the Digby/Allen inventory number 'A. 215'.

1. Beg. 'Absinthium calidum et siccum in tercio gradu', TK 11.

2. Fols. 40ᵛ–50ᵛ: *IMEP 3*, 21–2 calculates *c*. 90 items, mostly in English. Many are printed, especially in G. Müller, *Aus mittelenglischen Medizintexten* (Kölner Anglistische Arbeiten, 10; Leipzig, 1929), *Ein mittelenglisches Medizinbuch*, ed. F. Heinrich (Halle, 1896); H. Schöffler, *Beiträge zur mittelenglischen Medizinliteratur* (Halle, 1919). Fols. 51ʳᵛ contain part of Henry Daniel's translation into English of a treatise on the virtues and cultivation of rosemary. For part of text pr. from other manuscripts and for a list of manuscripts see J. H. Harvey, *Garden History*, 1/1 (1972), 14–21. See *IMEP 3*, 22–3.

3. TK 284. On the development of this text see article by M. H. Green cited in note on MS. 29 art. 4.

4. Chapters i,10–ii,3 only. MS. 30 (= D1) in edn. by L. Sturlese & R. B. Thomson (Pisa, 1995), whose stemma shows that this and MS. Digby 147 art. 14 share a common archetype. For another edn. and other comments see note on MS. 28 art. 5. On fol. 66 are three alchemical recipes, in English, for gilding metals: *IMEP 3*, 23.

5. †TK 978.

6. Beg. 'Incipit tractatus de medicinis omnium membrorum distemperatorum tam in caliditate.'

7. Beg. 'Quoniam de melioribus amicis meis quos habere videor quidam me rogabant'; cf. TK 1270.

8. TK 650; Watson, *DMO*, pl. 552 (part fol. 86).

10. *IMEP 3*, 23–4.

13. For three recipes on fols. 120ᵛ–21 see *IMEP 3*, 25, 72.

B

2° fo *videri vile*.

On fol. 122 are Allen's number '36' (i.e. in the 4° section of his catalogue) and the Digby/Allen inventory number 'A. 167'.

15. No. 6 in list of Thomas of Wylton's works, Weisheipl, 'Repertorium', 224, no. 19(6).

16. Beg. 'Sciendum est quod si quis nascatur'; TK 1395.

17. Beg. 'Saturnus est planeta maliuolus sempiterne frigidus et ex consequente siccus.'

18. Beg. 'Natura est duplex silicet natura naturans et natura naturata.' TK refers only to MS. Bodl. 676 (*SC* 2593), fols. 149–62, where the treatise is ascribed by Gerard Langbaine to Thomas Walsingham. Extracts are pr. by M. Clagett, *The Science of Mechanics in the Middle Ages* (Madison, WI, 1959), 631, n. 4.

20. MS. O1, containing 33 problems, in the list in Folkerts, 'Aufgabensammlungen'. †TK 1584.

21. Beg. 'Quatuor sunt tempora anni.'

22. Beg. 'Si in mense Januarij tonitrua audita fuerint.'

23. *Init.* 11894.

24. See the bibliography cited in de la Mare, *Lyell Catalogue*, 180; M. W. Bloomfield in *Traditio*, 11 (1933), 317. *Init.* 18795.

C

2° fo lacking.

25. One of thirteen known manuscripts. For the others see A. J. Fletcher, 'John Mirk and the Lollards', *Medium Ævum*, 54 (1987), 217–24, at 224 n., also idem, *Leeds Studies in English*, NS 19 (1988), 104–39. Bloomfield, no. 2787.

27. Spurious. Manuscripts listed by Bloomfield, no. 0526; corrected by Sharpe, *Latin Writers*, s.n. Edward the Confessor.

28. Beg. 'Filius esto dei': see note on MS. 15, art. 1.

Fols. 240ᵛ–41: fifteen medical recipes of which thirteen are in English and two in Latin; see *IMEP 3*, 25. On fol. 241ᵛ are notes on the four humours of man and two medical recipes; see *IMEP 3*, 25–6.

76

In three sections, DM113 and (fols. 110–22) M181 in John Dee's catalogue (Roberts & Watson). On fol. 1 is 'Joannes Dee 1556, Maij 18 Londini, emi ex bibliotheca Lelandi.' From Dee the manuscript went to Sir Robert Cotton and is no. 405 in his 1621 catalogue in BL, MS. Harley 6018 (cf. fol. iᵛ of manuscript). There is a list of contents (fol. iii) in the hand of Cotton's librarian, Richard James, and there are Cotton quire signatures B–V. The significance of '236' at the top right of fol. iii, perhaps in James's hand, is not clear. The manuscript probably came direct from him to Digby, who retained the Cotton binding (which is like that of MS. 178 but has his arms stamped over Cotton's). On fol. 1 are Digby's motto and name. The manuscript is described by M.-Th. d'Alverny, 'Avicenna Latinus (suppt.)', *AHDLMA*, 37 (1970), 342–4.

A

2° fo *dicit in principio*.

1–2. The title 'Compendii Philosophiae fragmentum ex Bachonis opere' is in Dee's hand, as is the note 'Hec videntur...' recorded by Macray. The text comprises the *Communia Naturalium*, II. 1–3, and is designated MS. O by Steele in his edn., *Opera Baconi, fasc. 4* (1913), 309–84. Fols. 1–35 are written in 29–35 long lines with wide margins, in more than one hand. The quiring is 1⁶ 2² 3⁸ 4⁴ 5⁶ 6⁴ 7⁶ (6 canc.). Catchwords are at the end of each quire except the last. Fols. 36–47 are written in 28–35 long lines with only frame ruling of fols. 41–7. Margins are narrow and have been cropped. The quiring is 8⁸, 9⁴. The text is written in small current university hands, one or more of which are strongly French in style (fol. 40ᵛ, except the last three lines, 41ᵛ/5 to 42ᵛ, 44ʳᵛ, 45ʳᵛ).

3. Pr. by Steele, op. cit., *fasc. 16* (1940), 71–143, 144–5, as MS. D. In this item the name Anaritius occurs six times and in item 4 below five times; the relevant passages are pr. by P. M. J. E. Tummers, *The Latin Tradition of Anaritius' Commentary on Euclid's Elements of Geometry* (Artistarium Supplementa, 9; Nijmegen, 1994), Appx. 1. Fols. 65–76ᵛ are heavily annotated by John Dee.

4. Apparently unprinted. Little, *Bacon Essays*, appendix, no. 404, regards it as part of the mathematics section of the *Scriptum principale*. M.-Th. d'Alverny, op. cit., suggests that it is a commentary on Euclid's *Elements*. For five passages containing Anaritius's name see under art. 3 above. John Dee's copious annotations continue from art. 3 above.

B

2° fo *lacking*.

5. Extracts from Ps.-Avicenna, *De caelo et mundo*, chs. vi, vii, v.

6. Diaz, 1017, 1029 ('Gundisalinus'). MS. D in the edn. by L. Baur, *BGPTM*, 42/3 (1903). The attribution to Alfarabius is in Dee's hand. Macray's final sentence, 'Non concordat...', should be deleted. TK 554.

7. An incomplete commentary on Boethius, *De arithmetica*, beg. (fol. 107ᵛ/7) 'Inter omnes prisce actoribus [*sic*] viros' and ending on fol. 109ᵛ, 'quartum vero privatio visus et assufationis',

with catchwords 'primum patet in maneconicis.' TK 768.

C

2° fo (fol. 111) *illam semel*.

8. MS. D in the edn. by H. L. Crosby (Madison, WI, 1955). In an Italian hand of s. xv on Italian parchment. For other manuscripts see Weisheipl, 'Repertorium', 180, no. 4. TK 984.

77

In four sections.

A

2° fo *differentes*.

On fol. 1 are 'Jo. Dee' and a title in Dee's hand: DM 114 in his catalogue (Roberts & Watson). On fol. 1 is the Digby/Allen inventory number 'A.121' and a title which may be in Allen's hand, but these items have not been identified in his catalogue. PA 3. 745.

1. TK 359. Fol. 36ᵛ is reprod. (reduced) by L. E. Voigts in *Book Production in Britain*, pl. 49; see also pp. 371–2.

2. A commentary, TK 1177, with the same prologue, is in MS. 153, fols. 102–47 and CUL, MS. Ee.1.22, but differing from that in other manuscripts of Petrus de Abano's text and from the printed editions of 1475 and 1482. L. Thorndike, *Bull. Hist. Medicine*, 29 (1955), 518–23, inclines to think that the present text is not that of Petrus.

B

2° fo *genij*.

On fol. 83 is Allen's number '34' (i.e. in the 4° section of his catalogue).

3. The date is s. xiii/xiv. Beg. 'Cum summa causa et prima ex altitudine'; cf. MS. 71, art. 6.

4. Beg. 'Ave maria... karissimi fratres, florente mundo sub lege nature.'

C

2° fo *omnibus*.

5. Perhaps the Meaux Abbey manuscript recorded in the 1396 catalogue in BL, MS. Cotton Vitellius C. vi (CBMLC, *Cistercians*, Z 14. 220b). Wlflete was probably the Master of Clare College, Cambridge: see Emden, *BRUC*. On fol. 149 is 'Fenton' in a hand of s. xv/xvi. On fol. 109 are Allen's number '73' (i.e. in the 4° section of his catalogue) and the Digby inventory number 'A. 144'. 'To Mr allen' on fol. 109 is also in MSS. 67, 104 and 191: see Watson, 'Allen', 292–3.

Petrus Lemovicensis, *Oculus moralis*. MS. O₅ in the critical edn. of the prologue and chapter 1 by R. Newhauser, 'Der "Tractatus moralis de oculo" des Peter von Limoges und seine exempla', *Exempel und Exempelsammlungen*, ed. W. Haug und B. Wachinger (Tübingen, 1991), 95–135, q.v. for a list of known manuscripts and for recent literature. See also J.-Th. Welther, *L'Exemplum dans la littérature religieuse et didactique du moyen âge* (Paris, 1927), 180–1 and n. 88; for early printings and attributions to other authors Lindberg, *Catalogue*, no. 99; Thompson, *Grosseteste*, 256 et seq.

5. (i) *IMEP 3*, 27. For the Middle English on fol. 148ᵛ see *IMEP 3*, 26–7.

D

2° fo lacking.

6–13. Fols. 150–97 are part of Merton College, MS. 251, where they were seen by John Bale (*Index*, 192). 'Quod Wyke'; is also in Merton MS. 251, fol. 157. In Allen's library the present arts. 6–7 and 8–13 were separate units, evidently reunited by Digby: in the present section, D, Allen's number '6' (i.e. in the 8° section of his catalogue) and the Digby/Allen inventory number 'A. 148' are on fol. 150. On fol. 165ᵛ are 'Thomæ Alleni' and 'Alleni liber'.

7. Lohr, 'Aristotle Commentaries (III)', 188–9; Clagett, *Mechanics*, 632, n. 3; †TK1058, 316. On Chilmark and Dumbleton see Emden, *BRUO*.

E

2° fo *[...] prout formaliter*.

On fol. 166 are Allen's number '53' (i.e. in the 8° section of his catalogue), 'Thomas Alenus', 'T. Allenus Anno domini 1563' and the Digby/Allen inventory number 'A. 150'. See note on D above.

9. A fragment of Richard Lavenham's *De decem generibus*. For other manuscripts see P. V. Spade, 'Notes on some manuscripts of logical and philosophical works by Richard Lavenham', *Manuscripta*, 19 (1975), 139–46, also idem, 'Five logical tracts by Richard Lavenham', *Essays in Honour of Anton Charles Pegis*, ed. J. R. O'Donnell (Toronto, 1974), 70–124.

10–13. Four of eleven short tracts by Walter Burley, Weisheipl, 'Repertorium', 193, no. 14(vi), 194 (14(ix), 14(x) and 14(ii), not listing this manuscript. 11 and 12 are †TK 756 and †TK 1397 respectively. For a list of the tracts, bibliographical references and list of other manuscripts, see Sharpe, *Latin Writers*, s.n. 'Walter Burley, *Notabilia de logicis*.'

78

2° fo lacking.

No Digby *ex libris*. The manuscript may have originated in the Bologna area in s. xvᵉˣ (cf. scribe's name and some watermarks) but may have been in Naples soon after (cf. the accounts on fol. 70ᵛ). Up to c. fol. 34 the horn watermark resembles Briquet 7673 (Reggio Emilia, 1394–5) and 7661 (Pisa, 1382–87; Reggio Emilia, 1383–94 etc.) but is closer to V. A. Moš & S. M. Traljïc, *Vodeni Znakovi* (Zagreb, 1957), 2, nos. 5035–7, of which 5037 is found at Bologna in 1381 and also in Reggio Emilia. The second horn watermark is close to Briquet 7672, which is found in Bologna in 1398 and elsewhere.

On fol. 70ᵛ is a 15th-century list of payments and recipes for 'madonna' in terms of *ducati*, and especially *carlini* (a Neapolitan coin) and *quattrini*. An *alfonsino* and *grossone* occur once. Payments are made to Messer Gonsalvo and Giovanni Dei among others. Designated MS. O² in V. Branca, *Tradizione delle opere di Giovanni Boccaccio* (Rome, 1958), 1. 95.

79

2° fo (fol. 2) *sicut igitur*; (fol. 9) *Utatur baluco*.

A collection of Salernitan medical treatises. Written in Italy, probably in the early thirteenth century, mostly in a scholar's hand; the only part in a professional bookhand is art. 6, fols. 82–105ᵛ. The quires are numbered at the beginning, in a contemporary hand, i, iii–xxvi. From quire iv (fol. 28) the quiring is straightforward but in the first three quires early alterations were made which are now very difficult to make out, especially since the leaves have been misbound. The original quire i is now fols. 7–14. Round it is bound the quire numbered iii (fols. 5–6, 15 (an inserted singleton), 16, 17, 26–7). Fols. 18–25 form a separate quire of 8 with text continued on fols. 26–7 which were presumably originally blank. The first four leaves are guarded and are followed by four stubs with visible sewing. Perhaps the leaves were cut off the stubs.

Fol. 1, which is damaged, begins with a series of short paragraphs of which the first beg. 'Signa vite vel mortis in pleuresi(?)'; the second beg. '...huiusmodi passionum principio.' The lower half of the page contains a poem in a different hand, of s. xiii(?), beg. 'Quid rerum redimiculi(?) | Quid vagus mundi spericus.' The original hand continues on fol. 1ᵛ. On fol. 4ᵛ there is a break half way down and the remainder of the page is filled with recipes, two in an English hand of s. xv. Macray speaks of four leaves at the beginning as damaged by damp; the damage continues on fols. 5 and 6. On fol. 5 the text continues, 'Dicimus ergo quoniam urina alba et subtilis significat defectionem' and runs on from fol. 6ᵛ to fol. 15, ending on fol. 17ᵛ, 'earum solutionem portendit.' In the bottom margin of fol. 5 is a recipe, 'Secundum archipresbiterum(?) unctio optime ad splenen sic fit.'

1. Quire 1 (fols. 7–14) is in the main hand of the manuscript, with red and blue initials. The text is a gynaecological tract, beg. 'P[r]evidi vobis scribere supervenientibus plurimis et diversis passionibus sepius de matrice, ex quibus alique periculose', and ends on fol. 8, 'utatur in pessum.' 'Afagaz' is written at the top and bottom of fol. 7ʳ. Fol. 8 continues with 'Theodorus Priscianus Octaviano filio. In hoc vero loco cum cogitationibus vacarem...Igitur nitrum et farinam mundam', and ends (fol. 9ᵛ) 'frigida vero stringunt.' This is Ps.-Theodorus *Additamenta*, in V. Rose's edn. of *Theodori Prisciani Euporiston*

(Leipzig, 1894), 340, but the text is in great disorder. It turns into a general collection of recipes: (fol. 9ᵛ last line) 'Apozima ad coleram expellendam per vomitum.' On fol. 11ᵛ is a recipe beg. 'Experimenta falere nescia Alfani medici. Medicina perfecta ad ficum...'. The recipes end on fol. 14 and a smaller hand has added 'oleum mathei campanini(?) medici qui cuidam iudici nobilissimo Salernitano suo amicissimo composuit ad ylii dolorem.' In the lower margin of fol. 20ᵛ is 'Panditur vitrea domus omnipotentis olimpi' (English, s. xiii). The 'Tractatus de urinis' on fol. 18 which Macray notes is TK 394.

2. Macray's heading should read 'Tractatus Johannis Platearii de urinis'. The text, TK 291, is only occasionally the same as that pr. by de Renzi, *Collectio Salernitana*, 4. 409–12. It is related to the *Regulae* of Maurus, ibid., 3.2–51, but is shorter.

3. Macray's heading should read 'Tractatus Mathei...'. TK 268.

4. TK 320. Continues on fol. 3ᵛ on oils, beg. 'Postquam dictum est de sirupis consequenter agendum est de oleis', cf. TK 426; on fol. 45ᵛ on waters, beg. 'Quoniam nonnulla dicenda sunt de aquis quarum usus utilis est'; on fol. 48ᵛ on opiates, beg. 'Opiatarum dupplex est effectus', and continues on other drugs. The last eight lines of fol. 52 are blank. On fol. 52ᵛ begins a series on powders and pills, etc., including (fol. 52ᵛ), 'Pillule a Matheo fer. Petrocello et Plateario artheticis composite' and 'Pullule archimathei ad artheticam', and (fol. 54ᵛ), '[T]heodoricon Euporiston magn' quo utebatur Soranus optimum ad omne vitium capitis'; on fol. 55ᵛ unguents, and on fol. 57 emetics, including '[v]omitus M. Bartholomei' and '[v]omitus Andree.'

5. The suggestion of TK 352 that this is the work of Bernard Gordon is dubious; it derives from H. O. Coxe's description of Oriel College MS. 4 in his *Catalogus Librorum MSS. qui in Collegiis Aulisque Oxoniensibus hodie adservantur* (Oxford, 1852). The piece ends (fol. 80) 'deter rubio. Explicit.' Fols. 80ᵛ–81ᵛ are filled with recipes in a contemporary Italian hand, including 'Unguentum M. Johannis Comete.'

6. By Bartholomaeus Salernitanus; TK 773.

7. TK 1615. On the development of this text see article by M. H. Green cited in note on MS. 29 art 4.

8–10 are one work, TK 230, 323; 329; †1620.

8. *De instructione medici secundum Archimatthaeum*. Pr. by T. Hunt, *Anglo-Norman Medicine. Volume II, Shorter Treatises* (Cambridge, 1997), 39–58. The rest of the page is filled by medical notes and a charm in the same hand.

9. Pr. by de Renzi, ibid. 5. 50–376, as *Practica Archimathei*. Our text agrees in the main with de Renzi to p. 368 para. 2. After that the order varies and the texts are not always the same. Our manuscript ends with a paragraph, beg. 'Pustule nascuntur in facie...' and ends 'curetur inungatur.'

10. After the explicit were entered *remedia* (fols. 144ᵛ–5ᵛ), and, in the bottom margin of fol. 145ᵛ, 'Si longas curas aliorum querere curas | Nostrum micrologum sperne vel adde rogum | Vis breve vis clare procedere nos [*sic*?] immitare. Et potes utiliter carpere solus iter. Multo enim sacius reor paucis utilibus rudes informare quam multis inutilibus eos pregravare...', ending 'Nec propter mendas metuet mordentis acumen.'

11. TK 203. On fol. 170ᵛ is a herbal in an English hand of s. xv which is also found on fols. 180ᵛ and 181. On fol. 171ᵛ is an Irish gloss (s. xvi?), 'Niaᵹail anso dambia' ('this is the rule...').

12. For other manuscripts containing this text see E. Wickersheimer, 'Bénédiction des remèdes au moyen âge', *Lychnos*, (1952), 98–101. The prayer is followed (fol. 75) by a series of recipes for *pillule*, including *Pillule m. Ursonis contra artheticam*, *Pulver Petruncelli*, and *Pulver Gregorii pape*. Cf. TK 410.

13. For Macray's incipit read 'Sicut irreverberata...'. According to TK 1494 the work is the *Lucidarius vel Almagest* of Bertrandus.

After art. 13, on fol. 177, is Hippocrates, *Epistola de phlebotomia*, beg. 'Peri flebotomia id est recta vene incisio...' ending (fol. 178), 'ut flebotometur. Explicit liber flebotomie', Kibre, *Hipp. Lat.*, pp. 154–5 (xx, *Epistolae*, not noting this copy); TK 1035. It is followed by recipes.

14. In the translation of Thomas Cantimpratensis, pr. by J. P. Pitra, *Spicilegium Solesmense* (1855), 3. 335–7, and from this manuscript by J. Evans, *Magical Jewels* (Oxford, 1922), 235–8; and see Thorndike, *History*, 2. 389–92, 399–400. A slightly extended text is in MS. 193, art. 14. TK 616, 729.

15. Thorndike, *History*, 1. 578. After 'meliora' the title continues 'ut nobis visum est ad singulas egritudines vel saltem ad plures. A\l/apica est habet hec ex superhabundantia cuiuslibet quatuor humorum...', ending (fol. 192ᵛ) 'miscebitur totum et uteris. Explicit.' The foot of the page and fol. 193ʳᵛ are filled with recipes, including 'Balneum secundum lumbardum ad artheticos.'

16. TK 1161; *IMEP 3*, 27–8.

In the upper margin of fol. 180ᵛ, in the hand of fol. 170ᵛ, is 'Ars etas regio virtus complexio forma | Hec sunt petenda medico purgare volenti', and in the upper margin of fol. 181ᵛ, in the same hand, 'Febris acuta tpisis pedicen scabies sacer ignis' (2 verses).

After art. 16, on fol. 212, are recipes in English hands, including *Experimentum cuiusdam magistri fratris predicatoris contra quartanum* (s. xiii) and 'For Oile of Exceter' (s. xv). On fol. 212ᵛ, in an English hand of s. xv, are 'Non gaudeant malo regimine utentes quia si in presenti non sedantur futura tamen pericula euadere...'; 'Qui non est hodie', *Sent*. 24398; 'Principiis obsta', *Sent*. 22418. Also on fol. 212ᵛ, legible in part by ultraviolet light, is 'Ab anno incarnationis domini nostri Iesu Christi qui est MCLXXIXᵘˢ usque in vii annos mensis

Septembris sole existente in libra erit si deus voluerit coniunccio omnium planetarum in libra et cauda draconis ibidem admirabilis rerum mutabilium mutationis significativa. Sequitur enim terremotus mirabilis et destruit(?) loca(?) <...> consueta perdicionis per Saturnum et Martem manentes in signis aereis et erit mortalitas et infirmitas et eadem coniunctio ostendet ventum validum denigra<...> a<...> et obscurum <...> redde(?) venenis infectum(?). Et in vento vox terribilis destruens corda hominum. Et a regionibus harenosis sablonem accipiens h<...> vitare(?) pruinas(?) in planicie sitas cooperiet et primo civitates orientales(?) et(?) Methan Bal<...> Babiloniam et omnes(?) harenosis locis proximas civitates. Nulla quidem earum evadet que harenis et terra non operiatur. Signa autem istius re(?) precedent. Erit enim in eodem anno antequam planete conveniant <...> eclipsis solis qua totum corpus illius obscurabitur in oppositione precendenti<...>. Luna tota pacietur eclipsim. Et erit eclipsis solis ignei coloris et deformis ostendens maximum futurum bellum cum effusione sanguinis prope fluvium in(?) terra(?) orientis et similiter in parte occidentis(?) et cadet dubietas et ignorantia inter sarracenos donec relinquant penitus sinagogas et mahumerias et(?) eorum secta prorsus iussu dei adnullabitur unde vobis notum quando eclipsim(?) videritis cum omnibus vestris a terra creatis <...> per viam(?).' Below is a herbal recipe in another hand (s. xiii¹) and 'Scire loqui decus est' (s. xv).

80

2° fo *inest inconstantia*.

The foliation is now ii+62 fols. and the date s. xv³/⁴. Written in Naples. Watermark: ladder, nearest to Briquet 5904 and 5908 (both found in various Italian towns in 1450s and 1460s). The artist of this volume decorated Manchester, John Rylands University Library, MS. Lat. 59, Munich, Clm 809, and a manuscript sold at Sotheby's on 2 May 1979, lot 1104. PA 2. 369 (pl. XXXVI reprod. part fol. 1, reduced).

81

The volume consists of six separate manuscripts, (A), (B), (C), (D) and (E)+(F) being units in Allen's library.

A

2° fo *Una enim*.

On fol. 1 are Allen's number 83 (i.e. in the 4° section of his catalogue) and the Digby/Allen inventory number 'A.97.'

In one English hand, s. xv, perhaps that of Johannes de Marisco, for whom cf. Emden, *BRUC* and *BRUO* (Marsh, John). William Dussyng also owned BL, MS. Harley 80 and Dublin, Trinity College, MS. 441. For him see J. & J. A. Venn, *Alumni Cantabrigienses part I*, 4 vols. (Cambridge, 1922–27).

On fol. 62ᵛ is 'John Thinni', s. xvi², and on fol. 65ᵛ pen trials include 'Anthony Asheley' (s. xvi/xvii).

1. TK 1577, 1524, but ours is a heavily abbreviated version, continuing, nevertheless, for a further 24 lines beyond the text ed. by L. Thorndike, *The Sphere of Sacrobosco* (Chicago, 1949), 76–117, and ending 'In modo istius climatis situatur Parisius et si ultra idem clima sunt plures insule non ty' computantur sub climatibus.'

2. A mixture of prose, TK †244, and verse as in art. 6. For Thomas of Newmarket see Emden, *BRUC*. 'Filius esto dei' (*Init.* 6525) comes on fol. 9.

3. †TK 328.

4. It is in fact a commentary on Alexander de Villa Dei, *Massa compoti*. TK 1005, 167.

5. †TK 1039; *Init.* 14067.

6. Beg. 'Cisio Janus ephi Lucianus.' See Wordsworth, *Kalendar*, 121 et seq.

B

2° fo (fol. 68) *lviii*.

On fol. 67 are Allen's number '7' (i.e. in the 8° section of his catalogue) and the Digby/Allen inventory number 'A.158.'

7. Pr. by T. Hearne, *Remarks & Collections vol. 5* (OHS, 42; 1901), 161; and see H. P. R. Finberg, *Tavistock Abbey*, 2nd edn. (Newton Abbot, 1969), 222 n. 7.

C

2° fo lacking.

A separate booklet, with section (B) forming Allen's MS. 8° 7 but not certainly united with it before his time.

9. MS. D in the edn. by L. T. Martin, *Somniale Danielis* (Frankfurt am Main, Berne, Cirencester, 1981); our manuscript described 18–20. Our text is the b version.

D

2° fo *gulis climatibus*.

On fols. 101 and 102 is Allen's number '82' (i.e. in the 4° section of his catalogue).

10. TK 975. The date is s. xv. A critical edn., noting but not using this manuscript, is by S. Caroti & S. Zamponi, *Speculum astronomie* (Pisa, 1977), 1–48. The note at the end, on fol. 116ᵛ, as quoted by Macray, is in Allen's hand.

E

2° fo *nombre*.

On fol. 118 is Allen's number '49' (i.e. in the 8° section of his catalogue).

11. PA 1. 770.

F

2° fo *annus solis*.

12. From Durham Cathedral Priory: on fol. 133 is the inventory-letter C and 'spendement' (s. xv). See Mynors, *Durham Cathedral MSS.*, no. 24. According to E. W. B. Nicholson's note, pr. by H. M. Bannister, *Mélanges offerts à M. Émile Châtelain* (Paris, 1910), 142, 'The paschal cycle on fol. 135 is for 532–1063.

The Easter tables on ff. 136, 136ᵛ are for the three cycles 988–1006, 1007–25, 1026–44. They were accordingly copied not later than 1006, and marks against the concurrents of 993 and the date of Easter 994 show that they were in use as early as 993.'

(i) beg. 'Annus solis continetur' with neums (TK 106); see list of manuscripts in A. Cordoliani in *Annuario de estudios medievales*, 3 (1966), 81. (ii) TK 1310. The text for the paschal cycle on fol. 135ᵛ (see above) beg. 'Cyrculus pascae magnus est.' (iii) *Init.* 8419, this copy only, and no more than the rubric to Wandelbert of Prüm, *Horologium secundum*, TK 829 (in Macray *recte* 'Linea que jani' and not 'que jam'). Watson, *DMO*, pl. 18, reprod. part of fol. 138ᵛ.

82

2° fo *Hoc opus*.

On fol. 1 is Allen's number '5' (i.e. in the 8° section of his catalogue). On fol. 2 are '5' and the Digby/Allen inventory number 'A.113'.

1. (i) For Macray's incipit read 'Grex borealis enim...'.

2. Pr. by T. Hearne, *Remarks and Collections vol. 5* (OHS, 42; 1901), 162, and H. Ellis, *Archaeologia*, 17 (1814), 226–7. *IMEP* 3, 28.

3. J. Taylor, *The Universal Chronicle of Ranulf Higden* (Oxford, 1966), 159. Verses are interspersed, including (fol. 2): 'Longa solent sperni', *Sent.* 13942 line 1, followed by 'Queque novella placent inveterata tacent'; 'Si socium queris', *Sent.* 29182.

7. *Init.* 883. Other verses are: (fol. 47ᵛ) 'Dum surgunt miseri', *Sent.* 6740; 'Asperius nichil est', *Sent.* 1565.

8. *Init.* 13360.

9. Also (fol. 49ᵛ) 'Qui se commendat', *Sent.* 24669a; 'Nemo diu mansit', *Sent.* 16335; 'Quod tibi vis michi fac', *Sent.* 26090; 'Commoda si queris', *Sent.* 2981.

11. Also (fol. 52ᵛ) 'Signa pudicicie', *Sent.* 29615a; 'Tempore dilatus longo pudor inveteratus. Anglice shame eldythe'; 'Si capis uxorem non sis cecus per amorem | Bis duo nitaris inquerere ne capiaris | Si sit formosa, si sanguine sit generosa | Diviciis plena nuper virtute serena'; 'Sint eius mores cunctis rebus meliores'; 'Sint oculi casti maneat tua lingua pudica | Tu supplex ora, tu protege tuque labora | Pectora casta gere cum castis vivere quere | Casti gaudebunt quia Christi membra videbunt'; 'Quod male filatur sub tegmine fine probatur'.

19. Also (fol. 65ᵛ) 'Est tuus Anna pater Isachar.' 'Nasaphat tua mater | Est Isachar iustus Anne pater iste vetustus | Nasaphat en ego sum fructum peperi generosum'; 'Adde Jesus fine quociens tu dixeris ave' (2 verses); 'Anna solet dici', *Init.* 1060; 'Unde superbit homo Sitit', *Sent.* 32167; (fol. 66ᵛ) 'Virtutes mores famam res corpus honores' (2 verses) cf. *Sent.* 33722 'Ovidius. Nescio quid sit amor', (2 verses) *Sent.* 16531; 'Colloquium visus', *Init.* 3034, *Sent.* 2956 line 1, followed by 'Sunt fomes Veneris hec fuge tutus eris'; 'Adam Sampsonem', *Init.* 502, *Sent.* 519.

21. Also (fol. 69ᵛ) 'Alea vina venus faciunt', cf. *Sent.* 772–3; 'Alea bachus amor', cf. *Sent.* 764; 'Colloquium visus contactus' cf. *Sent.* 2956a; (fol. 70ᵛ) 'Aspectus scul[p]tum testis', *Sent.* 1543a.

23. Also, (fol. 71ᵛ) 'Tristi [*sic*] cor ira frequens', *Init.* 19445.

83

2° fo *greci vero*.

On fol. vᵛ is '2° fo. greci vero Vs' (s. xv²). On fol. iv are 'Roberte Colshill', twice, and 'qui ne ay ne peult Roberte Colshyll' (s. xviᵉˣ). His hand is also on fol. 77, and there and on fol. 78 are pen trials in an English legal hand of s. xvi². On fol. 1 is also Allen's number '15' (i.e. in the 8° section of his catalogue) and on fol. vᵛ is the Digby/Allen inventory number 'A. 200.' On fol. 1 are Digby's motto and name.

The date is s. xiiᵐᵉᵈ.

For a description see Saxl & Meier, *Catalogue*, 3/1. 345–7. See also bibliography in PA 3. 196, to which should be added P. McGurk, *Catalogue of Astrological and Mythological Illuminated Manuscripts...: IV Astrological Manuscripts in Italian Libraries* (London, 1966), xxiii; A. van Vyver in *Osiris*, 1 (1936), 689 et seq.; J. Millas Vallicrosa, *Assaig d'història de les idees fisiques i matemàtiques a la Catalunya medieval* (Estudis Universitaris Catalans, Sèrie monografica, 1; Barcelona, 1931), 259–67, no. 74; Sister W. Fitzgerald, 'Nugae Hyginianae', *Essays in Honour of Anton Charles Pegis*, ed. J. R. O'Donnell (Toronto, 1974), 196–7; *English Romanesque Art 1066–1200. [Catalogue of Exhibition at] Hayward Gallery London* (London, 1984), no. 40, part of fol. 52 (reduced); S. Lo Martire, 'Testo e immagine nella Porta dello Zodiaco', *Dal Piemonte all' Europa: Esperienze monastiche nella società medievale*, (34 Congresso storico subalpino, Torino 27–29 maggio 1985; Turin, 1988), 431–74, at 438–9 and figs. 13, 14 (fols. 67, 50ᵛ). PA 3. 196 pl. xix reprod. parts of fols. 47, 62ᵛ, reduced.

'Quicumque mundane...' is TK 1237.

84

2° fo *Hic autem*.

On fol. 1 are Allen's number '71' (i.e. in the 4° section of his catalogue), the title in his hand and the Digby/Allen inventory number 'A.82'.

Fauser, *Albertus Magnus*, 197, no. 17. TK 430.

85

2° fo *Et sciendum*.

Probably written in England, s. xv. On fol. 5 are Digby's motto and name.

On fol. 4ᵛ is 'prec. xiijˢ iiijdᵈ' (s. xv). The script is a mixture of anglicana and secretary forms; letters d and a are always anglicana, r is usually anglicana, g is always secretary, e is usually secretary. For the watermark on fols. 135/143 cf. Briquet 12181 (Maastricht, 1435, etc.).

The fragments of Raymundus de Peñaforte (fols. 1–4, 190–93) written above top line, Diaz, 1772, were probably originally wrappers. In the margin of fol. 4ᵛ is an erased list of contents, legible under ultraviolet light, 'In isto quaterno continentur primo ars generalis. 2 lectura. 3 de modo applicandi logicum iure [*sic*] et medicine. 4 compendium veteris et nove logice. 5 questio super art'. 6 de astronomia et medicina. 7 de medicina. 8 de gradibus.'

1. Beg. 'Racio quare ponitur iste tabula' (not as Macray); Diaz, 1772.

2. Beg. 'Lectura ad declarandum artem generalem'; Diaz, 1820.

3. *Liber de regionibus et infirmitatis*; Diaz, 1815; TK 1300.

4. The incipit continues 'Volo intelligere quid significat.' †TK 1241.

6. *Liber principiorum medicinae*. Diaz, 1741; TK 1291.

7. TK 496.

8. Glorieux, *Rép.*, no. 333jy (Ps.-Lull). The Latin commentary on fol. 189ᵛ is to the Catalan version of the *Cantilena*, without the Catalan text; D. W. Singer, *Catalogue of Latin and Vernacular Alchemical Manuscripts*, 3 vols. (Brussels, 1928–31), 805iv. TK 92; not Diaz.

86

2° fo *en vente*.

For a complete facsimile see *Facsimile of Oxford, Bodleian Library, MS. Digby 86*, with an introduction by Judith Tschann & M. B. Parkes (EETS, ss 16; Oxford, 1996). The editors' introduction, generously made available during the late stages of the present work, contains much fuller details on all aspects of Digby 86 than are given here and reference to it is essential; to facilitate consultation, their item-numbers, preceded by 'TP', are added here after the Macray references. For counter-arguments to some of the editors' points see M. Corrie, 'The Compilation of Oxford, Bodleian Library, MS. Digby 86', *Medium Ævum*, 66 (1997), 236–49.

On the make-up, date, origin and early owners see also B. D. H. Miller, 'The early history of Bodleian MS. Digby 86, *Annuale Medievale* (Duquesne Studies, 4, 1963), 23–56. An early attempt to identify the texts in the book, still useful because of the texts printed, is E. Stengel, *Codicem manu scriptum Digby 86 in Bibliotheca Bodleiana asservatum descripsit Dr E. Stengel* (Halle, 1871), and references to it are included below. Watson, *DMO* pl. 125, reprod. part of fol. 183ᵛ; PA 3.470 refers.

On fol. 1 are Allen's number '1' (i.e. in the 8° section of his catalogue) and the Digby/Allen inventory number 'A.100'.

It is generally agreed that the manuscript is a miscellany compiled by and mostly in the hand of a layman (who, Tschann and Parkes suggest, may have been a lawyer or someone involved in the management of an estate), the only recent dissidents from belief in lay owners being D. L. Jeffrey & B. L. Levy, *The Anglo-Norman Lyric: an Anthology* (Institute of Pontifical Studies, Studies and Texts, 93; Toronto, 1990), who believe that it is a friar's preaching manual. The date usually assigned to the book and accepted by Miller is 1272 × 1282. This is based on art. 77 (TP *92), an added list of the kings of England which runs as far as the tenth regnal year of Edward I, 1281–2, but Tschann and Parkes point to difficulties in interpreting the evidence and commit themselves only to a belief that 'the whole collection was copied, assembled and supplemented in the last quarter of the thirteenth century and, perhaps, the earliest years of the fourteenth century.'

Most of the manuscript was copied by the first owner-scribe, A, not all at one time but including headings, decoration and corrections which cover the section written by Scribe B, who wrote only fols. 81–96. For additions by scribes of s. xivᵐᵉᵈ to s. xivᵉˣ see Tschann and Parkes arts. *98–*101. On the make-up of the book see also their pp. xli–l.

The area where the book was produced and where it spent the early years of its existence can be deduced from obits added to the calendar and from pen trials. The obits are of 'Alexander de Grimehill' (Scribe A), 'Amicie uxoris symonis Vnderhill' and Simon Underhill (s. xiv¹), and a significant pen trial contains the name of Robert de Penedok: Grimhill, Underhill and Pencock are all names of southwest Worcestershire. Further, the calendar of saints on fols. 68ᵛ–74, though devotional and not liturgical in purpose, is based on the liturgical calendar of the diocese of Worcester, and Laing, *Catalogue*, 130, states that the language of the texts is congruent with later south Worcestershire/Gloucestershire material. It is not known how long the book remained in Worcestershire before coming to Oxford where (presumably) it was acquired by Thomas Allen, but possible connections between members of the Underhill family and Oxford (see Millar, 38, and Tschann and Parkes, lix) suggest that that could have been as early as the 1370s or as late as the second half of the sixteenth-century.

1–3. Longer versions are in MS. 20, art. 22.

1(i) (TP 1). *Distinccio peccatorum*, beg. 'Set morteus pecches sount. Li premer est orgoil.' Followed by (fol. 3) *Si commencent les set morteus pecches. De orgoil* beg. 'Si hounques mesprit vers deu'. Stengel, no. 1(a, b); Vising, no. 166; M. Bloomfield, *The Seven Deadly Sins* (East Lansing, MI, 1952).

1(ii) (TP 2). Beg. (fol. 4ᵛ), 'Pus deyt demaunder si il ounques.' Stengel, no. 1(c); Vising, no. 168; Bloomfield (as 1(i) above), 170, 387–8.

2. (TP 3, 4). Beg. 'Dis comaundemenz sont. Le premer comaundement', Stengel, no. 1(d); Vising, no., 166.

Followed by the Twelve Articles of Faith, beg. 'En apres deuez sauer. qui douze articles sount en la fey de seint eglise', Stengel, no. 1(e); Vising, no. 166.

3. (TP 5, 6). Beg. 'Set sacremens sount ceo est a sauer'; Stengel, no. 1(f); Vising, no. 166. Followed by a formula for confession beg. (fol. 7), 'A deu e a ma dame seinte marie', Stengel, no. 1(g); Vising, no. 168; Sinclair, *Devotional Texts*, 2387.

4. (TP 7). Ps.-Hippocrates; Kibre, *Hipp. Lat.*, p. 226 (XLVI, *Regimen sanitatis*). For the letter see T. Hunt, *Popular Medicine in Thirteenth-century England* (Cambridge, 1990), ch. 3. On pp. 104–5 he lists the recipes in this manuscript and prints some on pp. 140–41. Ed. from Vatican, MS. Reg. lat. 1211 by O. Södergard, *Une lettre d'Hippocrate d'après un manuscrit inédit* (Acta Universitatis Lundensis, Sectio 1 Theologica Juridica Humaniora, 35; Stockholm, 1981). Stengel, no. 2; *IMEP 3*, 75, records English recipes on fol. 16, an added leaf. For additions by Scribe A see TP *82.

5. (TP 8). Ed. M. Gosman, *La Lettre du prêtre Jean* (Mediaevalia Groningana, 2; Groningen, 1982). Stengel, no. 3. The same text is found in a roll of about the same date which is now MS. 12692 in Shrewsbury, Shropshire Libraries, Local Studies Department; see N. R. Ker & A. J. Piper, *Medieval Manuscripts in British Libraries*, 4 (Oxford, 1992), 287 (art. 4). Vising, no. 70; TK 298, 1084.

6. (TP 9i). Sonet, *Répértoire*, no. 122; Sinclair, *Prières*, no. 122; Sinclair, *Devotional Texts*, no. 2619; Naetebus, VIII. 74; Stengel, no. 4. Jeffrey & Levy, no. 6, pr. from Cambridge, Jesus College, MS. Q.B.4, which differs from our text at beginning and end.

7. (TP 9ii). Attrib. to Maurice de Sully, bp. of Paris. Stengel, no. 5; Vising, no. 94; Sinclair, *Devotional Texts*, no. 2490, 3221; Sinclair, *Prières*, no. 663.

8. (TP 9iii–vii). Beg. 'Deu omnipotent si cume ieo crei verement', Stengel, no. 6, Sonet, *Répertoire*, no. 1216. See Sinclair, *Prières*, no. 1216, and also no. 1991. (Sonet, no. 1972, beg. 'Sire Dieu omnipotent' and is another variant; cf. Sinclair, *Prières*, nos. 1972, 1991.) On fol. 27ᵛ are also (TPiv) 'Gloriouse dame seinte marie...', Sonet, no. 663, Sinclair, *Prières*, no. 663, and (TPv) 'Oracio. Omnioun opifex deus qui nos abrutis racionem...', Stengel, no. 7. On fol. 28 is (TPvi) *Oracio ad sanctam mariam*, beg. 'Douce Dame seinte marie virgine', Stengel, no. 8; Sinclair, *Devotional Texts*, no. 2781. Followed by (TPvii) 'Omnis virtus te decorat'; Chevalier, *RH*, no. 31302.

9. (TP 10–11). Stengel, no. 9; Vising, no 319.

10. (TP10). Beg. 'Si fuerit ventus validus in nocte natalis domini. In hoc anno reges et pontificeiis [*sic*]'; cf. TK 1450 and see Thorndike, *History*, 1. 678. Stengel, no. 9. For additions by Scribe A see TP *83.

11. (TP 12). For edn. see note on MS. 81, art. 9, above. Stengel, no. 10; TK 141, †363. See Thorndike, *History*, 2. 294.

12. (TP13). Thorndike, *History*, 1. 678–9. Stengel, no. 11; cf. Vising, no. 305.

13. (TP 14). Thorndike, *History*, 1. 680–2. Stengel, 8–9, refers to BL, MS. Royal 16 E. viii, fol. 145ᵛ, 'Phases of the moon proper for any business.' That manuscript has been missing since 1879. For additions by Scribe A see TP *84.

14. (TP 15). Thomson, 'Trial Index', O-4, gilding, by attrition; gilding, burnished with leaf; ink, sympathetic, magic, etc. Stengel, no. 13.

15. (TP16–18). Beg. 'Quindecim singna quindecim dierum ante diem judicii inuenit sanct geronimus in analibus libri ebreorum.' Stengel, no. 14; TK 557. Cf. art. 35 below. For additions by Scribe A see TP *85.

16. (TP19). Stengel, no. 15; Vising, no. 311. For additions by Scribe A see TP *86.

17. (TK 20). The fifteen Gradual Psalms (119–33), with collects. Stengel, no. 16. For an addition by Scribe A see TP *87.

18. (TP 21). The seven Penitential Psalms (6, 31, 37, 50, 101, 129, 142 in Vulgate numeration), and antiphon 'Ne reminiscaris domine dilecta nostra.' For an addition on fols. 66ᵛ–7, a list of masses for an efficacious trental, see TP *88.

19. (TP 22). Sonet, *Répértoire*. no. 1818, cancelled by Sinclair. Sinclair, *Devotional Texts*, no. 3567; Stengel, no. 17. Between arts. 19 and 20, on fols. 68 and 67ᵛ, are lists of arabic numerals, headed 'le abite de augrim', TP 24.

20. (TP 23). Beg. 'Ceo est a sauer ki en geniuer.' It occurs again after item 56. P. Meyer, *Jahrbuch für romanische und englische Literatur*, 7 (1866), 49 et seq., pr. four similar pieces. Stengel, no. 18; Vising, no. 307; Thorndike, *History*, 1. 685–9.

21. (TP 25–6). Analysed by Miller, op. cit., 44–9. For comments on the feasts in Scribe A's hand see TP *89. Followed by directions for calculating moveable feasts. Stengel, no. 19.

22. (TP 27). The *Disciplina clericalis* of Petrus Alphonsi, in the earliest French version. French text ed. by E. D. Montgomery, *Le Chastoiement d'un père à son fils* (Chapel Hill, VA, 1971); Latin text pr. *PL* 157. 671–706 and ed. A. Hilka & W. Söderhelm (Heidelberg, 1911); Diaz 892; Stengel, no. 20; Långfors, 208; Vising, no. 54. This is the earliest French version.

23. (TP 28). Raoel de Houdenc, *Le voie d'enfer*, ed. A. Jubinal, *Mystères inédits du xvᵉ siècle* 2 (Paris, 1842), 384–403, and M. T. Mihm, *The Songe d'Enfer of Raoul de Houdenc: An Edition Based on All the Extant Manuscripts* (Beihefte zur Zeitschrift für romanische Philologie, 190; Tübingen, 1984). Stengel, no. 21; Långfors, 132–3.

24. (TP 29). The only known copy, entitled by Långfors, 22–3, 'La bonté des femmes'. Pr. by Meier-Ewart, 214–8. Stengel, no. 2; Vising, no. 279.

25. (TP 30). Huon de Saint-Quentin, *La complainte de Jerusalem*, Långfors, 352; Naetebus, XXXVI. 6. The last strophe (pr. by Stengel, no. 23 and p. 106–25), fols. 104ᵛᵇ–5ʳᵃ of this manuscript, does not belong to this work but is a single strophe

from *Les vers de la mort by Helinandus*, no. 49 in edn. by F. Wulff & E. Walberg (Soc. des anciens textes français, 50; Paris, 1905). Långfors, 352.

26. (TP 31). By Robert Biket; pr. by C. T. Erikson, *The Anglo-Norman text of* Le lai du cor (Anglo-Norman Text Society, 24; Oxford, 1973). On the scansion see D. R. Howlett, *The English Origins of Old French Literature* (Blackrock, Co. Dublin, Ireland, 1996), 123–5. The only known copy. Långfors, 111; Stengel, no. 24; Vising, no. 40.

27. (TP 32). The only known copy; pr. by Stengel, no. 25; pr. by Meier-Ewert, 219–20. Långfors, 93; Vising, no. 269.

28. (TP 33). Thibaud d'Amiens, *La priére Nostre Dame*; ed. B. Woledge, *Penguin Book of French Verse 1* (Harmondsworth, 1961), 131–9. Stengel, no. 26; Sinclair, *Devotional Texts*, no. 2977.

29. (TP 34). Pr. by Meier-Ewert, 221–7, and from BL, MS. Harley 978, by C. L. Kingsford, *The Song of Lewes* (Oxford, 1890); Långfors, 140; Stengel, no. 27; Vising, no. 266.

30. (TP 35–7). Fol. 113ra/1–113vb/11, *Les 4 souhes de S. Martin*, ed. W. Noomen & N. van den Boogaard, *Nouveau recueil complet des fabliaux*, 4 (Assen, 1982) no. 31, beginning abruptly at line 44 'Toust auez huy iornee feste'; also ed. B. J. Levy, *Selected Fabliaux* (Hull, 1976), 8–14; Långfors, 435. Fols. 113vb/12–114ra/4 are the last 26 verses of *Le blame des femmes*, close to BL, MS. Harley 2253, fol. 111, pr. in *Reliquiae Antiquae*, ed. T. Wright & J. O. Halliwell, 2 (1843), 218–23, at 222/33 'Nest mie sage que femme creit' to 223/21 'Taunt ad en femme mal affere'. The resemblance of the Digby text to that in CUL, MS. Gg.1.1, ed. G. K. Fiero *et al.*, *Three Medieval Views of Women* (Yale, 1989), 120–42, seems to be slight. Stengel 38/8–39/3; Långfors, 325; Vising, no. 40. Fols. 114ra/5–24 are 25 lines of *Le Chastie-Musart*, ed. Noomen & van den Boogaard, 4, 410. Naetebus, VIII. 41; Stengel, no. 28.

31. (TP 38). The only known copy. Pr. Meier-Ewert, 228–37. Långfors, 189; Naetebus, Anhang III.1; Stengel, no. 29; Vising, no. 270.

32. (TP 39). From Robert Grosseteste's *Le Chasteau d'amour*; ed. J. Murray, *Le Chasteau d'amour* (Paris, 1918); Thomson, *Grosseteste*, 152 et seq.; Långfors, 313–14; Stengel, no. 30; Vising, no. 289.

33. (TP *90). Attributed to John of Howden. Stengel, no. 31; Chevalier, *RH*, no. 13224. There are 39 verses. Added by Scribe A.

34. (TP 40). The earliest known text. Stengel, no. 32; *IMEV* suppt., 1850.5.

35. (TP 41). Ed. by F. J. Furnivall, *Hymns to the Virgin and Christ*, EETS, 24 (1867), 118–25. Severs & Hartung, *Manual*, 9, 3047–8; Stengel, no. 33; *IMEV* 796, 1823.

36. (TP 42). Stengel, no. 34; *IMEV* and suppt. no. 211. Severs & Hartung, *Manual*, 1, 120,2.

37. (TP 43). Pr. from this manuscript by H. Varnhagen, *Anglia*, 3 (1880), 59–66. This has normally been regarded as the earliest and basic text, but

J. B. Monda, '"The sayings of St. Bernard" from MS. Bodleian Additional E. 6', *Mediaeval Studies*, 32 (1970), 299–307, at 301, notes that MS. Add. E. 6 (*SC* 30314), of a date close to MS. Digby 86, has the advantage of not including a spurious second stanza. See also the next item. Stengel, no. 35; *IMEV* and suppt., 3310, 2865.

38. (TP 44). Severs & Hartung, *Manual*, 9, 3008–9; pr. by M. S. Luria & R. L. Hoffman, *Middle English Lyrics* (New York, 1974), no. 12; Duncan, *Lyrics*, no. 47, from this manuscript. J. E. Cross, 'The Sayings of St Bernard and "Ubi sount qui ante nos fuerount"', *Review of English Studies*, NS 9 (1958), 1–7, has remarked on the printing of the text from this manuscript in recent anthologies as a separate poem but argues that art. 37 above and this poem form one poem, on the grounds that Digby 86's insertion of the rubric 'Ubi sount' is unique among the six manuscripts that contain the verses, that it may have been inserted by the scribe in error or, as an important theme, deliberately, but that in either case it should not be regarded as proving that what follows is a separate poem. Stengel, no. 36; *IMEV* and suppt., 3310 (with art. 37).

39. (TP 45). Pr. by Duncan, *Lyrics*, no. 91, from this manuscript; Stengel, no. 37; *IMEV* and suppt., 3211.

40. (TP 46). Stengel, no. 38; *IMEV* 1229, 3607.

41. (TP 47). This item described by P. Whiteford, *The myracles of Oure Lady*, ed. from Wynkyn de Worde's edn. (Middle English Texts, 27; Heidelberg, 1990), 100. Stengel, no. 39; *IMEV* 1840.

42. (TP 48). The English beg. (line 7) 'Hounsele gost wat dest þou here', *IMEV*, 3828. This poem ends on fol. 134va/16 and is followed by stanzas 1–3 of *IMEV* suppt., 3236, 'Swete Iesu king of blisse', pr. by J. A. W. Bennett & G. V. Smithers, *Early Middle English Verse and Prose* (Oxford, 1966), 131 (see also 334); also by Duncan, *Lyrics*, no. 67, from this manuscript. Stengel, no. 40.

43. (TP 49). The earliest known text. Stengel, no. 41; *IMEV* 1115.

44. (TP 50). *The Thrush and the Nightingale*; pr. by Luria & Hoffmann, no. 59. Stengel, no. 42; *IMEV* and suppt., 3222.

45. (TP 51). The only known copy; pr. by Bennett & Smithers (op. cit. art. 42), no. 5, and see also 297–307. Stengel, no. 43; *IMEV* and suppt., 35.

46. (TP 52). *The Proverbs of Hending*. Unlike the version in BL, MS. Harley 2253, but in common with BL, MS. Add. 11579, the text in our manuscript ends with verses 160–3 of *The Proverbs of Alfred*, replacing the last six lines of the Harleian text and ending with verses 160–63 of *The Proverbs of Alfred*. Stengel, no. 44; *IMEV* and suppt., 1669.

47. (TP 53). Långfors, 161, 145; Naetebus, op. cit. LXVI; Stengel, no. 45.

48. (TP 54). Ed. E. Ronsjö, *La Vie de Saint Nicolas par Wace* (Etudes romanes de Lund, 5; Lund, 1942). Långfors, 3; Stengel, no. 46.

49. (TP 55i). Cf. Chevalier, *AH*, 2270. Stengel, no. 47(a).

50. (TP 55ii). Ed. C. Wordsworth, *Horae Eboracenses*, (Surtees Soc., 132, 1920) 64 (in full). Stengel, no. 47(b).

51. (TP 55iii). *Init*. 16515; Chevalier, *AH*, 17165. Stengel, no. 47(c).

52. (TP 56). *Ragemon le bon*; pr. by A. Långfors, *Un Jeu de societé au moyen âge, Ragemon le Bon* (Annales Academiæ Scientiarum Fennicæ, ser. B, 15, no. 2, 1920; Helsinki, 1921–2); pr. by Meier-Ewert, 238–4. Långfors, 98; Naetebus, XL.7; Stengel, no. 48; Vising, no. 151.

53. (TP 57). Pr. by Duncan, *Lyrics*, no. 38. Preserved with music in MS. Rawl. G. 18, fol 105ᵛ and BL, MS. Arundel 248, fol. 154. Stengel, no. 49; *IMEV* and suppt., 4223.

54. (TP 58). Stengel, no. 50; *Init*. 6492.

55. (TP 59). The only known copy: Severs & Hartung, *Manual*, 9, 3158–9. Pr. by Bennett & Smithers (above, art. 42), no. vi, and see also 303–12. Stengel, no. 51; *IMEV* and suppt., 342.

56. (TP 60). A charm invoking names for a hare; the only known text; Stengel, no. 52; *IMEV* 3421. After this comes the piece noted by Macray at art. 20 above (TP *91); Stengel, no. 53.

57. (TP 61). *L' Assumption de Notre Dame*, attrib. to Hermann de Valenciennes. Långfors, 377; Stengel, no. 54.

58. (TP 62). *Le Doctrinal sauvage*. Q in the edn. by A. Sakari, *Doctrinal sauvage* (Studia Philologica Jyväskyläensia, 3; Jyväskylä, 1967); Långfors, 394, 377–8; Stengel, no. 55.

59. (TP 63). *Le Sermon du siècle*, by Guischart de Bealieu or Beauliu; MS. O in the edn. by A. Gabrielson, *Le Sermon de Guischart de Beauliu* (Uppsala & Leipzig, 1909). Långfors, 134; Stengel, no. 56; Vising, no. 22.

60. (TP 64i). Sonet, *Répértoire*, no. 145; Sinclair, *Prières*, no. 145. Meier-Ewert, 171–203; Långfors, 36–7; Stengel, no. 57; Vising, no. 88.

61. (TP 64ii). Sonet, *Répertoire*, no. 325; Sinclair, *Prières*, no. 325; Naetebus, VIII. 61; Långfors, 77; Stengel, no. 58; Vising, no. 88.

62. (TP 64iii). Sonet, *Répertoire*, no. 669; Sinclair, *Prières*, no. 669; Långfors, 149; Vising, nos. 184, 151; Meier-Ewert, 204–213; Stengel, no. 59.

63. (TP 65). Långfors, 164; Stengel, no. 60; Vising, no. 274.

64. (TP 66). Sonet, *Répertoire*, no. 541; Sinclair, *Prières*, no. 541; Meier-Ewert, 145–67. Stengel, no. 61.

65. (TP 67). Långfors, 168; Naetebus, VIII. 21; Stengel, no. 62.

66. (TP 68). This item includes three poems, pr. continuously by Stengel (no. 63), 92–101: (1) fols. 195ᵛ–7ᵛ (Stengel, 93–6), 'Hon an þester stude', *IMEV* and suppt., 1461; (2) fols. 197ᵛ–8 (Stengel, 96–8); 'Wen I þenke on domesdai', pr. by Duncan, *Lyrics*, no. 46, *IMEV* and suppt., 3967; (3)

fols. 198–200 (Stengel, 98–101): 'þenche of þe latemeste dai, hou we schulen fare', *IMEV* and suppt., 3517. Woolf, *English Lyric*, 97, notes that the Body and Soul dialogues (1 and 2) have been deliberately bound together, the last lines of 'In a þestre stude' being omitted to let the sense run on, and that a pointing hand in the margin nevertheless emphasises the beginning of 'þench of þe latemeste dai.' *IMEV*, no. 3517, notes that stanzas 7, 12–15 are omitted from (3) but that two stanzas are added between 10 and 11. Brown, *English Lyrics*, nos. 28a,b, 29, prints (2) from Cambridge, Trinity College, MS. B.14.39 (323) and BL, MS. Cotton Caligula A. ix and (3) from the Trinity College manuscript; cf. his notes thereto, 187–91.

67. (TP 69). The only known copy. Luria and Hoffman, no. 1; Duncan, *Lyrics*, no. 6. Stengel, no. 64; *IMEV* 2009.

68. (TP 70). Pr. by Jeffrey & Levy, 268–71; Meier-Ewert, 168–70; Sonet, *Répertoire*, no. 286; Sinclair, *Prières*, no. 286, also 1745 beg. at line 17 of our version; Stengel, no. 65; Vising, no. 159.

69. (TP 71). Attributed to St. Edmund of Abingdon. Jeffrey & Levy, no. 52, pr. from MS. Douce 137, almost identical to our copy. Sonet, *Répertoire*, no. 540; Sinclair, *Prières*, no. 540; Stengel, no. 66.

70. (TP 72). Stengel, no. 67; *Init*. 17265–6, 10126, 10131.

71. (TP 73–74). Stengel, no. 67; *Init*. 9518.

72. (TP 75). Stengel, no. 68; *Init*. 6396.

73. (TP 76). Stengel, no. 69; *Init*. 20687; Chevalier, *AH*, 21975.

74. (TP 77–78). Stengel, no. 70; *Init*. 11754, 3621.

75. (TP 79). The verses are also found in BL, MS. Add. 15236, fol. 184ᵛ (Hunt, op. cit. (item 4 above), 217). Stengel, no. 71; *Init*. 6449; TK 555. Followed by the fragment of a sermon, beg. 'Audite magnantes et omnes populi et rectores ecclesie...'. Stengel, no. 72, TP 80.

76(1) (TP 81i). Beg. (fol. 202), 'Deus inestimabilis misericordie deus immense pietatis deus conditor et reparator', a prayer attrib. to Alcuin: see V. Leroquais, *Les livres d'heures manuscrits de la Bibliothèque nationale* (Paris, 1927), 1. 40. Stengel, no. 73.

76(2) (TP 81ii). 'Oratio', beg. (fol. 203), 'Domine saunte et septiformis spiritus consilii et fortitudinis.' Stengel, no. 73.

76(3) (TP 81iii–v). 'De beata maria mater d<omini>', beg. (fol. 203), 'Benedicta et celorum regina et mundi tocius <...> et egris medicina', Chevalier, *AH*, 2428; and (fol. 203ᵛ) 'Gaude gloriosa | mundi vernans rasa', *Initia*, 7047; Chevalier, *AH*, 6817; and private devotions or prayers at mass, unidentified. Stengel, no. 73.

76(4) (TP 81vi). Fol. 204, 'Oracio domini', beg. 'Domine deus omnipotens eterne et ineffabilis sine fine <...> unum in trinitate.' Leroquais (as 76(1) above), 1.315. Stengel, no. 73.

76(5) (TP 81vii, viii). Fol. 204 (rubric) 'Oremus'. Beg. 'Omnipotens deus misericors pater et bone domine miserere mihi de preteritis peccatis', cf. Leroquais (as 76(1) above) 1. 261; and 'Deus propiciis esto mihi peccatori quia non sum sicut ceteri', pr. *Horae Eboracenses* (as 50 above), 125. Stengel, no. 73.

76(6) (TP 81ix). Fol. 204ᵛ, 'Dulcis et benigne domine iesu christi qui exibuisti caritatem quam maiorem nemo habet.' Stengel, no. 73. Ends fol. 205ᵛ.

77. (TP *92). Added by Scribe A. Stengel, no. 74.

78. (TP *93). *IMEV* 1571. Latin version pr. *Horae Eboracenses* (as 50 above), xxxvii. Added by Scribe A. Stengel, no. 75.

79. (TP *95). Sonet, *Répértoire*, no. 1700; Sinclair, *Prières*, no. 1700; Långfors, 291–2. Added by Scribe A. Stengel, no. 77.

80. (TP *94, * 96). Chevalier, *RH*, no. 1710; Leroquais (as 76(1) above), 110, accompanied by '<Hec> sunt merita visionis corporis Christi...'. Added by Scribe A. Stengel, no. 76.

81. (TP *97). Beg. 'Ki vaut verray ami elire il doit iiii choses regarder' and ending abruptly. Added by Scribe A. Stengel, no. 78.

87

2° fo *Buth summe.*

Lewis & McIntosh, *Prick of Conscience*, MN 64. Allen, *Writings*, 386, notes that this is one of five known copies of the text entitled 'The way of knowing.' No. 87 in list of manuscripts in R. Beadle, 'Prolegomena to a literary geography of later medieval Norfolk', *Regionalism in Late Medieval Manuscripts and Texts*, ed. F. Riddy (Cambridge, 1991), 89–108, at 105. *IMEV* 3428.

On fol. 134 are verses, 'Anna solet dici' (6 verses), *Init.* 1060 and 'Tres partes signant de christi corpore sancto' (4 verses); cf. *Init.* 19401, *Sent.* 31561c.

88

2° fo *aut in loco.*

On fol. 1 are Allen's number '9' (i.e. in the 8° section of his catalogue) and the Digby/Allen inventory number 'A.89'.

The date is s. xvᵉˣ. For the items in English, of which only the more considerable are mentioned below, see *IMEP 3*, 29–43, 72. PA 3.1169.

1. On fol. 7ᵛ, 'Nescio si noscis quod triplex nos gravat hostis' (5 verses); on fol. 10, 'Unum crede deum ne iures vana per ipsum' (4 verses on the Ten Commandments), *Init.* 19669. *IMEP 3*, 29.

3. No. 75 in list of manuscripts in edn., Daly & Suchier, *Altercatio*, 164. TK 1423.

4. *IMEP 3*, 30.

5. Beg. 'In Januario vinum album', TK 684; *IMEP 3*, 72.

6. TK 1522.

7. Fol. 15ᵛ repr. in T. Kurose, *Miniatures of Goddess Fortune in Medieval Manuscripts* (Tokyo, 1977), pl. 151. *IMEP 3*, 30.

8. *IMEP 3*, 31. 9. *IMEP 3*, 31–2.

10. Followed by 'Vim sacramenti', *Sent.* 33382, and 'O vir boght dere, dum vivis, thenk on the bere | Dico tibi vere, non sine fine, thow shalt be here.'

12. An extract from Mandeville's travels; pr. by P. J. Horner, *Manuscripta*, 24 (1980), 171–5. *IMEP 3*, 33.

13. *IMEV* and suppt., 2624. 14. *IMEP 3*, 34.

15. Text (fol. 30ᵛ) beg. 'Luna ergo existente', TK 834, followed (fol. 31) by 'Vena cephalica id est capitis', TK 1680.

16. Beg. 'Aries est signum', TK 132. On fol. 33ᵛ, 'Clamitat intra polum, vox sanguinis, vox sodomorum' (2 verses).

17. *The Book of Astronomie*, on which see Taavitsainen, *Lunaries*, 68 and *passim*. J. Krochalis & E. Peters, *The World of Piers Plowman* (Philadelphia, 1975), print a different, longer, version in which our text runs from pp. 5/17 to 11/3.

18. Beg. 'Si tonitruum. Mense Ianuarii'; TK 1466.

19. On fol. 39 are requirements for fulfilling the devotion to St. Gregory's Trental, in Middle English, crossed through in red ink. *IMEP 3*, 35.

20. Beg. 'Si in die natalis sol videatur'; †TK 1451.

22. *IMEP 3*, 35.

23. The references by Thompson, 'Trial index', 420, 423, appear to be wrong. On fol. 46 are two verses beg. 'Peruo(?) pane puer poteris(?) pavisse petitum', and, erased but legible by ultraviolet light, 'Henr. Richemunde bedel de Bradstrete | Raulyn Bernard Smethe | Symkyn Barbor' | Connce Taylyour'. Pers kerver | Thomas Colworthe | Joh' Goldisburghe | Thomas Somersete | In vigilia sancti Johannis Baptiste anno regni regis Henrici nono.' 'Smethe', 'Barbor', Taylyour'' and 'kerver' may be trades rather than names. Reprod. in *MSS. at Oxford*, xxvi. 7, pl. 90.

24. C. Jones, *Codices chiromantii Bodleiani* (n.p., privately pr. from xeroxed typescript, 1993), 4. *IMEP 3*, 36.

25. Beg. 'Quicunque prima die cuiuscunque mensis'; †TK 1238; *IMEP 3*, 36–7.

26. *IMEP 3*, 37. 27. *IMEP 3*, 37–8.

28. Extant in this copy only and called by Taavitsainen, *Lunaries*, 69, 'Nota for the Days of the Moon.' Pr. by R. H. Robbins, *Secular Lyrics of the XIVth and XVth Centuries*, 2nd ed. (Oxford, 1955), 63–7. *IMEV* and suppt., 956.

29. For other manuscripts see Emden, *BRUO*, also *IMEP 3*, 38.

30. Taavitsainen, *Lunaries*, pl. 7 reprod. fol. 63ᵛ, reduced.

31. *The 30 Days of the Moon*. Lines 1–20 pr. by

M. Förster, *Anglia*, 67/68 (1944), 135. Taavitsainen, *Lunaries*, 22–6, quotes excerpts; see also 65–9. Her pl. 7 reprod. fol. 64, reduced. She suggests (p. 185) that on linguistic grounds this item may have a north or northeast Leicestershire basis. *IMEV* and suppt., 970.

32. Pr. by Robbins, op. cit., 248–9. *IMEV* and suppt., 1905.

34. *IMEP 3*, 38–40. 36. *IMEP 3*, 40. 37. *IMEP 3*, 40. 38. *IMEP 3*, 41–2. 40. *IMEV* and suppt., 1502. 44. *Init.* 7293; †TK 589.

45. An extract from Walter of Henley; see D. Oschinsky, *Walter of Henley* (Oxford, 1971), 40. *IMEP 3*, 42–3.

46. Oschinsky, op. cit., 62. *IMEV* and suppt., 1253. Taavitsainen, *Lunaries*, 44 n., draws attention to a destinary on fols. 89–91ᵛ.

47. (i) Beg. 'Primus dies mensis', TK 1122; (ii) (fol. 91ᵛ) beg. 'Si infans natus', TK 1452.

50. *Init.* 1314. 51. *Init.* 14346.

52. Pr. by L. Thorndike, 'Nota de ix paribus', *Speculum*, 34 (1959), 640, where the folio is wrongly cited as 93.

55. *IMEV* and suppt., 579.

89

2º fo *Quando*(?) *ignorantes*.

On fol. 1 is Allen's number '52' (i.e. in the 4º section of his catalogue). The hand referred to by Macray (paragraph 3) as being of the 16th century is Allen's.

For the date, between 1371 and 1376, see Watson, *DMO*, no. 423 (pl. 197, reprod. fol. 47). On Lyseux see Emden, *BRUO* and A. I. Doyle, *TCBS*, 1 (1953), 34. On Erghome and the prophecies see P. Meyvaert, *Speculum*, 41 (1966), 656–64; A. G. Rigg, 'John of Bridlington's prophecies', *Speculum*, 63 (1988), 566–613.

The main text is TK 550.

On fol. 55ᵛ are verses beg. 'Cedent cerdones calones centuriones' (8 verses), followed by 'Prophecia Hermerici ab origine mundi 6586. annus est h[er]men' in historia Almann' sicud Merlinus in historia Britonum prophetizat', beg. 'Lilium regnans in nobiliori parte mundi.' On fol. 56 is 'Visio domini Thome de Wodesstok quodam [*sic*] ducis Glocestrie que revelebatur sibi parum ante mortem', beg. 'In domino confido morte dira nunc pereo.' On fol. 58ᵛ are 4 verses, beg. 'Grana molenda gerit Moyses legem tribuendo.'

90

2º fo *Quid est consonancia*.

The same John of Tewkesbury wrote and owned Manchester, Chetham's Library, MS. 6681 and may be the author of the text *De situ universorum* in that manuscript. Sharpe, *Latin Writers*, records seven further copies of the present text. The only

evidence of Tunstead's authorship is the colophon quoted by Macray which Bale saw in another manuscript and cited in his *Index*, 415, and the true author may in fact be John of Tewkesbury who, since he came from Tewkesbury, fits Tunstead's description of the writer as a friar of the Bristol custody of his order who was living in Oxford in 1351. The work is a compilation from several earlier treatises. On fol. 1 is Allen's number '14' (i.e. in the 8º section of his catalogue).

The text is TK 1190, 1266. For other manuscripts see M. Bernhard, *Quellen und Studien zur Musiktheorie des Mittelalters*, 1 (1990), 35.

On Kyngsbury (see Macray's final paragraph), 26th Provincial of the Franciscan Order in England, elected in 1379 or 1380, see Emden, *BRUO*.

91

Originally three separate parts, copied by more than one English amanuensis, s. xvi–xvii. Parts 2 and 3 were originally paginated 1–40 and 1–83. On fols. 1 and 86 is 'Tho. Allen'. Allen copied fols. 42–4, 58ᵛ–9 in part 1 and much of part 3 (fols. 86–105ᵛ). Described by M.-Th. d'Alverny & F. Hudry, 'Al-Kindi de radiis', *AHDLMA*, 41 (1974), 139–260, at 191–2.

A

1. 'Praepositis radicibus sapientiae...veritatem non posset sustinere. Finis. Τελος τησ Ὀπτικησ τησ Ρωγεριου του βαχωνου.' (The Greek is in Allen's hand.) Anonymous and without preface. The 16th-century copyist did not trouble to transcribe the part of the text on the vellum leaf, fol. 9 (245 × 205 mm, 45 long lines) which is bound in at the appropriate place and contains 'super quem componitur oculus...inveniet in illo loco', ed. by J. H. Bridges, *The 'Opus Maius' of Roger Bacon* (Oxford, 1900), 2. 23/1–31/20, omitting p. 23 'Hanc autem figurationem' to end of p. 25, 'in figure.'

B

2. TK 986.

C

3. This item begins on fol. 86. The form of the title (in Allen's hand) and of the explicit suggests that this is the exemplar from which are derived the 17th-century copies in MSS. Ashmole 179 part 4; 209, fols. 211–59; and 434 part 6. TK 1162.

92

In three parts, the first two already united in Allen's catalogue.

A

2º fo *pertinent*.

On the strength of the note on fol. 15, quoted by Macray, 'per tabulas domini Johannis Trendelay nuper monachi ecclesie Christi Cant'' (*ALCD*, 527;

CBMLC, *Christ Church*, BC4. 527, ascribes to Christ Church, Canterbury. Ker, *MLGB*, accepts with a query. On Trendelay, occ. 1399, d. 1433, see Greatrex, *Register*, 307, s.n. Trendle. On fol. 1 are 'Tho: Allen 1596' and Allen's number '42' (i.e. in the 4° section of his catalogue, where it is shown that he owned only (A) and (B)).

1. TK 131.

2. Pr. by Baur, *Grosseteste*, 241–51, among the works of Grosseteste. This manuscript is not listed by Thomson, *Grosseteste*, 103. Carmody, *Arabic Sciences*, 116, lists it under Alfraganus. TK 57.

4. Gunther, *Early Science*, 2. 57; TK 1709.

7. Beg. 'Quicumque vult subtiliter equare debet', TK 1240.

B

2° fo *ver' radijs*.

9. By Alexander of Hales. Beg. 'Utrum cas' speculans altissimus(?).'

C

2° fo lacking.

10. The latter part of Alexander of Hales, *Exoticon*; see Bischoff, *Mittelalterliche Studien*, 2. 273 n. 147; ed. Hunt, *Teaching and Learning Latin*, 1, 298–322. The earlier part of this copy is found in MS. Auct. F. 6. 8 (*SC* 8840), fols. 1–12. Glorieux, *Arts*, no. 135b enters the commentary under Nicholas of Breckendale (Brakendale).

11. Ps.-Boethius, ed. by O. Weijers (Leiden, 1976), not recording this copy.

93

On fol. 1 are Allen's number '62' (i.e. in the 4° section of his catalogue) and the Digby/Allen inventory number 'A.101'. Digby's motto and name are on fol. iv[v].

A

2° fo *Erunt*.

Fols. 1–8 come from the Oxford Franciscan convent. For R. de Notingham, at the Oxford convent in 1343 and still in 1358, see Emden, *BRUO*. For William Marshall (Martial), whose name 'Guilielmi martialis' is on fol. 1, see Emden, *BRUO 1501–1540*.

1. Albumasar, *Flores super Saturno*, beg. 'Hunc librum intellexerunt'; TK 646; Carmody, *Arabic Sciences*, 97.

2. TK 223.

B

2° *uno trahitur*.

4. Ed. by L. Thorndike (Chicago, 1949). TK 1577.

5. †TK 158.

6. The same work is in MSS. 15, item 4; 48, item 8; and 98, item 24. It should be ascribed to Walter Brytte: see under MS. 15 above. Weisheipl, 'Repertorium', 183, no. 4.

7. Beg. 'Cum volueris scire gradum solis'; TK 356.

8. TK 1078.

10. TK 1699. On the author see note on MS. 48 art. 24. The colophon is probably copied from an exemplar; see Watson, *DMO*, 1. 151.

12. TK 111.

13. Beg. 'Saturnus in Ariete'; TK 1383.

15. See MS. 57, art. 22. TK 284.

On fol. 192, in three different hands, is 'Bulcombe bakon rede' (s. xv). For three men named Bulcombe see Emden, *BRUO*.

94

2° fo *uale se fussero*.

Perhaps written in Florence, s. xv[3/4]. Watermark: scissors, similar to Briquet 3668 (mainly Rome, 1454 and later). Fol. iii, a flyleaf, is a palimpsest leaf of a liturgical book ruled for music. On fol. iii is 'Isto libro eno charte sectantacinq' e mezo', indicating a total of 75 leaves and one page, i.e. fols. 1–76 are written; they are followed by seven blank paper leaves and the stub of an eighth. On the same page is 'Questo libro e di <me ser lucha ser...e fratelli> chi lachatta lo riguardi a renda presto.' On fol. 1, in Digby's hand, is 'Kenelme Digby 3.'

95

209 fols, comprising three separate parts. Misled by Macray, TK assigns every item to s. xiv.

A

2° fo *et ab aliqua*.

The date is s. xiv[ex], except art. 5, s. xv. On fol. 10, 'W. Bull' is in an unlettered hand of s. xvi and 'Bowtell' (not 'J. Bowtell') is in a hand of s. xvi[med].

1. *PAL*, no. 27, 'Liber derivationum [Tractatus de fortuna]' notes that although the work is generally called *De nativitatibus* in catalogues and in TK, there appears to be no authority for this title in any manuscript. TK 1209.

2. Beg. 'Homo ex quatuor elementis et humoribus componitur.' †TK 636.

3. *PAL*, no. 81, *Secreta secretorum*, Philippus Tripolitanus version except for physiognomical section; ed. by Steele, *Opera Baconi, fasc. 5* (1920), 166–72. Beg. 'Scias quod matrix embrio est sicut olla.' TK 1389.

4. See Thorndike, 'Chiromancy in medieval Latin manuscripts', *Speculum*, 41 (1965), 674–706, at 679. Beg. 'In primo [*rectius* principio] scientie que dicitur ciromancie que considerat.' C. Jones, *Codices chiromantii Bodleiani* (n.p., privately pr. from xeroxed typescript, 1993), 3.

PA 3. 704.

B

2° fo *millmorbe*.

The date is s. xv[ex]. Watermarks: fols. 28–103, ring,

nearest to Briquet 689 (mainly Germany, also Italy, 1450s–70s); fols. 104–111, grapes with foliage, nearest to Briquet 13056 (found in many countries in the 1460s). Parchment is used for the outer and inner bifolia of quire 2 (fols. 10, 15–16, 21) and the outer bifolium of quire 3 (fols. 22, 27). Continuing from (A), the quires of (B) are lettered a–s in an unusual fashion, each half of a quire being lettered separately, e.g. quire 2 is lettered cj–iiiiij and dj–iiiiij.

6. MS. D in G. Frisk, *A Middle-English Translation of Macer Floridus De Viribus Herbarum* (Uppsala, 1949), 21–2. *IMEP 3*, 43.

7. *IMEV* and suppt., 3754, where it is cited as a prose variant. Identified in *IMEP 3*, 44, as parts of Henry Daniels' translation of a treatise on the virtues and cultivation of rosemary.

8. (i) 'De virtutibus herbarum de solsequie', fol. 90 drawn from bks. 1–2 of Ps.-Albertus Magnus, *Book of Secrets*; see edn. by M. Best & F. Brightman (Oxford, 1973), 3–24, 50–61, and *IMEP 3*, 44. (iv) Headed 'Donet of fesike.' A treatise on the four humours, ending abruptly. For other texts see *IMEP 3*, 46. (v) The same text as in MS. 79, *IMEP 3*, 46.

C

2° fo *et sunt*.

Thomas Aglanby's [*sic*, not Aglonby] name on fols. 144 and 191ᵛ is in a hand of s. xv/xvi.

The date is s. xv^med. Signatures are in the bottom left-hand corner of the versos of quires in the form 'fo. ii quat'' (fol 128ᵛ).

10. For other texts see *IMEP 3*, 48.

11. †TK 1236.

12. A deviant version of John Malvern's text in MS. 147, art. 12.

13. †TK 217. 14. †TK 736, 1100.

15. See G. Brodin, *Agnus Castus* (Univ. of Uppsala, Essays and Studies on English Language and Literature; Uppsala, 1950), 97; *IMEP 3*, 47.

For other small pieces in English or English and French see *IMEP 3*, 49 etc.

96

2° fo *sapere*.

Ker, *MLGB*, accepts Abingdon provenance with a query: it is supported only by the possibility that this is the copy seen by Leland at Abingdon (*J. Lelandi antiquarii de rebus Britannicis collectanea*, ed. T. Hearnius (Oxford, 1715). 3. 57; CBMLC, *Benedictines*, B3. 2), but that gains some support from Thomas Allen's having owned it later. The manuscript seems to be that recorded by Bale, *Index*, 96, 478, in the possession of Thomas Caius or Kay, fellow of All Souls College then Master of University College, Oxford, on whom see Emden, *BRUO 1501–1540*, s.n. Kay. It is next found in the library of Sir Robert Cotton, no. 359 (cf. that number on fol. 1) in his 1621 catalogue

in BL, MS. Harley 6018, fol. 131. It presumably came to Digby from Cotton (*sic*, Watson, 'Allen', 311, n. 109, who errs, 290, in stating that Cotton gave it to Allen). Digby's motto and name are on a flyleaf.

An edn. of the text by Dr Stephen Hollond is in progress. T. Webber, *Scribes and Scholars at Salisbury Cathedral c. 1075 – c. 1125* (Oxford, 1992), 123, n. 37, notes that an inscription on Godwin's tomb records his ordination by Anselm, as archbishop (1093–1109), and that he appears as a witness to a charter of *c*. 1122: see further H. E. Allen, *Publications of the Modern Language Association of America*, 44 (1929), 640, n. 11.

i. The 2° fo of the reject leaves is *In presenti* (fol. 1) or *In principio*.

iv. By Patrick, bp. of Dublin. Critical edn. by A. Gwynn, *The Writings of Bishop Patrick* (Scriptores Latini Hiberniae, 1; Dublin, 1955).

97

2° fo (fol. 6) *R[adix] diluuij.*

On fol. 3ᵛ are Allen's number '61' (i.e. in the 4° section of his catalogue) and contents-list (which has additions by Brian Twyne). On fol. 4 are the Digby/Allen inventory number 'A. 68' and Digby's motto and name.

1. Gunther, *Early Science* 2. 57. In the bottom margin of fol. 40 is 'Nota plura folia quam 3 in isto quaterno', partly erased.

2. Beg. 'Si volueris hora ingressus cuiuslibet planete'; †TK 1477.

6. TK 720. 7. †TK 822. 8. TK 1709.

10. This manuscript is no. 10 in the list in H. Busard, 'Het Rekenen met breuken in de middeleeuwen, in het bijzonder bij Johannes de Linerijs', *Medelingen van de Koninklijke Vlaamse Academie voor Wetenschappen, Letteren en schone Kunsten van Belgie. Klaase der Wetenschappen*, 39 (1968), 3–36. TK 878.

11. TK 1411.

12. Carmody, *Arabic Sciences*, 31; TK 1217.

13. TK 714.

15. †TK 248. After this article is a paragraph beg. (fo. 109) 'Recepcio planetarum', TK 1316.

16. TK 1710.

17. Beg. 'Cum direcciones seu noticia'; TK 293.

18. By Guido Bonatti. TK 278.

19. †TK 975. 20. †TK 1463. 22. †TK 444.

23–24. Both are by Johannes de Muris, on the canon of whose works see U. Michels, *Die Musiktractate des Johannes de Muris* (Wiesbaden, 1970), 10. Art. 24 is TK 701.

25. TK 61. 26. TK 604.

27. Beg. 'Nota quod tonitruus'; TK 941.

30. Beg. 'Si volueris componere tabulam ascensionum ad civitatem tuam.' In the incipit, after 'lune' read 'post deum...'. TK 1513.

31. Thomson, *Grosseteste*, 23; TK 775.

32. Fols. 142^v-3 reprod. (reduced) by L. E. Voigts in *Book Production in Britain*, pl. 35; and see also 360–61, 372–3. TK 932.

33. TK 691. 34. †TK 556.

35. Thomson, *Grosseteste*, 234; TK 415.

36. TK 1699. On the author see note to MS. 48 art. 24.

37. Also by Johannes Danck; TK 1561. Voigts, loc. cit. (art. 32 above), pl. 43 (part of fol. 280, reduced); and see also 360.

On fol. 292 the short computistical piece beg. 'Regula docens qui numerus est prima', ending 'scribas in lapide tuo calculacio etc. Amen Russel' (s. xv).

98

The table of contents (fol. 1^v) shows that the present volume was put together in the 15th century by Peter Partriche, chancellor of Lincoln Cathedral (d. 1541: see Emden, *BRUO*) while he was in Oxford. He put his name at the end of arts. 11, 19, 20, 26, 30, 33 and 56 but other parts were probably also written by him. The table of contents, which is in his hand, is as follows: 'Contenta huius voluminis | Tractatus de generibus secundum Alyngton | [fol. 4] | Tractatus de gerundis et suppinis [fol. 7^v] | Compotus ecclesiasticus [fol. 11] | Tractatus de algorismo [fol. 21^v] | Tractatus de palmestria [fol. –] | Tractatus de phisnomia [*sic*] [fol. –] | Tractatus compoti manualis [fol. –] | Tractatus de cautelis algorismi [fol. –] | Tractatus alberti de multiplicatione argenti [fol. –] | Tractatus de anulo [fol. 41] | Processus libri metheororum [fol. 49] | De augmentatione bonum notabile [fol. 71^v] | De prophetia Merlini [fol. 72] | Tractatus de coloribus pictoris [fol. –] | Geometria euclidis [fol. 78] | Arsmetrica boicii non complete tamen [fol. 86] | Tractatus contra compositionem continui ex non quadratis [fol. 107] | Bredon' super arithmetricam boicii [fol. 109] | Perspectiva peccham [fol. 118] | Theorica planetarum [fol. 132] | Tractatus astrolabii [fol. 145^v] | Compositio quadrantis [fol. 148^v] | Tractatus lyncolniensis [fols. 152^v-62] | lyncolniensis de luce | de colore secundum eundem | de yride secundum eundem | de potencia et actu secundum eundem | de impressionibus aeris secundum eundem | de spera secundum eundem | Compositio quadrantis antiqua [fol. 162] | Compositio chilindri [fol. 166] | Tractatus de spera secundum communem usum et alium [fols. 168,171] | Cronice Cestrensis abbreviate [fol. –] | Regula sancti francisci et testamentum eius [fol. 177^{rv}] | Epistole due ipsius Sathane [fols. 178^v, 180] | Prophecia Hildegaris [followed by de ablucione erased] [fol. 18] | Epistole multe Johannis Wytcliff [fol. –] | Pentacronon sancte Hildegar' [fol. 186] | apocalipsis Walteri mape [fol. –] | disputacio christiani et judei [fol. 198] | determinacio doctoris whitheed de mendicitate christi contra fratres [fol. 200] | determinacio eiusdem de confessione contra fratres [fol. 208] | Galfridus de nova poetria [fol. –] Rethorica secundum

Merke [fol. –] | distincciones iuris civilis [fol. 216] | Speculum contemplationis sancti Eadmundi in gallic' [fol. 225] | Cirurgia Walteri brit [fol. 257] | Spera pictagore [fol. –]'. The quires are numbered at the end, except 16–19, 22, 28–9,42, which are unnumbered. The modern foliation originally did not include blank leaves. These are indicated by a, b, or *. The collation is 1^3 (fols. 1–3) 2^8 (fols. 4–10a) 3^{12} (fols. 11–22 with added slip, fol. 15^a) 4 missing 5^{12} (fols. 23–32,32^a, 33) 6^6 (fols. 34–9) 7 missing 8^{10} (1–6 cut out, fols. 40^a, 40^b, 41*) 9^8 (fols. 41–8) 10^{10} (fols. 49–58) 11^{20} (fols. 59–77, leaf between fols. 61–2 cancelled) 12 missing 13^8 (fols. 78–85) 14^8 (fols. 86–93) 15^{10} (fols. 94–103) 16^8 (fols. 104–5, 106, 106^a, 5–8 cancelled; a stub between fols. 106 and 106a may make the collation 16^{10}) 17 (3 singletons, 106^b, stub 107–8) 18^{10} (fols. 109–117^a) 19^{16} (fols. 118–31, including 120, 120^a; 16 cancelled) 20^{14} (fols. 132–45) 21^8 (fol. 146–51, 151^a, 151^b) 22^{10} (fols. 152–61) 23^6 (fols. 162–7) 24^{10} (fols. 168–76, 2 cancelled) 25, 26 missing 27^{12} (7, 8 cut out: fols. 177–83, 183^a, 184, 185) 28^{12} (12 cancelled; additional folded singleton between 9 and 10 = fol. 195), 4, 14 cancelled: fols. 186–97) 29^2 (fols. 198–9) 30^8 (fols. 200–7) [31–35 missing] 36^8 (fols. 208–15) 37^{10} (fols. 216–23, 223^a, 224) 38^8 (fols. 225–32) 39^8 (fols. 233–40) 40^8 fols. 241–8) 41^8 (fols. 249–56) 42^8 (fols. 257–64). Fols. 265 and 266 are 17th-century flyleaves. It is not easy to reconcile the table of contents with the missing quires 4 and 7. Arts. 5–10 (fols. 30–34) are not included. The 'Cronice Cestrensis' no doubt occupied the missing quires 25 and 26: the 'Ep. multe Joh. Wytcliff' seem to have been on the two leaves excised between fols. 181 and 183.

The volume appears to have remained in Lincoln after Partriche's death. The Graveley Place mentioned in art. 44 is no. 12 Minster Yard at Lincoln, in Pottersgate, south of the Chancery. The rectory of Glentham was a chapter farm. William Pawle cannot be satisfactorily identified. There is a further list of names in the same hand on fol. 224, 'dns georgius bell xs | Kevensley(?) xs | Robertus Vane vis viijd | Johannes Hynton vis viijd | Ricardus Vodford vis viijd | Thomas Tayller vis viijd | Willelmus Madwell vis viijd | Bray iij iiijd | Elys iij iiijd | John Coke [iijs iiijd *crossed through*] vs. recepi xxd(?).' The name 'William Maydwell' is on fol. 197, written in a Tudor humanistic hand, together with verses (see addendum after art. 39). He is perhaps the Maydwell who died in 1555 (Lincolnshire Archives Committee, Dean and Chapter Wills 2, fol. 162^v). On fol. 185^v, in a hand of s. xvi^1, are 'Seldom comys the better quod fyshevyke' and 'Per me Edward d<...vij>'; on fol. 40, also of s. xvi^1, is the draft of a delation or presentment of a vicar in the diocese of Lincoln. The book is probably M186 in John Dee's catalogue, ed. Roberts & Watson, and was perhaps acquired by him in 1556. On fol. 1 are Allen's number '19' (i.e. in the 4° section of his catalogue) and the Digby/Allen inventory number 'A136.'

A

2° fo *in quibus*.

1. †TK 116. 3. TK 827, 167. 4. TK 597.

5. Beg. 'Sit numerus cuius radix est extrahenda 7728...'.

6. †TK 342. 7. †TK 498.

8. Simon Southrey was a monk of St Albans (d. after 1420): see Emden, *BRUO*, 1734 and 3. xlii.

10. Our manuscript, containing 83 problems, is MS. O2 in the list in Folkerts, 'Aufgabensammlungen.' †TK 1246.

11. Sharpe, *Latin Writers*, s.n. John of Northampton, rejects Macray's attribution to Richard Maidstone and accepts this as John's text. The anulus is reprod. in Gunther, *Early Science* 2, facing 278. TK 1163.

12. Weisheipl, 'Repertorium', 200, no. 29.

13. TK 1218, †405.

14. *De augmentatione bona fantasia.* Beg. 'Sciendum quod materia cibi primo recipitur in os.'

15. See note on MS. 28 art. 23.

16. Gunther, op. cit., 41, 386; text pr. (from MS. Bodl. 68 (*SC* 2142), 375–9. L. Thorndike, *Medievalia et humanistica*, 13 (1960), 82, cites variant incipits and explicits from that manuscript in Digby 98 and Rawl. D. 248. TK 35.

B

17. A version depending on the translation of Adelard of Bath and on the Boethius tradition; see M. Folkerts, in *"Boethius" Geometrie II*, ed. J. E. Hofman *et al.* (Boethius, Texte und Abhandlungen zur Geschichte der exakten Wissenschaften, 9; Wiesbaden, 1970), 80. The text was left unfinished and unrubricated. TK 1126. With dry-point ruling, probably of the mid-12th century, and wide outer margins for the constructions which were drawn and lettered on fols. 79ᵛ–80 and drawn only on fols. 80ᵛ–81.

18. The second hand noted by Macray is of s. xv. L. E. Voigts, in *Book Production in Britain*, pl. 43 (part of fols. 103ᵛ–104, reduced); see also p. 360. On fol. 106ᵇ is a verse written three times, 'Hec est Roma puto magnis circumdata muris' (s. xv/xvi).

C

2° fo *Pro Platonicis*.

19. †TK 262. On fol. 108 is 'Pro Platonicis. Est dare omnes partes quantitativas istius hominis. Iste sunt divisibiles vel indivisibiles...Item est dare situm punctalem quia punctus est unitas positionem habens. Item Lyncolniensis ponit istum tractatu suo de luce...[seven paragraphs].'

20. TK 1175.

21. The incipit reads 'Inter phisica consideracionis studia', TK 769. An abridged text, used, but not as a primary source, in the edn. by Lindberg, *Pecham*.

22. On fol. 127 are scribbles in the same hand as on fol. 106ᵇ, including, 'Rex sine fine manens miseris tu parce ruinis | Premia concedens et tua cuncta regens sive newpna(?).'

23. Beg. 'Triangulum equilaterum'; TK 1588.

D

2° fo *ad lineam*.

24. The same work is in MSS. Digby 15, art. 4; 48, art. 8; and 93, art. 6; TK 223. It should now be ascribed to Walter Brytte; see under MS. 15. Weisheipl, 'Repertorium', 183, no. 4. (ascr. to Brytte). Voigts, op. cit. pl. 56, reprod. part of fol. 135ᵛ, reduced.

25. Not by Grosseteste. TK 154.

26. The same text is in MS. Digby 2 art. 14: see note thereon for other copies. †TK 1062.

27. Beg. 'Nota si quis cristallum spericum vel corpus urinal' rotundum plenum aqua': see Lindberg, *Catalogue*, 23.

28. Pr. as MS. D, in Baur, *Grosseteste*, 51–9; TK 568.

29. Pr. as MS. D, ibid., 78–9; TK 234.

30. Pr. as MS. D, ibid., 72–8; TK 519.

31. Pr. as MS. D, ibid., 126–9; TK 983.

32. Pr. as MS. D, ibid., 41–51; TK 57.

33. Pr. as MS. D, ibid., 10–32; TK 763. The last leaf, fol. 161, is little more than a stub.

E

2° fo *signis itaque*.

34. The date is s. xiii². TK 333.

35. Gunther, *Early Science*, 2. 123. In the explicit the words 'Que facta est apud Oxoniam' are an addition of s. xv. TK 776.

36. See Baur, *Grosseteste*, 60* n. 3; Thomson, *Grosseteste*, 119; TK 289.

37. TK 1577. A hand of s. xv has added marginal comments.

F

2° fo *collocentur*.

38. This is the *Regula II*, pr. *Opuscula Sancti Patris Francisci* (Bibliotheca Franciscana Ascetica Medii Aevi, 1; Quaracchi, 1949), 63–74. See also K. Esser & R. Oliger, *La Tradition manuscrite des opuscules de S. François d'Assise* (Subsidia Scientifica Franciscana, 3; Rome, 1972), 67.

39. Pr. *Opuscula Sancti Patris Francisci*, 77–82. See also Esser and Oliger, op. cit., 67.

On fol. 178 are verses in a hand of s. xv/xvi, 'Sit domus tecum sit tibi mane bonum'; 'Prospera tota dies succedat vespere clarum'; 'Hospitium gratum noxque quieta tibi.' These are also copied by William Maydwell on fol. 197ᵛ in a humanistic hand.

40. Ed. by W. Wattenbach, 'Über erfundene Briefe in Handschriften des Mittelalters', *Sitzb. der Königlichen Preussischen Akademie der*

Wissenschaften zu Berlin, 1 (1892), 116–22, and see 96 n. 3, 104. See also P. Lehmann, *Die Parodie im Mittelalter*, 2nd edn. (Stuttgart, 1963), 62 n. 3.

44. Graveley Place is in Lincolnshire not Cambridgeshire; see headnote.

49. The compilation from Hildegard by Gebeno de Eberbach. See *Verfasserlexikon*, 3. 1277.

50. See Rigg, *Anglo-Latin Literature*, 275, 383 n. 116. *Init.* 292. 'Acabita...' is *Init.* 218.

51. The only known copy of the text; ed. by P. R. Szittya, ' "Sedens super flumina"': a fourteenth-century poem against the friars', *Mediaeval Studies*, 41 (1979), 30–43. Szittya rejects Bale's statement (*Index*, 322), that the author is Peter Pateshull. *Init.* 17468.

52. See Rigg, *Anglo-Latin Literature*, 281–2. *Init.*7791.

53. Part of Willelmus de Sancto Amore, *Tractatus de periculis novissimorum temporum*: see Glorieux, *Rép.*, no. 160c. It breaks off in ch. 2, 'et seducent multos' in *Guillelmi De Sancto Amore opera omnia* (Konstanz, 1632), 24. Stegmüller, *Bibl.* 3024.

55. E. B. Fitzmaurice & A. G. Little, *Materials for the History of the Franciscan Province of Ireland* (British Society of Franciscan Studies; Manchester, 1920), 176. Pr. by Wilkins, *Concilia*, 3. 324–5. On John Whitehead see Emden, *BRUO*.

56. On William Edlesburghe see Emden, *BRUO*. On fol. 215 are verses written in a hand of s. xv/xvi, 'Quid sit origo viri vini vestique bonorum | Non debet inquiri nam bonitas sufficit horum' (written four times).

G

58. MS. B5 in the edn. by A. D. Wilshere, *Miroir de seinte eglise* (Anglo-Norman Text Soc.; London, 1982).The date is s. xv.

59. *IMEP 3*, 49–50.

H

60. *IMEP 3*, 50. The date is s. xv.

99

2° fo *precedente*.

On Stanys, also monk of Westminster, see Mynors, *Balliol*, 284. On fol. 1 are Allen's number '10' (i.e. in the 8° section of his catalogue) and the Digby/Allen inventory number 'A.106.'

1. MS. D in the edn. by Powicke & Cheney, *Councils and Synods*, 2. 343–61.

2. Lewis & McIntosh, *Prick of Conscience*, MV 65. No. 79 in list of manuscripts in R. Beadle, 'Prolegomena to a literary geography of later medieval Norfolk' (as MS. 87), 89–108, at 105. M. Laing, 'Dialectal analysis and linguistically composite texts in Middle English', *Dialectology*, 150–69, at 159 n. 28, points to a Lincolnshire feature in fols. 18–27. *IMEV* and suppt., 3428.

Fol. 139. For related texts see *IMEP 3*, 51.

100

2° fo *bras in quo*.

The dates are ss. xiv and xv. Watermarks include dragon, not in Briquet and not identified in Piccard, *Wasserzeichen Fabeltiere*.

1 and 4. M. L. W. Laistner & H. King, *A Handlist of Bede Manuscripts* (Cornell, 1943), 133, where the folio numbers are given wrongly. Ch. W. Jones's edn., CCSL, 123A (1975), 69 no. 61, comments on our text.

2. *Init.* 20244.

3. Also found in BL, MS. Harley 1002, fol. 81ᵛ and MS. Auct. F. 5. 23 (*SC* 2674), fol. 194ᵛ. *Init.* 2966.

5. Also found in Worcester Cathedral, MS. F. 123, fol. 56ᵛᵃ.

6. Also found in MS. Rawl. G. 60 (*SC* 14791), fol. 84; Cambridge, Trinity College, MS. O.5.4 (1285), fol.13; Cambridge, St John's College, MS. 163, fol. 46; and Lincoln Cathedral, MS. 226, fol. 27.

7. L. J. Paetow, *Morale Scolarium of John of Garland* (Berkeley, CA, 1927), 127 n. 34.

8. Adam of Nutzard, (attrib.) *Neutrale*; on this uncertain attribution see Hunt, *Teaching and Learning Latin*, 1, 152. A second copy, not noticed by Macray, follows as art. 21a below. That is some 28 lines longer than the present copy and according to Hunt (152, n. 166) than copies in MS. e Mus. 96 and Dublin, Trinity College, MS. 424. The present copy has no marginal commentary or *accessus* and the interlineated glosses are in Latin only. The second copy, art. 21ᵃ, has a marginal commentary and an *accessus* which draws attention to the alphabetical order of the treatise. Adam, who d. 1268, is confused by Emden, *BRUO*, 1688–9, with Adam Shidyerd, d. *c.* 1308. *Init.* 1612 and cf. 16678.

On fol. 42 are 4 verses beg. 'Si brevis aut nullus tibi sompnus meridianus' (3 verses), *Sent.* 29779, followed by 'Ex ventris vento generatur ventre retento.'

10. The version pr. by A. Morel-Fatio, *Romania*, 15 (1886), 224–35, breaking off in line 278. On the text, also in MS. 26, see P. Dronke, cited in note thereto.

11–12. A mixture of prose and verse sentences including (fol. 51ᵛᵃ) 'Sunt mea si qua dedi', *Sent.* 30764, with a second line 'Res michi se rapuit si qua retenta fuit'; 'Dum potes', *Sent.* 6658ᵃ; 'Fle si solari', *Init.* 6597, and 'Da si ditari', *Init.* 4025, bracketed; 'Religio dat opes', *Sent.* 26531; 'Quattuor ista timor', *Sent.* 23692; 'Quis michi laude pari', *Init.* 16081; 'Asper erit victus', *Sent.* 1545; (fol. 52ʳᵃ) 'Hostis non ledit', *Sent.* 11230ᶜ 'Diviciis celum mercamur, divicias non | Dampnat divina scriptura sed appositum cor | Qui non expendit sed congregat atque recondit | Servans divicias homo servit eis quasi servus | Sed qui distribuit illas dominus fit eorum'; 'Vivere quisque diu', *Sent.* 33994; 'Est dira vox ite, vox est iocunda venite', cf.

Sent. 1559, 15266; 'Mortis et vite', *Sent.* 15255 (first v.); 'Mors deridetur latet hamus et esca videtur | Mordens mordetur. dum sic tenet illa [glossed mors] tenetur'; 'Mortem morte domo [glossed as] ne moriatur homo | Quid prodest homini plagas sanasse ducentas | Si maneat quedam qua moriatur homo | Quid. cui vel quantum cur quamdo quomodo dandum | Quid. bene quesitum. cui. pauperibus dato quantum. | Quod superest \operi/ cur. pro Christo dato tantum | Quomodo corde bono. quando. statim quia nescis | Que bona queve mala crastina lux pareat | Man[e?] pluit e celis ad plebis vota fidelis | Panis vitalis cibus inclitus ac specialis | Specialis figura fuit eukariste(?) minus quod obtulit | Melchisidec abrahe unde(?) quidam ait Melchisedec vini specie panisque figura | Fert carnis domini cum sanguine sacra futura | Unde sub specie panis et vini conficitur corus(?) ymni(?)'; [fol. 52rb] 'Cur bona perverso veniant cum ordine verso | Sunt perversa bonis. latet huius vis rationis'; 'Sepe mali florent', *Sent.* 27177; 'Visito poto', *Sent.* 33805, followed by: 'Intercisa perit continuata viget'; 'Mors fera, mors nequam' (2 verses), *Sent.* 15151; 'Vinea culta Dei plebs est', *Init.* 20356 (= Hildebert, see *Rev. Bén.*, 51 (1939), 178); 'Hostia turturis atque columbe', *Init.* 8488 (= Hildebert, ibid., 48 (1936), 26; 'Igne lucerna \micans/ tria dat splendet calet urit | Hec tria presul habet sub ratione trium | Vita splendorem demonstrat amore calorem | Et quia peccantes arguit urit eos | In fragili vase fragilis reminiscere vite | Qui bibis et frenum sobrietatis habere'; 'Femina corpus opes' (2 verses), *Sent.* 9007; (fol.55^v) 'Corda forent fracta speracio si foret acta.'

16. John of Garland, *Equivoca*; *Init.* 1767.

21. Listed by J. Osternacher, 'Die Ueberlieferung der Ecloga Theoduli', *Neues Archiv*, 40 (1915–16), 331–76, at 368; P. O. Kristeller *et al.*, *Catalogus translationum et commentariorum*, 2 vols. (Washington, DC, 1960, 1971), 2. 396. Theodolus ends on fol. 112. Fols. 112^v–3 are blank and are followed in the same hand by the anonymous *Carmen de verbis deponentialibus*, beg. 'Nobis ignota ne deponencia verba' (without gloss), *Init.* 11876 (cf. 20772). On this work see Hunt, *Teaching and Learning Latin*, 1, 440, who suggests that it may be by one Adam. For other manuscripts see G. L. Bursill-Hall, *A Census of Medieval Grammatical Manuscripts* (Stuttgart, 1981), Index initiorum, 359.

21a. A second copy of Adam of Nidzard's *Neutrale*, as art. 8 above. Not noticed by Macray.

21b. An anonymous treatise on deponent verbs, beg. 'Nobis ignota ne deponentia verba'; *Init.* 11876. One of eight known copies; see Hunt, *Teaching and Learning Latin*, 1. 153. Not noticed by Macray.

22. Nicholas of Breckendale, *Deponentiale*, here with interlinear vernacular glosses and an *accessus*. See Hunt, *Teaching and Learning Latin*, 1. 153 et seq., 156. On Nicholas see Emden, *BRUC* 90 (Breckendale). Three leaves are torn out after art. 24, between fols. 128/9. *Init.* 18977 = 18239.

25. For Macray's heading substitute 'Pars commentarii in Alexandri Halensis Exoticon', ed. Hunt, *Teaching and Learning Latin*, 1. 304–19. See Bischoff, *Mittelalterliche Studien*, 2. 273 n. 147 (also in *Byzantinische Zeitschrift*, 44 (1951), 53). The first verse quoted by Macray begins 'Hemi doxa...' not 'Henn doxa...'.

26. Contains also 'Est et non', 'Vir bonus', 'Ver erat' (A. Riese, *Anthologia Latina*, 1/2 (Leipzig, 1906), nos. 645, 644, 646; and *Moretum*, beg. 'Iam nox ybernas bis quinque peregent horas' (R. Ellis, *A Bodleian Manuscript of...Poems of the Appendix Vergiliana* (Oxford, 1906); 'Quicquid agant artes ego semper predico partes', *Init.* 15973.

30. Pr. by M. R. James in *Essays and Studies Presented to William Ridgeway* (Cambridge, 1913), 286–98, using this manuscript. On fol. 172, 'Sorgae an sey, leet and beet. haald and haave.'

33. The work deals with the metres of Boethius, *De consolatione philosophiae*. After the verse prologue is a prohemium in prose, beg. 'Artem carminum seu metrorum non solum a gentilibus.' Probably by John Seward, on whom see Emden, *BRUO*.

101

2° fo *Ut hac.*

The date is s. xiii/xiv. Marginal notes, s. xiii/xiv–xvi.

1. MS. O$_{11}$ in Plummer's edn. (Oxford, 1896). Ed. by B. Colgrave & R. A. B. Mynors (Oxford, 1969); this manuscript p. lv.

2. *Chronicles of the Reigns of Stephen, Henry II and Richard I*, ed. R. Howlett, 4 vols. (RS, 82; London, 1884–89), 1. xlix.

102

2° fo lacking.

The date is s. xv$^{2/4}$. The basic dialect is not, as Kail states, western or south-western but East Midlands, perhaps around Derbyshire, but there are occasional northern forms along with a few southern probably acquired in London. This suggests that the writer was a man from the provinces living in London, a conclusion also suggested by the texts. See Severs & Hartung, *Manual*, 5, 1416, 1661–2.

On fols. 97^v and 139^v is a large clumsily-written monogram which includes the letters R A E O(?) and I(?). On fol. 1 are Allen's number '41' (i.e. in the 4° section of his catalogue), the Digby/Allen inventory number 'A.139' and Digby's motto and name.

1. No. xxxix in W. W. Skeat's list of manuscripts in his edn., *The Vision of William Concerning Piers the Plowman*, 2 vols. (Oxford, 1886), 2. lxxi. The C text, ed. by D. Pearsall (London, 1978; Berkeley & Los Angeles, 1982). MS. Y in edn. by Schmidt, *Piers Plowman*. *IMEV* and suppt., 1459. Fol. 25/1–9

reprod. in M. B. Parkes, *Pause and Effect: an Introduction to the History of Punctuation in the West* (Aldershot, 1992), pl. 23.

2. Ed. by J. Kail, EETS, 124 (1904), 1–120. (ii) also ed. by J. W. Conlee, *Middle English Debate Poetry: A Critical Anthology* (East Lansing, MI, 1991), 210–15. *IMEV* references are as follows: (i) 697; (ii) 1475; (iii) 817 and suppt., (iv) 411; (v) 2048; (vi) 1845; (vii) 2088; (viii) 2054; (ix) 3608; (x) 2091; (xi) 911; (xii) 910 and suppt., (xiii) 3924; (xiv) 3381 and suppt., (xv) 4070; (xvi) 1939 and suppt., (xvii) 3279; (xviii) 4109; (xix) 2763; (xx) 3564; (xxi) 1389; (xxii) 251. Note that the incipits of Macray's 2(xviii) and 2(xxi) should read '…wole knowe…' and '…god lord…' respectively.

After 2(xviii), on fol. 119[r], are fourteen 8-line stanzas beg. 'In my conscience I fynde', *IMEV* 1508.

On fol. 140[v] are some health recipes and the verse 'Si quis amat Christum', *Sent.* 28959.

3. The same text as is in MS. Digby 18 art. 3, q.v. for editions. This copy lacks lines 801–24. *IMEV* and suppt., 1961.

4. *IMEV* and suppt., 351.

103

In three parts but all a unit in Thomas Allen's library; on fol. 1 are 'Tho: Allen', Allen's number '39' (i.e. in the 4° section of his catalogue), a title partly in his hand and Digby's motto and name. On fol. 4 is 'Tho: Allen.'

A

2° fo *ent .s. tamen fidem.*

Fols. 1–40: writing is below top line.

1. Richard of Leicester (*alias* Wetheringsett) (attrib.), 'The *Summa* "*Qui bene presunt*"'; unprinted; Bloomfield, no. 4583. See J. Goering, 'The Summa "Qui bene presunt"' and its author', *Wenzel Studies*, 143–59.

B

2° fo *rito liquide.*

2. MS. D in the edn. by S. Collin-Roset, '*Le Liber Thesauri occulti* de Pascalis Romanus', *AHDLMA*, 30 (1963), 141–98; and see ibid., 119, 122–3.

3. Haskins, *Medieval Science*, 217; A. Dondaine, 'Hugues Éthérien et Léon Toscan', *AHDLMA*, 19 (1952), 67–134, at 122.

4. *AL* 1. 334. It is the *translatio vetus*.

C

2° fo *sa que.*

5. The date is s. xiii[in]. Some leaves have notes in English hands of s. xiii/xiv. On Bonaguido de Aretino see *Dictionnaire de droit canonique* (Paris, 1935–37), 2. 934–40.

104

For a full description see Gibson & Palmer, 'Anticlaudianus', no. 21. The volume consists of 13 sections seven of which, (A) (fols. 1–20), (B) (fols. 21–60), (C) (fols. 61–74), (G) (fols. 90–101), (I) (fols. 124–35), (J) (fols. 136–60) and (M) (fols. 175–98), are recorded in Allen's 1622 catalogue. Only three of the others show any evidence of his ownership ((E) and (H) bear his name and (L), fols. 169–74, comes from Coventry, not far from his Staffordshire home) but it is likely that all were his, small pieces received by Digby in a state of disorder.

A

2° fo *administrationem.*

On fol. 1 is 'To M[r] Allen', for which cf. MSS. 67 arts. 20–28, 79 art. 5, and 191 arts. 15–16; see also Watson, 'Allen', 292–3. On fol 1. are also Allen's number '38' (i.e. in the 4° section of his catalogue) and the Digby/Allen inventory number 'A.209'.

1. A unique copy, once quires vi–viii of a larger manuscript; medieval pagination in crayon 1–38 on fols. 1–19. Pr. by Baur, *Grosseteste* 242–74; S. H. Thomson, 'The De anima of Robert Grosseteste', *New Scholasticism*, 7 (1933), 201–21, with a reduced facsimile of fol. 1; Thomson, 'Grosseteste', 89–90, argues for the text's genuineness but D. A. Callus, 'Philip the Chancellor and the *De anima* ascribed to Robert Grosseteste', *MARS*, 1 (1941), 104–27, shows that it is not a work by Grosseteste. †TK 886, 1214.

B

2° fo *affluit.*

Belonged to the charterhouse at Witham, Somerset, by gift of John Blacman. On him and for a list of his books given to Wytham, in which this section is no. xiii, see Emden, *BRUO*. CBMLC, *Brig. and Carth.* On fol. 21 are Allen's number '23' (i.e. in the 4° section of his catalogue) and the Digby/Allen inventory number 'A.87'.

2-3. Title in Allen's hand. Written above top line except fols. 21–4. Many leaves bear pen trials of s. xiii/xiv. On fol. 34 is the draft of a grant of land in Eye (Suffolk) by Walterus ate Lyne to Robertus Ubeard, and the beginning of another, by Johannes Ode de Wrabenase (Wrabness, Essex). On fol. 59[v] is a similar pen trial with the name Johannes Cūpȳ of Wrabenase as grantor to Robertus Ube[a]rd (s. xiii/xiv). On fol. 51[v], in the same hand, is 'Bote mor for loue ȝay for eie so god yf me criste…' and on fol. 60, 'Lege istam leteram. Gretere wil anseir so ilomere an…'. There is also 'Prec. iijs <iiij>d…' (s. xv).

2. Ed. by Faral, *Arts*, 197–262. On this copy see Hunt, *Teaching and Learning Latin*, 1. 36. Our text ends at line 2054. On fol. 60[v] is the formula of the appointment of a proxy and, legible by ultraviolet light, the draft of a letter of presentation

to a Bishop J<...>, but the rest of the name is obscured by a stain.

C

2° fo *Hec facit*.

On fol. 61 are Allen's number '64' (i.e. in the 4° section of his catalogue) and the Digby/Allen inventory number 'A.160'.

4. Ed. by Steele, *Opera Baconi, fasc.* 7, 268–9; *Init.* 1835; TK 167, 827.

5. For Macray's incipit read 'Hec Ambrosinus...'. Ed. by J. O. Halliwell, *Rara Mathematica* (London, 1841), 73–83; *Init.* 7470: †TK 597.

6. Fifteen problems: MS. O3 in Folkerts, 'Mathematische Aufgabensammlungen'. †TK 1543.

D

2° fo *benignus*.

7. Beg. '[S]ciendum est quod si quis nascatur', TK 1395.

E

2° fo *lineam*.

On fol. 81^{bv} are 'Thomas Allenus Staffordiensis' and 'Thomas Allenus'.

9–10. Fols. 78–81 have medieval foliation 121, 122, 125, 124, 133 (a blank leaf).

9. TK 1215.

10. The work by Abhomadi Malfegeyr, translated by Gerard of Cremona, ed. by H. Hellmann, *Meteorologische Optik 1000–1836* (Berlin, 1902), 87–104; Lindberg, *Catalogue*, 15; TK 1022.

F

2° fo *et ille*.

11. TK 1714. 12. †TK 244. 13. †TK 51.

14. Charmasson, *La Géomancie*, 302, records only this copy.

G

2° fo *feccione indesinentur*.

On fol. 90 is a title in Allen's hand: identifiable as no. 84b in the 4° section of his catalogue.

15. Ed. by J. S. Brewer, *Monumenta Franciscana* (RS, 4; London, 1958), 1. 438–89 (as ep. '147', *recte* 247). There are contemporary marginal notes, and *signes de renvoi* of the kind found in some Franciscan manuscripts.

H

2° fo *subiectum sensibilis*.

16. By Walter Burley; ed. by M. J. Kitchel, *Mediaeval Studies*, 33 (1971), 85–113. Weisheipl, 'Repertorium', 202, no. 33. TK 1616. On the false ascription to Grosseteste see Thomson, *Grosseteste*, 259. It is probably John Dee's hand that is found between the columns of fol. 102: Roberts & Watson, M40. 'Thomas Allen' (autograph) is between the columns of fol. 107.

19. TK 333.

20. MS. O in the edn. by Baur, *Grosseteste*, 51–9. TK 568.

21. MS. O in the edn. by Baur, ibid., 78–9. TK 234.

22. MS. O in the edn. by Baur, ibid., 72–8. TK 519.

24–27. *AL* 1. 335.

24. Beg. 'Simplices colorum quicunque', TK 1507.

25. TK 1701. 26. TK 1424. 27. TK 516.

I

2° fo *lacking*.

On fol. 124 is the Digby/Allen inventory number 'A.135'. Identifiable as no. 6 in the 4° section of Allen's catalogue.

28–30. The script is of the *type méridionale*. Foliated in red in the centre of the top margin, 170–74, 174, 175–80.

J

2° fo *Insula prediues*.

Title and marginalia in Allen's hand. Identifiable as no. 86 in the 4° section of his catalogue.

31. The date is s. xiii^{in}. *Init.* 2360.

32–4. On the authorship and for edns. of texts see A. B. Scott, 'Some poems attributed to Richard of Cluny', *Hunt Essays*, 181–99. *Init.* 20097, 1021, 13640.

33a. On fol. 137ra/7, 'Ibis et in nostros diues Londonia versus', *Init.* 8644, continues without a break from art. 33.

35. *Init.* 2604. 36. *Init.* 19009. 37. *Init.* 19008. 38. *Init.* 19434. 39. *Init.* 14779.

40. An extract from Roger of Caen, *De professione monachorum*, as in MS. Digby 65 art. 12; beg. 'Quid deceat monachum'. *Init.* 12204.

41. *Init.* 14236. 42. *Init.* 17142. 43. *Init.* 16125, 16205. 44. *Init.* 20357. 45. *Init.* 18331.

46. *Init.* 20654. There follow 'Est via crux vite, crux vos vocit ergo Venite | Signum suscipite patriamque salutis adite'; 'Queris homo quare', *Sent.* 23171a.

47. *Init.* 19639. There follow 'Sis Hector dextra, Nestor sensu, Cato vita | Cum sis mundus ita, tamen intus menda [*glossed* id est putredo] vel extra.'

48. *Init.* 20210. There follows 'A simili dum spe sterili que lubrica scimus' (4 verses); 'Occumbens dormit. discumbens fercula sumit' (5 verses); 'Inter verba laudantium sive vituperantium ad mentem semper recurrendum est...debet prosilire leticiam.'

49. MS. B in edn. by F. Munari, *Mathei Vindocinensis opera* (Storia e Letteratura Raccolta di Studi e Testi, 144; Vatican City, 1977), 152 (1982); see 2.78 for description.

50. 'Sum simili fuerit pollutus crimine iudex | Nulla timere potest aspera verba reus.' 'Convenit ut taceat qui vult quod fama loquatur'; 'Convenit ut taceat lingua loquatur opus.'

51. *De amore sponsi ad sponsam*; Goy, *Hugo von St Viktor*, 2.2.4.7; this manuscript is his no. 29.

52. Augustine (Ps.-Bede), *Sermo 37*, pr. *PL* 38. 221–35; ed. C. Lambot, CC 41 (1960), 446–73.

53. For 'Denigrat meritum': see B. Silvestris, *Mathematicus*, ed. B. Hauréau (Paris, 1895), 32; *Sent.* 5376.

K

2° fo *Themo*.

54–5. Written above top line.

54. By John of Garland. MS. O in the edn. by F. Ghisalberti, *Integumenta Ovidii* (Messina & Milan, 1933). The incipit is 'Parvus maiori paret veloxque viator.'

55. Beg. 'In principio huius libri dicendum est que sit materia, que intencio.'

L

2° fo *lacking*.

56–59. One of two copies, the other being MS. Auct. F. 5. 23 (*SC* 2674), which is ed. CBMLC *Benedictines*, B23; previously pr. by T. Hearne, *The History and Antiquities of Glastonbury* (Oxford, 1722), 291–3, and reproduced from there in *Monasticon*, 3. 186, at 186 n. b. On this copy see headnote to CBMLC edn.

56. TK 1685.

M

2° fo *Spiritus*.

60. On fol. 175 are Allen's number '70' (i.e. in the 4° section of his catalogue), the Digby/Allen inventory number 'A.161' and a title in Allen's hand.

MS. Oxf 2 in edn. by G. Maurach, *Philosophia mundi: Ausgabe des 1. Buchs von Wilhelm von Conches' "Philosophia"* (Pretoria, 1974). For list of 67 other manuscripts see A. Vernet, 'Un remaniement de la *Philosophia* de Guillaume de Conches', *Scriptorium*, 1 (1946–7), 243–59, at 252–5.

105

Probably Allen's MS. 35 in the 4° section of his catalogue.

Probably written by a foreign (French?) scribe in Northern Italy, s. xiii$^{1/4}$. For watermark cf. Briquet 2663 (Ferrara, 1417). Good Italian illuminated initial on fol. 166^v not in PA. There are occasional marginalia in a 15th-century hand that uses anglicana 'r'.

106

2° fo (fol. 2) *Della quinta*; (fol. 4) *re che fa*.

For Macray's 'Jacopo Dedinuzi' read 'Jacopo di Dinuzi.'

The date is s. xv^{ex} and the foliation iii+82. Watermark: scissors, closest to Briquet 3766 (Venice 1471). The same scribe copied Ravenna, MS. Class. 428, at Vinci in 1478: see Bénédictins du Bouveret,

Colophons des manuscrits occidentaux (Spicelegii Friburgensis Subsidia, 3; Fribourg, 1967), no. 857. For other manuscripts see A. C. de la Mare, 'New research on humanist scribes in Florence', *Miniatura Fiorentina*, 1, 479–80. Watson, *DMO* pl. 763 (fol. 56).

107

2° fo *Misso sopore*.

On fol. 1 is Allen's number '36' (i.e. in the 4° section of his catalogue) and on the verso of the flyleaf is the Digby/Allen inventory number 'A.85.' On William Martial (Marshall) see Emden, *BRUO 1501–1540*. His name is also on fols. 50^v, 52^v, 53, 64^v and 67^v. The 15th-century compiler of the index on fols. 53–64 annotated copiously throughout in a bold, perhaps Oxford, hand.

The date is s. xiii^{ex}. Quired 1–5^8 6^{10} 7^2 8^{12} 9^4. Quire 8 is an added paper quire for the index, fols. 53–64; 9 comprises parchment flyleaves (fols. 65–8). On quire 1–6 are quire signatures .i.^{us} to .v.^{us} in the bottom right corner of the last verso, in the same red as the rubrics. Later quire signatures 2–9 are in the bottom centre of the first recto of quires 1–8. Quire 8 is separately paginated in the upper right corner of the rectos.

For other manuscripts (Munich, Clm 564, Prague Univ. 2653) see L. Thorndike, *Speculum*, 20 (1945), 874–7.

Fol. 30^v. See Destombes, *Mappemondes*, no. 41.9. Map reproduced in Y. Kamal, *Monumenta cartographica Africae et Aegyptiae* 3/4 (Cairo, 1934), 869.

108

2° fo *beatur noticia*.

On fol. 1 is Allen's number '55' (i.e. in the 4° section of his catalogue) and on fol. i the Digby/Allen inventory number 'A.117.'

The reference to this manuscript in R. Fawtier, *Sainte Catherine de Sienne. Essai de critique des sources* (Bibl. des écoles françaises d'Athènes et de Rome, 121; Paris, 1921), 23 n. 1, is an error; it should be to MS. Digby 180.

The date is s. xii^2. There are frequent marginalia in a French(?) hand of s. xiii and others in English hands of ss. xiii–xv. One of the English hands, of s. xiii^{ex}, also wrote (fol. 1) the list 'librorum phisicalium quos M. de Cumtune [*or* Cuintune] legat R. fratri suo', reproduced in *MSS. at Oxford*, fig. 31. See ibid. fig. 30 for reproduction of fol. 26^v. Together these texts form a group of early commentaries on the *Articella*, said by Kristeller to be the only complete and uncontaminated copy and entitled by him the 'Digby' commentary (P. O. Kristeller, 'Early commentaries on the 'Articella'', *Italia medioevale e umanistica*, 19 (1976), 57–87, at 71, repr. in P. O. Kristeller, *Studies in Renaissance Thought and Letters* (Storia e Letteratura raccolta di *Studi e testi*, 178; Vatican, 1993), 401–29, at 415. For his description of the manuscript and details of other copies (including MS. Ashmole 1475) some of which attribute individual commentaries to various authors, see ibid., 77 (420 in reprint). See further M. D. Jordan, 'Medicine as science in the early commentaries on the 'Johannitius'', *Traditio*, 43 (1987), 121–45, at 134 n. 68 et seq. Jordan points to striking variations between the Digby and other copies (including MS. Bodl. 514 (*SC* 2168), fols. 57^v–62^v) and argues, contrary to Kristeller, that the Digby commentaries are Salernitan works from the first decades of the 12th century.

1. TK 311.

2–3. Kibre, *Hipp. Lat.*, pp. 40, 220 (III, *Prognostica*). TK 1559, 1492.

4. Kibre, *Hipp. Lat.*, pp. 220, (XLV, *Prognostica*, with the commentary of Petrus Musandinus). TK 1277.

5. TK 643. 5(2) is TK 893.

109

2° fo *obitum*.

The contents suggest that the manuscript comes from Bury St Edmunds. On fol. 1 are Allen's number '29' (i.e. in the 4° section of his catalogue) and the Digby/Allen inventory number 'A.64'.

1. Abbo's *Passio*, BHL 2392, ed. by M. Winterbottom, *Three Lives of English Saints* (Toronto, 1972), 67–87, ends on fol. 25. It is followed by chs. 3, 4, 5, 8, 9, 12 of the *Miracula* by Samson; see *Memorials of St. Edmund's Abbey*, ed. T. Arnold, 2 vols. (RS, 96; London, 1890, 1892), lxiv, lxvii; see also E. W. Williamson, *Letters of Osbert de Clare* (London, 1929), 31. R. M. Thomson, *Rev. Bén.*, 84 (1974), 385 n. 3, suggests that the excerpts from the miracula were copied from the Bury manuscript now London, BL, MS. Cotton Titus A. viii pt. 2.

2. The office (monastic) is followed by a mass (fols. 49–50^v): see W. A. Bloor, 'The proper of the mass of the feast of St. Edmund', *Douai Magazine*, 7 (1933), 222 et seq. See further A. Hughes, 'The monarch as the object of liturgical veneration', *Kings and Kingship in Medieval Europe*, ed. A. J. Duggan (London, 1993), 375–424, at 382, 392–3; A. Hughes, 'British rhymed offices, a catalogue and commentary', in *Music in the Medieval English Liturgy*, ed. S. Rankin & D. Hiley (Oxford, 1993), 239–84, at 260, lists the component parts. He points out that it lacks the vigil (although it has an added vigil office) and that R. M. Thomson, 'The music for the office of St Edmund King and Martyr', *Music and Letters*, 65 (1984), 189–93, errs in identifying the (added) office as the office for the translation.

PA 3. 375.

110

2° fo lacking.

The date is s. xiii/xiv. Evidently the final section of a larger manuscript which also contained a *Vita* of St Thomas Becket: twice on fol. 82^v, in a hand of s. xiv^{in}, is 'Vita sanctorum [Thome *deleted*] Elfegi et Dunstani archiepiscoporum.' On fol. 1 are Allen's number '18' (i.e. in the 4° section of his catalogue) and the Digby/Allen inventory number 'A.143'.

1. BHL 2518. 2. BHL 2344.

PA 3.486.

111

2° fo (fol. 2) *Trilis*; (fol. 4) *Aspergentur*.

Written in NE(?) Italy, s. xv$^{3/4}$. On fol. 1 are Allen's number '18' (i.e. in the 4° section of his catalogue) and the Digby/Allen inventory number 'A.143'.

Beg. 'Summo decet studio emergentes morborum insidias deprimi,' TK 1539.

On fol. 6^v are two medical recipes in English, s.xvi^1, *IMEP 3*, 51.

PA 2.965.

112

In two parts, arts. 1–15, 16–22, combined since medieval times. The pressmark H4 (s. xvi^{ex}) on fol. 1 led M. R. James to claim (with a query) the manuscript for Bury St Edmunds (see *EHR*, 41 (1926), 256) but the attribution is rejected by Ker, *MLGB*. Lapidge (see below, art. 15) regards the prominence of Sts. Swithun and Birinus in part 1 and the prominence of Prior Godfrey in part 2 as indications that the two parts were written and combined at Winchester; *MLGB Supplement* accepts this with a query. On fol. 1 is Allen's number '46' (i.e. in the 4° section of his catalogue) and on fol. i is the Digby/Allen inventory number 'A.111'. The 12th-century contents-list on fol. iii^v has additions by Allen.

A

2° fo *officio*.

1. BHL 7493.

2. BHL 1361. MS. D in the edn. by R. C. Love, *Three Eleventh-century Anglo-Latin Saints' Lives; Vita S. Birini, Vita et Miracula S. Kenelmi and Vita S. Rumwoldi* (Oxford, 1996), 1–47. Our text begins with Love's ch. 2. See also pp. xlix–lxxxviii (this manuscript at lxxvi).

3 and 4. Pr. by K. N. Ciggaar, 'Une description de Constantinople...', *Revue des études byzantines*, 34 (1976), 211–67, at 245–63.

4–6. One piece. 4. Beg. 'In occidentali parte est introitus Iherusalem.' 5. Beg. 'Iaspis primus ponitur in fundamento civitatis.' 6. BHL 5281.

7. MS. Δ in C. Plummer's edn. of Bede, *Hist. Eccl.* (1896), 1. cxxxiii–iv: 'an evident transcript of B.M. Harley 3020.' BHL 8968.

8. MS. δ in Plummer's edn. (as above), cxl. This and MS. Harley 3020 are the only two known manuscripts. BHL 1726.

9. MS. D in the edn. by M. Lapidge, 'The Digby-Gotha recension of the Life of St. Ecgwine', *Vale of Evesham Historical Society Research Papers*, 7 (1979), 39–55. The text is based on the longer *Vita* by Dominic of Evesham. *BHL* 2433.

10. *BHL* 5850. 11. *BHL* 2660. 12. *BHL* 2773. 13. *BHL* 1487. 14. *BHL* 7472.

15. See William of Malmesbury, *Gesta regum*, ed. W. Stubbs, 2 vols. (RS, 90; London, 1887–9), 1. cxvii. Ed. by M. Lapidge, 'The cult of St Indract at Glastonbury', *Ireland in Early Mediaeval Europe. Studies in Memory of Kathleen Hughes*, ed. D. Whitehouse *et al.* (Cambridge, 1982), 179–212, at 199–212, repr. in M. Lapidge, *Anglo-Latin Literature, 900–1066* (London & Rio Grande, 1993), 419–52, at 439–52. *BHL* 4271.

B

2° fo *ante domini mei.*

16. MS. Di in the edn. by J. W. James, *Rhigyfarch's Life of St David* (Cardiff, 1967), xix. *BHL* 2107.

18. Ed. by H. Gerhard (Würzburg, 1974). See Maaz, *Lateinische Epigrammatik*, 43 et seq. This manuscript is MS. *C* (not *A*, as Macray) in Wright's edn.

19. *Init.* 16642. 20. *Init.* 4109.

21. Also in BL, MS. Cotton Vitell. A. xii, fol. 132ᵛ; see A. Boutemy, 'Notice sur le recueil poétique de manuscrit Cotton Vitellius A. xii', *Latomus*, 1 (1937), 278–313, at 288. *Init.* 203.

22. Nos. viii and xvii are also pr. in Surtees Soc., 70 (1878), 72–4.

PA 3. 118.

113

2° fo lacking.

In the bottom margin of fol. 208 is a draft(?) of a *cautio*, 'Supplementum <j... rum> cuius principale est cowton [cuius principale est *repeated and crossed out*]' (s. xv). Scribbles on fol.118ᵛ, 'Mr Whyt' and on fol. 119, 'Mr Yonge' (both s. xvi/xvii). On fol. 1 are 'Tho: Allen' and a title in his hand, his number '12' (i.e. in the 4° section of his catalogue), the Digby/Allen inventory number 'A.70', and Digby's motto and name.

1. MS. B in K. Walsh, 'The 'De vita evangelica' of Geoffrey Hardeby', *Analecta Augustiniana*, 33 (1970), 150–261. See also A. Gwynn, *The English Austin Friars* (1940), 90–95; F. Roth, 'A history of the English Austin Friars [12]', *Augustiniana*, 16 (1966), 447–519, at 502, 504 et seq., where the dedication is printed; Emden, *BRUO*.

3. Ed. by H. Denifle & A. Chatelain, *Chartularium Universitatis Parisiensis*, 1 (Paris, 1889), 503, no. 308.

4. Beg. 'Quamvis igitur de martirio gloriosi fratris Stephani ordinis minorum de Ungaria testimonium sufficientes...'.

114

In four or more parts but all united during the medieval period. There is medieval foliation 5–258 and the manuscript appears to have been put together by the 14th-century scholar who wrote the tables on fols. 1–16 since his hand reappears on fols. 61, 71, 102, 107ʳᵛ. Exactly how many separate units are represented by fols. 17–52 seems impossible to determine. On fol. 1 are Allen's number '33' (i.e. MS. 4° 33 in his catalogue) and the Digby/Allen inventory number 'A. 140.'

A

2° fo *anni.*

1–3.

B

2° fo *equalem.*

4. TK 1614.

7. Beg. 'Diversi astrologi secundum diversos annos', TK 440, but the ascription to Roger of Hereford is dubious: see Haskins, *Medieval Science*, 125.

8–9. These may or may not go with arts. 4–7: their 2° fo is 'Marcium'.

8. TK 1171.

C

2° fo lacking.

10–12.

D

2° fo *non revertetur.*

13. †TK 1403.

15. See L. Thorndike, 'The Latin translations of the astrological tracts of Abraham Avenezra', *Isis*, 35 (1944), 293–302. TK 1580, 1467.

17. TK 1424.

18. Carmody, *Arabic Sciences*, 154, suggests that this may be a part of the work found in MS. 97, art. 13, but it does not appear to be so.

115

2° fo *inspiracione.*

For a description see the edn. by J. P. H. Clark & C. Taylor, *Walter Hilton's Latin Writings* (Analecta Cartusiana, 124; Berlin, 1987), 1. 23–6. Arts. 2–3 are the nucleus of the book (s. xvⁱⁿ in one hand). In art. 1, fols. 2–9 are a quire to which fols. 1 and 10 are added, disjunct, leaves. Fols 2–10 have been corrected and fol. 10 replaced by a fair copy with corrections incorporated, now fol. 1. Arts. 4–5 are further, separate, additions to the nucleus.

On fol. 1 are Allen's number '49' (i.e. in the 4° section of his catalogue) and the Digby/Allen inventory number 'A.112'.

1. MS. D2 in the edn. by Clark & Taylor, ibid. 69–102.

2. Pr. in *Opera S. Bonaventurae*, 7 (Rome, 1596), 205–80; *Opera omnia S. Bonaventurae*, ed. A. C. Peltier (Paris, 1868), 12. 632–703, but really an elaboration of an earlier tract with the same name by James of Milan, OFM; cf. B. Distelbrink, *Bonaventurae scripta* (Subsidia Scientifica Franciscalia; Rome, 1975), 194–7.

3. Ps.-Hugh of S. Victor; *PL* 184. 507–52. Bloomfield, no. 1787.

4. There is nothing in the manuscript to support the queried attribution to Thomas Fishburne by M. W. Bloomfield, *Traditio*, 11 (1955), 358, no. 897, and Bloomfield, no. 5376, which originated with Tanner, *Bibliotheca*, 280–81. The same tract is M 25 in the Syon Abbey catalogue, ed. M. Bateson (Cambridge, 1898), 102. CBMLC, *Brig. and Carth.* (in progress). Fishburne is doubtless the first confessor of Syon Abbey, d. 1431. See A. I. Doyle, 'The European circulation of three Latin spiritual texts', in *Latin and Vernacular*, ed. A. J. Minnis (Cambridge, 1989), 129–46, at 134.

5. This treatise, Bloomfield, no. 0362, is incorporated into the treatise recorded by him as no. 4624 sometimes attributed to Jean Gerson: *Oeuvres complètes*, ed. P. Glorieux (Paris, 1973), 10. 374–86. For other manuscripts see ibid., 9. xxi, 10, 288.

PA 3. 801.

116–118

These are a set, bound in calf, without stamps. They were probably bound for the Library in the mid-17th century. The same binding is on MSS. 122, 125, 126, 128, 129, 131, 134, 135, 141, 144.

118

For Macray's 'Magilio' read 'Mangilio.' On Antonius Mangilius see A. de Backer & C. Sommervogel, *Bibliothèque de la Compagnie de Jesus*, 5 (Brussels & Paris, 1894), 478.

119

Three manuscripts, with continuous fifteenth-century foliation throughout. M196 in John Dee's catalogue (Roberts & Watson): there are many Dee annotations and titles. For the binding cf. Dee's description, 'in a blak cover with clasps.' Rust stains and erosion on fols. 1–5 and 221–2 show the position of a former single clasp. Digby's acquisition of the manuscript, dated 1626, was at the time of the major sales of Dee's books: see Roberts & Watson, 34–6.

A

2° fo (fol. 1) *Recipe acetum*; (fol. 10) *metallorum*. The date is s. xiv.

In the bottom margin of fol.6ᵛ is 'Opus Johannis Gallici melius habetur infra \.71./' [= fol. 96] usque ad opus lapidis albi.'

3. Fauser, *Albertus Magnus*, 71, no. 44.

4. Little, *Bacon Essays*, appendix, 347; TK 180.

5. Little, *Bacon Essays*, appendix, 397. W. R. Newbold, *The Cipher of Roger Bacon* (Philadelphia, 1928), pls. of fol.77ᵛ, 78 facing 187, 188. TK 1688.

6. TK 1417.

7. Little, *Bacon Essays*, appendix, 398; TK 296.

8. Little, *Bacon Essays*, appendix, 413; TK 47. Cf. MS. 28 art. 11.

B

2° fo *stratum de sale*.

11. TK 77. 12. TK 1339 (fol. 97, TK 1060).

12. Beg. 'Recipe vitella ovorum et bene'; TK 1339.

12a (fol. 97/20). Roger Bacon, *Projectio elixir*, †TK 1060.

13. Also attributed to Geber and Rasis. *PAL* 93.

14. TK 823. 17. †TK 1460.

18. Thompson, 'Trial index', 430, col. 2 (manufacture, under the name of azurium).

20. †TK 459. 21. †TK 444.

23. Beg. (fol. 134ᵛ) 'Scias quod alumen iameni solvitur'; †TK 1387.

25. Thompson, 'Trial index', 425, col. 1 *ad fin.* to improve color; col. 2, precious metals to separate and refine, and solders for; TK 593.

26. P. D. Thomas, 'Missing fragments of British Museum Additional Manuscript 15549', *Scriptorium*, 24 (1970), 51–3, at 51 n. 3. TK 77.

27. †TK 21. 28. TK 822. 30. TK 1388. 31. TK 188. 32. TK 1036. 33. TK 759, 1080.

34. Roger Bacon, *Liber de secretis naturae*, TK 772.

35. TK 77. 37. TK 335.

38. Beg. 'Modus et pondus in omnibus distillacionibus'; †TK 879.

40. TK 1679.

43. Beg. 'Quoniam ea que magister atque ceteri'; cf. TK 1273.

45. *De duodecim aquis*, usually attributed to Rasis (as here) but also to Albertus Magnus and others. Ed. by J. Ruska, 'Pseudepigraphe Rasis-Schriften' *Osiris*, 7 (1939), 31–94. *PAL*, 10.

C

2° fo *et leve quousque*.

46. Beg. 'Cum in tanta etatis prolixitate experiri non desisterem'; TK 308.

48. TK 587. Lawton's name on fol. 219ᵛ is of s. xviᵐᵉᵈ.

120

Vellum binding over pasteboard.

Engraved border, fols. 1, 244 (Rome, 1604) with titles of works in the present manuscript written in blank centre space. 'IUL. C. PROIA' written in the space where printer's name or the date might appear. 'Iulian Proia' added to the date on fol. 244. Cited as the only manuscript by C. H. Lohr, 'Renaissance Latin Aristotle Commentaries (I)', *Studies in the Renaissance*, 21 (1974), 228–89, at 241.

121

The date is s. xiii. Vellum binding over pasteboard.

1. Beg. 'Septem sunt genera metalli'; TK 1432.

122

Binding as MSS. 116–118. On fol. ii is 'Kenelme Digby'.

123

2° fo *falme*.

Written in England. John Dee's ladder mark is at the top left of fol. 1 and his hand occurs on fol. 16: DM 115 in his catalogue (Roberts & Watson). On fol. 1 are Digby's motto and name.

Watermark: hand with star, not close to any in Briquet. Binding as MS. 121.

1. TK 999. *IMEP 3*, 52, records a few marginal notes, summaries of contents and three medical recipes in English on fols. 5^v, 28^v and 29.

2. By John of Burgundy, TK 1290.

3. Cf. Carmody, *Arabic Sciences*, 55. TK 789.

On fol. 2^v is a list of about 50 Latin nouns and adjectives with English equivalents.

124

Binding as MS. 121.

On fol. ii is 'In nomine domine [*sic*]: Manuscriptum Alchimiæ George Bouill anno 1622 pretium 2^s. 6^d. Edmund Bowyer.'

125

Binding as MSS. 116–118.

Cited as the only copy by Lohr, *Aristotle Commentaries II*, 125.

PA 1. 408.

126

2° fo *ergo nam*

The date is also s. xvi. Binding as MSS. 116–118.

A brief abstract is given by L. Thorndike, 'Some unpublished minor works bordering on science written in the late 15th century,' *Speculum*, 39 (1964), 93–5. Lohr, *Aristotle Commentaries II*, 426.

127

Three separate manuscripts, arts. 1 and 2 in a continental hand, arts. 3 and 4 in two English hands. Vellum binding over pasteboards, without fillets, s. xvii^{in}. Ties now lost.

On fol. 96 is an inscription in Hebrew characters, 'William Waldia(?) my book.'

4. PA 3. 1214.

128

Binding as MSS. 116–118.

Cited as the only manuscript by C. H. Lohr, 'Renaissance Latin Aristotle commentaries (II)', *Renaissance Quarterly*, 29 (1976), 714–45, at 745.

129

2° fo *Hanc poterit*.

Digby's motto and name are on fol. 1. The one visible watermark, fol. 78, cannot be sufficiently seen to be identified. Flyleaves (probably originally the cover) contain fragments of the office of St. Mary Magdalene from a breviary in a fine Italian gothic bookhand (s. xv^1). Binding as MSS. 116–118.

2. †TK 186.

3. By Pietro da Eboli. TK 769. *Init.* 9478.

130

2° fo *simulant*.

The arms are not of Malatesta but perhaps of Agliata of Pisa or Negroni of Forli and Rome, as in MS. Rawl. D. 218: PA 2. 357.

2. See J. Soudek, 'Leonardi Bruni and his public', *Studies in Medieval and Renaissance History*, 5 (1968), 107.

3. For other manuscripts see Lohr, 'Aristotle commentaries IV', 318–9.

Between arts. 4 and 5 (fols. 67–8) is 'Demosthenis oratio ad Alexandrum e graeco in latinum traducta per M. T. C.', beg. 'Nihil habet rex Alexander vel fortuna tua.' The letter at the end (fol. 90^v) beg. 'Quoniam nuper est <ad> auditum nostrum deductum', written apparently by a pope, is followed by the monogram of Lattanzio Tolomei (identified by Professor A. C. de la Mare): see A. Mercati, *Scritti d'Isidoro il cardinale Ruteno* (Studi e testi, 46; Vatican, 1926), appendix vii and pl. vi nos. 1, 2; see also J. Ruysschaert, *Mélanges E. Tisserent VII* (Studi e testi, 237; Vatican, 1964), 281 n. 9.

131

2° fo (fol. 2) *Opusculum*; (fol. 3) *Quidem est*.

The date is s. xv$^{3/4}$. Binding as MSS. 116–118. On fol. 1 are Digby's motto and name.

1. Dedication beg. 'Et si magnopere cuperem insignis ac generose miles Andrea picolomine.' Text beg. 'Sepe ego confabulari soleo Nicholaae [*sic*] vir singularissime.' Briefly mentioned by L. Thorndike, *Science and Thought in the Fifteenth Century* (New York, 1929), 264.

132

On the flyleaf are Allen's number 'A57' (i.e. in the 4° section of his catalogue) and the Digby/Allen inventory number 'A.153.' Watson, *DMO*, no. 425.

133

Rebound in 19th-century calf.

1 and 6, separate sections, are Italian, the remainder English. 7–9. For Blomefylde see D. C. Baker & J. L. Murphy, 'The books of Myles Blomefylde', *The Library*, 5th ser. 31 (1976), 377–85.

3, 7–9. Severs & Harting, *Manual*, 1351–4, 1595–6; *The Digby plays*, ed. F. J. Furnivall, EETS, ES 70 (London, 1896, repr. 1967); for a description of the manuscript see *The Late Medieval Religious Plays of Bodleian MSS. Digby 133 and e Musaeo 160*, ed. D. C. Baker *et al.*, EETS, 283 (London, 1982), frontispiece (fol. 45) and pl. facing p. 112 (fol. 155ᵛ), complete facsimile in *The Digby Plays*, ed. D. C. Baker & J. L. Murphy (Leeds Texts and Monographs: Medieval Drama Facsimile III; Leeds, 1976). See also R. Beadle, 'Monk Thomas Hyngham's hand in the Macro manuscript', *Doyle Studies*, 315–41, at 318, 322, 327. 3 is *IMEV* and suppt., 2814, 7 *IMEV* and suppt., 1291; 8 *IMEV* 3642; 9 *IMEV* 1440.

6. Also in MS. Rawl. D. 534, fols. 2–74. Not recorded elsewhere by Charmasson, *La Géomancie*, 303.

7. *Census Catalogue of Manuscript Sources of Polyphonic Music 1400–1500* (American Inst. of Musicology, Renaissance Manuscript Studies, 1; Stuttgart, 1982), 2. 277–8 and refs. Fol. 145ᵛ reprod. by J. F. R. Stainer, *Early Bodleian Music*, 1 (London, 1910), pl. 110.

134

2° fo *fuit graciosus*.

On fol. 1 are Digby's motto and name.

The binding, as MSS. 116–118, has old covers let in: they have strapwork decorations, partly gilt, of which the upper and lower centre panels remain, and are probably Venetian, s. xv². On fol. ix is 'συν τυχη παντων κρατεισ' (s. xvi).

On the text and for this copy's relationship with copies in Vienna see Charmasson, *La Géomancie*, 142–55. TK 583.

The two binding leaves at the end are from a noted missal, written in Italy s. xii, containing masses for the Deposition of Gregory, Benedict and the Annunciation of the BVM.

135

2° fo *Prima pars*.

Written in Lombardy between 1458 and 1464: the border is strongly Lombardic in style (see R. J. Mitchell, *The Laurels and the Tiara* (London, 1962),

pl. of fol. 1 facing p. 45). Probably the dedication copy. PA 2. 728. On the verso facing fol. 1 are Digby's motto and name. Binding as MSS. 116–118.

For the author see P. Argelatus, *Bibliotheca scriptorum Mediolanensium* (Milan, 1745), 2, cols. 608–9.

136

2° fo *mie les*.

Ogle's inscription is of s. xvi/xvii. On fol. 1 are Digby's motto and name. The binding is of parchment-covered, blind-ruled boards with remains of green textile ties, presumably of the early 17th century.

Around fols. 66–71 is a strip of parchment with polyphonic notation without stave lines, with c.o.p. ligatures (not coherent and perhaps pen trials), English s. xivᵐᵉᵈ(?) (*ex info*. Dr Andrew Wathey).

137

Binding of yellow calf over pasteboards. On fol. 343ᵛ is 'Joannes Tardæus petragorius' (i.e. of Perigueux) (s. xvi).

1. Cited as the only manuscript by C. H. Lohr, "Renaissance Latin Aristotle Commentaries (II)', *Renaissance Quarterly*, 28 (1975), 689–741, at 713, and Lohr, *Latin Aristotle Commentaries II*, 93.

PA 1. 862.

138

2° fo *pestales*.

The inscription on fols. 157 and 158ᵛ is in the hand of the scribe Roger Walle (not Waller as Macray), canon of Lichfield, on whom see Emden, *BRUO* and Parkes, *ECBH*, pl. 22. On fol. 1 are Digby's motto and name.

MS. D in G. C. Macaulay, *Complete Works of John Gower*, 4 vols. (Oxford, 1902), 4. lxvi–lxviii; also in M. B. Parkes, 'Patterns of scribal activity and revisions of the text in early copies of works by John Gower', *Doyle Studies*, 81–121.

IMEP 3, 52, records a series of 13 medical recipes on fols. 1ᵛ (*recte* iiᵛ) and ii (*recte* iii), 1 on fol. 157 and 6 culinary recipes on fol. 160ᵛ (s. xvii).

On fol. 157ᵛ a hand of s. xv wrote 3 verses; 'Pauperibus sua dat gratis nec munera captat | Curia papalis quod modo percipimus | Laus tua non tua fraus, virtus non, copia rerum', and an italic hand of s. xvi added 'Scandere te fecit, hoc decus eximium.' On fol. 158 another italic hand of s. xvi repeats all 4 verses, below which the first italic hand writes the same verses as a palindrome, beg. 'Eximium decus hoc', *Init.* 6083, where further references are given; but the attribution to Filelfo will not stand because one of the manuscripts cited, MS. Bodl. 233 (*SC* 2811), fol. ivᵛ, is of s. xiv.

The verse on fol. 159, pr. by Macray, 'The dowte of future force...', is T 507 in M. Crum, *First Line Index of English Poetry 1500–1800 in Manuscripts of the Bodleian Library Oxford*, 2 vols. (Oxford, 1969).

On fol. 160 are verses added by the writer of the palindrome: 'Vulturis est hominum natura cadavera velle | Ut sibus occurrit bellica castra sequi'; 'Milicie numerus cressit decrescit et actus | Sit honor est est [*sic*] vacuus dum viciatur onus'; 'Casibus in letis', *Sent.* 2453; 'Otia si tollas', *Sent.* 20513'; 'Lux estis mundi sed non penitus sine fumo | Nam sine peccato vivere nullus habet'; 'Terram contemnas qui cælum queris habere | Si mansura petis hec fugetiva fuge.' These are followed by proverbial sentences taken from the *Vox clamantis*, with book and chapter references.

139

The date is s. xvii[in]. The binding is of vellum over pasteboards. On fol. 1 are Digby's motto and name.

140

2° fo (fol. 4) *tistiti suo*.

The date is *c.* 1300. On fol. 3 are 'Tho: Allen' and his number '63' (i.e. 63a in the f° section of his catalogue).

Calf binding over pasteboards with gold fillets, s. xvii[med].

No editor seems to have remarked that some leaves are bound in the wrong order: the correct order is 8, 9, 7, 10.

Ed. by J. Raine, *The Historians of the Church of York*, 3 vols. (RS 71; London, 1879–94), 2. 312–87. In his edn. of Hugh the Chanter, *The History of the Church of York 1066–1127* (Oxford, 1990), in which this is MS. D, C. Johnson remarks (p. vii) that passages covering 1070–1140 are almost entirely an abbreviation of Hugh's text, lightly supplemented from the archives of York.

Fols. 1–2[v] are PA 1. 551; fols. 3–17 are PA 3. 525.

141

2° fo (fol. 2*) *Dal mar tyreno*; (fol. 2) *Quandio*.

The date is 1465. For a description see N. Mann, 'Petrarch manuscripts in the British Isles,' *Italia medioevalia e umanistica*, 8 (1975), 139–527, no. 214. Watson, *DMO*, no. 426 and pl. 634 (fol. 40). The same scribe copied Vatican, MS. Chig. H. IV. 160 in Siena in 1466.

Binding as in MSS. 116–118, the old covers of red leather with blind strap-work decoration let in to a post-medieval binding (?1632–4). Here the join of the new leather and the old cover is covered by the gilt impression of an 18th-century roll. The old covers are contemporary with the manuscript.

The decorator of the manuscript is Joachinus de Gigantibus, who was working in Siena in 1465; see J. Ruysschaert, 'Miniaturistes romains sous Pie II', in *Enea Silvo Piccolomini—Papa Pio II*, ed. D. Maffei (Siena, 1968), 245–82, at 280 n. 221. PA 2. 345.

On fol. 176, in Digby's hand, is 'Morte altro ben' homai non spero. Pet: Son: 1 in mort. Laurae. KD.' The *ex libris* is also in Digby's hand.

142

2° fo *didicit*.

The date is s. xv[1]. Watermark: cf. Briquet 11719 (Siena etc. *c.* 1400–1430. Vellum binding over pasteboards. On fol. 1 are Digby's motto and name.

On the classification of the text see A. P. MacGregor, 'The manuscripts of Seneca's tragedies: a handlist', *Aufstieg und Niedergang der Römischen Welt* 32/2 (Berlin & New York, 1985), 1134–1241, at 1172, 1233.

PA 2. 937.

143

Bound in parchment over pasteboards (ties lost), pre-1634, as MS. 127.

On fol. 1 are Allen's number '50' (i.e. in the f° section of his catalogue) and a title in Brian Twyne's hand.

1. On Robyns see Emden, *BRUO 1501–1540*. Gunther, *Early Science*, 2. 68.

144

2° fo *rat populus*.

On fol. 1 are Digby's motto and name.

Binding as MSS. 116–118, rebacked. For other manuscripts owned by and/or partly in the hand of Rainerius de Maschis of Rimini see *Catalogue of Medieval and Renaissance Manuscripts in the Beinecke Rare Book and Manuscript Library Yale University. Volume III, Marston Manuscripts*, ed. B. Shailor (Binghampton, NY, 1992), 130 (MS. Marston 63). Another one is Rimini, Bibl. Gambalunghiana, MS. Miscell. I. n. 25: see G. M. Canova *et al.*, *I Codici miniati della Gambalunghiana di Rimini* (Milan, 1988), 153–4. Watson, *DMO*, pl. 649 (fol. 39[v]). PA 2. 281.

Fol. 400[v]. Similar inscriptions are in other manuscripts.

145

2° fo *grete lobies*.

Binding of s. xvii re-using leather with blind-roll decoration of s. xvi (J. B. Oldham, *English Blind-Stamped Bindings* (Cambridge, 1952), roll HEk, London, between 1547 and 1589, with another roll similar to his MW rolls).

MS. f° 27 in Allen's catalogue. On fol. 1 are Digby's motto and name.

1. MS. K in the edn. by G. Kane, *Piers Plowman: the A Version* (1960), 9–10; MSS. K (A text), D² (C text), K² (C text) in Schmidt, *Piers Plowman. IMEV* and suppt., 1459.

2. Collated with other copies for an edn. of the text of MS. Laud Misc. 593 by John Fortescue-Acland (London, 1714). *IMEP 3*, 52–3.

3. Beg. 'Many man makes Ryme and lokes to no reason.' In the explicit quoted by Macray 'rud... ter' represents 'rudaliter', deleted. The collection is also in the Bannatyne Manuscript (Edinburgh, National Library of Scotland, MS. Adv. 1104), ed. W. C. Ritchie, Scottish Text Soc., NS 23 (1928), 8–10; in the Maitland folio manuscript (Cambridge, Magdalene College, MS. Pepys 2553), ed. W. A. Craigie, Scottish Text Soc., NS 7 (1919), 159–60, and in the commonplace book of Andrew Melville (Aberdeen, University Library, MS. 28, ed. W. Walker (Aberdeen, 1899), 21–5. Our copy remained unknown to these editors: see Crum, *First Line Index* (as MS. 138 above), M60.

146

2° fo *potestate*.

The date is s. x^ex.

John Clyffe's *ex libris* is on fol. 1. He was sub-prior 1512; see Emden, *BRUO*. On fol. 1 is also 'Tho. Allen. 66. Aldelmus' (i.e. 66 in the 4° section of Allen's catalogue) and on a flyleaf is the Digby/Allen inventory number 'A.180.'

1. MS. O in the edn. by R. Ehwald, MGH Auct. Antiq., 15 (Berlin, 1913), 211–471, descr. 218–21. The Old English glosses were pr. by A. S. Napier, *Old English Glosses* (Anecdota Oxon.; Oxford, 1900), 1–138. See also Ker, *Catalogue*, no. 320; R. I. Page, *Notes & Queries*, NS 30 (1983), 7. The glosses were probably copied directly from the other Abingdon copy, now Brussels, Bibl. Roy., MS. 1650, s. xv^med.

2. MS. A in Ehwald's edn., 487.

3. C. E. Fell, *Edward, King and Martyr* (Leeds Texts and Monographs, NS; Leeds, 1971), vi.

PA 3. 26.

147

2° fo (fol. 3) *passum trium*.

The date is s. xv^ex. The Merton Priory inscription at the top of fol. 2 is erased but semi-legible with ultraviolet light: 'Liber ecclesie beate Marie de Merton iuxta london' in dioc' Winton''. The inscription on fol.1^v is also mostly erased: 'Liber ecclesie <sancte marie de Merton>.' John Gisborne was *scholaris* at Oxford in 1456 and prior of Merton 1486–1502. He also used MS. Ashmole 1522. On him see Emden, *BRUO*. On fol. 2, written over another erased inscription, are 'Tho. Allen', Allen's

number '26' (i.e. in the 4° section of his catalogue), the Digby/Allen inventory number 'A.138' and '1616', and, below, Digby's motto and name.

1. MS. B₅ in the edn. by D. Oschinsky, *Walter of Henley* (Oxford, 1971), 40, where the editor notes that this tract has been added to the volume, although it is in the same hand as the rest: the treatment of chapter marks and initials is different, the reference to the item in the contents-list is clearly an addition, and another *ex libris* to the volume is at the head of the page on which art. 2 begins. TK 1029.

2. Ed. by A. Altamura (Naples, 1954); E. C. Thomas (London, 1888), re-issued with foreward by M. Maclagan (Oxford, 1960).

3. †TK 872. 4. TK 77.

6. MS. E in the edn. by N. L. Hahn, 'Medieval mensuration...', *Trans. American Philosophical Soc.*, 72 (1982), 117–65. The same text is in MS. 174, art. 7. TK 585.

7. †TK 1293.

8. No. 74 in list in edn., Daly & Suchier, *Altercatio*, 164. TK 1423.

9. Bloomfield, no. 3609.

10. Followed by 'Quenam summa boni'; *Init.* 15065.

11. Bloomfield, no. 4457.

12. By John Malverne, d. 1422, on whom see Emden, *BRUO*, 1211. TK 968, 777.

13. †TK 421.

14. MS. 31 (= D2) in edn. by L. Sturlese & R. B. Thomson (Pisa, 1995), whose stemma shows that this and MS. Digby 75 art. 4 share a common archetype. For another edn. and other comments see note on MS. Digby 28 art. 5 above.

15. †TK 318. 16. †TK 1306.

17. Ed. by Bauer, 'Grosseteste', 10–32. Thomson, *Grosseteste*, 115–6. TK 763 attrib. to Maimonides.

18. By Johannes de Sacro Bosco; TK 1577.

19. †TK 1540.

20. MS. Bd in edn. by M. Clagett, *Archimedes* 1. 581–609; TK 136.

21. TK 1175.

22. By Petrus Hispanus; TK 119; Diaz, 1381.

23. Beg. 'Incipit tractatus septem herbarum septem planetis' (cf. TK 736); 'Prima est Saturni que affodilla dicitur', TK 1088, Alexius Africus(?).

24. TK 1486.

25. Cf. MS. 176, fol. 63^v. TK 1448.

26. TK 1383.

27. Also in MS. 228, art. 23. D. W. Singer, 'Some plague tractates...', *Proc. Royal Soc. of Medicine*, 9 (Section of the History of Medicine) (1916), 159–214, at 176, wonders whether one of the several versions of this tract may represent a missing treatise of John of Burgundy that has the same incipit. †TK 587 attributes it to John Holbroke, on whom see *BRUC*.

28. †TK 289.

29. By William Merle. TK 1017.

30. Marbod, *De figuris*, Init. 15443.

31. †TK 1163. 32. *Init.* 989.

33. Ed. by N. Häring in *Studi medievali*, 3rd ser., 19 (1978), 797–879. For other manuscripts see N. Häring, 'Manuscripts of the *De planctu naturae* of Master Alan of Lille', *Cîteaux*, 29 (1978), 93–115.

34. The commentary is by John Ridewall, OFM, on whom see B. Smalley, *English Friars and Antiquity* (Oxford, 1960), 109–32.

On fol. 205ᶜ verso, erased, treated with reagent and now only partly legible by ultraviolet light, is 'SIGNUM seu <...> Willelmi <...>.' On fol. 206, in John Gisborne's hand, are 'Felix qui poterit rerum cognoscere causas', *Sent.* 8967; 'Felix quem faciunt aliena pericula cautum', *Sent.* 8952; 'Mertonia', and 'Johannes Gisborne'. On fol. 206 is also an 8-line erased inscription (s. xvi²) treated with reagent and not recoverable by ultraviolet light, followed by pen trials of Gisborne's name in the same hand.

PA 3. 715.

148

2° fo *opera conditionis*.

The Reading *ex libris* is on fol. 143ᵛ. CBMLC, *Benedictines*, B71. 35. On fol. 1 are Allen's number '15' (i.e. in the 4° section of his catalogue) and Digby's motto and name.

Goy, *Hugo von St Viktor*, 2.2.3.9. This manuscript is his no. 56.

149

Made up of ten fragments. (A) fols. 1–8 (art. 1), s. xiiiⁱⁿ; (B) fols. 9–36 (art. 2), s xiii²ᐟ⁴, above top line; (C) fols. 37–44 (art. 3), s. xii/xiii; (D) fols. 45–60 (art. 4), s. xiii²; (E) fols. 61–74 (arts. 5–12), s. xiii², not English; (F) fols. 74–87 (art. 13), s. xiii¹; (G) fols. 88–99 (art. 14), s. xii²ᐟ⁴; (H) (arts. 15–18), s. xiii/xiv, in a rotunda of southern type; (I) fols. 124–75 (arts. 19–21), s. xiv; (J) fols. 176–216 (arts. 22–31), s. xiii². In the top margin of fol. 1 is '43' (s. xv). On a flyleaf are Digby's motto and name. On fols. 1 and 9 are Allen's number '40' (i.e. in the 4° section of his catalogue, which includes all the items in the present volume) and 'A.168'.

A

2° fo lacking.

The date is s. xiiiⁱⁿ.

B

2° fo *Accupha*.

The date is s. xiii³ᐟ⁴. Written above top line.

C

2° fo *regnum eius*.

3. The date is s. xii/xiii. Schneyer, *Repertorium*, 4 (1974), 170. Our manuscript contains sermons 2, 1, 3–7.

D

2° fo *Quod Baptismus*.

4. The date is s. xiii². Ed. by J. W. Goering & F. A. C. Mantello (Toronto, 1984); Thomson, *Grosseteste*, 138–40; Bloomfield, no. 5982. In the bottom margin of fol. 56ᵛ is 'Versus. Per que ledaris nunquam perversa loquaris | Paucis responde pro tempore plura reconde'; and on fol. 58ᵛ, 'Ascalanita necat pueros', *Init.* 1564.

E

2° fo *horror et*.

The date is s. xiii² and the script of *type méridionale*.

5. Bloomfield, no. 0187, *Tractatus de confessione perutilis*, found also in Durham Cathedral, MS. B.IV.28. At the end is added 'Quid prodest medico', *Sent.* 25147.

6. On fol. 66ʳᵇ, 'Ista vii. sunt obseruanda in edendo', are 'Sit timor', *Init.* 18347; *Sent.* 29881; 'Absint delicie', *Sent.* 164 line 1 (line 2 is 'Ebrietas, nimius affectus, histrionatus').

7. MS. Od in A. Wilmart, *Le 'Jubilus' dit de S. Bernard* (Rome, 1944), 30. The Anglo-Norman version is pr. ibid., 252–4, and by S. H. Thomson, *Medium Ævum*, 11 (1942), 68–76.

8. For Macray's 'Cinnetona nomine' read 'Cumetona nomine', i.e. Compton, Oxon. For other copies see Mynors, *Balliol*, 375; *Cat. Rom.* 3. 532.

12. Beg. 'Omnia terrerena [*sic*] contempsit homo deus.'

F

2° fo *esca ventri*.

The date is s. xiii¹.

G

2° fo lacking.

The date is s. xiii²ᐟ⁴.

14. P. Verbraken, 'La collection de sermons de Saint Augustin "De verbis domini et apostoli"', *Rev. Bén.*, 77 (1967), 26–46, at 45.

H

2° fo *ribus uermium*.

15. The date is s. xiii/xiv and the script a rotunda of *type méridionale*, except that for art. 18 which is an English addition of s. xv. Cf. Bloomfield, nos. 4479 (Salisbury Cathedral, MS. 54) and 4480 (BL, MS. Royal 5 A. i, fol. 102).

I

2° fo (fol. 125) *reus remanebit*.

The date is s. xiv.

19. Beg. 'Incipiendo annum incarnacionis a capite Ianuarii.'

21. TK 1226.

J

2° fo (fol. 178) *omne signum* or (fol. 177) *Postulata a domino*.

24. TK 1078. 25. TK 1299. 27. TK 1081. 28. TK 1407, 1408. 29. †TK 189.

31. S. Jenks, 'Astrometrology in the Middle Ages', *Isis*, 74 (1983), 185–210, no. 134, identifies this as the *Liber novem iudicum*. For this text see reference cited under MS. 47 arts. 11–12. TK 197.

On fol. 216ᵛ is 'Sibthorpe in contie of Nott. Rychard Harrintoun" (s. xvi).

150

2° fo *cior est*.

Written in France. What follows 'Bryggeman magistro' (s. xv) cannot be read by ultraviolet light since a reagent was applied, but below it is an erased list of fellows of Oriel College which can be mostly recovered: 'Magistri collegii de Oryell Aᵒ domini 1474. M. Law[s?], M. Holket, M. Sampson, M. Alyard, M. <T?>ayl<or?>, M. [D]rake, M. Lynche, M. Kerver, M. Hanley.' With the exception of Sampson (none of that name recorded at this date) all these men can be found in Emden, *BRUO*. The book is not identifiable in the 1375 Oriel library list, CBMLC, *Oxford*. On fol. 1 is Allen's number '20' (i.e. in the 4° section of his catalogue) and on fol. iii are the Digby/Allen inventory number 'A. 110' and Digby's motto and name.

1. B. Geyer, 'Die Albert dem Grossen zugeschriebene Summa Naturalium', *BGPTM*, 35/1 (1938), 14, no. 19; Lohr, 'Aristotle Commentaries (I)', 345–6, suggests that Albertus de Orlamunde may be the author. The note referring to Roger Bacon at the bottom clearly reads '*sentent*iam' (sniam). Ker, *MMBL*, 1. 230, notes that this is the same version as is found in London, Royal Meteorological Society, MS. 2, referring to a statement in an issue of *Philosophisches Jahrbuch* . His reference is, however, inaccurate; the correct reference is to vol. 37 (1924), 172. TK 1042.

2. Fauser, *Albertus Magnus*, 98, no. 41.

3. Ibid., 133, no. 38. †TK 924.

4. Ibid., 91, no. 24. TK 98.

5. Glorieux, *Arts*, no. 264ᵛ, but Lohr, 'Aristotle Commentaries (IV)', 273, rejects the attribution to Johannes Quidort and assigns it to Jacobus de Blanchis. The fullest list of manuscripts is in J. N. Hillgarth, *Ramon Lull and Lullism* (Oxford, 1971), 351. TK 903.

6. TK 368. 8. TK 436. 9. †TK 1101.

10. Lohr, 'Aristotle Commentaires (I)', 374 (Aegidius Romanus); Glorieux, *Rép.*, no. 400n.

11. Glorieux, *Arts*, no. 1261.

12. †TK 1647.

13. Lohr, 'Aristotle Commentaries (I)', 330; Glorieux, *Rép.*, 400f. †TK 1580.

15. Beg, 'Queritur utrum in divinis sint quatuor relaciones.'

On fol. 196ᵛ is 'Vinum lacte laves, oleum liquore fabarum | Incausto vinum, cetera mundat aqua' (s. xv).

151

2° fo *uiderat*.

On fols. 1 and 9 is Allen's number '1' (i.e. in the 4° section of his catalogue) and on the flyleaf is the Digby/Allen inventory number 'A.109'.

7. G. Quadrio, 'Il Trattato "De Assumptione...dello Pseudo-Agostino"', *Analecta Gregoriana*, 52 (Fac. Theol. Sect. B, 1951), 8–9.

9. Headed 'Excerpta de Papya' in a hand of s. xvii, but probably copying a contemporary title cropped by the binder. G. Goetz, *Corpus glossariorum latinorum II* (Leipzig, 1888), xliv n. On fol. 122ᵛ, at bottom, in the same hand as at top, is 'Actus Apostolorum [Glosati *added*]. Sermones significaciones verborum secundum ordinem [literarum *added*] alfabeti.'

152

2° fo *quo nobilior*.

On fol. 1 are Allen's number '51' (i.e. in the 4° section of his catalogue), the Digby/Allen inventory number 'A.116' and Digby's motto and name.

H. Tjerneld, *Moamin et Ghatrif* (Stockholm, 1945), 4, suggests that the manuscript is 'de main française'; south French or Italian is probable. Books III and IV are closely related to the *De arte venandi* of Frederick II; see Haskins, *Medieval Science*, 302, 323; *The Art of Falconry*, translated and ed. by Casey A. Wood & F. M. Fyffe (Stanford, 1943), lxii. TK 1343. B. van den Abeele, *La Fauconnerie au moyen âge* (Paris, 1994), lists our manuscript wrongly as Digby 251 at p.18 and correctly at pp. 27–28, as containing on fols. 42–54ᵛ an extract from bk. 1.iv by Frederick of Hohenstaufen, and the text on fols. 1–42 as by Moamin. Frederick's text is ed. by G. A. Willemsen, *Friderici Romanorum Imperatoris Secundi De venandi cum avibus* (Leipzig, 1942) and the Latin and Italian texts of Moamin by M. D. Glessgen, 'Der italienische Moamin' (thesis, University of Saarbrücken, 1992, to appear in *Zeitschrift für romanische Philologie*).

PA 1, list p. 72.

153

2° fo *quedam*.

The date is s. xiv². On fol. 1*ᵛ, erased but mostly legible by ultraviolet light, is 'Iste liber est de communitate fratrum minorum Cantuarie de dono fratris Johannis Bruyl.' The *ex libris* recorded by Macray is on fol. 137. 'Thomas Gifforde is name' on fol. 182 is of s. xvi. Goodere's name, s. xiv², is on fols. 6*ᵛ and 184ᵛ. For Lucius (fol. 1*ᵛ), i.e. Sir Thomas Lucy, Magdalen College, Oxford, d. 1640, cf. Foster, *AO*. On fol. 1 are Allen's number '27' (i.e. in the 4° section of his catalogue) and Digby's motto and name, and on fol. 1* is the Digby/ Allen inventory number 'A.201'.

1. See note on MS. Digby 150, art. 1. The text on fols. 22–7 is erased but is legible under ultraviolet light, beg. 'Circa proporciones veterum profundas errorum radices'; TK 1042.

2. By misunderstanding Macray's note, TK 219 erroneously ascribes this to Alexander of Aphrodisias, translated by William of Moerbeke. L. J. Bataillon, 'Le Commentaire sur les "Météores" de Simon de Tunstede, O. F. M.', *Studies Honoring Ignatius Charles Brady* (St Bonaventure, NY, 1976), 44–55, identifies it as Simon's work and is supported by Paravicini Bagliani, *Medicina e scienze*, 146–7. For bibliography of the *Meteorologica* see *Guillaume de Moerbeke*, ed. J. Brams & W. Vanhamel (Louvain, 1989), 327. For Simon see Lohr, 'Aristotle Commentaries (VI)', 146–7, Emden, *BRUO* and under MS. Digby 90.

3. TK 1293, 258.

5. By Petrus de Abano(?), TK 554, 1177. Fol. 137ᵛ: see note on MS. Digby 77, art. 2. MS. O-11 in Thompson, 'Trial index', 416, 418, 420, 425, 429, 430.

6. Beg. 'Iste liber quem pre manibus habemus vocatur secretum philosophorum'; TK 791. Johnson, 'Mappae claviculae', 80.

7. Part of the *Quaestiones Nicolai Peripatetici*; see L. Thorndike, *Michael Scot* (London, 1965), 130–31; Lohr, 'Aristotle Commentaries (V)', 299–300; Anon. [M.-Th. d'Alverny], 'La tradition manuscrite des 'Quaestiones Nicolai peripatetici'', *Hunt Essays*, 200–19, repr. d'Alverny, *Transmission*, ch. XII. TK 1305.

9. The *Secreta Alberti*, TK 1231=1486, ends on fol. 178ᵛ and is followed by a text beg. 'Si vis frangere calculum qui est in vesica.' The text of the *Liber intoxicorum* follows on fol. 179ʳᵛ. It is completely erased apart from the rubric and red chapter numbers in the margin, but much is recoverable with ultraviolet light. The first word is 'Dixit.'

10. TK 731, 1334.

16. Version II. MS. F in the edn. by M. Clagett in *Essays in Medieval Life and Thought Presented in Honor of A. P. Evans* (New York, 1955), 105–8; MS. Ka in the edn. in Clagett, *Archimedes* 1. 610–26; *AL* 2. 789, 798.

18. Verses, added s. xivᵉˣ, include 'De Ricardo primo. Hic Ricarde iaces', *Init.* 8085; 'Si canis applaudat', *Init.* 17643, *Sent.* 28289; 'Wil con wil rufus hen stephanus hen que secundus | Ri jon Henricus Eadwardus tres Ri que secundus'; 'Festa principalia: Na pas ass pente sump fran an lodowicus'; 'Cum pro delictis anathema quis efficiatur | Os mare vale communio mensa negatur'; 'Est qui torquetur ne fastus ei dominetur', *Init.* 5824; 'Vox iterata placet decies repetita placebit';

'Dic ubi tunc esset', *Sent.* 5578; 'Plus valet in donis semel accipe quam bis habebis' (2 verses); 'Vinum lacte laves', see MS. Digby 150, fol. 196ᵛ; 'Auro quid melius' *Init.* 1848, *Sent.* 1810; 'Quid levius fumo', *Init.* 15829; 'Raro terra datur homini', *Sent.* 26349b; 'Deficit ambobus', *Sent.* 5306; 'Lex est disiuncta', *Sent.* 13695; 'Lux firma\mentum/ plante sol reptile bestia virque'; 'Opera sex dierum'; 'Fama repleta malis', *Init.* 6260, *Sent.* 8835; 'Vir videas quid tu', *Init.* 20431; 'Lex: Decretum detur ne quis bibat aut epuletur | Hic gens villana sed achilles plato dyana'; 'Ratio: Muta decretum sanctorum collige cetum |…dum martinum lazarum jacobum peregrinum | Mos quod ius fixit formosior ut meretrix sit | Leno spernetur sed bursa sila(?) vacuetur.'

PA 3. 753.

154

2° fo *contulit*.

No. 162 in the library catalogue of Titchfield Abbey in BL, MS. Add. 70507, ed. CBMLC, *Cistercians*, P6. 162. The manuscript now contains both more and less than is recorded in the catalogue. Five extra items are present, Macray's arts. 4, 11, 12(i)–(iii), and twelve are missing, the edn.'s arts. a–f (from before the present art. 1), j–l (from before the present art. 5), r–t (from before the present art. 13). A fragment of the edn.'s art. i, 'De statu regni Anglie in gallico…', may survive as the present art. 10. The edn.'s art. t was present when Richard James made excerpts (now MS. James 6 (*SC* 3843), pp. 71–7): see Clagett, *Mechanics*, 203 n. 17. Some parts of the following description are based on the edn.'s description. On fol. 1 are Allen's number '10' (i.e. in the 4° section of his catalogue) and the Digby/Allen inventory number 'A.120'.

1. Unidentified and unprinted. Followed by *sententiae* from Augustine and Bernard of Clairvaux.

2. In the bottom margin of fol 13ᵛ is 'Ad scabiem rabiem ventris suspira visum.'

3. Petrus Blesensis, *Compendium in Job*, pr. *PL* 207. 795–826; Stegmüller, *Bibl.*, 6431.

4. *Principium Biblicum*, unprinted; Stegmüller, *Bibl.*, 10064, based on the prologue to Hugh of St Victor, *De sacramentis*, *PL* 176. 183–6.

7. Ed., not from this manuscript, by P. Meyer, *Romania*, 15 (1886), 281–3.

8. See Powicke & Cheney, *Councils and Synods*, 2. 1241–5.

9. Transcribed by Hill, 'Letterbooks', 242–67; an English translation by Hill is in *Berkshire Archaeol. Journal*, 41 (1937), 9–32; see also *RTAM*, 23 (1956), 277–8.

10. Perhaps a fragment of the missing item i in the Titchfield catalogue.

12 (i) Suiseth(?), *De motu et de causis rerum*; unprinted; †TK 325. For 'talium(?)' in the incipit as pr. by Macray read 'naturalium'. (ii) Thomas Bradwardine, *De proportionibus*, ed. H. L. Crosby,

(Madison, WI, 1955), TK 984. For the incipit as pr. by Macray read '...Omnis proporcio vel est dicta proprie vel.' (iii) *Regulae consequentiarum*, attributed to William Heytesbury by Bale, *Index*, 126, but not recorded in list of his works by Weisheipl, 'Repertorium', 212–7.

13. Nicholas of Amiens (Ps.-Alanus of Lille), *Ars fidei catholicae*, *PL* 210. 595–618; Bloomfield, no. 0831.

14. Ed. by F. M. Nichols (Oxford, 1866), also, incomplete, by P. H. Winfield, *The Chief Sources of English Legal History* (Cambridge, MA, 1925).

155

2° fo *dicendum quod*.

John Burbage was fellow of Merton College in 1411 and still in 1435; see Emden, *BRUO*.

On fol. 1, in addition to the Merton *ex libris*, are Allen's number '13' (i.e. in the 4° section of his catalogue) and the Digby/Allen inventory number 'A.181'.

The text is †TK 1569.

156

2° fo (fol. 4) *utroque quod*.

The date is s. xiii^in. Written above top line. Ownership by the Augustinian priory at Tonbridge, Kent, is accepted with a query by Ker, *MLGB*.

Stegmüller, *Rep. Sent.* 1.1–3. Between fols. 25 and 26 is the remnant of a leaf that has been mostly torn out, and loose between fols. 56 and 57 is a marker of post-medieval folded vellum.

On the front flyleaf (fol. 1) are accounts of a student (s. xiii): 'Item in sotularibus Widon' ii. sol. et i. In hospicio v sol. bosco iid. cursui suo ii sol. Item m.d'. De xii sol. recipi ix et de tribus bursa persolvebatur persona [persona, *abbreviated, is perhaps a slip for 'prima' as in line 5*] sept' postea de xl. so per xx sept.' unaqueque sept' ii sol. et ego insuper tradidi eis xiiii sol. et post in prima sept' passionis iii sol. et iii secunda. In sept. pasci(?) i(?) pro calligis et sotularibus xxxid. parisiensium et <.> post festum sancti Micaelis xv \et/ viiid. pro sotularibus et pro hospicio iiii den pro bosco xii et item pro iiii sol. et dim. pro zona ii pro excessu burse ii sol. [.] sep' natalis in sotularibus et in calligis ii sol et dim.' Other accounts on this page have been thoroughly erased.

On fol. 158^v are more accounts, which show that the expenses were those of an English student at Paris: 'W. tenebatur magistro Willelmo antequam uenimus ad Douer in xxx et id' ster'. | Henricus in tribus sol' et iiii. d' et ob' ster | Item Willelmus aput Douer in tribus sol et ii. den' ster. | Item Henricus vii sol' Paris. | Item Willelmus sol ix Paris.' On fol. 159^v is 'Ric. de bulenai habet musicam.'

On fol. 2 is an introduction to bk. IV., beg. 'Sicut in principio libri dictum est omnis doctrina est rerum aut signorum.' On fol. 2^v is 'Duo sunt que attendit totius theologice series facultatis.'

Macray used a reagent on the inscription on fol. 3 and 'prioratus' cannot now be read, but the first word is no doubt 'Memoriale'. In the top right hand corner of fol. 3 is 'prec. xs.' (s. xv). A number of verses were added in the margins throughout: (fol. 94) 'Abluo firmo cibo piget uxor', *Init.* 178; (fol. 103) 'Virgo fides fidis est resonat fidis in zatarando | estque fides fidei sine qua fit nemo beatus'; (fol. 109) 'A timet' (7 verses), *Init.* 96; (fol. 111) 'Victima pro metis data(?) hostia pro superandis'; (fol. 116^v) 'Proprietates cervi. Odit serpentes frondes carpit petit alta' (8 verses); (fol. 117) 'Intrant et pugnant redeunt <pungent> abeuntque', *Init.* 9502; (fol. 118) 'Auget debilitat convincat [*sic*] imprimit atque' (3 verses, on valid baptism); (fol. 125) 'Visito poto', *Init.* 20647, *Sent.* 33805; 'Tres partes facte de Christi corpore', *Init.* 19401; (fol. 125^v) 'Hoc sacramentum', *Sent.* 11057; (fol. 126) 'Per hos versus habes quare quis dicatur hereticus, vii casus ponit. Ecclesie formam pervertens, divisus ab ipsa' (4 verses); 'Penitentia. Ut probet', *Init.* 19850; 'Ne sit in exemplum terror vel pena parentum | ut sit mens sobria cauta memorie dei'; (fol. 127^v) 'Job probat', *Init.* 9864; (fol. 131) 'Versus de penitentia facienda sacerdoti. Peniteat plene si culpe peniteat te' (5 verses); (fol. 139^v) 'Si bis ordo datur. si baptismus repetatur'; (fol. 142^v) A *distinctio*, 'Error, condicio', *Init.* 5520, *Sent.* 7175; (fol. 143) 'Crimen habet'; *Init.* 3445; (fol. 145) 'Hec si canonico vis consentire rigori' (6 verses, in blue ink, on impediments to marriage); (fol. 149^v) 'Communem natum sive suscipiens aliorum' (6 verses); (fol. 159^v) 'Percutiens clerum', *Init.* 13976, *Sent.* 21283a; 'Utile lex' *Sent.* 32696; 'Sol. nubes et aqua', *Init.* 18382.

157

2° fo *movebit*.

On fol. iv^v is a shelfmark, '.GZ.', in red, which is probably that of Battle Abbey; Ker, *MLGB*, accepts with a query. To Macray's 'Tomas Hankes' add 'or Haukes.' On fol. 1 are Allen's number '45' (i.e. in the 4° section of his catalogue) and Digby's motto and name.

1. Ed. by P. Dronke (Leiden, 1978), not noting our manuscript.

2. MS. Q in the edn. by P. G. Schmidt, *Johannes de Hauvilla, Architrenius* (Munich, 1974), 98–9.

3. MS. O in the edn. by L. Gompf, *Joseph Iscanus, Werke und Briefe* (Mittellateinische Studien und Texte, 4; Leiden & Cologne, 1970), 23–4. *Init.* 8683, 2035.

On fol. 101 are extracts from Alexander Nequam, *De commendatione vini*, partly pr. by M. Esposito, *EHR*, 30 (1915), 455. Also on fol. 101 is 'Fracta sit hec testa', *Init.* 6825. On fol. 100^v are pen trials of the names John Coke and Wyllyam Coke (s.xvi^in) and 'O niger intrusor et sancte sedis abusor', *Sent.* 12817 (s. xv).

158

2° fo (fol. 3) *uniuersum*; (fol. 7) *De caritate*; (fol. 8) *Nec habet*.

The Reading *ex libris* pr. by Macray (s. xii^ex) is repeated below in a cursive hand of s. xv with the addition of 'sic sit quod episcopus.' The manuscript is identifiable in the Reading Abbey catalogue (CBMLC, *Benedictines*, B71. 71), which records it as containing arts. 2–24, all of which are covered by the brief contemporary contents-note on fol. 1^v. Art. 1, in a slightly later hand, was added on four blank leaves which are an integral part of the first quire. On fol. 2 are Allen's number '14' (i.e. in the 4° section of his catalogue), the Digby/Allen inventory number 'A.62' and Digby's motto and name.

1. Thorndike, *History*, 2. 240 n. 2, 242–3.

2. Ed. H.-M. Rochais, CCSL, 117 (1957), 1–234. No. 204 in the list by Rochais, 'Defensoriana: archéologie du "Liber scintillarum"', *Sacris Erudiri*, 9 (1957), 199–264, at 227; see also Rochais, 'Contribution à l'histoire des florilèges ascetiques', *Rev. Bén.*, 63 (1953), 246–91, at 270 n. 6, 271 n. 3.

3. Ed. by R. W. Southern & F. S. Schmitt, *Memorials of St Anselm* (Auctores Britannici Medii Aevi, 1; London, 1969), 321–3, from this manuscript, BL, MS. Royal 8 B. xviii and Hereford Cathedral, MS. O.1.6.

5–24. In the contents-note these arts. are listed as 'Plures sententiae Anselmi'; see Southern & Schmitt, ibid., 320 n. 1.

5. Ed. ibid., 332–7.

6. *Dicta Anselmi*, ch. v, ed. ibid., 128–41; and see 28.

7–9. Ed. ibid., 327–33.

10–23. See ibid., 320. The last part of art. 22, beg. 'Octo sunt', is the beginning of the treatise by the monk Radulfus, identified as monk of Caen and Rochester and abbot of Battle and the author of some prayers and meditations at one time attributed to Anselm; see R. W. Southern, *Saint Anselm and his Biographers* (Cambridge, 1963), 206–9, also Greatrex, *Register*, 627–8, s.n. Ralph I (occ. before 1107).

13. TK 440.

23. Anselm, *De moribus*, chs. 110–19, ed. Southern & Schmitt, 82–3.

24. *De moribus*, chs. 120–21, ed. ibid., 84; chs. 140–41, ed. ibid., 91, but with additions; chs. 100–108, ed. ibid., lines 4–25; and see 28.

PA 3. 146.

159

2° fo *Quoniam id assidua*.

The date is s. xii². For St Augustine's abbey Canterbury provenance see below. The writer of 'Aristotelis commentum in Astrologiam' on fol. iii is probably John Leland. M106 in John Dee's catalogue (Roberts & Watson). On fol. 1 are Allen's number '24' (i.e. in the 4° section of his catalogue), the Digby/Allen inventory number 'A.78' and Digby's motto and name.

A translation from Arabic by Hugo Sanctallensis, Diaz, 941; Haskins, *Medieval Science*, 74–6; Thorndike, *History* 2. 85, 256–7; *PAL*, 34; TK 534. See *The* Liber Aristotelis *of Hugo of Santalla*, ed. C. Burnett & D. Pingree (Warburg Institute Surveys and Texts, 263; London, 1997) (frontis. reprod. fol. 2^v). The text in MS. Savile 15 (*SC* 6561*), art. 5, is copied from this manuscript, only these two copies being known, and other texts in Savile 15 are copied from Cambridge, Gonville and Caius College, MS. 456/394, the first 169 leaves of which are in the same hand as fols. 10–87 of our manuscript. Since the Cambridge manuscript comes from St Augustine's Abbey, Canterbury, there can be no doubt that the Digby manuscript is no. 1174 in the Abbey's library catalogue (*ALCD*, CBMLC, *St Augustine's*) where it is described as 'Liber qui incipit ex multiplici questionum generi [the last word being M. R. James's emendation from the catalogue's 'generei'; Digby 159 here reads 'genere'] 2° fo quoniam id' and having the pressmark 'D.13.G.5.' The catalogue adds information now missing from the manuscript, 'Andree Elemos' in quaterno.' The first quire, fols. [iii]–9, is in a different hand from the rest of the book, although not much different in date, and the quire is clearly a replacement, since the scribe had to crush his writing on fol. 9^v to fit it into the available space. He also made corrections throughout the rest of the book. (Establishment of the identity of the Cambridge and Digby scribes, and hence of the St Augustine's provenance of our manuscript, is due to Dr Burnett.)

160

2° fo *seu particulis*.

It appears that this volume was bound up wrongly and that Macray had it rebound and refoliated.

On fol. 3 are Allen's number '22' (i.e. in the 4° section of his catalogue), the Digby/Allen number 'A67' and Digby's motto and name.

2. Beg. '[C]orporalis mundi machina consistit in duobus'; TK 267.

3. By Guido de Chauliac, on whom see Wickersheimer, *Dictionnaire*, 1. 214–5. This is the *premier traité* of the *Chirurgia magna* as in the edition of the French text by E. Nicaise, *La Grande chirurgie* (Paris, 1890), 5–71. TK 1301.

4. Wickersheimer, *Dictionnaire*, 1. 476–8, no. 2, perhaps the only copy apart from Exeter College, MS. 35 fols. 264–70. TK 1308.

5. By Arnaldus de Villa Nova; TK 322.

6. TK 857.

7. There is a contemporary foliation 1–63, stopping on fol. 165. For another copy of the work see *Registrum Annalium Collegii Mertonensis 1483–1521*, ed. H. E. Salter (OHS, 76; 1923), 49, 131 n. 49. †TK 761.

In the Gerarde inscription read 'cautio Johannis' for Macray's 'ego Johannes'. Johannes Gerarde is not otherwise known: see A. B. Emden, *BLR*, 6 (1961), 674. Below this are the initials of Thomas Hunt, the University stationer.

161

In five parts, of which (A)–(C) and probably also (D) and (E) can be identified as two units in Allen's catalogue.

A-D

On fol. 1 are Allen's number '47' (i.e. in the 4° section of his catalogue), his(?) date '1563' and the Digby/Allen inventory number 'A.72'

A

2° fo lacking.

1–3. The date is s. xiv.

3. Ed. K. Walsh, *Bibliotheca Augustiniana, sectio historica*, 4 (Rome, 1972). F. Roth, 'A history of the English Austin Friars (12)', *Augustiniana*, 16 (1966), 447–519, at 502, no. 202. On Hardeby see Emden, *BRUO* and K. Walsh, 'The "De vita evangelica" of Geoffrey Hardeby', *Analecta Augustiniana*, 33 (1970), 159–261, this manuscript at 223. A. Zumkeller, *Manuskripte von Werken der Autoren des Augustiner-Eremiten-Ordens in mitteleuropäischen Bibliotheken*, Cassiciacum, 20 (1966), no. 249.

B

2° fo lacking.

4. The date is s. xiv.

Part of the *Introductorium maius* of Albumasar, in the translation of John of Seville; see L. Thorndike, 'Further consideration of the *Experimenta...*and *De secretis mulierum* ascribed to Albertus Magnus', *Speculum*, 30 (1955), 413–43, at 424–5. TK 133.

C

2° fo *nistrum arcophilaeos*.

5. The date is s. xii^ex.

An extract from Martianus Capella; see Haskins, *Medieval Science*, 89; TK 894.

D

2° fo lacking.

6. The date is s. xv.

Allen's catalogue does not make it clear whether this is part of his MS. 47 in 4° with (A)–(C) above but it probably is. It bears medieval foliation 9–16.

Contains *particulae* 23–33, 38; see chart in L. Thorndike, *Bulletin of the History of Medicine*, 29 (1955), 522. For items in English see *IMEP 3*, 54.

E

2° fo (in Oriel College MS. 28) *materia propria*.

On fol. 24 is Allen's number '31' (i.e. in the 4° section of his catalogue).

7–10. Fols. 24–93, s. xv, were formerly part of Oriel College, MS. 28, between fols. 93 and 94. That volume is not identifiable in the 1371 Oriel library list, CBMLC, *Oxford*, UO61.

7. *PAL* no. 85, also attributed to Geber. Ed. by M. Berthelot, *Archéologie et histoire des sciences* (Paris, 1906; repr. Amsterdam, 1968), 308–63 (not using this manuscript).

8. Ed. by W. Stürmer, *Urso von Salerno, De commixtionibus elementarum libellus*, (Stuttgart, 1976). †TK 1287.

9. †TK 902. 10. †TK 1392.

162

2° fo *capud eius*.

On fol. 1 are Allen's number '25' (i.e. in the 4° section of his catalogue) and the Digby/Allen inventory number 'A.179'.

Foliation of s. xiv(?), 1–22, 37–57. Written mostly below top line.

1. The verses on fol. 6, 'Ars opus'. *Init.* 17514, TK 1428, are the verse opening to the *Mappae clavicula*, pr. with it (see art. 5), TK 1137, 1036.

2. Beg. 'Omnis urina duarum rerum est.'

3. Attributed also to Rasis and Raymundus of Marseilles. Unprinted, except for bk. 1 ed. by Ruska (as MS. Digby 119 art. 45), 61–5. TK 290. *PAL* no. 56.

4. Thorndike, *History*, 2. 251; *PAL* no.10. More usually attributed to Rasis; also to Albertus Magnus and others. Ed. by Ruska (as MS. 119 art. 45), 68–72. TK 672.

5. MS. 9 in Johnson, 'Mappae clavicula'; C. S. Smith & J. G. Hawthorne, *Mappae Clavicula: a Little Key to the World of Medieval Techniques* (Trans. American Phil. Soc., NS 64/4; Philadelphia, 1974), which provides a translation of the text pr. by Sir Thomas Phillipps in *Archaeologia*, 32 (1842), 187–244. TK 889, 1470.

6(i) Thorndike, *History*, 2. 14–18. TK 696. (ii) Ed. by L. Stavenhagen, *A Testament of Alchemy: the Revelation of Morienus to Khalid ibn Iazid ibn Mu'awiyya* (Hanover, NH, 1974); TK 882.

7. Geber, *Liber deitatis sive divinitatis*. TK 813.

163

2° fo *gratuita.*

On fol. 1 are the Digby/Allen inventory number 'A.134' and Digby's motto and name. Identifiable as MS. 4° 2 in Allen's catalogue.

1. Thomson, *Grosseteste,* 268 et seq.
2. Ibid., 131. Ed. by R. C. Dales & E. B. King (Auctores Britannici Medii Aevi, 10; Oxford, 1987).
3. Beg. 'Auxilium an utilius et efficacius auxilium aliquod.'
4. Fol. 83ᵛ: in *PL* 182. 1133–42 this item is pr. from an incomplete text as an appendix to Bernard of Clairvaux. The printed text begins on fol. 83ᵛ/33 of our manuscript. For British Library manuscripts see under MS. Royal 7 A. vi, art. 16, in British Museum, *Catalogue of the Old Royal and King's Collections,* 4 vols. (London, 1921). Fol. 87. The text is ed. by W. Meyer, 'Die Geschichte des Kreuzholzes vor Christus', *Abh. der Bayerische Akademie,* Phil. Class., 16 (1882), 101–66, from three manuscripts in Munich, Clm 3433, 11601 and 27006. Our fragment begins at Meyer's text p. 132/1 and ends at p. 45, *c.* line 3 (with textual variation: cf. Meyer's note 1). For BL manuscripts see under MS. Royal 8 D. iv, art. 5, in *Catalogue* (as above, art. 4), fols. 83ᵛ et seq. (the Legend of the Oil of Mercy and Wood of the Cross, beg. 'Post peccatum Ade de paradiso expulsi').

164

The volume is made up of two parts, (A) fols. 1–75 (arts. 1–18) and (B) fols. 76–142 (arts. 19–32). (A) is written in five principal hands, (i) fols. 1–7ᵛ; (ii) fols. 8–14ᵛ, 17–20ᵛ, 29ᵛ–34, 66–9ᵛ, 71– 5ᵛ; (iii) fols. 15–16ᵛ; (iv) fols. 21–9, French in appearance; (v) fols. 34ᵛ–64ᵛ, German in appearance. (B), which has original foliation 1–41 (= fols. 76–111) then stopping, is written in one French hand. The parts were put together by Joannes Penon (b. 1489), who drew up his horoscope in 1535 (art. 14). He wrote fols. 1–7, the first 4–5 lines of fol. 15, fols. 70ʳᵛ, 141ᵛ–2ᵛ, and annotated the volume throughout. On fols. 17, 35 and 58ᵛ are notes in a fine English italic script (s. xviᵐᵉᵈ). On fol. 75ᵛ is a recipe (s. xv/xvi) and below, the name Dubusrobert. In Allen's library the complete volume had on fol. 1 his name 'Tho: Allen', his number '28' (i.e. in the 4° section of his catalogue) and the Digby/Allen inventory number 'A.92'.

Watermarks: fols. 1–7, cf. Briquet 12511 (Paris, 1509, etc.); fols. 11–13, cf. Briquet 11084 (Lyon, 1432); fols. 20, 24, 31 etc. Piccard, *Ochsenkopf-Wasserzeichen,* VII; fol. 65 etc. cf. Briquet 13262 (Draguignan, 1412 etc.); fol. 95, 100 etc. cf. Piccard *Wasserzeichen Anker,* II, 248 (Utrecht, 1446, but the type is common); fol. 134, cf. Briquet 3617 (Paris, 1426–35 etc.).

A

2° fo *argento viuo.*

1. TK 1395.
2. Pr. *Fr. Rogeri Bacon opera quaedam hactenus inedita,* ed. by J. S. Brewer (RS, 15; London, 1859), appendix 1. TK 1691.
4. Fauser, *Albertus Magnus,* 79, no. 130.
5. TK 517 attrib. to Rudianus. For other manuscripts see Thorndike, *History,* 3. 144.
6. †TK 435.
7. By Arnaldus de Villa Nova, TK 537, 842. The piece on fol. 24ᵛ beg. 'Recipe herbam celidoniam et extrahe oleam.'
9. †TK 1327. 10. TK 1407.
11. Beg. 'Sume sal commune, scil. quod adheret patelle, vel coctum'; †TK 1536.
12. Fauser, *Albertus Magnus,* 79, no. 131. (ii) †TK 769.
13. TK 1118.
16. (a) beg. 'Manifestum est quod omnes sapientes in hoc concordant'; (b) (fol. 71) beg. 'Quidam sapientes dixerunt quod effectus celi'; (c) (fol. 71ᵛ) beg. 'Hermes trimegistus [*sic*] dicit in libro de ymaginibus.'
17. Beg. 'Ypericon herba sancti Jo. vocatur perforata.'
18(i) Beg. 'Recipe olei seminis lini'; (ii) beg. 'Recipe petrolei olei benedicti.'

B

2° fo *humidum.*

19. TK 818.
21. Beg. 'Aqua solis. Recipe salis armoniaci sal [petre] nitri vitrioli'; TK 1334.
23. Beg. 'Recipe in dei nomine omnipotentis'; TK 1325.
24. Beg. 'Ars ad extrahendum quattuor cuiuslibet rei elementa [*not in TK*]. modus est iste'; TK 879. 'Recipe rem putrefactam'; TK 1333.
25(a) Beg. 'Recipe terbentine ll. sal' masticis.' (b) Beg. 'Recipe vitrioli citrini vel cuperose'; TK 1340. (c) Beg. 'Recipe argenti vivi ad libitum.'

165

2° fo lacking.

On fol. 135ᵛ is 'Liber(?) <Magist?>ri Rob' de <... >', (s. xiii). On fol. 1 is Allen's number '26' (i.e. in the f° section of his catalogue).

MS. B in the edn. by D. L. Douie & H. Farmer, *Magna Vita Sancti Hugonis,* 2 vols. (Oxford, 1961–2). They suggest that notes 'lege' and 'noli legere' indicate a copy used for public reading, perhaps in a Carthusian house. *BHL* 4018.

On fols. 134ᵛ–5ᵛ are *distinctiones* (s. xiii) and a partial subject-index to the text.

166

In eight sections. For a detailed description and bibliography see A. G. Rigg, 'Medieval Latin poetic anthologies (III)', *Mediaeval Studies*, 41 (1979), 468–505. Rigg notes that the contents indicate a close relationship with MS. Bodl. 603 (*SC* 2394), written in France *c.* 1200, but suggests (p. 505) that the manuscript may have been written and put together in Oxford.

Art. 6 of MS. Digby 190 has been detached from the front of this volume; see note on MS. 190. Rigg suggests that the various sections were put together by a bookseller offering five parts—A, B, part of C, D and 'a scrappy booklet' of two bifolia and an extra leaf which was perhaps included in the price of D. He notes prices found *passim*. The whole volume is identifiable as MS. 4° 37 in Allen's catalogue. On fol. 1 are the Digby/Allen inventory number 'A.174' and Digby's motto and name.

A

2° fo *que equaliter*.

1. MS. C in the edn. by L. Thorndike, *The Sphere of Sacrobosco and its Commentators* (Chicago, 1949), 247–342, largely identical with the commentary attributed to Michael Scot. †TK 1613.

2. †TK 1030. 3. †TK 1030. 4. TK 681.

B

2° fo *re .q. sic*.

4. Ed. by M. Curtze, *Petri Philomena de Dacia in Algorismum vulgarem Johannis de Sacrobosco* (Copenhagen, 1897), 29–92.

C

2° fo *quod terra*.

5. The text of *De sphaera*, as pr. Ferrara (1472), etc.; TK 1577.

6. *Init*. 19574.

7. Simon Capra Aurea(?) (Ps.-Hildebert of Lavardin), *PL* 171. 1447–53; *Init*. 4645.

8. Ps.-Hildebert of Lavardin, *PL* 142. 1205–10; ed. by J. Hammer, *Speculum*, 6 (1931), 121–2, and A. Hilka & O. Schumann, *Carmina Burana* (Heidelberg, 1930), 1, no. 101. *Init*. 13985. Although A. B. Scott, 'Some poems attributed to Richard of Cluny', *Hunt Essays*, 181–99, at 193 n. 2, considers that the attribution to Hugh of Montacute, found only in our manuscript, can hardly be taken seriously, he thinks (p. 192) that 'he might just possibly turn out to be the author if and when more evidence becomes available.' Our copy ends as edns. fol. 28ᵇ/6, and is followed by 12 lines beg. 'Ne quis amet temere', *Init*. 11665, to which the scribal explicit pr. by Macray belongs.

9. Ed. by F. Meister (Leipzig, 1873).

D

2° fo *eis quos*.

10. *BHL* 6303. For an edn., citing this manuscript, see note on MS. 11 art. 3.

E

2° fo *missa voce*.

11. Ed. by Wattenbach, as MS. Digby 98 art. 40.

13. Fols. 48ʳᵇ⁻ᵛᵃ pr. from this manuscript by A. G. Rigg, 'The Lament of the Friars of the Sack', *Speculum*, 55 (1980), 84–90.

14. *PL* 30. 254–61 (as Jerome); ed. by M. R. James, C. N. L. Brooke & R. A. B. Mynors (Oxford, 1983), 288–312.

F

2° fo *forme*.

16. Ed. by K. Strecker, *Zeitschrift für deutsche Philologie*, 51 (1926), 118–9; *Init*. 19427.

17. *Init*. 19809. 18. *Init*. 91.

19–20. By Walterus de Castellione; *Init*. 11120, 5115 respectively.

22–25. By Walterus de Castellione; *Init*. 19018, 16068, 7693, 2047 respectively.

26. *Init*. 4845.

27. By Walterus de Castellione; *Init*. 5149.

28. The same text is in MS. 28, art. 8, q.v. above.

29. *Init*. 20572–3.

30. Ed. by Strecker as art. 16 above, 117–8. *Init*. 12261.

31. By Hugo Primas?; *Init*. 13879, 'Vagantenlied'.

32. *Init*. 19171. 33. *Init*. 465. 34. *Init*. 8931. 35. *Init*. 15208. 36. *Init*. 13809. 37. *Init*. 4143. 38. *Init*. 11102. 39. *Init*. 627. 40. *Init*. 1284. 41(i). Chevalier, *AH*, 31812. 41(ii). *Init*. 5029. 42. *Init*. 20117, Chevalier, *AH*, 21308. 43. Chevalier, *AH*, 23977. 44. *Init*. 12544. 45. *Init*. 1705. 46. *Init*. 11894. 47. *Init*. 18302.

48. An addition, s. xv.

G

2° fo *est palustris*.

49. The date is s. xiiiᵉˣ. Honorius Augustodunensis, *Imago Mundi*; ed. V. I. J. Flint, *AHDLMA*, 49 (1982), 7–153.

H

2° fo *sicut Bruma*.

50. There are two distinct pieces here: (i) fol. 9, 'Vix nodosum...Et inupta qualibet nuptam antecedat', pr. by P. Leyser, *Historia poetarum medii aevi* (Halle, 1721), 1092–7, *Init*. 20763 and (ii) 'Si veneris illicitum est adulterare...tantam feditatem', partly pr. by M.-Th. d'Alverny, *Alain of Lille: textes inédites* (Paris, 1965), 43, who is inclined to attribute (i) to Alain and (ii), hesitantly, to Alain or to a pupil. For Walter of Peterborough and the three stanzas that follow 'Tolle sodomiticum' see Rigg, *History*, 276–9.

51. Chiefly in prose: some verses at the end (fol. 96ᵛ) include 'Turpe quid acturus', *Sent*. 31943a; 'Qui petit excelsa', *Sent*. 24486; 'In terra recubans non habet unde cadat'; 'Frigidus in bellis frustra precingitur armis' (2 verses); 'Coniugis et nati vitium vix nosce [*sic*] valemus' (4 verses), *Init*. 3167 = Joannes de Fordun, *Scotichronicon* (Edinburgh, 1759), 2. 379; 'Frons hominis mentem', *Sent*. 10010 (line 1).

52. *Init.* 2121. 53. *Init.* 4975.
54. By Phillippus Cancellarius; *Init.* 17915.
55. *Init.* 14734.

167

The volume consists of four sections, (A) fols. 1–32 (arts. 1–8); (B) fols. 33–59+1 (arts. 9–16), which ends incomplete with a catchword 'supra orizontem' in the scribe's hand; (C) fols. 60–71 (arts. 17–20); (D) fols. 72, 73, 78, 79, a quire of two pairs of conjunct leaves, 72/79, 73/78 (arts. 21 and 23) into the middle of which is inserted another quire of four leaves, fols. 74–7 (art. 22). Fols. 60–71 and 72–9 are probably fragments of the same manuscript although they are in a variety of hands; blue paraphs abound throughout and the red flourishing of *litterae notabiliores* (although they are sparser in fols. 72–9) is the same; the same hand has written '11' at the top centre of fols. 1–59 and '26' at the top of fols. 72–9. Fols. 72–7 formed a quire 'p', with signatures again written in red. On fols. 1 and 1ᵛ, covering the whole volume, are Allen's number '9' (i.e. in the 4° section of his catalogue) and on fol. 1 are also the Digby/Allen inventory number 'A.66' and Digby's motto and name.

A

2° fo *tabula.*

5. The elaborate volvelle on fol. 31 is reprod. in Gunther, *Early Science*, 2. 236, no. 89.
6. See *Census-Catalogue of Manuscript Sources of Polyphonic Music 1400–1500*, (American Inst. of Musicology, Renaissance Manuscript Studies, 1; Stuttgart, 1982), 2. 278–9, and the references cited there; also, as MS. Ob. 167, in P. Wright, *The Related Parts of Trent Museo Provinciale d'Arte, MSS. 87 (1374) and 92 (1379)*, (New York & London, 1989), 276–7, 288–9.
7. On the text and for other manuscripts see T. A. Sandquist, 'The Holy Oil of St. Thomas of Canterbury', *Essays in Medieval History presented to Bertie Wilkinson*, ed. T. A. Sandquist & M. R. Powicke (Toronto, 1969), 330–44 (*ex info.* Dr Nigel Ramsay). *BHL* 8247.

B

2° fo *aries.*

9–16.

C

2° fo *in suis canonibus.*

17. TK 776. 18. TK 383. 19. TK 154.
20. The translation by William of England. †TK 439, 1500.

D

2° fo *futuris* (?) *stelle.*

21. TK 1602.
22. Pr. in *Fratris Rogeri Bacon De retardatione accidentie senectutis*, ed. by A. G. Little & E. Withington (British Soc. of Franciscan Studies,

14; Oxford, 1927), 186–200. TK 36. Now considered to be by Castri goet, to whom it is ascribed in the earliest copy, BnF, MS. lat. 6978 (s. xivⁱⁿ), and in the 13th-century Cluny catalogue. See A. Paravicini Bagliani, 'Ruggero Bacone autore del *De retardatione accidentium senectutis*', *Studi medievali*, 3rd ser. 28 (1987), 707–28, at 727–8 (Addenda), also idem, *Medicina e scienze*, 283–326; also Sharpe, *Latin Writers*, s.n. X—Castri.

23. †TK 1398.
PA 3. 705.

168

The manuscript is made up of six main parts. (A) fols. 1–146 (arts. 1–41), with medieval foliation 3–181, lacking three scattered leaves (and having three leaves misbound): fol. 152 follows 154, and 179, 178, 177 follow 176 in that order. It comprises several separate booklets, not only foliated in one hand but also with red titles, presumably in the hand of an institutional librarian, written in one hand at the head of many sections. Since art. 3 is perhaps in Simon Bredon's hand (cf. MS. Digby 178, fols. 12ᵛ, 13) fols. 1–146 may have come from Merton College, of which Bredon was a fellow (Emden, *BRUO*): the subject-matter would accord well with the scientific interests of the Merton fellows at that time. Art. 16 (fols. 108–15) was written in Italy on Italian parchment. Arts. 17–38 (fols. 116–30: old foliation 144, the last leaf of a quire, 148, 151, 153, 154, 152, 155, 156–63) are a scholar's collection of extracts, s. xiiiᵉˣ. (B) fols. 147–80 (art. 42), with traces of medieval foliation xxxix–lxxiiij, is listed with a query as an Osney Abbey book by Ker, *MLGB* because of its contents. (C) fols. 181–210 (art. 43) has notes in Thomas Gascoigne's hand, suggesting an Oxford connection. (D) fols. 211–26 (arts. 44–9). (E) fol. 227 (arts. 50–51), a leaf mounted on a paper guard whose relationship to the rest of the volume is unclear, except that the neat documentary hands of s. xiii on the verso closely resemble those on fol. 222. (F) fols. 228–31 (art. 52) are part of the table of contents of MS. 187.

Thomas Allen's 1622 catalogue, MS. 4° 4 (see p. 167 below) includes the present arts. 1–38 (to which arts. 39–41 belong) and adds a further five items. These may never have reached Digby and have not been traced. It is clear that other parts also belonged to Allen; his hand is on fol. 155ʳᵛ, showing that fols. 147–80 were in his possession; in the lower margin of fol. 225ᵛ, upside down, is the Digby/Allen inventory number A. 229, which shows that fols. 211–27 belonged to him. The former Gascoigne section, fols. 181–210, may also have been his.

A

2° fo *lacking.*

On fol. 1 are Allen's number '4' (i. e. in the 4° section of his catalogue) and the Digby/Allen inventory number 'A.44'.

The author of art. 11 was known to Leland (as 'Stenodunus') but perhaps for the lack of a title in this Merton College copy (the existing one is Allen's) he did not record it when he visited the college (for references to which see his *Collectanea*, 4.59, and *De scriptoribus*, 54, 261), and it was left to Thomas Tanner, *Bibliotheca Britannico-Hibernica* (London, 1748), 689, to effect the connection with Digby 168, under the name 'Stantonus sive Stenodunus'. (*Ex info.* Dr Richard Sharpe.)

1. MS. B in the edn. by North, *Wallingford*, 2. 32, 66.

2. Beg. 'Differencia prima in annis arabum et latinorum'; TK 429.

3. According to †TK 1294 this is Bredon's autograph but that is not certain; see *BLR*, 9 (1976), 215 n. 2. At the bottom centre of the first leaf is a large AL, perhaps for *Almagestum*.

4. TK 227, 1124.

5. MS. D in the edn. by North, op. cit. 1. 405, 2. 32–6, 66, 287–8; TK 1342.

6. Paravicini Bagliani, 90 n.; TK 1224.

7. †TK 1212. 9. TK 502.

10. The note at the bottom of fol. 77ᵛ is in Brian Twyne's hand. TK 440.

11. See head note to this section, above. TK 1408.

13. TK 223. 14. TK †673. 15. TK 1510. 16. TK 223.

19. See A. A. Björnbo, 'Studien über Menelaos' Sphärik', *Abh. zur Geschichte der Mathematischen Wissenschaften*, 14 (1902), 1–154, at 12, 152. As the old foliation shows, these items properly follow those in art. 25.

20. TK 1252.

22. Leonardo Pisano's solution of the problem of two mean proportionals, pr. by B. Boncompagni, *Scritti di Leonardo Pisano* (Rome, 1862), 2. 154 and thence, with variants from our manuscript, by Clagett, *Archimedes*, 1. 664; †TK 1710.

23. A fragment of Archimedes, *De sphaera et cylindro*, first pr. by M. Clagett, *Isis*, 43 (1952), 36–8, and in his *Archimedes*, 1. 433–9; †TK 1003.

24. Facsimile (reduced) of the bottom of fol. 121, in Clagett, *Archimedes*, 1, between 144 and 145.

25. TK 397 ('Declarare volo'). See note on art. 19.

27. Carmody, *Arabic Sciences*, 48–9; MS. S in the edn. by Clagett, *Archimedes* 1. 223–6; TK 1145.

28. For Macray's 'Auarizum' read 'Anarizum': the text consists of extracts from the commentary by Al-Narizi (Anaritius), transl. by Gerard of Cremona; see *Euclidis opera omnia*, ed. by M. Curtze (Leipzig, 1899), suppl., p. x n. 5, and M. Clagett, *Isis*, 44 (1953), 28–9. †TK 1371. P. M. J. E. Tummers, *The Latin Translation of Anaritius' Commentary on Euclid's Elements of Geometry* (Artistarium Supplementa, 9; Nijmegen, 1994), xviii, precisely identifies each excerpt from Anaritius.

29. In the translation of Gerard of Cremona: see F. J. Carmody in P. O. Kristeller *et al.*, *Catalogus translationum et commentariorum*, 2 vols. (Washington, DC; 1960, 1971), 1. 170. TK 1151.

30. Carmody, *Arabic Sciences*, 131; TK 985.

36. Ahmad ibn Yusuf, beg. 'Iam respondi[di]. Omnium duorum quadratorum unius ad alterum'; Carmody, *Arabic Sciences*, 130; cf. TK 650, 1006.

37. Ibid, 79; Lindberg, *Catalogue*, 21.

38. Lindberg, *Catalogue*, 77.

39. On the canon of works of Johannes de Muris see V. Michels, *Die Musiktraktate des Johannes de Muris* (Wiesbaden, 1970), and for other manuscripts of this text p. 10 n. 36. TK 1230.

41. By Johannes de Lineriis; TK 1213.

B

2° fo lacking.

42. MS. O₂ in *The Chronicle of Walter de Guisborough*, ed. H. Rothwell, Camden Soc., 3rd ser., 89 (1957), xiv, xx–xxii. The reference in *IMEV* suppt., 1844.5 to the verses 'Le roi couoyte nos deners | et la Roygne nos beaux maners | et le Quo Varanto | sale make wus al al do' as being in 'MS. Bodl. 1787', i.e. MS. Digby 186, should be to 'MS. Bodl. 1769' i.e. to the present manuscript. The verses are on fols. 156ʳᵃ/20–23; cf. edn. 216 n.

C

2° fo *montibus*.

43. On Petrus de Ickham see Emden, *BRUO*.

D

2° fo <i>sti prebet.

44. By Alanus de Insulis; *PL*, 210. 621–84.

45. Pr. *PL* 207. 159–61 as Peter of Blois.

46. MS. Dg in Strecker, *Gedichte Walters von Châtillon*. Contains nos. 3, 1, 2 (where 2 is *Carmina Burana*, ed. by A. Hilka & O. Schumann (Heidelberg, 1941), no. 41, where the manuscript is wrongly dated s.xiiiᵉˣ.

E

2° fo lacking.

50–51.

F

2° fo lacking.

52. That this item is part of MS. Digby 187 was first pointed out by F. Pelster, *Zeitschrift für Katholische Theologie*, 53 (1929), 567.

169

Two manuscripts bound together, both of s. xv³ᐟ⁴.

A

2° fo *et ciuitati*.

Probably written in Florence, s. xv³ᐟ⁴, by two scribes. The first scribe wrote fols. 1–24, 37–42 and the second wrote fols. 25–36, 42ᵛ–90. PA 2. 968.

B

2° fo lacking.

Written by Giovanfrancesco Marzi of San Gimignano (before 1460?): see A. C. de la Mare, 'New research on humanistic scribes in Florence', *Miniatura Fiorentina*, 1. 459, 501–3, 596. PA 2. 297.

170

In two parts, (A) arts. 1–4; (B) arts. 5–8. Wood's name, in a fine italic hand of s. xvi, is on fol. 1.

A

2° fo lacking.

The date is *c.* 1450.

1. The *Determinationes Quatuor*, lacking no. 1. Ed. by M. B. Dobson, unpublished thesis, University of Oxford, 1932. For other manuscripts see Sharpe, *Latin Writers*.

B

2° fo *na congregata*.

The date is s. xv^med.

5. Ed. by R. Hill, *Gesta Francorum et aliorum Hierosolimitanorum* (Edinburgh & London, 1962).

6. Hardy, *Catalogue*, 3. 44.

7. MS. O4 in the edn. by H. Rothwell: see MS. 168, art. 42. *IMEV* suppt., 1844.5. It is an Osney-Abingdon compilation.

8. *PAL*, no. 81, Philippus Tripolitanus version. Ed. by R. Möller, *Hiltgart von Hürnheim, Mittelhochdeutsche Prosaübersetzung des Secretum secretorum* (Berlin, 1963), 1–164.

171

The C text. MS. K in the edns. by W. W. Skeat, EETS, 54 (1873), xliii–xlv, and Schmidt, *Piers Plowman*. *IMEV* 1459.

On Stephen Batman and for a list of the manuscripts that he owned (in which this is no. 19), see M. B. Parkes, 'Stephan Batman's manuscripts', in *Medieval Heritage: Essays in Honour of Tadahiro Ikegami*, ed. M. Kanno, *et al.*, (Tokyo, *c.* 1997), 125–56.

172

In eight sections, all probably Thomas Allen's. Four (C, D, F, H) can be identified in his catalogue and the only one (E) which does not bear evidence of his ownership has an Oxford connection.

A

2° fo *semper*.

On fol. 1 is a note in Allen's hand.

1. By Walter Burley; for edn. and for the false attribution to Grosseteste which derives from this manuscript, see note on MS. 104, art. 16. Weisheipl, 'Repertorium', 202, no. 33. TK 1617.

2. The alternative ascription to Walter Burley is accepted by Weisheipl, 'Repertorium', 199, no. 26.

B

2° fo *fidem*.

On fol. 12 is the Digby/Allen inventory number 'A237.'

3. *BHL* 213.

C

2° fo *mali suam*.

On fol. 25 are Allen's number '50' (i.e. in the 4° section of his catalogue) and the Digby/Allen inventory number 'A.162.'

4. See C. Laurén, *Den fornsvenska legenden om den heliga fru Karin* (Folksmålsstudier, 24; Helsingfors & Stockholm, 1973), at 7 et seq. It bears marginalia in the hand of Thomas Gascoigne (Emden, *BRUO*). *BHL* 1710.

5. *BHL* 6758.

D

2° fo *nisi furentis*.

This part cannot be of s. xii^ex because there is reference to an opinion of 'Lincoln', i.e. Grosseteste, on fol. 60^v. It should be noted that writing is above top line.

On fol. 55 are Allen's number '41' (i.e. in the f° section of his catalogue) and the Digby/Allen inventory number 'A.41.'

6 (i) The marginal verses are *IMEV* 963. (ii) Before the title (fol. 60), is written, in a hand of s. xiii, 'Singularis desponsacio, singularis conversacio, singularis exaltacio et remuneracio(?) | a makeles womans weddinge, lives ledynge, \wemles/ i love likynge hap holdyng y^t is endeles'; *IMEP* 3, 54–5.

E

2° fo *libra*.

On William Marshall (Martiall), whose name ('Gul. Mart.') is found on fol. 77^v, see Emden, *BRUO 1501–1540*. This is probably the manuscript owned by the Oxford bookseller Garbrand Herkes referred to by Bale, *Index*, 237, 378, as containing works by Grosseteste and Pecham.

8. Hugo de Folieto, *De rota praelationis*, Bloomfield, no. 6471. At the end, in the bottom margin of fol. 77^v, is '[H]ic continentur in isto libro Augustinus de vera et falsa penitentia | Tractatus optimus de oracione | Tractatus de claustrali disciplina | <Inno>cencius de contemptu mundi | Tractatus qui dicitur scutum Bede et est de virtutibus et viciis certantibus invicem | Liber Augustini de anima optimus | Tractatus de annunciacione beate marie assumpcione et nativitate [= arts. 6(i–iv)] et doctrinale crucis [*last two words deleted*] | Tractatus de titulo quem p<...> supra christi crucem [= art. 7] Liber de <...> contemplacionis | Liber de <...> cionis.' The whole entry is partly obscured by an application of galls.

PA 3.504.

F

2° fo *O dilectores.*

9–29. Part of a larger volume with medieval foliation 49–176, lacking 80–120; see Macray's note on art. 15. On fol. 78 is Allen's number '69' (i.e. in the f° section of his catalogue).

9. The attribution to Roger of Caen, monk of Bec, is widely accepted: see Sharpe, *Latin Writers*, s.n. Roger of Bec. *Init.* 15778.

10. On fol. 84 are verses: 'Luxurie pondus', *Init.* 10527; verses from Hildebert's *Vita beate Marie Egyptiace*, *PL* 171. 1334A–B, 1323A; 'Post holocausta'; *Sent.* 22004; 'Post fletum', *Sent.* 21997; 'Nil magis huic oneri', 'Nil magis ingratum', *Sent.* 16755. Then follow 'Deditus usure', 6 verses, *Init.* 4210; 'Rex racione carens', 12 verses, *Init.* 16762; verses giving the contents of decretum *De penitentia*, 'Expiat in prima', *Init.* 6112; a rubric beg. 'Per hos versus sequentes intelligi potest quot sunt cause in decretis et quot quesiones quelibet causa continet...' followed by 6 verses beg. 'Tempora labuntur vernantibus invida formis', *Init.* 19123 and *Sent.* 31201a (only 1 verse); a rubric, 'Per versus sequentes scitur quot sunt distincciones et quid docetur in qualibet distinccione', followed by 3 verses beg. 'Ecclesias prima distinccio sacrat et aras'; 'Hic ego qui iaceo' (pr. by R. Ellis, *Anecdota Oxon.*, Classical ser. 1. 5 (Oxford, 1885), and see B. Smalley, *English Friars and Antiquity* (Oxford, 1960), 207. The references in *Init.* 7894, except that to Ellis, belong to *Init.* 7895); 'Sanguis rana culex musce mors pecoris ulcer | Grando locustarum genus et nox mors puerorum', cf. *Sent.* 27492c, and *Init.* 17276; 'Fraus tua non tua laus,' 8 verses, pr. by Ellis, op. cit., 20n; 'Antipas Herodes Baptistam decapitavit', 3 verses.

11. Wipo, *Proverbia*, *Init.* 13898. On the author see M. Manitius, *Geschichte der lateinischen Literatur des Mittelalters*, 2 (Munich, 1923), 318 et seq.

12. Beg. 'Fert puer intinctus candelam sponsus uterque' (8 verses); 'Hanc in honore pie candelam porto Marie', *Init.* 7646.

13. L. Hervieux, *Les fabulistes latins* (Paris, 1893, 1894), 1. 716 et seq., 2. 513–48 (where an obsolete foliation is given).

14. *Init.* 2838. A rather different version is pr. by M. R. James, *Proc. Suffolk Inst. of Archeol. and Nat. Hist.*, 22 (1936), 94. At the foot of fol. 91ᵛᵇ are verses beg. 'Pondera portat equus', *Sent.* 21892.

15. Ed. by P. E. Beichner, (Notre Dame, IN, 1965); Stegmüller, *Bibl.*, 6823–5.

16. *Init.* 20551. 17. *BHL* 1018.

18. The first prayer beg. 'Patrem nata. parens natum. pia virgo precare' (2 verses); the second beg. 'Ecce fides fili contrito corde iacentem' (2 verses); the third beg. 'Parcere cum deceat miseris parere parenti' (2 verses).

20. *Init.* 9468.

21. By Henricus Abrincensis. Pr. *Anal. hymn.*, 20, 144–7; and see J. C. Russell & J. P. Heironimus, *The Shorter Latin Poems of Master Henry of Avranches* (Medieval Academy of America Studies and Documents, 1; Cambridge, MA, 1935), and R. W. Hunt, 'The collections of a monk of Bardney', *MARS*, 5 (1961), 28–42, at 35.

22. No. 77 in list in edn., Daly & Suchier, *Altercacio*, 164. TK †1699, 1423.

24. A version with 98 tetrastichs is pr. in *Anal. hymn.*, 32. 66 et seq.

25. *BHL* 6510–12.

27. Not by Anselm. For ascription to Maurilius of Rouen see H. Barré, *Prières anciennes de l'Occident à la mère du Sauveur* (Paris, 1963), 181 n.

28. By Willelmus de Pagula. MS. D in the edn. by J. Moisant, 'De speculo regis Edwardi III' (unpublished thesis, University of Paris, 1891). For the ascription to William of Pagula see L. E. Boyle, 'William of Pagula and the 'Speculum Regis Edwardi III'', *Mediaeval Studies*, 32 (1970), 329–36.

29. Stegmüller, *Bibl.*, 8201, where the shelfmark is cited as '142'.

G

2° fo *num solo.*

The date is s. xiiiⁱⁿ. On fol. 143 is the Digby/Allen inventory number 'A.228.'

30. Ed. by T. Hunt, 'The vernacular entries in the *Glossae in Sidonium* (MS. Oxford Digby 172)', *Zeitschrift für französische Sprache und Literatur*, 89 (1979), 130–50, q.v. for earlier literature. See also Hunt, *Teaching and Learning Latin*, 1. 26–7; Laing, *Catalogue*, 131; Maaz, *Lateinische Epigrammatik*, 6–7. *IMEP* 3, 75.

H

2° fo *dium inferni.*

Probably MS. 4° 52, 'Narraciones aliquot', in Allen's catalogue.

173

The main part of a dismembered book formerly owned by a vicar choral of Salisbury: the other part is MS. Arch. Seld. B. 26 (*SC* 3340), fols. 35–94, Wycliffite pieces, which may have been in Abp. Ussher's hands, perhaps by gift of Allen; see Watson, 'Allen', 298–9, 299 n. 80. On fol. 1 of Digby 173 are Allen's number '7' (i.e. in the 4° section of his catalogue) and the Digby/Allen inventory number 'A.65'.

A

2° fo *pauci nunc.*

1. *PL* 217. 71–46; ed. by R. E. Lewis, (Athens, GA, 1978); Bloomfield, no. 1753.

B

2° fo *et ab arta.*

2. Other copies are in MSS. Bodl. 400 (*SC* 2231), Bodl. 687 (*SC* 2501) and Magdalen College MS. lat. 13. In MS. Bodl. 400 the work is ascribed to Petrus de Auriolis; Glorieux, *Rép.*, 2, no. 351a, records as doubtful or spurious.

174

For descriptions see F. Troncarelli, *Boethiana Aetas: modelli grafici e fortuna manoscritta delle "Consolatio Philosophiae" tra IX e XII secolo* (Alessandria, 1987), 229–3; Gibson & Smith, *Codices Boethiani*, no. 179.

The volume was put together by John of London, fl. *c.* 1300, whose name appears *passim*; he is to be identified with the man of that name recorded in A. B. Emden, *Donors of Books to S. Augustine's Abbey, Canterbury* (Oxford Bibliographical Soc. Occasional Publ., 4; Oxford 1963), 12; in Greatrex, *Register*, 224 ('occurs 1285, d. 1299') and in Sharpe, *Latin Writers*, s.n. John of London OSB (s. xiv[in]). It is made up of the following seven parts, preceded by flyleaves, fols. i–ii, blank, post-medieval, iii–v, medieval; fols. 1–2, 210 × 140 mm: (A) fols. 3–74 (art. 1), 260 × 170 mm; (B) fols. 75–98 (art. 2), 195 × 125 mm, written in a very small hand, *c.* 50–68 lines with no margin, drypoint ruling; (C) fols. 99–181 (arts. 3–11), a copy of Euclid made up by John of London from various sources. This section is made up as follows: fols. 99–124 (art. 3i), 225–35 × 175 mm), written on poor quality parchment in an English documentary hand, highly abbreviated, seen in the facsimile of part of fol. 99 in Gunther, *Early Science*, 2. 60. The style of hand changes on fol. 120[v] to one less cursive in which the letters are very carefully formed. Part of fol. 124[r] and all of fol. 124[v] are blank; fols. 125–32 (art. 3iia), 215 × 160 mm, written in a small glossing type of hand; fols. 133–8 (art. 3iib), also 215 × 160 mm, written in the style of the first part of art. 3iia with an addition on fol. 136[v] bottom to 137 top in another small glossing hand which is seen in the facsimile in Clagett, *Archimedes*, 1, pl. between pp. 144 and 145. The rest of fol. 137 and all of 137[v]–8[v] are blank; fols. 139–45 (art. 3iii) *c.* 225 × 175 mm, written in another small glossing hand which writes 'sit michi solamen' in the top margin of fol. 139, perhaps s. xiii[in]. Part of fol. 145[r] and all of 145[v] were originally blank and filled in later: see art. 7; fols. 146–53 (art. 3iv), 248 × 165 mm), written in the style of the first part of art. 3i; fols. 174–8 (arts. 8–11), 180[v]–1[v], written in the hand of the second part of art. 3i, and fols. 178[v]–80, 235–40 × 180 mm, written in a small glossing hand; (D) fols. 182–92 (art. 12), 170 × 115 mm, written in a small glossing hand, and fols. 193–5, an added bifolium written in the same hand as the preceding leaves, and a slip of parchment in a similar hand; (E) fols. 196–210 (arts. 13–14), 220 × 120 mm, written in an accomplished Italian-style bookhand on parchment prepared in the South European manner; (F) fols. 211–42 (art. 15), 225 × 175 mm, written in a small glossing hand, two columns, 65 lines; (G) fols. 243–50 (art. 16), 233 × 173 mm, written in s. xiv[1].

On fol. v[v] is a medieval contents-list: 'Hic continentur boycius de consolacione [fol. 3] | Item commentum super eundem [fol. 75] | Item scripta super plures libros \xiii/ geometrie [fol. 99] | liber de ponderibus [added s. xv; fol. 174] | Item Jordanus de speculis Item eiusdem de speculis [fol. 179] | Item demonstraciones Archadii de quadratura circuli [fol. -] | Item tractatus hermanni de astrolabio cum multis aliis [fol. 196] | Liber Johannis de Lond' de Librario sancti Augustini Cant" | 'Dist. XI Gra. I.', added s. xv (no. 987 in the St Augustine's catalogue, *ALCD* and CBMLC, *St Augustine's*, in progress). To the contents John Dee added four items, 'Item liber de similibus arcubus [fol. 133] | Archimedes de figuris isoperimetris [fol. 135] | Archimedes de curvis superficiebus [fol. 174[v]] | Jordanus de ponderibus [fol. 174].' On fol. 175[v], also in Dee's hand, is 'J. D. 1557 6 maii' followed by a note on the text (Clagett, *Archimedes* 1. 462–4),'Ut circulus unus ad suam diametrem item alius ad suam ergo permutatim: quod est propositum. Hinc rotarum amplissimum pendet artificium et aliarum subtillissimarum machinarum.' The manuscript is M100 in Dee's catalogue (Roberts & Watson). On fol. v[v] are 'Tho: Allen' and Digby's motto and name. On fol. iii is the Digby/Allen inventory number 'A.147'. Not recorded in Allen's catalogue; listed at Add. 32, p. 185 below.

A

2° fo (text) *Hec dum*; (gloss) *superius*.

1. Ed. by L. Bieler, CCSL 94 (1984[2]). Although C. R. Dodwell, *The Canterbury School of Illumination* (Cambridge, 1954), 123, lists this manuscript among books illuminated at Canterbury 1150–1180 that is too late for the writing of the text (s. xii[1]) and much too early for the illumination and penwork initials. PA. 3. 457 (pl. xli reprod. detail fol. 11, reduced) and M. T. D'Alverney, 'Le Symbolisme de la Sagesse et le Christ de Saint Dunstan', *BLR*, 5 (1954–6), 232–44, at 238 and pl. xiiib, record the work as English work of s. xiii[3/4] and s. xiii respectively, but N. J. Morgan, *Early Gothic Manuscripts 2* (A Survey of Manuscripts Illuminated in the British Isles; London; 1988), 2. 174, refines this to '*c.* 1270–90' and identifies the artist as one of a group producing work of varying quality, some of whom appear to have a York connection. The glosses are probably of s. xii[2].

1. (iv) *Init.* 14669a. (v) PA 3. 281.

B

2° fo *et informatos*.

2. Ed. by E. T. Silk, *Saeculi noni auctoris in Boetii consolationem philosophiae commentarium* (Papers and Monographs of the American Academy in Rome, 9; Rome, 1935), using this manuscript as his basis. On the date of the commentary, usually referred to as Ps.-Johannes Scotus, see the review by P. Courcelle, *Le moyen âge*, 47 (1937), 74–5; see also E. T. Silk, 'Pseudo-Johannes Scottus...and the early commentaries on Boethius', *MARS*, 3 (1954), 1–40, and G. Mathon, 'Le commentaire de Pseudo-Erigène sur la Consolatio Philosophiae de Boèce', *RTAM*, 22 (1955), 213–57. TK 586.

C

2° fo *et kl. Gh.*

3. Adelard, version III, according to M. Clagett, *Isis*, 44 (1953), 23–5, 33–6, except art. vi (fols. 160–73ᵛ), which contains xi.2–xiv.3 in the version of Gerard of Cremona; see Clagett, ibid., 27–8, and M. Folkerts, 'Adelard's version of Euclid's *Elements*', in *Adelard of Bath*, 55–69. No. 85 in the catalogue of Adelard manuscripts by C. Burnett, ibid., 179–82; see also references, 171. W. B. Knorr, 'John of Tynemouth *alias* John of London: emerging portrait of a singular medieval mathematician', *British Journal of the History of Science*, 23 (1990), 293–330 (this manuscript at 300 et seq.), refers to the text as John of Tynemouth's Euclid paraphrase, his fig. 2 reproducing the heading of this item on fol. 99. However, Knorr misinterpreted an ownership inscription of John of London, OSB, fl. s. xiv, as an ascription of authorship; the two men are to be distinguished. TK 586. The text of book I is pr. by Sr M. St Martin van Ryzin, 'The Arabic Latin tradition of Euclid's Elements in the Twelfth Century' (unpublished thesis, University of Wisconsin, 1960). Book v is pr. by T. J. Cunningham, 'Book v of Euclid's Elements in the twelfth century' (unpublished thesis, University of Wisconsin, 1972), 203–56.†TK 586.

4. Ahmed ibn Yusuf, *De similibus arcubus*, pr. by H. L. L. Busard & P. S. van Koningsveld, 'Der Liber de arcubus similibus des Ahmed ibn Jusif', *Annals of Science*, 30 (1972), 381–406. This is followed (fol. 133ᵛ) by Archimedes, *De mensura circuli*, transl. by Gerard of Cremona. See Clagett, *Archimedes* 1. 30–58. TK 583. The title at the beginning is in Dee's hand.

5. In Macray's title delete 'Archimedis… Alexandrini.' For his incipit read 'Prelibandum primum quoniam…'. The author is unknown. MS. O in the edn. of H. L. L. Busard, 'Der Traktat *De isoperimetris*, *Mediaeval Studies*, 42 (1980), 61–88. See also W. R. Knorr, 'Paraphrase editions of Latin mathematical texts: *De figuris ysoperimetris*', *Mediaeval Studies*, 52 (1990), 132–89. †TK 1083.

6. MS. C in the edn. by Clagett, *Archimedes* 1. 578–80. W. R. Knorr, 'On a medieval circle quadrature: *De circulo quadrando*', *Historia Mathematica*, 18 (1991), 107–28, argues that the author is John of London, *alias* Tynemouth: but see note on art. 3 above. TK 1444.

7. The date is s. xiii². Bks. xi. 5–xiv.1 only of Gerard, fols. 160ᵛ–73ᵛ. The definitions and propositions in xi. 1–4, fol. 160ʳᵛ, probably go back to a Hermann of Carinthia version, according to H. L. L. Busard, in whose edn. this manuscript is MS. D: see his *Latin Translation of the Arabic Version of Euclid's Elements Commonly Ascribed to Gerard of Cremona* (Leiden, 1983), where the manuscript is descr. on p. xxii. MS. D in the edn. by Hahn, for which see note on MS. Digby 147 art. 6 above (but Hahn wrongly dates it '12th c.' (p. 117) and 'twelfth through fourteenth centuries' (p. 199). On fol. 173ᵛ is an erased inscription, 'Th<…> vjd(?)' TK 585.

8. Ed. by Moody & Clagett, *Weights*, 128–42. I–A.q in R. B. Thomson, 'Jordanus de Nemore: opera', *Mediaeval Studies*, 38 (1976), 97–144. TK 1000.

9. MS. C in the edn. by Clagett, *Archimedes*, 1. 439–520. Clagett remarks (p. 447) that 'one unusual feature of this copy is the judicious use of commas', a practice very rare indeed in medieval times. These commas are, however, found in a text that was closely studied by Dee and they may have been added by him. TK 277.

10. See Busard, *Mediaeval Studies*, 42 (art. 5 above). On this paraphrase version see also Knorr, cited at art. 5 above.

11. By Euclid. MS. D in edn. by Ken'ichi Takahashi, *The Medieval Traditions of Euclid's* Catoptrica. *A Critical Edition of* De Speculis (Kyushu, 1992). See Lindberg, *Catalogue*, 61. At the end is the beginning of another translation of the same work, Lindberg's 79c. No. xiiib in Thomson, op. cit. (art. 8 above); TK 1704.

D

2° fo *hoc.*

12. †TK 220, 142, 1259.

E

2° fo *gula per.*

13. Pr. *PL* 143. 381–90. TK 611.

14. *PL* 143. 389–409, bk. i. 1–19, bk. ii. 1–4; Diaz, 609 ('Lupitus archidiaconus an Barcinonensis?'). Also attributed to Gerbert. For an edn. and reproduction of this short text (fol. 210ᵛ) and a consideration of the problem of authorship, see E. Poulle, 'Note sur l'autorité des traités de l'astrolabe', *Autour de Gerbert d'Aurillac*, ed. by O. Guyotjeannin & E. Poulle (Paris, 1996), 342–5. There follows (fol. 209ᵛ) a chapter beg. 'Sol unumquodque signum peragit xxx diebus et x horis…', ending (fol. 210), 'bissextus oritur.' See Bubnov, *Gerberti opera*, 113 et seq.; Haskins, *Medieval Science*, 53. TK 1236.

F

2° fo *habeat constare.*

15. The date is s. xii³/⁴. Pr. from this manuscript by F. Giusberti, 'The Ars Meliduna on implicit proportions', in *Materials for a Study on Twelfth-Century Scholasticism* (Naples, 1982), 77–85. See also de Rijk, *Logica modernorum*, 2/1, 76–7, 264–390, who prints substantial extracts; Y. Iwakuma, 'Parvipontanus's thesis *ex impossibili quidlibet sequitur*', *Argumentationstheorie*, ed. by K. Jacobi (Leiden, 1993), 123–51, pr. fol. 236 (IIIb, ch. 35) and fol. 240ᵛᵃᵇ (IV, ch. 37–9), at 138–45.

G

2° fo *Nota den. xxv.*

16. Notes for sermons. 'Sanctificamini cras comedetis carnes Numeri xi [18]. Thema in vigilia Pasche. In hiis verbis monemur ad duo, primo ad dignam preparacionem.' Verses interspersed include (fol. 243), 'Sperne deos', *Sent.* 30130; 'Plus dare quam tollat

aut spondeat atque petatur'; 'Legem quam tuleris de iure tenere teneris | Et si non tuleris, iure tenendus eris', *Sent.* 13635; (fol. 243ᵛ) 'Villa boves uxor', *Sent.* 33365.

At the end of Macray's description: (i) Fols. 248–50 are listed among manuscripts in the hand of John of London in Emden, *Donors* (above), 12. Macray's statement that they are in the same hand as that of art. 16 is wrong, as is also his attribution to John of London of the title of art. 11. On fol. 249ᵛ is 'Parcite paucorum transfundere crimen in omnes' (Ovid, *Ars*, III. 9, *Sent.* 20679) (s. xvᵉˣ). (ii) On fol. 147 the English names are written in crayon, s. xiii: 'Reginaldus et Hugo de Banneb' [Banbury], Will. de Chaweldon' [Charlton, Northants.], Willelmus de Wiche, Ricardus de Vindesores.' In the outer margin are 'N(?) de Aluetone, Alitia de Docking, Thom' de brage(?), Ric' de Yppedene [Ipsden], Symon de Esthah, Jordan' et frater eius, Alanus de Syreb' [Shirburne], Johannes de Cumbe [Combe].' More names in crayon, s. xiii, are in the bottom margin of fol. 171: 'Rog' de Ardarn', Willelmus de Niuton', Ric. de Burg', J. de <...>ba, Walt' de Randele, Ric' de Nicole [Lincoln].' (iii) Fol. iii is a fragment, s. ix, of Boethius, *De consolatione philosophiae*, v. 5.7 to v. 6.1 and Servatus Lupus, *De metris Boetii*, 88–145, not recorded by Virginia Brown, 'Lupus of Ferrières on the metres of Boethius', *Latin Script and Letters A. D. 400–900: Festschrift Presented to Ludwig Bieler*, ed. by J. J. O'Mara & B. Naumann (Leiden, 1976), 63–79.

175

2° fo lacking.

The date is s. xiᵉˣ. Mynors, *Durham Manuscripts*, 7, refers, and the book can now be definitely assigned to Durham on the basis of script: on the scribe, dubbed the Durham Martyrology Scribe, see M. Gullick, cited in note to MS. Digby 20, who, on the basis of the script, identifies this manuscript as his earliest extant piece of work, written *c.* 1093. More than a dozen manuscripts and seven charters can be assigned to him: he was still alive in 1128. Gullick's pl. 2 a,b reprod. parts of fols. 9 and 24. On fol. 1 are Allen's number '3' (i.e. in the 4° section of his catalogue), the Digby/Allen inventory number 'A. 166' and Digby's motto and name.

1. MS. O₁ in the edn. by Colgrave, *Lives of St Cuthbert*, one of 19 manuscripts of the Bx group. *BHL* 2021.

3. *BHL* 2020. 4. *BHL* 6361. 5. *BHL* 190.
PA 3. 59.

176

There is a partial description in Powicke, *Medieval Books*, 167–8.

2° fo *notandum quod.*

The Merton College *ex libris*, on fol. 1ᵛ, is pr. by Macray at the end of his description. It ends '... et fidelium animabus a purgatorio liberandis.' On fol. 2ᵛ is 'John Coll<ston>' and on fol. 87 'John Cols<...>', s. xvᵉˣ. On fol. 3 are Allen's number '5' (i.e. in the 4° section of his catalogue) and Digby's motto and name.

2. Facsimile with English translation by G. J. Symons, *Merle's MS. Consideraciones temperiei pro 7 annis* (London, 1891); see also E. N. Lawrence, 'The earliest known journal of the weather', *Weather*, 27 (1972), 494–501, and 'Merle's weather diary and its motivation', ibid. 28 (1973), 210–11. TK 604.

4. Beg. 'Significacio eclipsis lune uniuersalis iuxta sententiam Tholomei.' John Eschenden, *Prognosticatio de eclipsi universali lunae (1345)*; ed. K. V. Snedegar, 'John Ashenden and the *Scientia Astrorum Mertonensis* with an edition of Eschenden's *Prognosticaciones*' (unpublished thesis, University of Oxford, 1988), 2. 291–32. TK 1503, Weisheipl, 'Repertorium' (s.n. Ashinden), 175 no. 3.

5. TK 1276.

6. Not accepted in the canon of Johannes de Muris's works by Michels; see note on MS. Digby 168 art. 39 above. In *Johannes de Muris Notitia Artis Musicae* (American Inst. of Musicology, Corpus Scriptorum de Musica, 17; Rome, 1972), 29, Michels ascribes the work to Firminius de Bellavalle and lists other manuscripts. See also Thorndike, *History*, 3. 314. TK 1584.

9. R. Horrox, *The Black Death* (Manchester & New York, 1994), 167–77, prints a translation. In this manuscript the astrological measurements relate to Oxford. TK 359, 1364.

10. John Eschenden, *Prognosticatio coniunctionis Saturni et Martis (1349)*; ed. Snedegar (as 4 above), 2. 324–40. This is the only known copy. TK 1484.

11. Beg. 'Pro significacione istius coniunctionis magne est sciendum quod iste coniunctio.' John Eschenden, *Significatio coniunctionis magnae Saturni et Iovis (1365)*; ed. Snedegar (as 4 above), 2. 393–433. TK 1135.

12. Lambourne was also D. Th. and fellow of Merton College (Emden, *BRUO*). TK 1356.

13. John Eschenden, *Tractatus de significatione coniunctionis Saturni et Martis* (1337); ed. Snedegar (as 4 above), 2. 341–92. Weisheipl, 'Repertorium', 175, no. 2; TK 1489. The astrological square of Saturn on fol. 47ᵛ is reprod. by M.-H. Vicaire, 'Fin du monde et signes des temps visionnaires et prophètes en France meridionale: fin xiiie–debut xve siècle', *Cahiers de Fanjeaux*, 27 (1993), 272.

14. See Emden, *BRUO* 2. 1087 (where the folio reference is wrongly given as 14) and his *Donors of Books to St. Augustine's Abbey, Canterbury* (Oxford Bibliographical Soc. Occasional Publ., 4; Oxford, 1968), 12. Gunther, *Early Science*, 2. 61, reprod. fol. 53ᵛ. TK 842.

15. †TK 996.

20. Beg. 'Ventorum cognicio ex pluviarum experientia'; TK 1684.

21. †TK 1082. 22. TK 1364.

23. Text in bottom margin is 'Si fiat questio vel nativitas et sit luti [*recte* lune; cf. MS. Digby 147, fol. 113ᵛ]'; TK 1448.

24. Three sections can be distinguished. (1) fols. 67ʳᵃ-8ʳᵇ, headed 'De pluviis', beg. 'Si sol fuerit in emisperio.' TK 1465 lists separately but S. Jenks, 'Astrometrology' (see note to MS. 139 art. 41 above), 185–210, no. 134, records it as an extract from Hermann of Carinthia (Jenks, no. 32). Comparison with MSS. Bodl. 464 (*SC* 2458), Rawl. D. 1227 and Auct. F. 5. 29 (*SC* 2635) suggests that it is less an extract than a loose paraphrase. For other manuscripts, to which London, Society of Antiquaries, MS. 39 can be added, see Jenks, no. 32. (2) Fols. 68ʳᵇ-9ᵛᵃ/6, 'De tempestatum presagiis tractaturi...Puris oriens atque non fervens', TK 1153, Jenks, no. 99. It is the *Natural History* of Pliny the Elder, bk. 18, 78.2–90, pr. by Thorndike, *History*, 3. 707–14, from MS. Laud Misc. 594 collated with Vatican, MS. Ottob. lat. 1870; also collated with sixteen other manuscripts by V. H. King, 'An investigation of some astronomical excerpts from Pliny's *Natural History* found in manuscripts of the earlier Middle Ages' (unpublished thesis, University of Oxford, 1969), 156–69. There follow without a break (fols. 69ᵛᵃ/6-29) 18 lines beg. 'Luna perficit circulum suum' and ending 'si in summa Cornicula macula interstit pluviam indicat', which in subject matter seem to belong to the next item but which have not been identified as part of it. (3) Fols. 69ᵛᵃ/24-70ʳᵇ, beg. 'Sapientes Indii de pluviis', TK 1377, Jenks, no. 110, Carmody, *Arabic Sciences*, 87–8. The text is Geber, *De pluviis*, ending 'et non pluet nisi mars aspexerit Iouem et Saturnum'; cf. text in MS. Digby 194 fols. 147ᵛ-50ᵛ, which reaches this point in line 21 on fol. 148ᵛ and continues.

25. The almanac is based on the Oxford meridian.

26. North, *Wallingford*, 2. 315.

27(i) beg. 'Sciendum quod crisis interpretatur iudicium.'; (ii) beg. 'Sciendum quod quinque sunt aspectus scil. coniunctus sextilis.'

32. For a correction to Macray's final paragraph see head note to this description.

177

2° fo *uire uiderentur.*

On fol. 1 is Allen's number '7' (i.e. in the f° section of his catalogue). Since Allen owned many manuscripts from Oxford, it is possible that this one comes from St Frideswide's Priory, Oxford, but as fols. 1, 9, 17 and 25 bear the remains of quire signatures a, b, c and (presumably) d, it may be no more than a section with an Oxford interest which has been detached from a larger book with no Oxford connection; the last page looks as though it had been the final page of a unit on its own. On fol. 1 are also the Digby/Allen inventory number 'A.14' and Digby's motto and name.

The only known copy of this text. On the miracle stories see J. Blair, 'St Frideswide reconsidered', *Oxoniensia*, 53 (1988), 71–127 (extracts from our preface on pp. 118–9) repr. as 'St Frideswide's monastery at Oxford', in *Archaeological and Architectural Studies at Oxford* (Gloucester, 1990), 248. In the edn. it is not noted that there is a division into 9 lessons: lectio i (§4) 'Tu autem' between 'aromata' and 'Precesserant'; ii (§8) 'Tu autem' after 'vestigia' (end of §9); iii (§11); iiij (§12) 'Tu autem' at beg. of §13; v (§23) 'Tu autem' at beg. of §24; vi (§25); vii (§26) 'Tu autem' at beg. of §27; [viij?] 'Tu autem' at beg. of §32; ix (§45). §35 is also pr. by A. Neubauer in OHS, 16, *Collectanea*, 2nd ser. (1890), 2. 283–4. The acrostich on St Frideswide, s. xivⁱⁿ (fol. 30ᵛ) beg. 'Fontem in sicco fundo a domino impetravit.' Below is a set of 14 verses on the seven deadly sins, beg. 'Filia regalis imis datur esse sodalis.' *BHL* 3169.

178

The volume is made up of two parts: (A) fols. 1–14, 88–115; (B) fols. 15–87. Both parts belonged to John Dee, M95 and M29 in his catalogue (Roberts & Watson). (A) is from a larger manuscript, now split between BL, MSS. Harley 625 and Cotton Tiberius B. ix; see A. G. Watson, 'A Merton College manuscript reconstructed...', *BLR*, 9 (1976), 207 et seq. It was previously owned by Merton College (no. 385 in Powicke, *Medieval Books*, to which it was given by Simon Bredon (on whom see Emden, *BRUO*) probably by bequest). Note that Macray's version of the Dee *ex libris*, '147, Joannes Dee 159' is wrong: '159' should read '1559' the date of Dee's acquisition, and the number '147' is not Dee's (or Allen's), but may be in the same hand as '44' in BL, MS. Royal 12 G. x which was bought by Nicolaus Fraizerus from 'Dr Laidem' (?Richard Layton, *BRUO 1501–1540*). See further Roberts & Watson, M95. (B) was annotated by Lewis Caerlyon, the physician and astronomer, for whom see Emden, *BRUC* and P. Kibre, *Isis*, 43 (1952), 100–108. It was presumably copied by him and art. 8 may be by him. It can probably be identified with a manuscript seen at Clare College, Cambridge, by Leland; see R. W. Hunt, *TCBS*, 1 (1953), 123. (A) and (B) were put together by Sir Robert Cotton, by whom the volume was probably given to Allen, perhaps in exchange for another. On the binding and pastedown are the Digby/Allen inventory number 'A.20'. The binding bears Cotton's arms, now almost obliterated by those of Digby. The table of contents on fol. 1 is in the hand of Cotton's librarian, Richard James. On fol. 1 are Digby's motto and name.

A

2° fo lacking.

2. The same texts, anonymous, are in BL, MSS. Arundel 66, fols. 260–3, and Sloane 407, fols. 236–44.

3. †TK 184.

4. Thorndike, *History*, 3. 523, attributes to Bredon; Gunther, *Early Science*, 2. 52, attributes to Reed. The copy in MS. Digby 176 is in Bredon's hand, in a manuscript that belonged to Reed.

5. Bredon's notes are repr. in Gunther, *Early Science*, 2, pl. facing p. 52 (reduced). †TK 1000.

6. †TK 1620.

7. MS. D in edn. by North, *Wallingford* 1. 21–169. Fol. 22 repr. (reduced) in pl. iii; and see also 2. 32, 367. *MSS. at Oxford*, XXVI. 4, fig. 89, reprod. a detail of fol. 36. TK 1214.

8. North, *Wallingford* 3. 387, states that there is no good reason for thinking that the work is by Richard and suggests that it may be by Lewis Caerlyon. †TK 127.

9. TK 966. TK 1062 treats as a separate work the part of the commentary on fols. 65ᵛ–86, beg. 'Post declarationem premissorum.' The notes referred to by Macray as being in the hand of [Sir] Henry Savile [Warden of Merton College] are in John Dee's hand.

B

2° fo *intrinsico*.

11. Beg. 'Punctus est cuius pars non est.' In the translation of Adelard of Bath, version I; see M. Clagett, *Isis*, 44 (1953), 16–42, at 18–20, 30–33. TK 1152.

14. Beg. 'Spera est figura corporea'; TK 1523.

15. Beg. 'Declarare volo qualiter faciam'; TK 397. See A. A. Björnbo, 'Studien über Menelaos Sphärik', *Abh. zur Geschichte der Mathematischen Wissenschaften*, 14 (1902), 1–154, at 12, 152.

179

2° fo *morem bonorum*.

On fol. 1 are 'Tho. Allen' and Allen's number '49' (i.e. in the f° section of his catalogue), also Digby's motto and name.

1. See Haskins, *Medieval Science*, 111 et seq. The alternative translation added in the margins is apparently in the hand of Simon Bredon (see A. G. Watson, *BLR*, 9 (1976), 215 n. 2) by whom the manuscript was probably bequeathed to Merton College. A copy of the work was in his bequest (Powicke, *Medieval Books*, no. 383, pp. 84, 142) but since the 2° fo is not cited in the will the identification cannot be certain. TK 1406, 1687. The marginal 'Pronosticacio...' is TK 1138.

2. Beg. 'Hiis qui instituunt'. The only known complete text of an anonymous translation of the Τετραβιβλος of Ptolemy. L. Anthonis, '*Iudiciali ad Syrum. Une traduction de Guillaume de Moerbeke des Quadripartitum de Cl. Ptolémée*', *Guillaume*

de Moerbeke, ed. J. Brams & W. Vanhamel (Louvain, 1989), 253–5, 369, argues for attribution to Robert Grosseteste. For reference to Anthonis's edn. of part of the text see ibid., bibliography p. 369. TK 629.

The date of the fragment at the front is s. xiii¹, not s. xiv, as Macray.

180

In four sections.

On fols. 1 and 40 is 'Kenelm Digby', '4 reals' being added after the signature on fol. 40. His motto and name are on fol. 30.

A

2° fo *larum siue*.

1. Beg. 'Licet commendabiliter'. This is the *recensio nova* of the *Legenda minor* of St Catherine of Siena, ed. E. Franceschini (Fontes vitae S. Catharinae Senensis Historici, 10; Milan, 1942), 3–181, including the extra chapter pr. 192–4. *BHL* suppt., (1986), 1704c. It is followed by the final sermon in the form in which it is found in Rome, Bibl. Casanatense, MS. 427; see E. Franceschini, *Leggenda minore di S. Caterina da Siena* (Pubbl. dell' Univ. Cattolica del S. Cuore, ser. IV, Scienze filol., 38; Milan, 1942), 53–4. Francheschini did not use our manuscript, being misled by a misprinted number; see note on MS. 108 above. This copy is assigned to Venice, s. xvⁱⁿ in PA 2. 444.

B

2° fo *ad solsticiam*.

2. MS. E in the edn. by North, *Wallingford*, 1. 179–243; and see 2. 89–91. TK 56.

C

2° fo *studiare*.

D

2° fo *ou plus*.

The date is s. xv. On fol. 79g, the first leaf of (D), is 'Thomas Allen' and on fol. 80 is Allen's number '59' (i.e. in the f° section of his catalogue).

181

2° fo *And that book*.

Two articles by D. W. Mosser provide comprehensive descriptions. The first, 'A new collation for Bodleian Digby MS. 181', *Papers of the Bibliographical Society of America*, 82 (1988) 604–11, deals with the make-up of the book. The collation he proposes (using standard notation and not his) is 1¹⁸ 2²⁰ 3² 4¹⁶ (wants 15, 16) 5²⁴ 6⁸ (wants 2–5, 7–8) 7¹⁴. The second, 'The scribe of Chaucer manuscripts Rylands English 113 and Bodleian Digby 181', *Manuscripta*, 34 (1990) 129–47, establishes that fols. 1–53 of MS. Digby 181 and Manchester, John Rylands University Lib., MS. Eng. 113 were written by John Brode junior, who wrote and owned Rylands

MS. Eng. 113 and wrote 'Explicit Edorb quod' at the end of art. 5 (fol. 39) of MS. Digby 181. Parkes, *ECBH*, pl. 3(ii) reprod. part of fol. 47, with commentary. On dialectal grounds Mosser suggests that Brode was probably writing in the central midlands, perhaps in Warwickshire. On fol. 77ᵛ is 'John fayer[pr?]utis bocke' (s. xviᶦⁿ). On fol. 1 are Digby's motto and name.

The date is s. xvᵉˣ. Watermarks: fols. 1–17 Briquet 2064 (heraldic pale, Perpignan, 1464); fols. 18–53 cf. Briquet 1740, 1741 (fleur de lis, widely used 1460s–80s) (Mosser suggests Briquet 1725); fol. 54 to end, close to Briquet 689 (ring, widely used 1450s–70s).

1–8. Descr. by Seymour (as MS. Digby 72 art. 10), 30–31.

1. See F. L. Utley, *The Crooked Rib* (Columbus, OH, 1944), 121 no. 49. *IMEV* and suppt., 666.

2. By John Lydgate. Ed. by H. N. MacCracken, *Minor Poems of John Lydgate*, 2 (EETS, 192), 456–60; Utley, op. cit, 135–7. no. 75. *IMEV* and suppt., 919.

3. By John Lydgate. Ed. by MacCracken, op. cit., 2, 442–5; Utley, op. cit., 269 et seq., no. 313. See also A. S. G. Edwards, *The Library*, 5th ser. 26 (1971), 341. *IMEV* and suppt., 3744.

4. MS. B₁ in the edn. by C. d'Evelyn, *Peter Idley's Instructions to his Son* (Modern Language Assoc. Monographs, 6; Boston, MA, 1935), described on p. 60 with correction of Macray's reading of the initial prologue (followed by later writers) which is written in such a way as to suggest that the original scribe did not understand his exemplar. The correct reading is 'Volens igitur ego Petrus Idylle armiger te filium meum Thom...'. *IMEV* and suppt., 1540.

5. By John Lydgate. Ed. by MacCracken, op. cit. 2, 382–410. Mosser (1990) fig. 1, reprod. part of fol. 39, reduced. *IMEV* and suppt., 1507.

6. Mosser (1990) fig. 3, reprod. part of fol. 40, reduced. *IMEV* and suppt., 3670. Descr. by Seymour (as MS. Digby 72 art. 10), 39.

7. *IMEV* and suppt., 3412. This manuscript is used for the edn. of the roundel pr. in *Medieval English Lyrics*, ed. R. T. Davies (London, 1963), no. 52. Parkes, *ECBH*, pl. 3(ii) reprod. part of fol. 47. After art. 7, on fol. 51ᵛ, are seven verses of the roundel 'Nowe well come somer with thy sonne softe', pr. by Duncan, *Lyrics*, no. 28; *IMEV* and suppt., 2375.

8. An extract from Lydgate, *Fall of Princes*, 1, 4558–662, 4817–44, not a translation of Boccaccio. See also Edwards, *The Library*, loc. cit., 338. *IMEV* and suppt., 1168.

9. Ed. by R. K. Root (Chicago, 1926); reprod. of fol. 59 in idem, *The Manuscripts of Chaucer's Troilus* (Chaucer Soc., London; 1914), pl. v. MS. Dg in the edn. by B. A. Windeatt (London, 1984). It agrees textually with Cambridge, Corpus Christi Coll., MS. 61 and is most closely related to MS. Selden supra 56 (*SC* 3444) (Windeatt, 69).

'Its value as an authority is negligible' (Root, liii). *IMEV* and suppt., 3327. Described by Seymour (as MS. Digby 72 art. 10), 64–5.

182

2° fo (fol. 4) *enemyes*.

This manuscript is not recorded by Sears Jayne & F. R. Johnson, *The Lumley Library; the Catalogue of 1609* (London, 1956). On fol. 1 are Digby's motto and name.

IMEP 3, 55.

183

2° fo *siue alicuius*.

Seen by John Leland at Clare College Cambridge: see R. W. Hunt, *TCBS*, 1 (1953), 123. MS. 149 in John Dee's catalogue (Roberts & Watson). On fol. 47 is Allen's hand and on fol. 1 the Digby/Allen inventory number 'A.22' and Digby's motto and name.

1. Fauser, *Albertus Magnus*, 71, no. 45.

2. See Thorndike, *History* 1. 643, 646. Ed. by M.-Th. d'Alverny & H. Hudry, *AHDLMA*, 41 (1974), 192–3. TK 986.

3. MS. D in the edn. by A. G. Little & E. Withington, *Opera Baconi*, fasc. 9 (Oxford, 1928), descr. p. xi, text pp. 120–42. Our manuscript breaks off 'calori naturali sane', edn. 142/3. Six leaves are missing between fols. 48 and 49. Now generally considered as not a work by Bacon but by Castri goet: see note on MS. Digby 167 art. 22. TK 759.

4. Part of the *Opus Maius* IV.1 ad fin to X, ed. by J. H. Bridges, *The 'Opus Maius' of Roger Bacon* (Oxford, 1900) 1. 111/25–156/36. The last two words, 'concave non', are the catchword of the next quire, now lost.

184

2° fo *et theodotion*.

Description in L. Toneatto, *Codices artis mensoriae; I manoscritti degli antichi opuscoli latini d'agrimensura (V–XIX sec.)* 3 vols. (Testi, Studi, Strumenti, 5; Rome, 1994–5), 1. 498–501. This collection of works is found in two forms, a longer represented by MS. Alençon 2 (from St Evroult) and Durham Cathedral, MS. B.II.11, both s. xii, and a shorter form represented by our manuscript and Cambridge, Trinity College, MS. B.2.34 (77) (from Christ Church Canterbury, *ALCD*, no. 197; *CBMLC*, *Christ Church*, BC4. 197).

The manuscript is identifiable in the Reading Abbey catalogue (*EHR*, 3 (1888), 119; *CBMLC*, *Benedictines*, B71.77) as a volume containing short works by Jerome, not individually catalogued. It is also recorded in *Registrum*, R.6.99. On fol. 1 are Allen's number '20' (i.e. in the fº section of his catalogue), the Digby/Allen inventory number 'A.15' and Digby's motto and name.

1. Lambert, no. 200.

2. Jerome, *Ep. 78*, Lambert, no. 78. Stegmüller, *Bibl.*, 3319.

3. Lambert, no. 202.

4. The explanations of the alphabets consist of (1) (fols. 92vb–3ra) Hebrew, beg. 'Aleph mille vel doctrina', ending 'Tau signum vel subter', Lambert, no. 400, followed by barely recognizable Hebrew letters; (2) (Greek, beg. 'A alfa agricola', pr. by Bischoff, *Mitttelalterliche Studien*, 2. 253 (also in *Byzantinische Zeitschrift*, 44 (1951), 33), followed by the verse 'Esse tenet sedes sanas summus tenet arra'; (3) (fol. 93rb) Greek numerals, 'A mia l y ennacosin – dcccc.' There follow the 'Note divine legi necessaria', which are those used by Cassiodorus in his *Expositio psalmorum*, pr. CC, 97, 2. They are followed by a set of illustrations of the way to use them, beg. 'Prima nota hoc loco demonstratur. De vultu [fol. 93^v] tuo iuditium meum prodeat' (Ps. xvi. 2). Lambert, no. 201.

5–6. Lambert, no. 412. 7. Lambert, no. 409. 8. Lambert, no. 411. 9. Lambert, no. 460.

10. Ps.-Jerome, *Ep. 23*, *PL* 30. 213–5 (219–27); *CPL*, no. 633; Lambert, no. 323.

11. This section consists of (1) fols. 139–41^v, 'De partibus minus notis veteris testamenti', a series of glossarial notes on the Old Testament, Genesis to Ecclesiasticus (Lambert, no. 468) beg. 'Sintagma doctrina Oeconicon [*sic*] dispensatorem' and ending with schematic representations of the signs of the zodiac with the verse 'Sic duodena poli chaldeus signa notavit', *Init*. 18109; (2) fols. 141^v–6^v, 'De epistolis Pauli apostoli', a series of exegetical notes beg. 'Paulus apostolus non ab hominibus...Apostolus interpretatur missus' (not in Lambert); (3) fol. 146^v, 'De spera celi', a short piece, hortatory not scientific, beg. 'Affirmatum [*sic*] celum rotundum esse iuxta Ecclesiasten et in spere modum volvi' (Lambert, no. 625); (4) fol. 147, 'De lapidibus', beg. 'Iaspis viridis super quem fuerit nulla phantasmata timet' (not in Lambert, who wrongly cites our manuscript under no. 624), TK 654, citing manuscripts in this collection; (5) fol. 147^v, 'De mensuris', beg. 'Mensurarum appellationes' and ends 'pedes (*rectius* stadia) quinque', see 'Balbi ad Celsum Expositio et ratio omnium formarum', *Gromatici veteres, ex recensione Caroli Lachmanni (Die Schriften der Römischen Feldmesser)*, ed. F. Blum *et al.* (Berlin, 1848), 1. 94/13–95/9. This is followed by a piece beg. 'Ad estimandum cuiusque rei altitudinem', from the 'Geometria incerti authoris' ed. Bubnov, *Gerberti opera*, 323.

On fol. 148^v, the erased *cautio* note (s. xiv¹?), further obscured by the use of a chemical reagent, is only partly legible by ultraviolet light, 'Caut 'domini Will' de Reding / niger monachus qui s^t extra villam concord' cum tho<...> qui post die dominica xx ante festum sancti Gregorii <...> ccc dimid' marce <....> habet viii <...>'.

PA 3. 148.

185

2° fo *with on' assent*.

For a description and references see G. Guddat-Figge, *Catalogue of Manuscripts Containing Middle English Romances* (Munich, 1976), 255–7. See also *IMEP 3*, 56–8.

The date is s. xv^med. The coats of arms include (fol. 80) that of Hopton of Swillington, near Leeds: on that family see C. Richmond, *John Hopton...a Fifteenth-century Suffolk Gentleman* (Cambridge, 1981). On fol. 1, in Nicholas Gilbourne's hand (s. xvi²), is 'Non uiuit cui nihil est in mente, nisi ut uiuat', *Sent. Neue Reihe*, 39017al. On fol. 1 are Digby's motto and name.

1. For references see *IMEP 3*, 56.

2. MS. Di in the stemma in D. C. Greetham, 'Challenges of theory and practice in the editing of Hoccleve's *Regiment of Princes*', in *Manuscripts and Texts: Editorial Problems in Later Middle English Literature*, ed. D. Pearsall (Woodbridge, 1987), 66–7. *IMEV* and suppt., 2229. *IMEP 3*, 56–7.

3. By Thomas Hoccleve. *IMEV* and suppt., 1561. *IMEP 3*, 57.

4. By Thomas Hoccleve. *IMEV* 4072. *IMEP 3*, 57–8.

5. By Thomas Hoccleve. Ed. by F. J. Mather jr., *Publications of the Modern Language Assn. of America*, 12 (1897), 1–150; E. S. Krappe, 'King Ponthus and the Fair Sidone: a Critical Edition' (unpublished thesis, University of Pennsylvania, 1953). *IMEP 3*, 57–8.

PA 3. 996; pl. xcii reprod. detail fol. 80, reduced.

186

2° fo *Ast genus*.

On fol. 31 is Allen's number '33' (i.e. in the f° section of his catalogue) and on fol. 3^v is the Digby/ Allen inventory number 'A.63'. The description in Allen's catalogue shows that arts. 15 and 16 were then the first articles in the book after the flyleaf. These arts., 15–16 (fols. 31–39), were not part of the original book, whose quires bear signatures a–h of s. xv. (The original quire c has, however, been replaced: the present quire, forming art. 12, is signed 'c' but is of s. xv.) Because art. 11 is not mentioned in Allen's catalogue, Cheney (*EHR*, 46: see below) deduced that it was not present in his time but it bears the original quire signature 'b'. Fols. 1 and 2, containing art. 1 and the notes recorded at the end of Macray's description, clearly come from a book with a Yorkshire connection, probably St Mary's Abbey, York, since Macray's quotation (art. 1) refers to that house as 'monasterium nostrum'. Whether they had a pre-Digby or pre-Allen connection with the other articles is uncertain.

1. Fol. 1 is a flyleaf containing the injunctions of Cardinal John of Ferentino, papal legate in England, for the abbey of St Mary's, York, AD 1206, pr.

by C. R. Cheney, *EHR*, 46 (1931), 449–52; see also Powicke & Cheney, *Councils and Synods*, 4, and *EHR*, 76 (1961), 658.

2. See P. Meyvaert, *Speculum*, 41 (1966), 659, 661. A. G. Rigg, 'John of Bridlington's prophecies', *Speculum*, 63 (1988), 596–613. TK 550.

3. Also in MSS. Digby 196, 218. For other references see Tanner, *Bibliotheca*, 256.

4. *IMEP* 3, 58. 11. *BHL* 2426.

12. Allen's hand is on fol. 23.

21. The first 17 lines (out of *c.* 75 in the Digby manuscript) are in MS. Bodl. 302 (*SC* 2086), fol. 141ᵛ. Bale, *Index*, 14, records the text as having 17 verses and being by Albanus Somniator. His information comes 'Ex domo Georgij Walden Norwici' who is identified in *Index*, xxxiv, as a Norwich grocer who died in 1593. On variant forms of the author's name see also Sharpe, *Latin Writers*.

22. MS. D1 in L. R. Mooney, 'Lydgate's "Kings of England" and another verse chronicle of the Kings', *Viator*, 20 (1989), 255–89. The present text consists of a prose chronicle with the appropriate stanzas of Lydgate's 'Kings' and the anonymous 'Kings' interspersed, *IMEV* 444. Lydgate's 'Kings' (*IMEV* and suppt., 3632) was last edited by R. H. Robbins, *Historical Poems of the XIV and XV Centuries* (New York, 1959), 3–6; the anonymous 'Kings' is edited by Mooney (279–85) from MS. Ashmole 21. *IMEV* suppt., 1844.5 wrongly cites the present manuscript, in a reference which was perhaps intended to refer to this article. For the correct reference see note on MS. Digby 168 art. 42.

23(iii) *Init.* 6576, 16787.

24. For the text of the canons of Otto, 1237–41, see Powicke & Cheney, 2. 245–59. The glosses of John Athon or Acton, canon of Lincoln, on whom see Emden, *BRUO* (Acton), were made in 1334 and first pr. in Paris in 1504. The text and gloss, and also an alphabetical guide to Acton's text, are in All Souls College, MS. 42, fols. 9–174 and fols. 203ᵛ–11 respectively.

187

2° fo lacking.

The style and colours of the initials (red, pale blue, brown, green) suggest that the manuscript was written in s. xii² rather than in s. xiiiⁱⁿ. On fols. 31 and 38ᵛ a hand of s. xiii filled the initials with penwork. The quires are numbered viii–xxix in a contemporary hand. There is no evidence to support Pelster's conjecture (*Zeitschrift für Katholische Theologie*, 53 (1929), 565) that the manuscript comes from the Oxford Franciscans. On fol. 7 are Allen's number '52' (i.e. in the f° section of his catalogue) and the Digby/Allen inventory number 'A.35'. Until 1880 fols. 1–6 were bound in MS. Digby 190, and since Allen's number '52' is on fol. 7 of the present volume it is evident that fols. 1–6 were already detached in his time. MS. Digby 168 art. 52 contains part of the table of contents of this volume.

The work is the *Summa sententiae theologica* of Robertus Melodunensis. This copy is MS. O in the edn. by R.-M. Martin & R. M. Gallet, *Oeuvres de Robert de Melun, Spicilegium Sacrum Lovaniense*, 21 (Louvain, 1947), vii, and 25 (1952). The text begins in bk. i part v, ch. 42 (*Spicilegium*, 25, 249). F. Stegmüller, *Repertorium commentariorum in Sententias Petri Lombardi*, 2 vols. (Würzburg, 1947), no. 744.

188

2° fo (fol. 2) *[R]ex eternus*; (fol. 3) *Itaque non*.

On fol. 2 are Allen's number '19' (i.e. in the f° section of his catalogue), the Digby/Allen inventory number 'A.21' and Digby's motto and name.

Watermarks: fol. 42, cf. Briquet 3296 (Ferrara, 1406, etc.); fol. 46, cf. Briquet 15887 (Lucca, 1401–8 etc.).

2. Short excerpts are pr. by E. F. Jacob, *Essays in the Conciliar Epoch* (Manchester, 1953), 64 n. 3, and 'Some English documents of the conciliar movement', *Bulletin of the John Rylands Library*, 30 (1931), 366.

For Thomas Holthorp, scribe and principal clerk of the Canterbury Court of Audience, see Emden, *BRUO*.

189

The date is s. xvi². Originally two volumes, now fols. 1–168 and 169–319 but previously separately foliated. On fol. 1 are Digby's motto and name and on fol. 169 is his name. A list of the contents of the second part is on fol. 170, with independent contemporary foliation.

190

The volume is made up of nine parts, probably comprising pieces that reached Digby in a state of confusion. MS. Digby 191 is a similar volume.

A

2° fo lacking.

Fols. 1–28 (art. 1) bears Allen's title on fol. 1 and his hand *passim*. It is not in his 1622 catalogue and bears an unrecognized number '223' on fol. 1.

1. Fauser, *Albertus Magnus*, 74, no. 94; TK 368.

B

2° fo *ne et est dura*.

Fols. 29–37 (art. 2) bears Allen's name and number '39', the Digby/Allen inventory number 'A.40' on fol. 29 and Allen's hand *passim*.

2. The date is s. xiii. See *Opera Baconi fasc. 3*, and M. Bihl's review, *AFH*, 6 (1913), 564; Little, *Bacon Essays*, appendix, 405. TK †1532.

C

2° fo *dictum est*.

Fols. 38–43 (art. 3) bears Allen's number '70', the

Digby/Allen inventory number 'A.79' on fol. 38 and Allen's hand *passim*.

3. Little, ibid., 408, no. 42; †TK 279.

D

2° fo *quare postquam*.

Fols. 44–53 (art. 4) bears Allen's number '62' and the Digby/Allen inventory number 'A.26' on fol. 44.

4. The date is s. xiv.

E

2° fo *eum quam*.

Fols. 54–65 (art. 5) bears Allen's number '37' and the Digby/Allen inventory number 'A.25' on fol. 54.

5. The date is s. xiv. Ed. by A. Hoste & C. H. Talbot, CCCM, 1 (1971), 279–364. Their statement, p. xvi–xvii, that this art. once belonged to Merton College, is a wrong inference from the fact that fols. 90–127 are part of a Merton manuscript.

F

2° fo *lacking*.

Arts. 6–11 consist of a quire of 8 (fols. 69–76) preceded by another quire of three leaves of which the second and third (fols. 67–8) appear to be conjunct; these two quires clearly belong together but were not necessarily consecutive. The presence of the Digby/Allen inventory number A.188 on the first leaf (fol. 66) of arts. 6–11 shows that they reached Digby as a detached fragment and the presence of Allen's number 37 on fol. 66 probably explains why Digby placed them next to art. 5, which also bears that number. Digby erred in connecting them; art. 5 is MS. f° 37 in Allen's catalogue and arts. 6–11 have no connection with it. At first it is difficult to account for '37' on arts. 6–11, for the descriptions of neither MS. 4° 37 nor MS. 8° 37 (or, indeed, of any entry in Allen's catalogue) contain any reference to them, but consideration of all the evidence shows that despite their absence from the description of MS. 4° 37, they formed part of that manuscript, now Digby 166. MS. 166 is well described in Allen's catalogue and there appears to be no room for arts. 6–11 of MS. 190, but as MS. 166 consists of a series of separate booklets it is infinitely expandable. Indeed, since its present fol. 1 bears the Digby/Allen inventory number 'A.174' but no Allen number (as might be expected) there is a strong indication that some leaves have vanished from the front and that arts. 6–11 of MS. 190 could have come from there. If so, we may imagine three stages in the physical history of the volume around the year 1600: (1) when the present leaves were preceded by the present arts. 6–11 of MS. 190 and Allen's number 37 was therefore on the first leaf; (2) when the present arts. 6–11 of MS. 190 had been detached (this was the stage when the book was described for entry as MS. 4° 37 in Allen's catalogue); and (3) when, after Allen's death, the two parts, still separated, were each given their own Digby/Allen inventory numbers and the detached fragment was bound up with other fragments in the volume

that became MS. 190. At either stage 2 or stage 3 quire signatures a–c [d, e] f–n [o] were added to MS. 166. The connection of the fragment with MS. 166 is confirmed by measurements, quality of parchment, layout and script. The fragments measure overall *c.* 245 × 175 mm with fols. 66ᵛ–8ᵛ in two columns each *c.* 200–205 × 65–70 mm, *c.* 54–6 lines, and fols. 69–70 in 1 column *c.* 205 × 140 mm, 45 lines; fols. 1–20 of MS. 166 measure overall *c.* 245 × 175 mm, in 1 column *c.* 195–205 × 140 mm, 45 lines; fols. 21–26 in 2 columns, *c.* 195 × 65 mm, *c.* 46 lines. The quality of the parchment is identical and the leaves of the fragment show much staining by damp in the same way as do many leaves in MS. 166. Layout is identical: spaces with guide letters were left for initials but no initials were inserted; there is no colour, titles of tracts being written at the tops of pages in ordinary ink in a hand that is sometimes that of the scribe. As for the scribal hands, they provide conclusive evidence of the connection of the present arts. 6–11 with fols. 1–20 of MS. 166: fols. 1–20 of MS. 166 are in the same hand as MS. 190, fols. 69–71, and fols. 21–6 of MS. 166 are in the same hand as MS. 190, fols. 66ᵛᵇ–8ᵛ.

6. See U. Michels, *Die Musiktraktate des Johannes de Muris* (Wiesbaden, 1970), 2–3. This item belongs to MS. 166. TK 1097.

7. TK †280.

8. By Johannes de Pulcro Rivo: see A. Cortolian, 'Les manuscrits de comput', *Scriptorium*, 15 (1961), 82–3. TK 41.

9. See Wordsworth, *Kalendar*, 119; TK 226, †1407.

10. By Johannes de Lineriis; TK 878, 1220.

11. See Wordsworth, *Kalendar*, 141.

G

2° fo *ad cor*.

Fols. 77–89c (arts. 12–15) bears frequent annotations in John Dee's hand (DM116 in his catalogue, Roberts & Watson).

12. An abridged text. Little, op. cit., 408, no. 41. Fauser, *Albertus Magnus*, 118, no. 59. TK 391.

13. A fragment pr. *Opera Baconi* 1, 1–2, ending line 9, 'hominum'; Little, op. cit., 407. TK 1282.

14. (i) A fragment, Diaz, 970. See Carmody, *Arabic Sciences*, 114. (ii) Version II. MS. EW in the edn. by M. Clagett, *Essays in Medieval Life and Thought Presented in Honor of A. P. Evans* (New York, 1955), 105–8. MS. Ha in the edn. in Clagett, *Archimedes* 1, 610–26. (v) TK 514.

15. †TK 178.

H

2° fo *sextam gardagam*.

Fols. 90–127 (arts. 16–17) has Allen's name on fols. 90 and 127ᵛ, his number '45' on fol. 90 and his hand on fol. 105ᵛ. These leaves are a detached section of MS. Digby 191 fols. 1–78, from Merton College, and with (G) are included in DM116 in Dee's catalogue. They are included in the description of MS. Digby 191 by Tonneato: see headnote thereto.

16. MS. M in the edn. by North, *Wallingford* 1. 25–169, and see 2. 32–5 and iii, pl. iv (fol. 95). TK 1214.

17. See J. A. Weisheipl, 'Developments in the arts curriculum at Oxford in the early fourteenth century', *Mediaeval Studies*, 28 (1966), 151–75, at 173. †TK 1426.

I

2° fo lacking.

With MS. Digby 191, fols. 79–102 (arts. 10–11), this formed one Oriel College manuscript, listed in the 1375 catalogue (OHS, 5, 1885, 68; CBMLC, *Oxford*, OU61.31). On fol. 175 of MS. 190 are Allen's number '36' and the Digby/Allen inventory number 'A.28'.

18. The same texts as in MS. Digby 61, art. 1, q.v. for Clagett's suggestion that the author may be Gerard of Brussels. In the present manuscript the *Algorismus de integris* ends in the middle of fol. 152ᵛ and is followed without any indication of a break by the *Algorismus de minutiis*, the latter text ending with 'considera' on p. 141/4 of Eneström's edn. (see note on MS. Digby 61). The proofs in our manuscript are shorter than those in the printed text. TK 431.

19. TK 991. 20. TK 597, †380. 23. TK 500.

25. For Macray's incipit read 'Et perspectivi et phisici...'. MS. Q in the edn. by Baur, 'Grosseteste', 72–8. It is followed without any indication of a break by the *De colori*, ibid., 78–9. TK 519.

191

The volume is made up of four parts which probably reached Digby in a state of confusion; cf. MS. Digby 190. For description see Toneatto (as MS. Digby 184), 3. 1088–92.

The contents-list and Merton College *ex libris* referred to by Macray are on fol. iii and the Oriel College *ex libris* is on fol. 79.

A

2° fo *Hec est*.

With MS. Digby 190, fols. 90–127, (arts.16–17), this formed one manuscript from Merton College, Oxford: see Powicke, *Medieval Books*, 158, no. 522. There are rust marks and a hole from a chain-staple on fol. 1. Thomas Allen's number '32' and the Digby/Allen inventory number 'A.38' are on fol.1.

1. Version II of Adelard of Bath as revised by Campanus, for which see M. Clagett, 'Medieval Latin translations from the Arabic of the Elements of Euclid', *Isis*, 44 (1953), 29, n. 31.

2. †TK 416. 3. †TK 373. 4. †TK 1624.

5. MS. Dba in the edn. by Bubnov, *Gerberti opera*, Appx. IV, 'Geometria incerti authoris'; TK 584.

6. TK 1315, 1446. 7. TK 464. 8. TK 675.

B

2° fo *29 quod*.

With MS. Digby 190, fols. 128–210 (arts. 18–26), this formed one manuscript from Oriel College, Oxford, described in the 1375 Oriel catalogue (OHS, 5, 1885, 68; CBMLC, *Oxford*, OU61. 31) as 'Canones Astronomie Arzachelis secundo folio 29. precio i marc. folia 296': 127 leaves are, therefore, lost. Fols 79–102 bear Allen's number '71' and 'Computus' in his hand on fol. 79, and also the Digby/Allen inventory number 'A.37'.

10. TK 1268.

C

2° fo 3ⁱⁱ *anni*.

Fols. 103–67 (arts. 12–15) were in Allen's time bound with MS. Digby 190, fols. 128–210 (MS. fᵒ 36 in his catalogue).

12. TK 243.

13. MS. X in the edn. by Baur, *Grosseteste*, 10–31 line 8, 'aspectus lune in latitudine.' Some leaves are missing between fols. 131 and 132. TK 762.

14. TK 1138.

D

2° fo lacking.

Fols. 168–72 (arts. 15–16) are a fragment from the end of a manuscript, bearing Allen's number '40', the Digby/Allen inventory number 'A.42' and 'To Mr allen' on fol. 168. For 'To Mr Allen' cf. MS. 67 arts. 20–28, MS. 79 art. 5, MS. 104 art. 1, and see Watson, 'Allen', 292–3.

15. The end of Ps.- Anselm, *Oratio xv* (old numbering), *PL* 158. 891; no. 34 in the collection in Troyes, Bibl. mun., MS. 1304: see A. Wilmart, *Auteurs spirituels* (Paris, 1932), 154. R. W. Southern, *St Anselm and his Biographer* (as MS. Digby 158 art. 22), 207 n. 3, identifies the author as Ralph, monk of Caen and later monk of Rochester and abbot of Battle: see Greatrex, *Register*, 627–8, s.n. Ralph I (occ. before 1107). From an English manuscript, probably of monastic provenance, to which the following piece is an early addition.

16. For the sermon beg. 'Scriptum est de Levitis' see Thomson, *Grosseteste*, 176, no. 31, to the end of the section on the Ten Commandments, 'nisi interrogasset' (cf. MS. Bodl. 36 (*SC* 1888, fol. 50ᵛᵃ)).

192

2° fo (fol. 4) *in quo particulare*.

For Christopher Cary, named in Dee's note on fol. 3 recorded at the end of Macray's description, see A. G. Watson, 'Christopher and William Carye, collectors of monastic manuscripts, and 'John Carye'', *The Library*, 5th ser. 20 (1965), 136–42. Christopher Carye is not, however, as stated there (p. 135), to be found in John Joscelyn's list of owners of manuscripts for which see Graham & Watson, *Documents*, 61–109; Joscelyn wrote 'Dr Caius', referring to Dr John Caius (Kay, Key, etc.)

for whom see *DNB*. Dee's note is dated 1575, not 1576 as Macray. On fol. 3 are 'J. Dee' and titles in his hand, and the note 'de titulo' to which Macray refers (fols. 3^v–4) is also in his hand, ending with his obliterated (not erased) name. On fol. 3^v are Allen's number '53' (i.e. in the f^o section of his catalogue) and the Digby/Allen inventory number 'A.46'. On fol. 3 are Digby's motto and name.

Raymond Lull, *Ars demonstrativa*, Diaz, 1740 (citing this manuscript as Digby 102).

193

2° fo lacking.

On fol. 1 are Allen's number '48' (i.e. in the f^o section of his catalogue), the Digby/Allen inventory number 'A.36' and Digby's motto and name.

2. See Carmody, *Arabic Sciences*, 158. TK 1268.

3. No. 12 in list of manuscripts of the work in E. Schlund, 'Petrus Peregrinus von Maricourt... (II)', *AFH*, 5 (1912), 22–40, at 27; Thomson, 'Petrus Peregrinus', 401, also lists this manuscript. TK 767, 768.

5. †TK 517.

6. For edn. see note on MS. 48 art. 4. TK 1577.

9. Twenty-four problems: MS. O4 in the edn. by Folkerts, 'Aufgabensammlungen.'

10. TK 990, 991, 1267.

11. Described by Thorndike, *Sacrobosco*, 33, as 'only a fragment from the beginning of the commentary on the *Sphere*, preceded and followed by similar bits of commentary on the *Algorismus* and *Computus* of Sacrobosco.' TK 161.

12. TK 312.

13. Listed by Thorndike in *Mélanges Pelzer*, 265. TK 715.

14. In the translation of Thomas Cantimpratensis, as in MS. Digby 79, art. 14; see note thereon. Until fol. 31/16 (p. 238/22 of Evans's edn.) the present text is in close agreement but thereafter contains six paragraphs not in MS. Digby 79 before ending incomplete through the excision of the outer half of the leaf. TK 1452.

18. TK 473. 20. †TK 1711.

194

2° fo *fuerit*.

Written in several English hands. Watermarks on fols. 13 (stag) and 151 (mountain) are not identifable in Briquet. On fol. 3 is 'Jhon pen amen dico vobis et sic est' and on fol. 101^v is 'John pen' (s. xv^2). On fol. 152^v is 'In the name of god amen | Be yt knowne to all men that I Robyn Rostcrow of The pareshe of [...] Cherche' (s. xv/xvi). There are notes in Allen's hand on fols. 85, 93^v and 95^v. On fol. 3 is Allen's number '65' (i.e. in the f^o section of his catalogue).

1. Albumazar, *Introductorium maius seu Isagoge maior.* Diaz, 973; †TK 655.

2. MS. F in the edn. by North, *Wallingford*, 1. 179–243; and see also 2. 89–91, 111–2; TK 56.

3. TK 102. 4. TK 1132. 6. TK 1013.

7. Carmody, *Arabic Sciences*, 84, ascribes this to Alkindus. TK 1400.

8. TK 1409. 10. TK 415, 1081.

11. Diaz, 969; TK 774. 12. TK 1408. 13. TK 312. 14. TK 985.

15. Version I. Ed. by Carmody (not noting this copy), *Thabit*, 167–97; Diaz, 976; TK 449; Carmody, *Arabic Sciences*, 125. See also Thorndike in *Mélanges Pelzer*, 229–30.

16. See Thorndike, *History* 2. 652. TK 1377.

19. See K. D. Bülbring, 'Sidrac in England', *Beiträge zur romanischen und englischen Philologie. Festgabe für Wendelin Foerster* (Halle, 1902), 472. *IMEP 3*, 59.

195

The text, script and watermarks suggest that the volume was written in France. Watermark; cf. Briquet 5696 (Tulle, 1580). On fol. 1 are Digby's motto and name.

On Jean Riolan see J. H. Zedler, *Grosses vollständiges universal Lexicon*, 64 vols. (Halle & Leipzig, 1732–54), 31. 1697. The 1588 edn. mentioned by Macray was pr. at Montbeliard.

196

2° fo lacking.

On fol. 1 is Allen's number '55' (i.e. in the f^o section of his catalogue) and on fol. 2 is the Digby/Allen inventory number 'A.45'.

The contents-list is written on a palimpsest page on which the under-text (s. xiv) beg. 'Largus amans hylaris ridens'; TK 811. On fol. 1^v is an ornamental alphabet, perhaps of s. xiv.

1. Ed. by A. Müller (Cologne, 1671), 114–28. The abrupt ending is in ch. 3 of bk 3.

3. TK 809.

6. One of nine known manuscripts of the 'Columbanus Prophecy', beg. 'Attende secundum Eusebium Cesariensis episcopum in cronicis suis', on which see K. Kerby-Fulton & E. R. Daniel, 'English Joachimism, 1300–1500: The *Columbanus Prophecy*', in *Il profetismo gioachimita tra quattrocento e cinquecento* (Atti del III Congresso Internazionale di Studi Gioachimiti, S. Giovanni in Fiore...1989, a cura di Gian Luca Potestà; Genoa, 1991), 313–50. The authors print versions in, *inter alia*, MSS. Hatton 56, Ashmole 393 and Balliol College 149. The Digby copy is close to Lincoln Cathedral, MS. 66, stopping at the end of the second section at *effugere ulcionem etc.* (line 115 of Hatton 56 as pr. on p. 341).

7. TK 124. 8. *Init.* 4043.

9. Pr. by R. H. Robbins, *Secular Lyrics of the* XIV *and* XV *Centuries*, 2nd ed. (Oxford, 1955), 37; M. S. Luria & R. L. Hoffman, *Middle English Lyrics* (New York, 1974), 66. *IMEV* 1829.

10. Pr. by R. H. Robbins, *Historical Poems of the* XIV*th and* XV*th Centuries* (New York, 1959), 55–7. See Severs & Hartung, *Manual*, 1512, 1712; *IMEV* and suppt., 3260.

15. *Init.* 7015. 16. *Init.* 1026. 17. *Init.* 15026. 18. *Init.* 8220.

19. Also in MS. 186, art. 3, q.v. for references, and MS. 218.

22. On the text and for other manuscripts see Sandquist as in note on MS. Digby 167 art. 7. Hardy, *Catalogue*, 2, no. 505 (not no. 509, under which this manuscript is wrongly listed). *BHL* 8247.

23. *IMEP 3*, 59–60.

25. Listed with *spuria* by Thomson, *Grosseteste*, 250.

27. *Init.* 2307. 29. *Init.* 2808.

45. Beg. 'Ni pax firmetur.' *Init.* 11760.

48. Mooney (as MS. Digby 186 art. 22), 275, prints the first 8 lines and remarks that these verses bear little resemblance to either Lydgate's or the anonymous 'Kings' verses found in MS. 186. They end with the reign of Edward II and there is nothing to suggest that they or their source ever went beyond that. *IMEV* and suppt., 3632.

49. *IMEP 3*, 73.

51. Stegmüller, *Bibl.* 10065.

60. Beg. 'Signum piscis'. †TK 1506. Thorndike, 'Signs of the zodiac: three unpublished texts', *Scripta Mathematica*, 27 (1964–5), 281–2.

63. By John of Burgundy; TK 431. For copies additional to those recorded by TK see reference in note to MS. 29 art. 44.

66. The D text of the *Polychronicon*: see J. Taylor, *EHR*, 76 (1961), 27, 35; Destombes, *Mappemondes*, no. 47.17.

69. For a modern French translation see A. Vallet, *Histoire de Charles* VII, 3 vols. (Paris, 1863), 2. 453–4.

70. *IMEP 3*, 60. At the foot of fol. 157ᵛ is a list of collective nouns, pr. with commentary by R. Corner, 'More fifteenth-century "terms of association"', *Review of English Studies*, NS 13 (1962), 229–44.

71. *Init.* 8883.

72. Pr. with commentary by J. Hodgkin, 'Proper terms...', *Trans. Philological Soc.*, Suppl. (1907–10), pt. 3, 57–8; see also Corner, op. cit. *IMEP 3*, 61.

78. Derived from the *Altercatio Hadriani et Epicteti philosophi*. For references to many other copies see R. Bultot, 'Sur quelques poèmes Pseudo-Anselmiens', *Scriptorium*, 19 (1965), 30–41, at 34 (which gives a wrong folio reference to this manuscript). Cf. MSS. Digby 11 art. 22 and 88 art. 3 above.

82. *Init.* 10299. 95. *Init.* 19965. 96. *IMEV* 808. 99. *Sent.* 17466.

197

2° fo *Radix*.

The name 'Burgeis' (s. xiii) noted by Macray under art. 1 is on fol. 1. On fol. 85 are pen trials, and there are notes in English *passim*, all s. xv. On fol. 1 are Allen's number '18' (i.e. in the f° section of his catalogue), the Digby/Allen inventory number 'A.16' and Digby's motto and name.

1. TK 269(III). 2. TK 211. 3. TK 821.

4. Ed. by P. Giacosa, *Magistri Salernitani nondum editi* (Turin, 1901) from Rome, Bibl. Angelica, MS. 1506; TK 553. In Paris, Arsénal, MS. 1028, the text is ascribed to Gilbertus Anglicus but that appears not to be accepted by Russell, *Dictionary*, 38–40, or Wickersheimer, *Dictionnaire*, suppt., 88. Thorndike, *History*, 2. 757, suggests that the work may be a translation of an original by Johannitius.

5. By Johannes de Concoregio; TK 327.

6. 'Sicut asserit...', TK 1480, runs to 'lumborum vel renum fiat' on fol. 83ᵛᵇ/9. The rest of the column is blank, and 'Inquisiciones venarum sunt multe', TK 746, is on fol. 84ʳᵛ, ending 'sanguine augmentatur'. 'Aqua imperialis...' is not in TK.

198

2° fo *ille liber*.

On fol. 1 are 'Tho: Allen', a title in Allen's hand and his number '61' (i.e. 61a in the f° section of his catalogue).

The watermarks of art. 1 are not identifiable: for type cf. E. Heawood, *Watermarks I* (Monumenta Chartae Papyraceæ Historiam Illustrantia; Hilversum, 1950), no. 2495. For the watermark of art. 2 cf. Briquet 6415 (Rouen, 1531, etc.). For the watermark of art. 3 cf. Briquet 1710 (Suré, 1525, etc.).

For references to this manuscript see S. B. Chrimes, 'The Gregor papers: some unpublished correspondence of Francis Gregor', *Notes & Queries*, 192 (1947), 30, 31, 53.

2. *IMEP 3*, 62 3. *IMEP 3*, 62.

199

2° fo *sore impero*.

On fol. 1 is 'Kenelme Digby'.

For watermark cf. Briquet 2667 (Ferrara, 1447, 1450; Mantua, 1450).

Beg. 'A vere piaciuto ai principi e a signori non e piccola loda...'. In the colophon, fol. 221, read '... De me Tommaxo Soderini...' (scribbled over).

PA 2. 263.

200

2° fo *unde de.*

On fol. 1 are Allen's number '21' (i.e. in the f° section of his catalogue), the Digby/ Allen number 'A.31' and Digby's motto and name.

1. Stegmüller, *Bibl.* 7326.

2. MS. N in the edn. by J. Ribaillier, 'Richard de Saint-Victor De Statu interioris hominis', *AHDLMA*, 34 (1967), 7–128.

3. *PL* 196. 1011–13/4 (*De superexcellenti baptismo Christi*) thereafter *PL* 196. 345/10–354/9 (*Adnotatio in Ps. 118*); *PL* 196. 353/10–359/13 (*Adnotatio in Ps. 118*). J. Châtillon identifies the first part as the work of Richard of St-Victor and the rest as a sermon by Galterus de St-Victor; see *Revue du moyen âge latin*, 8 (1952), 43–50. Stegmüller, *Bibl.* 7326.

4. Stegmüller, *Bibl.* 7338.

5. *PL* 196. 1073–1116.

6. Stegmüller, *Bibl.* 7325, ed. J. Châtillon & M. Duchet–Suchaux, *Richard de Saint Victor, Les Douze Patriarches ou Benjamin Minor* (Sources chrétiennes, 419; Paris, 1997).

7. MS. D in the edn. by J. Châtillon & W. J. Tulloch, *Ricardus de Sancto-Victore, Sermons et opuscules inedits*, 1 (Bruges, 1951).

At end: for John Thorne, abbot of Reading 1446–86(?): see Emden, *BRUO*, 3. 1866.

PA 3. 329.

201

2° fo (fol. 2) *Baleares*; (fol. 14) *admixta.*

On fol. 1 are Digby's motto and name.

This cannot be the volume referred to by Archbishop Ussher in MS. Rawl. D. 280, fol. *49ᵛ, 'In fine Polychronici MS. qui penes Tho. Allen Oxoniensem fuit... ' since the note giving the date of Higden's death which Ussher refers to is not found in it. Further, two long marginal notes on Grimbald and Alulphus, father of King Alfred, which Brian Twyne records (MS. Twyne 21, pp. 21, 22) as being in Allen's manuscript are absent. The Allen manuscript is MS. Digby 218: cf. OHS, 2 (1885), 36.

The text is basically that of the *Polychronicon* with the first continuation 1340–1377 in its earliest surviving form, pr. from BL, MSS. Harley 1728–9 by Thomas Hearne, *Walteri Hemingford Historia* (Oxford, 1731), 421–53 (= MS. Digby 201, fols. 220ᵛᵇ/8–226ʳᵇ/1: see J. Taylor, *The Universal Chronicle of Ranulf Higden* (Oxford, 1966), 11). For the years after 1377, fols. 226ʳᵇ/2–269ᵛᵃ/38, it draws on the *Vita Ricardi Secundi* of the monk of Evesham, ed. Thomas Hearne (Oxford, 1729): see Taylor, loc. cit., 132 n. 1. Fol. 276ᵛᵃ/18 'et in recessu' to fol. 277ᵛᵃ/18 'castro' are pr. by C. L. Kingsford from Hatfield House, MS. 281 ('the only English account that supplements the Gesta', according to J. Taylor

& J. S. Roskill, *Gesta Henrici Quinti* (Oxford, 1975), xlvi n. 5) in *EHR*, 29 (1914), 510–13.

PA 3. 1052

202

The date is s. xviᵐᵉᵈ. On flyleaf at end, 'Michael Securis possessor Mei.' He is recorded by Tanner, *Bibliotheca*, and also as a taxpayer in 'Warda Novi Vici' of Salisbury in 1545 in Wiltshire Archaeol and Nat. Hist. Soc. Records Branch, 1 (1954), 39. On fol. 2 are Allen's number '31' (i.e. in the f° section of his library) and the Digby/Allen inventory number 'A.32'.

2. Now generally considered not to be a work by Bacon but by Castri goet: see note to MS. Digby 167 art. 22.

203

2° fo (fol. 4) *Eternitas*; (fol. 12) *secundum intellectum.*

Probably from the Dominican convent in Canterbury: an Anselmus de Valoynes, OP, STP, was licensed to hear confessions in the diocese and city of Canterbury in 1340 (Lambeth Palace, Reg. Islip (Canterbury), fol. 12). There is a pressmark(?) E.4 (corrected) at the foot of fol. 11, the first page of the text.

The text is Stegmüller, *Rep. Sent.* 690.

204

In five parts: (A) fols. 1–5 (arts. 1–4), s. xiii²; (B) fols. 6–47 (arts. 5–8), s. xiv¹; (C) fols. 48–87 (art. 9); (D) fols. 88–100 (art. 9), s. xivᵐᵉᵈ; (E) fols. 101–25 (art. 10), s. xivᵐᵉᵈ; (F) fols. 126–54 (arts. 11–12), s. xivⁱⁿ. That C and D were together in medieval times is confirmed by titles in the same hand on fols. 87ᵛ and 88, and indeed all five parts may have formed a volume in a college library before being acquired by Allen. On fol. 1 are 'Tho: Allen', Allen's number '13' (i.e. in the f° section of his catalogue) and the Digby/Allen inventory number 'A.222'.

A

2° fo lacking.

4. Cf. Thomson, *Grosseteste*, 149. MS. B13 in the edn. by D. Oschinsky, *Walter of Henley* (Oxford, 1971), 40, 128.

B

2° fo *excogitata.*

5. MS. D in edn. by A. G. Judy (Auctores Britannici Medii Aevi, 4; London, 1976); TK 1404.

6. MS. O in edn. by A. de Libera, *AHDLMA*, 53 (1986), 139–289, 54 (1987), 171–272. Ebbesen, 'Glosses', SE 43.

7. 'Haukyn' is St. Thomas Aquina'. Glorieux, *Rép.* no. 14b.

8. Possibly to be ascribed to William Brito; see Lohr, 'Aristotle Commentaries (VI)', 189–90. The suggestion by Dales (see art. 10(i) below) that for 'Wyk' one should read 'Oylis' is quite unacceptable; he failed to recognize cursive forms of W and k. Ebbesen, 'Glosses', SE 76 attributes to Wyk.

C

2° fo *per se.*

9. Thomson, *Grosseteste*, 266, suggests that the work may be by Kilwardby, but in our manuscript it is entitled 'Sincategreumata fratris Roberti Bacon"; on Bacon see Emden, *BRUO*. It is also in Erfurt, MS. Amplon. Q. 328, fols. 74–93, unascribed. For an analysis of the text see H. A. Braakhuis, 'De 13de eeuwse tractaten over syncategorematische termen' (unpublished thesis, University of Leiden, 1979), 1. 106–67.

D

2° fo *s' patet.*

10 (i) R. de Stangingtona, expanded to 'Richard' without authority by A. G. Little, *Initia operum latinorum...* (Manchester, 1904), 17, and followed in this by Russell, *Dictionary*, is not otherwise known. For him and an analysis of his work see R. C. Dales, 'R. de Staningtona: an unknown writer of the thirteenth century', *Journal of the History of Philosophy*, 4 (1966), 199–208. Parts of the same text are in MS. Digby 17, items 25–8. TK 1308. (ii) Aristotle, in the translation by Gerard of Cremona; TK 1537. (iii) TK 374. (iv) By Alfredus de Sareshel: see Lohr, 'Aristotle Commentaries (I)', 355; TK 1076. (v) †TK 178.

E

2° fo […] *remocior.*

11. See Lohr, 'Aristotle Commentaries (II)', 196. On Bonkis see Emden, *BRUO*; also L. Thorndike, *Isis*, 54 (1963), 483–4, who prints the *quaestiones* on fols. 126ᵛ–53ʳ. †TK 1195.

12. See Lohr 'Aristotle Commentaries (II)', 196; †TK 1633.

205

2° fo *lacking.*

On fol. 1 are Allen's number '8' (i.e. in the fᵒ section of his catalogue), the Digby/Allen number 'A.13' and Digby's motto and name.

1. Identified in *IMEP 3*, 63, as an excerpt from an English translation of the *Chronicle* of Martinus Polonus.

3. The later recension of the text. Ed., not from this manuscript, by W. A. Wright, *The Metrical Chronicle of Robert of Gloucester*, 2 vols. (RS, 86; London, 1887). For other copies see *IMEV* and suppt., 727. Some readings agree with two other late texts of the later version, CUL, MS. Ee.4.31 and the fragments now BL, MS. Add. 50848;

see A. Hudson, *Notes & Queries*, NS 12 (1965), 406. *IMEP 3*, 63–4, records chapter summaries and notes in English, s. xv.

On fol. 125ᵛ, in a hand of s. xv/xvi, are 'I am not he yow wolde fayne see but I am he yᵗ yow leyste by' and 'Better hyt the thowryth to be lyte of by reson then the trowyth to be spoke way out cese.'

206

2° fo *omnem.*

On fol. 2 are Allen's number '22' (i.e. in the fᵒ section of his catalogue) and the Digby/Allen inventory number 'A12.'

1. Petrus Berchorius, *Reductorium morale*, 4. 1–75 (*De naturae mirabilibus*). Stegmüller, *Bibl.*, 6425.

2. Ascribed to Walter Burley: Lohr, 'Aristotle Commentaries (II)', 185; Weisheipl, *Repertorium*, 200, no. 31; TK 554, 13.

4. Beg. 'Acetum liquor ex aceto et sanguine hircino'; TK 27.

6. An expanded version is in MS. Laud Misc. 732. Stegmüller, *Bibl.* 3998.1.

207

2° fo *scindi donec.*

The volume is in three separate parts, each written by one scribe: (A) fols. 1–15 (art. 1); (B) fols. 16–28 (arts. 2–4); (C) fols. 29–41 (art. 5). A, which bears a title in a French hand, was perhaps written in France. B and C have marginalia in English cursive hands. On fol. 1 are Allen's number '68' (i.e. in the fᵒ section of his catalogue), the Digby/ Allen inventory number 'A.30' and Digby's motto and name.

1. The translation by John of Seville; Carmody, *Arabic Sciences*, 114–5; TK 960.

2. The translation by John of Seville; Carmody, *Arabic Sciences*, 24–5; TK 1409.

3. The translation by John of Seville; TK 916.

4. By Gerardus Cremonensis, not Brytte. Ed. by F. J. Carmody (privately printed, Berkeley, CA, 1942), who believes it to be a revision of a translation from Arabic. Spaces are left for diagrams. TK 223.

5. Ed. by P. Rossi (Florence, 1981); Lohr, 'Aristotle Commentaries (VI)', 103.

208

2° fo *pulis certatim.*

The date is s. xivᵉˣ. On fol. 1 are Digby's motto and name.

On Jacobus de S. Andrea see T. Kaeppeli, *Scriptores Ordinis Praedicatorum Medii Aevi*, 2 (Rome, 1975), no. 2114, and references. Unprinted.

PA 2. 199.

209

2° fo *sic in uia*.

On fol. 1 are 'Tho: Allen', the Digby/Allen inventory number 'A.73' and Digby's motto and name.

The volume was transcribed from MS. Auct. F. 1. 8 (*SC* 2482), s. xiii[1].

1. Ed. by C. C. J. Webb (Oxford, 1909) and by K. S. B. Keats-Rohan, CCCM, 118– (1993–).

2. MS. E[1] in the edn. by F. Barlow, *The Letters of Arnulf of Lisieux* (Camden Soc., 3rd ser., 61 (1939).

3. Ed. by A. Loyen (Paris, 1970).

4. Ed. by O. Seeck, MGH Auct Antiq. 6/1 (Berlin, 1883); J.-P. Callu, *Symmaque. Lettres*, 3 vols. (Paris, 1972–95).

5. Many of the epigrams, which appear to be in random order, bear numbers in ink, s. xviii or xix, or pencil, s. xix.

210

2° fo (fol. 3) *nati*.

The date is s. xv[ex]. On fol. 91[v] is an obliterated inscription of s. xvi, '<Istum librum... >'. On fol. 2 are Digby's motto and name. The binding is of stamped leather, Italian, s. xvi.

1. TK 890. 3. †TK 1138.

5. (i) †TK 1514; (ii) By Albumazar, †TK 1062.

6. †TK 1424.

211

2° fo (fol. 3) *cerit imperio*.

The date is s. sii/xiii. On fol. 1[v] is the Waltham Abbey pressmark 'lij. al. supp[i]' (but it is not recorded in the Waltham catalogue, CBMLC, *Augustinians*, A38). On fol. 2 is Allen's number '60' (i.e. in the f° section of his catalogue) and on fol. 1[v] is the Digby/Allen inventory number 'A 7'. On fol. 2 are Digby's motto and name.

MS. O6 in C. Plummer's edn. (Oxford, 1896); p. lvi in edn. by B. Colgrave and R.A.B. Mynors (Oxford, 1969). The text of Bede's Death-Song on fol. 108 is regarded by E. van K. Dobbie as the best of the 'Digby' group of manuscripts (his MS. Dg1) and is pr. by him in *The Manuscripts of Caedmon's Hymn and Bede's Death Song* (New York, 1937), 119–27. For the Death-Song see also Ker, *Catalogue*, no. 321. Part of fol. 108 is reprod. by Ker, 'More manuscripts from Essex monastic libraries', *Trans. Essex Archaeological Soc.*, NS 23 (1942–5), pl. III, and part of fol. 108 col. 2 in F. C. Robinson & E. G. Stanley, *Old English Verse Texts from Many Sources* (Early English Manuscripts in Facsimile, 23; Copenhagen, 1991), pl. 3.25.

Pen trials on the last flyleaf include 'Dum cor non orat in vanum lingua laborat', *Sent.* 6476, and

'Fatus precedit sequitur pudor et malo ledit.' PA 3. 308.

212

The volume is in three main parts, (A) arts. 1–3, (B) 4–5, (C) 6–12. Arts. 1–3 are evidently those recorded by Bale, *Index*, 384, as belonging to Merton College, Oxford. Old foliation 43–118, 125, shows that the whole volume was part of a larger book, now untraced. Powicke, *Medieval Books*, 257, suggests that arts. 1–3 were united with arts. 4–12 by Thomas Allen but that cannot be so: a contents-list of s. xiv on fol. 1 includes the present arts. 4–12, and although arts. 1–3 are not in it the leaf bearing the contents-list is numbered '43' in the same medieval hand that continues the foliation of the rest of the book from '44' at the beginning of art. 1. The book therefore came to Allen in its present form. His hand appears *passim*, on fol. 1 is his number '6' (i.e. in the f° section of his catalogue) and on fol. 2 is the Digby Allen inventory number 'A.34'. On fol. 1[v] are Digby's motto and name.

A

2° fo *Tabula*.

1. On the several Roberts of Leicester see Emden, *BRUO*, 3, 1142; also Sharpe, *Latin Writers*. The man in question was a Franciscan, d. after 1300. Stegmüller, *Bibl.*, 7461; TK 1009.

2. TK 1091. 3. †TK 57.

B

2° fo *transferat*.

4. Ed. (not using this manuscript) by W. Kroll & F. Skutch, *Julii Firmici Materni Matheseos Libri VIII* (Leipzig, 1913).

5. See L. Thorndike, 'The Latin translations of the astrological tracts of Abraham Avenezra', *Isis*, 35 (1944), 293–302. This translation is anonymous. TK 1015.

C

2° fo *et receptacula*.

6. Translation by Petrus de Abano; TK 309; Glorieux, *Rép.*, no. 335a.

7. TK 1467.

8. (i) beg. 'Liber hic quatuor continet capitula', TK 819; (ii) beg. 'Et manieribus 13 exponam', TK 519 = 1620; (iii) beg. 'Sol in domo ista', TK 1514; (iv) beg. 'Sciendum in quescione omni tria esse', TK 1396.

9. TK 1710.

10. Translation by Petrus de Abano; Glorieux, *Rép.*, no. 335e; TK 156.

11. Anonymous translation; †TK 1378.

12. Translation by Arnoul of Quinquempoix. Beg. 'De superis et principalibus sapientibus'; Glorieux, *Rép.*, no. 42b; TK 392.

213

2° fo (text) *os rex*; (gloss) *Jeremias*.

Written in France, s. xiii^in. On fol. 1 are Allen's number '23' (i.e. in the f° section of his catalogue) and Digby's motto and name, and on the flyleaf is the Digby/Allen inventory number 'A.3'.

The marginal and interlinear glosses are from the *Glossa ordinaria*, Stegmüller, *Bibl.*, 11813–11824. The prologues are the common ones, Stegmüller, *Bibl.*, nos. 511; 515, 512, 513; 519; 524, 521; 526; 528, 528.i; 531; 534; 538 (the second prologue, so-called, in the *Glossa Ordinaria*); 539; 543.

214

2° fo *suspicor*.

The date is s. xii^med. Tentatively assigned to Reading on grounds of script by Ker, *MLGB* and apparently B71. 62 in the catalogue (CBMLC, *Benedictines*). On the spine is the Digby/Allen inventory number 'A.8'; evidently MS. f° 11 in Allen's catalogue. On fol. 1 are Digby's motto and name.

Ed. (not using this manuscript) by D. Norberg, CCSL, 140, 140A (1982). See also N. R. Ker, 'Thomas James's collation of Gregory, Cyprian and Ambrose', *BLR*, 4 (1952–53), 16–30, no. 54.

PA 3. 142.

215

2° fo *erit terreni*.

The date is s. xv^med. Watermark: similar to Piccard, *Wasserzeichen Fabeltiere*, no. 594 (Ferrara, 1463). On fol. 1 is 'Kenelme Digby' (autograph) and his motto and name are on fol. 98^v.

1. TK 1577.

2. Listed by Glorieux, *Arts*, no. 1, as by Accursius of Parma. TK 1576.

3. TK 223. 4. TK 1124. 5. TK 960.

5. Identified by Carmody, *Arabic Sciences*, 115, as Gerard of Cremona's translation of Alfraganus.

6. By Arzachel, translated by Gerard of Cremona; TK 1268.

7. TK 1365, †1554.

8. The work by Abhomadi Malfegeyr, translated by Gerard of Cremona; ed. G. Hellmann, *Meteorologische Optik 1000–1836* (Berlin, 1902), 87–104; Lindberg, *Catalogue*, I.A. TK 1022 ('Alhazen'); TK 1022.

PA 2.808.

216

2° fo *non unus*.

In the lower margin of fol. 2 is 'Wad' sac*erdos* habet concor*dias* 2° fo 1° Re*cepi* xxvi° pro xiij^s iiij^d.' On fol. 58 is 'Wantyng habet vj cocliar' pond'v

unc' d.<ex^es iij^d?>.' For several fellows of Merton College, Oxford, named Wan(e)tyng see Emden, *BRUO*. On fol. 2 are also 'Tho: Allen' and Allen's number '16' (i.e. in the f° section of his catalogue).

6. Ratford is either Dr John de Ratford, OFM, 51st lector of the Oxford convent, *c.* 1328, or Fr Thomas de Ratford, OFM, 63rd lector of the Oxford convent, *c.* 1340. On them see Emden, *BRUO*.

217

For a full description see M.-Th. d'Alverny, 'Avicenna Latinus (v)', *AHDLMA*, 32 (1965), 257–302, at 276–80.

Five sections are to be distinguished: (A) fols. 2–45 (art. 1), s. xiii^ex; (B) fols. 46–94 (arts. 2, 3), Italian, s. xiii²; (C) fols. 95–110 (arts. 4–6), in two hands of s. xiii², perhaps Italian; (D) fols. 111–31 (arts. 7–13), in several hands of s. xiii^ex of Italian type and with the same decoration as (B); (E) fols. 132–78 (arts. 14–17), in several hands of s. xiii^ex, some markedly Italian in type.

Richard de Wynkele is probably to be identified with the Prior Provincial of the English Dominicans 1336–69, appointed lector of the Bologna Dominicans in 1331 (Emden, *BRUO*). In the margin of fol. 41 is 'Ma<...> Marcellinu<.> Akerton' and against 'Timeus Platonis' in the contents-list on fol. 1^v is 'nota quod Marcellius [*sic*].' These may refer to the Dominican of that name recorded in Emden, *BRUO*, who died in 1482, but whether ownership is indicated is uncertain. The manuscript is M165 in John Dee's catalogue (Roberts & Watson) but it bears no sign of his ownership. On fol. 2 are Allen's number '34' (i.e. in the f° section of his catalogue) and Digby's motto and name. On fol. 1^v the Digby/Allen inventory number 'A.10'.

A

2° fo lacking.

1. Diaz, 1034.

B

2° fo *habet*.

2. Diaz, 1025. 3. TK 1227.

C

2° fo *in actu*.

4. For five other manuscripts of this tract see A. Pattin, 'Over de schrijver en de vertaler van het Liber de Causis II', *Tijdschrift voor Philosophie*, 23 (1961), 502–26, at 516. †TK 1612.

5. TK 1376.

6. The glosses, almost all from the *Glosae super Platonem* of Gulielmus de Conchis, are ed. from this manuscript by E. Jeauneau, 'Gloses sur le Timée, du manuscrit Digby 217', *Sacris Erudiri*, 17 (1966), 365–400, with reduced reprod. of fol. 99, in E. Jeauneau, 'Lectio philosophorum', *Recherches sur l'École de Chartres* (Amsterdam, 1974), 229–64, pl. xiv.

D

2° fo *in aceris.*

7. Isaac Israeli, *Liber de difficionibus.* For a list of 26 other manuscripts see M.-Th. d'Alverny, 'Pseudo-Aristotle, *De Elementis*', in *Pseudo Aristotle in the Middle Ages: the Theologies and other Texts*, ed. J. Kraye *et al.* (Warburg Institute Studies and Texts, 11; London, 1986), 63–83, repr. in d'Alverny, *Transmission*, ch. ix. TK 1054.

8. TK 755.

9. The translation by Gerard of Cremona. It occurs again, with a variant incipit, at art. 16 below: see P. O. Kristeller *et al.*, *Catalogus translationum et commentariorum*, 1 (Washington, DC, 1960), 1. 112. TK 448.

10. Ed., not using this manuscript, by C. H. Lohr, 'Logica Algazelis', *Traditio*, 21 (1966), 223–90. TK 1404.

11. Diaz, 1027; TK 755.

12. Ed., not using this manuscript, by A. Nagy, 'Die philosophischen Abhandlungen des Ja'qub ben Ishaq al-Kindi', *BGPTM*, 2/5 (1897), 41–64. Nagy's suggestion that the author may be Alfarabi is rejected by H. G. Farmer, 'Who was the author of the "Liber Introductorius in Artem Logicam Demonstrationis"?', *Journal of the Royal Asiatic Society*, NS (1934), 553–6, who tentatively suggests Muhammad b. Ma'shar al-Bayusti, sometimes called Muquaddasi or Maqdisi.

13. TK 681.

E

2° fo *ut hec sciencia.*

14. Diaz, 1026; TK 1068. 15. TK 915.

16. See note on art. 9 above. TK 138.

17. TK 755.

218

The volume consists of ten sections which can be identified in Thomas Allen's catalogue plus six leaves of which two pairs belong together, (G) fols. 104–5; (J) fols. 108–9. (A) fols. 1–24 (art. 1) came to Allen from William Marshall (Martial), on whom see Emden, *BRUO 1501–1540*: his name, obliterated, is on fol. 1. The series of Digby/Allen inventory numbers suggests that the sections reached Digby in a loose and disordered state (cf. note on MS. Digby 201) and since part of section (E) was found in MS. Rawl. D. 351 (whence it was transferred in 1883), it seems either that those leaves never reached him or that they escaped from his hands.

A

2° fo *eclipsis.*

On fol. 1 is 'Liber <gulielmi martialis>.' On fol. 1 are also 'Tho: Allen', Allen's number '38' (i.e. in the f° section of his catalogue) and the Digby/Allen inventory number 'A.43'.

1. The date is s. xiv^in. MS. D in the edn. by Lindberg, *Pecham.*

B

2° fo *semper iusticiam.*

On fol. 25 are Allen's number '17' (i.e. in the f° section of his catalogue) and the Digby/Allen inventory number 'A.49'. On fol. 53, the first page of a new quire, is 'A.48' which suggests that even this small section reached Digby in two pieces.

2. The date is s. xv^in. Bloomfield, nos. 6151, 3997.

C

2° fo lacking.

On fol. 57 are Allen's number '43' (i.e. in the f° section of his catalogue) and the Digby/Allen inventory number 'A.50'.

3. The date is s. xv^in. Brewer's edn. of the fragment, noted by Macray, is in RS, 15. Fols. 59rb/41–59va/24 (Brewer 328/21 to 329/26) are printed more accurately by A. G. Little than by Brewer, in 'The Franciscan school at Oxford in the thirteenth century', *AFH*, 19 (1926), 803–74, at 808. Fol. 57 is reprod. as a frontispiece to Brewer.

D

2° fo lacking.

On fol. 70 is Allen's number '35' (i.e. in the f° section of his catalogue).

4. The date is s. xiv.

5. An abridgement of Ailred's *Speculum caritatis*, here entitled *De vinculo perfectionis*, a unique text which may be the manuscript recorded in Bale, *Index*, 13, as belonging to Merton College, Oxford. Support is given to that possibility by the fact that Thomas Allen owned a good number of Merton manuscripts. On the relationship of the abridgement and the full text, which do not vary much, see the preface to C. H. Talbot's edn. of the latter in CCCM, 1 (1971), 3–161, at xvii–xviii.

6. *PL* 49. 850–56; ed. M. Petschenig, CSEL, 13 (1886), 316–21.

7. *PL* 842–4; Petschenig, 297–308; *CPL*, 512.

8. MS. D in the edn. by C. H. Talbot, *Analecta Ordinis Cisterciensis*, 1 (1951), 167–217, repr. in A. Hoste & C. H. Talbot, CCCM, 1 (1971), 635–82. Hoste, *Bibl. Aelrediana*, 75. See also A. Barratt, 'The textual tradition of the *De Institutis Inclusarum*', *Revue d'histoire des textes*, 8 (1978), 195–211.

9. *Ep. 52*, ed. I. Hilberg, not using this manuscript, CSEL, 54 (1910), 413–41, beginning in ch. 5 on p. 421 but the manuscript and printed texts soon diverge.

E

2° fo lacking.

On fol. 92 are Allen's number '46' (i.e. in the f° section of his catalogue) and the Digby/Allen inventory number 'A.47'.

10–11. The date is s. xiv². Thomson, *Grosseteste*, 193, 215. Fols. 97b–c were transferred from MS. Rawl. D. 351 (MS. Add. 36 in Allen's catalogue, p. 186 below) in 1883.

F

2° fo *etiam et Aristoteles*.

On fol. 98 is Allen's number '5' (i.e. in the f° section of his catalogue).

12. The date is s. xiv. TK 1063.

G

2° fo lacking.

13.

H

14. Ed. by E. Friedberg, *Corpus Iuris Canonici*, 2 (Leipzig, 1881), 1130–31.

I

17. M. Reeves, *The Influence of Prophecy in the Later Middle Ages* (Oxford, 1969), 50–51, categorizes this as 'a short Joachimist prophecy' and lists other manuscripts. *Init.* 6576.

18. On the text and for other MSS. see Sandquist, as in note on MS. Digby 167 art. 7. *BHL* 8247.

19. Beg. 'Anno domini M° CCC° xlvii° quedam visio facta est in claustro cisterciens'.

20. Also in MS. Digby 186, art. 3, q.v. for references, and MS. Digby 196.

J

2° fo lacking.

23. In the edn. by J. R. Lumby (RS, 41/7; London, 1879), the text of fol. 8, containing the beginning of book 6, is on 352/8–370/2. The text of fol. 109, from the end of bk. 7, varies from our text; it is in Lumby, 8. 346.

219

2° fo *in dictione*.

On fol. 1 are Allen's number '15' (i.e. in the f° section of his catalogue), the Digby/Allen inventory number 'A.27', and Digby's motto and name.

There is a motto at the top of fol. 1, 'Scientia inflat, charitas ædificat', cf. *Sent.* 27588, and the initials '<.>h(?)n'. The watermark is close to Briquet 4828 (Tours, 1566).

5. TK 1535. 6. TK 817. 7. TK 1618, 530.

10. Carmody, *Arabic Sciences*, 128; Thorndike, *History*, 2. 782, states that this is a translation from the Arabic and not a Latin forgery. For other manuscripts see D. W. Singer, 'Alchemical tracts bearing the name of Plato', *Ambix*, 2 (1946), 115–28, at 125–6. TK 458.

11. TK 616. 13. TK 1273.

220

2° fo *sub certa*.

From Windsor Chapter Library: pressmark 'L.E.' after contents-list on fol. ii^{v}. On fol. 1 is Allen's number '44' (i.e. in the f° section of his catalogue) and his hand is found *passim*. On fol. i is the Digby/

Allen inventory number 'A.6.' 'To Mr Dyer' on fol. 188^{v} presumably refers to Sir Edward Dyer (d. 1607), from whom Allen may have received the volume: on him see *DNB*. On fol. 1 are Digby's motto and name.

Fols. 1–81 (items 1–4) have the remains of a series of quire signatures, letters and numerals in ink. Fols. 84–105 (arts. 5–6) have quire signatures, letters and figures in red, and fols. 106 to the end have another red series a–k. On fols. 148, 160, 171^{v} and 184 a red cross appears in the gutter.

1. Thomson, *Grosseteste*, 266, lists with *spuria*. MS. E in the edn. by Baur, *Grosseteste*, 275–643; TK 1040.

2. Thomson, *Grosseteste*, 99. Ed. by Baur, 106–11 (not noting this manuscript), our text beginning at 107/11.

3. Thomson, *Grosseteste*, 104–5. TK 1711.

4. Thomson, *Grosseteste*, 193.

5. Grosseteste's notes have been extensively copied into margins: see *Robert Grosseteste, Scholar and Bishop*, ed. D. A. Callus (Oxford, 1955), 27. MS. D in the edn. by R. C. Dales, *Roberti Grosseteste... Commentarius in VIII libros Physicorum Aristotelis* (Boulder, CO), 1963, descr. xxviii–xxx. Fols. 104ra/15–105ra is MS. F in the edn. by Baur, op. cit., 101–6. Thomson, *Grosseteste*, 98; TK 338.

6. MS. F in edn., Baur, 120–22; Thomson, 117; TK 137.

7. MS. F in edn., Baur, 51–9; Thomson, 108; TK 568.

8. MS. F in edn., Baur, 78–9; Thomson, 93; TK 234.

9. Fauser, *Albertus Magnus*, 197, no. 18; TK 430.

10. Added in another hand. Bale, *Index*, 383, cites a manuscript from Windsor, probably this. It consists of a résumé of Arnoul de Provence, *De ortu scientiarum*: see R.-A. Gauthier, 'Arnoul de Provence', *Revue du moyen âge latin*, 20 (1963), 129–70. TK 339. The initials which conclude Macray's description are 'L. E.', the Windsor pressmark, not 'R. E.'

PA 3. 954.

221

2° fo *dominam*.

Bale, *Index*, 27, records from Leland a manuscript from the Reading Franciscans containing arts. 2 and 3: see *CBMLC, Friars*, F10. 2–3. On fol. 4^{v} is 'Hugh Kirk is the true honor of This book' (s. xvi^{2}), perhaps the man of that name who was demy of Magdalen College, Oxford, 1545, fellow 1548–52: see Foster, *AO*. On fol. 1 are Allen's number '10' (i.e. in the f° section of his catalogue) and the Digby/Allen inventory number 'A9'.

1. For other manuscripts see D. M. Schullian, 'A revised list of manuscripts of Valerius Maximus', *Miscellanea Augusto Campana II: Medioeva e umanesimo*, 45 (Padua, 1981), 695–728.

2. Ed., not using this manuscript, by G. H. Bode, *Scriptores rerum mythicarum Latini tres Romae nuper reperti* (Celle, 1834). For a discussion of the authorship, probably that of Alberic of London, and for references, see C. Burnett, 'A note on the origins of the third Vatican mythographer', *Journal of the Warburg and Courtauld Institutes*, 44 (1981), 160–63. For a list of 43 manuscripts of the text see K. O. Elliott & J. P. Elder, 'A critical edition of the Vatican mythographers', *Trans. American Philosophical Assoc.*, 78 (1947), 189–207.

3. Fols. 48vb–9rb and 63 are MS. D in the edn. of the text in Cambridge, Trinity College, MS. R.1.49 (884), by E. Jeauneau, 'Lectio philosophorum' *Recherche sur l'École de Chartres* (Amsterdam, 1974), 5–40, repr. from *Studi Medievali*, 3rd ser. 5/2 (1964), 821–65. An edn. is in preparation by Catherine Emerson, Toronto. †TK 848, 1574.

4. MS. D$_2$ in the edn. by T. Silverstein, *AHDLMA*, 22 (1955), 217–302. *Pace* Carmody, *Arabic Sciences*, 67, no. 37, the work is not by Morienus. TK 815.

5. Apparently the only copy: see J. B. Allen, 'An anonymous twelfth-century 'De natura deorum'', *Traditio*, 26 (1970), 352–64. Ed. by Virginia Brown, *Mediaeval Studies*, 34 (1972), 1–70. The text was known to Robert Holcot, who also knew the texts of arts. 2 and 3: see J. B. Allen, 'The library of a classicizer: the sources of Robert Holcot's mythographic learning', *Arts libéraux et Philosophie au moyen âge* (Actes du Quatrième Congrès International de Philosophie Mediéval Montreal; Montreal, 1969), 721–9, at 726. It is therefore possible that Holcot had access to this volume.

222

2° fo (in gloss) *unde oriatur*; (in text) *Hoc autem*.

From Christ Church, Canterbury. Not identifiable in its catalogues, CBLMC, *Christ Church*, but on fol. 9 are marks in the margin consisting of ⌒ and dots which are found in many manuscripts from that house. At the foot of fols. 9, 13, 21, 29 and 37 is 'Dominus Rand' de Arundel'' (s. xiv^{in}). On fol. 9 are Digby's motto and name.

MS. OA in the edn. by S. E. Thorne & G. E. Woodbine, *Bracton on the Laws and Customs of England* (Cambridge, MA, 1968). A full description of the manuscript is given by F. W. Maitland, *Select Passages from the Works of Bracton and Azo* (Selden Soc., 8, 1895), 239–50; see also Thorne & Woodbine, 1. 69–71. H. G. Richardson, *Bracton: the Problem of his Text* (Selden Soc., Supplementary Ser. 2, 1965), reproduces details of fols. 1, 50 and 129^v, facing pp. 19, 20 and 21.

223

2° fo lacking.

Written in North(?) France, s. xiii^{ex}.

MS. O$_3$ in F. Bogdanov, 'The Post-Vulgate *Mort Artu* and the textual tradition of the Vulgate *Mort Artu*',

Estudios Romanicos dedicados al Prof. Andres Soria Ortega I (Granada, 1985), 273–90. Our manuscript is one of seven family *e*, group *g*, manuscripts. See also C. E. Pickford, *L'évolution du roman arthurien en prose* (Paris, 1959), 136, 169; A. Micha, 'Les manuscrits du Lancelot en prose', *Romania*, 84 (1963), 478–9, at 484–5, 495, 498; ibid. 87 (1966), 232.

IMEP 3, 64, records short chapter headings in English in an English hand of s. xv^{ex}.

PA 1. 552 (pl. XLII reprod. detail fol. 129, reduced). A. Hopkins, *Chronicles of King Arthur* (London, 1993), col. pls. fols. 56, 169 and 172, reprod. mins. on fols. 129, 173 and 227 respectively, slightly reduced. R. Coghlan, *The Illustrated Encyclopaedia of Arthurian Legends*, (Longmead, 1993), pls. on pp. 173, 110, 23, 205 and 185, reprod. mins. on fols. 94^v, 129, 146, 161^v, 212^v

224

2° fo (fol. 2) *Colona*; (fo. 4) *cereto*.

Written in Italy *c.* 1430 for Filippo Maria Visconti, duke of Milan, d. 1447. The other two volumes (Decades 3 and 4) are BnF, MSS. ital. 118, 119; see E. Pellegrin, *La bibliothèque des Visconti et des Sforza* (Paris, 1955), 52, 386; idem, supplément (1969), 35 and pl. 112 (fol. 3). *Humanistic Script* (Bodleian Picture Book 12, 1960, repr. 1993), pl. 3 (fol. 122^v); *Italian Illuminated Manuscripts* (Bodleian Library Exhibition Catalogue, 1948), pl. 9 (fol. 3). On the artist, see A. Melograni, 'Appunti di miniatura lombarda. Richerche sul "Maestro delle Vitae Imperatorum"', *Storia dell'Arte*, 70 (1990), 273–314; this manuscript at 310 n. 128, 312 n. 148, 313 n. 165. PA 2. 694 (pl. LXVII reprod. details of fol. 3, one reduced). Blind-tooled leather binding with some gold tooling, Italian, s. xv, over pasteboards, reset and repaired. On fol. 1 are Digby's motto and name. His *ex libris*, referred to by Macray, is on fol. ii.

The translation is that first pr. in Rome, 1476 (Hain 10144).

225

2° fo *quidam*.

The date is s. xiv^{ex}. On fol. iii^v is a contents-list of s. xv^{in}. On fol. iv are '20' and 'Item(?) iii^s. iiij^{d}' (both s. xv). On fol. 1 are Digby's motto and name.

Weisheipl, 'Repertorium', 175, no.1. For other manuscripts see Emden, *BRUO* 1. 56 (Ashenden). TK 761.

PA 3. 796.

226

2° fo *nia que in sillaba*.

On fol. 1 is Allen's number '24' (i.e. in the f° section of his catalogue) and on the spine is the Digby/Allen inventory number 'A.2'. On fol. 1 are Digby's motto and name.

1. Macray's title should read 'Liber Esaiae prophetae cum Glosssa Ordinaria'. Stegmüller, *Bibl.*, 11807.

2. The gloss is by Gilbertus Altissiodorensis; Stegmüller, *Bibl.*, 2544.

3. The gloss is by Gilbertus Altissiodorensis; Stegmüller, *Bibl.*, 2544,2.

PA 3. 354 (pl. XXVIII reprod. details from fols. 96ᵛ and 226, one reduced).

227

2° fo *timentes eum.*

On fol. i is the Digby/Allen inventory number 'A 5.'

The *pars hiemalis* is Oxford, Trinity College, MS. 75. Watson, *DMO*, pl. 588, reprod. fol. 209ᵛ, and see *DMO*, no. 430, for references to other reproductions, to which should be added two plates in R. Gameson & A. Coates, *The Old Library, Trinity College, Oxford* (Exhibition catalogue, Oxford, 1988) and colour reproductions of fol. 207ᵛ–8 at no. 39 in *The Treasures of the Bodleian Library [Exhibition, Tokyo Fuji Art Museum 1990]* (Tokyo, 1990). The artist is identified by PA 3. 1065 as William Abell, on whom see further J. J. G. Alexander, 'William Abell "lymnour": and 15th century English illumination', *Kunsthistorische Forschungen Otto Pächt zu seinem 70. Geburtstag*, ed. A. Rosenauer & G. Weber (Salzburg, 1972), 166–72, pl. 4 (fols. 113ᵛ, reduced), and C. P. Christianson in *Book Production in Britain*, 87–108. The attribution to Abell himself is, however, questioned by J. Norton-Smith, *Bodleian Library MS. Fairfax 16* (London, 1979), xii–xiii, who prefers to call the artist 'The Abingdon Missal Master' and identifies him as the artist also of MS. Fairfax 16 (*SC* 3896) and Cambridge, St John's College, MS. H.5 (208).

228

2° fo (fol. 4) *Si post bisexto.*

The name 'Stevenson' is in a hand of s. xv. On fol. 3 are Allen's number '61b' (i.e. in the fᵒ section of his catalogue), the Digby/Allen inventory number 'A 23' (which is also on fol. 1) and Digby's motto and name.

Fols. 1 and 2 are probably conjunct, the first and last leaves of an otherwise lost quire. Fol. 1 has a quire signature 'a'. The present art. 4 begins on fol. 3 and is the first item included in the contents-list of s. xv on fol. 2ᵛ. Fol. 3 bears a quire signature 'b' and the series continues to 'h' on the last quire.

1. TK 519.

2. '[N]ota quod 7 sunt climata'; TK 940.

4. For Macray's title read 'De significacione...' and for the colophon read 'Expliciunt significaciones...'. TK 1513.

5. Ed. by Steele, *Opera Baconi fasc. 6* (1926), 268–89; TK 827, 167; *Init.* 1835.

6. TK 1403. 7. TK 1081. 8. TK 993. 9. TK 1093. 10. †TK 156. 11. TK 1013.

12. Beg. 'Compotus est sciencia numeracionis'; TK 243. Thomson, *Grosseteste*, 95–6, pr. *Opera Baconi fasc. 6* (1926), 212–67.

14. *PAL* no. 81, Phillipus Tripolitanus version; for edn. see note on MS. Digby 170, art. 8. TK 360.

15. Beg. '[D]ifferencia prima in annis Arabum et Latinorum'; TK 429.

16. Identified as by Walter of Elveden by J. D. North, *Chaucer's Universe* (Oxford, 1988), 83, n. 13, q.v. for other manuscripts. See also Emden, *BRUC*.

17. TK 402.

18. Hermes, beg. 'In nomine pij et misericordis sodi [*sic*] deo honor'; TK 697. Thorndike in *Mélanges Pelzer*, 239.

19. MS. D in edn. by H. L. Crosby, *Thomas of Bradwardine: his Tractatus de proportionibus* (Madison, WI, 1955). Weisheipl, 'Repertorium', 180, no. 4; TK 984.

20–21. MS. D in edn. by Thorndike, *Sacrobosco*, 76–117, 143–246. The commentary is by Robertus Anglicus; TK 1577, 1596.

22. TK 981.

23. Also in MS. Digby 147, art. 27, on which see note. TK 587.

24. Diaz, 964; TK 1217, 1216.

25. For critical edn., noting but not using this manuscript, see note on MS. Digby 81, art. 10; Thorndike, *History*, 2. 715, *Mélanges Pelzer*, 2; TK 975.

229

2ᵖ fo *uit qui editioni.*

The Gybbys inscription noted by Macray at the end of his description is on fol. iiiᵛ. On fol. 1 are Digby's motto and name (not autograph).

The date is s. xiii²/⁴ (psalms added s. xiv). Two columns, c. 80–90 lines. Collation: 1–8¹⁰ 9¹⁰ (wants 8, 9) 10¹² 11⁸ 12–14¹² 15⁸ 16⁴ (fols. 153–6, Psalms, a later insertion) 17¹⁰ 18¹² (wants 7) 19¹⁰ 20⁸ (8 plus 1) 21¹² (lacks 12). Quires I–VII are numbered; the rest have catchwords, not written by the scribe of the text. In quire 8 the writing changes at fol. 78 from above to below top line. For quire 9 very much thinner parchment is used and a catchword is placed at the bottom of each verso. Thinner parchment is also used for most of the New Testament (quires 17–20). There are fine decorated initials on fols. 1ᵛ and 2. The rest of the initials in the Old Testament were added or retouched in s. xiv. The decoration of the New Testament is blue and red fleuronné initials (s. xiii). The tables at the end are both of s. xv.

The order of the books is Gen. – 2 Paralip. + prayer of Manasses, 1 Esdras, Nehemiah, Tobit, Judith, Esther, 1, 2 Maccab., Job, Parab., Isaias, Jeremias, Baruch, Ezekiel, Psalms (added later), Gospels, Acts, Catholic epistles, Pauline epistles, Apoc.

Prologues are in the order described by N. R. Ker, *Medieval Manuscripts in British Libraries* 1 (Oxford, 1969), 96–7: 1, 2, 3, 4, 5, 7, 8, 9, 10 + Stegmüller, *Bibl.* 342; 1, 2 Maccab. no prologues; 12 Parab.; Eccl., Cant., Sap., Ecclus. no prologues; 21 followed by capitula, 22, 23, 24, 25, 26, 27 (ending 'verbum dei'), 29, 30, 31, 32, 33, 34, 35, 36, 38, 39, 17, 18, 19, 20; Psalms no. prol.; 43, 45 Luke no prol.; 47 Stegmüller, *Bibl.* 637(?) + 62 + Stegmüller, *Bibl.* 631 + 635, 63, ibid. 670, 48, 49, 50 ('Post peractam penitentiam'), 710, 720, 53, 54, 55, 757, 764, 769, 779, 785, 795, 835 + 828. There is original rubrication on fols. 1ᵛ–2, 105ᵛ–44, with some indications of stichometry: Daniel (fol. 109ᵛ), 'versus m.lxxx.1'; Is. (fol. 125ᵛ) 'versus iii'. de [*for* m'dc?] lxxx'; Jerem.(fol.134)'versus .m'. nongenitos [*sic*] octoginta xⁱ. [ix in Lam. fol. 135ᵛ].' Among the glosses are a few in English, s. xiv: (fol. 4ᵛ) 'struem id est hep vel berdit'; (fol. 6) 'Lippus. soure eyd'; (fol. 6) 'platanus...anglice plan< > [end cut off by binder]'; (fol. 9) 'coluber...anglice snake'; (fol. 10) 'paludes   anglice slothes'; (fol. 10ᵛ) 'aggeres...anglice hepes'; (fol. 168ᵛ, s. xv) 'hoc fermentum leueyne.' On fol. 17ᵛ, lower margin, is 'interpretaciones of þe bibel þat telle þe names.' On fol. 156ᵛ, in crayon, are 'A score leues and vii leyes.' There are a few verses: (fol. 5ᵛ) 'Lusa Betel Solima Ierosoᵐᵃ rebus elia | Urbs sacra Ierusalem dicitur atque Salem'; (fol. 28ᵛ) 'Est ferramentum subila sutoris acutum | Non res sed precium reddi cum mutuo debet | Non precium sed res reddi cum commodo debet'; on fol. 157ᵛ: 'Pax fama fides', *Init.* 13896, *Sent.* 21038; on fol. 168ᵛ: 'Est socer uxoris', *Init.* 5849.

PA 3. 426.

230

2° fo lacking.

For a description see G. Gudat-Figge, *Catalogue of Manuscripts Containing Middle English Romances* (Munich, 1976), 257–8. Written by the same scribe as MSS. Selden supra 53 (*SC* 3441) and Rawl. C. 446, and similar in layout to BL, MS. Cotton Augustus iv: see A. I. Doyle & M. B. Parkes, 'The production of copies of the Canterbury Tales', *Medieval Scribes, Manuscripts and Libraries: Essays Presented to N. R. Ker*, ed. M. B. Parkes & A. G. Watson (London, 1978), 163–210, at 201, n. 100. A. S. G. Edwards, *Neuphilologische Mitteilungen*, 71 (1974), 134, rejects the possibility that CUL, MS. Add. 2702(2) (BB) is a fragment of the missing first leaf of our manuscript.

Thomas Allen's ownership suggests that William Gresley is the man of that name of Gloucester Hall, Oxford, who matriculated in 1602/3: see Foster *AO*; cf. MS. Digby 133. For Fynderne, cf. *The Findern Manuscript*, ed. R. Beadle & A. E. B. Owen (London, 1977), vii–viii and references. Other early names are 'Merget Brabason' (fol. 191ᵛ) and in the same hand 'Roger Brabason' (fols. 192, s. xvᵉˣ), 'Feythfully serue quod marschaell' (fol. 223ᵛ), 'as goed wyll marschaell' (fol. 2, s. xv/xvi), '[P?]esse and truste Marschaell' (fol. 1, s. xv/xvi). On fol. 1 is the Digby/Allen inventory number 'A.4'.

1. MS. D1 in the edn. by A. Erdmann, EETS, ES 108 (1911). *IMEV* and suppt., 3928.

2. MS. D1 in the edn. by H. Bergen, EETS, ES 97 (London, 1906) and 126 (London, 1935), 25–9, who dates the manuscript to 1470 or later. *IMEV* and suppt., 2516. The removal of a leaf between fols. 27 and 28 resulted in the loss of lines 1–163.

3. Not to be attributed to Davie or Lydgate. MS. D in the edn. by J. A. Herbert, *Titus & Vespasian or The Destruction of Jerusalem* (Roxburghe Club, 138; [London], 1905).

IMEV and suppt., 1881. The verses cited by Macray, 'Pees makith plente' are on fol. 223ᵛ; *IMEV* and suppt., 2742.

PA 3. 1094.

231

2° fo *suis metuere*.

On fol. 1 are Digby's motto and name.

For a description see S. Rizzo, *Catalogo dei codici della 'Pro Cluentio' Ciceroniana* (Univ. di Genova, Publ. dell' Istituto di filologia classica e medioevale, 74; Genoa, 1983), 91–2, no. 71. The scribe was identified as Piero Strozzi by A. C. de la Mare, 'Messer Piero Strozzi, a Florentine priest and scribe', *Calligraphy and Palaeography: Essays Presented to Alfred Fairbank*, ed. A. S. Osley (London, 1965), 55–68, at 60, 66. For a list of his known manuscripts see A. C. de la Mare, 'New research on humanist scribes in Florence', *Miniatura Fiorentina*, 1. 530–32. The decoration is by Francesco d'Antonio del Chierico. Part of fol. 1 is reprod. in *Italian Illuminated Manuscripts* (Bodleian Library Exhibition Catalogue, 1948), pl. 3; a coloured plate of fol. 1 (much reduced) is in S. Dresden, *Humanism in the Renaissance* (London, 1969), 20; a monochrome plate (much reduced) is in J. J. G. Alexander, *Italian Renaissance Illuminations* (London, 1977), fig. v. PA 2. 289.

The library founded by Pius II is the Piccolomini Library.

232

2° fo *Nat story*.

The arms of the Vintners' Company are a later addition, possibly of s. xvi. The binding, rebacked, is pre-Digby, with erased arms, possibly the Vintners'. On fol. 65 are 'By me James Penrudducke' and 'Thomas Penrudducke', s. xviᵉˣ. On fol. 1 is John Dee's ladder mark: DM 118 in his catalogue (Roberts & Watson).

MS. D2 in the edn. by H. Bergen, EETS, ES 97 (1906) and 126 (1935), who dates the manuscript to 1420–35. Three leaves are lost from between fols. 152 and 153 with the loss of lines 397–924 and eleven leaves from between fols. 154 and 155 with the loss of lines 1277–3212. *IMEV* and suppt., 2516. The miniatures are described by Saxl & Meier, *Catalogue*, 1. 347, and Bergen, EETS, ES 126, 9–10. That on fol. 10 is reprod. by Saxl & Meier, 2, Abb. 47.

PA 3. 868 (pl. LXXXIII reprod. details from fols. 1 and 3, reduced).

233

2° fo *as the comentour.*

For a study of the manuscript (s. xv^{1n}) see C. F. Briggs, 'MS. Digby 233 and the patronage of John Trevisa's *De regimine principum*', *English Manuscript Studies 1100–1700*, 7 (1998), 249–63, with plates of fols. 100 and 23. A. I. Doyle, 'English books in and out of court', *English Court Culture in the Later Middle Ages*, ed. J. V. Scattergood & J. W. Sherborne (London, 1983), 173, suggests that the manuscript may have been written in Bristol and points to a relationship with MS. Bodl. 95 (*SC* 1905) and other manuscripts.

On fol. 1 are Allen's number '2' (i.e. in the f° section of his catalogue), the Digby/Allen inventory number 'A.1' and Digby's motto and name.

In line 3 of Macray's description read 'Hastynges.' In line 6 the final initial is more probably P. This inscription is on fol. 228.

1. The translation is by John of Trevisa, on whom see Emden, *BRUO*, and D. C. Fowler, *John Trevisa*. (Authors of the Middle Ages, 2; Aldershot, 1993). The missing leaf referred to by Macray came between fols. 116 and 117. *IMEP 3*, 4–5. This is the only surviving copy, ed. by D. C. Fowler, C. F. Briggs & P. G. Remley, *The Governance of Kings and Princes*... (New Haven & London, 1997); pl. I reprod. fol. 1, pl. II reprod. fol. 62.

2. For the identification of the translator as John Walton, OSA, canon of Osney, see EETS, 170 (1925), xlviii–xlix; also D. C. Fowler, 'New light on John Trevisa', *Traditio*, 18 (1962), 289–317, at 316 n. 108. On him see also Emden, *BRUO*. The text was edited by M. L. Falwell, 'De re militari': an edition of the Middle English prose translation of Vegetius' 'Epitoma rei militaris' (unpublished thesis, Vanderbilt University, 1973). For other manuscripts see C. R. Shrader, 'A handlist of extant manuscripts containing the *De re militari*...', *Scriptorium*, 33 (1979), 280–305. In line 12 of the colophon as pr. by Macray, read 'vigile' and in line 9 read 'knyʒttes.' In Macray's final paragraph delete 'The name of...Clifton.' For 'Another copy' read 'Other copies...are...in Magd. Coll. MS. lat. 30....and MS. Douce 291.' *IMEP 3*, 65–6.

The Greslay names are of s. xvi².

PA 3. 815.

234a

In a gold-stamped and gold-ruled white vellum binding

with blue silk ties (now tattered), probably London work, illustrated in M. M. Foot, 'For king, earl and diplomat: some vellum bindings of the first half of the seventeenth century', in *Books and Collectors 1200–1700: Essays Presented to Andrew Watson*, ed. J. P. Carley & C. G. C. Tite (London, 1997), 403–12, pl. 3. For other books whose bindings bear some of the same tools see Foot, 409. This is evidently the 'official' copy of the catalogue and presumably the item referred to in the Bodleian accounts for 1634–35, 'for transcribing the catalogue of Sir Kellam Digbyes manuscripts for the use of the Librarie 0.5.0' (*The Bodleian Library Account Book 1613–1646*, ed. G. Hampshire (Oxford Bibliographical Soc. Publications, NS 21; Oxford, 1983), 101) but annotated by Brian Twyne and Gerard Langbaine the Elder. The entries begin in traditional style with a Bible. Thereafter the order seems to be random, not apparently by size, subject, present order or Allen order; but if that is so one wonders why the description of MS. 90 has been neatly inserted by the copyist at a particular point on p. 47 rather than somewhere else where there was more space. Most manuscripts are given a number, some preceded by 'A': these indicate former Allen manuscripts and are the 'A' numbers that one finds written in many of the books. Not all of the numbers are, however, correct: MS. 89, an Allen manuscript, is marked '58', not 'A58' (p. 77), and Paris, Bibl. Mazarine, MS. 3576, which has a very clear 'A.17' on it, is marked 'A.19' in the catalogue (p. 5). The present Digby manuscript numbers were added in square boxes by Langbaine, who added similar numbers in boxes to Allen's catalogue (see Appendix below, p. 159). Inside the back cover is stuck an index, in Langbaine's hand, of the present numbers and the page on which the manuscript is described. Pp. [108–14], originally blank, contain an author and title index by Twyne, reference being to the page of the catalogue. On p. 2 Twyne added a description of MS. 205 and on p. 63 a description of MS. 62.

The descriptions of the Allen manuscripts are often close to the wording in his catalogue but are not infrequently better: it is likely that they are independent, even although they share some common errors, such as 'Stureyd' for 'Stureya' in MS. 4 (p. 328), which both copyists produced through misreading an anglicana final *a* in the manuscript itself.

234b

In a rough parchment cover, and roughly written. The binding has been re-used. On the method of binding see Foot (as MS. 234a), 409. Probably copied from MS. 234a: the description of MS. 90 omitted from MS. 234a was copied at the time of writing and is not an addition (p. 34). There are notes by Brian Twyne on the back flyleaf and back pastedown. Gerard Langbaine the Elder added the present Digby numbers in square boxes in left-hand margins. Another number, probably the original Digby number, is added in red crayon to each entry. These numbers are not in sequence and were collected by Twyne in a concordance on the front pastedown and flyleaf in columns headed 'V', 'N' and 'P', probably standing for 'Vetus', 'Novus' and 'Pagina.'

234c

In a rough parchment cover and roughly written. The binding has been re-used. On the method of binding see Foot (as MS. 234a), 409. Like MS. 234b it is probably copied from MS. 234a. The same several series of numbers appear as in MS. 234b but the 'Vetus' numbers are in ordinary ink, probably written by Langbaine.

235

2° fo *tenet apud.*

Pagination is i–iv, 1–542, since p. 231 occurs twice and pp. 237, 316 and 385 are missed. Note that 'Duo folio excissa sunt inter ff. 183, 4' in Macray's headnote applies not to this manuscript but to MS. Digby 236. Pp. 541–2 are a scrap of an engraved plate from a printed book, s. xvi. On p. iii is the Digby/Allen inventory number 'A.18'. On fol. i is 'Hic est liber publicæ Bibliothecæ Academiæ Oxoniensis KD [monogram]' and '269 feuillets' (cf. MS. Digby 236). For a possible reason for the first of these inscriptions and evidence of the absence of MSS. Digby 235 and 236 from the Bodleian in the seventeenth century, see Watson, 'Allen', 308 and n. 100. On the arrival of MSS. 235 and 236 in the Library see Sir Frederic Madden's diary for 1 June 1825, MS. Eng. hist. c. 46, fol.241.

The manuscript was written by the same scribe as MS. Fairfax 4 (*SC* 3884) and decorated by the same artist. Other manuscripts written by this scribe, identified by A. I. Doyle, are BL, MSS. Harley 326 and Cotton Faustina B. ix, fols. 41–77, and Columbia Univ. Libr., MS. Plimpton 256; see C. Meale in *Book Production in Britain*, 231 n. 64. L. E. Voigts, ibid., pl. 35, reprod. 'fols. 248ᵛ–9' (*recte* pp. 248–9), and see also p. 353. Voigts, 'A doctor and his books: the manuscripts of Roger Marchall (d. 1477)', *Doyle Studies*, 249–314, at 283, identifies three other manuscripts by the same scribe which, she suggests, were with MS. Digby 235, perhaps commissioned by Marchall. She also remarks on Marchall's extensive marginal corrections to, and comments on, the Bacon text in this manuscript.

1. MS. O in edn. by J. H. Bridges, *The 'Opus Maius' of Roger Bacon* (Oxford, 1900). Pp. 146–204, the geography section, edn. 1. 286 et seq., have copious annotations in a fere-humanistica hand, perhaps an Oxford one, of s. xvᵉˣ. This hand is also found in MS. Fairfax 4, fols. 4ᵛ and 30, which was owned by 'Maystour doctour Yong', not certainly identifiable but see Emden, *BRUO* 3. 2135–6. The two inserted quires, pp. 249–96 (s. xivⁱⁿ), bear an incomplete series of page numbers 25–[72] in a bold hand of s. xiv(?). On p. 336 are a few words

in Greek (s. xvi¹?), correcting the Latin forms of Greek words. TK 1379; Stegmüller, *Rep. Sent.*, 750.I.

1(i–ii) Stegmüller, *Rep. Sent.*, 750.VI. (iii) MS. O in edn. by E. Massa, *Rogeri Baconis moralis philosophia* (Zürich, 1953), xiv–xviii. Stegmüller, *Rep. Sent.*, 750. VII.1.

The pastedown referred to by Macray at the end of his description contains the text of Vincentius Bellovacensis, *Speculum historiale*, xxx. 13–16. It comes from the same manuscript as N. R. Ker, *Fragments of Medieval Manuscripts used as Pastedowns in Oxford Bindings* (Oxford Bibliographical Society Publications, NS 5; Oxford, 1954), no. 1649 (Brasenose College, Latham F.4.9) and like that was probably in an Oxford binding of *c.* 1570.

236

2° fo *enaum.*

On fol. 1 are 'Tho: Allen', a title in Allen's hand, his number '51' (i.e. in the fᵒ section of his catalogue), the Digby/Allen inventory number 'A.11' and Digby's motto and name.

On fol. i: 'Hic est liber publicæ Bibliothecæ Academiæ Oxoniensis, KD' and '191 feuillets' (cf. MS. Digby 235). On the first of these inscriptions and on the arrival of the manuscript in the Bodleian see note to MS. 235. Two leaves, perhaps blank, have been excised between fols. 183 and 184, as observed by Macray but by mischance referred to in his headnote to MS. 235.

1. MS. O in the edn. by R. Klibansky & L. Labowsky (Plato Latinus, 3; London, 1953). The incipit is 'Oro deos deasque omnes.'

2. MS. O in the edn. by H. Boese, *Procli Diadochi tria opuscula Latine… Guilelmo de Moerbeka vertente…* (Berlin, 1960), 109–71.

2a. Proclus, *De decem dubitationibus*, in William of Moerbeke's translation, beg. 'Plato quidem magnus in primo legum adamantinus.' MS. O in Boese's edn. 3–108; TK 1052.

3. MS. O in Boese's edn., 172–265. The real incipit is 'Mali naturam que sit.' The translation is by Moerbeke.

5. TK 762.

6. Diaz, 1070. On the translator, Alphonsus Dionysii de Ulispona, bp. of Evora (d. 1352), see A. Birkenmeier, *BGPTM*, 20/5 (1921), 17 n. 212.

237

A photographic facsimile of Paris, Bibl. Mazarine, MS. 3576, Roger Bacon, *Communia naturalia*, s. xiv. For a description see A. Molinier, *Catalogue des manuscits de la Bibliothèque Mazarine*, 3 vols. (Paris, 1890), 3. 133, to which it can be added that the 'A.17' on the first leaf is the Digby/Allen inventory number (see Introduction above) and that John Dee's marginalia are frequent: M27 in his catalogue (Roberts & Watson).

Rolls 1

The roll shows no sign of Thomas Allen's ownership but is evidently the manuscript referred to by Anthony Wood, *Life and Times* 4 (OHS, 39; 1895), 207, 'de actis Fratrum Predicatorum A.D. 1311 ex rotulo pergameno Mr Thomæ Allen.'

Pr. from this manuscript by H. Rashdall, 'The Friars Preachers *v.* the University, A.D. 1311–1313', *Collectanea* II (OHS, 16; 1890), 217–73. Under ultraviolet light the words 'Statuta edita' are visible before 'per cancellarium et magistros' at the beginning of Rashdall's text. The roll bears no early endorsement and its provenance is unknown, but presumably it came from a Dominican convent.

Rolls 2

See M.-R. McLaren, 'The Textual Transmission of the London Chronicles', *English Manuscript Studies*, 3 (1992), 38–71; pl. I reprod. membrane 26, reduced.

Rolls 3

1. Beg. '[I]ste tractatus vocatur tractatus ars metrice et dicitur.' Also in MS. 147, art. 13. Preceding this is a membrane containing the end of a medical/astrological work in English (*IMEP 3*, 66–7).

The last section beg. 'þe bones of a man ben in noumbyr ccc and xvii, þe reynes ben ccclxv,' followed by a long blank space and a new paragraph beg. 'Nota quod maximus circulus infra limbum matris est capricorni circulum arietis.' TK 794 (cf. 421).

2. (beginning on the recto and ending on the dorse). Beg. 'Si vis scire horas diei per quadrantem Scias in quo mense es.' The text is Richard of Wallingford's *Canon supra Kalendarium*: this copy is described in North, *Wallingford*, 2. 373–4 as 'an extremely corrupt and curtailed version.' Not used for North's edn., ibid. 1. 558–63 but designated MS. D.

3. (on the dorse). MS. R in the edn. by North, *Wallingford*, 1. 182–243.

Rolls 4

The date is s. xv^2. Ed. by D. J. Price, *An Old Palmistry, being the earliest known Book of Palmistry in English* (Cambridge, 1953), in which pls. 1 and 2 reprod. two sections of the roll. *IMEP 3*, 67; *IPMEP*, 506.

PA 3. 755.

Rolls 5

The date is s. xv^1.

PA 3. 966.

INDEX OF INCIPITS IN DIGBY
CATALOGUE AND NOTES

References preceded by an asterisk are to the supplementary Notes to Macray's catalogue; others are to the text of Macray's catalogue itself. The spelling of Latin follows medieval forms. Middle English spellings are retained except that runes are modernised; to facilitate the alphabetization of entries a modern form has sometimes been substituted for the early form. Lemmata are in italic. If an incipit appears in both Macray and in the notes, only the latter is cited, as being the more informative. In references, numbers following an oblique stroke are article numbers. A '(+)' indicates an article that follows a numbered article in Macray's catalogue or in the notes. Words following 'Dixit', if they are a quotation (e.g. 'Dixit Ptolomeus. Iam scripsi') and 'In nomine' (e.g. 'In nomine Domini scito quod...') are separately entered, but simple variant forms of incipit are entered once with variant words separated by a slash (e.g. 'Lilium regnans/regnabit in nobiliori parte'). Square brackets enclose a word omitted by Macray or the manuscript he cited, and also a word which appears in only some versions of an incipit of which the fuller version is also cited here.

Latin

A alpha agricola: *184/4

A grecis dicitur arnoglossa: *69/6

A grege comisso studeat: *65/36

A mia 1: *184/4

A nona noctis: *29/22

A primevis infantie cunabulis meisque: 119/36

A simili dum spe sterili: *104/48

A tauro torrida lampade Cinthii: 166/18

A timet et regnat: *156

Aaz apprehendens: 149/2

Abactus ab actu remotus: 151/9

ABC sunt extra d e f intra g supra: *29/4

Abluo firmo cibo dolet ungit ordine iungo: *22/4

Abluo firmo cibo piget uxor: *156

Abrevia nobis: 219/10

Absint delicie: *149/6

Absintheum amarum idem gallice: *29/9

Absintheum calidum et siccum in tercio gradu: *75/1

Absintheum est herba acerima: *29/12

Abstinencia: require in dictis ubi Jejunium: 218/11

Absque metu belli florebat vita Metelli: 112/21

Acabita Jacobita cave tibi consulo: *98/50

Accensus lune sic scitur punctus et hora: 193/5

Accipe Mercurii vi partes: 119/27

Accipe tabulam planam mundam: 48/7

Accubuere duo soles: *65/9

Acetum liquor ex aceto et sanguine: *206/4

Achab diu studuit vineam acquirere: 98/50

Activus contemplativo, R. A. Que autem sursum: 149/5

Acumbens dormit: *65/36

Ad construccionem navicule tria ad minus: 98/16

Ad estimandum cuiusque rei altitudinem: *184/11

Ad evidenciam dierum creticorum: 167/22

Ad evidenciam fallacie accidentis: 24/6

Ad faciendum sal quo usi sunt sacerdotes: *29/6

Ad faciendum tabulas albas: *29/6

Ad habendum ciclum solarem sive litteram: 190/8

Ad honorem Dei et ad habendum cognicionem judiciorum: 57/20

Ad Hugonem Ecerialium doctorem suum et utraque origine fratrem: 103/3

Ad hujus autem similitudinem in reliquis lineis: 190/26

Ad interrogata de virginis et matris Domini: 151

Ad maturandum quodcumque aposteme: *29/15+

Ad memorandum Christi Domini testamentum: 39/3

Ad perfectam noticiam judiciorum artis astrologie: 180/2, 194/2

Ad planiorem et pleniorem prescripti tractatus: 212/3

Ad precognoscendam diversam aeris disposicionem: 98/32

Ad prenoscendam diversam aeris disposicionem: 57/15

Ad prenotandum diversam aeris disposicionem: 92/2

Ad pronosticandum diversam aeris disposicionem: 48/17

Ad sciendum eclipsim solis primo quere coniunccionem: 97/25

Ad succidendos palmites pestiferos et nocivos: 186/24

Ad terrorem omnium surgam locuturus: 166/33

Adalbaldo nunc usque dilecto...In hiis geometricis figuris: 191/8

Adam Sampsonem Loth David: *82/19

Adde Iesus fine quotiens tu dixeris ave: *82/19

Adoz id est aqua qua ferrum extinguitur: 219/8(ii)

Adrianus itaque legit et ait Quedam problemata: 88/3

Affirmatum [sic] celum rotundum: *184/11

Aforismus est sermo brevis: *69/7–10

Agnoscens credit tibi Petrus: 53/61

Alchimia est sciencia docens transformare: 119/11, 119/35, 147/4

Alchimiste moderni temporis sunt: 119/26

Alea bachus amor: *82/21

Alea vinea venus faciunt: *82/21

Aleph mille vel doctrina: *184/4

Alhosor, id est species zucrati duri: *29/36

Aliamen idest regio: 219/8(i)

Aliqui propter cordis pusillanimitatem putant: 115/5

Alle pater lu filius ya: *52

Almagesti ex precepto Maymonis: *57/14

Alphita farina ordei: *69/11

Aluredus rex Anglorum: 82/7

Amice ascende superius...Ista verba significant virginem: *11/31

Amicorum intime quandam magnetis lapidis: 147/14

Amor nos facit hoc rimari: 85/8

Amphoris doctrine et utilitatis causa: *69/15

An sors instabilis melius ferat: 46/1(i)

Angeli eorum semper vident faciem: *59/10

Angelus ad Virginem subintrans: 147/32

Anglia dat planctum | miratur Francia casum: 170/4

Anglia insularum maxima in occidentali oceano sita: 196/65

Anglia modo dicta olim Albion dicebatur: 186/14, 196/56

Anglia quid meres? dabitur tibi rector et heres: 172/17

Anglia terra ferax: *65/36, 104/33

Anglia transmitttet leopardum lilia Galli: 186/21, 196/16
Anglorum regum cum gestis nomina scire: 186/22
Animadvertendum est annum a quatuor dumtaxat feriis: *17/8
Animadvertendum primo quid sit nutrimentum: 150/4
Animi adolescentum ad exercenda: 67/17
Anna solet dici: *82/19, *87
Anni sunt partes autumnus hiems: *29/33
Annis quingentis decies: *52
Anno cephas mille canis cuculus et cocodrillus: 186/8
Anno Domini m° cc rex Johannes duxit in uxorem: 170/6
Anno Domini m°ccc° xlvii° quedam visio facta est: *218/19
Annorum duo sunt genera: 56/13
Annus solis continetur: *81/12
Ante chaos jurgium indigeste molis: 166/40
Ante gradus: *65/36
Ante legum dominos et magistros artium: 168/21
Antequam de re dicatur presciendum est: 56/14
Antequam iudicii dies metuenda: 88/50
Antidotum qua salubre diarnaglossa: 69/18
Antipas Herodes Baptistam decapitavit: *172/10
Antiqui sapientes in iudiciis suis: 93/12
Antropos, angarum sic anthropophagus: 100/27
Apozima ad coleram expellendam: *79/1
Aprilis nonas octavum deinde Kalendas: 53/34
Apud naturam duo tantum sunt genera: 98/1
Aqua mirabilis valet ad visum: 147/22
Aqua mollificatissima et nigrissima: 119/45
Arabes inter ceteras mundi naciones: *17/5
Arbor fertilis a primo trunco: 196/7
Arbor fertilis a proprio/primo trunco decisa: 28/24(i)
Arbore sub quadam dictavit: 53/30
Arcus dicitur pars circumferencie circuli: 178/8
Argentum vivum congelatur: 119/16
Aries est primum signum zodiaci: 92/1
Aries est signum: *88/16
Arietis vera natura est ignea: 161/4
Aristoteles in eo qui de cathegoriis: 147/20
Aristoteles in primo philosophie sue: 220/6
Aristoteles mentem tribus modis distinguit: 218/16
Arma in somnis portare securitatem significat: 86/11
Arrepti laboris seriem: 174/12(ii)
Ars etas regio virtus complexio forma: *79/15+
Ars geomancie non habet efficaciam: 46/4
Ars semper eadem quod autem ex arte: 53/58
Artem carminum seu metrorum: *100/33
Artes per partes non partes disce: *53/49
Ascalanita necat: *149/4
Asinus coronatus turbabit regnum: 186/3, 196/19, 218/20
Aspectus sculptum testis: *82/21
Asper erit victus: *100/11–12
Asperius nichil est: *82/7
Aspirans precibus vestris: 100/8
Assignatur per a. aliquod corpus circulare: 93/3
Astans altari pia mens: 53/62
Astrolabii circulos et membra nominatim: 98/25, 167/19

Astrologia est de magnitudine contracta: 48/9

Astrologie duo extiterunt capita: 212/10

Astrologie floridos fructus: 228/10

Astrorum diversi motus indigent exposicione: 93/5

Attende secundum Eusebium Cesariensis: *196/6

Auctor huius operis principali proposito: 193/11

Auctoris mendico stilum: 41/3, 104/3

Audi pater senior audi me loquentem: 166/45

Audistis fratres dilectissimi psalmista dicente quod preciosa: 158/25

Audite magnantes et omnes populi: *86/75

Auget debilitat convincat imprimit: *156

Augustus Tito...Divinacio scilicet facta per garritum: 100/16

Aureus in Jano numerus: 98/3, 22/10, 81/4, 228/5

Auro quid melius: *153/18

Aurum Parthorum: *65/36

Auxilium an utilius est et efficacius: *163/3

Ave caro Christi cara | Immolata crucis ara: 86/80

Ave et gaude Maria stella maris: 172/24

Ave Maria. In ista salutacione: *11/30

Ave Maria...Karissime fratres, florente mundo sub lege: *77/4

Ave maris stella vera mellis stilla: 172/21

Ave mundi spes Maria: 20/25

Ave per quam fit sodalis: *see* Salve per quam

Ave purum vas argenti': *2/3

Ave virgo mater Christi templum salvatoris: 166/43

Ave virgo speciosa cuius laudi: 19/1(iii)

Aves in somnis capere lucrum signat: 81/9

Azinus: *see* Asinus

Bache decus mundi terra mira potestas: 157/3+

Baculare sacramentum: 4/5, 166/25

Baptismus cum reverentia et magno honore: 37/9

Beate patrie ferventissimo desideratori domino: 39/9

Beati paupere spiritu...Contraria sibi non conveniunt: 158/7

Beatissimus igitur Birinus magnificus pater: 39/6, 112/2

Belial apostatarum prepositus et magister invidie: 98/40(i)

Bella referre paro fratrum: 166/52

Bene canis latrabit leo: 82/1(ii)

Benedicta et celorum regina: *86/76(3)

Benignitas et humanitas salvatoris: 21/1

Boetius de disciplina scolarium: 190/15

Bonitatis totius femina sancta virgo: 172/24

Bonorum et honorabilium dicitur esse sciencia de anima: 204/10(v)

Bonorum et honorabilium...Una sciencia dicitur melior: 55/9

Bonorum honorabilium...Tractaturus philosophus: 150/13

Breve breviarium breviter: 119/4

Cambria, Carnarvan Anglis natum dabit agnum: 186/19

Campanus Novariensis in capitulo x compoti: 178/3

Canities etiam mentiri novit: 104/31

Canonici quem canonicum vos canonicastis: 53/10

Cantor es et clarus: *65/36

Cantreus grece que germandela latine: 129/2

Capiantur vipere cum est finis veris: 228/14(i)

Capillus ex fumo grosso: *69/7–10

Capitulum aquarum valde acutarum et calidarum: 119/31

Capitulum in sciencia locorum si aliquid fuerit: 149/29

Capitulum i. Definiciones, divisiones et axiomata: 60
Capitulum signorum disposicio est ut dicam: 51/17
Capud primum anni neomeniam...Canon primo in anno: *17/6
Cara parens | pare carens: 166/42(ii)
Carissimi fili sapientes et philosophi: 124/3
Carissimi volenti per aliquam viam: *11/28
Carmina sunt seva: *64/1
Cartula nostra mea tibi portat: 26/8, 65/30
Casibus in letis: *138
Causas humani mater primeva: *65/35
Cedamus morti quis enim pugnabit: *65/35
Cedent cerdones calones: *89
Celestis circuli forma spherica: 149/31
Celi gemma bona succure reis Katerina: 100/3
Cella vale! Tu scala Jacob. tu campus agonis: 53/65
Celsus ad excelsos Jacincte vocaris: 104/35
Cesareos proceres in quorum: 53/59
Cesaris imperium per tempora longa latebit: 196/27
Ciclus indiccionis currit ab uno usque ad xvii: *17/10
Cinctura firmamenti in xii distribuitur equales partes: 38/8
Cinthia Mercurius Venus: *29/33
Circa acutas [sic] acutissimas attencior: 79/11
Circa instans negocium in simplicibus medicinis: 197/2
Circa librum de somno et vigilia: 44/1
Circa operacionem nature intellige sic: 95/13
Circa processum philosophi in libro Metheororum: 153/2
Circa proporciones duo sunt investiganda: 174/12
Circa proporciones veterum profundas errorum: *153/1
Circa situm et diversitates: 11/5
Circulus ecentricus circulus egresse cuspidis: 48/8, 98/4, 168/16
Circulus ecentricus dicitur vel egresse cuspidis: 168/13, 215/3
Circulus ecentricus et circulus egresse cuspidis: 93/6
Circulus ecentricus vel egresse cuspidis: 93/2, 207/4
Circulus lune debet dividi in xii signa: 133/5
Circulus pasce magnus est: *81/12
Cisio Jan. Ed. Epifa Adriani et Hil.: 196/29
Cisio Janus ephi Lucianus: *81/6
Cisio Janus epi sibi sequitur: 29/4
Cisio Janus epi sibi vendicat: 190/9
Cito. Ne tardes converti: *22/9
Clamitat intra polum vox sanguinis: *88/16
Clarevallorum Jacobi decimas peciere: 172/14
Claustrum nolenti mors est: *53
Clemens papa cujus rem nominis: 28/20
Clementissimo patri et piissimo domino unico mundane: 168/4
Cogitacio larga accepta sive voluntas tria complectitur: 196/51
Cogitanti michi votum vestrum: 79/8
Cognitum est corpus: 40/5
Collige per numerum quicquid cupis: 29/31
Colloquium visus: *82/19
Colloquium visus contactus: *82/21
Color est lux incorporata: 98/29, 104/21, 220/8
Commoda si queris: *82/9
Communem natum sive suscipiens: *156

Communes animi concepciones sequuntur: 28/20

Componendi modus incausti nigri: *29/34

Comportus gestus fuga mundi: *19/4

Compotista autem partes temporis: 2/13

Compotus editus a magistro J. Sacri Bosci, Compotus est sciencia: 193/12

Compotus est sciencia numeracionis: 191/12, 228/12,

Compotus iste dividitur in v partes: *15/1, 181/2

Conceptus quidem tue anime amice Theodore: 236/2

Conclusio prima: solem in suo ecentrico: 104/12

Condicio tua stet longo non tempore: 53/65+

Conferat tibi deus mores: 71/4

Conferunt cerebro fetida in gravi: *69/15

Confessio debet esse previsa: 22/6

Confessus peccata tua facito tibimet: 218/4

Congregatis xxiv philosophis solum eis: 67/21

Coniugis et nati vitium vix nosce: *166/51

Coniunccio est quando duo planete sunt: 97/15

Consequencia est accidens(?) et consequens: 154/12(iii)

Consequens est scire tabulas de ascensibus: 57/12

Constat maxime sapientibus quod inter cetera: 95/9

Continue alterantur: *55/16*

Contraria sibi non conveniunt: 158/7

Contulit ingenium: *65/36

Convenit ut taceat lingua loquatur: *104/50

Convenit ut taceat qui vult: *104/50

Convive mater Christus puer: *65/36

Corda forent fracta: *100/11–12

Corporalis mundi machina consistit: *160/2

Corporis humani machina licet: 79/3

Corpus hominis ex iv constat humoribus: 197/1

Cotidie: *see* Quotidie

Credimus sanctam Trinitatem, Patrem et Filium: 149/3

Crimen habet noctis pollucio: *156

Crux male vincta cruci: *65/35

Cujuslibet rotunde pyramidis curva superficies: 174/9

Cum: *see also* Quoniam

Cum ad astronomie iudicia pervenire: 97/18

Cum ad noticiam impressionum habendam: 190/3

Cum adhuc puer essem in scolis: 190/5

Cum advocacionis officium perquam utile: 103/5

Cum agitur de numeris aut agitur de eis: 190/7

Cum anima sit aliorum cognoscitiva: 55/26

Cum animadverterem plures medicorum: 29/25

Cum animadverterem quam plurimos homines: 26/7

Cum astrorum sciencia difficilius cordetinus inspicienti: 93/15

Cum astrorum sciencia difficilis fuerit: *57/22

Cum auctor universitatis Deus in prima mundi: 29/41, 75/3

Cum celestium sperarum diversarum posicionem: 51/4

Cum cognicio quinque universalium: *2/11

Cum cursum lune scire volueris: 147/28

Cum de compositcone machine mundane: 98/36

Cum de latrina: *65/35

Cum de sublimi atque precipuo rerum effectu: 162/3

Cum de urinis agere debemus: 79/2

Cur mundus militat sub vana: 28/6

Cur sic care taces: *65/9

Cur vitare velim: 65/9(xiv)

Cura dei cultor virtutis: *65/9

Da si ditari: *100/11–12

Dactile, quid latitas? Exi: 53/1

Daniel propheta nec est sed pseudopropheta: 196/8

Dant in vs hec facta tibi: *see* Doctrinale...

David rex et propheta concepto mundi: 20/14

De adepcione divisio trina: 38/13

De anima secundum se ipsam: 55/31

De Antichristo scire volentibus primo nomen notabimus: 196/91

De cadentibus in quaque infirmatate luna: 57/18

De coitu quinque possunt notari: 150/6

De cruce prescripcio ecce vides: *52

De eo autem...Principium vite in omni vivente: 55/3

De eo quod est...Iste liber in quo Aristoteles: *55/1*

De evidencia eorum que dicuntur in musica: 191/3

De generacione et corrupcione et natura: 55/4

De generacione et corrupcione in naturali primo: 204/10(iii)

De grege prima suo dicat sanctissimus Abel: 112/20

De lunari effectu atque potencia: 114/16

De motu an. eo...Dividitur autem iste liber: 44/6

De nominibus partium instrumenti quod Turketus dicitur: 167/18

De Petro Theolenario...caritatem convertente: 149/11

De philosophia [*recte* phisionomia] inquirenda quedam continet: *2/17

De phisica tractat Hippocras: 53/63

De phisionomia inquirenda: *see* De philosophia inquirenda

De profundis criminum profero clamorem: 166/37

De somno et vigilia pertractantes: 190/12

De sophisticis aut elenchiis...Queratur an sophistica est sciencia: 204/8

De tempestatum presagiis: *see also* Puris oriens: 28/19

De urinarum sciencia tractaturi: 79/1

Decisum sperma: *56/5

Declarare volo qualiter faciam: *178/15.

    See also Demonstrare

Decretum detur ne quis bibat: *153/18

Deditus usure: *172/10

Deficit ambobus: *153/18

Deinceps ab hoc introitu: 47/11

Deinceps dicendum est de casis xii quas apellavimus: 50/2

Demonstracio componendi circulum Hermanni: *51/8

Demonstrare vel declarare volo qualiter faciam: *168/25

    See also Declarare

Descripciones quesunt in equatorio: 228/17

Desiderantibus verum et certum dare: 46/2

Determinacio a principio totius libri: 98/13

Deus ad benefaciendum promptus est: 226/2

Deus dedit michi: 43/9

Deus fecit hominem bonum: 158/12

Deus igitur in hoc opusculo: 3/2

Deus inestimabilis misericordie: *86/76(1)

Deus magnus et immensus: *65/34

Deus omnipotens juste misericors: 175/2

Deus propicius esto mihi peccatori: *86/76(5)

Deus qui es clarificacio totius intellectus: 192

Deus qui miribiliter creasti hominem: 79/12

Deus semper intelligit se intelligere: 67/24

Dextera quid stacio signat: *65/34

Diameter lune ad diametrum terre: *29/34

Dic quid hyrundo: 53/4

Dic ubi tunc esset: *153/18

Dicente Boicio in principio arismetrice: 97/35

Dici Serlo miser merui: 53/39(iii)

Dicimus ergo quoniam urina alba et subtilis: *79

Dicit Aristoteles in principio Methaphisice: 191/2

Dicit Deus serpenti de muliere...Fit caput exangue: 65/38:

Dicitur ars metrica de ars artis et metros: 147/13, Rolls 3/1

Dicitur magnus sanctus Patricius: 34/2

Dicitur urina quoniam fit renibus una: *29/18

Dictamnus defixa trahens panaceaque: *73

Dictum est in libro de anima: 55/2

Differencia prima in annis Arabum et Latinorum: *168/2, *228/15

Difficultates que sunt circa tocius entis: 84, 220/9

Diffiniciones. Intervallum est soni gravis: 17/14

Digitus est omnis numerus: 61/1, 190/18(i)

Dilecte in Christo frater inter cetera que mihi scripsisti: 115/1:

Dilectissime frater ut intellexi multum times: *29/44, 196/63

Dilecto in Christo...Quia vero ex tenore cuiusdam litere: 33/3

Diligite veritatem quia Jesus veritas est: *14

Diogenes declamabat mundum periturum: *65/34

Diri patet Jani Romanis janua belli: 63/8(ii)

Dirigit epistolam suam pape et primo ponit: 164/6

Discrecionis inspiciendi sanguinem: 150/8

Dismas et gestas latrones: 53/39(iv)

Distinccio prima. De adepcione divisio trina: 38/13

Distincciones ejus instrumenti primo in corpore: 167/20

Diverse diversorum opiniones: 158/13

Diversi astrologi secundum diversos annos: *114/7, 168/10

Diviciis celum mercamur: *100/11–12

Diviciis ortu specie virtute: 166/7

Dividitur autem iste liber in duas partes: 44/6

Divinacio est in somniis: 55/12

Dixerunt Alfoniste sicut patet in tabulis: 97/22

Dixerunt In principio huius intencionis: 119/21

Dixit Abraham Judeus cognitum est corpus: 40/5

Dixit Albumasar, Placuit michi inter cetera volumina: 72/8

Dixit Alexander quod intellectus apud Aristotelem est: 217/9

Dixit Aomar Benalfagrani Tyberiadis Scito quod diffiniciones: 194/8

Dixit Aristoteles qui philosophiam: 194/15

Dixit Bartolomeus: Rerum iescuri: 51/14

Dixit Dominus Iesus discipulis suis, Negotiamini: 158/5

Dixit Dorotheus cum interrogatus fueris de thesauro: 51/20, 149/28(i), 194/13

Dixit Echelbrebit Isrelita. Scito quod signa: 97/11

Dixit fidelis Abuali sutor et astrologus, Firmavi hunc librum: 47/13, 51/15

Dixit Haly filius Aben Rachel...Laudatus sit Deus: 114/18

Dixit Hermes quod sol et luna: 97/30

Dixit Hippocrates non est medicus qui astronomiam non novit: 28/13.

   See also Dixit sapientissimus Hippocras

Dixit Kembris Isrelita Scito quod signa sunt xii: 72/5

Dixit Messehalla [Quia] Dominus altissimus fecit terram: 51/21

Dixit Petrus Alfunsus...Deus igitur in hoc opusculo: 3/2

Dixit Ptolomeus, Iam scripsi tibi Iesure: 75/8

Dixit Ptolomeus Si aspexerit signator ascendens: 149/28(ii)

Dixit quoque Abraham Judeus Optimum instrumentorum: 48/10

Dixit Salomon Sap. cap. viii Deus dedit michi: 43/9

Dixit sapientissimus Hippocras...Non est medicus: 29/26

Dixit Thebit Benchora Dixit Aristoteles qui philosophiam: 194/15

Dixit Thebit Hames filio Hasam Abrevia nobis: 219/10

Dixit Tullius Tantum debes confricare: 119/20

Doctrinale. Dant in vs hec facta tibi: 11/21

Domine deus omnipotens eterne: *86/76(4)

Domine mi rex ex quo respublica tibi committitur: 172/28

Domine saunte et septiformis spiritus: *86/72(2)

Domino ab Adalbaldo Gerbertus vite felicitatem: 191/7

Dominus altissimus fecit terram: *see* Quia dominus

Dominus deus universorum conditor: 186/12

Dominus noster quamvis omnes suos ante mundi: 112/16

Domus hec in qua habitamus: 115/3

Dona magi domino dant: 53/27

Donec appareat servo Dominus Deus visu vel somno: 163/4

Duas nativitates veneramur in Christo: *4/9

Dubia in vestra epistola contenta michi sunt: 115/4

Dudum conflictu vexatus rithimachie: 100/33

Due principales instituciones matheseos: 67/13

Dulcis amica: *65/34

Dulcis et benigne domine Jesu Christi qui exibuisti: *86/76(6)

Dulcis Iesu memoria dans vera cordi gaudia: 149/7

Dum contemplor animo seculi tenorem: 166/26

Dum digiti scribunt: *65/10+

Dum mea me mater gravida gestat: 53/13

Dum medium silentium teneret: 168/21

Dum potes et bene stas: *100/11–12

Dum regnaret Salomon: *65/34

Dum rex Henricus regnabit origine Dacus: 196/12

Dum sartor sartit: *19/4

Dum surgunt miseri: *82/7

Dum tenerent omnia medium tumultum: 166/53

Dum vigili cura penso: 65/32

Duo sunt extremi vertices mundi: 193/18

Duo sunt in his verbis attendenda: 154/1

Duos fines ultimos: 42/3

Duplex est quantitas: *60

Duplex hic designatur Dei cognicio: 172/29

Ebrietas nimius affectus: *149/6

Ecce ego et tu: 190/5

Ecce fides fili contrito: *172/18

Ecce inimici tui sonuerunt...Omnipotens Deus: 113/2

Ecce nectar roseum populis irrorat: 166/20

Ecce sonat in aperto: 166/27

Ecce venit rex...Fratres karissimi satis vobis constat de racione: *11/12

Ecce videntes clamabunt foris...Sicut prophete: 98/53

Ecclesias prima distinccio sacrat: *172/10

Edicio fratris Rogeri Bacun super instruccione: 119/8
Ego Nicholaus rogatus a quibusdam: 29/38, 43/7
Elementalis enim figura quatuor: 85/7
En brevis interius datur ars nova: 98/7
Enchiridion dictum quod manu: *69/7–10
Eneas primo post Trojanum bellum: 196/30
Enoch philosophus qui lingua Arabica: 3/2
Eorum quesunt aliud continuum: 190/23
Epilempticus incenditur sic retro: *69/1
Epilogis in usum et operaciones astrolabii: 38/4
Episcopus Hostiensis qui debet benedicere: 53/64
Epulemur non in fermento...Hec verba scribuntur: *45
Equator diei est circulus major: 168/9
Equivoca sive res est nominate per nomen equivocum: *2/11
Erat quidam solitarius in partibus aquilonalibus: 11/26
Ergo non cantus dulcis: *65/36
Ergo quicquid habet pulcrius orbis: *65/9
Error condicio: *156
Erubesce Sidon ait mare: *4/10
Escarem gurges quid nos tot: *65/34
Esse tenet sedes sanas sumus: *184/4
Est aliquando: *65/34
Est alius circulus undecimus: *17/2
Est commune mori: *65/36
Est dare omnes patres quantitativas istius hominis: *98/19
Est dira vox ite: *100/11–12
Est et non: *100/26
Est et semper erit: *73/5
Est ferramentum subila sutoris: *229
Est locus ortus ubi quidam: *65/34
Est pila pes pontis: *65/36
Est quedam celestis machina sphera: 47/1
Est qui torquetur ne fastus: *153/18
Est racio quod pars altaris: 53/20
Est solescismus verborum copula prava: 53/51
Est tibi Saturne: *20/4
Est tua Saturne domus hec Therontis et urne: 190/15(v)
Est tuus Anna pater Isachar: *82/19
Est via crux vite crux vos vocat: *104/46
Est vicus in pago Oxfordensi vi miliarii distans: 149/8
Estuans intrinsecus ira vehementi: 166/39
Et cum diximus de hac virtute: 104/27
Et ecce quadragesimo tercio temporalis cursus: 32
Et hec tria verba sunt de lapide precioso: 164/5
Et lugere libet cum totus lugeat orbis: *65/9
Et notato quod hic agitur de motu: 228/1
Et perspectivi et philosophici: 98/30,:
Et perspectivi et phisici: 104/22, 190/25
Et quia tota vita nostra: *45
Et si magnopere cuperem insignis...Andrea Piccolomini: *131
Et tu qui cathedram cupis: *65/9
Evax rex Arabum legitur scripsisse: 13/1
Ex agro veteri virtutum semina: 26/4

Ex Aristotelis auctoritate expressum habemus: *29/20
Ex istis tabulis manifestum est: 67/5
Ex multiplici quescionum genere: 159
Ex qualitate corporis anime: 28/22
Ex sanguine humano philosophicam medicinam extrahamus: 164/7
Ex tribus auctoribus quorum libros: 11/8
Ex ventris vento generatur: *100/8+
Excipit a bissus et ab hoc generatur: 56/7
Excute desidie sompnos: *65/9
Exiit edictum ab Alexandro magno: 200/7
Eximium decus hoc: *138
Experimenta falere nescia Alfani medici. Medicina perfecta: *79/1
Expiat in prima: *172/10
Extendisti Domine sicut celum tuum: 218/5
Externis populis dominabitur aquila fortis: 169/25
Fac me delectari in dulcedine tua Domine deus ut des michi: 33/10
Faccio dissidium signat: 100/18
Factum est in anno decimo nono imperii Cesaris: 16/3
Fama est fictilibus cenasse: *65/34
Fama repleta malis: *153/18
Fama volans hodie per mille foramina: 53/49
Febribus infectus requies fuerat: 89, 186/2
Febris acuta tpisis pedicen scabies: *79/15+
Febris ut testatur Joannitius est calor innaturalis: 197/4
Felicitas quoque/quandoque sive beatitudo: 77/2, 206/2
Felix prior etas que tot sapientes: 76/6
Felix quem faciunt: *73
Felix quem faciunt aliena pericula cautem: *147/3+
Felix qui patitur: *65/36
Felix qui poterit rerum cognoscere causas: 147/33+
Felix qui poterit [*etc.*]. Felicitas Aristotelis sive beatitudo: 77/2
Felix qui poterit [*etc.*]. Felicitas quandoque sive beatitudo: 206/2
Felix qui poterit [*etc*]. Felicitas quoque: 153/5
Femina corpus opes: *100/11–12
Femina res ficta res subdola: 86/72
Fere itaque et singulariter: *55/29
Fert puer intinctus: *172/12
Fert scabiosa piles verbena non habet illos: 86/75
Fertur Aureolus Theofrasti liber de nupciis: 166/15
Festa principalia: na pas ass pente sump: *153/18
Fex est filorum: *65/10+
Fiat circulus signorum cuius semidiametrum: 97/34
Fides hodie sopitur | Vigilatque pravitas: 86/54
Filius esto Dei: *29/4, 48/2, *75/28, *81/2
Filius hominis tradetur: *58/8
Firmavi hunc librum: 47/13, 51/15
Fit caput exangue planta mulieris: 56/38
Flamine Romano crescit Britannicus honor: 186/23(i), 218/17
Fle si solari: *100/11–12
Flebile principium memoris: *65/34
Flegmon apoplexis reuma liturgia spasmus: *69/7–10
Flet mala Magdala: *19/4
Fontibus addis aquas: *65/34
Formam primam corporalem: 98/28, 104/20, 220/7

Fortiter omnipotens: *65/34

Fortuna opes auferre: *62

Francorum regi scribit scola tota Salerni: 29/23

Fratres karissimi non spe temporalis mercedis: 172/32

Fratres karissimi satis vobis constat de racione: 11/12

Fraus tua non tua laus: *172/10

Frigidus in bellis: *166/51

Frigore iam tellus tracta: *65/35

Frons hominis mentem: *166/51

Fuit vir in Egipto ditissimus nomine Syrophanes: 221/2

Fuit vir vite venerabilis: 112/11

Galienus cum propter amatum voluit: 71/4

Gallorum levitas Germanos justificabit: 196/15

Gaude gloriosa mundi vernans rasa: *86/76(3)

Gaude mundi gaudium | Maria laus virginum: 86/50

Gaude quecuncta transisti: 19/1(ii)

Gaudeo quod sanus es: 53/46

Gaudet epar spodio: *29/36

Generalis materia artis: 40/4

Geomancia est ars punctorum: 134

Geometre eos esse arcus similes: 174/4

Geometrie due sunt partes principales: 147/6, 174/7

Geometrie sicut et reliquarum facultatum: 174/3

Geometricales tractanti diversitates premonstrandum est: 191/5

Gloria celestis quod habet: 53/33

Gloria laudis resonet in ore omnium: 119/48

Gloriosissimus et subtilissimus Deus creator omnium rerum: 228/23

Glorioso rege Anglorum Egberto regnante: 112/1

Gloriosus et sublimis Deus creator omnium rerum: 147/27

Grana molenda gerit Moyses: *89

Grana quater quinque: *29/8

Grande bonum tribus cuius formam: 88/44

Gracias agamus ut a nobis sacrificium: 4/1

Gregorias aedes quibus, archidiacone: 53/49

Grex borealis dum nemoris: 82/1(i)

Habeat argentarius sive aurifaber: 119/25

Habito de corporibus mundi: 76/2

Hactenus de circuli porcionibus: 47/10

Has siquidem et consimiles fabellulas: *64/1

Hec algorismus ars presens dicitur: 15/2, 22/1, 48/3, 98/4, 190/20

Hec Ambrosinus [recte Algorismus] ars presens dicitur: 104/5

Hec dicit Isidorus: Diligite veritatem: *14

Hec Dominica oracio privilegiata est: *11/30

Hec est institucio quam Cnud rex: 13/6

Hec est Roma puto magnis: *98/18+

Hec est via. Ambulate in ea...Karissimi volenti per aliquam viam: *11/28

Hec quoque Symphosius de carmine lusit: 39/12

Hec si canonico vis consentire: *156

Hec sunt consideranda ad hoc: 97/26, 176/2

Hec sunt de quibus inquisicio facienda est: 20/20

Hec sunt prima documenta nove legis: 96

Hec verba scribuntur in quibus tanguntur duo: *45

Hec verba scripta sunt ad Cor. xiv in quibus tangit apostolus: *45

Heredes sodome: *65/4

Heres peccati natura filius: 53/7

Heliconis rivulo modice respersus: 166/24

Hemi doxa theos en rama: 100/25

Henrici quarti quinto Dominique sub annis: 53/65+

Herba betonica contusa: *29/10

Herbe plantaginis: *29/11

Hermannus Christi pauperum: 51/2, 174/13

Hermes trismegistus dicit: *164/16

Heu! Quanta desolacio Anglie prestatur: 98/52

Hic agitur de herbis stipticis: *69/2

Hic aliqua investigabuntur de materia: 164/12

Hic ego qui iaceo: *172/10

Hic est liber quem collegit Albumazar: 51/12, 194/6

Hic est liber Racaidibi, liber divinitatis: 219/11

Hic iacet Herodes Herode crudelior: 53/49

Hic incipit liber Abrahe: 212/5

Hic incipit liber Zael: 114/17

Hic incipiunt proporciones...Omnem motum successivum: 154/12(ii)

Hic michi mores describis: *65/35

Hic Ricarde iaces sed mors si cederet: *153/18

Hic serpens ventis pernicior: 100/30

Hic sunt scripta omnia sanctuaria: 112/3

Hiis qui instituunt: *179/2

Hippocras: *see* Ypocras

Historie veteris Gildas luculentus arator: 196/18

Hoc cure mee experimentum: *69/5

Hoc est via Ambulate in ea...Karissimi per aliquam viam: *18/2

Hoc metro tactus: *65/34

Hoc modo fiat ut sit longum et magnitudinem: 219/12

Hoc nomen consciencia componitur: 196/38

Hoc philomena sonat quod filia lucis: 41/10

Hoc sacramentum: *156

Hoc succo lanam madidam: *27/2

Hodie intendo pauca tractare: 216/1

Homo ex quatuor elementis et humoribus: *95/2

Honesta, inquid Epicurus: *55/21

Honorabilibus viris semper in Christo diligendis magister Reynero: 32

Horarum jam nunc texemus: 81/12(iii)

Hortus non ledit: *100/11–12

Hos Gileberto: *65/36

Hospicium gratum noxque quieta: *98/39

Hostia turturis atque columbe: *100/11–12

Hostis non ledit: *100/11–12

Huc usque fidei tue testimoniis: 33/10

Huius tractatus editor suo premittit: *22/10

Humana corpora tribus subiacent: 108/5

Humor est corpus liquidem fluidum: *29/22

Hunc librum intellexerunt: *93/1

Hunc titulum multi legerunt multi etiam: 172/7

Iam nox yberias bis quinque peregerit horas: *100/26

Iam pluribus annis a me exigis soror: 218/8

Iam respondidi. Omnium duorum quadratorum: *168/36

Iam scripsi tibi Iesure libros: 75/8

Iam tot in ecclesias: *65/34

In nomine illius qui maior est et dominus totius mundi istum librum: 219/2
In nomine Patris Filii et Spiritus Sancti...amen. Vos debetis scire 193/20
In nomine pii et misercordis soli Deo honor: *228/18
In nomine piissimi et misericordissimi Dei. Postquam iam locuti: 217/12
In nomine trino hoc opus incipio: 67/1
In occidentali parte est introitus Iherusalem: *112/4
In octava divisione ubi magister tractat: 77/8
In opposicione habenda aliud nos: 97/24
In planicie libera utrobique: *51/6
In presenti rota lis est: *22/4
In primis quidem si ceperit: 30/6
In primo gradu arietis homo aliquando laborat: 122
In principio creavit Deus celum et terram: 228/3
In principio doctrine libri Periermenias oportet: 2/11
In principio huius intencionis: 119/21
In principio huius libri dicendum est que sit materia: *104/55
In principio huius libri septem possunt queri: 48/24
In principio huius libri sicut et in aliorum auctorum: *62
In principio scientie que dicitur ciromancia: *95/4
In prologo theorice Ptholomei que dicitur: 97/13
In quidam presbyter cepit allegare: 166/55
In quocunque lapide inveneris arietem: 193/13
In quodam ergo cenobio juvenis quidam: 34/6
In septem precibus oracionis Dominice omnia bona: 158/8
In te concipitur O virgo regia: 2/2(i)
In terra recubans: *166/51
In unum collecta que ad idem pertinent: 97/6
Incaustum vino lexiva: *69/1
Incipiendo annum incarnacionis a capite Ianuarii: *149/19
Incipit de sigillo facto sub Mercurie: 79/14
Incipit liber elementorum seu radicum mathematice Euclidis: 76/4
Incipit liber ignium a Marcho Greco descriptus: 153/10
Incipit opusculum de racione sphere: 83
Incipit particula quedam de libro qui vocatur Brutus: 11/27
Incipit prefacio venerabilis Bede in vitam...Cuthberti: 20/26
Incipit tabula magistri Petri Lumbardi continens...indicciones: *56/10
Incipit tractatus brevis et utilis Bernabi medicinarum: 95/14
Incipit tractatus de medicinis omnium membrorum distemperatorum: *75/6
Incipit tractatus septem herbarum septem planetis: *147/23
Incipiunt quedam instituta de legibus...Hec est institucio: 13/6
Inconstans animus: *53
Infigit pungit extendit et aggravat: *69/23
Innata est nobis materia(?): *55/25
Innuba si gravis est: *65/35
Inpegisti inquis in illam dubitacionem: 236/4
Inquisicione dignum videtur cum Adam: 158/11
Inquit Alkaid et senescallus: 236/6
Insinuacione presentium donacione: *2/18
Instrumentum per quod sciuntur hore diei: *29/19
Instrumentum perficere: *71/1
Intellexi quod queris scilicet scribi tibi: 217/11
Intellexi quod queris sermonem brevem: 218/17
Intellexit quod quesivisti de scribendo sermone: 217/8
Intelligendum est quod in universo tria sunt agencia: 77/11

Intendo componere sermonem rei admirabilis domino meo fratri E.: 183/3
Intencio Aristotelis in hoc libro est investigare: 207/5
Intencio circa solem et lunam: 119/33
Intencio itaque nostra est in hoc libro exponere: 194/1
Intencio mea in hoc libro est compilare sententias: 225
Intencio mea in hoc opusculo fuit iuxta triplex: 160/7
Intencio mea in hoc tractatu nobilissimo est declarare: 236/5
Intencio nostra in hoc opere est autem ostendere: 28/2
Intencio nostra in hoc tractatu est discribere figuram machine: 147/17, 191/13
Intencio nostra in hoc tractatu est machine: 98/33
Intencio primi libri. Quod omnes homines naturaliter: 55/5
Inter cuncta leges et percuntabere doctos: *73/5
Inter mundi turbines per hoc magnum mare: 172/20
Inter omnes prisce auctoritatis viros: 76/7
Inter omnia omnium studia: 164/12(ii)
Inter omnia que fragilitas humana: 22/5
Inter partes operum Deus est laudandus: 129/3
Inter phisice consideracionis studia: *98/21
Inter universa liberalium artium studia: 40/8
Inter verba laundantium sive vituperantium: *104/48
Intercisa perit continuata viget: *100/11–12
Interrogacioni tue de secretis nature: 119/34
Intrant et pugnant redeunt pungent abeuntque: *156
Intras cum sole canis taurusque leone: 186/5
Introduccio est brevis et aperta demonstracio: 204/6
Introducendis ad practicam de medicinis laxativis: 79/6
Invenit quidam vir de sapientibus librum: 194/11
Investigantibus astronomie raciones: 97/31
Investigantibus chilindri composicionem: 98/35, 167/17
Invidiam nemo domuit: *65/34
Iob probat inclinat Paulum: *156
Isocrates in exortacionibus suis: 23/1
Ista verba significant virginem Mariam: *11/31
Iste libellus dividitur in duas partes quarum prima tractat de neutris: 100/8
Iste liber est Hermetis qui fuit caput: 123/3
Iste liber in quo Aristoteles determinat: *55/1*
Iste liber quem premanibus habemus vocatur secretum philosophorum.
    See also Liber iste quem: *37/2, *71/8, *153/6
Iste liber trinum lector tibi cantat: 25/3
Iste medicine sunt regales et omnes probate: 123/1
Iste quantitates sumpti sunt: 153/15
Iste tractatus de magnete duas partes: 28/5
Iste tractatus est multum utilis volentibus aliquid scire: 17/3
Iste tractatus vocatur tractatus ars metrice: *Rolls 3
Istum librum feci de anima: 219/2
Ita quidam presbyter cepit allegare: 166/55
Iupiter atque Venus boni sunt: *20/4
Iupiter et Juno, Neptunus, Pluto: 64/3
Iuras dasque fidem: *65/34
Ius dupliciter dicitur scilicet ius publicum et ius privatum: 98/57
Kal. Ia. Si fuerint in prima feria: *28/19
Kartula nostra: see Cartula nostra
Languidus accubuit: *65/34
Lapidicine sunt quedam molles: 196/3

Lapsus in eternum: *65/34

Largus amans hilaris ridens: *29/33, 196

Lator iusticie latronum medius: 2/2(ii)

Laturcus id est avar animal notissimum: *71/5

Laudamus itaque vinum: 43/4

Laudatus sit Deus: 114/18

Laudibus eximie sunt carmina: 168/42(i)

Lectura ad declarandum artem generalem: *85/2

Legimus in verbis divinorum historiis: 221/4

Lesbia semper eges: *65/34

Lex data fuit Moysi: *22/4

Lex est disiuncta iudicis: *153/18

Libelli huius series xii splendet capitulis: 219/6

Liber abbreviatus approbatus verissimus: 164/19

Liber Almagesti ex precepto Maimonis: *57/14

Liber iste dividitur in x partes: 64/1

Liber iste quem in presenciarum legendum: 197/3

Liber iste quem premanibus habemus: 98/4

Liber iste quem premanibus: *see also* Iste liber

Liber iste qui merito utilitatis inscribitur: 119/29

Liber iste vocatur Algorismus: 97/7

Liber quem proponimus legendum est: *29/18

Liber secretorum philosophorum in opere alkymico: 119/14

Libri cursus nunc Cambriam: 196/82

Licet cunctorum poetarum: *55/23, 147/10

Licet in presenti opusculo omnium sillabarum: 29/5

Licet modo in fine temporum: 22/10, 98/3, 104/4, 228/5

Licet multa et varia de condicionibus: 11/3

Ligna voluptatis: *65/35

Lilium florebit et erit pulcherrimus: 196/21

Lilium regnans/regnabit in nobiliori parte: *89, 186/10

Lilium rex regnans: 22/13(1)

Linea Christe tuos prima est: 63/11

Linquo coax ranis: 53/3

Litore quot conche: *65/36

Littera gesta docet: *66

Longa solent sperni: *82/3

Loqui prohibeor sed tacere: 67/18

Luce tuum defles mutata: *65/34

Lucifer ecclesie fidissima: *65/9

Lucifer princeps tenebrarum: 98/40(ii)

Lucis creatorem obsecro: 47/8

Luna ergo existente: *88/15

Luna perficit circulum: *176/24

Luna sub oscura resplendet: *65/34

Lupus a rapacitate dicitur unde meretrices lupas vocamus: 172/33

Lusa Betel Solima Ieroso[ma]: *229

Lux estis mundi sed non penitus: *138

Lux firmamentum plante sol: *153/18

Luxurie pondus: *172/10

Magister Hugo. Digitus est minima pars: *11/20

Magister mi reverende et dilecte multum in Christo: 176/14

Magister Nicholaus acuebat benedictam cum acanto: *69/2

Magne deus rex ethereus: *65/36

Magnum est pietatis sacramentum...Duo sunt in his verbis: 154/1

Magnus Alexander bellum mandarat: *65/9

Magnus mundi monarcha Christicolarum calipha: 166/12

Mali natura quesit: *236/3

Manifestavi in precedentibus quod cognicio linguarum: 235/1(iii)

Manifestum est quod omnes sapientes: *164/16

Marciani Minei Felicis Capelle de nupciis: 221/3

Marcius dicit. Si quis sanus vivere meis diebus: *13/7

Maria stella maris | Medicina salutaris: 86/33

Marsupium bursa loculus forolusque: *65/36

Mater amat prolis primordia: *65/34

Mathematica utitur tantum parte aliquota: 76/3

Me dolor infestat foris: 54/48

Me mea ditat avis: *65/36

Mediam quadrupedem fari: *65/34

Medicina est que corporis: *69/7-10

Medicina in duo dividitur scil. in theoricam et practicam: 29/35

Medicina pro quocunque vulnere: *73

Medicine creacio spernenda non est: *69/7-10

Melchisidech domino panem vinumque: *65/34

Meminisse lectorem velim me superius fuisse: 112/13

Mens cor cum cupiunt lex Christi: 186/7

Mens humana per se moveri habet: 33/9

Mens mala: *65/34

Mensurarum appellaciones: *184/11

Mercurius lunam: *20/4

Missus sum in vineam circa horam nonam: 166/19

Metrorum periciam in scrinio pectoris: 147/3

Metrus id est media mensura: *69/15

Milicie numerus crescit decrescit et actus: *138

Miror tam gracilem: *65/34

Miserere mei Deus quia miser ego reus: 166/38

Misterio magno legali vescimur: *65/34

Modestia incessus viri religiosi: *4/10

Modo dicendum est de nominibus febrium: 95/12

Modum representacionis minutiarum vulgarium: 97/10, 190/10

Modus est iste. Recipe rem putrefactam: 164/24

Modus et pondus in omnibus distillacionibus: *119/38

Mondanorum translacionem aggressuri: 212/7

Montibus Armenie: *65/36

Moribus esse feris: *65/34

Moribus et vita quisquis vult esse: 26/3, 100/10

Moriene primum querere libet que et qualis: 162/6(ii)

Mors diridetur latet hamus: *100/11-12

Mors fera mors nequam: *100/11-12

Mortalis homo, mortis reminiscere: 61/3(iii)

Morte gravatur homo: *65/36

Mortem morte domo: *100/11-12

Mortis et vite: *100/12-12

Mortis lege gravi mortalis: 65/1(ii)

Mortuo leone justicie surget: 28/24(iii)

Mulierem fortem...Prestabit nobis Dominus: 104/52

Multa premunt animos: 65/19

Multi alii fuerunt perempti in diversis locis: 201

Multi circa animam erraverunt: 104/1
Multi cum currentibus currunt: 4/3
Multiformis hominum fraus: 4/4
Multis a confratribus pridie rogatus: 28/8, 166/28
Multis et mirabilis in hiis meis libris: 162/5
Multos esse cognovi qui existimant: 210/1
Mundus abit res nota: 53/2, *65/36
Mundus igitur ex quatuor elementis: 161/5
Mundus quasi undique motus dicitur: 108/5(2)
Mus musmo monacus: *65/34
Musa favens voto propera: 65/20
Musa quid(?) agnoscis fame preconia(?): *65/9
Nasaphat tua mater: *82/19
Natura dicta eo quod nasci: 68/21
Natura est duplex scilicet natura naturans et natura naturata: *75/18
Natura faciente: *65/34
Natura summa et provida a qua cuncta: 161/9
Naturalis philosophie principales partes sunt viii: 150/5
Navis per se discendit fluvium: 16/2
Ne contristeris cum pro virtute: *65/35
Ne ignorans quisquam: *69/7-10
Ne faleratis utamur sermonibus: 221/5
Ne quis amet timere: *166/8
Ne reminiscaris domine dilecta nostra: *86/18
Ne sit in exemplum terror: *156
Nec bibit inter aquas: *65/35
Nec illud pretereundum est silencio quod in legalis sciencie doctoribus: 168/46
Negociamini: 158/5
Nemo cum prophetas versibus viderit: 226/1
Nemo diu mansit: *82/9
Nescia mens nostri fixum servare: 61/3(iv)
Nescio quid sit amor: *82/19
Nescio si noscis quod triplex nos gravat hostis: *88/1
Nexus ovem binam per spinam: 86/74
Nichil habet rex Alexander vel fortuna tua: *130/3+
Nil magis huic oneri: *172/10
Nil magis ingratum: *172/10
Nobis ignota ne deponencia verba: *100/11-12
Noctis sub silencio tempore brumali: 28/9, 166/46
Nomen herbe saturion vel priapistus gallice: *29/12
Nomen intellectus dicitur multis modis: 218/15
Nomina instrumentorum sunt hec. Primum est armilla: 207/3
Nominis et pene fuit heres: *65/9
Non decet hunc igitur vacuum: 13/4
Non est medicus qui astronomiam: 28/13, 29/26
Non habebis...In hoc primo mandato: 173/2
Non nimis omissis: *53
Non solum audiendis scripture sacre verbis: 168/43
Non tonsura facit monachum: 104/40
Non uitat cui nichil est in mente: *185
Nonne Deo suberit anima mea: 168/48
Nonne vides quam parva: 53/9
Nonnunquam ideo extollimur et aliis: 158/23
Nos autem ad eorum que dicenda sunt: 150/3

Oculus magnus et rotundus: 75/5

Officiosus(?) homo est facile: *65/34

Oleum Mathei Campanini(?) medici: *79/1

Olimpiade centissima xciiii mediante: 63/25

Omne aut cognomen hominis cuiusdam: 228/22

Omne genus floris tritum plus gestat odoris: 100/24

Omne peccatum accio est voluntaria: 55/20, 147/9

Omne peccatum est accio voluntaria: 100/9

Omne quod est aut est ens actu: 98/31

Omne quod in unum remanens: *51/7

Omne quod natum est ex Deo...In hiis verbis commendantur: *45

Omnem motum successivum alteri in velocitate contingit: 154/12(ii)

Omnem motum successivum alteri motui in velocitate: 228/19

Omnem motum successivum proporcionari alteri: 76/8

Omnes concordati sunt philosophi: 47/7, 194/14

Omnes geometre diffiniunt arcus similes: 168/30

Omnes homines naturaliter scire desiderant...Sciencia illa tria: 150/14

Omnes homines qui sensibilia: 91/2, 183/2

Omnia autem cognicio: 28/12

Omnia dulcia naturaliter: *69/7–10

Omnia pretereunt fugituraque labitur: *65/36

Omnia que a primeva...In hoc tractatu determinatur: 166/4

Omnia que a primeva rerum...Quoniam completam cuiuslibet: 190/19, 193/10

Omnia terrena contempsit: *149/12

Omnibus Christi fidelibus: 11/4

Omnibus exuto cum possis vivere: *65/36

Omnibus in factis bene ceptis: 65/15

Omnibus in stellarum sciencia studentibus: 228/8

Omnibus planetis eraticis: 47/3

Omnipotens Deus amator hominum suo amore nobis: 113/2

Omnipotens Deus misericors pater: *86/76(5)

Omnis amans cecus: 28/14

Omnis causa primaria est influens: 67/20

Omnis compleccio que est extra naturam: 176/15

Omnis honoris honos decor: 82/8

Omnis numerus quadratus totus est: 178/5

Omnis ponderosi motum esse: 174/8

Omnis qui pie tolerat recte credit: 158/19

Omnis sciencia suis nititur regulis: 168/44

Omnis sphere superficies: 168/23

Omnis urina duarum rerum est: *162/2

Omnis virtus te decorat: *86/8

Omnium duorum quadratorum: *168/36

Omnium gemmarum virentium: 13/5

Omnium philosophorum discretissimi: 81/4

Omoeos cestros: *69/5

Onomata dierum ebdomadis. Prima dies Phebi: *63/2

Opiatarum dupplex est effectus: *79/4

Oportet instrumentorum ad inveniendum: 48/10

Oportet ipsum qui vult esse: 29/24

Oportet te primum scire dominum anni: 194/6, 228/11

Optimum instrumentorum ad inveniendum: 48/10

Opus imaginum secundum consilium Ptholomei: 57/21

Opusculum istud est de pronosticacione aeris: 147/29

Oratoris officium est de hiis rebus: 15/8
Orbis et urbs plorat: *65/36
Orites alius niger alius viridis: 13/2
Oro deos deasque omnes: 236/1
Oropum [sic] vocatur quoddam lignum: *69/7–10
Os canit ore gerit: *52
Ostendere autem volo quid sit crepusculum: 215/8
Ostendere quid crepusculum et que causa: 104/10
Otia si tollas: *138
Oxia est acutus morbus: *69/7–10
P. in quo continetur divisio mathematice: 190/21
Papa nocens qui nemo concencior: 104/34
Papa stupor mundi si dixero: 64/1, 104/2
Parcere cum deceat: *172/18
Parcite paucorum transfundere crimen: *174/16+
Parrus enim quanquam per noctem: *65/4
Partes oracionis quot sunt? Octo?: 26/2
Parcium oracionis quedam sunt declinabiles: 204/9
Parvus maiori paret valorque viator: 104/54
Pasche autem vocabulum non grecum sed hebreum est: *17/12
Pater iacet in senectute: 147/1
Pater noster etc. Hec Dominica oracio privilegiata est: *11/30
Pater noster qui es in celis et in nobis esse velis: 166/36
Patrem nata parens natum: *172/18
Pauca potens compilare aliorum facta sibi: 166/2
Paucis verbis paupertatis libellus est scribendus: 166/3
Paulus apostolus non ab hominibus: *184/11
Pauperibus sua dat gratis: *138
Paupertatis fero pondus: 166/31
Pax fama fides: *229
Pax Henrico Dei amico: 172/11
Peccantem dampnare: *53
Per hos versus habes quare quis: *156
Per primum numerum parem demonstratur: 29/28
Per que ledaris nunquam perversa: *149/4
Per veterum sagacitatem compositus fuerat: 2/10
Percipe altitudinem stelle: *29/39
Percutiens clerum: *156
Perfectissima aqua vite: *71/7
Pergama flere volo fato Danais data solo: 53/44, 65/11, 66/8
Peri flebotomia id est recta vene incisio: *79/13+
Pertractata sunt inter me at Haysin: 119/32
Pervenit ad nos quod cum Ypocras morte: *69/24
Pervuo(?) pane puer poteris(?) pavisse: *88/23
Petisti amice ut tibi scribendo: 20/16
Phalareta gravibus musa magistrorum: 81/5
Philomena previa temporis ameni: 28/7
Philosophantes famosi primi fuerunt Caldei: 220/1
Philosophia dividitur in tres partes: 150/1, 153/1
Philosophia est eorum que sunt: 104/60
Placuit michi inter cetera volumina: 72/8
Planetarum alii boni alii mali: 38/7
Plato philosophorum maximus dixit Natura natura letatur: 219/3
Plato quidem magnus in primo legum: 263/3

Plebs pastore bono: *65/9

Plures eorum qui antiquorum libros inspexere: 217/7

Plurima cum soleant: *65/34

Plurimis exemplis expertus sum victoriam: *69/15

Plus dare quam tollat aut spondeat: *174/16

Plus valet in donis semel accipe: *153/18

Penitencia. Ut probet: *156

Poma, pira, cerisia et pruna: *69/7–10

Pondera portat equus: *172/14

Ponitur in precio res impreciabilis: *65/34, 104/41

Portatur leviter: *53

Post biduum pasca fiat: 63/29

Post chilindri composicionem: 2/15, 98/26

Post declaracionem premissorum: *178/9

Post dominum anni divisor habet significacionem: 210/5(ii)

Post fletum cordis: *172/10

Post gloriosam Domini nostri J. C. in celum ascensionem: 112/6

Post hanc scienciam experimentalem: 218/12

Post holocausta: *172/10

Post martis nonas ubi sit nova luna requiras: *2/6

Post peccatum Ade de paradiso: *163/4

Post salvatoris nostri passionem: 39/5

Postea incipiet mundus rutilare: 88/51

Postquam auxilio Dei explanavimus tractatum: 218/14

Postquam dictum est de sirupis: *79/2

Postquam iam locuti: 217/12

Postquam precessit rememoracio nostra de elementis: 204/10(iv)

Postquam tradidi grammaticam: 70

Postulata a domino prolixitate vite: 47/4, 48/22, 149/24

Potest queri de difficultatibus accidentibus: 67/29

Potus Milo sapis: *65/14

Precepit Messahalla ut constituas ascendens: 51/18, 149/27, 194/10, 228/7

Precipit apostolus Paulus scribens ad Hebreos: 112/8

Preco puella deus grex pastor: *53/1

Predicta racione ventorum ne sepius: 176/21

Prefacio magistri Rogeri Infantis: 40/4

Prefulgens sidus anglicum Jubar ecclesiasticum: 166/41

Prelibandum primum quadratum ysoperimetrorum: 174/5

Prelibandum primum [etc.]. Figura dicitur alii ysoperimetra: 174/10

Presides hiis tronis virose lux visionis: 186/18

Prestabit nobis dominus: 104/52

Previdi vobis scribere supervenientibus plurimis: *79/1

Preco puella deus grex pastor: *53/1

Prima ala est confessio: 20/13

Prima conclusio experimentalis est Avycenne [*recte* Alycen]: 15/6

Prima erarum est a creacione mundi: 212/2

Prima est Saturni que affodilla dicitur: *147/23

Prima figurarum que dicitur allotheta: 53/54

Prima igitur veritas circa corpora mundi: 76/1

Prima mansio lune ab antiquis philosophis: 228/9

Prima nota hoc loco demonstratur: *184/4

Prima pars vel consideracio: 43/10

Prima quidem domus oveas [*sic*] solis: 47/12

Prima rubeus unda: *65/36

Quam sit inhumanum quem ditat: 67/19

Quamvis Ambrosii auctoritate orbis ambitus: 51/9

Quamvis cirurgico et medico necessaria sit: 147/31

Quando cadit qui posset adhuc: 166/35

Quando igitur aliquis venit ad te: 51/11

Quando vis scire locum trium superiorum: 114/8

Quando vis scire verum locum Mercurii: 38/1

Quanquam de iure ac proprietate: 79/16

Quanquam post Euclidem Theodosii: 51/13, 91/3

Quantam ad terras vestras forinsecas: 204/4

Quantitas diametri lune: *57/10

Quantitas unius miliaris: *48/5

Quantitatis alia continua que magnitudo dicitur: 147/21

Quantitatum alia continua que magnitudo dicitur: 98/20

Quare presbiter celebrat missam cum rubro vino: 196/76(ii)

Quare septuagesima celebratur: 17/1

Quatuor complexionibus constat homo: *69/7–10

Quatuor Eptongis constat diatessaron: 25/2

Quatuor ista timor: *100/11–12

Quatuor sunt cause tempori anni: *75/21

Quatuor virtutum species: *55/22, 147/11

Que in gloriosissimis libris antiquorum: 57/13

Que monachi querunt patrio: 65/34(iv)

Que non ponuntur hec omnia: 100/6

Que propter natum dimittit claustra reatum: 196/17

Que vel quante sint febrium diversitates: *69/7–10+

Quenam summa boni: *147

Queque novella placent: *82/3

Querenda est nobis nativitas lune: 63/22

Queris homo quare: *104/46

Queris venerande dux Normannorum: 107

Queritur a quibusdam quare inter ceteras: *69/7–10

Queritur circa secundum librum de anima: 44/7

Queritur de intellectu et quod necesse est: 55/24

Queritur de subjecto(?) quid sit: 204/11

Queritur primo utrum calidum et humidum: 44/4

Queritur primo utrum de operacionibus: 44/2

Queritur primo utrum prius debeant exhiberi: 44/5

Queritur quomodo facta sit in nobis: 158/10

Queritur utrum anima se semper intelligat: 150/11

Queritur utrum celum sit alterabile: 204/12

Queritur utrum congrua construccio possit: 55/37

Queritur utrum essentia anime sit una: 150/12

Queritur utrum in divinis sint quatuor relaciones: *150/15

Queritur utrum logica cognicionem entis: 55/35

Queritur utrum memoria sit solum: 44/3

Queritur utrum voluntas sit alcior potestate: 150/7

Quescio est utrum construccio attendatur: *24/8

Quescio mea est de modo essendi: *55/7

Quesisti a me fili karissime adiuracio: *69/15

Quemadmodum inter triticum et zizannia: 90

Quemadmodum per calorem: 67/23

Quemcunque superbum esse videris: 149/15

Qui bene presunt presbyteri: 103/1

Quid levius fumo: *153/18

Quid per singulos dies ab hora quescionis: 149/30

Quid petis: *65/34

Quid prodest medico: *149/5

Quid rerum redimiculi(?): *79

Quid sit origo viri: *98/56+

Quid tibi magnus eras: 53/39(i)

Quidam de caritate tam multa dicere: 58/11

Quidam est cancer recens: *69/1

Quidam ferventes monachorum: 65/13

Quidam ordinavit bonam fortunam in idem felicitati: 150/10

Quidam sapientes dixerunt quod effectus celi: *164/16

Quidam senex salutat puerum cui dixit: 98/10

Quidam vitrarius Apella Judeus: 39/8

Quindecim signa quindecim dierum ante diem judicii: *86/15

Quis dabit capiti meo aquam...Donec appareat: 163/4

Quis furor O cives que tanta licentia litis?: 166/23

Quis michi laude pari: *100/11–12

Quis nescit quam sic monachorum: *65/36

Quis nescit quam sit speciosa cohors: *65/36

Quis recte rex est: *65/36

Quisquis ades qui morte cades: *65/36

Quisquis beatorum martirum gloriosa certamina: 172/3

Quisquis naturas urine noscere curas: *69/7–10

Quisquis serat dum transit hiems: 104/43

Quo sale conditur nummus: 53/32

Quod de figura quenominatur sector: 168/20

Quod decrevit maiestas regia firmum debet: 104/53

Quod deus non sit nomen: 22/8

Quod in persona unigeniti filii Dei: 172/6(ii)

Quod male filatur: *82/11

Quod proponi debet hoc est scilicet quod scienciarum: 217/10

Quod tibi vis michi fac: *82/3

Quod utrum in causis: *51

Quodcunque ligaveris super terram...Duos fines ultimos: 42/3

Quomodo cognoscitur arbor numeralis: 81/5

Quomodo panis sanctificatus: 158/15

Quoniam: *see also* Cum

Quoniam ad quemlibet speciem: 174/12(iii)

Quoniam autem...Dictum est in libro de anima: 55/2

Quoniam autem intelligere et scire...Subjectum totius naturalis: 55/8

Quoniam circa musicam Deo auxiliante: 90

Quoniam circa tria sit omnis consideracio: 38/13

Quoniam circa urinas quinque attenduntur: *29/21

Quoniam completam cuiuslibet rei scienciam: 193/10

Quoniam cuiuslibet accionis quantitatem: 193/2

Quoniam cuiusque accionis quantitatem: 20/3, 191/10, 215/6

Quoniam de melioribus amicis meis: *75/7

Quoniam divina potentia est infinita: 219/13

Quoniam duo sunt sensus disciplinales: *45

Quoniam ea que Maharin [*recte* magister] et ceteri: *119/43

Quoniam fuit declaratum antiquitus: 176/5

Quoniam hec ars demonstrativa: 192

Quoniam humana corpora assidue interius: 108/4

Res michi se rapuit: *100/11–12

Res monet et tempus fratrum describere: 65/6

Res odiosa nimis | Si subditur equus: 112/19(i)

Res que accidit ad Kalid: 162/6(i)

Res statuenda bonis | Si precipit: 112/19(ii)

Retorica assecutiva dialectice est: *55/28

Revelata igitur beati Gilberti gloria: *36/4

Reverendissime domine ut recentius nunc(?) perficiam: 176/12

Rex Egypciorum Octaviano Augusto salutem: *43/3

Rex glorie Kynge omnipotent [English]: 133/3

Rex Henricus postquam exivit de castro de Cowey: 82/6

Rex immensi poli: *65/35

Rex miles presul edictis: 53/37

Rex obiit nec rege carens: 65/18

Rex racione carens: *172/10

Rex unus erit qui Franciam perdere querit: 186/23(ii)

Rogatus fui quod manifestem consilia: 68/9, 176/22

Rogavit me unus ex hiis: 215/7:

Roma capud rerum que tanto: 53/55

Roma nocens manifesta docens: 65/24

Romani qui non sacra sunt: 53/18

Rome Rotomagi Vernone: *65/36

Rosa marina arbor et herba calida: *29/45

Sacratissimo sermone prescripto sanctus Ysaias: 172/6(i)

Salve de qua Deo gratum: 19/1(iv)

Salve festa die felix octava dierum: 53/50(i)

Salve festa dies qua Christus ad astra: 53/50(ii)

Salve festa dies quam sanctificavit: 53/50(iii)

Salve per quam fit sodalis: *19/2

Salve prosapia regali nata Maria: 104/42

Salve virgo virginum | Que genuisti filium: 86/49

Sanbelichius. Ideo sunt tantum tres dimensiones: 186/28

Sanctus cum pravis configitur: *65/3

Sanctus Dei martir Blasius: 39/2

Sanctus Petrus jacuit super litus maris: 34/7

Sanguis rana culex: *172/10

Sanitas est integritas corporis: *69/7–10

Sapiens ubi dialecticam incepit: 217/5

Sapientes Indi de pluviis: *176/24, 194/16

Sapientes legis sententiaverunt quod homo: 212/11

Sapientia edificat sibi domum: *33/2

Sapientie perfecta consideracio: 235/1

Saturnus cum fuerit in suamet domo: 57/17

Saturnus est planeta maliuolus: *75/17

Saturnus in ariete sub radiis facit pluvias: 67/4, *93/13, 147/26

Scias quod alumen iameni solvitur: *119/23

Scias quod atramentorum multa sunt genera: 119/30

Scias quod matrix embrio: *95/3

Sciencia astrorum dividitur in duo: 194/7

Sciencia est ordinacio: 55/27

Sciencia illa tria sortitur nomina: 150/14

Sciencia inflat caritas edificat: *219

Sciencia stellarum ex illis et ex te est: 228/6

Sciencia stellarum fixarum et quod evenit: 114/13

Si canis applaudat: *153/18

Si capis uxorem non sis cecus: *82/11

Si circulo inscribatur quadratum: 174/6

Si de leto stigmate: 4/14

Si dictare velis: *64/5

Si digitus digitum multiplicat: 22/3

Si diligenter volumus in lege Dei: 77/5

Si est causam et causatum ponere: 67/25

Si fiat quescio vel nativitas: 147/25, *176/23

Si fuerit ventus validus in nocte natalis Domini: *86/10

Si in die natalis sol videtur: *86/18

Si in mense Ianuarii tonitrua audita fuerint: *75/22

Si infans natus: *88/47(ii)

Si inveneris in lapide sculptum virum: 193/14

Si inveneris sigillum in lapide: 79/14

Si longas curas aliorum querere curas: *79/10

Si preceptorem: *65/36

Si quis cordis et oculi non sentit: 166/54

Si quis huic operi alkymico: 119/17

Si quis sanus vivere meis diebus: *13/7

Si quis voluerit scire quid in quolibet mense: 97/20

Si scienter deum offenderit: *20/8

Si socium queris: *82/3

Si sol fuerit in emisperio: *176/24

Si tonitruum mense Januarii: *86/18

Si tu inveneris librum Albumazar: 114/15

Si vis frangere calculum: *153/9

Si vis scire horas diei per quadrantem: *Rolls 3/2

Si volueris componere tabulam ascensionum: *97/30

Si volueris hora ingressus cuiuslibet planete: *97/2

Si volueris horam noctis invenire: *29/33

Sic accusabit sic ante deum: *65/34

Sic ait divina scriptura omnia in mensura: 51/10

Sic duodena poli chaldeus: *184/11

Sic vos non vobis: 53/23

Sicut a principio istius operis: 55/30

Sicut asserit Galienus duplex est anathomia: 197/6

Sicut attestatur Galenus in Tegni: 56/5

Sicut dicit apostolus ad Cor. xii°. Plenitudo legis est: 163/2

Sicut dicit beatus Augustinus...In omnibus sanctis: 33/2

Sicut dicit Boecius in prologo secundo arismetice: *76/7

Sicut dicit Damascenus impossible est: 67/22

Sicut dicit Haly secundo quadripartiti Tholomei: 176/10

Sicut dicit philosophus in centilogio proposicione quinquaginta: 176/13

Sicut dicit philosophus in pluribus locis: 147/24

Sicut fructus est ultimum quod exspectatur ab arbore: 174/2

Sicut habes mentem tota pietate: *65/34

Sicut hiems laurum nec urit: 26/11

Sicut in humano corpore non simpliciter: 108/3

Sicut in principio libri dictum est omnis doctrina: *156

Sicut irreverbrata utriusque luminis: 79/13

Sicut prophete in sacris scripturis: 98/53

Sicut rubeum draconem: 28/24(ii)

Sicut scribitur in sapientiis Ptholomei: *55/4*

Stephanus flos id est Aurelianensium: 168/21+

Stillas ymbre laves: *69/1

Strues is dicitur composicio: 100/23

Stupha mulierum ut mulier planissima et suavissima: 79/10

Sub Christi latere: *53

Subiectum totius naturalis philosophie: 55/8

Sufficit iste lapis cui non suffecerat: 53/49

Sui serenissimo amico Johannis David: 51/5

Sum simili fuerit pollutus: *104/50

Sume cibum modice: *53

Sume ex lapide ubique reperto: 219/5

Sume sal commune: *164/11

Summa cognicionis nature et sciencie: 204/10(ii)

Summa in hoc capitulo nostre: 67/25

Summe pater libra majestatem: 204/10(ii)

Summo decet studio emergentes: *111

Summula de summa Raimundi: 75/24

Sumpto themate ad congruenciam temporis: *66/3

Sunt autem quedam in numerandi quescionibus: 147/19

Sunt Cantica Canticorum sunt et Lamentaciones: 226/3

Sunt fomes Veneris: *82/19

Sunt mea si qua dedi: *100/11–12

Sunt quedam res que secundum accidentiam: 55/19

Sunt tres homines S. et P. et C. et habebant: 104/6

Super regulam equacionis solis: 57/1

Supersticiosus. a. um. falsus vel vanus: 100/18

Supposito secundum dominum Armachanum: 98/55

Susceptum semen: *65/36

Tabule iv que sequuntur non sunt de computo meo: 215/7(i)

Tange Camena stilum faleratos: 104/37

Tange manus calamum Samsonis: 104/36

Tanto viro loquuturi: 53/41, 166/22, 168/46

Tantum debes confricare: 119//20

Te nimis infestant: *65/34

Te Vulgrine: *65//36

Templum Dei sanctum est...Sermo iste quamvis omnes tangat: 149/4

Tempora labuntur vernantibus: *172/10

Tempore dilatus longo: *82/11

Tempore Teodorici regis insignis: 174/2

Temporibus Hippocratis doctissimi viri: 108/2

Temporibus regum Adelredi atque Kenredi: 112/9

Tempus acceptabile tempus est salutis: 166/32

Tempus est mensura motus ut vult Aristoteles: 97/37

Tempus est mora motus: 1/3

Ter trina lustra tenent cum sema tempore Sexti: 186/20

Terra manens firma hinc: *55/36

Terram Chaldeorum ac clima eorum: 172/6(iv)

Terram contemnas qui celum queris: *138

Testatur Ptolomeus in Almagesti: 155

Theodorus Priscianus Octaviano filio. In hoc vero loco: *79/1

Thesaurus occultus requiescit: 103/2

Titulus autem istius libri secundum auctores: 76/4

Tolle caput martis bis Cancri lune suum dat: 186/17(ii)

Tolle caput milvi cancer ter simile fiat: 186/9, 196/20

Ut dicit Aristoteles in secundo de anima: 104/16

Ut dicit philosophus secundo de anima potentiarum anime: 172/1

Ut doceat cunctis: *65/34

Ut ex antiquorum sciencia philosophorum percipitur: 219/7

Ut gaudere solet fessus jam nauta labore: 174/1(iii)

Ut iocundas cervus undas estuans desiderat: 166/17

Ut iuvet et prosit conatur: 26/10

Ut manifestius intelligatur: 53/48

Ut membra conveniant invicem: 168/46

Ut mulier planissima et suavissima videtur: 79/10

Ut probet ut purget: *156

Ut quid celestissime in presenti nos perdis: *58/9

Ut sapiens dominatur...et potest declarari: 97/36

Ut servemus consuetudinem nostram: *56/3

Ut testantur sapientes iv sunt in ecclesia: 191/4

Utile lex humile res ignorata: *156

Vado mori rex sive quid honor quid gloria mundi: 196/95

Valde mentem meam suis garuli: 119/40

Variacio monoculos. Et est quando: 100/5

Ve tibi terra ferox: 65/26

Vena cephalica id est capitis: *88/15

Venerabili domino et mira magnitudine: 89

Venerabili lucerne principum et regum speculo speciali Ricardo: 188/2

Venerabilis Domini famulus Beda: 59/3

Venerabilis et Deo dignus Petrus de civitate Skevingie: 172/5

Venerabilis et Deo dilecta Katerina nobilis viri...Ulphonis: 172/4

Veniamus igitur ad ordinem tercium: 168/46

Venientes filii Remmon Berochite: *4/10

Veniet aquila ardens et regina Austri: 186/18(i)

Venimus ad naves: 104/32

Venter puellaris expers tamen maris: 166/42

Ventorum cognicio: *176/20

Verba decem prius: *65/34

Verba ista sunt Domini ad beatum Job: 203

Verba que dixit sapientissimus Ptolomeus: 179/1

Verbum abbreviatum verissimum: 119/5

Vere dignum et justum est...Gratias agamus: 4/1

Vereor venerabiles in Christo filii: *20/9

Veris autem tempore Deus condidit mundum: 63/23

Veritas evangelica predicatoribus: 30/3

Versificaturo quedam tibi tradere: 53/14, 100/2

Vermis est aranea vermis monstruosus: 104/48

Versus de petitencia facienda: *156

Veste cibo potu varios: *65/35

Vestis culta cibus: *52

Vestra novit intencio de scolarum disciplina: 92/11

Vestre peticioni respondeo diligenter: 164/2

Veterum de gerundis querelam: 98/2

Victima pro metis data(?) hostia: *156

Videte vocacionem vestram...Ces moz de lapostele: 20/19

Videtur quod non quia secundum Aug. de Trinitate: 52/4

Vidit Jacob scalam a terra: 151/3

Vigesimo primo Saturne: *20/4(i)

Vilis pauper eris: *52

Villa boves uxor: *174/16
Vim sacramenti non mutat: *88/10
Vinea culta fuit cultores premia: *65/36, 104/44
Vinea culta Dei plebs est: *100/11–12
Vinum lacte laves oleum liquore fabarum: 150/15+, *153/18
Vir bene vestitus: *52
Vir bonus et sapiens: *100/26
Vir erat in terra Us nomine Job: 154/3
Vir prudens et providus nomine Secundus: 172/22
*Vir sapiens dominabitur/dominatur astris...*Ptolomeus: *48/24, 71/2, 93/10, 97/36
Vir videas quid tu: *153/18
Virginitas flos est: 53/35, *65/34
Virgo fides fidis est: *156
Virgo parens loquitur: 4/13
Virgo salutatur verboque Dei gravidatur: 172/16
Viri dilectissimi sacerdotes Dei: 166/29
Viris abiecte religionis universis fratribus: 166/13
Viris venerabilibus etc. Spiritum consilii sanioris intellecta: *11/11
Virtus Augusti leges et iura: *65/36
Virtutes gratuite pluunt: 65/40
Virtutes istas claustrales: *53
Virtutes mores famam: *82/19
Virtutes quedam sensibiles: 104/25
Visito poto cibo redimo: *100/11–12, *156
Visum rectum esse cujus media terminos: 174/11
Vita beata Deus mortem gustavit: 104/46
Vita lucrum fratres patres: 48/18
Vita mori mundo: 65/34(ix)
Vita quid est hominis nisi res vallata: 86/73
Vita viri religiosi sicut rota volvitur: 172/8
Vivere quisque diu: *100/11–12
Vivere suo suis monastici ordinis: 11/9
Vivis dum moreris moriens: 65/1(i)
Vix erant michi usque finem: *64/2
Vix nodosum valeo nodum enodare: 166/50
Volentes quidem vera loca planetarum: 48/12
Volentibus prenosticare/futuros effectus planetarum: 48/15, 92/4, 97/8
Volo enim nunc ponere fundamentum: 212/9
Volo intelligere quid significat: *85/4
Volo invenire sinum rectum unius arcus: 97/16
Volo ostendere qualiter inveniam inter duas lineas: 168/22
Voluisti insuper a me scire quid sentiam: 220/3
Vomer adunctus anus incurva: 98/20
Vos debetis scire quod sermo quem dixit: 193/20
Vos qui diligitis: *65/35
Vos qui sub Christo mundo certatis: *65/36
Vox iterata placet decies: *153/18
Vulpe salitur: *65/35
Vulturis est hominum natura cadavera: *138
Wil con wil rufus hen stephanus: *153/18
Willelmus igitur Lond. veniens coronatus est in regem: 196/66
Ypericon herba sancti Jo. vocatur perforata: *164/17
Ypocras et Nectanabus philosophus: *67/16
Zodiacus est quidam magnus circulus: 104/11

English

A fox gon out of the wood go: 86/45

A heerde of hertes, a heerde of cranes: 196/72

All though so be in euery maner age: 181/8

Alle that louieth Godes lore: 86/36

Almyghty God Lord me spare: 102/2(xxii)

And les yf it be a knaffe chylde: 75/26

As I com bi an waie: 86/55

As I lay in a wynter nyght: 102/4

As the see doth ebbe and flowe: 102/2(iv)

By thys fyre I warme my handys: *see* Jan. By thys fyre

Eche man be war that bereth a state: 102/2(i)

Englond is right good: 205/3

Fiftene toknen ich tellen may: 86/35

First entreth Wisdam: 133/9

For as moche as eche science or craft: 67/2

For drede ofte my lippes y steke: 102/2(iii)

Fully in purpos to come unto dinere: 230/1

Glade in God calle hom youre herte: 102/2(xii)

Glade in God this solempne fest: 102/2(xi)

Glory unto God laude and benysone: 181/2

God made Adam the fyrst day of the moone: 88/28

God send us the dew of heuen, gratiam spiritus sancti: 172/6(i)+

God that all thys worlde hath wroughte: 88/31

Hayl Mari hic am sory: 2/5

Here begynnythe a dietarye: 67/7

Herkneth to mi ron | As hit telleth con: 86/43

Holi gost thi might | Ous wisse and rede and dighte: 86/40

Hon an thester stude: *86/66

Hounsele gost wat dest thou here: *86/42

Ic am elder thanne ic wes: 4/12

I command sylyns *see* Imperator. I command

[H]i sike al wan hi singe for sorue: 2/4

I wold be mendid if y say mys: 102/2(xxi)

Imperator. I command sylyns in the peyn of forfete: 133/7

In alle thi doyngis thenke on the ende...In eche a synful man: 18/5

In blossomed buske I bode boote: 102/2(ii)

In gyftys large and in love: 88/13

In May whanne Florra the lusty quene: 181/5

In my conscience I fynde: 102/2(xviii+)

In olde tyme it was the manere: 233/2

In the begynnyng of this little werke: 181/4

In the Romayne Jestys wretyn is thus: 185/3

In thine honden Louerd mine | Ich biteche soule mine: 86/78

In this tretis that is callyd gouvernayle of helle: 95/10

Jan. By thys fyre I warme my handys: 88/55

Jhesu Crist al this worldes red: 86/46

Jhesu Crist wes in erthe istunge: *69/1

Jesu that art oure best leche: 95/7

Know er thow knytte: 196/9

Lady swete and milde: 86/41

Lerne bodyly to lyue: 102/2(vi)

Lo this noble and victorious conquerour: 196/48

Loke how Flaundres doth fare: 102/2(xvi)
London, Yorke, Carlell, Kente: 186/15
Lord in thyn angur ubbraide me nowght: 102/3
Loue is sofft loue is swet: 86/67
Lystneth alle that ben alyve: 230/3
Man bewar of wikkid counsaile: 102/2(v)
Man haue hit in thy thought: 102/2(viii)
Mannys soule is sotyl and queynt: 102/2(vii)
Many man is loth to here: 102/2(x)
Many man makes rhyme: *145/3
Musyng upon the resteles bysynesse: 185/2
Naked was his white breast: *45
No mor will i wiked be: 2/8
Nou goth sonne under wode: *20/19
Now hathe ye harde both olde and yonge: 88/32
Now I wolle you tell a noble storye: 185/5
Now welcome somer with thy sonne softe: 181/7+
O mon thu bihode that hic thol: *45
O thowe fers god of armes Mars the rede: 181/6
O vir boght dere, dum vivis: *88/10
Parseley ij li, ysope ij li: *35
Poeta. This solenne fest to be had: 133/8
Pore of spirit blessed be: 102/2(xix)
Rex glorie kynge omnipotent: 133/3
Right noble and reverent ladi, as poetys dyties recordene: Rolls 4
Rose mary ys bothe tre and herbe: 95/7
Selden gifis men dumb man land: 53/7
Stond well moder ounder rode: 86/39
Sum tyme am emperoure prudent and wise: 185/4
Sommer is comen with loue to toune: 86/44
Swete Iesu king of blisse: *86/42
Tarie thou not to turne to God: 18/2
That ilke man wole lerne wele: 102/2(xvii)
The blessinge of heuene king: 86/37
The bodies of all things being as well perfect: 133/2:
The bones of a man ben in noumbyr ccc and xvii: *Rolls 3
The dowte of future force: *138
The herrere degre the more wys: 102/2(xiv)
The life so short, the crafte so longe to lerne: 181/7
The might of the fader almyghty: 14, 87, 99/2
The mon that the hare I met: 86/56
The sothfast pith to impe it in our thought: 230/2
The taxe hath tened us alle: 196/10
Thenke hertely in thy thought: 102/2(xx)
Thenche of the latemest dai: *86/66
Thar the child is kings and the cuerl is alderman: 53/7
There was sum tyme a mon that ad a vyfe: *11/29
This holy tyme make yow clene: 102/2(ix)
This solenne fest: see Poeta. This solenne fest:
Though the perfect knawledge of the domes: 67/3
To Adam and Eve Crist gave the soveraigte: 181/3
To Goddis worschipe that dere us boughte: 18/3
To the perfyte knowlage of the synes of the craft: Rolls 4/3
Urine qwite at morne: *29/15

Welcome ki ke bringe ki ne bringe farewel: 86/71
Wen I thenke on domesdai: *86/66
Whanne alle a kyngdom gadrid ysse: 102/2(xiii)
Where beth they biforen us weren: 86/38
Whereof is mad al mankynde: 102/2(xv)
Who that wole knowe condicion: 102/2(xviii)
Worldes blisse ne last non prowe: 86/53

French

A ceus ki nount lettres aprises: 86/48
A dames e as dammaiseles: 86/24
A deu e ma dame seinte Marie: *86/3
A la feste sui venuz: 4/7
Aue seinte Marie mere al creatour: 86/60
Beaus sire Jhesu Crist eiez merci de mai: 86/69
Ceo est a sauver ki en geniuer: *86/20
Ces moz de lapostele partenent: 20/19
Ceste art est appelle geomencie: 104/14
Ceste some fist seint Edmunde de Pontenye: 20/19
Chescun houme verayment et beste et oisel: 86/4
Counard est ki amer ne ose vilein: 86/68
Dame pour icele ioie merci vous requer: 86/61
De homicides, roberyes, e totes manere felonyes: 154/10
De ma dame du cel chanteray: 2/9
De vue auenture qui auint: 86/26
Deu ne fist ounkes gelous nestre: 86/27
Deu omnipotent si cume ieo crei verement: *86/8
Deus vous dorra grant honour: 86/52
Dis comaundemenz sont. Le premer: *86/2
Douce dame seinte marie virgine: *86/8
Douce sire Jesu Crist ke vostre seint pleisir: 86/64
E mel do ciel: 103/1(I)
En apres deuez sauer: *86/2
En sounge deit fables auoir: 86/23
Encuntre chalde maladie fesuns nus cele: *69/1
Entendez ca vers moi les petiz e les graunz: 86/59
Estraungement | Par est mun quer dolent: 86/29
Gloriouse dame seinte Marie: *86/8
Gloriousse reine heiez de moi merci: 86/62
Hors de seint escripture deuez sauoir: 98/58
I entens composer et declarer la chose...dypocras: 10
Ici ad del vilain | Meint proverbe certein: 86/47
Ieo ay un quer mout let | Qi souent mesfet: 86/28
Il avint ia ke en Flaundres out un chevaler tort: 86/63
Iuer le periceus ki touz iours frit e tremble: 86/65
Jolifte | Me fest aler ad pe: 86/31
Ki vaut verray ami elire: *86/81
Ki vodra savoir le cours de la lune: 193/17
La terre de Inde est issi apelee de Indun: *69/19
Le pere sun fiz chastioyt: 86/22
Omnioun opifex deus qui nos abrutis: *86/8
Oyez seigneurs une demaunde: 86/42
Oyez seignurs pur Deu vus pri: 34/1

Pour chou que al innorant les principes de mon art: 164/29
Presciouse dame seinte Marie | Deu espouse e amie: 86/79
Prestre Johans par la grace deu disum roys: 86/5
Pur suffreite de prud hume met lum fol en banc: 53/5
Pus deyt demaunder si il ounques: *86/1(ii)
Que oil ne veit quor ne desiret: 53/17
Qui chescun jour les dirra jammes desconfes: 86/6
Roume e Jerusalem se pleint: 86/25
Seingneurs ore escontez ke Deus vous beneie: 86/57
Set morteus pecches sount. Li premer est orgoil: *86/1(i)
Set morteus pechez sunt orgoil: 20/22
Set sacremens sount ceo est a sauer: *86/3
Si commencent les set morteus pecches: *86/1(ii)
Si hounques mesprit vers deu: *86/1(i)
Si ils estoit uns frauncs houme ke me vousit entendre: 86/58
Sire dieu omnipotent: *86/8
Un rois estoit de grant pouer: 86/32
Vous devez savoir que il sont iii coses: 164/26

Greek

Βασιλευοντος του Νικεφορου του επικεκλημενου: 6/6

Italian

Geomantia e una sciencia breve da conosere per virtu destrologia: 133/6
Il beato messere santo Ieronimo sechondo che dice nella fine: 180/3
Io non soe altutto bene certamente sio faroe alcuna utilidade: 224
La sustanza del cielo o che sia le medesima: 139

Portuguese

Quem faz é quem diz é nominativo: 26/6

Index of Manuscripts Cited in Digby Catalogue and Notes

INDEX OF NAMES IN DIGBY
CATALOGUE AND NOTES

The limited purpose of this index is to index mainly names and a few titles in the supplementary Notes to Macray's catalogue. It also contains a few collective headings. It does not duplicate entries in Macray's index. Macray was very inconsistent in choosing entry words: he entered some authors under forenames but others with a similar kind of name under surnames or place names (e.g. 'Insulis, Alanus de' and 'Villa Nova, Arnoldus de'). In a belief that less confusion would result if Macray's forms were taken over into the present index rather than if consistency were imposed, Macray's entry words have been used, with a reference from an alternative form. Authors and translators names are in bold, with medieval names normally under forenames but also under a surname if a genuine one appears to exist. Titles are in italic and subject-headings are in small capitals. d. = donated; dec. = decorated; h. = hand in; o. = owned; wr. = wrote all or part of. The absence of such a letter or letters means that the name is simply referred to; in multiple entries these come first, followed by a semicolon. A '+' after a number indicates that the name will be found after the note with that number. The historical county names of England are used, not those of modern administrative divisions.

Abell, William: dec.? 227

Abhomadi Malfegeyr: 104/10, 215/8

Abu Ma'sar: 68/8

Abingdon, Berks., Ben. abbey: o? 96

Abingdon Missal Master: dec. 227

Abraham Abenezra: 40/5

Accursius of Parma: 215/2

Acta [suppositi] concilii Caesareae: 63/16

Acton (Athon), John: 186/24

Adam

of **Dore**: attrib., 65/38

de **Marisco**: 67/29

of **Nutzard**: 100/8, 100/21a

of **Buckfield**: 55/1*, 55/3?, 55/24

Adelardus Bathoniensis: 11/10, 68/8, 98/17, 174/3, 178/11, 191/1

Aegidius Romanus: *see* **Columna**

Aglanby, Thomas: n. 95

Agliati family, arms: 130?

Ahmed ibn Yusuf: 168/36–7, 174/4

Ailredus Rievallensis: 218/5

Akerton, Marcellinus: 217

Alanus

de **Insulis**: *see* **Insulis**

de **Syreb'** (Shirburne): 174/16+

Albanus Somniator: 186/21

Alberic of London: 221/2

Albertus

Mag.: 13/2; attrib., 119/45, 162/4; Ps.-, 95/8(i)

de **Orlamunde**: 150/1

Albubecy Arazi: *see* **Rasis**

Albumasar: 93/1, 161/4, 210/1(ii)

Alexander

of **Aphrodisias**: attrib., 153/2

of **Hales**: 92/9–10

Nequam: *see* **Neckham**

de **Villa Dei**: *see* **Villa Dei**

Alfarabi: 76/6, 217/12

Alfraganus: 92/2?

Alfred of Sareshel: 17/25; wr. 204/10(v)

Algazel: 29/41

Alhazen: 15/6, 215/8?

Alicia de Docking: 174/16+

Alkanderinus: 38/6

Alkindi: 40/3, 217/1

Almagest: see **Ptolemy**

Al-Narizi (Anaritius): *see* **Anaritius**

Alphita: 69/11

Alphonsus Dionysii de Ulispona: 236/6

Alphonsus, Petrus: 3/2, 3/13, 11/23, 86/22

Altercatio Hadriani et Epicteti philosophi: 11/22, 88/3, 196/78

Alyard, Mag. Edmund, of Oxford: 150

Ambrosius Autpertus: 20/10

Anaritius (Al-Narizi): 67/3–4, 168/28

Andreas, *medicus*: 79/4

Anselm, abp.: 158/3, 158/5–24, 33/11; Ps.-, 191/15

Antonius Musa: 29/10

Apuleius, Ps.-: 69/6

Aquinas, Thomas: 204/7

Archimathaeus: 79/9?

Archimedes: 168/23, 174/4

Aristotle: 204/10(ii); comm. on (Ps.-), 25; Ps.-, 38/6

Arnaldus

    de Villa Nova: *see* **Villa Nova**

    de Quinquempoix: 212/12

Arnoul de Provence: 220/10

Ars dictandi: 64/2

Arzachel: 20/3, 20/5, 215/6

Aschenden, John: *see* Eschenden

Asheley, Anthony: 81

Ashton, Brian: 40

Athon (Acton), John: *see* **Acton**

Augustine, St.: 104/52, 64/2

Averroes: 29/41

Avicenna: 29/22, 29/41; Ps.-, 76/5

Bacon

    Robert: 204/9

    Roger: 119/34; Ps.-, 167/22, 183/3, 202

Bale, John: 96

Bartholomaeus

    de Ferrara: 29/24

    Salernitanus: 79/4?, 79/6

Basil: 6/3

Bate, Henry: 48/12

Battle, Sussex, Ben. abbey: o. 157?

Beaumont family, arms: 86

Bede, Ps.-: 104/52

Bell, George (of Lincoln?): 98

Benson, Ellen: 40

Bernard

    of Clairvaux: 163/4; 134/1; Ps.-, 33/10

    de Gordonio: *see* **Gordonio**

    Silvestris: 46/1

Bertrandus: 79/13

Biket, Robert: 86/26

Blackwall, John: o. 32

(Le) Blame des femmes: 86/30

Boethius: 98/1; Ps.-: 56/8, 76/7, 92/11, 98/1, 174/16+

Bonaventura: attrib., 11/30

Bourth, Roger: 2

Bovill, George: o. 124?

Bowtell, —: 95

Bowyer, Edmund: o. 124

Brabason

    Merget: 230

    Roger: 230

Brackendale (Breckendale), Nicholas of: 100/22, 100/25

Bradwardine, Thomas: 154/12(ii)

Bray, —, of Lincoln?: 98

Bredon, Simon: 15/4, 178/4?; h. 168, 176, 179

BREVIARY: 3/1, 129. 178

Bridlington, Yorks., Aug. priory: o. 53

Brito, William: 5?, 11/21?, 204/8

Brode, John, jr.: wr. 181

Brytte, Walter: 15/4, 48/8, 93/6, 98/24

Bulcombe, —: 93/15+

Bull, W.: 95

Burgo, Gualterus de (Walter of Peterborough): 166/50

Burley, Walter: 2/11, 24/3, 77/10–13, 104/16, 172/1, 172/2?; 2/11; attrib. 206/2

Bury St Edmunds, Suffolk, Ben. abbey: o. 109

Caerlyon, Lewys: *see* **Lewys**

Caesarea, Council of: 63/16

Caius: *see* Keys

Cambridge, Clare College: 178, 183

Campanus of Novara, Johannes: 191/1

Canterbury, Kent

    Ben. cathedral priory of Christ Church: 184; o. 4, 5?, 13, 28, 92, 222

    Ben. abbey of St Augustine: o. 159, 174

    Dom. convent: o. 203

    Fran. convent: o. 153

Carey, —: *see* Karey

Carver, Pers: *see* Kerver

Castri goet: 167/22, 183/3, 202

Chamberlayne, Robert: 34

Chapleyne, Thomas: 26

(Le) Chastie-Musart: 86/30

Chierico, Francesco d'Antonio del: *see* Francesco

Cicero, Marcus Tullius: 130/3+

Clement of Lanthony: 20/13

Coke

    John: 157

    John, of Lincoln: 98

    William: 157

Col(l)ston, John: 176

Colshill, Robert: 83

Columbanus Prophecy: 196/6

Columna, Aegidius de (Aegidius Romanus): 150/10

Colworthe, Thomas, of London: 88/23

Colyng, John: 73/5

Constantinus Africanus: 29/41, 69/7–10

Costa ben Luca: 17/26

Cotton, Sir Robert: o. 76, 96, 178

Cupho: 29/41

D<...>, Edward, of Lincoln?: 98

Dackomb, Thomas: o. 31

Danby, Robert, OSA of Bridlington: 53

Danck, Johannes: 97/37

Daniel, Henry: 75/2, 95/7

Darmarios, Andreas: o. 6

BODLEIAN LIBRARY

QUARTO CATALOGUES

IX

DIGBY MANUSCRIPTS

Appendix

An Edition of Thomas Allen's
Catalogue of his Manuscripts

by

A. G. Watson

APPENDIX

Thomas Allen's Catalogue
Introduction, and Edition

In an appendix to his catalogue of the Digby manuscripts Macray published brief descriptions from Thomas Allen's 1622 catalogue in MS. Wood F. 26 (pt.1 = *SC* 8488) of fifty-five manuscripts, known to have passed from Allen to Digby, which he was unable to identify among the Digby manuscripts, and five which he traced among the Cotton manuscripts in the British Museum. In 1949 Neil Ker identified another twenty-six of which four were Digby manuscripts.[1] In the early 1970s the present editor found that he was able to add a sufficient number of others to make a full edition of Allen's catalogue seem worth while and he agreed with Richard Hunt, then contemplating a revision of the Digby catalogue, that an edition of Allen's catalogue should be published as an appendix to the revised catalogue. Since no comprehensive study of Allen as a collector of manuscripts had been published, a biographical introduction was envisaged; in the event, that was, with Hunt's approval, published elsewhere.[2] The introduction to the present volume summarizes only certain points in it and in general readers are referred to Watson, 'Allen' for further information.

Allen's catalogue is written in a tall, slim paper booklet, 305 x 100mm in size, containing vi+46 pages, i.e. thirty pages of catalogue, some pages of supplementary notes and a few blank leaves. Some fourteen pages of the catalogue are in the hand of the Oxford scholar Brian Twyne (d. 1644)[3] and the rest are in an unidentified hand. Twyne wrote the descriptions of MSS Folio 1–50, Folio 62–Quarto 7, Quarto 46–58, Octavo 24–46; the other hand wrote Folio 51–61, Quarto 8–45, Quarto 59–Octavo 23, Octavo 47–Sextodecimo 16 (the end). Apart from his handwriting, and occasional lapses in Latin spelling and grammar, the unidentified assistant's descriptions are almost indistinguishable from Twyne's and it is reasonable to suppose that all had been drafted by the latter. Although much annotated by a later user, Gerard Langbaine the Elder of Queen's College, the catalogue entries bear few alterations except Twyne's occasional corrections to his assistant's work, and Twyne's work on these difficult texts had clearly been thorough. For its day, indeed, the catalogue is admirable both in fullness and in accuracy. Only the description of MS. Digby 86 is seriously inadequate, the eighty-one separate items identified by Macray being represented by only six heads in Twyne's description at Octavo 1. If Twyne was defeated by it the modern cataloguer can feel a good deal of sympathy for him but perhaps he was just not very interested in the contents.

Twyne probably made the catalogue for his own use. At the end of the booklet, on pp. 35–41, he made excerpts, noting titles that interested him. Recent rebinding has revealed that these leaves are not part of the main booklet: they form a separate quire and are indeed written on paper that had, at least partly served as the outer cover of a letter to Twyne. After his death other Oxford scholars found the catalogue useful—among them Anthony Wood (d. 1695), with whose papers the booklet was preserved and who, as he tells us on p. v, perused it in 1674 and intended to peruse it again 'more severely.' Langbaine seems to have made much use of the catalogue. He it was, at least, who turned it into an efficient finding-aid by annotating it with numbers and symbols. He explains them on p. vi and they enable the user to convert the Allen/Twyne size and number references to Bodleian Digby numbers and to see which manuscripts he had been unable to find.[4]

The catalogue, written when the manuscripts were still in Allen's hands, records the volumes in Folio, Quarto, Octavo and Sextodecimo groups, each with a number within the group. Coming to the manuscripts twenty or thirty years later, when almost all were in the Bodleian, Langbaine added the Digby numbers in square boxes in the margin of each page (always in the outer and sometimes in the inner margin as well).[5] In this edition the square boxes are replaced by round brackets. If he could not find the book among the Digby manuscripts, either because it had been retained by Digby or because it had been stolen (he did not know which), he marked it with a symbol which, at first neatly drawn on p. vi, where he explained these matters, looks like a square divided into four compartments but which, when hastily written in the catalogue itself, tends to consist of three vertical stokes crossed through by two horizontals, or of two verticals crossed by three horizontals (represented here by #). On p. vi he indicates a third symbol, probably a trefoil (represented here by ♣), intended to represent a volume which he could not lay hands on because it had certainly been retained by Digby (see Introduction p. 3 above). He used it only five times and on four of these occasions he should certainly or almost certainly have used #: MSS. Folio 57 and Quarto 8, now Paris, Université, MSS. 599 and 790 respectively, were indeed taken to France by Digby; MSS. Folio 4 and Folio 51, now MSS. Digby 235 and 236 respectively, were not acquired by the Bodleian until 1825 and had evidently been in France, most probably because Digby had taken them there. The fifth manuscript marked with the trefoil symbol should not have been so marked. Langbaine found several parts of it and his symbol is found only against MS. Folio 5—doubly wrongly, since if he had used any 'missing' symbol at all he should have used #. Langbaine probably found his task quite difficult (as indeed a modern editor would without the help of his annotations) and it was not made easier by two bad muddles in the order of the entries in the catalogue. Although the descriptions are good and the layout on the whole neat, some confusion overtook the numbering of MSS. Folio 61, 62 and 63, which Langbaine had to subdivide into 61a and 61b, 62a and 62b, 63a and 63b, and this confusion is reflected in the order of the entries on pp. 6–8 of the catalogue. Another muddle is evident on pp. 16–17, where Twyne's assistant produced a strange sequence, 40, 86, 41, 89, 42, 90, 43…, and on pp. 18–20 where the order is 61, 84, 62, 88, 63, 64, 85, 65, 87, 66….

It will therefore be understood that in spite of the merits of the iden tifications of the items in the manuscripts listed, the catalogue is not a finished product. In an attempt to give the 'flavour' of it, it is presented here with a minimum of editing. None of the writers was consistent in using i and j, u and v, ae and æ, oe and œ, & and et, in abbreviating ordinal numbers or writing them out in full, or in their capitalizing, spelling and punctuation. These inconsistencies are reproduced. Astrological and astronomical symbols, whether used as nouns or as adjectives, are, however, turned into words, 'S' is always expanded to 'Sanctus' or 'Sancta' and '&c.' to 'etc'. Abbreviated words of which the expansions are not in doubt are silently expanded but in cases of doubt an apostrophe replaces the expansion. In a number of places parts of titles are bracketed together to avoid repetition of a shared word; for example, in the description of MS. 4° 3 (partly illustrated in pl. 82 in Watson, 'Allen'), the bracketed words have been laid out thus: 'Tabula Locorum, Motuum, Æquatorium, Planetarum' with commas inserted for the sake of clarity.

In laying out the text bold lower case letters have been inserted to distinguish items within a description. Regardless of whether Langbaine's numbers and symbols appear in the right or the left margin, they are all printed here to the left of the entry.

The following symbols are used:

α   precedes an entry written by Brian Twyne.
β   precedes an entry written by Twyne's unknown assistant.
ξ   precedes an entry written by Gerard Langbaine.
ψ   precedes an entry written by Anthony Wood.
[ ]   enclose editorial insertions, including letters omitted by the writer.
< >   enclose letters or words affected by damage, whether deliberate or accidental.
« »   indicate short insertions into the text by the writer or a contemporary corrector.
( )   are used only to represent Langbaine's 'boxes' round Digby numbers, for which see above.

All manuscripts referred to are Bodleian manuscripts, unless otherwise indicated.

NOTES

[1] 'Thomas Allen's manuscripts, *BLR*, 2 (1949), 211–5.

[2] Watson, 'Allen'.

[3] On Twyne see *DNB*.

[4] The catalogue continued to arouse interest. In 1728 Thomas Hearne recorded that he had been 'to the Ashm. Museum, and perused among Ant. à Wood's MSS. the Catalogue of old Mr Thomas Allen's MSS.…Dr Langbaine compared this catalogue with that of those in Bodley, and marked in this Catalogue what were there & what were otherwise disposed of…The said Catalogue belonged, as I take it, once to Dr Langbaine, or rather to the [university's archives in the] School Tower, where I suppose the Dr met with it among Mr Twyne's papers, as Ant. à Wood did, as I take it, afterwards, and 'tis very probable that Antony conveyed it off from thence' (*Remarks and Collections of Thomas Hearne*, 10, OHS, 67, 1915, 22–3).

[5] Parts of pp. 8 and 9 are reproduced in Watson, 'Allen', pl. 82.

Catalogue of Thomas Allen's Manuscripts, 1622

[BODLEIAN MS. WOOD F. 26, PT. 1]

[*Pp. i–ii, now missing, were a modern flyleaf: pp. iii–iv are an original flyleaf.*]

[p. v]   ξ   Catalogus Manuscriptorum magistri Thome A<lleni> de Aula Glocestre<n> Oxon.

       ψ   I perused this in Feb. 1674. But it must be perused againe more severely.

[p. vi]   β   Catalogus librorum in bibliotheca quondam Douernie no. 775 755 [*sic*][1]

   ξ   Collatione instituta inter hunc Catalogum et eum quem una cum libris (qui erant olim Thomæ Alleni) quos Bodleianæ Oxon. Dono dedit Honoratissimus Eques Kenelmus Digby: qui nunc in Bodleiana visuntur

[ ]   et quo quisque loco reperietur [*sic*] uncis inclusimus [ ].

   #   Qui autem illic non extant, sed vel Dominus Digby sibi reservavit, vel forte alio distracti sunt sic notavimus #.

   ♣   sunt et alii, quos in suum catalogum, quasi ad universitatem transmissos, retulit: nec tamen cum reliquis una recepti sunt, quos [*sic*] ♣ notavimus

Ger: Langbaine.

Qui in hoc sequenti Catalogo notantur numeris hic su[b]scriptis, ij omnes (quantum hactenus deprehendi) in Bodleiano desiderantur. [*There follows a series of numbers, drawn from the catalogue, indicating the missing manuscripts.*]

[p. 1]   α   Catalogus manuscriptorum in Bibliotheca magistri Thomæ Allen Aulæ Glocestriae Oxon' anno Domini 1622.

MS. in f°.

   ξ   Quos Parallelogrammis, hinc inde inclusimus in Bodleiana Oxon' inter libros Digbeianos habentur locis hic designatis.

1   α   Lydgates workes.
(230)   Digby 230.

2   α   **a** Egidius Romanus de Regimine Principum and **b** Vegetius de Re Militari Anglice translated
(233)   by Langton.
       Digby 233.

3   α   **a** Merlini Vaticinia **b** De Mirabilibus Britanniæ **c** De situ Hiberniæ **d** Abbreuiatio de gestis
(vide 168)   Normannorum **e** Qualiter Dani subiugarunt Franciam **f** Episcopatus Angliæ cum nominibus Episcoporum pagina 29 **g** Annales de gestis [*next four words bracketed*] Britonum, Saxonum, Danorum, Normannorum, pagina 67 **h** Chronicon Thomæ Wycke de Osney.

     BL, MS. Cotton Tiberius A. ix, fols. 2–106, ss. xiii–xiv. The computistical tables on fols. 104–6 (item 11) have Allen's '3' and 'Tho: Allen' at the top of fol. 104, suggesting that in his time they came before **a**, but in the 'Cotton' contents-list in Richard James's hand at the front the items are shown in their present order.[2] The contents show that the manuscript came from Osney Abbey. In MS. Twyne 21, p. 532, Twyne refers to it as 'Ex Fragmento cuiusdam Chronici Authoris Anonymi Monachi Osney quod M. Tho: Allan inuenit in Bibliotheca M. Henrici Ferres [*sic*].[3] According to Sir Robert Cotton, Allen promised to give him the manuscript as early as 1621 but the earliest Cotton catalogue in which it appears is BL, MS. Add. 36789 of *c.* 1630 and it may not have been transferred until shortly before that (cf. note on MS. Cotton Vespasian A. xii, MS. 8° 18 below).[4] On fol. 1 is 'Liber Johannis gunthorp decani ecc<lesiarum Bathon' et> Wellen' emptus apud Westmonasterium viij^um Junii 14 <...> de J. Barett pro x solidos.'[5]

4   α   Rogeri Bacon Opus Maius.
♣   Digby 235.

5   α   Idem de laudibus Mathematices.
♣   Digby 218, fols. 98–103.

6   α   **a** Computus Leycestre **b** Quatuor primi Libri Julij Firmici de Astrologia **c** Introductio Abrahæ
(212)   Avenazre ad Judicia Astrorum **d** Idem de planetarum coniunctionibus et annorum Revolutionibus
               e Idem de Racionibus per Petrum de Padua **f** Eiusdem Questiones.
               Digby 212.

7   α   Philippus Prior de Miraculis Sanctæ Frideswydæ Virginis Oxon.
(177)   Digby 177.

8   α   Robert of Gloucester his Poems Anglice.
(205)   Digby 205.

9   α   **a** Roberti Lyncolniensis de Intelligentijs **b** Idem de Cessatione Legalium **c** Eiusdem Exameron
d Chronichon de Anglia, et rebus in ea gestis, et illius Regibus **e** Speculum Curatorum.
               Oxford, Queen's College, MS. 312, s. xiv. On fol. 1 is '9'. On fol. 122ᵛ is an erased inscription,
               'W<...> fratre ordinis Minorum et valet hic liber xlvis viijd.' In a medieval binding of boards
               covered with leather.

10   α   Alexandri Nechkam Scintillarium **b** Idem super Martianum **c** Hermes de 6 Rerum principijs
(221)   **d** Incertus Author de Natura Deorum.
               Digby 221.

11   α   Epistolæ Gregorij.
(214)   Digby 214.

[p. 2]

12   α   **a** Vitæ Pontficum Romanorum Archiepiscoporum Cantuariensium Episcopi soli Romani Pontifici,
et nulli aliæ Provinciæ subiecti **b** Brutus de Gestis Anglorum **c** Chronicon aliud de Regibus
ξ Reade   Angliæ. Omnia hæc sub nomine Willielmi Reade.
               BL, MS. Cotton Julius B. iii, paper, s. xiv. On fol. 3 are 'Tho: Allen', his number '12', and the
               Digby/Allen inventory number 'A.226.' On fol. 3 are also 'Kenelme Digby'; and, in Cotton's hand,
               'Roberti Cottoni ex dono 1631[?].' (The last figure is partly obscured by a repair strip: the date
               may be 1630.) The sequence of owners is puzzling. Since Cotton died in May 1631 before Digby
               had received Allen's manuscripts and was in a position to write 'A.226' on this one and since it
               came to rest in the Cotton Library and not in the Bodleian, it is likely that Cotton acquired
               it from Allen, that he presented it to Digby in 1630 or 1631 in the knowledge that Allen was
               going to give his manuscripts to Digby,⁶ and that Digby returned it to Sir John Cotton once
               he had decided to part with his manuscripts to the Bodleian. On fol. 3 is 'Istum librum compilauit
               magister Willelmus Rede tertius episcopus Cicestrensis'.⁷ There are 'Parkerian' red underlinings and
               asterisks *passim* and the contents-list on fol. 2ᵛ is probably in the hand of George Ackworth, one
               of Abp. Parker's secretaries.⁸ On fol. 2 is a coat of arms, vairy arg. and sa., the arms of several
               branches of the Warde or de la Warde family (and perhaps of Late-Warr or Late-Ware?), above
               it 'Richardus Late-Ware' and below it 'Rebus lapsis, hæc sola supersunt.'⁹ On fol. 1, a parchment
               flyleaf, is 'Georgius Freuell' (s. xviᵉˣ).

13   α   **a** Regulæ Domini Roberti Grostest traditæ Comitissæ Lyncolniensi pro administratione familiæ
(204)   **b** Robertus Kylwarby de ortu & diuisione scientiarum **c** Summula Dialectices Rogeri Bacon
ξ Bacon   **d** Thomas Hawkyn de fallacijs **e** Thomas de Wyke de fallacijs **f** Syncategoremata Fratris Roberti
               Bacon **g** Extracta Fratris Nicholai [*sic*] de Stangtona ex libro Physicorum Aristotelis **h** Incertus
               Author de Cœlo, et Mundo **i** Quæstiones Magistri Willielmi Bonkey de Meteoris, et de Cœlo
               et Mundo.
               Digby 204.

14   α   Lyncolniensis de Cessatione Legalium.
               Perhaps MS. Arch. Selden. B. 8, fols. 303–13, s. xviiⁱⁿ. Fols. 1–12 belonged to John Dee (Roberts
               & Watson CM24).

15   α   **a** Avicenna de Anima, qui dicitur Clavis sapientiæ majoris in Alchimia **b** Varia Tractatus Chymici
(219)   **c** cuiusdam Thomæ de essentijs Rerum.
               Digby 219.

16   α   Quæstiones Theologicæ Magistri Nicholai de Sandwyco Oxoniæ collectæ.
(216)   Digby 216.

17
(218)

α   Consolatio Peccatorum per Jacobum de Theramo.

      Digby 218, fols. 25–56.

18
(197)

α   **a** Herbarium Incerti Authoris **b** De Antidotis, et Medicamentis Incerti Authoris **c** De Anatomia Incerti Authoris.

      Digby 197.

19
(188)

α   Res gestæ a Francis, et Anglis pro sedando schismate inter Antipapas.

      Digby 188.

20
(184)

α   Opera quædam Sancti Hieronymi.

      Digby 184.

21
(200)

α   Tractatus Richardi de Sancto Victore in quosdam Psalmos.

      Digby 200.

22
(206)

α   **a** Moralizatio Prioris Sancti Eligij de mirabilibus Mundi **b** Problemata Aristotelis **c** Tabula super Aphorismos Ursonis **d** Excerpta ex Aphorismis eiusdem **e** Tabula super Problemata Aristotelis, et super Canonem Avicennæ **f** Tabula super sermones Bernardi **g** Distinctiones Januensis.

      Digby 206.

[p. 3]

23
#

α   Sanctus Hieronymus in Minores Prophetas.

      Digby 213.

24
(226)

α   Gilbertus Altisiodorensis in [*next words bracketed*] Esayam, Jeremiam.

      Digby 226.

25
#

α   Glossarium Saxonicum.

      BL, MS.Cotton Otho E. i, s. x/xi. Excerpts by Brian Twyne from this manuscript in MS. Add. C. 250 (*SC* 30278) are described as 'Ex Saxonico quodam Glossario Magistri Allen.' Wanley, perhaps on Twyne's authority, also ascribes ownership to Allen.[10] Now a fragment of only 13 leaves: for description see Ker, *Catalogue*, no. 184.

26
(165)

α   Vita Sancti Hugonis Episcopi Lyncolniensis libri 5. Authore forsan Syluestro Gyraldo Cambrense.

      Digby 165.

27
(102)

α   Pierce Plowman.

      Digby 145. Langbaine's annotation is wrong: MS. Digby 102 is Allen's MS Quarto 41.

28
#

α   Pars prima Granarij Johannis de loco Frumenti, seu Whethamsted Abbatis de Sancto Albano.

      BL, MS. Cotton Tiberius D. v, part 1, s. xv. On fol. 1 is '28'. This is part 2 of the *Granarium*. No. 29 below is part 1.

29
#

α   Altera Pars eiusdem.

      BL, MS. Cotton Nero C. vi, s. xv. On fol. 1 is '29', although this is part 1 of the *Granarium*: see 28 above.[11] In an illuminated border on fol. 1 are two coats of arms, one of St Albans Abbey and the other of Bury St Edmunds Abbey. Both books probably originated in the St Albans scriptorium. There are many marginalia in a hand of s. xvi^med and occasional marginalia in John Bale's hand. In MS. Twyne 22, fol. 226, Brian Twyne says of both parts, 'in Bibliotheca Magistri Allen: fuerunt duæ aliæ partes apud officium Garbrandi ubi Mr Allen hos libros coemisse se dicit, 50 abhinc annos. sed duo alia volumina furto surrepta fuerunt, antequam ea coemere potuit. Fuerunt autem libri publicæ Bibliothecæ Universitatis Oxon.' These were not, however the volumes given to the University Library by Duke Humfrey: the incipits and secundo folios of the surviving volumes differ from those of Duke Humfrey's volumes.[12]

30
#

α   Rolandi Reductorium Physiognomiæ.

      Perhaps Oxford, St John's College, MS. 18, s. xv, given by Sir William Paddy in 1634. On fol. 1, in shorthand, is 'Hnry. Savil': no. 3 in the catalogue of the manuscripts of Henry Savile of Banke.[13]

31
(202)

α   **a** Opuscula quædam Medicinalis Michaelis Securis una cum **b** quibusdam opusculis Rogeri Bacon, scilicet De retardanda senectute etc. cum **c** Paraphrasi eiusdem Securis etc.

      Digby 202.

32
(191)

α   **a** Euclidis Latinè cum Commentarijs Campani, cum **b** quodam Incerti Authoris Tractatu Geometrico, & **c** de Musica, et **d** Practica Geometricæ, et **e** Computo.

      Digby 191, fols. 1–78.

33   α   **a** Excerpta Incerti Authoris, de Berwyco et Nouo Castro etc. **b** Vaticinia Thomæ [*sic*] Bridlington,
(186)   cum glossario Carmine **c** Prophetia Galfredi Eglyn **d** Alia cuiusdam Incerti Authoris Vaticinia.
                      versu **e** Excerpta ex Gulielmo Malmesbury de Antiquitate Cœnobii Glastoniensis, scilicet de
                      Rege Arthuro **f** Tractatus de origine Gigantum in Insula Albion **g** Prophetia unius Sybillarum
                      etc **h** Aliud Vaticinium de Rebus Anglicis Incerti Authoris. versu. cum glossario **i** Narratio
                      de quibusdam Angliæ Regibus incipiens a Richardo j° **j** Constitutiones Othonis Legati in Anglia
                      cum Commentario Johannis Acthon Canonici Lyncolniensis.

                           Digby 186.

34   α   **a** Sextus de naturalibus Avicennæ **b** Sufficientiæ Avicennæ **c** Liber Auendauth de Universalibus
(187)   assumptus ex quinto Metaphysicæ Avicennæ **d** Alkyndus de 5 Essentijs ex verbis Aristotelis
                      Abstractus **e** Platonis Timæus cum quodam Glossario **f** Ysaac de Difinitionibus translatus a
                      Magistro Gerardo Cremonensi in Toleto **g** Tractatus Jacob de Rationalitate **h** Alexander Philosophus
                      de Intellectu, et Intellecto iuxta sententias Aristotelis translatus de Græco ab Jsaac filio Johannicij
                      i Logica Algacelis Arabis **j** Liber Alkyndi de Intellectu, et Intellecto **k** Amaometh Discipuli
                      Alkyndi Introductorium in Artem Logicæ Demonstrationis **l** Averroes de Substantia Orbis
                      m Avicennæ Metaphysica. Imperfect.

                           Digby 217. Langbaine's annotation is wrong: MS. Digby 187 is Allen's MS. Folio 52.

[p. 4]

35   α   **a** Alredus Abbas Rhievallensis de vinculo perfectionis, et **b** Collatio Abbatis Cheromonis.
                           Digby 218, fols. 70–91.

36   α   **a** Algorismus, cum Tractatu Arithmeticæ, et Lyncolniensis de Iride **b** Almagesti imperfecti Pars
(190)   **c** Computus Lyncolniensis **d** Lyncolniensis sphæra **e** Alpetragius de Motu Corporum cælestium.
                           a–b Digby 190, fols. 128–210; **c–e** Digby 191, fols. 103–67.

37   α   Alredus Abbas Rhievallensis de Spirituali Amicitia.
(190)   Digby 190, fols. 54–65.

38   α   Johannes Peckham, siue Cantuariensis Perspectiua.
(218)   Digby 218, fols. 1–24.

39   α   Tractatus Rogeri Bacon de Principijs naturæ.
(190)   Digby 190, fols. 29–37.

40   α   Tractatus, qui inscribitur Doctrina Roberti Episcopi Lyncolniensis.
(191)   Digby 191, fols. 168–72.

41   α   Tractatus in illud, Rorate cœli, etc.[14]
(172)   Digby 172, fols. 55–77.

42   α   **a** Johannis Sarisburiensis Polycraticon de Nugis Curialium, et vestigijs Philosophorum **b** Arnulphi
(209)   Lexoviensis[15] Epistolæ **c** Epistolæ Sidonij **d** Excerpta ex Epigrammatis Martialis.
                           Digby 209.

43   α   **a** Fragmentum Rogeri Bacon de Erratis Theologorum. Et **b** de Rerum generationibus.
Digby 218, fols. 57–69.

44   α   **a** Summa Lyncolniensis super totam Philosophiam **b** Albertus de causis, et processu Universitatis
(220)   a causa j[a] **c** Burley de divisione scientiarum.
                           Digby 220.

45   α   **a** Quadripartitum Rich'[16] Wallyngford Abbatis Sancti Albani; cum **b** tractatu Incerti Authoris
(190)   de motu.
                           Digby 190, fols. 90–127.

46   α   Excerpta ex Epistolis Roberti Lyncolniensis.
(218)   Digby 218, fols. 92–97c.

47   α   Liber Chartarum Prioratus Sanctæ Frideswydæ Virginis Oxon. «in Bibliotheca Collegii Corporis
Christi Oxon».
                           Oxford, Corpus Christi College, MS. 160, ss. xiii–xiv. On fol. 1 is 'Tho: Allen'. On fol. [ii] is
                           'Br: Twyne' and on fol. [ii]ᵛ 'Liber Bryani Twyne ex dono clarissimi et unici amici sui Magistri
                           Thome Allen...5° Julii 1624.'

48
(193) α **a** Tractatus de Theorica Planetarum **b** Tractatus Petri Peregrini de natura Magnetis **c** Johannis de Sacro Bosco de sphera, cum Commentario Incerti Authoris, vel potius expositione **d** Incertus Author in compotum Johannis de Sacro Bosco **e** Marbodius [*sic*] de Sculptura gemmarum **f** Liber Cethel de Naturali Sculptura gemmarum, et earum significatione **g** Algorismus incerti Authoris.

> Digby 193.

49
(179) α **a** Ptolomæi Quadripartitum cum Commentario Haly: **b** Translatio eiusdem operis Ptolomæi per Simonem Bredon, ut conijcitur [*sic*].

> Digby 179.

50
(143) α Tractatus Johannis Robyns de ortu, et occasu stellarum fixarum.

> Digby 143, fols. 1–63.

[p. 5]

51
(236)
♣ β **a** Platonis Parmenides, cum commentarijs Procli **b** Tractatus incerti Authoris de providentia et fato, translatus de græco in Latinum, Corinthi Anno Domini 1280 per Gulielmum de Morbeck Archiepiscopum eiusdem Loci **c** Epistola Auerrois, quæ intitulatur, qualiter possit Deus singula scire **d** Eiusdem tractatus de perfectione naturali intellectus secundum mentem philosophi **e** Eiusdem alius tractatus super demonstratione Aristotelis de jᵃ causa etc.

> Digby 236.

52
(187) β Quæstiones Theologicæ admodum subtiles Authore incerto.

> Digby 187.

53
(192) β Raymundi Lullij Ars Demonstratiua.

> Digby 192.

54
β Tractatus de re medica, incerti Authoris Oxoniensis.

> Not found.

61a[17]
(198) β Tractatus quidem Fortescue Judicis in Jure muncipali [*sic*] Angliæ.

> Digby 198.

55
(196) β **a** Marcus Paulus Venetus[18] de conditionibus et consuetudinibus Orientalium **b** Descriptio vrbis Romæ cum indulgentijs **c** Liber de proprietatibus Lapidum **d** De adventu Domini et de Andrea Apostolo **e** Prophetia Eusebij Cæsariensis Episcopi **f** Prophetia Aquilæ in monte Shaftesbury **g** Prophetiæ aliæ, versu **h** Breue Chronicon a Bruto ad xxᵘᵐ Ricardi 2ⁱ Anglice **i** De Arca Noe **j** Prophetia Roberti Grossetest' et alia futilia **k** De Bruto Historia **l** Arbor Genealogiæ ab Henrico 3ⁱᵒ ad Edwardum 4ᵗᵘᵐ **m** De locis et ciuitatibus precipuis Angliæ **n** Quantum Archiepiscopi Cantuarienses in Archiepiscopatu vixerunt **o** De Alexandro Magno ex Autoribus diuersis **p** De Adam et sequente ætate **q** De conscientia **r** Primum quærite regnum Dei etc. **s** De 6 ætatibus mundi **t** De vestibus sacerdotum quibus utuntur et quid significent **u** Prophetiæ quædam **v** Ex Polycronico Petro Comestore etc. **w** Synonima adverbia **x** Linea Regalis Angliæ a Gulielmo conquestore Ex Ranulfo Polycratico [*sic*] Agellio et alijs quædam etc. reliquos tractatus quære in sequente pagina [p. 6] **y** Quædam chronica de ecclesijs Angliæ **z** Dimensio terræ plan«e»tarum Anglice **aa** De Britanniæ origine **bb** Breue Chronicon ab exordio mundi **cc** Historia Anglorum ad annum 1065 sed in medio truncata est **dd** Causa exilij Beati Thomæ Martiris **ee** Exempla contra pestem **ff** Anonymi Chronicon Anglorum ad mortem Edwardi 3ⁱʲ **gg** Breuissimum chronicon temporum Ricardi 2ⁱ Henrici 4ⁱ et 5i **hh** Ambassiatus 22° Henrici 6ⁱ **ii** Chronicon breuissimum ab initio Ricardi 2ⁱ ad ixum annum Henrici 6ⁱ Anglice **jj** Proprietates verborum quorundam «Anglice» mensuræ.

> Digby 196.

56
β Registrum quoddam ecclesie Cathedralis Cantuarie.

> Probably BL, MS. Cotton Otho B. xv (Davis, *MC*, no. 205) which was completely destroyed by fire in 1731. That was, in fact, a register of St Augustine's Abbey, Canterbury, not Christ Church, but excerpts from it in MS. James 8, pp. 164–71, are indicated as being copied from an Allen manuscript, and apart from this entry in his catalogue there is no evidence that he owned a Christ Church register.

57
♣ β Summa Logicæ et philosophiae Johannes [*sic*] Dumbleton.

> Paris, Université, MS. 599, s. xiv. On fol. 1 are 'Tho: Allen', 'A.29', '57' and 'Hic est liber publicæ Bibliothecæ Academiæ Oxoniensis.' In Digby's armorial binding. See Introduction pp. 3–4 above.

58
β Gulielmi Worcestrensis variorum Autorum deflorationes.

> BL, MS. Cotton Julius F. vii, s. xvᵉˣ. On fol. 1 is '58' and on fol. 3 is 'Tho: Allen'.

59 β Libri Alchimiæ, Gallice.
(180)
Digby 180, fols. 80–113.

60 β Bedæ Historia ecclesiastica gentis Anglorum.
(211)
Digby 211.

61[19] ξ vide pagina præcedente post 54 et hic infra. post 63.

62a[20] α Tractatus cuiusdem(?) quæstionum Theologicarum.

63a[21] α Vita quorundam Archiepiscoporum Eboracensium Author vetus ξ et vide 63.b, hic postea pagina
(140) abhinc 3[tia].

Digby 140.

61b[22] β **a** Processus modicæ utilitatis de Natiuitatibus **b** Computus Ecclesiasticus **c** Liber Auois Ptolomei
(228) Philosophi **d** Meshala [sic] de intentionibus secretorum Astronomiæ **e** Galfredus de Meldis de
cometa quæ apparuit anno domini 1315 **f** Flores Albumazar Astrolog: **g** Mansiones lunæ quæ
parum valent. **h** Canon exilis [sic] pro Almanak Profacii **i** Computus Lyncolniensis **j** Aristotelis
secreta secretorum ad Alexandrum per quendam nomine Philippum Tripolonitanum **k** Alfragani
Astronomia **l** Tres cycli oppositionum et coniunctionum cum eclypsibus **m** Canon Æquatorii
Magistri Johannis de Liuerijs [sic] **n** Initium libri de imaginibus Lunæ **o** Bradwardyn de
Proportionibus motuum **p** Johannis de Sacro Bosco Sphæra **q** Alius Incerti Authoris tractatus
de sphæra **r** Messahala de significationibus Planetarum **s** Tractatus Magistri Philippi Cancellarij
Parisiensis de Astronomiæ libris licitis et illicitis.

Digby 228.

[p. 7]

62b[23] α **a** Albertanus de lingua **b** Prophetiæ diuersæ **c** Visio quædam Sancti Thomæ Cantuariensis
d Prophetiæ Merlini **e** Prophetiæ Hermetis **f** Tractatus de Confessione **g** Galfredus de Solo
super 9° Almansoris **h** Antidotarius Arnoldi de noua Villa **i** Recepta Magistri Jordani de turro
j Cura mali morbi Magistri Johannis de Turnonia **k** Liber Johannis Jacob de Pestilentia
l Liber virtutum Medicinarum Simplicium per Magistrum Johannem de Sancto Paulo **m** De
Juramentis et nocumentis coitus et quomodo fieri debeat secundum Rasium **n** Item Flebotomia
Magistri R. **o** Practica Puerorum **p** De subtilitatibus Medicorum **q** Regimen preseruatiuum
nec non curatiuum in calculosis «si» paroxysmus affuerit **r** Tractatus de Regimine sanitatis
Aholay Abenar **s** Fen Magistri Geraldi Medici Regis Aragonum **t** Item de febre Pestilentiale
u Preseruatio et curatio Magistri Johannis de Turnonia in febribus pestilentialibus **v** Thesaurus
Medicinæ **w** Compendium Vrinarum **x** Thesaurus Confectionum **y** Preseruatiua et Curatiua
Pestilentiæ **z** De diebus Criticis et de modo numeracionis eorum coniunctim et diuisim
aa Tractatus Magistri Johannis de Burgonia contra Pestilentiam **bb** Tractatus de aquis
Mineralibus **cc** Tractatus de oleis **dd** Tractatus de Syrupis **ee** Item virtutes aquarum predictarum
ff Item de virtutibus oleorum **gg** De virtutibus Syruporum **hh** Tractatus de [next five words
bracketed] Emplaustris, Unguentis, potionibus, cereolis, oleis per lin[im]ent' ad Chyryrgiam
ii Tractatus de [next three words bracketed] Antidotis, Medicaminibus, Passionibus, quæ sunt
a capite usque ad pedes **jj** Item ad decorandas mulieres tractatus .2. **kk** Diuisio materiæ
de pulsibus **ll** Quæstionibus diuersæ Philosophicæ cum solutionibus **mm** De Regimine Acutorum
Magistri Arnoldi de noua Villa **nn** Idem de regimine Quartanæ **oo** Idem regimine Podagræ
pp Magister Johannes de Parma de Medicinis respicientibus diuersos humores etc. **qq** Alius
tractatus de diuersis medicinis **rr** Hippocrates de signis Prognosticis infirmis **ss** Tractatus de
conseruacione sanitatis [p. 8] **tt** Tractatus de diuersis syrupis per lin[im]ent' eidem materiæ
uu Liber de Regimine sanitatis Bernardi de Gordono [sic] **vv** Idem de Regimine Acutorum
ww De causis antecedentibus et coniunctis diuersorum morborum **xx** Arnoldus de Villa noua
de simplicibus medicinis **yy** Tractatus de Graduacione Magistri Arnaldi de noua villa **zz** Expositio
Magistri Johannis de Turnonia super 9[um] Almansoris incompleta.

Not found.

ξ vid: 63.a. hic supra pag. abhinc 3[tia].

63b[24] α Discorso sopra la corte di Roma di Monsignori Illustrissimo et Reuerendissimo il Cardinale
Comendone Vescouo di Zante.

Perhaps MS. Rawl. D. 605, fols. 237–76, paper, s. xvi, a separate quire in the book, written in
an Italian hand. MS. Rawl. D. 647, fols. 77 et seq. contains the same text but are an integral
part of the manuscript and cannot have been Allen's copy.

64 α Roffensis de diuortio Regis Henrici 8[i].
(194)
Not found. 'Roffensis' is John Fisher, bp. of Rochester.

65
(194)

α   **a** Introductio Albumasaris ad scientiam Judiciorum Astrologorum translatus est liber iste per Johannem Hispalensem **b** Exafrenon Prognosticacionis temporum **c** Flores Albumasar **d** Tractatus Dorothei in occultis **e** Zael de electionibus cum quibusdam alijs.

       Digby 194.

66
#

α   **a** An English book of Heraldry **b** Creations of ye Nobility of England **c** Officers of ye Coronation **d** Earle Marshall his office **e** Royall Genealogies «and ye like».

       Not found.

67
#

a   Quadrilogum de Vita Sancti Thomæ.

       BL, MS. Cotton Vitellius C. xii, fols. 158–228, s. xiii^in. On fol. 158 is '67'.

68²⁵
(207)

α   **a** Alfraganus: cum Messahala de Astrolabio et **b** Theorica Planetarum et **c** Lyncolniensi in Posteriora.

       Digby 207.

69
(172)

α   **a** Versus Anselmi Archiepiscopi Cantuariensis **b** Æsopi fabulæ **c** Versus Petri de Riga in Biblia **d** Liber de pœnis Purgatorij.

       Digby 172, fols. 78–142.

70
(190)

α   Fragmentum Rogeri Bacon in Meteora.

       Digby 190, fols. 38–43.

[There is no number 71 in the Folio section of the catalogue but Digby 191, fols. 79–102 has, among other signs of Allen's ownership, '71' on fol. 79 and its size is compatible.]

MS. in 4°

1
(151)

α   **a** Acta Apostolorum cum Glossario vel expositione Jeronymi **b** Lucidarius **c** Alanus Porretanus de modo Praedicandi **d** Excerpta de Papya.

       Digby 151.

2
(163)

α   **a** Tractatus Lyncolniensis de venenis **b** Idem in decem præcepta decalogi **c** Vocabularium ex Catholicis patribus **d** Meditationes Beati Bernardi de passione domini.

       Digby 163.

[p. 9]

3
(59)

α   **a** Vita Sancti Cutberti [*next two words bracketed*] Prosa, Metro per Bedam cum **b** Vita Sanctorum Regum [*next two words bracketed*] Oswaldi, Aidani.

       Digby 163. Langbaine's note is incorrect: MS. Digby 59 is Allen's MS Octavo 35.

4
(168)

α   **a** Ricardi Wallingforde Quadripartitum **b** Alfraganus **c** Simon Bredon in Almagestum Ptolomei opus imperfectum **d** Theorica Campani **e** Ricardi Wallingford Rectangulus **f** Æquatorium Planetarum secundum Magistrum Johannem de Liuerijs [*sic*] **g** Canones Astronomici fratris Rogeri de Cotum **h** Liber Thebit **i** Theorica Rogeri Herefordensis **j** Canones Tabularum Arzachelis ad Toletum Autore Stantono Mathematico Angli [*sic*], ut Baleo visum **k** Theorica planetarum antiqua et Noua. **l** Almenak **m** Fragmentum Alfragani scilicet liber Admeti **n** Tabulæ [*next four words bracketed*] Locorum, Motuum, Æquatorium Planetarum **o** Fragmentum ex libro ex Milei de figuris sphæricis **p** Excerpt' ex libro Thebit Bencore de figura sectore **q** Excerpt' ex libro Ptolomei de arte sphærica **r** Fragmentum Thidei de re Astronomica **s** Excerpt' ex libro qui sic intitulatur, verba filiorum Sekir id est Maumeti Hasen **t** Propositiones libri Autolyci de sphæra motu **u** Epistola Abniafar Ameti filij Josephi de Arcubus similibus **v** Excerpt' ex Alkindo de 5 essentijs **w** Excerpt' ex libro Geber **x** Excerpt' ex libro Ameti filij Josephi de proportione et proportionalitate **y** Excerpt' ex libro Jacob Alkindi de perspectiua **z** Ex libro Thidei filij Theodori Medici de eo quod videtur in speculo et non in speculo **aa**²⁶ Liber Maumeti filij Mosii Altharismi de Algebra etc **bb** Tractatus Euclidis de Speculis **cc** Liber Saydi Abnothini de figuris etc. **dd** Excerpt' ex libro Apolloni de Pyramidibus **ee** Excerpt' ex libro Massahala de causa motu et natura orbis.

       a-y Digby 168, fols. 1–146; **aa–ee** not found.

5
(176)

α   **a** Observationes Willelmi Merle de temperie aeris prognosticanda; et de temperie aeris Oxonie pro septennio **b** Johannis Eschenden prognosticacio cuiusdam eclypsis universalis lunæ et coniunctionis trium superiorum planetarum anno Christi 1345 quæ præterfuit primam pestilentiam; et calculata est hæc prognosticacio per Willelmum Reade **c** Tractatus Magistri Leonis Hebræi de coniunctione

Saturni et Jovis anno Christi 1345 **d** Johannes de Muris de eadem coniunctione [p. 10] **e** Prognosticacio Magistri Galfredi de Meldis de coniunctione Saturni et Jovis anno Christi 1325 et 1345 [et Prognosticacio] Johannis Eschenden de coniunctione Saturni et Martis et Jovis et Martis, et eclypsi lune […]li anno 1349 **f** Prognosticacio [Magistri *to* 1349 *bracketed*] coniunctionis magne Saturni et Jovis anno Christi 1365 quam Magister W. Reade calculauit, et Magister Johannes Eschenden prognosticauit **g** Significacio coniunctionis magna Saturni et Jovis qui erit anno Christi 1365 etc. per Johannem Eschenden **h** Prognosticacio de annis 1369, 1370 etc. Incerti Authoris **i** Tractatus Johannis Eschenden de significacione Saturni et Martis in Cancro anno Christi 1357 **j** Reginaldi Monachi Simplicis Eynesham pronosticacio de eclipsi lunari anno Domini 1363 **k** Notule de Corruptione Pestilentiali **l** Tabula de Mansionibus lunæ **m** Tabulæ de superioritatibus Planetarum secundum Albumasar **n** Tabula de dignitatibus Planetarum **o** Plinius de temporibus **p** Alkindus de Imbribus **q** Tabulæ de qualitatibus graduum 12 signorum **r** Tractatus de pluuijs **s** Almanak solis pro 4 annis per W. Reade anno domini 1337. super meridiem Oxon' **t** Tabula locorum planetarum **u** Almanak Johannis de Alemania iuxta Alfonsinos **v** Almanak Profacij Judæi iuxta Arzachelem **w** Tabulæ in modum Ephemeridum ad meridiem Lundon at Oxon'.

Digby 176.

6
(104)[27]   α   Bernardus de Gordonio Decanus medicorum in studio montis pessulani anno 7 Christi 1303 [*next three titles bracketed*] De gradibus et graduacione. De Ingeniis curandi morbos De diebus criticis et crisi imperfect'.

Digby 104, fols. 124–35.

7
(173)
#
(170)
*
α   **a** Lotharius Diaconus Cardinalis postea dictus Innocentius 3us. De miseria humanæ conditionis **b** Lyncolniensis in mandata **c** Confessio Johannis Tyssingtoni fratris ordinis Minorum contra Wyclefum **d** Determinacio fratris Willelmi Wyddeferi ordinis Minorum contra Johannem Wyclef **e** Bulla Gregorij * papæ ad vniuersitatem Oxoniensem contra Johannem Wyclef cum protestacione et responsione eiusdem Wyclefi ad eandem bullam **f** Determinacio Magistri Johannis Wyclef de Dominio; cum responsio alterius incerti Authoris.

> a–b Digby 173; c–f MS. Arch. Selden. B. 26, fols. 35–94 (*SC* 3340), s. xv. On fol. 94^v is 'Memoriale Petri Fader quondam vicarij Sarum', s. xv. In his *Polycarpi et Ignatii epistolae* (Oxford, 1644), Ussher refers to a manuscript which may well be this one (he does not mention Allen but the Tyssington text is rare) as being 'in bibliotheca nostra': whether permanently or temporarily is not clear but the phrase usually implies ownership. The text does not survive with the major part of Ussher's manuscripts at Trinity College, Dublin.

8
♣   β   **a** Alredus Abbas Riuallensis de institutis inclusarum **b** Meditationes Anselmi Cantuariensis Archiepiscopi **c** Meditationes Bernardi Charuellensis **d** Libellus Elizabethæ Ancillæ Christi et sanctimonialis Stauaugiæ [*sic*] primus liber etc. [p. 11] **e** Liber viarum Dei annunciatus predictæ Elizabeth Anno Domini 1157 **f** Sermo Magistri Willelmi de Rymyngton Monachi de Salley Cancellarij Oxoniensis in Synodo Eboracensi Anno Christi 1373 **g** Sermo eiusdem ibidem Anno Domini 1372.

> Paris, Université, MS. 790, dated 1374. On fol. 1 are the Digby/Allen inventory number 'A.122', Digby's name and motto and 'Hic est liber Bibliothecæ Academiæ Oxoniensis'. The book is in Digby's armorial binding. On fol. 120 is 'Iste liber perscriptus fuit ante diem purificacionis…anno domini millesimo ccc^{mo} lxxiiij^o a fratre Ricardo de Hertford monacho de Whalleye quem librum fecit scribi dominus Thomas de Mapelton' sacerdos deo deuotissimus.' The manuscript was seen in York by the antiquary Thomas Talbot (fl. 1580): see Watson, *Savile*, 79. On fol. 120 are names, s. xvi, 'Allen', 'Thomas Lather', and on fol. 120^v 'Thomas Wyllson', 'Edward Somerset', 'Robert Ebor,' 'Rycard Aldburghe'.[28]

9
(167)   β   **a** Tabula docens pro 14° annis a natiuitate regis Ricardi 2^i post conquestum Anno Domini 1367 quis sit annus bissextilis quæ litera Dominicalis quæ primatio inchohando annum a circumcisione domini excerpta indictione quæ renovatur 8 Kl' Octobris. Cum quodam Calendario utili **b** Alminak perpetuum translatum de Arabico in latinum pro anno Christi 1391 imperfectis [*sic*] **c** Tabulæ planetarum **d** Catologus [*sic*] provinciarum in Europa cum earum Longitudine et latitudine **e** Ascensiones signorum **f** Tabula stellarum fixarum **g** Loci planetarum Saturni et Jovis a creatione mundi.

Digby 167.

10
(154)   β   **a** Tractatus super expositionem Missæ **b** Tractatus imperfectus supra Job **c** Chroniculæ **d** Magna charta Angliæ: et charta de foresta **e** Simonis Episcopi sacrum decretum contra Templarios, et adnullacio eiusdem ordinis **f** Regestrum literarum diuersarum **g** Inquisitio super articulis diuersis **h** Nicholaus Arabicus de Arte fidei **i** Statuta cuiusdam regis Edwardi Angliæ, Gallicè.

Digby 154.

11
1

β **a** Tractatus de 3^bus regibus Coloniæ **b** Chronicon quoddam de Bruto et illius historia. «Gallicè» **c** The Lamentation of our Lady St Mary **d** A treatise in English of 6 Masters **e** Consecracio et Coronacio regis et reginæ Angliæ.

> BL, MS. Cotton Cleopatra D. vii, s. xv. On fol. 2 is '11'. Items a–c occupy fols. 12–189, d is missing and e is divided between fols. 2–5^r and 190–192. A catchword leads from fol. 5^v to fol. 190. Fol. 5^v is laid out for a calendar 1429–68, fols. 6–11^v have a calendar Jan.–Dec., fol. 12^r is ruled for a calendar and fol. 12^v is blank. Since fol. 190 is a single leaf and fols. 191–2 are a bifolium it is possible that they were originally inserted after fol. 5, but since Allen's number '11' occurs on fol. 2 and his catalogue lists item e at the end, it is probable that, apart from the loss of d, the manuscript is as it was in his time and that e was always divided between the front and the back.

12
(113)

β Disqui[si]tio de quibusdam ordinibus moncasticis [*sic*].

> Digby 113.

13
(155)

β Questiones super Tegni Galeni: secundum Parisiensem Cancellarium Montis Pessulani.

> Digby 155.

14
(158)

β Liber sententiarum Cassiodori senatoris de diuersis voluminibus cum sententijs Anselmi.

> Digby 158.

15
(148)

β Hugo de Sancto Victore se [*sic*] saramentis [*sic*].

> Digby 148.

16
#

β Chronica cuiusdam Monachi de Brinton de regibus Angliæ, ab adventu Normannorum usque ad Ricardum 2um.

> BL, MS. Cotton Otho A. iv, fols. 1–66, s. xv. A note in MS. Carte 108 (*SC* 10553), fol. 348, made *c.* 1740–50, mentions 'Bruton...Annals penes Mr Allen of Oxford now in Cott. Otho A. iv'. Perhaps from Bruton Priory, Somerset.

[p. 12]

17
(111)

β Benedictus Nursius de conseruatione sanitatis.

> Digby 111.

18
(110)

β **a** Vita et passio Sancti Elphegi Archiepiscopi Cantuariensis cum **b** vita Sancti Dunstani Archiepiscopi ibidem.

> Digby 110.

19
(98)

β **a** Tractatus de generibus secundum Magistrum Robertum Allynton **b** Computus ecclesiasticus **c** Tractatus de Algorismo **d** Tractatus cuiusdam Maydeston de anulo Anno Domini 1348 **e** Compendium Burley super libros meteorum **f** Prophetiæ Ambrosij Merlini **g** Geometria Euclidis imperfecta **h** In Arithmeticam Boetij Abstractio **i** Perspectiua Peckham siue Cantuariensis **j** Theorica planetarum **k** Tractatus de Luce secundum secundum [*sic*] Lincolniensem **l** Idem de Iride **m** Idem de potencia et actu **n** Idem de impressionibus aeris **o** Idem de sphaera **p** Liber Quadrantis **q** Composicio Cylindri Oxoniæ absoluta **r** Tractatus de sphaera iuxta Lincolniensem **s** Johannes de sacro Bosco de sphaera **t** Regula Sancti Francisci **u** Duæ epistolæ ipsius Diaboli **v** Prophetia Hyldegaris [*sic*] **w** Epistola ad episcopum Herefordensem per Robertum Chelyngdon **x** Negotia quædam inter papam et regem Angliæ et Antipapa [*sic*] **y** Pentracronon siue Prophetia Hildegardis virginis **z** Apocalypsis Walteri Mape **aa** Disputacio inter Christianum et Judæum **bb** Determinatio Magistri Johannis Withed de Hymnia de mendacitate contra fratres **cc** Eiusdem determinatio de confessione contra fratres **dd** Distinctiones iuris ciuilis **ee** Speculum contemplacionis Sancti Edmundi Gallicè **ff** Chymigoria Walteri Britt'.

> Digby 98.

20
(150)

β **a** Compendium naturale Alberti vel Baconi **b** Rogerus Baconis in physica Aristotelis **c** Tractatus de coitu **d** Tractatus incerti Authoris de morbis quibusdam et eorum remedijs **e** Tractatus de bona fortuna iuxta Egidium **f** Quæstiones et Comenta: in libros de anima.

> Digby 150.

21
(49)

β Quæstiones in libros physicorum Aristotelis prout in scholis Oxoniensibus olim disputari solebant. [α An auntient manuscript thought to be Wyclefs, or before].

> Digby 49.

[p. 13]

22
(160)

β **a** Tractatus de anatomia membrorum **b** Johannes de Sancto Amando de Casibus Medicinarum **c** Tractatus cum tabulis de medicinis simplicibus **d** Speculum Arnoldi multum sequens litteram

Johannitij et Jsaac **e** Trifolium medicinæ iuxta Simonem Bredon: 1us est de uranarum [*sic*] iudicijs: 2us de iudicijs uniuersalibus medicinarum simplicibus: 3^{ius} est de pulsibus incompletus.

> Digby 160.

23
(104)
   β   Poetica Galfredi Vinesauf: Angli.

> Digby 104, fols. 21–60.

24
(159)
   β   Tractatus Aristotelis Astrologicus excerptus ex 25° Astrologorum voluminibus.

> Digby 159.

25
#
(162)^{29}
   β   Authores Chymici: et liber Morieni iuxta Magistrum Robertum Cestrensem et liber Lxx^{ta} imperfect:

> Digby 162.

26
(147)
   β   **a** Carmen Domini Walter Henley quod vocatur yconomia siue Housbundria **b** Philobiblon domini regis Ricardi de Aungeruble [*sic*] episcopi Dunelmensis **c** Tractatus de metris, Hymnorum bis **d** Tractatus de Alcymia qui dicitur summa aurea cum quibusdam alijs de coloribus **e** Practica Geometriæ cum alijs necessarijs ad Geometriam **f** Secundus Philosophus **g** Senecæ philosophiæ tractatus tres **h** Johannes Maluerne Doctour Medicinæ de remedijs spiritualibus et corporalibus contra pestilentiam **i** Tractatus Arithmeticæ de [*next two words bracketed*] Planimetra, Profundimetra **j** Tractatus de magnete **k** Tractatus de signo, qualitate, et dominio Lunæ **l** Lyncolniensis de sphæra **m** Tractatus de Cautelis Algorismi **n** Campani quadratura circuli **o** Simoniis Bredon Arithmetica **p** Tractatus de aquis mirabilibus **q** Tractatus de 7 herbis que 7 planetis solent assimilari **r** Secreta fratris Alberti de Colonia de [*next three words bracketed*] Herbis, Lapidibus, animalibus **s** Tractatus de 12 signis Zodiaci et lunæ **t** Tractatus de subradijs planetarum per Haly **u** Tractatus incerti Authoris de [*next seven words bracketed*] septem planetis, 12 signis, 28 mansionibus lunæ. Hic multæ voces Arabicæ difficiles exponuntur. **v** Tractatus de luna **w** Tractatus de prognosticacione Aeris iuxta magistrum Willelmum Merlee, Oxoniæ factus Anno Domini 1340 **x** Regulæ versificandi **y** Liber anotomiæ Humanæ corporis **z** Alanus de planctu naturæ cum commentario incerti authoris **aa** Epistola Valerij ad Rufinum de uxore non ducenda cum commento incerti authoris **bb** The makinge of aqua vitæ.

> Digby 147.

[p. 14]

27
(153)
   β   **a** Tractatus de naturali philosophia **b** Alius de meteoris **c** Aphorismi ursonis de naturalibus rebus **d** Tractatus in problemata Aristotelis **e** Secretum 7 artium, siue philosophorum **f** Curiosus tractatus de attractione naturali **g** Experimenta Alberti.

> Digby 153.

28
(164)
   β   **a** Tractatus de re chymica **b** Excerpta ex Bacono de arte et natura et ex Alberto de Lapide philosophico **c** Excerpta ex tractatu fratris ferr<ar>ij super Arte Alchymiæ **d** Tractatus de sangine [*sic*] humano **e** Tractatus in modum Dialogi qui imponitur Arnoldo de uilla noua, de Lapide philosophico **f** Tractatus de Lapidibus preciosis **g** Excerpta ex varijs Autoribus de Lapide philosophico **h** Alphidius philosophus de lapide philosophico **i** Liber dictus Rosarius etc cum quibusdam id [*sic*] generis Autoribus et tractatibus.

> Digby 164.

29
(109)
   β   Abbo Floriacensis, de vita et passione Edmundi regis Martiris.

> Digby 109.

30
(107)
   β   Gulielmus de Conchis de quæstionibus naturalibus.

> Digby 107.

31
(161)
   β   Liber ursonis de commixtionibus elementaribus et de diebus Criticis.

> Digby 161, fols. 24–93.

32
(72)
   β   **a** Tabulae de Latitudine planetarum **b** Modus modificandi^{30} per tabulas Walteri factas ad meridiem Oxoniae **c** Tabula A[e]quacionis planetarum Willelmi Reade **d** Tractatus fratris Rogeri Bacon de ordine minorum de inuentione cogitacionis **e** Tractatus Archiepiscopi cuiusdam Kembris Israelitæ **f** Tractatus Zael de 50 preceptis **g** Alius tractatus rei Astrologicæ per Albumazar **h** A Treatise of Chaucer to his sunne touchinge the Astrolabe to the Latitude of Oxford.

> Digby 72.

33
(114)
   β   **a** Canones super tabulas Campani super tabulis mediæ coniunctionis et opposicionis ad meridiem Nauarræ **b** Cannones Magistri Johannis de Liuerijs [*sic*] super tabulis quæ sunt super Parisijs **c** Tractatus Profacij Judæi de utraque ecclipsi lunæ et solis **d** Cannones super Almanack Profacij

e Albumazar de coniunctionibus magnis **f** Tractatus de stellis fixis et reperiuntur ita apud Guidonem **g** Haly in quadripartitum ptolomei **h** Tractatus Auenazre de planetarum coniunctionibus et annorum reuoluationibus [*sic*] **i** Zael de reuoluationibus [*sic*] annorum.

Digby 114.

[p. 15]

34   β   Thomas de esse et essentia.
(vide 77)
          Digby 77, fols. 83–108.

35   β   Quæstiones super artem paruam Galeni.
(vide 155)
          Probably Digby 105. Digby 155, suggested by Langbaine, is Allen's MS. 4° 13.

36   β   **a** Quæstiones notabilis Thomæ Wilton Cancellarij Sancti Pauli de mendicitate **b** Tractatus de
(75)   disposicione hominis secundum constellaciones **c** Cautelæ Algorismi **d** Tractatus de re Theologica metrice **e** Manuale sacerdotum **f** Liber Computi digitalis **g** Liber de arte Calindarij.

Digby 75, fols. 121–243.

37   β   **a** Introductio in practicam Geometriæ **b** Cannones in triangulum pythagoricum de mensura
(166)   practicæ Geometriæ **c** Expositio Magistri Petri de Dacia super Algorismum prosaicum **d** Sphæra Johannis de sacro bosco imperfect: **e** De excidio Troiæ versu **f** Planctus Hugonis prioris de monte acuto in excidium Troiæ metrice **g** Historia Daretis phrigii de excidio Troiæ **h** fratris cuiusdam Odorici de foro Julio mira visio **i** Epistola Satanæ ad uniuersam ecclesiam, cum responsione papæ ecclesiam defendentis **j** Dissuatio [*sic*] Valerij ad Rufinum de uxore non ducenda **k** Aureolus Theophrasti Liber de nuptijs **l** Versus Walteri Mape ut existimo varijs de rebus **m** Tractatus cuiusdam incerti Authoris de natura Vniuersitatis **n** Epilogus fratris Walteri de Burgo super Alanum in opere suo de planctu naturæ contra Prælatum Sodomitum. metrice **o** Eiusdem bellum Nasoreum Anno Domini 1366. metrice **p** Alia eiusdem poemata.

Digby 166, but one part of **a** is now Digby 190 art. 6.

38   β   Lyncolniensis de anima humana.
(104)
          Digby 104, fols. 1–20.

39   β   **a** Catechismus Collectus ex operibus Willelmi Parisiensis: et est summa Magistri Ricardi de
(103)   Burgo Cancellarii Cantabrigiæ **b** Liber Thesauri occulti a Pascali Romano editus Constantinopoli Anno christi 1165 et est de insomnijs **c** Apomasoris Arabis Apotelesmata de significatis et eventis insomniorum: ex quo quicquid deest in editione Johannis Leunclauij suppleri potest. Latine factus est iste liber a Leone Thusco imperialem epistolarum Interprete, tempore Imperatoris Manuell **d** Aristoteles de somno et vigilia, et diuinacione in somno. **e** Summa introductoria super Avocacione in foro per dominum Bo[n]aguidam etc.

Digby 103.

40   β   **a** Hebraicorum nominum interpretationes **b** Sermones Mauricii Episcopi Parisiensis **c** Tractatus
(149)   de confessione qui dicitur templum Domini [p. 16] **d** Excerpta ex vita Beati Augustini Anglorum Apostoli: de excommunitacione [*sic*] et decimis: et est Historia de presbitero villæ de Edmeton[31] in pago Oxoniensi, qui laicum de decimis coram 50 Augustino convenit **e** Excerpta illic aliunde de rebus varijs **f** Tractatus cuiusdam papæ de contemptu mundi **g** Summula de virtutibus et vitijs **h** Computus cuiusdam incerti Authoris Oxoniensis Anno Domini 1292 **i** Tabulae planetarum variæ **j** Tractatus de calculacione opposicionum et coniunctiorum planetarum **k** Alkabitij introductio ad iudicia Astrorum.

Digby 149.

86[32]   β   Carmina quædam Petri de Riga siue in Aurora varijs de rebus.
(172)
          Digby 104, fols. 136–60. Langbaine's note is wrong: Digby 172 art. 15 is part of Allen's MS. f° 92.

41   β   **a** Certayne visions of Peter le ploughman and Sowell **b** Disputatio inter corpus et animam.
(102)
          Digby 102.

89[33]   β   Aphorismi varij de re Astrologica Johannis Robyns.[34]
#
          Not found.

42   β   **a** Haly de disposicione aeris **b** Canones super tabulas Reade: facti Anno Domini 1380 Ut
(92)   videtur ad meridiem Oxon' respectu meridiani Tolleti **c** Tractatus de imaginibus Astrologicis modus Æquacionis planetarum **d** Tractatus astrologicus de existentia planetarum in Angulis, et cum varijs alijs huiusmodi tractatibus va«l»de subtilis **e** Quæstiones disputatæ Oxoniæ.

Digby 92, fols. 1–95.

90[35] β   Tractatus de prognosticacione per ecclipsim etc per Johannem Robyns.[36]
#
    BL, MS. Sloane 1743, paper, s xvi[in.] Some leaves have been lost from the front and no marks of ownership remain but as the only known copy (as is another Sloane manuscript of a Robyns text, 74 below) it is a convincing identification.

43 β   Calendarium cum canonibus.
(41)
    Digby 41, fols. 57–90.

44 β   **a** Marcus Tullius Cicero Rhetorica ad Herennium cum **b** Theologia Petri Abelardi.
#
    a is perhaps Digby 37, fols. 98–120, the three preceding parts of the manuscript having been owned by Allen. **b** has not been found.

45 β   **a** Megacosmus Bernardi siluestris cum commentario **b** Architrenius Johannis Hanuyll **c** Hystoria
(157)   Daretis phyrigii: versu: per Josephum Deuonium: falso ascript' Cornelio Nepoti.
    Digby 157.

46 β   **a** Vita Sancti Swythuni per Gotcelinum Bertinianum **b** Vita Sancti Byrini **c** Passio Sancti
(112)   Marci Euangelistæ **d** Vita Sancti Benedicti cognomento Biscop Autore Beda **e** Vita Sancti Ceolfridi
    Abbatis Authore Beda vel Huneberto Deiro **f** Vita Sancti Egwyni Episcopi Authore Brithwaldo
    Glastoniensi **g** Vita Sancti Maximi Episcopi **h** Vita Sancti Eucharij Episcopi **i** Vita Sancti
    Eustacij Abbatis **j** Vita Sancti Saluij Episcopi **k** Passio Sancti Indrasti Martyris per Guilielmum
    Malmesburiensem **l** Vita Sancti Dewy Episcopi per Ricemarcum Britannium **m** Passio Sancti
    Christophori Martyris **n** Liber Prouerbiorum Godefridi Prioris ad formam Epigrammatum.
    Digby 112.

[p. 17]

47 α   **a** Liber de mundo vel seculo; inceptus anno domini 1281 a Leodio, translatus a Magistro
(161)   Henrico Bace [?*Baco*] de Hebreo in Latinum **b** Liber quorundam tractatuum particularium
    de Quæstionibus Astrologicis: et alijs per Abrahamum Auenasre **c** Sermo Magistri Herdeby
    in ecclesia Virginis Oxon' in illud, Erunt signa in sole et lune et stellis etc **d** Tractatus incerti
    Authoris de signis cælestibus etc **e** Tractatus alius Astronomicus incerti Authoris de constitutione
    mundi etc.
    Digby 161, fols. 1–23.

48 α   **a** Hermes Mercurius de 6 Rerum principiis **b** Tractatus de Rhythmomachia breuis **c** Epistola
(67)   Valerij ad Ruffinum de dissuasione Vxorandi **d** Dialogus Gratiani et Alexandri de Insolentia
    Hirceni fratris sui, versu, cum commentario.
    Digby 67, fols. 69–84.

49 α   **a** Tractatus de imagine peccati ad quendam Reclusum per Magistrum Walterum Hilton
(115)   **b** Eiusdem Stimulus Amoris **c** Tractatus Hugonis de Conscientia **d** Tractatus de scrupulositate
    Conscientiæ Vexatis valde Vtilis **e** Alius de eadem re tractatus.
    Digby 115.

50 α   **a** Vita Dominæ Catharinæ filiæ Beatæ Brigittæ in regno Sweciæ **b** Vita Petri Olaui Confessoris
(172)   eiusdem. pertinet iste liber olim ad Thomam Gascoygne sub propria ipsius manu.
    Digby 172, fols. 24–54.

51 α   Summa Philosophiæ Magistri Theodori Philosophi Imperatoris et Magistri Myamyon Falconarij
(152)   Cæsaris de scientia venandi per aues et quadrupedes etc.
    Digby 152.

52 α   Narraciones aliquot.
    Digby 172, fols. 151–8.

53 α   Algorismus Gerardi in [*next two words bracketed*] integris, minutijs.
(61)
    Digby 61, fols. 1–20.

54 α   Sidonij Apollinaris Epistolæ.
(61)
    Digby 61, fols. 21–82.

55 α   **a** Tractatus de Mundo **b** Glossa [*next six words bracketed*] super Johannicium, Aphorismorum
(108)   Johannitij, Vrinarum, pulsuum.
    Digby 108.

56 α   Liber Geomantiæ, cum quodam tractatu de Paschate [?*sic*] et Calendario.
#

> Not found. On p. 37 of the catalogue Twyne describes this as 'Liber Geomantiæ pretty trickes in 4°'. That seems to rule out Oxford, Corpus Christi College, MS. 190, for which see Addenda below, no. 39.

57 α   **a** Tabula Latitudinum Planetarum **b** Johannis Verneri Nurembergensis Compositiones et usus
(132)   Organorum Latitudinum Lunæ et 5 Planetarum **c** Canones Æquatorij per Johannem Schonerum, iste est liber Impressus.

> Digby 132. Although item **c** is marked with Langbaine's symbol #, it is in the manuscript.

58 α   Vaticinale Carmen Johannis de Bridlyngton cum Expositione et Comment' Johannis Ergene [*sic*].
(89)   Digby 89.

59 β   **a** Tractatus de virtutibus Herbarum **b** experimenta quædam medicinalia **c** Ptolomei centiloquium
(75)   cum veteri commento. Anno Domini 1458 [p. 18] **d** Eius quadripartitum. imperfectum **e** Judgments and descriptions of Vrines **f** Tractatus de ecclipsi.

> Digby 75, fols. 1–120.

60 β   **a** Leonardi Aretini oracio in Hypocratis **b** Idem in nebulonem maledictum **c** Tractatus vnus
aut alter Lapi Castelunculi de Curiæ Commodis in vitam Periclis etc **d** Antonij Tudelini consolacio ad Cardinalem Campanum de obitu fratris sui.

> BL, MS. Cotton Cleopatra C. v, fols. 97–199, paper, s. xv. To the bottom of fol. 97 is stuck a piece of paper on which is a contents-list of s. xv which includes the titles above. The tracts are sufficiently uncommon to make the identification all but certain.

61 β   **a** Tabulæ W. Reade Oxoniensis iuxta Alphonsinos **b** Tabulæ Latinæ planetarum Walteri cum
(97)   Johannis exposicione **c** Algorismus **d** Exposicio Magistri Willelmi Reade in tabulas suas Oxonienses **e** Algorismus de munitijs [*sic*] physicis **f** Liber de iudicijs Ethelmeght Israelitæ **g** Epistola Messahalæ, de ecclipsibus coniunctionibus magnis et reuolutionibus **h** Judicium Natiuitatis iuxta Ptolomeum docte explicatum. **i** Introductorium de effectibus Planetarum **j** Canones primi mobilis **k** Directorium Planetarum Johannis de porta **l** Introductorium utrum res perficiatur **m** Quot modis res impediatur **n** De pluuijs et infirmitatibus **o** Tractatus ad Trutinam Hermetis **p** Ars breuis de Æquacione ecclipsis solis **q** Canones Ecclipsium Johannis de Muris **r** Canones Ecclipsium Magistri Johannis de Janua **s** Notula Johannis Merle de temperie Aeris signorum **t** Expositio in Tabula semidiametrorum solis et lunæ et composicio quorundam [*sic*] tabularum **u** Florilegium Hermetis **v** Lyncolniensis sphæra **w** Tractatus Thomæ werkworth de 8^ua sphæra **x** De terræ mensuracione **y** Theorica planetarum **z** Algorithmus **aa** Comentarius in Alkabitium Johannis de Saxonia **bb** Cannones sphære super Alphunsum.

> Digby 97.

84[37] β   **a** Statuta Aularia Oxon' cum statutis Collegii Sanctæ Mariæ in Oxonia: **b** statuta Colledii
[*sic*] Sancti Geordii [*sic*] infra castrum Oxon' cum statutis illius ordinis.

> MS. Rawl. statutes 34 (*SC* 15889), s. xv. On fol. 1 is 'Tho: Allen.'

62 β   **a** Liber Sem filii Hormi [*sic*] de significacione Saturni et quando intrat signa 12^im **b** Johannes
(93)   de sacrobosco de sphæra **c** Theorica Planetarum Johannis [*sic*] Bredon **d** Rynubis [*sic*] de motibus Astrorum [p. 19] **e** Alkabicius cum comentario Johannis de Saxonia **f** Albumazar de partibus **g** Tractatus ex Alkyndo et haly de pluuijs **h** Regula pro vero gradu Ascendentis Natiuitatis inueniendo **i** Libellus de intentionibus secretorum Astronomiæ.

> Digby 93.

88[38] β   Robertus Talbott in Itinerarium Antonii quoad Britanniam.
MS. e Mus. 199 (*SC* 3709), paper, s. xv. On fol. 6 is '88'. In John Stow's hand.

63[39] β   Quæstiones physicæ incerti Authoris.
(forte 74)   Digby 74, fols. 53–124.

64 β   **a** Computus manualis versu **b** Tractatus de natiuitatibus **c** Ars mensurandi superficiem [*next*
(104)   *three words bracketed*] Linearum, Superficialem, Solidarem **d** Alhacen de corpusculis [*sic*].

> Digby 104, fols. 61–81**.

85[40] β   **a** Fragmentum de sophismatibus Baconi cum **b** Epistola Adami de Marisco ad Senallam
(67)   [*sic*] etc.
(104)

> **a** Digby 67, fols. 117–24; **b** Digby 104, fols. 90–101.

65 β   **a** Epistola Universitatis Oxoniensis ad papam Johannem 22um de promotionibus **b** Varij Articuli Anglorum exhibiti Papæ Rom: **c** Bulla Papæ Johannis scolaribus Oxoniis de publicandis decretalibus

d Tractatus de 7 vitijs mortalibus **e** Sermo de omnibus sanctis **f** Tractatus Ricardi Hampole de emendatione vitæ **g** Turgotus prior Dunelmensis de exordio et occursu illius ecclesiæ **h** Tractatus de signis.

> BL, MS. Cotton Faustina A. v, fols. 1–98, s. xiv. On fol. 3 is '65' and on fol. 1 is 'Tho: Allen. Ex Dono Magistri Henrici Savelli 1589', i.e. Henry Savile the Elder, of Blaithroyde. Cotton's hope of receiving the manuscript from Allen is recorded in a note which he made on 30 April 1620 in his catalogue, now BL, MS. Harley 6018, fol. 150ᵛ. The items owned by Allen were part of a book which had belonged to Fountains Abbey, the rest of which remained in the Savile family (no. 76 in Henry Savile of Banke's catalogue; Watson, *Savile*), ultimately passed to Abp. Ussher and are now in Dublin, Trinity College, MS. A. 5. 2 (114).

87⁴¹ β Liber de Antiquitate Cœnobij Glaston'.
11
> BL, MS. Cotton Cleopatra C. x, fols. 71–100, paper, s. xv. On fol. 71ᵛ is Tho: Allen.' On fol. 72 are the remains of figures '87' and a title in Allen's hand.

66 β Aldelmus de Virginitate.
> Digby 146.

67 β Postillæ quædam veteres saxonice.
#
> BL, MS. Cotton Caligula A. xiv, fols. 93–130, s. xiᵐᵉᵈ. Extracts in MS. James 6 (*SC* 3843) pp. 5–10 are said to be from 'MS Th. Alleni'. On the manuscript see Ker, *Catalogue*, no. 138.

68 β Gerardi Cremonensis Geomantia.
(74)
> Digby 74, fols. 1–52.

69 β Quæstionis [*sic*] Doctoris subtilis in Meteoria [*sic*] Aristotelis.
(37)
> Digby 37, fols. 72–97.

70 β Philosophia Gulielmi de Conchis.
(104)
> Digby 104, fols. 175–98.

71 β Liber de ordine causarum: ex Authoribus Arabicis (ut videtur) excerptus.
(84)
> Digby 84.

72 β Rogeri Bacon communia naturalia.
(70)
> Digby 70.

73 β Lyncolniensis de occulo Morali.
(77)
> Digby 77, fols. 109–49.

74 β Johannis Robyns⁴² annotaciones Astrolog'.
#
> BL, MS. Sloane 1773, paper, s. xvi. On fol. 1 are '74' and the title as above, in Allen's hand.

75 β Anticlaudianus Alani cum commentario.
(62)
> Digby 62.

76 β Johannis Robyns⁴³ annotaciones Astrolog' aliæ.
#
> Not found.

77 β A book of the Landes of the Knightes of the order of Saint John of Jerusalem.
#
> Not found. For cartularies and registers of the Order see Davis, *MC*, no. 852 et seq. and cross-references. None of the Cotton manuscripts listed there show any signs of Allen's ownership, all are too large, and, excepting Claudius E. vi, were either in Cotton's hands or other hands in 1622. BL, MS. Lansdowne 200 and Oxford, Corpus Christi College, MS. 320 are too large. MS. Wood empt. 10 (*SC* 3598), a quarto, is a cartulary of the preceptory of Knights Templars at Sandford, near Oxford, and in view of the number of manuscripts of Oxford origin that Allen owned, is a possibility but it is too large for a quarto and lacks Allen's number which, as an intact volume, it would surely have had. PRO, Exchequer KR, Misc. Books ser. 1 (E164) no. 16 is a quarto and an attractive identification but has probably been with Exch. KR documents since the 16th century and bears no ownership marks.

78 β **a** Rogerus Bacon de erroribus medicorum **b** Eiusdem Tractatus de experimentali scientia aut
saltem excerpta ex illo Tractatu.
> Not found. For a fuller description, entered at the wrong place and deleted, see after MS. 8° 36 below.

79 β Ars notaria ad Henricum regem Angliæ.
#
> Not found.

80 β A compendious introduction to Dyallinge.
> Not found. Not Oxford, Corpus Christi College, MS. 40.

81
(61) β Fulgentij Methilogia [*sic*].

Digby 61, fols. 83–94 + Digby 41, fols. 102–4.

[p. 20]

82
(81) β Albertus siue potius phillipus Parisiensis de libris Licitis et illicitis.

Digby 81, fols. 101–17.

83
(81) β **a** Computus manualis iuxta vsum Cantaburg' cum Algorismo Johannis de nouo Mucato [*sic*]: et **b** alio Algorismo iuxta Dionisium Abbatem Romanum et tractatu de sphæra.

Digby 81, fols. 1–66.

ξ Vide hic supra.[44]

84 ξ vide post 61.
85 ξ vide post 64.
86 ξ vide post 40.
87 ξ vide post 65.
88 ξ post 62.
89 ξ post 41.
90 ξ post 42.

MS. in 8^uo

1
(86) β **a** Distinctio peccatorum. Gallice **b** Certayne charmes. Gallice. **c** Interpretatio somniorum **d** Experimenta bona et optima et videtur accidere ad Alexidis secreta **e** Callendarum [*sic*] quoddam vetus **f** Certayne Romances Gallice.

Digby 86.

2
(71) β **a** Fabrica speculi vstorij **b** Isagoge Alkabitij ad Judicia Astrorum **c** Vrso de effectibus primarum qualitatum **d** Liber Anequenis Platonis id est liber vaccæ **e** Dona Alberti **f** Thomas de essentijs rerum **g** Tractatus de Grammatica, Dialectica etc.

Digby 71.

3
β Radulphi nigri Chronicon.

BL, MS. Cotton Cleopatra C. x, fols. 2–56, ss. xiii–xv. On fol. 2 is '3'. Extracts in MS. James 8 (*SC* 3845), pp. 231–46 are marked as being from 'MS. Th. Allen.' Fols. 57–70, containing the Prophecies of Merlin and rules for electing the mayor of Norwich, are part of the same quire as the end of the *Chronicon*.

4 β Liber de sphæris signis et planetis Gallice.

Not found.

5
(82) β Incerti Authoris Chronicon de rebus Brittannicis. cum Miscelaneis quibusdam.

Digby 82.

6
(77) β Libellus de actione elementorum ex quarta parte Dumbleton.

Digby 77, fols. 150–65.

7
(81) β Fragmenta quædam ad rem historicam pertinentia et precipue ad Britaniam cum constitutione provinciali Johannis de Stratford Archiepiscopi Cantuariensis Anno Domini 1317.

Digby 81, fols. 67–100.

8
(66) β **a** Tractatus rerum gestarum ex parte Anglorum in consilio Basiliensi **b** Prouocacio Gulielmi Lynwode ibidem ex parte regis Angliæ etc cum alijs fragmentis et excerptis ex Henrico de Assia super Genesim.

Digby 66.

9
(88) β **a** Tractatus ad rem astronomicam et notitiam Calendarij pertinens. **b** Certayne Hierogliphics vpon the moneths of the yeare, with verses in English.

Digby 88.

[p. 21]

10
(35)[45]
(99)

β **a** Statuta synodalia per Walterum episcopum Norwicensem etc cum **b** libro qui 45 vocatur stimulis conscientiæ, Anglice. metro.

> Digby 99.

11
(55)

β **a** Gulielmus Hispalensis in Aristotelem de cælo et mundo cum coment' in eundem de sensu et sensito de Longitudine et breuitate vitæ de generatione et corruptione in physica et metaphysica et de anima etc **b** Aueerois [*sic*] de substantia orbis **c** Quæstiones in libros de anima **d** Tractatus de Grammatica cum quæstionibus Grammaticalibus valde subtile disputatis **e** Tractatus de intellectu et intelligibili de nutrimento et nutrito: de ente et essentia de syncategorematibus «de» signis de falacijs.

> Digby 55.

12

β Liber dictus Antidotarius.

> Not found.

13
(63)

β **a** Liber siue tractatus admodum antiquus de Racione Rascalis [*sic*]: cum **b** veteri calendario et racione Theophili Cæsariensis de eadem Re etc nec non **c** epistola proterij; et tractatu Dionisij exigui Abbatis: et **d** computacione Reginboldi Sacerdotis; et **e** alio tractatu de titulis Pascalibus Egyptiorum etc: Hæc omnia antiquissimo charactere exarata sunt.

> Digby 63.

14
(90)

β Liber de musica; siue tractatus qui quatuor principalia vocatur, quem edidit Oxoniæ quidem frater minor de Custodia Bristolliæ etc Anno Domini 1351.

> Digby 90.

15
(83)

β Incertus Author valde antiquus de sphæra.

> Digby 83.

16
(58)

β **a** Tractatus de re Astrologica incerti Authoris, cum elegantibus Diagrammatibus **b** Stimulus amoris «Bonaventurae» **c** Tractatus de re theologica scilicet de sacramentis, confessione, etc.

> Digby 58, fols. 1–96.

17
#

β **a** Tractatus de situ Hyberniæ Antiquus **b** Tractatus Theologicus de varijs rebus etc **c** Excerpto [*sic*] ex Gerlando ex libro Magni Franconis Legiensis **d** Quomodo Alexander adoravit nomen Dei **e** Alij tractatus Theologici.

> Dublin, Trinity College, MS. E.4.12 (517), fols. 1–52, s. xiii. On fol. 2 are '17' and 'Guil. Mart[ialis]' to which another hand has added 'ex dono Magistri Sherles'.[46] On fol. 1ᵛ is 'Liber domus scolarium de Merton' in Oxon. ex legatione magistri Iohannis Raynham sacre pagine professor et quondam socii eiusdem domus.' Also on fol. 1ᵛ are '29ᵘˢ de sorte Johnson 2° fo misericordia' and 'iiᵘˢ de sorte hyll 2° fo misericordia'. A book with this *secundo folio* was in the Merton *eleccio* of 1519.[47]

18
#

β Johannis Rossi Historia de regibus Angliæ et contra distinctores villarum.

> BL, MS. Cotton Vespasian A. xii, s. xvᵉˣ. On fol. 2 are 'Tho: Allen' and '18'. John Stow's hand is on fol. 47ᵛ and elsewhere and 'Henricus Ferrarius' is on fol. 138.[48] On fol. 140 are 'Antonius Beauforde' and 'Parke Anthonius theleratus', both of s. xviᵉˣ. Cotton's hope of receiving this manuscript from Allen is recorded in a note which he made on 30 April 1621 in his catalogue now BL, MS. Harley 6018, fol. 150ᵛ. Later users whose names appear are A. Wood, 1667, William Dugdale, 1638, and Thomas Gale.

19
#

β **a** Calendarium vetus cum canonibus eiusdem, ad meridianum Oxon' ut videtur al' [*sic; recte* et?] alio Planetarum Calendario, et elegantibus imaginibus Lunæ **b** De effectu Lunæ in 12 signis etc **c** Paruus tractatus de Lunationibus **d** Interpretatio somniorum Danielis [p. 22] **e** Physionomia Aristotelis cum alio de eadem re tractatu **f** Tractatus chiromantiæ per Magistrum Rodoricum de Maioricis in Vniuersitate' Oxon' **g** Tractatus alter de physigomia [*sic*] **h** Tractatus Geometricus de Altimetra et planimetra **i** Lyncolniensis de sphæra **j** Johannes de Sacro Bosco de sphæra communi **k** Tractatus optimus de Chiromantia id est Palmistria, cum ipsarum manuum et palmarum viua declinacione **l** De constellationibus fortunæ virorum et fœminarum **m** De horis planetarum et effectibus eorundem **n** Walteri Brytt; Theorica Planetarum **o** Tabulæ Reade et Cannones in easdem **p** Burleus in Libros meteororum **q** Compositio cuiusdam instrumenti vocal' Reclangulus [*sic*] per Ricardum Wallingford **r** Contenta Astrolabij Noui **s** Practica Magistri Johannis Slape de composicione nauis Quadrantis, et Cylindri **t** Composicio Astrolabij cum figuris eiusdem **u** Practica Astrolabij **v** Canones Calendarij Planetarum.

> **a**, **q–v**, Not found; **b–p** BL, MS. Egerton 847, s. xv. The Egerton manuscript was formerly Cambridge, Trinity College, MS. O.8.16 (1391) and is one of the manuscripts stolen from there by J. O. Halliwell in 1838.[49] An earlier Trinity catalogue lists items **q–y**, as does the Lauderdale sale catalogue of 1692[50] but these items are not now in the manuscript and cannot be traced. In his catalogue

of the Trinity manuscripts[51] M. R. James suggests that MS. Egerton 824, formerly Trinity College MS. O.7.17 (1345) may be part of the same book but its contents do not agree (it contains mainly the *Massa Compoti* of Alexander de Villa Dei and the tables of eclipses do not correspond to the item described in the old Trinity catalogue) and it is, in any case, much smaller than Egerton 847. Fols. 1–13 of Egerton 847 do not seem to be the first item in Allen's catalogue or in the Lauderdale sale catalogue but they are the 'Astronomia quædam' of the old Trinity catalogue and form an integral part of the manuscript, the text proper of which begins on fol. 14. It is difficult to see how Allen's item **a** can have formed part of Egerton 847, which seems complete in itself.

20   β   **a** Canones Toletani super tabulas Tolletanas **b** Tabula Æquationum Planetarum cum alijs varijs
(68)   huiusmodi tabulis **c** Isagoge minor Japharis Mathematici in Astronomiam per Adelardum Bathoniensem ex Arabico sumpta.

Digby 68.

21   β   **a** Secreta Cypriani. eius Confessio **b** Tractatus de faciebus mundi et predicatoribus.
(30)   Digby 30.

22   β   Liber fortunæ per Bernardum Sylvestrem cum tractatu Geomantiæ. ut [*sic?*; *recte* et] sphæra
(46)   pythagorica.

Digby 46.

23   β   **a** Vetus calendarium optimum, ad meridianum, cum illius explicatione et imaginibus Ecclipsium
(48)   lunæ **b** Computus Manualis **c** Algorismus **d** Johannes de sacro bosco de sphæra **e** Tractatus de directionibus **f** Tractatus Theoricæ Planetarum **g** Abraham Judæus de Natiuitatibus **h** Magistralis composicio Astrolabij Henrici Bate ad petitionem fratris Willelmi de Morbeka ordinis predicatorum, domini papæ Pænitentiarii et Capellani [p. 23] **i** Latitudines ciuitatum Angliæ **j** Tabula mediorum motuum et æquacionum Planeterum **k** Canones super tabulas Alphonsi, cum respectu meridiani Toleti et Oxoniæ **l** Tractatus de pronosticatione [*sic*] cleris **m** Tabulæ 12 signorum cum Canonibus **n** Flores Albumaz de electionibus **o** Alkabitius cum comentario Johannis de Saxonia **p** Modus eligendi thema cœleste.

Digby 48.

24   β   **a** Carmina siue epigrammata Godefridi Prioris Wynton **b** Poema de Nummo; a quo, quilibet
(65)   incipit versiculus **c** Poemata quædam varia; in quibus habentur versus Hildeberti Cenomanensis Episcopi **d** Poema Bernardi Morlanensis de contemptu mundi **e** Alia Epigrammata diuersa **f** Elegans poema in nouum Testamentum **g** Epithalamium Beatæ Virginis versu.

Digby 65.

25   β   **a** Bestiale siue tractatus de bestijs **b** Tractatus Willelmi de Monte Cancellarij Lyncoln de Tropis
c Incertus Author de naturis Animalium **d** Imago Mundi per Henricum Huntendonensem **e** Numerale Willelmi de Monte **f** Vita Sancti Thomæ Cantuariensis per Magistrum Edwardum **g** Historia Bruti per Galfridum Monumetensem; cum Continuacione usque ad finem Ricardi 2ⁱ.

BL, Cotton Vespasian E. x, s. xiv. On fol. 2 is '25' and on fol. 1ᵛ is a contents-list in Allen's hand.

26   β   **a** Quæstiones [*next five titles bracketed*] Super librum de Somno et vigilia, De sensu et sensato
(44)   per Johannem Parisiensem dictum Spengen, De Memoria et Reminiscentia, In librum de Longitudine et breuitate vitæ, Medicinales **b** Expositio in librum de Motu Animalium **c** Doctor Subtilis in libros de Anima **d** Tabula in omnes tractatus predictos.

Digby 44.

27   α   **a** Excerpt' ex Chronicis Croylandiæ, vel potius ex nigro codice et explosa illa Cantabrigiæ
(42)   historia de Antiquitate Cantabrigiæ. initio libri pagina jᵃ. **b** Salustius de Coniuratione Catilinæ et de bello Jugurthino.

Digby 42.

[p. 24]

28   α   **a** Raciones Æquacionum Planetarum **b** Calendarium de medijs planetarum motibus ad meridiem
(57)   Oxon ad singulos anni dies **c** Aliud Calendarium optimum cum chronologia adiuncta **d** Tabulae Willelmi Read cum Canonibus ad Meridiem «Oxon.» **e** Tabula longitudinis et latitudinis [omnium *deleted*] Planetarum pro quolibet tempore de situ in Oxonia cum Canonibus ad easdem tabulas pertinentibus **f** Tabulæ proportionum motuum Planetarum **g** Tabula Domorum ad longitudinem 51 graduum et 56 Minutiarum **h** Tabula Quantitatis horarium inæqualium in omni Regione **i** Tabula latitudinum diversarum partium terræ habitabilium citra Æquinoctialem circulum etc: cum situ Regionum quoad climata **j** Tabula Verarum Coniunctionum solis et lunæ cum veris planetarum locis ad annum Christi 1375. et ad meridiem Oxon' **k** Tabula Eclipsium solarium contingentium in hæmisphærio nostro ab anno Christi 1376 usque ad annum 1390 super meridiem

ciuitatis Oxon' **l** Tabulæ aliæ Planetarum etc. **m** Tractatus de Æquacione dierum cum respectu meridianorum Toleti et Oxoniæ **n** Abbreuiatio Instrumenti Campani per Johannem de Liuerijs [*sic*], siue Æquatorium Johannes de Liuerijs [*sic*] **o** Tractatus de Ascensionibus signorum **p** Tractatus alius de Qualitatibus signorum **q** Fragmentum libri Almagesti **r** Excerpt' ex tractatu Roberti Grostest de prognosticanda aeris temperie **s** Excerpt' ex tractatu Rogeri Hereforde de Judicijs Astrorum **t** Excerpt' ex libro Natiuitatum Albohaly translato a Platone Tyburtino **u** Excerpt' ex eodem de morbis ex loco lunæ in initio morbi **v** Tractatus alius ad cognitionem Judiciorum Astronomiæ **w** Ptolomei Imagines **x** Tractatus de secretis Astronomiæ.

　　　　　Digby 57.

29　　α　　**a** Liber Machometi filij Gebyr filii Ceneni qui vocatur Albategni **b** Liber Hermani de Composicione
(51)　　　　cuiusdam instrumenti quod vocatur Walzachora Ptolomei **c** Rodolphi Brugensis Practica quædam Astronómiæ, ut videtur: uel potius liber Astrolabij ab Abucazim filio Asafar editus et a Platone Tyburtino translatus in ciuitate Barchinona **d** Tractatus alius de Re Astrologica **e** Secreta Astrologiæ **f** Flores Albumazar **g** Jacobus Alkindus de Judicijs Astrorum translatus per Robertum Anglicum **h** Liber 4 tractatuum Bartholomei Alarby vel Alfaludbi in scientia iudiciorum Astrorum **i** Liber Abualz Alchaiat de Natiuitatibus translatus de Arabico in Latinum a Platone [p. 25] Tyburtino, anno Arabum 425. «id est christi 1033/4» vide plura in fine tractatus **j** Liber Capitulorum Mansor de Re Astrologica; translatus de Arabico in Latinum per eundem Platonem Tyburtinum **k** Tractatus Messahalæ de cogitatione vel intentione **l** Libellus Interpretatiuus **m** Tractatus Dorothei de occultis **n** Epistola Messahalah de eclipsi lunæ.

　　　　　Digby 51.

30　　α　　**a** Gerardi Cremonensis de composicione Sphæræ **b** De circulis et epiciclis planetarum **c** Algazelis
(47)　　　　Introductio ad librum Judiciorum Arabum **d** Alkabitij Introductio ad Judicia Astrorum translatus de Arabico in latinum per Gerardum Cremonensem **e** Tractatus Astrologiæ Metrice **f** Adæquatio Planetarum; translatus per Gerardum Cremonensem **g** Liber Zaelis vel Alkindi de Electionibus **h** Alkindus de Criticis diebus **i** Liber Messahalah de 14 proprietatibus Stellarum **j** Introductio Zaelis ad Judicia Astrorum **k** Liber Judiciorum Zaelis **l** Liber 7 vel potius 9 Judicum in Re Astrologicus **m** Abualz Alchaiat de Natiuitatibus **n** Alius tractatus breuis de Natiuitatibus **o** Libellus Interpretationum per Messahalah.

　　　　　Digby 47.

31　　α　　**a** Expositio Bibliothecæ siue Bibliarum[?] versu. **b** Boetius de disciplina Scholarium **c** Horatius
(56)　　　　de Arte poetica **d** Calendarium Vetus **e** Summa totius Martyrologii siue manus Bedæ **f** Compotus Gerlandi cum comment' **g** Alius de Computo tractatus.

　　　　　Digby 56, fols. 191–219.

32　　α　　**a** Serlonis carmina cum glossa **b** Magister Golias de quodam Abbate **c** Excidium Troiæ Pergama
(53)　　　　flere volo etc. **d** Liber de Babione Samlote et Perula uxore eius **e** Versus de Modis Johannis Heremitæ quibus occupatus soluendis cessaret ab oracione **f** Colores in Rhetorica.

　　　　　Digby 53.

33　　α　　Johannis Robyns[52] Annotaciones Astrolog'.
#　　　　Not found. In his notes on p. 36 of this catalogue Twyne refers to this manuscript (but as MS. 4° 33) as 'Robyns Annotaciones de Edwardo 6°.'

34　　α　　Regula Sancti Benedicti Latino Saxonice.
#　　　　BL, MS. Cotton Titus A. iv, s. xi^med. On fol. 1 is '34' and on fol. 2 is 'Tho: Allen'. On the manuscript see Ker, *Catalogue*, no. 200.

35　　α　　**a** Vita Sancti Cutberti per Bedam; cum varijs eiusdem Cutberti miraculis, et illius translacione
(59)　　　　**b** Vita Sancti Bedæ **c** Alredus Rhievallensis de Vita Sancti Edwardi Regis et Confessoris **d** Visiones quædam per Bedam descriptæ.

　　　　　Digby 59.

36　　α　　Willelmus Malmesburiensis de Antiquitate Cœnobij Glastoniensis.
#　　　　BL, MS. Cotton Vespasian D. xxii, s. xv. On fol. 1 are 'Liber Roberti Cotton ex dono Thomæ Allen Anno Domini 1627° Augusti 12°' and '36', altered to '37'. On fol. 2 are 'Tho: Allen' and '37'. On fol. 114 is a note by T[homas] G[ale] dated 1688.

[p. 26]

Liber de re medicinali, scilicet: **a** Rogeri Bacon de erroribus Medicorum **b** Tractatus de diuersibus Ætatibus et earum causis **c** Tractatus Rogeri Bacon de scientia Experimentali cum **d** alijs Promiscuis de re Medicinali tractatibus. Liber 78us in 4°.

　　Having been made in the wrong place, this entry has been entirely deleted but it is fuller than the one in the right place, at MS. 4° 78 above. The manuscript has not been found.

37
(39)

α

a Passio Sanctæ Teclæ virginis et Sancti Blasij episcopi et Martyris **b** Liber de Miraculis Sancti Edmundi Regis et Martyris Orientalium Anglorum **c** Sermo Episcopi Fulberti de Natiuitate Sanctæ Mariæ **d** Translatio Beati Jacobi Apostoli **e** Excerpt' ex Historia Anglorum de Sancto Birino Episcopo occidentalium Saxonum Apostolo **f** Vita Sancti Martyris et Archiepiscopi Elfegi **g** Miracula Sancti Dei genetricis Mariæ **h** Sanctus Hieronymus in librum Baruch **i** Epistola Jeremiæ prophetæ ad Captiuos in Babilonia etc.

Digby 39.

38
(43)

α

a Liber de Re Medicinali **b** Pessaurium Arnaldi de Villa noua **c** Liber Septiplanti Papiensis **d** Libellus de vino Magistri Arnoldi de noua villa **e** Antidotarium Nicholai; cum glossa **f** Tractatus Johannis de Rupescissa de amulatu philosophiæ Euangelio Dei etc: cum tractatu de 5ᵃ essentia extrahenda **g** Regimen sanitatis ad 7ᵘᵐ Climata.

Digby 43.

39
(34)

α

Donatus, de 8 partibus oracionis deuotæ.

Digby 34, fols. 127–72.

40

α

Liber de promiscuis tractatibus: videlicet **a** de Grammatica; **b** de Computo manuali: **c** de Calendario: **d** de significatione vocum.

Not found.

41
(40)

α

a Liber Ptolomei de Composicione Astrolabij translatus de Arabico in Latinum Æra 1185 in ciuitate Lundon **b** Liber Philonis de Ingenijs Specialibus **c** Computus Magistri Rogeri Infantis alias Yonge, Angli et Herefordensis anno Domini 1176. cum veteri Calendario eiusdem temporis **d** Abraham Judæus de Re Astronomica: et floruit iste Author anno Domini 1100 **e** Alfraganus **f** Liber Albategni qui dicitur Machometus de scientia Astrorum.

Digby 40.

42
#

α

a A booke of Heraldry, especially of «yᵉ Armes» of such as went with King Henry yᵉ 8 to France; **b** a treatise of yᵉ parlament of birdes.

Not found. **b** is presumably the work by Chaucer.

43
(67)⁵³

α

a Liber Miscellaneorum; scilicet de experimentis quibusdam etc **b** An English treatise of Astrology **c** Tractatus Latinus de eadem Re.

Probably Digby 67, fols. 1–44.

44
#

α

Versus Gildæ Britanni; qui floruit anno Christi 860.

BL, MS. Cotton Julius D. xi, fols. 2–60, s. xivⁱⁿ· On fol. 2 is '44'.

45
(37)

α

a Excerpta ex Aphorismis Ursonis **b** Alberti secreta super naturas [*next three words bracketed*] Herbarum, Lapidum, Animalium.

Digby 37, fols. 1-55+[55*].

[p. 27]

46
(34)

α

a Sancti Patritij [*next three words bracketed*] Vita, Miracula, Purgatorium **b** Visio Edmundi cuiusdam Monachi Eynesham.

Digby 34, fols. 81–127.

47
#

α

Martianus capella de nuptijs Mercurij et philologiæ cum commento **b** Compendium Ethicorum Aristotelis in fine sic: finis Monomachiæ siue Ethicæ Aristotelis **c** Canones Aristotelis de essentia primæ bonitatis Expositæ ab Alpharabio **d** Aristotelis de somno et vigilia **e** Liber Alpharabij de intellectu et intellecto **f** Auicennæ Tractatus de anima **g** Liber Alexandri philosophi de intellectu **h** Liber Aristotelis de bona fortuna.

BnF, MS. lat. 8802, ss. xii–xiii. On fol. 2 are '47' and 'Tho: Alleni volumen ex dono Bryghtman'. On fol. 1 are the Digby/Allen inventory number 'A.90', Digby's motto and 'Liber beate marie dat' a Magistro <...> Knowles' (c. 1500).⁵⁴ On fol. 78ᵛ is a note by Francis Babington, Vice-Chancellor of Oxford 1560–62 and rector of Lincoln College.⁵⁵ On a flyleaf is 'Hic est liber publicæ Bibliothecæ Academiæ Oxoniensis. K.D.' In Digby's armorial binding.

48
(23)

β

Timæus Platonis Lat: cum Romances Gallicis metro.

Digby 23.

49
(22)

β

A french Calender

Digby 81, fols. 118–32. Langbaine's note is wrong: Digby 22 is not an Allen manuscript.

50
(34)

β

Vita Sanctæ Modwæne [*sic*] de Burton in Comitatu Stafford, Gallice.

Digby 34, fols. 1–80.

51   β   Alexandr⟨i⟩ades siue poema antiquum de rebus gestis Alexandri magni.
(104)
        Digby 52, fol. 60ᵇ. Langbaine's note is wrong: Digby 104, fol. 60ᵇ containing verses from this work
        is part of MS. 4° 23.

52   β   Nigelli Wireacre poema de Burnello Asino: siue speculum stultorum.
(27)
        Digby 27.

53   β   **a** Franciscus de Maronis de formalitatibus **b** Tractatus de duobus principijs **c** De tribus in
(77)   toto vniuerso per se agentibus **d** Tractatibus de potencia actiua et passiua **e** Tractatus
Burley de abstractis.
        Digby 77, fols. 166–97.

54   β   **a** Tractatus de celebratione Paschæ et Computo **b** Tractatus de supputacione totius anni et
(17)   mensium Hæbreorum secundum Caldæos **c** Computus Roberti Lyncolniensis **d** Tractatus incerti
Autoris de obseruacione paschæ **e** Tractatus de musica **f** De diuisione mundi **g** Tabula diuersitatis
aspectus lunæ in climatibus diuersis **h** Miscellanea Astronomica **i** Tractatus de plantis.
        Digby 17.

55   β   **a** Tabulæ variæ Astronomicæ: cum Alminack **b** Tractatus de usu et operacione Astrolabij
(38)   **c** Tractatus Astrologicus incerti Authoris qui floruit Anno Domini 1102 **d** Calendarium vetus
e Antiphone de Beata Adthelburga virgine **f** Eleuaciones signorum, quoad horas dignoscendas
cum canonibus super Tabulas Altitudinum Horarum **g** Liber de adeptione, cogitatione et electione
h Tabulæ quantitatis horarum inæqualium.
        Digby 38.

56   β   Liber Sanctæ Matildis virginis cum Alphabeto diuini Amoris secundum. Gersonem.
(21)
        Digby 21.

[p. 28]

57   β   **a** Moralizatio super ludo scaccorum per fratrem Jacobum de Cessolis: cum **b** Regimine sanitatis
(31)   secundum Bartholomæum in suo breuiario.
        Digby 31.

58   β   Constitutiones Synodales Petri Quiuill episcopi Oxon' [*sic*] Anno Domini 1287.
(35)
        Digby 35.

59   β   Dialogus Venerabilis Ailredi Abbatis Rhievallensis de anima.
#
        MS. e Mus. 224 (*SC* 3542), s. xii, is an unprovable but possible identification, since manuscripts
        of this text are few[56] and this one has Oxford connections: on fol. iv is 'Bibl. Bodleianæ lib. hunc…
        dono dedit Dominus Joh. Neuton Coll. Æneanasi socius April. xiii mdclii'.[57] The number '52' on
        fol. 1 is not Allen's but probably relates to 'In Musaeo 52' on fol. 1ᵛ, and the absence of any
        Allen number is evidence against the identification. Other inscriptions are 'Matt. Allom' (fol. 1,
        s. xvi/xvii) and 'Homphray Bate att the signe of yᵉ grewhound in pater noster row' (fol. i, s. xviᵉˣ).
        Pastedowns at the end are accounts of a hospital 'apud Benyngburgh', probably St Leonard's Hospital
        York, which owned property there.

60   β   **a** Bona fortuna [α Bonaventura] de 3ⁱᶜⁱ Hierarchia **b** Sermo siue quis alius tractatus, siue
(33)   ipsius Bonauenturæ siue alterius cuiusdam Authoris Antiqui, in illud, sapientia ædificauit sibi domum
etc **c** Bernardus de libero Arbitrio **d** Idem de precepto et dispensacione **e** Epistola Macharij Monachi
ad filios **f** Tractatus de gradibus et speciebus et motibus dispositis ad contemplacionem
g Meditationes Sancti Bernardi Clareuallensis **h** Tractatus quidem [*sic*] theologicus.
        Digby 33.

61   β   **a** Tractatus Grammaticalis bonus et alter **b** Regule consequentiarum iuxta Burlæum
(24)[58]   **c** Sophistria cuiusdam Ricardi Sophistæ.
        Digby 24, fols. 17–105.

62   β   **a** Poema faceti **b** Tractatus Grammaticalis **c** Cato sapiens **d** Æsopi fabulæ carmine **e** Aliud
(26)   Authoris nescio cuius poema.
        Digby 26.

63   β   Pentacronon. siue liber de prophetijs Hyldegardis: Authore incerto qui floruit Anno Domini 1220.
(32)
        Digby 32.

64   β   **a** Ricardi Hampole Heremitæ 12 capitula Anglice **b** Idem in 7 psalmos pænitentiæ: anglice.
(18)
        Digby 18.

65
(16)

β   **a** Petrus de Casa Patriarcha Jerosolymitanus de imagine mundi. cum exemplis Magistri Jacobi de Vitriaco **b** Historia Nichodemi de gestis saluatoris quæ inventa est in pretorio Pontij Pilati.

Digby 16.

66
(28)

β   **a** Ars Calendarij per iuncturas digitorum **b** Petrus peregrinus de magnete **c** Poema quod sic vocatur, cur mundus militat sub vana gloria **d** Liber de secretis secretorum **e** Tractatus quidem [*sic*] de Alchimia **f** Liber Lunæ **g** Liber dictus Theolo[gi]cus **h** Tractatus quidem [*sic*] Astrologicus **i** Computus Lyncolni **j** Tractatus Campani ad inueniend' locam planetarum **k** Algorismus Minutarium **l** Nicholaus Arabicus de Arte fidei **m** Physiognomia Palemonis Medici **n** Prophetia Merlini Ambrosij et syluestris **o** Perspectiua Pecchami **p** Liber de lapidibus. versu **q** Tractatus de Astrolabio.

Digby 28.

[p. 29]

67
(41)

β   An English poem called Jack Upland etc accordinge to some the author thereof was Chaucer.

Digby 41, fols. 1–16.

68
(20)

β   Gaymundus de sacramento Corporis Christi cum vita Sancti Cuthberti per Bedam.

Digby 20, fols. 169–227.

Ms^tes. in 16°

1
#

β   Chronicon cuiusdam neot«e»rici de regibus Angliæ.

Perhaps BL, MS. Arundel 350, paper, s. xvi. On p. 41 of this catalogue Twyne lists this as 'Chronicon cuiusdam Neiterici qui ab antiquitate Cantabrigiam mire extollit.' Arundel 350 is 16° or small 4° in size and contains an account of the early kings before proceeding to a mythical account of Cambridge University by Nicholas Cantlow. It bears no ownership marks.

2
#

β   **a** Secreta philosophorum **b** Messahala de ecclipsibus translatus a Johanne Hispaliense de Arabico in Latinum **c** Vetus Calendarium cum tabulis **d** Tractatus quidem [*sic*] Theologicus **e** Tractatus quidem [*sic*] Astronomiæ super physicam **f** Poema Galfredi Vinesauf: Angli **g** Virtutes herbæ Rosmarini **h** Liber Dinam [*sic*] deorum **i** Liber pharmacorum variorum **j** Liber Aneguenis Platonis id est liber vaccæ **k** Tractatus de experimentis varijs.

Oxford, Corpus Christi College, MS. 132, s. xv. On fol. 1 are 'Tho: Allen' and '2'.

3
(25)

β   Liber Hymnorum diuinorum cui adiungitur poema sacrum de Sancta trinitate de virgine maria et Apostolis.

Digby 25.

4
(20)

β   **a** Liber Beati Leonis de conflictu virtutum et vitiorum **b** Regestrum literarum et epistolarum quarundam de varijs Monasteriorum Angliæ negotijs **c** Liber Sancti Edmundo de Pountney Gallice **d** Tractatus de confessione.

Digby 20, fols. 62–168.

5
(11)

β   Tractatus physiognomiæ cum Dialogo Adelardi Bathoniensis.

Digby 11, fols. 92–103.

6
#

β   Alphabetum Antiquum Hæbraicum, Caldaicum, et Syriacum: Charecteribus Maiusculis et antiquissimis.

BL, MS. Cotton Titus D. xviii, fols. 1–13, s. xiv/xv. On fol. 1 is 'Tho: Allen'. His hand is also on fol. 8^v. On fol. 1^v is 'andreas davidsonus' (s. xvi^in). On him see note on Digby 62, p. 31 above.

7
(11)

β   **a** Libellus variorum tractatuum scilicet de rebus naturalibus: Collecta ex Suida **b** Expositio epistolæ Vallerij ad Rufinum de uxore non ducenda: siue potius Walteri Mape Archidiacono [*sic*] Oxon' etc.

Digby 11, fols. 1–91.

8
(10)

β   Arnaldus de villa nova de lapide vitæ.

Digby 10.

9
(5)

β   Declamationes Annææ Senecæ etc.

Digby 5.

[p. 30]

10   β   Chronicon quoddam.
[f.19]⁵⁹   Not found.

11   β   **a** Tractatus super Canonem Missæ per Thomam de Stureyd [*sic*] **b** Gualterij Mape Archidiaconi
(4)   Oxon' quædam Rythmica **c** Macer de virtutibus herbarum, versu **d** Alfredi regis Parabole
                Saxonice [α Non comparent].
                     Digby 4 + BL, MS. Cotton Galba A. xix. Galba A. xix consists of only three fragments of leaves,
                     c. 127 x 75 mm, which formed part of d.

12   β   Tractatus quidem [*sic*] Theologicus.
(6 vel 8)   Digby 3, fols. 1–59, 91–130. Langbaine's note is wrong: Digby 6 and 8 are not Allen manuscripts.

13   β   Tractatus quidam astronomicus et Dialecticus.
(2)   Digby 2.

14   β   Narraciones Petri Alfuini [*sic*].
(3)   Digby 3, fols. 60–90.

15   β   Philosophia Willelmi de Conchis.
(12)   Digby 12.

16   β   **a** Varia fragmenta de Theologica etc: cum **b** particula Historiæ Bruti, cum continuacione etc.
(11)⁶⁰   Digby 11, fols. 104–203.

17   β   Constantinus Monachus de Coitu.
Not found.

18.   β   A certayne prayer booke in charecters.
(vide 7)   Probably Digby 7.
#

19   β   Aphorismi Vrsonis partim philosophici partim medicinales.
MS. Bodl. 680 (*SC* 2597), s. xiii. On fol. i are '19' and a title in Allen's hand. Also on fol. i are
                   'Liber Bibliothecæ Bodleianæ ex dono Radulphi Bathurst in artibus Magistri et socii [1641–54] Collegii
                   Sanctæ Trinitatis Oxon.', 'Liber…Sancte marie et sancti botulfi Thorneye ex dono Radulfi de Newton
                   clerici nostri' and 'Liber Radulfi clerici de Newton' (both s. xiv).

α BRIAN TWYNE

Mr Richard James⁶¹ of Corpus Christi College comminge afterwardes into Mr Allens acquaytance gott
away many of these manuscriptes from yᵉ good old man, and conveyed them aweay to London to Sir
Robert Cottons studdie. Allso yᵉ owner himselfe (Mr Thomas Allen) dienge at Oxford in Glocester hall,
anno Domini 1633 [*sic*] gaue all his whole studdie of bookes to Sir Kenelme Digbie of Lundon; who
afterwardes gave most of them to yᵉ Vniversities Library.

[pp. 31–4 are blank]

[pp. 35–41] α Librorum aliquot Nomina siue Tituli excerpt' ex Indice Librorum MS. in Bibliotheca Magistri
Thome Alani Oxon'. «Quem Indicem collegi anno Domini 1622»⁶²

[pp. 42–6 are blank apart from the deleted address of a letter to Twyne and its seal on p. 42. Traces
of the seal are in the centre of p. 35.]

ADDENDA

Allen manuscripts not recorded in his catalogue

I – TRACED

1   Brussels, Bibliothèque royale, MS. 3096. R. Higden, *Polychronicon*, s. xiv.

On fol 4^v is 'Liber Henrici Ferrarii Basisli ex dono Alleni' and on fol. 5 is 'Henricus Ferrarius'[63]. On fol. 7 is 'R. G. Somersett', the initials of Robert Glover, Somerset Herald, and on fol. 6 'Liber Cornelii Duyn Aemstelredami Hagæ Comitis Hollandiæ anno Domini mdcxii'.[64] On the latter leaf and on two others are the *ex libris* 'de l'ancienne bibliothèque des Bollandistes' and 'MS 114', and the book also bears the bookstamp of the Bibliothèque nationale in Paris.

2   London, BL, MS. Add. 37079. Petrus de Abano, *Physiognomia*, s. xv^{med}.

On fol. 1, a stiff cardboard cover, is a title in Allen's hand. On fol. 3 are 'Tho: Allen' and, above, 'Liber Guilelmi Martialis precium iiis viij^d.'[65] The manuscript is in an Italian hand.

3   London, BL, MS. Add. 57533. Ailred of Rievaulx, *Vita Edwardi regis*, etc., s. xiii^{in}.

Some of the numerous marginalia may be in Allen's secretary hand and a marginal note in brown ink on fol. 29^v may be in his italic hand (cf. his letter in BL, MS. Cotton Julius C. v, fol. 353). It may be significant, since Allen was a Staffordshire man, that one of the secretary hands inserted 'in comitatu Staff' after 'burtunie' in the rubric to the *Vita Modwennae* on fol 81, that apart from this Allen owned six other Ailred manuscripts, and that 'Liber Guil. Martialis' is on fols. 1, 22 and 36 (Allen acquired at least seven other manuscripts from Marshall).[66] On fol. iv is 'Iste liber constat Doctori Ryding vicario de Radclyff super soram...'[67] and 'Noverint universi per presentes quod ego Johannes cosbe de schepyshed in comitatu laycestre et Thomas bowsse de colyngstok in comitatu notynghame duos collectores...Regis Henrici septimi recepesse [*sic*] et habuisse de balivo de Radclyff octo solidos et iij denarios pro terris ducis bokkyngan iacentibus in villa de Kynston. Previously owned by the Leicester Augustinians (CBMLC *Augustinians*, A660).

4   London, BL, MS. Cotton Claudius B. vi. *Cartulary of Abingdon Abbey*, s. xiii^{ex} (Davis, *MC*, no. 4).

In MS. Twyne 22, fol. 106^v, Twyne describes extracts from an Abingdon cartulary as 'Notæ ex libro Abendonensi Imperfecto manuscripto cuius prima pagine, incipit —Iam inhabitantibus nouo usus vocabulo...' and in the margin he notes 'Est et alius liber Abendonensis qui sic incipit: 'Mons Abendoniæ etc.' These manuscripts are Claudius B. vi and Claudius C. ix, fols. 104–203 respectively. Of Claudius B. vi Twyne records also 'Est autem liber Domini de Fenton Baronis. Mr Allen.' A similar reference is on fol. 93^v and both are presumably to our Allen and to one of the manors of Fenton, Staffordshire, now within the boundary of Stoke-on-Trent. In 1668 a Thomas Allen held a capital messuage in Fenton Culvert and later Allens lived at Great Fenton Hall. See *Victoria County History*. Staffordshire, 8 (1973), 213–4. Claudius B. vi is in Cotton's 1621 catalogue (BL, MS. Harley 6018, fol. 119^v).

5   London, BL, MS. Cotton Otho A. i + Bodleian, MS. Arch. Selden. B. 26, fol. 34. *Concilia Saxonica anno 747*; etc. s. viii^{ex}.

Of the whole manuscript only eight small fragments remain (E. A. Lowe, *Codices Latini antiquiores*, 2 (rev. edn., Oxford, 1972), no. 188) but the description in Smith's catalogue[68] and the rareness of the text leave little doubt that this is the manuscript promised to Cotton by Allen on 30 April 1621 (see BL, MS. Harley 6018, fol. 150^v, and see further Simon Keynes, 'The reconstruction of a burnt Cottonian manuscript: the case of Cotton MS. Otho A. i', *British Library Journal*, 22 (1996), 113–60). Otho A. i is also entered on fol. 127^v of MS. Harley 6018, in Cotton's 1621 catalogue, as no. 343 in a total of 413 manuscripts listed, which perhaps suggests that although Cotton did not possess it in April 1621 it reached him in time to be included towards the end of his catalogue. One leaf, on which is 'Tho: Allen <...> 1613°', is MS. Arch. Selden. B. 26, fol. 34, of which some of the rest is MS. 4° 7c–f above. It contains part of Gregory's *Cura pastoralis*, item 4 in the volume in its pristine state.

6   London, BL, MS. Cotton Titus D. xxiv. *Chronicon ab anno 1067 ad annum 1195*, etc., s. xii^{ex}.

In MS. James 8 (*SC* 3845) Richard James made extracts 'ex codice Thomæ Alleni qui erat olim Sanctæ Mariæ de Ruford.' A comparison of the text (see, for example, James 8, p. 247 and Titus D. xxiv fol. 6^v) shows that this is the manuscript to which he refers.

7   London, BL, MS. Cotton Appx. iv. Guido, *De arte dictandi*; J. Mandeville, *Itinerarium*; etc. s. xv.

On fol. 2 is 'Tho: Allen.' Occasional marginalia in item 3 are perhaps by Allen. On fol. 1 is 'Oliverus Naylerus 1596.'

8   London, BL, MS. Sloane 310. *Excerpta medica et astrologica*. Paper, s. xv.

On fol. 1 is 'Tho: Allen.'

London, BL, Dept. of Manuscripts, Loan 74: see no. 43 below.

9   London, Lambeth Palace, MS. 415. *Epistolae Cantuarienses*, s. xiii^in.

On fol. 1 is 'Tho: Allen'. In his catalogue of the Lambeth manuscripts[69] M. R. James speculates whether this Allen could be one of that name connected with Eton College, an idea which has support from 'Eaton Ætone Elliott' written on fol. [i]. The form and handwriting of the name leave little room for doubt, however, that the hand is that of our Thomas Allen. On fol. [i] is also 'D.iijᵃ Giijᵘˢ prima demonstracionis' and on fol. 1 the *ex libris* of Christ Church, Canterbury, 'De claustro Christi Cant'' (no. 134 in *ALCD*; BC4 134 in CBMLC, Christ Church). On fol. [i] is also 'Beaufey' (s. xvi^ex) and on fol. [iii] is 'Thomas Draper' (s. xvi/xvii).

10   Oxford, Bodleian, MS. Ashmole 1789, fols. 1–32. *A plain discourse concerning the reformation of the vulgar calendar.* Paper, s. xvi^ex.

On the cover is 'This booke was given me by Sʳ Kenelme Digby: It was written by Dʳ John Dee, and upon yᵉ Death of Mʳ Allen of Oxford came to Sir K. Ds hands and he gave it to me 1635. Fui Jo: Bookerij.' DM 107 in catalogue of John Dee's books (Roberts & Watson).

11   Oxford, Bodleian, MS. Auct. E. 4. 9 (*SC* 3080). Ps.-Coniates, *Dialogue between Iconomachus and Orthodoxus*, in Greek. Paper, s. xvi.

The royal arms of England are on fol. 1: perhaps once owned by Queen Mary I. By 1599 in the library of New College, Oxford, but stolen from there in that year: see Watson, 'Allen', 297. In 1608 Bodley wrote in it 'Donum Magistri Thomæ Alani Aulæ Glocestr. Oxon.'

12   Oxford, Bodleian, MS. Auct. F. 1. 7 (*SC* 2450). A selection from Plutarch's *Lives*, in Latin. Written in Italy, s. xv.

On fol. 1, in Allen's hand, is 'Tho: Allen D:D:' (i.e. to the Bodleian in 1601). On fol. iiᵛ, obliterated, is 'Liber Henrici Cole' (Warden of New College, d. 1580).

13   Oxford, Bodleian, MS. Auct. F. 3. 15 (*SC* 3511). The Latin translation of Plato's *Timaeus* by Chalcidius; treatise on the Computus; epitome of and extract from John the Scot's *Periphyseon*. Four manuscripts, written in Ireland, s. xii.

On fol. 1, in Allen's hand, is 'Tho: Allen D:D: [1601].'

14   Oxford, Bodleian, MS. Auct. F. 4. 32 (*SC* 2176). *Ars* of Eutyches, bk. I with Latin and Breton glosses; an Old English homily on the finding of the True Cross; 'Liber Commonei'; Ovid, *Ars amatoria*, bk. i. Four manuscripts, written in Brittany, Wales and England, ss. ix–xi.

On fol. 1, in Allen's hand, is 'Tho: Allen D:D: [1601].' A celebrated volume on account of both the text and the supposed self-portrait by St Dunstan. B39 312 in the catalogue of Glastonbury Abbey (CBMLC, *Benedictines*). On the manuscript see Ker, *Catalogue*, no. 297 and, for a complete facsimile, *Saint Dunstan's Classbook from Glastonbury*, with an Introduction by R. W. Hunt (Umbrae Codicum Occidentalium, 4; Amsterdam, 1961).

15   Oxford, Bodleian, MS. Auct. F. 6. 4 (*SC* 2150). Boethius, *De consolatione philosophiae*; Nicholas Trivet, *In Boecium de consolatione.* Two manuscripts, written in England, ss. xiii and xiv.

On fol. iiiᵛ, in Allen's hand, is 'Tho: Allen D:D: [1601].' On fol. ii is 'Liber Thomæ Corsari presbiteri ['Oxon' *added in similar inscription on fol. 1*] ex dono Radulphi Bloore quondam canonici de Osney 5 die Maij anno domini 1543'. A similar inscription is on fol. 274ᵛ (recte 275ᵛ).[70] Gibson & Smith, *Codices Boethiani*, no. 166.

16   Oxford, Bodleian, MS. Bodl. 48 (*SC* 1946). Aldhelm, *De virginitate*, etc., s. x^ex.

On pastedown at front, in Allen's hand, is 'Tho: Allen :D:D: [1601].' On back pastedown, obliterated, is 'Liber Sancti Swithuni Wintoniensis ecclesie' (s. xiii) and on fol. 1, erased, is another *ex libris*, probably also of St Swithun's (s. xiv). See Ker, *Catalogue*, no. 229.

17   Oxford, Bodleian, MS. Bodl. 63 (*SC* 2042). Eleven sermons of St Ephrem Syriacus, in Latin translation, s. xiii^in.

On fol. 1, in Allen's hand, is 'Tho: Allen Dᵒ Dᵗ. [1601].' In a contemporary binding of whittawed leather over boards.

18   Oxford, Bodleian, MS. Bodl. 108 (*SC* 1960). John Bury, *Gladius Salomonis*, in Latin and English, s. xv^ex.

On fol. iii, in Allen's hand, is 'Tho: Allen D: D: [1601]' and on fol. 1 is 'Tho: Allen.'

19   Oxford, Bodleian, MS. Bodl. 198 (*SC* 1907). Augustine, *De civitate Dei*; Gregorius, *Moralia*, s. xiii²ᐟ⁴.

On fol. 1ᵛ is 'Donum Thomæ Allani [*sic*] Magistri Artium Collegij sive Aulæ Glocestr.' in Bodley's hand. The gift is recorded in the Benefactors' Register under 1608. Previously owned by the Oxford Franciscans: Robert Grosseteste's indexing symbols abound in the margins.[71] On fol. 1, obliterated, is 'Liber Collegii <Lincolniensis> in Oxonia ex dono doctoris Thome gascoigne Eboracensis diocesis.' Some doubt attaches to the identification of the manuscript as Allen's, on which see *SC*, but the balance of probability is in favour of his ownership.

20 Oxford, Bodleian, MS. Bodl. 302 (*SC* 2086). *Distinctiones morales; Compendium historiarum*; Bede, *De gestis Anglorum*, ss. xiv^ex, xv^in, xiv.

> On fol. 7 is 'Tho: Allen.' On fol. 67 is 'Iste liber pertinet George Hull' (s. xvi); his name is also on fol. 7, obliterated.

21 Oxford, Bodleian, MS. Bodl. 337 (*SC* 2874). *Liber privilegiorum universitatis Oxoniensis*, c. 1380.

> On fol. 1, in Allen's hand, is 'Tho: Allen D^o: D^t: [1601].' Medieval binding of leather over boards.

22 Oxford, Bodleian, MS. Bodl. 381 (*SC* 2202). Johannes Diaconus, *Vita S. Gregorii papae*, s. xi.

> On fol. 1, in Allen's hand, is 'Tho: Allen D: D: [1601].' Part of the binding, now MS. Lat. bib. b. 2 (P) (*SC* 2202*) has on it 'Vita sancti Gregorii pape. Distinctio ix^a Gradus V cum H' and 'Liber sancti Augustini Cantuariensis.'

23 Oxford, Bodleian, MS. Bodl. 437 (*SC* 2378). Rabbi Moyses, *De duce dubiorum*, s. xiv.

> On fol. 1, in Allen's hand, is 'Tho: Allen D: D: [1601]' and 'f° 51' (but the latter is not in his hand and this is not MS. f° 51 in his catalogue). His marginal notes occur *passim*.

24 Oxford, Bodleian, MS. Bodl. 488 (*SC* 2068). Statutes of the Hospital of St Mary the Virgin, Florence. Written in Florence, c. 1500.

> On fol. ii, in Allen's hand, is 'Tho: Allen D: D: [1601].' Probably a presentation copy to Henry VII, who had asked for one: the royal arms of England, with badges, are in the border on fol. 3.

25 Oxford, Bodleian, MS. Bodl. 491 (*SC* 2083). Johannes de Sacro Bosco, *Algorismus, De sphaera*; Gerardus Cremonensis, *Theorica planetarum*; other astronomical and astrological tracts, s. xiv^ex.

> On fol. 1, in Allen's hand, is 'Tho: Allen D: D: [1601].' On fol. 166 is 'Thys ys Wylliam Smethys[?] hond of Haukynge chanham[?]' (s. xvi^med).

26 Oxford, Bodleian, MS. Bodl. 655 (*SC* 2397). Tracts on canon law. Written in Oxford, 1302–3.

> On fol. i, in Allen's hand, are 'Tho: Allen D: D: [1601]' and '1598', which is perhaps the date of Allen's acquisition. On fol. 288^v (*recte* 289^v) is '<Liber [Sancte?] Marie de Thornholm> quem scripsit frater Robertus de <Sa...> apud Oseney anno domini m^occc^o secundo et tertio.' On fol. 287^v is 'Liber Willelmi Danyell' (s. xvi^med). In a medieval binding of whittawed leather over boards.

27 Oxford, Bodleian, MS. Bodl. 672 (*SC* 3005). *Liber Luciani de laude Cestriae*, s. xii.

> On fol. 1, in Allen's hand, is 'Tho: Allen D^o D^t [1601].' On fol. 1 is also 'A154' but since that number was allocated by Digby to MS. Digby 37 and this manuscript was never in his hands the number cannot be the Digby/Allen inventory number: cf. 'A126' in MS. Bodl. 879, no. 29 below. The contents suggest that it was written at St Werburgh's Abbey, Chester. Again on fol. 1 is 'Rowland Asherus' and on fol. 125, 'Henry Tully is the...', both s. xvi.[72] In a medieval binding of leather over boards.

28 Oxford, Bodleian, MS. Bodl. 714 (*SC* 2621). Johannes Eschenden, *Summa iudicialium; De accidentibus mundi*; s. xiv^ex.

> On fol 1, in Allen's hand, is 'Tho: Allen D: D: [1601].' At the top of fol. 87 is a pressmark 'Distinctio 1^a G^u j^m'. In a binding of blind-stamped leather over boards (s. xvi^ex).

29 Oxford, Bodleian, MS. Bodl. 879 (*SC* 2931). R. Lull, *De secretis sive de quinta essentia*, s. xvi^in.

> On fol. ii, in Allen's hand, are 'Tho: Allen D: D: [1601]' and 'A126'. Although no book numbered A126 in the Digby/Allen inventory series has been found, this cannot be it since the volume was never in Digby's hands: cf. 'A154' in MS. Bodl. 672 (no. 27 above).

30 Oxford, Bodleian, MS. Bodl. 916 (*SC* 2990). Reginald Pecock, *Donet or Key of Goddes Lawe*, s. xv^ex.

> On fol. 1, in Allen's hand, is 'Tho: Allen D: D: [1601].' Fol. 64^v contains part of a bond, dated 1589, between James Godson and John Walton, tailors of York, and on fol. 102 is 'By me jamys Ryllsey', s. xvi.

31 Oxford, Bodleian, MS. Bodl. 924 (*SC* 3021). John Wyclif, *De veritate sacrae scripturae*; c. 1400.

> On p. 1, in Allen's hand, is 'Tho: Allen D^o D^t [1601].' On p. 621 is 'Liber beate marie ouery [Southwark] ex dono magistri lichefelde' (s. xv).[73]

32 Oxford, Bodleian. The following Digby manuscripts were also Allen's. For details of them see pp. 7–102 above.

> MSS Digby 13; 19; 20 fols. 1–61; 37 fols. 56–71; 41 fols. 17–56, 91–101; 4; 56 fols. 1–100; 64; 67 fols. 45–68, 85–116; 69; 77 fols. 1–82[+2]; 79; 91 fols. 1–85, 86–127; 92 fols. 96–102[+2]; 104 fols. 82–9, 102–23, 161–8, 169–74; 168 fols. 147–80, 181–210, 211–27, 228–31; 172 fols. 1–11, 12–24, 143–50; 174; 178; 183; 190 fols. 1–28, 77–89; 201; 227; Digby Rolls 1.

33 Oxford, Bodleian, MS. Eng. hist. e. 28 (*SC* 30039), pp. vii–viii, 1–14. 'The proceeding to the christening of the Prince [Charles, 1630]'. Paper, s. xvii^in.

> On fol. 1 is scribbled 'Tho: Allen', the writing of a very old man.

34   Oxford, Bodleian, MS. e Mus. 173 (*SC* 3543). Astrological notes in English and Latin. Paper, s. xvii[in].

According to Dr Thomas Barlow, the manuscript was 'e Musæo Thomæ Allen Aulæ Glocestrensis' but there is nothing in it to confirm that. It first appears in Bodleian lists about 1655. *SC* 1. 113, suggests that it may have been given by the Oxford bookseller Joseph Godwin.

35   Oxford, Bodleian, MS. e Mus. 228 (*SC* 3546). 'The experiens of frier Jamie of Scotland'; *Practica Nigromantiæ,* a treatise in Latin by 'fr. Robertus Lumbertus'. Paper, s. xvi[in].

Like that of the item above, the ascription of ownership to Allen depends on Thomas Barlow. Like no. 34 above, this may have been given to the Library by Joseph Godwin.

36   Oxford, Bodleian, MS. Rawl. D. 351. Three leaves containing Ep. 23 from a manuscript of Grosseteste's letters, s. xiv[2].

At the top of fol. 1, in the hand of Richard James,[74] is 'Geven me by Mr Allen of Oxford Thought to be written by Blessences to one Mr Walter Raulye...'.[75] Two leaves in the manuscript were transferred to MS. Digby 218 as fols. 97b–c in 1883: see p.95 above.

37   Oxford, Bodleian, MS. Selden Supra 45. Copies of lectures by Ferdinando Perez on parts of the *Summa theologica* of Aquinas. Paper, written in Spain, s. xvi[in].

On fol. 3 is 'Tho: Allen.'

38   Oxford, Corpus Christi College, MS. 102. Roger Collingwood, *Arithmetica experimentalis.* Paper, s. xvi[in].

On fol 1[v] is 'Anno Domini 1617. Liber Collegij Corporis Christi Universitatis Oxon ex dono Magistri Thomæ Allen.'

39   Oxford, Corpus Christi College, MS. 190. Martinus Hispanus, *Liber geomantiae; De planetis septem*; Johannes Regiomontanus, *Summa chiromantiae,* s. xv.

On fol. 1 is 'Tho: Allen'. In a medieval binding of limp parchment. This may be Allen's MS. 4° 56 but by the standards of his catalogue the discrepancies between the manuscript and the description seem too great to permit the identification.

40   Oxford, Merton College, MS. 323. *Leges Walliae.* Paper, s. xvi[ex].

On a flyleaf is 'Tho: Allen'. Extensive notes by John Dee are found *passim* and his pedigree is on fol. 1: DM 160 in the catalogue of his library (Roberts & Watson). Excerpts by Richard James[76] in MS. James 6 (*SC* 3843) pp. 84–6 describe the manuscript as 'MS. Th. Alleni olim qui fuerat Doctoris Ioh. Dee.' It was given to Merton in 1680 by Dr Thomas Clayton.[77]

41   Oxford, Trinity College, MS. 75. 'The Abingdon Missal' (*pars hiemalis*), 1461 or 1462.

The companion *pars aestivalis*, which bears the date 1461 and the arms of Abingdon Abbey, is MS. Digby 227, which also bears the Digby/Allen inventory number 'A.5'. MS. Trinity 75 bears no sign of Allen's ownership but since he was a Trinity man before he moved to Gloucester Hall the coincidence of the book's discovery there is striking: according to a note in it, 'it was found, together with many other curious books having the Founder's autograph [Sir Thomas Pope, 1555] in them, amidst a heap of rubbish removed in the year 1807 from a room adjoining the Chapel.'

42   Paris, Bibliothèque Mazarine, MS. 3576 (1271) Roger Bacon, *Communium naturalium,* s. xv.

On fol. 1 are 'A.17' and Digby's name and motto. The book is in Digby's armorial binding. Also in fol. 1 is 'Johannes Dee' and there are numerous Dee marginalia: M27 in his catalogue (Roberts & Watson). He had acquired it by 1556.

MS. Digby 237 is a photographic facsimile of this manuscript.

43   Stonyhurst College, Lancs., MS. *sine numero* (now BL, Dept. of Manuscripts, Loan 74).

In MS. Rawl. D. 280, fol. *41[v], Ussher notes 'Evangelium Johannis repertum sub capite S. Cuthberti... habetur in Bibliotheca Tho. Allen Oxoniensis...'. The manuscript presumably remained at Durham Cathedral Priory until the 16th century, and while there is no record of how it left there or how it may have reached Allen, it is not improbable that it came to him, a known Catholic at Trinity College, Oxford (founded in the buildings of Durham College) for safe-keeping during the years after the Dissolution.[78]

II – Untraced

44   Part of a 'calendarium vetus seu rationale'.

In MS. Twyne 22, fol. 245ʳᵛ (OHS, 30, 172) is a reference to this manuscript, given by Allen to John Bancroft, Master of University College. Anthony Wood knew the manuscript only from Twyne's excerpts and when he enquired for it it was told that it was lost. Inscriptions connect the present University College, MS. 178 ,with the pre-Reformation chapel of the college but R. W. Hunt, 'The manuscript collection of University College Oxford', *BLR*, 3 (1951), 13–34, at 17, points out that that cannot be the book that Twyne refers to since the obits he transcribes are much fuller than those in MS. 178.

45   Cartulary of Studley Priory, Oxfordshire (Davis, *MC* 940).

In MS. Twyne 24, pp. 642–61 are extracts said to be from the manuscript, then in Allen's hands.

46   A copy of the Bedell's Book of the University of Oxford, tempore Henry VII.

Transcribed by Twyne into MS. Wood D. 32 (*SC* 25208), pp. 553–68. Twyne's excerpts in Corpus Christi College, MS. 260 art. 2 are 'ex initio Libri Bedellorum Oxon. Magister Thome Allen.' A copy in MS. 8vo Rawl. 662 (*SC* 15411) contains a slightly different text from Allen's and another copy at one time owned by Richard(?) James is shown not to have been Allen's from the collations added by Twyne to his transcript.

47   'John Boston of Bury' (i.e. Henry of Kirkstead), *Catalogus minorum scriptorum*.

In MS. Twyne 22, fol. 244ᵛ, are references to this manuscript 'quem Mʳ Tho: Allen mutuo accessit a Mʳᵒ Ric. James.'⁷⁹ It was shown by Allen to Twyne, who on fol. 246 of his notes copied the list of 195 religious houses in which 'Boston' saw manuscripts. Bale owned a copy which he acquired from a Bury monk shortly after the dissolution of the abbey.⁸⁰ It was known to antiquaries of the 16th and 17th centuries but now survives only in a late-17th-century transcript made by Thomas Tanner, now CUL, MS. Add. 3470.⁸¹

48   Collections of Thomas Keys or Caius.⁸²

Wood, *History*, 2. 179, 234, cites 'Collectiones et excerpta ad rem antiquarem spectantia, maxime vero modo responsionis ad Londinensem de antiquitate Univ. Cantab. 1568 quondam in manibus Thomæ Allen.' He knew the manuscript only from Twyne's notes in MSS. Twyne 3, p. 373, and 24, p. 632. The work is also referred to as 'Responsio imperfecta ad librum Londinensis vel Caii de antiquitate Univ. Cantab.' Cf. MS. 16° 1 above and see OHS, 30, 199.

49   Works of Arnaldus de Villa Nova.

Thomas Hearne's *Collections* for 23 Dec. 1710 (MS. Hearne's Diaries 27, *SC* 15150), p. 154*, pr. OHS, 13. 95–6), contain a reference to a manuscript which, he says, may have been Allen's: 'Mʳ Hill of Queen's shew'd me a thin Msᵗ. in Vellam containing Arnoldus de Villa Nova's *Gladius Jugulans*. (2) his Alloqucio Christi de convenientibus creaturæ racionali. (3) His Apologia de Versusijs pseudo theologorum & religiosorum. The Book was written either when the Author liv'd, or not long after. At the end of the first Tract is this following Note by a later Hand viz. Conscripsit hic Arnoldus de Villa Nova nonnulla alia opuscula, pro suo tempore elegantissima: in quibus, Christiano ausu, fortiter insurgit adversus sui temporis papisticos quosdam & diabolicos nebulones, in quibus & eorum tartarea, commenta vehementissime ac docte insectatur. Sunt autem hæc eorum, quotquot vidi, nomina. 1. Prophetia ejusdem ad Papam Bonifacium de omnibus quæ sibi postea affuere. 2. Epistola ejusdem ad Collegia Cardinalium. 3 Epistola ejusdem ad regem Arragoniæ. 4. Tractatus ejusdem de Spurcijs Religiosorum. 5. Tractatus de laude diei Dominicæ, & poenis inferni, & requie in eodem die. 6. Tractatus ejusdem de misterio simborum [*Hearne comments* lege symbolorum] ecclesiæ. 7. Tractatus de consummatione seculi. 8. Prophetia Catholica et Divina tradens artem adnichilandi versutias Antichristi. This Note was written by some skillfull hand. Perhaps 'twas Mʳ Thomas Allen of Gloucester Hall that was the Author of it. 'Tis probable also that 'twas once his Book.' This would seem to be the Merton College manuscript recorded by Bale, *Index*, 33, and as nos. 166, 167 and 167a in the list of his own manuscripts. It also seems to be the manuscript given to the Bodleian in 1612 by Thomas Twyne, recorded in the Benefactors' Register printed in *SC* 1. 99, but not now identifiable.

50   Works of Roger Bacon.

In MS. Langbaine 7 p. 393 is 'The copy of a note of Mʳ Tho: Allen's of Gloucester Hall Oxon. The original of which I sent to Mʳ Selden Jan. 20 1653/4, Catalogus operum fratris Ro: Bachoni Angli. Eorum scilicet quæ manuscripta apud me [Allen] remanent.' Twenty-seven titles are listed of which all but the following can be identified in known Allen manuscripts:

(a) *Grammatica Latina*. Only two manuscripts are recorded by Steele,⁸³ Cambridge, Peterhouse, MS. 191 and Worcester, Cathedral, MS. Q. 13, neither of which can have belonged to Allen.

(b) *Grammatica Graeca*. Oxford, Corpus Christi College, MS. 148, which belonged to Dee (DM 133 in catalogue, Roberts & Watson), could have been Allen's but no proof is to be found in it. Oxford, University College, MS. 47 is an abbreviated copy of the Corpus manuscript by Twyne which could conceivably have been Allen's. Douai, Bibl. mun., MS. 691 (s. xvii) contains the same text as the University

College manuscript: as it belonged to the English College in Douai, founded in 1568, it may never have been in England. CUL, MS. Ff.6.13 has been in that library since 1594. On these manuscripts see edn. by E. Nolan & S. A. Hirsch (Cambridge, 1902), lxv–lxxi. They also cite a one-leaf fragment, BL, MS. Cotton Julius F. viii, but that reference is wrong. Of all these, the Corpus Christi manuscript seems to provide the best identification.

(c) *De virtutibus et actionibus stellarum.* This may refer to bk. 2 (*De coelestibus*) of the *Communium naturalium,* of which Allen owned two copies, MSS 4º 72 and no. 43 above. Since a separate copy of the work was in Dee's hands, however (M96 in his catalogue, Roberts & Watson, untraced), the present reference may be to that.

51 The holograph manuscript of Allen's *Claudi Ptolomæi de Astrorum Judiciis cum expositione.*

On fol. [iv]ᵛ of MS. Ashmole 388, which contains this work, is 'Mr Allen gaue the Originall of this Worke to Sir Thomas Alisbury[84] from whence there was transcribed two Coppies, the one Mr Huniades the Chimist had,[85] the other was given to Mr Lilly which he bestowed on me this 30ᵗʰ of May 1652. E. Ashmole'. The original was probably lost with the rest of Aylesbury's papers.

52 Asser, *De rebus gestis Alfredi.*

'Lelandus Msᵘˢ in Alphredo. Mʳ Allen' is recorded by Brian Twyne in MS. Twyne 22, fol. 106ᵛ. Apart from post-medieval transcripts, only one manuscript of Asser's text has ever been recorded, the present BL, MS. Cotton Otho A. xii, badly damaged in the Cotton fire of 1731. It was once Leland's, then Archbishop Parker's, and in 1600 was in Lord Lumley's library. Abp. Ussher used it in Cotton's library in 1614 and it is recorded in Cotton's 1621 catalogue in BL, MS. Harley 6018, fol. 21. Soon after 1630, Twyne, who had seen it in Lumley's library before 1608, was wondering what had become of it, but he then made no mention of Allen as a one-time owner. Since the sequence of owners—Leland, Parker, Lumley, Cotton—seems certain, Allen cannot be fitted into it and Twyne's statement must be doubted[86].

53 A Lichfield chronicle.

'Excerptum ex quodam Veteris Chronicon quod olim pertinet ad ecclesiam Lichfeldensem. Mr Allen' is recorded by Brian Twyne in MS. Twyne 22, fol. 224 (*ex info.* Dr Nigel Ramsay). Twyne's note continues. 'Quidam conflictus contigit Oxoniæ die sabbati in festo S. Benedicti Abbatis anno eodem (scilicet anno 1330) inter Magistros Oxoniæ tam Regentes...Chronicon inde hæc nota descripta est, pertingit ad annum domini 1337...'. Possible identifications would seem to be MSS. Bodl. 956 (*SC* 27607), and BL, MSS. Cotton Cleopatra D. ix, fol. 71ᵛ et seq. and Vespasian E. xvi, p. 26 et seq., but none bears any evidence of Allen's ownership.

NOTES

[1] Now MS. Bodl., 755 (*SC* 8110), ed. W. B. Stoneman, *The Library of St Martin's Priory, Dover* (CBMLC).

[2] On James see *DNB*, also C. G. C. Tite, *The Manuscript Library of Sir Robert Cotton* (The Panizzi Lectures, 1993; London, 1994), *passim.*

[3] On Ferrers see *DNB*.

[4] Cotton's statement is in BL, MS. Harley 6018, fol. 15ᵛ. The reference to MS. Add. 36789 was supplied by Dr Tite.

[5] On Gunthorp see Emden, *BRUO*.

[6] See Watson, 'Allen', 302–3.

[7] On Rede see Emden, *BRUO*.

[8] For Ackworth's hand see C. E. Wright, *TCBS*, 1 (1953), 208–37, fig. a.

[9] On Lateware, fellow of St John's College, Oxford, see *AO* and *DNB*.

[10] Wanley's catalogue was published as the second part of George Hickes's *Linguarum vett. septentrionalium thesaurus* (Oxford 1705). This reference is on p. 238.

[11] BL, MS. Add. 26764 also originated in the St Albans scriptorium and also bears Bale's hand. The catalogue of the Additional Manuscripts describes it as the fourth part of the *Granarium* but it is in fact the *Palearium* of the same author (*ex info.* Dr D. R. Howlett).

[12] See H. Anstey, *Epistolae Academicae Oxon.* (OHS, 35, 1898), 1.235.

[13] Watson, *Savile.*

[14] *Rorate* corrected from *Rotate* by Brian Twyne. He probably also added the 'etc.'

[15] *Lexoviensis* corrected from *Exoniensis* by Twyne.

[16] *Rich'* corrected from *Roberti* by Twyne.

[17] 'a' is added by Langbaine. The entry itself is not an addition.

[18] Corrected from *Genetus* by Twyne.

[19] Number and entry added by Langbaine. 61a follows 54 and 61b follows 63a.

[20-21] 'a' is added by Langbaine. The entries themselves are not additions.

[22] Below '61b' Langbaine writes '61.a. vide pag: præcedente.' See n. 19.

[23-24] 'a' is added by Langbaine. The entries themselves are not additions.

[25] Below '207' is a deleted #.

[26] aa–ee are bracketed and marked 'desiderantur' by Langbaine.

[27] Below '104' is a deleted '56'.

[28] For a reproduction of part of the page with the colophon see C. M. D. Samaran & T. Marichal, *Catalogue des manuscrits en écriture latine portant des indications de date, de lieu ou de copiste,* 2 (Paris, 1959), pl. liv. See also J. McNulty, 'William of Rymington', *Yorkshire Archaeological Journal*, 30 (1931), 231–47 and R. J. Dean, 'Elizabeth abbess of Schönau and Roger of Ford', *Modern Philology*, 41 (1944), 209–23.

[29] '162' is not a Langbaine number but was added in pencil, s. xix.

[30] *Modificandi* corrected to *domificandi* in margin by Langbaine.

[31] Langbaine wrote 'Cometon' in the margin.

[32-33] The entries are not additions.

[34] On Robyns see Emden, *BRUO 1501–1540.*

[35] The entry is not an addition.

[36] On Robyns see n. 34 above.

[37-38] The entries are not additions.

[39] The entry is not an addition. 'Forte' is perhaps added.

[40-41] The entries are not additions.

[42-43] On Robyns see n. 34 above.

[44] The unknown writer ξ made a false start to the 8° section, writing as far as the end of art. e in MS. 8° 1 before crossing it all out. In the margin Langbaine inserted 'Vide hic supra' and his notes on nos. 84–90, with an arrow indicating that they should be read as part of the main text after MS. 4° 83.

[45] '(35)' was later deleted in pencil.

[46] On Martiall (Marshall) see Emden, *BRUO 1501–1540*; on Sherles ibid., s.n. Serles. On Reynham see Emden, *BRUO*. For (John) Johnson see Emden, *BRUO 1501–1540*, p. 1019, col. 2, no. 3.

[47] Powicke, *Medieval Books*, 252.

[48] For Ferrers see n. 3 above.

[49] On this episode see D. A. Winstanley, 'Halliwell-Phillipps and Trinity College Library', *The Library*, 5th ser. 2 (1948), 250–82.

[50] *Bibliotheca manuscripta Lauderdaliana* (London, 1692).

[51] M. R. James, *The Manuscripts in the Library of Trinity College Cambridge: A Descriptive Catalogue*, 4 vols. (Cambridge, 1900–1904), 3. 358.

[52] On Robyns see n. 34 above.

[53] Not a Langbaine number but added in pencil, s. xix.

[54] Since the book was later owned by Francis Babington, also of Lincoln College, Knowles may well be Edmund Knolles (Knowles, etc.), fellow of Lincoln, recorded by Emden, *BRUO 1501–1540*.

[55] On Babington see *DNB*.

[56] For manuscripts see A. Hoste, *Bibliotheca Aelrediana* (Instrumenta Patristica, 2; Steenbrugge, 1962).

[57] On Newton see *AO*.

[58] The number is not Langbaine's but was added by an unknown person.

[59] 'f. 19' in a square box is Langbaine's addition but its meaning is unclear; MS. f° 19 (Digby 188) is indeed a chronicle but its size precludes its identification with a volume in the 16° section.

[60] '11' added in pencil is not a Langbaine number.

[61] On James, Cotton's librarian, see references under n. 2 above.

[62] A list of between 70 and 80 titles.

[63] For Ferrers see n. 3 above.

[64] On Glover see *DNB*. On Duyn see M. Coens, 'Les Manuscrits de Corneille Duyn donnés jadis à Héribert Rosweyde et conservés actuellement à Bruxelles', *Analecta Bollandiana*, 77 (1959), 108–34, and N. R. Ker, 'English manuscripts owned by Johannes Vlimmerius and Cornelius Duyn', *The Library*, 4th ser. 22 (1942), 205–7.

[65-66] On Marshall (Martiall) see n. 46 above.

[67] Either Henry Riding, instituted 9 June 1497, who resigned, or more probably Hector Ridyng, instituted 23 Nov. 1497, whose successor was instituted in Dec. 1509 on Ridyng's death. See J. T. Godfrey, *Notes on the Churches of Nottinghamshire, Hundred of Rushcliffe* (London & Derby, 1887), 182.

[68] Thomas Smith, *Catalogus librorum manuscriptorum bibliothecae Cottonianae* (Oxford, 1696), repr. with introduction by C. G. C. Tite (Woodbridge, 1984).

[69] M. R. James, *A Descriptive Catalogue of the Manuscripts in the Library of Lambeth Palace: The Medieval Manuscripts* (Cambridge, 1932), 576–7.

[70] Ralph Blore signed the deed of surrender of Osney Abbey on 17 Nov. 1539: see *Eighth Report of the Deputy Keeper of the Public Records* (1847), Appx. II.

[71] See *MSS. at Oxford*, no. XIII. 2.

[72] In his edition of the manuscript M. V. Taylor, Lancashire and Cheshire Record Society, 69 (1912), 7, notes an Asher family in Chester in the 15th century.

[73] Lichefelde is perhaps either Richard Lichefelde or William Lichefelde, both recorded in Emden, *BRUO*. After 1458 and 1485 respectively each could properly have been referred to as 'Doctor'.

[74] For references to Richard James see n. 2 above.

[75] Raulye is perhaps Walter, son of Sir Walter, who matriculated at Corpus Christi College, Oxford, in 1607 and died before January 1618; see *DNB* under Raleigh, Sir Walter.

[76] For references to Richard James see n. 2 above.

[77] On Clayton see *AO*.

[78] See further Watson, 'Allen', 293–4; R. A. B. Mynors, 'The Stonyhurst Gospel', in *The Relics of Saint Cuthbert*, ed. C. F. Battiscombe (Oxford, 1956), 356–62.

[79] For references to Richard James see n. 2 above.

[80] No. 61 in the list of Bale's manuscripts pr. by H. McCusker, 'Books and manuscripts formerly in the possession of John Bale', *The Library*, 4th ser. 16 (1935), 144–65.

[81] See R. H. Rouse, 'Bostonus Buriensis and the author of the *Catalogus Scriptorum Ecclesie*', *Speculum*, 41 (1966), 471–99. For the references to MS. Twyne 22 see OHS, 30 (1895), 260.

[82] For Kay (Caius) see Emden, *BRUO 1501–1540*, s.n. Kay.

[83] R. Steele, *Opera Baconi, fasc. 15* (Oxford, 1940), x.

[84] On Aylesbury see Watson, 'Allen', 301; M. Feingold, *The Mathematicians' Apprenticeship* (Cambridge, 1984), *passim*.

[85] On Hunyades see F. Sherwood Taylor & C. H. Josten, 'Johannes Banfi Hunyades 1576–1650', *Ambix*, 5 (1953–6), 44–52, 115; G. Gömöri, 'New information on Janós Banfihunyadi's life', *Ambix*, 24 (1977), 170–74.

[86] See further Watson, *Savile*, 83–5.

Index of Manuscripts and Early Printed Books
Cited in Appendix

Reference is by number to the Folio, Quarto, Octavo and Sextodecimo sections of Allen's catalogue and to the Addenda (Add.) on pp. 183–8. Secondary and source references are in italic.

BRUSSELS. Bibliothèque royale
3096: Add. 1

CAMBRIDGE. Peterhouse.
191: Add. 50

CAMBRIDGE. Trinity College
O.7.17 (1345): 8° 19,
O.8.16 (1391): 8° 19

CAMBRIDGE. University Library
Add. 3470: Add. 47
Ff.6.13:   Add. 50

DOUAI. Bibliothèque municipale
691: Add. 50

DUBLIN. Trinity College
A.5.2 (114): 4° 65
E.4.12 (517), fols. 1–52: 8° 17

LONDON. British Library
Add. 29764: f° 29 n.
Add. 37079: Add. 2
Add. 57533: Add. 3
Arundel 350: 16° 1
Cotton Caligula A. xiv, fols. 93–130: 4° 67
Cotton Claudius B. vi: Add. 4
Cotton Claudius B. ix: Add. 4
Cotton Claudius E. vi: 4° 77
Cotton Cleopatra C. v, fols. 97–199: 4° 60
Cotton Cleopatra C. x, fols. 2–56: 8° 3
                            fols. 71–100: 4° 87
Cotton Cleopatra D. vii: 4° 11a–c, e
Cotton Cleopatra D. ix: Add. 53
Cotton Faustina A. v, fols. 1–98: 4° 65a–e
Cotton Galba A. xix: 16° 11
Cotton Julius B. iii: f° 12
Cotton Julius C. v: Add. 3
Cotton Julius D. xi, fols. 2–60: 8° 44
Cotton Julius F. viii: f° 58
Cotton Julius F. vii: Add. 50c
Cotton Nero C. vi: f° 29
Cotton Otho A. i: Add. 5
Cotton Otho A. iv, fols.1–66: 4° 16
Cotton Otho A. xii: Add. 52
Cotton Otho B. xv: f° 56

Cotton Otho E. i: f° 25
Cotton Tiberius A. ix, fols. 2–106: f° 3
Cotton Tiberius D. v part 1: f° 28
Cotton Titus A. iv: 8° 34
Cotton Titus D. xviii, fols. 1–13: 16° 6
Cotton Titus D. xxiv: Add. 6
Cotton Vespasian A. xii: 8° 18
Cotton Vespasian D. xxii: 8° 36
Cotton Vespasian E. x: 8° 25
Cotton Vespasian E. xvi, fols. 71 et seq.: Add. 53
Cotton Vitellius C. xii, fols. 158–228: f° 67
Cotton Appendix IV: Add. 7
Egerton 824: 8° 19
Egerton 847: 8° 19b–p
Harley 6018: f° 3n., 4° 65, 8°18, Add.4, Add. 5, Add. 52
Lansdowne 200: 4° 77
Loan 74: Add. 43
Sloane 310: Add. 8
Sloane 1743: 4° 90
Sloane 1773: 4° 74

LONDON. Lambeth Palace
415: Add. 9

LONDON. Public Record Office
K. R. Misc. Books Ser. I(E164) no. 16: 4° 77

OXFORD. Bodleian Library
Add. C. 250: f° 25
Ashmole 388: Add. 51
Ashmole 1789, fols. 1–32: Add. 10
Auct. E. 4. 9: Add. 11
Auct. F. 1. 7: Add. 12
Auct. F. 3. 15: Add. 13
Auct. F. 4. 32: Add. 14
Auct. F. 6. 4: Add. 15
Bodl. 49: Add. 16
Bodl. 63: Add. 17
Bodl. 108: Add. 18
Bodl. 198: Add. 19
Bodl. 302: Add. 20
Bodl. 337: Add. 21
Bodl. 381: Add. 22
Bodl. 437: Add. 23

Digby 82: 8° 5
Digby 83: 8° 15
Digby 84: 4° 71
Digby 86: 8° 1
Digby 88: 8° 9
Digby 89: 4° 58
Digby 90: 8° 14
Digby 91, fols. 1–85: Add. 32
         fols. 86–127: Add. 32
Digby 92, fols. 1–95: 4° 42
         fols. 96–107: Add. 32
Digby 93: 4° 62
Digby 96: Add. 32
Digby 97: 4° 61
Digby 98: 4° 19
Digby 99: 8° 10
Digby 102: 4° 41
Digby 103: 4° 39
Digby 104, fols. 1–20: 4° 38
         fols. 21–60: 4° 23
         fols. 61–81**: 4° 64
         fols. 82–9: Add. 32
         fols. 90–101: 4° 85b
         fols. 102–23: Add. 32
         fols. 124–35: 4° 6
         fols. 136–60: 4° 86
         fols. 161–74: Add. 32
         fols. 175–98: 4° 70
Digby 105: 4° 35
Digby 107: 4° 30
Digby 108: 4° 55
Digby 109: 4° 29
Digby 110: 4° 18
Digby 111: 4° 17
Digby 112: 4° 46
Digby 113: 4° 12
Digby 114: 4° 33
Digby 115: 4° 49
Digby 132: 4° 57
Digby 140: f° 63a
Digby 143, fols. 1–63: f° 50
Digby 145: f° 27
Digby 146: 4° 66
Digby 147: 4° 26
Digby 148: 4° 15
Digby 149: 4° 40
Digby 150: 4° 20
Digby 151: 4° 1
Digby 152: 4° 51
Digby 153: 4° 27
Digby 154: 4° 10
Digby 155: 4° 13
Digby 157: 4° 45
Digby 158: 4° 14

Digby 159: 4° 24
Digby 160: 4° 22
Digby 161, fols. 1–23: 4° 47
         fols. 24–93: 4° 31
Digby 162: 4° 25
Digby 163: 4° 2
Digby 164: 4° 28
Digby 165: f° 26
Digby 166: 4° 37
Digby 167: 4° 9
Digby 168, fols. 1–146: 4° 4a–y
         fols. 147–231: Add. 32
Digby 172, fols. 1–11: Add. 32
         fols. 12–24: Add. 32
         fols. 25–54: 4° 50
         fols. 55–77: f° 41
         fols. 78–142: f° 69
         fols. 143–50: Add. 32
         fols. 151–8: 4° 52
Digby 173: 4° 7a–b
Digby 174: Add. 32
Digby 175: 4° 3
Digby 176: 4° 5
Digby 177: f° 7
Digby 178: Add. 32
Digby 179: f° 49
Digby 180, fols. 80–113: f° 59
Digby 183: Add. 32
Digby 184: f° 30
Digby 186: f° 33
Digby 187: f° 52
Digby 188: f° 19
Digby 190, fols. 1–28: Add. 32
         fols. 29–37: f° 39
         fols. 38–43: f° 70
         fols. 44–53: f° 62a
         fols. 54–65: f° 37
         fols. 66–76: 4° 37a
         fols. 77–89: Add. 32
         fols. 90–127: f° 45
         fols. 128–210: f° 36a–b
Digby 191, fols. 1–78: f° 32
         fols. 79–102: f° 71
         fols. 103–67: f° 36c–e
         fols. 168–72: f° 40
Digby 192: f° 53
Digby 193: f° 48
Digby 194: f° 65
Digby 196: f° 55
Digby 197: f° 18
Digby 198: f° 61a
Digby 200: f° 21
Digby 201: Add. 32
Digby 202: f° 31

Digby 204: f° 13
Digby 205: f° 8
Digby 206: f° 22
Digby 207: f° 68
Digby 209: f° 42
Digby 211: f° 60
Digby 212: f° 6
Digby 213: f° 23
Digby 214: f° 11
Digby 216: f° 16
Digby 217: f° 34
Digby 218, fols. 1–24: f° 38
              fols. 25–56: f° 17
              fols. 57–69: f° 43
              fols. 70–91: f° 35
              fols. 92–97c: f° 46
              fols. 98–103: f° 5
Digby 219: f° 15
Digby 220: f° 44
Digby 221: f° 10
Digby 226: f° 24
Digby 227: Add. 32
Digby 228: f° 61b
Digby 230: f° 1
Digby 233: f° 2
Digby 235: f° 4
Digby 236: f° 51
[Digby 237: *see under* Add. 42]
Digby Rolls 1: Add. 32
Eng. hist e. 28: Add. 33
Hearne's Diaries 27: *Add. 49*
James 6: *Add. 40*
James 8: *f° 56, 8° 3, Add. 6*
Langbaine 7: *Add. 50*
Lat. bib. 2 (P): Add. 22
e Mus. 173: Add. 34
e Mus. 199: 4° 88
e Mus. 224: 8° 59
e Mus. 238: Add. 35
Rawl. D. 280: *Add. 43*
Rawl. D. 351: Add. 36
Rawl. F. 605, fols. 237–76: f° 63b
Rawl. D. 647: *f° 63b*
Rawl. statutes 34: 4° 84

[Rawlinson] 8° Rawl. 662 (*SC* 15411) (printed): Add. 46
[Selden] Arch. Selden. B. 8, fols. 303–13: f° 14
[Selden] Arch. Selden. B. 26,
              fol. 34: Add. 5
              fols. 35–94: 4° 7c–f
Selden Supra 45: Add. 37
Twyne 3: *Add. 48*
Twyne 21: *f° 3*
Twyne 22: *f° 29 Add. 4, 44, 47, 52, 53*
Twyne 24: *Add. 45, 48*
Wood D. 32: *Add. 46*
Wood empt. 10: *4° 77*
OXFORD. Corpus Christi College
   40: 4° 80
   102: Add. 38
   132: 16° 2
   148: Add. 50b
   160: f° 47
   190: Add. 39
   260: Add. 46
   320: 4° 77
OXFORD. Merton College
   323: Add. 40
OXFORD. Queen's College
   312: f° 9
OXFORD. St John's College
   18: f° 30
OXFORD. Trinity College
   75: Add. 41
OXFORD. University College
   47: Add. 50b
   178: Add. 44
PARIS. Bibliothèque Mazarine
   3576: Add. 42
PARIS. Bibliothèque nationale de France
   lat. 8802: 8° 47
PARIS. Université
   599: f° 57
   790: 4° 8
STONYHURST, Lancs. Stonyhurst College
   Evangelium s.n.: Add. 43
WORCESTER. Cathedral
   Q. 13: Add. 50

GENERAL INDEX TO APPENDIX

Since names in Digby manuscripts are covered by Macray's index to his catalogue and to the index to the notes on his catalogue on pp. 149–56 above, this index includes only (1) such personal and place names (both in roman) as appear in the notes on non-Digby manuscripts in the edition of Allen's catalogue above and (2) authors (in bold), titles (in italic), subject headings (in small capitals) in manuscripts owned by Allen which are recorded in the 'Additional' entries on pp. 183–8 above. Reference is by number to the Folio, Quarto, Octavo and Sextodecimo sections of Allen's catalogue and to the Addenda thereto on pp. 183–8. The following sigla are used: h.=hand in; o.=owned; or.=origin of; wr.=wrote; c.=commissioned. The absence of a siglum indicates that the name occurs in the manuscript.

Abingdon, Berks., Ben. abbey: o. Add. 4, Add. 41
Ackworth, George, d. 1578?: h. f° 12
Ailred of Rievaulx: Add. 3
ALCHEMY: Add. 35
Aldburghe, Richard, s. xvi: 4° 8
Aldhelm: Add. 16
Allen
 —: 4° 8
 Thomas d. 1632: Add. 51
 Thomas (*fl.* 1668): Add. 4
Allom, Matthew, s. xvi/xvii: 8° 59
Arnaldus de Villa Nova: Add. 49
Asher, Rowland, s. xvi: o? Add. 27
Asser: Add. 52
ASTROLOGICA: Add. 8, Add. 34
Augustine, St.: Add. 19
Aylesbury, Sir Thomas, d. 1657: Add. 51
Babington, Francis, of Oxford, d. 1569: h. 8° 47
Bacon, Roger: Add. 42, Add. 50
Bale, John, bp. of Ossory, etc., d. 1563: h. f° 29, Add. 47, Add. 49
Bancroft, John, of Oxford, d. 1640: o. Add. 44
Barett, J., s. xv: o. f° 3
Bate, Humphrey, s. xvi^ex: 8° 59
Bathurst, Ralph, of Oxford, d. 1704: o. 16° 19
Beaufey, —, s. xvi^ex: Add. 9
Beauford, Anthony, s. xvi^ex: 8° 18
Bede: Add. 20
Beningburgh, Yorks: 8° 59
BIBLE, Gospel of St John: Add. 43
Bloore, Ralph, OSA, *fl.* 1543: o. Add. 15
Boethius: Add. 15
Bollandists, Society of: o. Add. 1
Booker, John, *fl.* 1635: o. Add. 10
'Boston of Bury': *see* **Henry of Kirkstead**
Bowsse, Thomas, s. xvi^in: Add. 3
Bruton, Somerset, Aug. abbey (later priory): o? 4° 16
Bryghtman, —, s. xvi^ex: o. 8° 47
Bury St Edmunds, Suffolk, Ben. abbey: o. f° 28, 29
Bury, John: Add. 18
Caius, Thomas, of Oxford: *see* Keys

CALENDAR: Add. 44; reform of, Add. 10
CANON LAW: Add. 26
Canterbury, Kent
 Christ Church Cathedral Priory: o. Add. 9
 Ben. abbey of St Augustine: o. f° 56, Add. 22
Cantlow, Nicholas: 16° 1
Chalcidius: Add. 13
Charles, Prince of Wales (later Charles 1): Add. 33
Chaucer, Geoffrey: 8° 42b
Chester, Ben. abbey of St Werburgh: o. Add. 27
Chronicon 1067–1195: Add. 6
Clayton, Dr Thomas, of Oxford, s. xvii^ex: o. Add. 40
Cole, Henry, of Oxford, d. 1580: o. Add. 12
Collingwood, Roger: Add. 38
Compendium historiarum: Add. 20
Concilia Saxonica: Add. 5
Coniates, Ps.-: Add. 11
Corsar, Thomas, of Oxford, *fl.* 1543: o. Add. 15
Cosbe, John, s. xvi^in: Add. 3
Cotton
 Sir John, d. 1701: o. f° 12
 Sir Robert, d. 1631: pp. 2, 3, 178. For MSS owned see Index of MSS, London, BL, Cotton MSS
Daniell, William, s. xvi^med: o. Add. 26
Davidson, Andrew, s. xvi^in: o. 16° 6
Dee, John, d. 1608: o. f° 14, Add. 10, Add. 40, Add. 42, Add. 50b,c
Distinctiones morales: Add. 20
Draper, Thomas, s. xvi/xvii: Add. 9
Dugdale, Sir William, d. 1686: h. 8° 18
Durham, Ben. cathedral priory: o. Add. 43
Duyn, Cornelius, d. 1623 x 1643: o. Add. 1
Ebor, Robert, s. xvi: 4° 8
Ephrem Syriacus, St: Add. 17
Epistolae Cantuarienses: Add. 9
Eschenden, John: Add. 28
Eutyches: Add. 14
Ferrers, Henry, d. 1633: o. f° 3, 8° 18, Add. 1
Florence: *Statutes of Hospital of St Mary the Virgin*: Add. 24
Fountains, Yorks., Cist. abbey: o. 4° 65